Bert Nagel

Kafka und die Weltliteratur

Zusammenhänge und Wechselwirkungen

Winkler Verlag München

CIP-Kurztitelaufnahme der Deutschen Bibliothek

Nagel, Bert:
Kafka und die Weltliteratur
Zusammenhänge u. Wechselwirkungen
Bert Nagel.
München : Winkler, 1983
  (Winkler Literaturwissenschaft)
  ISBN 3-538-07102-0

© Winkler Verlag, München 1983
Gesamtherstellung: Auer, Donauwörth
Gestaltung des Schutzumschlages: Meike Harms
unter Verwendung eines Fotos
vom S. Fischer Verlag, Frankfurt/M.
Printed in Germany

Nagel · Kafka und die Weltliteratur

Inhalt

Vorwort 7
Einführung 19
Erbe vieler Ahnen 27

Geschichtliche Zusammenhänge, Grenzaffinitäten und
»Blutsverwandte« 105
  Jüdisches Erbe 107
  Antike 133
  Don Quijote 162
  Goethe 170
  Kleist 209
  Die Romantik 243
  Ernst Theodor Amadeus Hoffmann und die Dichter des
  Grotesken und des Grauens 258
  Kierkegaard 278
  Nietzsche 299
  Russische Erzähler 328

Ahnherr vieler Erben 349

Anhang
  Franz Kafka: Werktitel und Siglen 383
  Abkürzungen 383
  Anmerkungen 385
  Zeittafel 435
  Namenregister 438
  Werkregister 444

Vorwort

»Kafka und die Weltliteratur« – ein groß klingender Titel, ein weitgespanntes Thema, eine utopisch anmutende Zielsetzung, die jeden Kafkadeuter, ja auch die Kafkaforschung insgesamt überfordert. Gleichwohl aber eine Aufgabe, die sich heute stellt, nachdem das Werk Kafkas Länder- und Sprachgrenzen überwand und im Vollsinn des Wortes Weltliteratur geworden ist. Was der Buchtitel scheinbar übermütig ankündigt, will in Wahrheit nur darauf hinweisen, daß es ein dringlich gewordenes Desiderat der Literaturwissenschaft ist, diesen Dichter – noch entschiedener und systematischer als bisher – unter komparatistischem Blickwinkel zu betrachten und seinen Platz unter den Großen der Weltliteratur zu erkunden. Es gilt, Kafka aus der ahistorischen Isolation zu befreien, in der er weithin wie eine nur sich selbst verpflichtete Gestalt gehalten worden ist. Er soll in der Vielfalt seiner literarischen Affinitäten erspürt, als ein *Erbe vieler Ahnen* erkannt werden.

Diese Forderung ist indessen nicht gänzlich neu. Auch ist schon einiges Bahnbrechende auf diesem Feld geleistet worden. Ich nenne stellvertretend Hartmut Binders einschlägige Untersuchungen und das von ihm herausgegebene Kafka-Handbuch. Meine Studie »Kafka und Goethe. Stufen der Wandlung von der Klassik zur Moderne« ist ebenfalls komparatistisch motiviert. Daß die Ergebnisse früherer Forschung hier angemessen gewürdigt werden, versteht sich von selbst. Das Hauptinteresse gilt jedoch jenen literarischen Beziehungen Kafkas, die bislang noch nicht oder nur unzureichend erforscht worden sind. Aber freilich kann kein Buch (welchen Umfangs auch immer) die Summe alles Zugehörigen ausbreiten. Doch ist die Auswahl der Themen so vielseitig, daß das Phänomen Kafka als ein Ganzes in den Blick tritt und der Kern seiner menschlichen und künstlerischen Existenz sichtbar wird.

Wenn infolge des notwendig selektiven Verfahrens manches an sich Wünschenswerte ausgespart bzw. nicht *in extenso* erörtert wird, so ist das zugleich als ein Anreiz zum »Assoziieren und Supplieren« gedacht. Doch wird insofern auch dem Wunsch nach einer gewissen Vollständigkeit des Bildes Rechnung getragen, als den Einzelausführungen über Kafkas typologische Bindungen ein Gesamtüberblick über die literarischen Zusammenhänge, in denen sein Werk steht, vorausgestellt ist. Darin werden jene Erscheinungen angesprochen, die aus Raumgründen nicht in jeweils eigenen Kapiteln gewürdigt werden können. *Cum grano salis* enthält dieser »Überblick« eine Art Forschungsbericht zum Thema »Erbe vieler Ahnen«. Ein »Ausblick« auf die Folgen, die Kafkas Dichtung gezeitigt hat, beschließt das Ganze. Er trägt den Titel: »Ahnherr vieler Erben«.

Bemerkenswert ist, daß schon 1938 zwei gewichtige englische Literaturzeitschriften – The Criterion (hg. von T. S. Eliot) und Scrutiny (hg. von F. R. Leavis) – es als geboten erachteten, Kafka in die große Familie seiner literarischen Verwandten einzuordnen, und ihn u. a. mit Shakespeare verglichen haben. Auch Jorge Luis Borges, seinerseits einer der Erben Kafkas, trug sich ernsthaft mit dem Gedanken, den Standort Kafkas in der Weltliteratur zu bestimmen. In einem 1941 (in: New Republic, New York) erschienenen Essay *The Wandering Jew* stellte ihn Wystan Hugh Auden »in eine Reihe mit Dante, Shakespeare und Goethe, die, wie der Prager Dichter, die Repräsentanten ihres Zeitalters gewesen seien«.[1] Schon in diesen frühen Einordnungsversuchen galt es also als ausgemacht, daß Kafka nur mit den Größten zu vergleichen sei.

Aber selbstverständlich darf man nicht wahllos vergleichen, auch wenn auffällige, aber oberflächliche Ähnlichkeiten dazu verlocken könnten. So erscheint es z. B. allzu weit hergeholt und substantiell kaum ergiebig, wenn man Kafka sogar mit Lessing in einen literarischen Kontext zu bringen sucht.[2] Völlig uninteressant, ja ärgerlich ist es jedoch, aus nachweisbaren (oder gar nur vermeintlichen) Plagiaten auf literarische Verwandtschaft zu schließen. Es bedarf schon überzeugenderer Kriterien als lediglich stoffliche Entlehnungen, um künstlerische Zusammengehörigkeit zu unterstellen. Wolfgang Kayser hat mit Recht gefordert, daß »die groben Denkformen von Einfluß und Abhängigkeit zu überwinden« seien.[3] In diesen Zusammenhang gehört nicht zuletzt der zugleich brutale und geniale Zynismus, mit dem Richard Wagner – ähnlich wie Bertolt Brecht – den Vorwurf des Plagiats abgetan hat: »Stehlen allein genügt nicht, man muß auch töten.«

Eine erste und zugleich authentische Orientierung über den literarischen Standort Kafkas ergibt sich aus zahlreichen eigenen Äußerungen, in denen er sein Selbstverständnis als Schriftsteller bekundet hat. So hegte er ausgeprägte Vorlieben für einige als nahestehend erachtete Autoren, solche nämlich, die er – wie z. B. Kierkegaard – als »bestätigende Freunde« empfand oder gar als »Blutsverwandte« bezeichnete wie Kleist, Grillparzer, Dostojewski, Flaubert, Strindberg u. a., aber auch für solche, die das waren, was er selber sein wollte, aber nicht sein konnte, die das besaßen, was ihm fehlte, nämlich angstfreie Geborgenheit, die innerlich im Gleichgewicht waren und im Einklang mit der Welt zu leben vermochten und die anfallenden Probleme meisterten. Darum bewunderte er Goethe und liebte Johann Peter Hebel, Hölty, Eichendorff, Carossa, den jungen Hamsun und besonders auch Matthias Claudius. In seinen Erinnerungen berichtete Ludwig Hardt, daß er Kafka am Krankenbett Gedichte von Claudius vorgetragen habe, die Kafka den sehnsüchtigen Ausruf entlockten: Ja, wenn man doch nur wie er sein könnte![4] Und Hardt fügte hinzu: Kafka habe in der Tat mit diesem frommen Dichter viel gemein gehabt. Wie alle nahen Freunde Kafkas sah auch Hardt in ihm einen religiösen Menschen, »einen Knecht Gottes«, wie Johannes Urzidil ihn nannte.

Wer den Ort Kafkas in der Literatur-, Kultur- und Geistesgeschichte ausmachen will, muß dessen unaufhebbare Ambivalenz jederzeit im Blick behalten, die irritierende Tatsache, daß er sich einerseits zu den Unglücklichen und Unbehausten, den Pessimisten und Skeptikern und zu den »Gottsuchern wider Willen« als seinen »Blutsverwandten« bekannte, sich aber andererseits gerade auch zu den religiös Geborgenen hingezogen fühlte. Symptomatisch ist dafür die aufwühlende Wirkung, welche die primitiven jiddischen Schauspiele in ihm hervorrufen konnten. Die Kunstlosigkeit dieser Spiele störte den künstlerisch so anspruchsvollen Dichter nicht. Im jiddischen Theater empfing er etwas, was mehr war als Kunst und Literatur. Es führte ihn zurück zu dem Ursprung, aus dem er herkam, zur Heimat, die er verloren hatte und nicht mehr zurückholen konnte. Hier verspürte er etwas von jener »unbekannten Nahrung«, derer er zu seiner Erlösung bedurfte, die er aber – wie sein Hungerkünstler – nirgendwo finden konnte. Freigeistig und emanzipiert, doch mit seinem Fühlen noch unlösbar einer fernen Vorzeit angehörig, ist Kafka gleichzeitig jung und uralt, ein moderner und ein archaischer Mensch, ein Dichter, der Jahrtausende in sich bewegte, in dessen Werk das jüdische Erbe strukturbestimmend fortwirkte.

Nicht zuletzt liegt eben darin das Erregende und Faszinierende der Kafkaschen Dichtungen, daß in ihnen längst Vergangenes noch ganz gegenwärtig ist, zugleich aber auch erst Kommendes bereits vollzogen erscheint, daß sie Assoziationen in allen Richtungen auslösen und dennoch Kunstgebilde strenger Form und einmalig eigener Prägung darstellen.

Dieser moderne Dichter »an der Wende zu einer akausalen Welt und Literatur« (Hans Mayer) ist andererseits mit nur modernen Denkkategorien nicht voll zu erfassen. Sowohl im Ganzen wie in den oft bestürzend unverständlichen Details seiner Gestaltungen kann Kafka letzthin nur von seiner Herkunft her, aus der langen Leidensgeschichte seines Volkes verstanden werden, die er auf seine ganz persönliche Weise noch einmal schmerzlich durchlitt. Denn obwohl in Freiheit lebend, empfand sich Kafka nach seinen eigenen Worten noch immer im Getto, lebte er – wie die Protagonisten seiner Erzählungen und Romane – ein Leben in der Angst, fand er keine Möglichkeit der Integration, blieb er ein »outlaw«. Das aber heißt: die Vergangenheit war für ihn in mancher Hinsicht noch realer und mächtiger als die Gegenwart. Im angstvollen Aufblick zur dominierenden Gestalt seines Vaters erlitt er noch den ungeschwächten Terror archaischer Väterherrschaft. Und die Helden seiner Romane, Josef K. im *Prozeß* und K. im *Schloß*, erleiden – unter modernen Gesellschafts- und Arbeitsbedingungen – das Schicksal des wandernden ewigen Juden, dem die Ankunft mißlingt. In der Seele Kafkas war der altbiblische Gott Jahwe noch immer der Gott der Welt. Und Abraham, Isaac und Hiob waren für ihn nicht unfaßbar gewordene

Vorfahren, sondern lebendige nahe Gestalten, mit den gleichen Problemen konfrontiert wie er selbst, so daß räumliche und zeitliche Ferne kaum eine Rolle spielen.

Diese Rückbezogenheit auf archaische, ja mythische Zeiten gilt aber nicht nur für das biblische Altertum, sondern auch für die altgriechische Antike. Affinität verbindet Kafka z.B. mit den absurd anmutenden Gedankenspielen der Sophisten und insbesondere mit den griechischen Tragikern. So steht er dem antiken Dramatiker Sophokles näher als dem zeitgenössischen Romancier Thomas Mann, mit dem ihn zwar aufrichtige Bewunderung, aber keine literarische Verwandtschaft verband. Das Alte Testament, Heilige Schrift und zugleich Weltliteratur nach Rang und Wirkung, jüdisches Erbe also und die Antike repräsentieren Geisteswelten, mit denen Kafkas Denken und Dichten weithin noch zusammenstimmten. Das Thema »Kafka und die Weltliteratur« ist eben deshalb so verwirrend weitgespannt, weil die Wurzeln dieses Dichters in uralte Schichten der Ethik hinabreichen, weil er – als literarischer Exponent der modernen Krise – gleichzeitig der belastete Erbe archaischer Traditionen ist und als solcher um Jahrtausende älter als Goethe und Shakespeare, älter auch als die Dichter und Denker der Antike.

Andererseits gilt Kafka mit Recht als einer der bahnbrechenden Schriftsteller der Moderne, als vielleicht markantester Repräsentant unserer von Grund auf verwandelten Gegenwart, die vom »Geist der Goethezeit«, ja von aller früheren Dichtung überhaupt unüberbrückbar getrennt zu sein scheint. Nicht zuletzt ist uns doch gerade durch Kafka bewußt geworden, daß die jahrhundertelange Dichtungstradition, die unser Literaturverständnis bis tief ins 20. Jahrhundert hinein fast dogmatisch bestimmt hat, inzwischen historisch geworden ist. Kafkas Romane knüpfen nicht wie u. a. noch Thomas Mann und Hermann Hesse an die Erzählkunst der Klassiker an. »Ja, es scheint, als sei es *nach* Kafka gar nicht mehr möglich, so zu schreiben wie die Dichter der vergangenen Jahrhunderte.«[5]

Im Grunde können wir Kafka mit älterer Dichtung überhaupt nur deshalb in eine geschichtlich relevante Beziehung bringen, weil geschichtliches Leben selber immer anachronistisch ist. Das Vergangene ist ja nie restlos vergangen, und das Zukünftige hat immer schon begonnen. Zu allen Zeiten haben Einzelne das erst Kommende denkend und dichtend vorweggenommen, und andere Einsame haben längst Vergangenes lebendig in sich bewahrt. Hinzu kommt, daß der Mensch als solcher mit seinen fundamentalen Problemen – bei allem Wechsel der historischen Kostüme und Masken – letzthin derselbe bleibt. Auch der wie eine vom Himmel herabgesandte Wundererscheinung angestaunte Kafka[6] ist – trotz seines unverwechselbar Eigenen und Neuen – nicht nur von hier und heute, sondern weit mehr, als man auf den ersten Blick annehmen möchte, auch noch einer ganz frühen, mythischen Vorzeit zugehörig. Mehr noch, er steht literarisch und typologisch in schier unübersehbar vielfältigen Beziehungen und wahlverwandtschaftlichen Zusammenhängen. Neben der jüdischen Tradition, die in fest geprägten literarischen Formen – insbesondere chassidische Legenden und jiddische Dramen – bis in seine Zeit fortlebte und sich in Inhalt und Form seiner Werke niederschlug, finden sich – wie betont – auch in der Antike auffällige Parallelen zu Kafkas Dichtungen, ja literarische Archetypen, die durch ihn eigenwillig variierte Neuprägungen erfuhren und nach komparatistischer Erfassung und Auswertung verlangen.

Dieser enge Bezug zum jüdischen und griechischen Altertum trennt Kafka zugleich aufs entschiedenste von der Moderne, als deren einflußmächtigster Initiator er andererseits mit Recht gesehen wird. Denn das besagt, daß Kafka den die Neuzeit kennzeichnenden Säkularisierungsprozeß nicht konsequent mitvollzogen hat, daß vielmehr Transzendenz für ihn eine Realität geblieben ist und Existenz sich nicht im Sinnfälligen erschöpft, Welt und Ich für ihn also nur im grenzüberschreitenden Sehertum »traumhaften inneren Lebens« faßbar werden können. Mit anderen Worten: In Kafkas Sehen, Denken und Darstellen ist die Welt hinter den Dingen immer miteingeschlossen. Das heißt aber nicht, daß er ein ausschließlich religiös metaphysischer Dichter ist, als den ihn Max Brod zu eindeutig und einseitig gekennzeichnet hat. Es geht ihm vielmehr um die ganze Wirklichkeit, um die sichtbare sowohl wie um die unsichtbare; Kafka ist Realist, der an den Grenzen des konkret Faßbaren nicht haltmacht, sondern das Wirkende als solches, auch das Ungegenständliche, als wirklich vor Augen stellt. Seine Erzählungen und Romane haben es durchaus mit der realen Menschenwelt zu tun, nur eben ergänzt um die sonst ausgesparte oder verdrängte Dimension des hintergründig Wirklichen.

So wenig zeitlicher Abstand und räumliche Ferne für die literarische Ortung Kafkas bedeuten, insofern er dem Gedicht von Hiob und dem *Ödipus* des Sophokles näher stand als den meisten seiner dichtenden Zeitgenossen, ebensowenig bedeuten gattungspoetische Kriterien für die Einordnung seines Werkes in den Kontext der Weltliteratur. So fällt auf, wie stark sich Kafka zur Lyrik hingezogen fühlte, ja daß ihn – von den Persönlichkeiten der Dichter her – mehr mit den Lyrikern als mit den erfolgreichen Romanciers seiner eigenen Epoche verband. Rilke und Kafka, vor allem aber Trakl und Kafka sind Verwandte, ja »Blutsverwandte«. Thomas Mann und Kafka hingegen, auch Hesse und Kafka oder gar Feuchtwanger und Kafka sind es nicht. Trakls freirhythmische, reimlose Lyrik hat Kafka geliebt, obwohl er selber keine Verse schrieb,[7] vielmehr *expressis verbis* ausschließlich »Geschichtenerzähler« war. Unbeeinträchtigt durch den Unterschied der poetischen Gattung hat ihn ein unmittelbar korrespondierender und auch biographisch bedingter Aussageimpuls mit Trakl verbunden, der in der Tat ein am gleichen Leiden krankender Geistes- und Seelenverwandter Kafkas war. Trakls Dichtung ist das kongeniale lyrische Pendant zu Kafkas Epik.[8]

Wenn zwischen dem Lyriker Trakl und dem Erzähler Kafka ein enges dichterisches Verwandtschaftsverhältnis besteht, so erhellt daraus, daß man dem Thema »Kafka und die Weltliteratur« von gattungspoetischen Prämissen aus nicht gerecht werden kann. Rein formale Kriterien oder gar nur äußere Parallelen und Vergleichbarkeiten treffen nicht den Kern des Problems. Zwar gibt es Schriftsteller, deren literarische Zugehörigkeit auf solche Weise von außen her festgelegt werden kann, z. B. Begründer und Vertreter bestimmter Richtungen sowie die vielen beflissenen Epigonen, die sich an große Gestalten anzuhängen pflegen und die man getrost im Kollektiv einer sogenannten »Dichterschule« unterbringen kann. Aber zur literarischen Ortung eines eigenwüchsigen Dichters wie Kafka reicht ein solches Einordnungsverfahren nicht hin; sie fordert eine *typologische* Erfassung seines Menschen- und Künstlertums. Nur vom Typus der Persönlichkeit aus ist Kafkas Stellung im vielfältig verschlungenen Kontext weltliterarischer Zusammenhänge auszumachen. Dem steht aber nicht entgegen, daß Kafka als Schreibender auch ein Lernender war, der sich an literarischen Vorbildern geschult hat. Doch versteht sich, daß auch bei der Wahl seiner Vorbilder typologische Verwandtschaft den Ausschlag gegeben hat.

Auch der originellste Dichter erfährt prägende Einflüsse und geht bei den Meistern seiner Wahl in die Lehre. Kunst ist nie nur reine Schöpfung, sondern immer auch Produkt eines Lernvorgangs. Kafka selbst sagte zu Brod, die Kunst habe das Handwerk nötiger als das Handwerk die Kunst. Und Rilke nannte bezeichnenderweise seine Dichtungen nicht Schöpfungen, sondern »Arbeiten«. Andererseits gehört Kafka zu jenen Autoren, die durch Urerlebnisse und individuelle Erfahrungen geprägt sind und erst in zweiter Linie durch Bildungserlebnisse angeregt wurden. Fundamental wichtig ist seine Äußerung zu Janouch: er habe *viele* und *keine* Vorlagen (J54). In der Tat ist alles, was Kafka schrieb, originale Dichtung, so viel er auch im einzelnen von anderen Autoren übernommen haben mag. Denn das Übernommene war für ihn jeweils nur Stoff, Baumaterial, aus dem er Eigenes gestaltete. Wo er aber fertige Komplexe übernahm, ging es um *a priori* Gemeinsames, um genuin Zugehöriges, wobei gleichsam aus gemeinsamem Familienbesitz geschöpft und damit der Vorwurf des Plagiats gegenstandslos oder doch gemildert wird.

Nachweisbar sind vielfältig verschiedene Elemente in den Erzählstoff der Kafkaschen Texte eingeformt, so daß uns immer wieder »Altes im Neuen« begegnet. Aber wichtiger als das Gewesene ist das in Kafkas Dichtung daraus Gewordene, die hier entstandene bis zum Zerreißen gespannte Einheit von alt und neu. Die umarbeitende Auseinandersetzung mit der Erzähltradition ergibt in der Regel Gegenmodelle zu den Aussagen der Quellen. Das gilt insbesondere für die Umformungen antiker Mythen und Motive, aber auch für die gegensätzlichen Neudeutungen des aus neuerer Literatur Übernommenen. »Ob man Kafka mit

Kleist, E. T. A. Hoffmann, Kierkegaard oder Strindberg, Dostojewski oder Tolstoj, Flaubert oder Dickens, Heidegger, Sartre oder Camus vergleicht, stets bleiben unaufhebbare Differenzen bestehen. Infolgedessen sind alle Gleichsetzungen sowohl mit Persönlichkeiten als auch mit Systemen gescheitert.«[9]

Andererseits enthüllt ein Blick in die Weltliteratur, daß das, was uns in Kafkas Werk als erregend, ja erschreckend entgegentritt, nicht erst mit Kafka begann, daß es »schwarze Dichtung« vielmehr schon immer gegeben hat. »Schon das Alte Testament und die alten Griechen bieten zu derartigen Inhalten Beispiele, in denen das bare Grauen spricht.«[10] Infolgedessen ist es nicht abwegig, sondern geboten, den Blick zurückzulenken und das moderne Phänomen Kafka von seinen Ursprüngen her, in der wechselreichen Vielfalt seiner geschichtlichen Erscheinungsformen zu erkennen. Zugleich wird dieser vergleichende Blick zurück aber auch das entscheidend Neue und Unvereinbare dieses Dichters um so markanter sichtbar machen. Dies nicht zuletzt deshalb, weil Kafka offensichtlich die Absicht verfolgte, »durch Antitexte zur Tradition die neue biographische und existentielle Situation des Individuums in der Moderne aufzuzeigen«.[11] Im übrigen stand Kafka mit seinem Neuen nicht unbedingt allein. So fällt auf, daß die Literatur vor und um die Jahrhundertwende von Junggesellen bevölkert ist: Dostojewski: Raskolnikov *(Schuld und Sühne)* und Fürst Mischkin *(Der Idiot);* Tolstoj: Nechljudow *(Auferstehung);* Hofmannsthal: Claudio *(Der Tor und der Tod);* Rilke: Malte Laurids Brigge; Oscar Wilde: Dorian Gray; Thomas Mann: Spinell *(Tristan);* Huysmans: Des Esseintes *(A rebours);* Italo Svevo: Nitti *(Ein Leben)* u. a.

Auch das Nichtabgeschlossensein der Romane und (vieler) Erzählungen Kafkas ist wohl als typologisch bedingt und damit in einem bestimmten literarischen Zusammenhang zu sehen. Kafka »gehört zu jenen Dichtern, die uns durch die suggestive Kraft der Vergegenwärtigung ... in den Bann ihrer ›unerhörten Begebenheiten‹ ziehen und den Ablauf der Dinge rasch in eine solche Höhe zu treiben, daß es schwer (oder gar unmöglich) wird, einen angemessenen Schluß zu setzen. Doppelt schwer für einen Autor seiner Art, dessen Wahrheitswille keinen rhetorischen oder gar theatralischen Effekt zuließ. Da sich seine gestalterische Energie in der Darstellung des laufenden Geschehens – ›im Feuer zusammenhängender Stunden‹ – fast restlos aufzehrte, blieb ihm am Ende fast nur noch die Kraft zu einem ›Nachwort‹, in dem der Dichter nicht mehr ganz er selber ist, sondern gleichsam als ein posthumer Herausgeber fungiert ... Ähnliches gilt von den großen Romanen Dostojewskis oder auch dem mittelhochdeutschen Nibelungenepos, Dichtungen, die eine hochgespannte, vielstimmige Handlung entfalten und sie zum Schluß in steilem Abfall ins Leere auslaufen lassen.«[12]

Typologisch bedingte Affinität bezeugt sich auch in Kafkas erklärter Zuneigung zu autobiographisch motivierten Dichtern und Denkern wie

Amiel, Byron, Dostojewski, Grabbe, Grillparzer, Goethe, Hebbel, Kierkegaard, Kleist, Schopenhauer, deren Biographien, Memoiren, Briefe, Tagebücher und sonstige Lebenszeugnisse er so wichtig nahm wie ihre Werke. Bei der Lektüre solcher autobiographischer Dokumente »faszinierten Kafka die Vergleichspunkte zu seinem eigenen Dilemma, so bei Kleist, Grillparzer, Hebbel und Kierkegaard. Die Verehrung für Flaubert hat Ulrich Weisstein (Einführung in die vergleichende Literaturwissenschaft, Stuttgart 1968, 106) einmal treffend ein »psychologisches Rezeptionsverhältnis« genannt. »Mangelnder Praxisbezug [ließ] Kafka die Konfrontation mit der eigenen Entfremdung im Spiegel des Lebens anderer suchen. Einfühlung als Rezeptionsverhalten verbindet sich bei ihm mit einer rigoros ichbezogenen Auffassung von der literarischen Wirkung. Eine frühe Briefstelle faßt dies in folgendes Bild: ›Manches Buch wirkt wie ein Schlüssel zu fremden Sälen des eigenen Schlosses‹ (Br 20).«[13]

Er selber schrieb am 16. Dezember 1911: »Meinem Verlangen, eine Selbstbiographie zu schreiben, würde ich jedenfalls in dem Augenblick, der mich vom Bureau befreite, sofort nachkommen... Dann aber wäre das Schreiben der Selbstbiographie eine große Freude, da es so leicht vor sich ginge wie die Niederschrift von Träumen und doch ein ganz anderes, großes, mich für immer beeinflussendes Ergebnis hätte, das auch dem Verständnis und Gefühl eines jeden anderen zugänglich wäre...« (T 218 f.) Und an seine Verlobte Felice Bauer schrieb er im Januar 1913: »Der Roman bin ich, meine Geschichten sind ich.« (F 266) »... ich schreibe nichts, was wohl ganz außer Zusammenhang mit mir wäre...« (F 271)

In welchen Zusammenhängen Kafka speziell mit den Dichtern des 18./19. Jahrhunderts sowie mit seinen dichtenden Zeitgenossen steht und wie er in den Wandlungsprozeß der Literatur »Von der Klassik zur Moderne« einzuordnen ist, habe ich in meinem Buch über »Kafka und Goethe« zu erhellen versucht. Die Ergebnisse dieser Studien sind hier knapp zusammengefaßt und durch weiterführende Ausführungen ergänzt.

Über die Auswahl, die aus dem weiten Bereich der Weltliteratur getroffen wurde, über ihre Darbietung und Gewichtung orientiert der Aufbau des Buches, dessen erster Teil »Erbe vieler Ahnen« eine Vorstellung von der Vielfalt der typologisch relevanten literarischen Beziehungen Kafkas vermittelt. Dabei liegt der Akzent auf dem bislang nur wenig oder überhaupt nicht Beachteten. Unter Hinweis auf bereits vorliegende Untersuchungen wird aber auch das schon mehr oder weniger Bekannte angesprochen und in z. T. neuer Beleuchtung in den Blick gerückt. Hauptteil des Buches ist der zweite Teil, eine Sammlung komparatistischer Essays zur Typologie des Dichters, die dessen Werk und Persönlichkeit in besonders charakteristischen Zusammenhängen aufzeigen und zugleich das Unvereinbare im Gemeinsamen sichtbar machen. Überraschen mag dabei, daß der Vergleich Kafkas mit dem Literatur- und Geistesleben der Antike reichere Ausbeute ergibt als der (scheinbar) näherliegende Vergleich mit der Romantik. Über Kafka und Don Quijote hat Marthe Robert[14] ein geistvolles Buch geschrieben, mit dessen Folgerungen sich auseinanderzusetzen ebenfalls geboten erscheint. Vor allem aber fordert das Verhältnis Kafkas zu Goethe und Kleist, E.T.A. Hoffmann, Kierkegaard und Nietzsche jeweils eingehende Einzelerörterungen, die gleichermaßen das Verbindende und Trennende herausstellen. Unübersehbar ist ferner die Affinität, die Kafka mit den großen russischen Erzählern verbindet. Im Schlußkapitel wird mit dem Hinweis auf Kafka als »Ahnherr vieler Erben« ein neues Thema anvisiert und als eine Aufgabe künftiger Forschung nahegelegt.

Wenn hier der Versuch unternommen wird, einen Einzelgänger und eigenwüchsigen Neuerer wie Kafka in die Traditionen der Weltliteratur einzuordnen, so ist das gewiß ein problematisches Vorhaben, ist aber zugleich als Forderung gestellt, insofern im Werk dieses Dichters Altes, Vergangenes und Vergessenes in vielerlei Erscheinungsformen noch lebendig fortwirken. Ja gerade das, was man als Ausgeburten seiner grotesken Phantasie aufzufassen geneigt ist, hat er meist nicht erfunden, sondern übernommen. Andererseits steht er aber in vielem außerhalb der Tradition. So ist er nicht mehr durch das humanistische Bildungserlebnis geprägt, das die Dichter jahrhundertelang entscheidend bestimmt hat. Was ihn zum Schreiben antrieb, war vielmehr ein ganz eigener, nicht traditionell vorbestimmter Impuls. »Introversion und Isolation bestimmten Kafkas Schriftstellerexistenz zur Monade. Er mußte sich nicht erst losringen von den Geistern der Vergangenheit, sondern grub seinen eigenen Schacht von Babel.«[15] »Nicht [schon] in Nietzsche und auch noch nicht in Gottfried Benn, sondern erst in Kafka ist das reine, unparteiische Gegenüber zu Goethe erreicht... Kafkas Schreiben ist also nicht mehr Antithese zu Goethe (und zur Welt der Klassik überhaupt), sondern ein durchaus ... neutraler Neubeginn«. In solchem Sinn betonte Max Lerner: »a lonely and almost nihilist quality of Kafka's genius: It seems to have come from nowhere, to belong to nothing, even perhaps to lead to nothing. Kafka is part neither of the humanist nor the antihumanist tradition into which we have come to divide the recent intellectual history of Europe.«[16]

Ebenso verweist Wystan Hugh Auden auf das unvereinbare Neue Kafkas im scheinbar Gleichen: »The full lengths novels of Kafka belong to one of the oldest genres, The Quest... [But they] differ from all other forms of quest in that the hero's problem is no longer ›Can I do what I am required to do?‹ but ›What am I required to do?‹«[17] Und das bedrückende Fatale dabei ist, daß diese fundamentale Frage immer offen bleibt, nie eine eindeutige Antwort findet. Letzthin ist es die Wende »zu einer akausalen Welt und Literatur«[18], durch die sich Kafka von aller Tradition gelöst hat. Und er tat das auf so eigenwillige Weise,

15

daß man ihn auch in seiner eigenen Zeit als eine isolierte Gestalt gesehen hat.

Andererseits war aber nach der Jahrhundertwende auch der allgemeine Zug der Zeit auf Bruch mit der Tradition, auf radikalen Neubeginn gerichtet. Bei aller bewußten Distanzhaltung stand darum auch Kafka im Strom des neuerungswilligen literarischen Lebens seiner Epoche. Im besonderen stellt sich hier die Frage, wie seine Beziehung zum *Expressionismus* zu beurteilen sei, ob eine solche überhaupt bestehe bzw. sich auf bloße Zeitgenossenschaft beschränke, wie u. a. Binder, Raabe und Hans Mayer unterstellen[19], oder ob nicht doch auch genuine Zusammenhänge seines Werkes mit dem Expressionismus (und Impressionismus) erkennbar sind. Die Frage nach der Stellung Kafkas in seiner Zeit gestattet kein eindeutiges Ja oder Nein, sie fordert eine subtil nuancierte Antwort. Das betrifft nicht zuletzt auch den (mitunter totalitären) Anspruch, den die Philosophie (insbesondere der Existentialismus), die Psychologie (vor allem die psychoanalytische Richtung Sigmund Freuds), die Theologie, der Nihilismus, ja auch der Marxismus an Kafka und sein Werk stellen, obwohl sich Kafka selbst mit seinem Bekenntnis, »nichts als Literatur« zu sein, entschieden jeder außerliterarischen Festlegung entzieht. Dem steht aber nicht entgegen, daß die Dichtung Kafkas gleichwohl eine Fundgrube für Existentialisten und Freudianer, für Religionsphilosophen und Agnostiker, Nihilisten und Pessimisten darstellt. Sie alle können an ihm »partizipieren«, aber ihn nicht vereinnahmen.[20]

Daß nicht alles, was bemerkenswert wäre, in den Blick gerückt werden kann und andererseits einiges nur in Aperçus angedeutet wird, entspricht der Forschungssituation wie auch dem Wunsch, den Horizont offen zu halten und nichts zu dogmatisieren. Sicher wird man dem hier gesteckten Ziel am ehesten gerecht, wenn man es als ein Fernziel begreift. Zufällige Parallelen, entlehnte Einzelzüge, aber auch das sogenannte »Kafkaeske«[21] interessieren dabei erst in zweiter Linie. Entscheidend wichtig sind hingegen die historisch nicht ableitbaren ursprünglichen Gemeinsamkeiten Kafkas mit Persönlichkeiten, die er gar nicht kannte, noch überhaupt kennen konnte.

Durchlaufende Konstante in allen Beziehungen, in denen Kafka und sein Werk stehen, ist die individuelle Existenz des Menschen[22], die Konfrontation des Einzelnen mit der Welt, die als Gegenwelt erlebt und erlitten wird. Am stärksten wirken jene Assoziationen, die Kafka als einen Seher erst heute vollzogener Wirklichkeiten erscheinen lassen. Er selbst würde freilich sagen, daß das menschliche Dasein nie anders war und daß er nur aufzeige, was immer und überall *ist*. In der Tat geht es in seinem Sehertum nicht um konkrete Prophetie, sondern um eine letzthin *zeitlose* Sicht, um Enthüllung des Menschenmöglichen, um das Seiende an sich, in dem das Gestern, das Heute und das Morgen eingeschlossen sind. Dem entspricht Kafkas Zug zur Parabel und zum parabolischen

Erzählen. Denn auch die Parabel erhellt die Gegenwart, indem sie gleichzeitig und gleichermaßen in die Vergangenheit und in die Zukunft weist.

Nicht unerwähnt bleibe, daß der Quellenwert von Gustav Janouchs »Gesprächen mit Kafka« fragwürdig geworden ist, nachdem Eduard Goldstücker dessen redselige Berichte z. T. als Fälschungen entlarvt hat.[23] Infolgedessen kann dieser bislang so viel beanspruchte »Gewährsmann« in Zukunft nur noch unter der Voraussetzung zitiert werden, daß seine Angaben durch eigene Äußerungen Kafkas inhaltlich gedeckt sind. Die Authentizität seines Wortlauts jedoch muß als grundsätzlich ungesichert gelten.

Zur Anlage des Buches ist zu bemerken, daß sein Aufbau aus in sich geschlossenen Kapiteln und Unterkapiteln eine gewisse Selbständigkeit der Teile bedingt, der zufolge inhaltliche Überschneidungen nicht ganz zu vermeiden waren, aber in gebotenen Grenzen gehalten wurden. Die Selbständigkeit der einzelnen Essays wird noch dadurch betont, daß jeder einen Anhang eigener Anmerkungen erhält und so auch formal in sich abgerundet erscheint. Anmerkungen statt Fußnoten wurden deshalb gewählt, weil der laufende Text als ein Ganzes gedacht ist und fürs erste auch als ein Ganzes in ununterbrochenem Zusammenhang aufgenommen werden sollte.

Irvine, California, Frühjahr 1983   Bert Nagel

Einführung

Als einen »Herabgesandten« und »großen Auserwählten« hat Franz Werfel den Dichter Kafka gerühmt, als einen Seher, dem die Gabe zuteil geworden sei, »sein jenseitiges Wissen und seine unaussprechliche Erfahrung in dichterische Gleichnisse zu gießen«. Max Brod feierte ihn als den größten deutschen Dichter überhaupt. Hermann Hesse nannte ihn »einen heimlichen König der deutschen Prosa«. Auch André Gide, Thomas Mann, Rainer Maria Rilke, Kurt Tucholsky und noch viele andere Schriftstellerkollegen haben seine gestalterische Kunst rückhaltlos bewundert. Für Literaturkritiker wie Wilhelm Emrich und Walter Muschg ist Kafka geradezu eine geweihte Gestalt. Selbst Klaus Wagenbach, dem es nach seinen eigenen Worten um eine nüchterne Bestandsaufnahme geht,[1] verfiel dem hymnischen Superlativ: »Es bleibt eine der wenigen Gerechtigkeiten der Geschichte, daß in den Jahrzehnten des Antisemitismus ein Jude die klarste deutsche Prosa geschrieben hat.«[2]

In der Tat steht die Kafka-Forschung fast ausnahmslos im Zeichen der Faszination durch den Dichter. Man sieht in seinem Werk etwas Ausnahmehaftes und nur sich selbst Verpflichtetes, fast ein übergeschichtliches Phänomen oder gar eine vom Himmel herabgefallene Wundererscheinung.[3] Hans Mayer nennt Kafka einen »Wendepunkt ... an der Grenze zu einer akausalen Welt und Literatur«,[4] und betont, daß seine Dichtung »alle Moden und Interpretationsversuche siegreich überstanden« habe. An der außerordentlichen Wirkung des Autors besteht also kein Zweifel, und die Vorstellung, daß mit ihm eine neue Epoche der Literatur begonnen habe, erscheint fast unabweislich. Seit Kafka ist es einfach nicht mehr möglich, wie Gottfried Keller oder Wilhelm Raabe zu erzählen. Aber auch die epische Kunst Thomas Manns stellt sich – im Blick auf Kafkas Gestaltungen – nicht mehr als eine zukunftsträchtige Möglichkeit, sondern als Endpunkt einer Entwicklung dar.

Manches spricht dafür, daß wir heute »an der Grenze zu einer akausalen Welt und Literatur« stehen und daß gerade Kafka diese Wende besonders deutlich artikuliert. Doch ist andererseits sein Werk auch nicht so völlig neu und eigengeprägt, wie man weithin unterstellt. Es steht vielmehr in klar erkennbaren historischen Zusammenhängen und ist sogar in hohem Maße durch Vorgänger und Vorbilder bestimmt.[5]

Bis in die Details lassen sich seine Dichtungen auf vorgegebene Formen und vorgeformte Motive zurückführen. Das Eigene seiner Gestaltungen ruht also auf einer weit ausgebreiteten kompilatorischen Grundlage.[6] Auch stand er tief und vielseitig im Strom des literarischen Lebens seiner Zeit. Die Frage nach den Voraussetzungen und Ursprüngen seiner Kunst ist also nicht überflüssig, sondern vordringlich. Allzu lang wurde seine Dichtung wie eine Schöpfung aus dem Nichts angestaunt, als ob sie außerhalb der europäischen Erzähltradition stünde. Jetzt geht es darum, den Ort des Dichters auszumachen und die formgeschichtlichen Zusammenhänge aufzuhellen, in die sein Werk einzuordnen ist. Nicht weniger wichtig ist die Geschichte seines Fortwirkens. Denn kaum ein Schriftsteller der Nachfolgegeneration vermochte sich seinem Einfluß zu entziehen. Für die komparatistische Literaturbetrachtung erschließt die Dichtung Kafkas ein weites und fruchtbares Feld.

Wie betont, ist selbst das, was als charakteristisch neu in Kafka anmutet, nicht sein ausschließliches Eigentum. Das Phänomen der verwandelten Wirklichkeit in seiner Dichtung kennzeichnet vielmehr die Literatur der Jahrhundertwende überhaupt. In den *Aufzeichnungen des Malte Laurids Brigge* verkündete Rilke, daß eine »Zeit der anderen Auslegung« bevorstehe, in der »kein Wort auf dem anderen bleiben und jeder Sinn wie Wolken sich auflösen und wie Wasser niedergehen« werde. Der Bruch mit der literarischen Tradition, in der die sichtbare Wirklichkeit noch als das Wahre betrachtet wurde, das Bild als Symbol des Gedankens galt und die Dinge insgesamt einer festen Gesetzmäßigkeit und Rangordnung unterstanden, erschien der Dichtergeneration um 1900 als irreparabel.

Der Chandos-Brief Hugo von Hofmannsthals (1902) sprach eindeutig aus, daß die Einheit von Wirklichkeit und Anschauung nicht mehr bestehe und die Sprache außerstande sei, Gültiges auszusagen.[7] Unter diesem Versagen der Sprache litten fast alle Dichter jener krisenanfälligen Jahre und verfielen tiefer Vereinsamung. Werfel klagte über die »armen, abgeschabten und glatten Worte«, die nichts mehr auszusagen vermöchten; »denn wer sagt, versagt...« Sein Sprachhaß konnte sich zur selbstanklagenden Sprachverzweiflung (»meines Lügens Lügenwiderhall«) steigern und in den negativen Affekten von Scham und Schuld entladen.[8] Auch Rilke litt unter dem Ungenügen an der Sprache und fürchtete sich »so vor der Menschen Wort«. Und für Kafka, der *expressis verbis* nichts anderes war noch sein konnte als Literatur, war die Sprache das schlechthin zentrale Problem. Daß ihm das Wort nicht von der Stelle zu helfen vermag, darin lag seine eigentliche Not. Wenn er sich zum Schreibtisch niedersetze, sei ihm nicht wohler als einem, der mitten im Verkehr des Opernplatzes hinfällt und beide Beine bricht – ein Bild, das sein Frustrieren in der Sackgasse einer nur noch wiederkäuenden Sprache beklemmend verdeutlicht. Um jedes Wort herum stünden seine Zweifel, und diese Zweifel seien schon vor dem Wort da. Das aber heißt, die Sprachanklage ist Selbstanklage und die Sprachkrise Symptom einer Existenzkrise, Kafka selbst hat das so gesehen. Was im Innern klar ist – so schrieb er an Felice Bauer –, werde unzweifelhaft auch im Wort klar sein. Darum solle man nicht eigentlich um die Sprache, sondern um sich selbst besorgt sein – um sich selbst in seinem Verhältnis zur Sprache. Liegt es doch an der eigenen Unklarheit, wenn das Sagen versagt. Hinter der beklagten Wortproblematik steht also die fatale Welt- und Selbsterfahrung des Dichters, seine schreckhaft gewonnene Einsicht, daß die als gültig erachtete Ordnung der Dinge auf kurzschlüssigen Setzungen beruht, daß in Wirklichkeit alles ganz anders und die in Klischees erstickende überkommene Sprache dem Phänomen der verwandelten Wirklichkeit nicht gewachsen ist. Die Wortkrise der Dichter des Jahrhundertbeginns signalisiert den plötzlich bewußt gewordenen Verlust einer überschaubaren Ordnung, die Konfrontation mit einer als chaotisch und bedrohlich empfundenen Wirklichkeit.

Dieser Ausfall der bislang geltenden Weltorientierung zeitigte den Zwang zu rein partiellem Denken, da in einer entordneten Welt nur noch die einzelnen Momente wirklich sichtbar und greifbar werden können.[9] Losgelöst von den alten Gesetzmäßigkeiten gewannen die Dinge Eigenleben und ließen sich nicht länger in das »normale« Schema einordnen. In Kafkas Dichtung ist diese Entwicklung bis zur letzten Konsequenz durchgeführt. Hier erscheinen die Dinge nicht nur als völlig selbständig, sondern werden sogar aggressiv und überfallen den Menschen. Kleider und Gesichter können gleichberechtigt nebeneinander stehen. Angesichts einer solchen Auflösung ins Akausale gibt es freilich auch kein Antworten mehr. Was dem Dichter zu sagen bleibt, ist nur noch ein Fragen ins Antwortlose.

Das Schockierende Kafkas lag also – zumindest teilweise – auch im allgemeinen Zug der Zeit. Er ist nicht ausschließlich der Initiator dieser Entwicklung, sondern zugleich ihr Exponent. Der Einbruch des Akausalen in die Literatur begann nicht erst mit Kafka, sondern schon viel früher, z. B. bei E. T. A. Hoffmann und Gogol. Und sicher ist, daß sich in seiner so persönlich durchlittenen Problematik als Mensch und als Dichter die eigentümliche Krise seiner Generation und überdies die Besonderheiten seines Prager Milieus spiegeln.[10] Um so mehr tut es not, Kafka nicht isoliert, sondern in einem weitgespannten literarhistorischen Kontext zu sehen: als *Erben vieler Ahnen* und *Ahnherrn vieler Erben*. Man verfehlt seine Originalität, wenn man nicht auch »das Alte im Neuen« erkennt. Dieser Titel von Marthe Roberts Kafkabuch[11] formuliert – über ihre auf Cervantes' Don Quijote bezogene Zielsetzung hinaus – ein aktuelles Programm künftiger Kafka-Forschung.

Die konsequente Introversion Kafkas scheint freilich auf den ersten Blick eine solche Einordnung des Dichters in das Miteinander literarischen Lebens auszuschließen und ihn als Monade festzulegen. Andererseits war es aber gerade der Rückzug ins eigene Innere, der die für Kafka charakteristische restlose Identität von Leben und Literatur ermöglichte. Introversion war recht eigentlich die Voraussetzung seines ausschließlich literarischen Existierens. Nur durch Distanzierung von der äußeren Welt konnte die Literatur zum vollgültigen Lebenselement werden.

Schon als Schüler begann Kafka den Rückzug ins eigene Innere. Er empfand es als ein Unrecht, daß man seine Eigentümlichkeit nicht anerkannte. Dieser Inkongruenz zwischen Umwelt und Innenwelt entsprach seine wachsende Gleichgültigkeit gegenüber allem, was nicht dem eigenen inneren Kreis einbezogen war. Darum hat er auch »während seines ganzen Lebens jede Zuflucht, die eine Gemeinschaft, Partei oder Gruppe geboten hätte, vermieden«.[12] In seinem »Wunsch nach besinnungsloser Einsamkeit« (T 306) hat er die Kommunikation mit der Umwelt bewußt unterbrochen. Bekam er doch »selbst innerhalb des Familiengefühls einen Einblick in den kalten Raum unserer Welt, den ich mit einem Feuer erwärmen müßte, das ich erst suchen wollte«. (T 39 f.) Dieses empfindliche Zurückweichen führte schließlich »zur endgültigen Abkapselung«.[13] Das letzte Lebensjahrzehnt, in dem die entscheidenden Werke entstehen, ist nur noch durch die fortwährenden vergeblichen Ausbruchsversuche aus der bereits fixierten Grundsituation gekennzeichnet. »Kafkas Leben schließt sich damit an das vieler großer *naiver* usw. Schriftsteller, an denen gerade die deutsche Literatur – etwa mit Kleist und Novalis – besonders reich ist.«

»Die Angst vor dem Einbruch der äußeren in die innere Welt« erscheint bezeichnenderweise als ein durchlaufendes Motiv in Kafkas Dichtung. Es begegnet bereits in den *Hochzeitsvorbereitungen* (1907), wo »nur das *man* ... an jenen Veranstaltungen teil[nimmt]; nur der Körper wird zu jenen Hochzeitsvorbereitungen auf dem Lande geschickt, das Ich bleibt, zum Käfer verwandelt, zu Hause. Das Motiv von Kafkas berühmter Erzählung *Die Verwandlung* – hier ist es, fünf Jahre früher, schon dargestellt.« Seine letzte und konsequente Gestaltung – noch über *Die Verwandlung* hinaus – fand es in der späten Erzählung *Der Bau*. Der Protagonist dieser Geschichte ist gleichsam ein Gregor Samsa, der überlebt hat und nun zur letzten Konfrontation gefordert wird. Auch Gregors Verwandlung ist ein Akt der Weltflucht, aber er bemüht sich noch, den Kontakt mit der Welt, aus der er sich ausgeschlossen weiß, wiederzugewinnen, und reibt sich in diesen Bemühungen tödlich auf. Das Waldtier im *Bau* hingegen will nicht mehr zurück; ihm geht es nur noch um Schutz vor der Außenwelt. Sein ganzes Leben ist nur noch Angst vor der Gefahr eines Kontaktes.

Wie betont, korrespondierte dem Negativum der Weltflucht Kafkas als Positivum die konsequente Konzentration auf die Literatur, ja die restlose Gleichsetzung von Leben und Schreiben.[14] Abschirmung gegen die Welt um des Schreibens willen meint auch die vielzitierte Äußerung, daß »der Sinn für die Darstellung meines traumhaften inneren Lebens ... alles andere ins Nebensächliche gerückt« habe, und daß »nichts anderes ... mich jemals zufriedenstellen« könne.[15] Kafka hat diesen strikten Selbstschutz sogar gegenüber den Schriftstellern der eigenen Generation, insbesondere gegenüber der Prager Schwulstliteratur seiner Zeit (Viktor Hadwiger, Egon Erwin Kisch, Paul Leppin, Gustav Meyrink, Oskar Wiener, ja auch Max Brod, Franz Werfel und dem jungen Rilke) für notwendig erachtet und – in bewußtem Gegensatz gegen deren laute Rhetorik – sich für einen strengen Purismus der Sprache, für einen präzisen asketischen Stil entschieden. Diese Distanzierung hatte auch psychologische Ursachen: »Die Emanzipation, die Kafka gegenüber dem Elternhaus niemals erreichte, wurde wenigstens der Umwelt gegenüber durchgesetzt.«[16] Er selbst hat diesen Tatbestand bestätigt: »Ich, der ich meistens unselbständig war, habe ein unendliches Verlangen nach Selbständigkeit, Unabhängigkeit, Freiheit nach allen Seiten. Lieber Scheuklappen anziehen und meinen Weg bis zum äußersten gehn, als daß sich das heimatliche Rudel um mich dreht und mir den Blick zerstreut.«[17] Infolgedessen »fehlen [in seinem Leben] die großen Begegnungen mit den Kollegen – nicht einmal seine bedeutenden österreichischen Zeitgenossen kannte Kafka: Musil, Hofmannsthal, Rilke oder Trakl.«[18] Allerdings kannte er ihre Werke und war überhaupt ein eifriger, ja sogar »oft begeisterter . . . freilich nicht strikt systematischer Leser«.[19] Doch schloß er sich »von der unmittelbaren Teilnahme am literarischen Gespräch aus . . . und beschränkte seinen Umgang auf wenige Freunde. Ein provinzielles Dasein – *lokal* wie das von Stifter oder Yeats«.[20] Aber wie bei diesen hob innerer Reichtum die äußere Beschränkung auf.

Für Kafka war also der kompromißlose Rückzug auf das eigene Selbst zugleich der permanente Dialog mit der Literatur, die ihm das Material lieferte, die innere Welt einzurichten. Dieses Verhältnis zur Literatur ist einerseits durch Zufall bestimmt, insofern der Dichter nicht systematisch suchte, sondern aufgriff, was ihm verfügbar war oder in den Blick kam; andererseits ist es aber zugleich subjektiv selektiv, insofern er nur das ihm Gemäße wählte bzw. das Übernommene in ein ihm Gemäßes verwandelte. Gerade in der Auswahl und Verwertung literarischen Gutes zeigte sich, daß – wie Eduard Goldstücker betont[21] – Kafka in allen seinen Werken von sich selber handelt. Wenn er »Grillparzer, Dostojewski, Kleist und Flaubert [und noch manche andere] . . . zeitlebens schätzte« und sich zur Erklärung oder Rechtfertigung seines Verhaltens gern auf sie berief[22], so deshalb, weil er offenbar eine Affinität zu diesen Dichtern empfand. Oder wenn er 1918 in Zürau mit seinem Freund Oskar Baum über die Anschauungen Tolstojs diskutierte, so verließ er auch dabei nicht den Kreis seiner inneren Welt, sondern erörterte nur, was an Tolstojschem in ihm selber lebte.

In die gleiche Richtung weist, daß er sich schon früh (seit 1903/4) für »persönliche« Literatur interessierte, also mit Vorzug Tagebücher, Biographien und Briefe las – z. B. »die Tagebücher von Hebbel, Amiel, Byron und Grillparzer, Eckermanns *Gespräche*, Briefe Goethes, Grabbes und der Du Barry, Biographien Schopenhauers und Dostojewskis« – und sich dabei zumindest partiell mit diesen Persönlichkeiten identifizierte (oder auch von ihnen distanzierte). Zugleich bestätigt dieser Zug seiner Lektüre, daß er vor allem der Dichter des Individuums war.[23]

Nach welchen Gesichtspunkten Kafka Literatur wählte und wertete, hat er – im Blick auf biographisches Schrifttum – in seinem Brief an

Oskar Pollak (1904) eindringlich dargelegt: »Wenn man so ein Leben überblickt, das sich ohne Lücke wieder und wieder höher türmt, so hoch, daß man es kaum mit seinen Fernrohren erreicht, da kann das Gewissen nicht zur Ruhe kommen. Aber es tut gut, wenn das Gewissen breite Wunden bekommt, denn dadurch wird es empfindlicher für jeden Biß. Ich glaube, man sollte überhaupt nur Bücher lesen, die einen beißen und stechen. Wenn das Buch, das wir lesen, uns nicht mit einem Faustschlag auf den Schädel weckt, wozu lesen wir dann das Buch? Damit es uns glücklich macht, wie Du schreibst? Mein Gott, glücklich wären wir eben auch, wenn wir keine Bücher hätten, und solche Bücher, die uns glücklich machen, könnten wir zur Not selber schreiben. Wir brauchen aber die Bücher, die auf uns wirken wie ein Unglück, das uns sehr schmerzt wie der Tod eines, den wir lieber hatten als uns, wie wenn wir in die Wälder verstoßen würden, von allen Menschen weg, wie ein Selbstmord, ein Buch muß die Axt sein für das gefrorene Meer in uns.«

Identifizierung mit dem Gelesenen bedeutet für Kafka also niemals genußvolle Selbstbestätigung, sondern schonungslose Selbstauseinandersetzung, Verurteilung und Forderung im Sinne des Rilke-Wortes:

.... denn da ist keine Stelle,
Die dich nicht sieht. Du mußt dein Leben ändern.

(Archaischer Torso Apollos)

Mit Recht wandte sich Hartmut Binder gegen die These von der Traditionslosigkeit des Kafkaschen Denkens und Dichtens.[24] Mark Spilka nannte ihn sogar »einen synthetischen Schriftsteller«, dessen Werke auf Grundlagen errichtet worden seien, die ihm andere Autoren bereitgestellt hätten. Sein gestalterisches Verfahren sei vorzugsweise kompilatorisch und kombinatorisch. Infolgedessen bestehe seine Leistung im wesentlichen darin, »die in älteren Formen schlummernden Tendenzen« weiterentwickelt zu haben.[25] Kurt Weinberg hat eine fast erdrückende Vielzahl verborgener Bibel- und Talmudstellen in Kafkas Werk aufgespürt[26], und Evelyn Torton Beck erwies sich als ähnlich unerschöpflich im Nachweisen direkter inhaltlicher Zusammenhänge zwischen Kafkas Erzählungen und der jiddischen Dramatik[27].

In der Tat läßt sich zeigen, daß fast alles, was Kafka bringt, vorher schon da war, daß er also keinen erfinderischen Ehrgeiz besaß, sondern seine Stoffe und Motive aus Quellen verschiedenster Art entlehnte[28]. Wie Günther Anders hervorhob, erfand er auch keine Bilder, sondern übernahm sie. »Was aber an Sinnlichkeit in diesen Bildern da ist, nimmt er nun unter das Mikroskop – und siehe da, die Metapher zeigt so ungeheure Details, daß nunmehr die Beschreibung etwas von grauenhafter Wirklichkeit annimmt. Das Detail beweist dann die Glaubwürdigkeit des Bildes, für das die Sprache die erste Verantwortung trug, noch einmal.«[29]

Das aber heißt, das Entscheidende vollzog sich jeweils erst im Akt der Gestaltung. Übernehmen war bei Kafka stets ein Sichanverwandeln, Entlehnen immer zugleich ein Verändern. Im Grunde übernahm er nur

Stoff. Selbst Vorgeformtes, das er aufgreift, Motive und Motivketten, die er fertig übernimmt, sind nur Bausteine, die sich zu einem Gebilde eigener Prägung zusammenfügen. Das Kompilieren, das sich nachweisen läßt, gehört also dem noch vordichterischen Status seiner Bemühungen an. Sein Dichten aber stand im Zeichen des Goethewortes: »Doch der Schlußstein heißt Gestalt.« Alles Entlehnte hat Kafka durch das Medium der eigenen Person erlebt und so der Welt seines »traumhaften inneren Lebens« integriert. Wie Politzer rühmt, entfaltet sich dieses gestaltend-umgestaltende Künstlertum vor allem im stilistischen Duktus des Dichters, im »spezifischen Gefälle seiner sprachlichen Ironien und Doppelbödigkeiten« und in der »Textur seiner Symbolik«[30]. Aber gewiß auch in der eigentümlichen Auffassung der dargestellten Thematik und Problematik, im bruchlosen Einswerden des vielfältig Kompilierten und in der präzisen Objektivierung des letzthin autobiographischen Gehaltes.

Zugleich fällt auf, daß Kafka vieles äußerlich fast unverändert übernimmt und »die einzelnen Motive ganz isoliert, gleichsam unorganisch, ohne Rücksicht auf den ursprünglichen Sinn, Stellenwert und Zusammenhang, oft als bloßes stoffliches Substrat für einen ganz anders gearteten Kontext verwendet«[31]. Über seinen *Amerika*-Roman schrieb er ins Tagebuch: »Meine Absicht war, wie ich jetzt sehe, einen Dickens-Roman zu schreiben, nur bereichert um die schärferen Lichter, die ich der Zeit entnommen, und die matteren, die ich aus mir selber aufgesteckt hätte.« Tatsächlich wollte er »nicht eine Darstellung Amerikas geben«, sondern »das Amerika seines Kopfes« gestalten, d. h. »die eigene Lage« darstellen »und zu diesem Zweck das Motiv Amerika (und ebenso alle anderen Motive) dieser Intention« anverwandeln. Ob es sich um die Bibel, »um geschichtliche Tatsachen oder um literarische Texte handelt..., immer liegt ... eine radikale Einschmelzung in die gegenwärtige Problematik vor, die gar nichts mehr über die Vergangenheit, aber alles über Kafkas Lage aussagen«. Ja, Kafka ergreife und verstehe Vergangenes nur insofern, als »er es mit seiner Situation identisch verstehen kann«. Sicher ist, daß Kafka, »auch formgeschichtlich gesehen, mit der europäischen Erzähltradition in Verbindung steht und ebenso »in den Erzählstoffen Vorgängern verpflichtet« bleibt – »freilich immer diese Traditionen modifizierend«. In gleichem Sinn stellt Wagenbach fest, daß dieser Dichter in einem geschichtlich bestimmbaren Raum, mitten in den geistigen Auseinandersetzungen seiner Zeit stand und nicht als »einsamer, von allen Gesetzen der Gravitation unberührter Komet seine Bahn gezogen« hat.[32]

Ohne Zweifel geht es für den Literaturdeuter in erster Linie darum, das Eigene und Neue eines Dichters sichtbar zu machen und seine Leistung daran zu messen, wie weit das Gewollte und das Erreichte sich decken. Zu zeigen, wohin er gelangte und was er letztgültig vollbrachte, ist wichtiger als die Rückverfolgung des Weges, woher er kam. Wer vom zu Ende gestalteten Werk wegschaut auf die vielen verschiedenartigen Elemente, aus denen es (in einem nicht mehr nachvollziehbaren, höchst komplizierten Gestaltungsvorgang) aufgebaut wurde, blickt auf ein Trümmerfeld und läuft Gefahr, über der rückläufigen Auseinandergliederung des glücklich gelungenen Ganzen das Werk selbst und seinen Dichter aus dem Blick zu verlieren. Andererseits kann aber auch das erreichte Ziel ohne Wissen über den Weg zum Ziel nicht angemessen gewürdigt werden. Man begreift das Ziel nur halb, wenn man in ihm nicht die integrierte Summe der zurückgelegten Wege wahrnimmt.

Das gilt für Kafka noch in besonderem Maße. Drängt doch seine Dichtung über die Grenzen einer streng werkimmanenten Interpretation hinaus. Auch wenn man philologisch alles ausgeschöpft hat, was der Text an sich hergibt, stellt man fest, daß man damit noch nicht am Ende ist, vielmehr, um ans Ziel zu kommen, zum »Assoziieren und Supplieren« weiterschreiten muß. Denn die Werke Kafkas ziehen Assoziationen herbei, die sich nicht abweisen lassen, weil sie als wesenhaft zugehörig empfunden werden. Das Hinauswirken über den inhaltlich abgesteckten Rahmen ist geradezu ein Charakteristikum der Kafkaschen Dichtung, und das nicht ausdrücklich Gesagte, aber Implizierte oder doch Mitzudenkende scheint nicht selten das Entscheidende zu sein.[33] So ist Kafka im tiefsten Sinn der Dichter des Judentums, obwohl er in seinen Erzählungen und Romanen den Namen Jude überhaupt nicht gebraucht. Ja, er bliebe im letzten unverstanden, wenn man nicht wahrnähme, daß sein Werk die vielleicht eindringlichste Gestaltung des jüdischen Schicksals darstellt.

So eigenwillig, einperspektivisch und introvertiert das Erzählen Kafkas anmutet, muß es doch in einem weiten Kontext gesehen werden, zumal die Assoziationen, die sich dem Leser aufdrängen, integrierender Bestandteil der Dichtung selbst sind. Darin liegt freilich auch eine Gefahr, nämlich die Verlockung zum Weiterdichten und Umdeuten, ja auch zum ideologischen Mißbrauch des Werkes, das an sich »nichts als Literatur« sein wollte. Außer Literarhistorikern und Literaturkritikern haben sich daher auch (Existenz-) Philosophen, Theologen, Psychologen, Politologen und Soziologen mit jeweils totalitären Deutungsansprüchen des Dichters bemächtigt und das grundsätzlich Vieldeutige seiner Gestaltungen in den eindeutigen Griff einer Erklärung zu bringen versucht. Gleichwohl steigt die Flut der kommentierenden Kafka-Literatur stetig weiter an und läßt erkennen, daß auf diesem Feld statt überzeugender Antworten immer neue Fragen sich einstellen und so das Labyrinth des Kafkaschen Werkes noch um das Labyrinth der Kafka-Interpretationen vermehrt wird. Es gilt mithin beides, sowohl den Blick nach vielen Seiten offen zu halten, um den Reichtum der hier ausgebreiteten inneren Welt nicht zu verfehlen, und zugleich Augenmaß für die Relationen zu bewahren, also nichts zu unterdrücken, aber auch nichts überzubewerten.

Erbe vieler Ahnen

1.

Einen ersten Aufschluß über die Vielfalt der möglichen literarischen Einflüsse, die Kafka erfahren hat, gibt das von Wagenbach mitgeteilte Verzeichnis seiner Handbibliothek.[1] Bezeichnenderweise stellen Märchensammlungen einen Großteil des Bücherbestandes.[2] Weitaus am größten war jedoch der Anteil spezifisch jüdischer Literatur: Darstellungen jüdischer Geschichte, Religion und Theologie, Schriften über die zionistische Bewegung, ferner jüdische Sagen, Volksbücher und Märchen. Das mahnt uns, die Bedeutung des jüdischen Erbes in Kafka zu würdigen, es als den Ursprung zu erkennen, aus dem er herkam und von dem er sich, trotz freigeistiger Emanzipationstendenzen, niemals lösen konnte, ebensowenig wie von seiner durch Haßliebe bestimmten Bindung an den Vater. Denn diese Wurzeln reichten tief hinab ins Unbewußte, Elementare. Das jüdische Erbe war Kafkas Schicksal, und gerade seine gelegentlich betonte Bindungslosigkeit gegenüber der jüdischen Tradition war, wie er selber erkannte, das »typisch Jüdische« an ihm. Andererseits hat kaum ein zweiter Dichter die Tragödie des verlorenen Sohnes, die Sehnsucht nach Heimkehr in die Geborgenheit des mütterlichen Bodens so tief erlitten und gestaltet wie er. Nur deshalb konnte die an sich simple Dramatik des jiddischen Theaters eine so mächtige Wirkung auf Kafka ausüben.[3] Hier ging es um Fundamentales, um »das Gesetz, wonach er angetreten«.

Auch Plato (dessen dialogisch-dialektische Darstellungsform den präzis auseinanderlegenden Stil Kafkas wohl mitbestimmt hat), Goethe, Kleist, Gogol, Tolstoj, Dostojewski, Flaubert, Kierkegaard, Nietzsche, Strindberg, aber auch Catull, Dante, Shakespeare und Cervantes waren in der Handbücherei des Dichters relativ zahlreich vertreten. Ebenso besaß er verschiedene Klassiker des Romans und der Novelle wie Balzac, Fontane, Hamsun, C. F. Meyer, Stendhal, Stifter, Storm, den *Peter Schlemihl* Chamissos, *Le Jardin des Supplices* und zwei weitere Bücher Octave Mirbeaus, Dichtungen der französischen Symbolisten Rimbaud und Verlaine, aber auch Werke Byrons, Hebbels, Karl Marx', Mörikes, Schleiermachers und Wielands. Die zeitgenössische Literatur war u. a. durch Max Brod, Arthur Schnitzler und Franz Werfel repräsentiert.

Gewiß war diese Handbibliothek Kafkas weder reich ausgestattet noch systematisch aufgebaut. Und sicher ist sie auch kein vollständiges Zeugnis der Belesenheit des Dichters. Zweifellos hat er aber die genannten Autoren gekannt und – in verschiedenen Graden – ihren Einfluß erfahren. Insgesamt bieten Kafkas Bücher einen nicht uninteressanten Ausschnitt der Weltliteratur, zumal die Begrenztheit des Werkbestandes durch thematische Vielfalt kompensiert wird.

2.

Kafka, der sich beim Schreiben ganz in sich selbst, in den innersten Kreis, der allein rein und ohne Lüge sei, zurückzog, um »nichts als Literatur« zu sein, hat aus dieser Enge der Selbstversenkung in die Weite der Welt ausgestrahlt und ist *Weltliteratur* geworden, Weltliteratur im umfassenden Sinn des Wortes. Damit stellt sich die Aufgabe, seinen Ort im Ganzen der Weltliteratur zu erkunden, das heißt: ihn zu erkennen in der Vielzahl der Beziehungen, die ihn – bewußt und unbewußt, aufnehmend und schöpferisch – mit anderen Großen der Weltliteratur verbinden. Und die Zahl seiner Ahnen und »Blutsverwandten«[4] ist größer, als man glauben möchte. Indessen steht neben Verbindendem immer auch Trennendes, gibt es vielfältig verschiedene Grade der Verwandtschaft. Am meisten verwundert, wieviel ihn gerade mit Goethe verbindet, der doch andererseits nicht ohne Grund auch als sein Antipode angesprochen werden kann.[5] Hier geht es in der Tat um Gemeinsames im Unvereinbaren, um ein paradoxes Verhältnis also, wie es im übrigen fast für alle literarischen Verwandtschaftsbeziehungen Kafkas gilt. Immer wieder müssen wir feststellen, daß hier dasselbe nicht dasselbe ist, daß wir zwar oft erstaunlich Gleiches, ja fertig Übernommenes in Kafkas Werken entdecken können, dieses Gleiche sich aber doch als letzthin unvergleichbar erweist.

Blicken wir auf die englischsprachige Literatur, so ist in erster Linie *Charles Dickens* (1812–1870) zu nennen, dessen prägende Bedeutung Kafka selbst betonte. Doch fällt auf, daß er sich dieses Einflusses erst nachträglich bewußt geworden ist. In seinem Tagebucheintrag vom 8. Oktober 1917 (T 535) nannte er seine Erzählung *Der Heizer* (1913) eine »glatte Dickensnachahmung« und fügte hinzu, daß das noch mehr für den »geplanten [ganzen] Roman« *Der Verschollene* bzw. *Amerika* gelte. Die Übereinstimmung mit dem *David Copperfield* betreffe sowohl bestimmte stoffliche Details und Motive als auch »vor allem die Methode«. Kein Zweifel, der Erzähler Dickens war hier Kafkas Vorbild, an dem er sich – unbewußt – schulte. Wolfgang Jahn, Max Lerner, Roy Pascal, Mark Spilka, E. W. Tedlock, Rudolf Vašata, Austin Warren sind mit Vorzug diesen Beziehungen nachgegangen.[6] Tedlock nennt Kafkas *Amerika*-Roman geradezu eine »Imitation of *David Copperfield*«. Doch hätten auch »*The Life and Adventures of Martin Chuzzlewit* sowie *Oliver Twist* auf die Konzeption des Kafkaschen Romans eingewirkt. Was jedoch am stärksten das Schreiben Kafkas beeinflußte, sei »the moral ambiguity and the technique of the grotesque in Dickens' work« (Tedlock). Noch in seiner letzten Lebensphase, zwischen 1920 und

1923, hat Kafka gegenüber Gustav Janouch Dickens als einen seiner
»Lieblingsautoren« bezeichnet: »Ja, er war eine gewisse Zeit sogar ein
Vorbild dessen, was ich vergeblich zu erreichen versuchte...« (J 247)

Entscheidend war jedoch, daß der »Dickensnachahmung« Kafkas ein
kongenialer eigener Gestaltungsimpuls zugrunde lag, ganz abgesehen
davon, daß die Bezeichnung »glatte Dickensnachahmung« für die Erzählung *Der Heizer* mit Recht als »eine starke Übertreibung« zurückgewiesen worden ist. Hat doch Kafka, wie Ingeborg Henel betont, »die
Naivität, Sentimentalität, Schwarz-Weiß-Malerei und Breite seines Vorbildes vermieden und ... die bei Dickens im allgemeinen noch bestehende Allwissenheit des Erzählers durch die perspektivische Erzählweise ersetzt«.[7] Gleichwohl ist eine gewisse typologische Zusammengehörigkeit beider Dichter nicht zu übersehen. Wie Dickens ging es auch
Kafka elementar darum, »Geschichten zu erzählen« und nicht Philosophie, Psychologie oder Theologie zu betreiben. Sein Ausspruch »Wir
Juden sind Geschichtenerzähler« ist wörtlich zu nehmen. Als Janouch
im Blick auf den *Amerika*-Roman sagte: »die Gestalten des jungen
Roßmann sowie die des Heizers [seien] so lebendig«, entgegnete Kafka:
»Das ist nur ein Nebenprodukt. Ich zeichnete keine Menschen. Ich
erzählte eine Geschichte«. (J 53) Dieses Bekenntnis zum Fabulieren um
seiner selbst willen, zu einem kontinuierlichen Fortspinnen, ja zu einem
gleichsam Sich-Selbst-Erzählen der Begebenheiten verbindet Kafka mit
Dickens. Es war der erzählerische Reichtum des englischen Romanciers,
der ihn faszinierte und stimulierte. Auch Kafka wollte sich erzählerisch
restlos ausgeben und die Geschichten »durch die Nächte jagen«.

Thematische Parallelen kommen hinzu. David Copperfield und Oliver
Twist erinnern schon in manchem an Kafkasche Gestalten, da sie ähnlich wie diese einer lieblosen, ja feindlichen Welt ausgeliefert sind. Und
Austin Warren sieht eine Übereinstimmung Dickens' und Kafkas darin,
daß ihre Erzählwelt jeweils eine Stadtwelt ist:

His [Kafka's] is a city world. Even Kafka's Village must be a metropolitan
fragment, a city overpopulated and extending beyond our sight. Like Dickens'
London it flourishes in grotesques.[8]

Nach Vašata besteht »offensichtliche« Ähnlichkeit auch zwischen
Dickens' *Bleak House* und Kafkas *Der Prozeß*:

The central theme of both novels is the machinery of law crushing everybody
and everything which comes under the wheels, the victim realising all its
horrors without understanding its mechanism. And it is equally obvious that, in
both cases, the legal system and its workings are used merely as a symbol for
the society which they are serving.[9]

Diese Gleichsetzungen sind jedoch insofern fragwürdig, als sie der
Vieldeutigkeit der Kafkaschen Dichtungen nicht gerecht werden.

Wichtig ist hingegen Hartmut Binders Hinweis, daß Kafka bei Dik-
kens die Als-ob-Sätze »als Mittel perspektivischer Innensicht vorfand

und bis an die Grenzen ihrer Möglichkeiten entwickelte«, wobei »Vergleichspartikel und Konjunktivgebrauch ... keineswegs auf Irrealität hin[weisen], sondern ... nur die Vermitteltheit, Erschlossenheit einer Aussage [anzeigen]«.[10] Wichtig ist ferner die Feststellung von Gerhard Kurz, daß die von Kafka angewandte literarische Technik der »erlebten Rede«, die in der dritten Person und in der Vergangenheit erzählt, »Worte, Gedanken, Gefühle, Einstellungen nicht des Erzählers, sondern der Erzählfigur präsentiert«, eine Darstellungsform, die »eine Erfindung des 19. Jahrhunderts (Jane Austen, Dickens, Fontane, Flaubert)« ist und Kafka als einen Erben gerade auch von Dickens (und Flaubert) erweist.[11]

War es der geborene Erzähler in Kafka, der durch den geborenen Erzähler Dickens angezogen wurde, so darf andererseits in seinem Bekenntnis zu Dickens als einem früheren Vorbild die entschiedene Kritik nicht überhört werden, die er an diesem Vorbild geübt hat:

> Meine Absicht war, wie ich jetzt sehe, einen Dickensroman zu schreiben, nur bereichert um die schärferen Lichter, die ich der Zeit entnommen, und die matteren, die ich aus mir selbst aufgesteckt hätte. Dickens' Reichtum und bedenkenloses mächtiges Hinströmen, aber infolgedessen Stellen grauenhafter Kraftlosigkeit, wo er müde nur das bereits Erreichte durcheinanderrührt. Barbarisch der Eindruck des unsinnigen Ganzen, ein Barbarentum, das allerdings ich, dank meiner Schwäche und belehrt durch mein Epigonentum, vermieden habe. Herzlosigkeit hinter der Gefühl überströmenden Manier. Diese Klötze roher Charakterisierung, die künstlich bei jedem Menschen eingetrieben werden und ohne die Dickens nicht imstande wäre, seine Geschichte auch nur einmal flüchtig hinaufzuklettern. (T 535f.)

In Kafkas Verhältnis zu Dickens hielten sich demnach Anziehung und Abstoßung fast die Waage. Hans Kohn hatte schon 1913 in seiner Besprechung der Erzählung *Der Heizer* die von Kafka erst viel später gewonnenen Einsichten vorweggenommen, indem er einerseits spontan den Einfluß Charles Dickens' feststellte, andererseits aber auch bereits kritisch das positiv Unterscheidende Kafkas hervorhob, daß nämlich »der echte Mut dieses reinen Knaben [Karl Roßmann] weit über die englischen Vorbilder« hinauswachse.[12] Daß sich die von Kafka erst 1917 – bei erneuter Durchsicht des *Amerika*-Manuskripts – »erkannte Verbindlichkeit gegen Dickens« bereits mit wachsender Kritik an diesem literarischen Vorbild paarte und der Dichter überhaupt »ein deutlicheres Bewußtsein der eigenen Leistung« empfing, hat auch Wolfgang Jahn betont.[13] Wenn Kafka in seiner Auseinandersetzung mit Dickens auf sein »Epigonentum« hinweist, gleichzeitig aber vom »Barbarentum« des Dickensschen Schreibens spricht, die »rohe Charakterisierung« tadelt,[14] ja den Eindruck eines »unsinnigen Ganzen« feststellt, so erhellt daraus, daß er Entscheidendes, ja das Entscheidende bei Dickens vermißt. Was ihm hier fehlt, ist die Tiefensicht des »traumhaften inneren Lebens«, aus der, wie er sagte, allein geschrieben werden sollte – ein fundamentaler Mangel, der durch wiederholungsreiche vordergründige Fülle des Erzählens nicht aufgehoben oder überdeckt werden kann. Dickens ist für Kafka zu sehr nur abschildernder Beobachter, nicht Seher, der mit geschlossenen Augen die Wirklichkeit hinter den Dingen wahrnimmt, kein Gestalter innerer Gesichte, die in der schöpferischen Trance des »anderen Zustandes« (Musil) empfangen werden. So sehr sich Kafka und Dickens in der Intensität ihres Erzählbedürfnisses wie auch in Einzelheiten der epischen Technik berühren mögen, gehören sie doch – »nach dem Gesetz, wonach [sie] angetreten« – verschiedenen Welten an.

3.

Im einzelnen könnten viele englisch schreibende Autoren aufgeführt werden, die durch Affinität mit Kafka verbunden sind, so u. a. *William Blake* (1757–1827)[15], der, mystisch gestimmt, die verborgene Wirklichkeit hinter den Dingen zu erspüren suchte, ja eine eigene Mythologie sich erschuf und mit seinen pessimistisch verdüsterten Dichtungen auf Nietzsche und Kafka vorausweist. Auch den amerikanischen Schriftsteller *Herman Melville* (1819–1891) hat man mit Kafka in Zusammenhang gebracht.[16] Ein Verwandtschaftsverhältnis eigener Art besteht zwischen Kafka und *Edgar Allan Poe* (1809–1849)[17]. Was dieser in seinen »Selbstbekenntnissen« über sich geäußert hat, könnte zum Teil von Kafka selbst geschrieben sein. Beide teilten das Schicksal unerlösbarer Einsamkeit:

Seit meiner frühesten Kindheit war ich nicht wie andere Menschen... meine Leidenschaften wurden aus anderen Quellen gespeist als die ihren... in meinem Herzen war nie eine der ihren ähnliche Freude... Alles, was ich liebte in dieser Welt, liebte ich allein... Ich konnte nur da lieben, wo der Tod seinen Atem mit dem der Schönheit vermischt hatte... Von Kindheit an mit der schlimmsten Nervosität behaftet, wurde ich wahnsinnig mit langen Zwischenräumen schrecklicher Klarheit...Die entsetzlichen Schwankungen zwischen Hoffnung und immer neuer Verzweiflung konnten nicht anders enden, als daß ich die Vernunft verlor...

Auch Kafka sah sich nach seinen eigenen Worten »an der immer angelehnten Tür zum Wahnsinn« stehen. Wenn auch nicht im vollen Sinne vergleichbar, sind doch pathologische Züge solcher Art beiden Dichtern eigen. Wie Kafka war auch Poe ein »eigenwilliger, zugleich verschlossener und träumerischer Jüngling« (Pissin), in dessen literarischem Werk Autobiographisches und Dichterisches eng verschmolzen waren. Und mit dem Gefühl unerträglicher Einsamkeit verbanden beide die Angst vor einem drohenden Schicksalsspruch. Ihre dichterische Produktivität entsprang aus dem Feuer eines sich selbst verzehrenden Innenlebens, das mit dem Alltag ihrer beruflichen Existenz als Redakteur bzw. Verwaltungsjurist nichts zu tun hatte. Und auch ihre Lebensläufe stimmten insofern zusammen, als beide an Schwindsucht litten und mit rund vierzig Jahren an Schwindsucht gestorben sind. Vor allem aber war es sowohl bei Poe (und Baudelaire) als auch bei Kafka der Vater, dessen prosaischer Geist der poetischen Berufung des Sohnes entgegenstand. Hinzu kamen melancholische Depressionen, die Poe in heftiger Weise heimsuchten:

> Ich leide unter einer Niedergeschlagenheit, wie ich sie fürchterlicher nie zuvor empfunden habe. Ich habe vergeblich gegen diese Melancholie anzukämpfen versucht... ich fühle mich, trotz der großen Verbesserung, die in meinen Lebensumständen eingetreten sind, elend bis zum Tode... Ich bin elend und weiß nicht warum. Trösten Sie mich... Aber tun Sie es schnell, sonst möchte es zu spät sein.

Das ist die Klage Kleists wie Kafka, daß ihnen nämlich »auf Erden nicht zu helfen war«. Wenn schließlich nach Poes eigenem Bekenntnis »die Wirklichkeit der Welt ihn wie Visionen und nur wie Visionen« berührte und »die seltsamsten Vorstellungen des Traumlandes« mit seinem Dasein identisch wurden, so erinnert das an Kafkas vielzitierte Äußerung, daß »die Darstellung seines traumhaften inneren Lebens alles andere ins Nebensächliche gerückt« habe. Noch deutlicher bezeugt sich diese Parallele in folgenden Worten Poes:

> Die Menschen, die am hellen Tage träumen, lernen Dinge kennen, die denen entgehen müssen, die nur nachts träumen. Durch die grauen Nebel ihrer Visionen dringen die ersten Lichtschimmer der Ewigkeit zu ihnen, und halb erwachend fühlen sie mit Schaudern, daß sie einen Augenblick lang an das große Geheimnis gerührt haben. Ruckweise erfahren sie einiges von der Weisheit, die gut, und vieles von der Erkenntnis, die böse ist.[19]

Haben Kafka und Poe von ähnlichen psychischen und psychopathischen Voraussetzungen aus gedichtet, so weichen sie mit ihren Werken gleichwohl voneinander ab. Max Brod und Ronald Gray zogen sogar einen entschiedenen Trennungsstrich zwischen beiden. Kafka, so befanden sie, habe mit Poe und Schriftstellern seiner Art überhaupt nichts gemein. Wie in ihrer Lebensführung Trunksucht gegen Askese stand, so in ihrem literarischen Schaffen Exzeß gegen präzisen Realismus.

4.

Es mag überraschen, daß wir auch *Jonathan Swift* (1667–1745) zu den Ahnen Kafkas zählen.[20] Doch wie Robert M. Adams, Rudolf Kassner und Georg Lukács feststellen, seien Vergleichbarkeiten zwischen beiden nicht zu übersehen. Denn wie der Blick des englischen Satirikers die ganze Gesellschaft umfaßt, so schließe auch der Blick Kafkas »eine ganze Epoche« in sich ein. (Lukács) Wie aber Hans Mayer betont, läßt sich »der scheinbar so abstrakte Parabelcharakter der Kafka-Werke durch einen Vergleich mit Swift [nicht] historisieren«, da Kafkas Weltsicht letztlich ahistorisch sei. Auch wenn Kafka nicht das Allgemein-menschliche vergegenwärtigt (noch überhaupt vergegenwärtigen könnte), so transzendiert er doch das Nur-Geschichtliche.

Eine besondere Beziehung zwischen Kafka und Swift liegt insofern nah, als die Misere der menschlichen Lebenswelt den Gegenstand ihres Dichtens ausmacht. Beide stellen dar, daß die Welt nicht in Ordnung ist, daß die Dinge falsch laufen und der Mensch die Mißstände, unter denen er leidet, nicht durchschaut. Beide enthüllen also das Ganz-Anders-Sein der Welt, der eine im Licht der Satire, der andere als tragische Fatalität. Gemeinsam ist ihnen eine grundsätzlich pessimistische Weltsicht und Lebenswertung. Das aber besagt, daß beide letzthin Moralisten sind. Der bitteren Satire Swifts, die an die Tragik der menschlichen Existenz rührt, korrespondieren die satirischen Züge in Kafkas Gestaltungen der labyrinthischen Irrungen seiner Protagonisten. *Blumfeld, ein älterer Junggeselle* und sogar *Ein Hungerkünstler* zeigen Ansätze zu ironisch-satirischer Verfremdung. Neben dem schwerblütig ernsten Kafka darf man den humorig spielerischen Erzähler[21], den Ironiker und Parodisten nicht ganz übersehen. Auf eine Formel gebracht, könnte man sagen: Swift ist Satiriker auf der Grundlage eines tragischen Pessimismus, Kafka ist Tragiker, der die lastende Schwere seines Gegenstandes in die Leichtigkeit künstlerischer Form überführt und im Akt der Gestaltung auch die Spielformen ironisierenden satirischen Humors entfaltet.

Andererseits aber ist Kafka, auch wenn seine Distanzhaltung als Epi-ker fast wie eine Verabschiedung des Erzählers erscheint, in seinen Darstellungen gleichzeitig zu sehr ein persönlich Betroffener, als daß er im Vollsinn des Wortes Satiriker und Parodist sein könnte. Er besitzt nicht die leichte Hand dessen, der mit seiner Person am Parodierten keinen Teil hat und daher auch erschütternd Tragisches unter dem Aspekt der Satire oder gar des schwarzen Humors zu vergegenwärtigen vermag.

Endlich als die vielleicht wesentlichste Gemeinsamkeit beider Dichter erscheint ihr Zug zu voller Konkretisierung der Aussagen, ihre Neigung und Fähigkeit, moralisch-menschliche Phänomene in autonomen Bildern sichtbar zu machen. So präsentiert sich die politische Satire Swifts in *Gullivers Reisen* in Form einer Erzählung, die sich selbst genug ist. Ebenso stellt sich die Verwandlung in Kafkas bekannter Novelle als ein realer Vorgang dar. Über alles Bedeuten hinaus meint diese Geschichte genau das, was sie erzählt, und setzt somit empirisch Unmögliches als Faktum. Das aber heißt, sie schildert keine nachprüfbare Wirklichkeit ab (so wenig wie die Erzählung von Gullivers Reisen). Sie ahmt nichts nach, was sich so ereignen oder ereignet haben könnte. Indem sie transponiert und verwandelt, stellt sie inneres Geschehen als einen eigenständigen konkreten Ablauf vor Augen.

5.

Weltliteratur – im Blick auf englische Dichtung und Dichtung überhaupt – meint vor allem *Shakespeare* (1564–1616). An diesem universalen Genius führt kein Weg vorbei, wenn es gilt, weltliterarischen Rang
zu bestimmen. Infolgedessen stellt sich hier die Frage, ob und in welcher
Dimension Kafka auch mit Shakespeare durch ein literarisches Verwandtschaftsverhältnis verbunden ist. Oberflächlich betrachtet will es
scheinen, als ob kein genuiner Zusammenhang zwischen beiden bestehe.
Shakespeare gehörte nicht zu den Autoren, mit denen sich Kafka auseinandergesetzt hat. Seine kritische Äußerung über den Schluß des
Hamlet bekundet nicht Zustimmung, sondern Widerspruch.[22] Aber auch
in ihren literarischen Formen sind sie durch eine markante Trennlinie
voneinander geschieden: Shakespeare war Dramatiker, Kafka Erzähler.
Shakespeare war auch Lyriker und verfaßte Sonette, Kafka schrieb
überhaupt keine Verse, und Versepen im Stil von Shakespeares *Venus
und Adonis* und *Lucretia* lagen durchaus außerhalb seines gestalterischen Wollens. Was die Themen ihrer Dichtungen betrifft, fehlt ebenfalls jede Gemeinsamkeit. Shakespeare schrieb Tragödien historischen
Inhalts, und auch seine Komödien spielen jeweils in einem nach Zeit
und Ort konkret bestimmbaren Raum. Ebenso sind seine Personen als
unverwechselbar einmalige Individuen konzipiert. Kafkas Personen hingegen sind vielfach namenlos, aber auch wo sie einen Namen tragen,
bleiben sie im Grunde anonym. Und die Begebenheiten, die er erzählt,
ereignen sich weder an einem real faßbaren Ort noch in einer bestimmten Zeit. Alles könnte immer und überall spielen, zu allen Zeiten und in
allen Zonen, *vor* tausend Jahren oder *erst* in tausend Jahren oder auch
im gegenwärtigen Zeitpunkt, oberhalb aller Geschichte und außerhalb
jeder Zeitrechnung. In ihrer ahistorischen Anonymität scheinen die
Gestaltungen Kafkas wie durch Welten von den Werken Shakespeares
getrennt.

Aber in den englischen Königsdramen und Römertragödien Shakespeares, in seinen Schauspielen und Komödien, auch in den Versepen
und Sonetten stellen die anschaulich vergegenwärtigten historischen
Milieugegebenheiten jeweils nur Rahmen, ja bloße Wechselrahmen dar.
Das aber besagt, daß »die Bretter« hier wirklich »die Welt bedeuten«,
Welt im umfassenden Sinn des Shakespearewortes: »All the world is a
stage.« Und seine individualisierten Personengestaltungen exemplifizie-
ren immer zugleich das Menschenmögliche an sich und erhärten so den
vielzitierten Satz: »The proper study of mankind is man.« (Alexander
Pope) Shakespeare wäre nicht Shakespeare, wenn er die konkret georte-
te vielschichtige und farbenreiche Welt, die er vor Augen stellt, nicht
auch transzendierte und wenn sich in seinen Personen – über die Rollen
und Kostüme hinweg – nicht auch die Menschen als solche, ja wir alle
wiederzuerkennen vermöchten. Diese suggestive Möglichkeit, sich mit

den Gestalten Shakespeares zu identifizieren, auch wenn es sich um Menschen aus ferner Vergangenheit handelt, stiftet denn doch einen Zusammenhang zwischen Shakespeare und Kafka. Denn auch dessen Gestalten drängen den Leser zur Identifizierung. Die meist einsinnige Erzählperspektive aus der Sicht des Protagonisten nötigt ihn, sich in diesen zu verwandeln und auch seine Verwandlungen jeweils mitzuvollziehen. Eben darin, daß wir bei beiden Dichtern, was immer sie auch darstellen mögen, als Mitlebende und Mitleidende stets unmittelbar in das Geschehen einbezogen werden, bezeugt sich etwas elementar Verbindendes, was das vordergründig Trennende zwischen ihnen aufhebt. Gemeinsam ist Shakespeare und Kafka, daß sie uns mit ihren Dichtungen das intensive Erlebnis vermitteln: *Nostra res agitur*.

Hinzu kommt die Hamlet-Tragödie, die von allen Dichtungen Shakespeares Kafka thematisch am nächsten steht.[23] In den todestraurigen Meditationen des unglücklichen Dänenprinzen scheint schon etwas vom tragischen Pessimismus, ja Nihilismus der Moderne vorweggenommen. Auch Hamlet zieht das negative Fazit Kafkas: »Es ist nicht, und es wird auch nimmer gut.« Und wie ein Protagonist Kafkas ist Hamlet durch etwas Ungeheuerliches jählings »überrumpelt« worden (ähnlich wie Josef K. im *Prozeß* oder Gregor Samsa in der *Verwandlung*), wodurch sich seine Sicht der Welt radikal verwandelt hat. Das Kafkasche Grunderlebnis, daß »alles ganz anders« ist und nichts mehr gilt, was bislang galt, hat ihn bis auf den Grund verstört. Aber anders als die Gestalten Kafkas, die die Ursachen ihrer Katastrophen nicht erkennen können und darum in Sackgassen frustrieren müssen, kennt Hamlet das Übel, das über ihn hereingebrochen ist und den Kosmos seiner Welt in ein Chaos verwandelt hat. Darum weiß er auch, was getan werden müßte, um die Ordnung wiederherzustellen. Es gilt, den Meuchelmord an seinem Vater zu sühnen. Was ihn niederdrückt und am Sinn der Welt irre werden läßt, ist also nicht tragisches Nichtwissen, sondern das Gefühl des eigenen Ungenügens, die demoralisierende Einsicht, der hier gestellten Aufgabe nicht gewachsen zu sein. Das Kafkasche Hamlets liegt somit darin, daß er auf eine exzeptionelle, aber behebbare Störung der gottgewollten Ordnung ähnlich reagiert wie die Protagonisten Kafkas auf die heillose Absurdität der Welt insgesamt, daß er also eine einzelne Untat als Symptom der Verrottung des Ganzen wertet. Da ihm unfaßlich ist, was er doch klar erkennen kann, – nämlich die Ermordung des Vaters durch den Onkel und die »blutschänderische« Heirat der Mutter mit dem Gattenmörder –, erscheint ihm das Geschehene sehenden Auges gleichwohl als etwas Undurchschaubares und darum Irreparables. Obwohl er sieht, wie alles läuft, und alle Wege und Schleichwege kennt, versteht er die Welt nicht mehr, ist sie ihm zum Labyrinth geworden. Aber im Gegensatz zu den endlosen Frustrationen der Protagonisten in Kafkas Romanen ist dieser Zustand der Verwirrung, der wie ein Vorklang moderner Krise anmutet, befristet. Hamlet überwindet den lähmenden Schock, rafft zielstrebig alle Energie zusammen, löst sein Versprechen ein und rächt den »schnöden, unerhörten Mord«. Wenn auch um den Preis des eigenen Lebens, erringt er doch eine positive Lösung. Wohl stirbt er, aber anders als die Protagonisten Kafkas, nicht »wie ein Hund«, sondern in Erfüllung der ihm obliegenden moralischen Pflicht. Sterbend bittet er den Freund: ». . .erkläre mich und meine Sache den Unbefriedigten.« Das aber heißt: Obwohl »der grause Scherge Tod« ihn allzu schnell »verhaftet« und zum Schweigen bringt, hält Hamlet an seiner Sache fest und bemüht sich noch im Angesicht des Todes um Rechtfertigung seines Handelns und Verhaltens. Es gab also in dieser durch eine Übeltat verfinsterten Welt etwas für ihn zu tun, was auch dem Sterbenden noch als sinnvoll und notwendig galt. Und wie in den anderen Shakespeareschen Tragödien erscheint auch am Schluß des *Hamlet* ein glücklicherer Nachfolger, der den gefallenen tragischen Helden in einer Laudatio würdigt und die Rückkehr zum »normalen« Leben verkündet.

Im Gegensatz dazu gibt es bei Kafka keine Erfüllung im Tod. Für alle seine »Helden« ist der Tod gnadenlose Vernichtung. Und alle seine »Helden« resignieren. Auch Kafka selbst, »der mit seinem letzten Willen die Vernichtung des . . . Nachlasses verfügte und so sein Leben und Werk mit einem definitiven selbstverurteilenden ›Gibs auf!‹ beschloß . . . Hieraus erhellt der grundsätzliche Unterschied der Krisensituation der Moderne, in der sich die menschliche Misere als schlechthin unaufhebbar, als totale Katastrophe darstellt. Da es aber in solcher Sicht keine normale Ordnung der Dinge gibt, kann es auch keine Wiederherstellung einer solchen geben. Der allein sich selbst überlassene Mensch hat keinen Ort, an den er zurückkehren könnte. Er muß *mit* seiner Krise leben. Die Krise ist permanent.«

Indessen begegnen in Shakespeares *Sturm*, dem Schwanengesang des Dichters, mit dem er Abschied nahm von der Welt der Menschen und der Welt der Kunst, zeitlos gegenwärtige Verse, die aufhorchen lassen:

> . . . We are such stuff
> As dreams are made on, and our little life
> Is rounded with a sleep . . .
>
> (*The Tempest*, Act IV, Scene 1, Prospero)

Abgesehen davon, daß die Gleichung von Leben und Traum ein Topos der Weltliteratur ist und schon Walther von der Vogelweide im Alter sich die Frage stellte: »Ist mir mîn leben getroumet oder ist ez wâr?« (124/2) und die darin angesprochene Vorstellung, »daß alles gleitet und vorüberrinnt«, weithin auch den Tenor der Dichtung des Barock, der Memento mori- und Ars moriendi-Literatur des Mittelalters bestimmt, kommt dieser Aussage in Shakespeares letztem Spiel und im Mund des Zauberers Prospero, der hier für den Dichter spricht, ein besonderer Stellenwert zu, nicht zuletzt als Vorwegnahme dessen, was

Kafka »traumhaftes inneres Leben« genannt hat und auch schon in Hölderlins *Hyperion* ausgesprochen worden ist: »Ein Gott ist der Mensch, wenn er träumt. Ein Bettler, wenn er nachdenkt.« Hofmannsthals *Terzinen über Vergänglichkeit* variieren diese Altersweisheit Shakespeares sogar im Wortlaut:

Wir sind aus solchem Zeug, wie das zu Träumen . . .

Der Weisheit letzter Schluß für den verstummenden Dichter (»Hin sind meine Zaubereien«, Epilog zu *Der Sturm*) ist also Rückzug dorthin, wo nach Musil »der andere Zustand beginnt«. Und kein Zweifel besteht darüber, daß Träumen dieser Art tieferes Erkennen bedeutet. Hellsicht des Traumes weitet auch die Meditationen Fausts über »blendend flüchtiger Tage großen Sinn« zu Beginn des vierten Aktes in *Faust* II. Träumen meint hier Heraustreten aus der konkreten Begrenztheit vordergründigen Existierens, Offenwerden für die ganz andere, eigentliche, transzendente Wirklichkeit, Zurücktreten hinter die Anschauungsformen von Raum und Zeit und die Kategorien der Vernunft, Absage auch an Logik und Psychologie, Eintauchen ins Elementare, Rückkehr in den Ursprung.

Nicht zu überhören ist jedoch, daß Hofmannsthals *Terzinen über Vergänglichkeit* den Ausspruch Prosperos »We are such stuff as dreams are made on« ins Gegenteil verfremden. »Aus der befriedeten Einsicht eines Weltweisen in die traumhaft anmutende Transzendenz des Seins wird die selbstmitleidige Klage eines heillos Vereinzelten, das Bekenntnis einer nicht zu bewältigenden inneren Not, das Grauen vor einem ›Ding, das keiner voll aussinnt‹. Shakespeares Worte meinen aber nicht solche Existenzangst eines Ausgeschlossenen, sondern Eingebettetsein im Ganzen: ›and our little life is rounded with a sleep‹. Die Krise der Moderne hingegen liegt eben darin, daß der Mensch sich nicht mehr ins Ganze eingeordnet fühlt, sondern wie ein Fremdkörper verloren im dunklen Strom treibt.« So sehr aber Kafka an dieser Krise teilhatte, war doch das »traumhafte innere Leben« für ihn nichts Beängstigendes, sondern im Gegenteil etwas Befreiendes, ja die einzige Zuflucht in eine Geborgenheit, derer er sonst ermangelte. Hier galt für ihn das Hölderlinwort von der Vergottung des Menschen im Traum. In den (seltenen) Augenblicken traumhaften Schöpfertums stimmte auch er seinsdankbar mit der positiven Weltsicht Shakespeares (und Goethes) überein und empfand beglückt sein mitschwingendes Mitteninnesein im bewegten Leben des All. Sein unterscheidend Neues und entschieden Modernes jedoch lag darin, daß er als Dichter mit einer jahrtausendealten Tradition brach. In dieser Hinsicht ist der ahistorisch zeitlose Erzähler Kafka ganz zwanzigstes Jahrhundert.

6.

Ahnen und Vorbilder, Geistes- und Seelenverwandte Kafkas finden sich in nicht geringer Zahl auch in der französischen Literatur. Freilich zu den Klassikern Frankreichs, zu Corneille, Racine, Molière lassen sich keine typologisch begründeten Beziehungen erkennen, außer zu *La Fontaine*(1621–1695), der – wie häufig auch Kafka – seine Sicht der Menschenwelt mit Vorzug im Spiegel der Tiergeschichte vergegenwärtigte. Man denke vor allem an die Fabel von der Grille und der Ameise, die nicht engherzig didaktisch als nützliches Lehrbeispiel, sondern als ein Zeugnis pessimistischer Welterfahrung und resignativ tragischen Lebensgefühls aufzufassen ist. Hier wird kein moralisierender Zeigefinger erhoben und selbstgerecht auftrumpfend zwischen richtig und falsch, gut und schlecht unterschieden, hier spricht Lebensskeptizismus, nicht kurzschlüssig brutale Rechthaberei. Das Herz des Dichters gehört ja nicht der »vernünftigen« Ameise, sondern der Grille, die so »unvernünftig« war, ganz ihrer Bestimmung gemäß zu leben, aber eben deshalb scheiterte. Daß niemand sein ihm bestimmtes Leben wirklich leben kann, diese traumatische Erfahrung Kafkas vom rigorosen Rollenzwang der Welt, die kein volles Selbstsein duldet, kommt in dem Zwiegespräch zwischen Grille und Ameise zu sadistisch zugespitztem Ausdruck:

Vous chantiez? J'en suis fort aise.
Eh bien! Dansez maintenant.

Und die Fatalität wirkt um so erbarmungsloser, als hier in erster Linie die Tragik der Künstlerexistenz angesprochen ist: Die Grille, die Tag und Nacht sich aussingt, steht für den Dichter, der wie ein Fremdling isoliert und nicht integrierbar in der Welt steht und nur in der grotesken Einsamkeit seines letzthin unverstandenen und unverstehbaren Selbst zu existieren vermag. Er ist ja, wie Kafka formulierte, »nichts als Literatur«, und »alles andere [ist] ins Nebensächliche gerückt«. La Fontaine hätte die trauervolle Fabel von der Grille und der Ameise nicht schreiben können, wenn er nichts von jenem Leid verspürt hätte, an welchem Kafka lebenslang getragen hat.

Bei einem so vieldeutigen Autor wie Kafka verwundert es nicht, daß er auf oft gewagte Weise mit vielen anderen Dichtern (Baudelaire, Dante, Homer, Joyce, Proust, Alfred Comte de Vigny, Zola), aber auch mit Malern (Henri Rousseau, Dürer und – berechtigterweise – van Gogh), ja sogar mit dem Musiker Richard Wagner verglichen worden ist. Ebenso versteht sich jedoch, daß man sich auf substantiell ergiebige Vergleiche konzentrieren sollte. Französische Autoren, mit denen Kafka auf jeweils eigene Weise typologisch verwandt erscheint, sind u. a. Blaise Pascal, Charles Baudelaire, Gustave Flaubert und unter einem speziellen Aspekt auch Octave Mirbeau. Als Begründer jener Richtung, die den allwissenden Erzähler ausgeschaltet hat, gehört gewiß auch

Stendhal in diese Ahnenreihe. Zu ihm hat aber bereits Hartmut Binder die Brücke geschlagen.[24] Wie er ausführte, habe Stendhal »in dem Roman *Chartreuse de Parme* erstmalig Personen *aus der Sicht anderer Figuren* in das Geschehen« eingeführt und auch eine Landschaftsbeschreibung »nicht aus der Sicht des Erzählers, sondern von einer Erzählfigur aus gegeben«. Ferner haben Richard Sheppard und A. Livermore unter den Werken, die zur Entstehung von Kafkas Roman *Das Schloß* beigetragen haben könnten, Stendhals *De l'Amour* genannt.[25] Aber auch sprachgestalterisch stehen beide Dichter einander nah. Kafkas »juristisches Protokolldeutsch« entspricht dem juristisch geprägten Stilideal Stendhals, der in der Sprache des *Code civil* sein Vorbild sah.

7.

Auf Zusammenhänge mit *Pascal* (1623–1662) ist vielfach hingewiesen worden. Hans Joachim Schoeps stellte Kafka in eine Reihe mit den »großen homines religiosi Pascal, Kierkegaard, Dostojewski und dem Baalschem«, da er wie diese nur aus dem Glaubenshintergrund der Religion zu verstehen sei, in der er wurzelte.[26] Auch Hermann Hesse hat Kafka mit Pascal, Kierkegaard und Julien Green verglichen. [27] Neuerdings verglich Wiebrecht Ries Kafkas »Ansturm gegen die letzte irdische Grenze« mit Pascals Ansturm gegen das »absolute Paradox« und zitierte aus dessen *Pensées* jene Fragen, die dieser »angesichts des ewigen Schweigens« der indifferenten Natur stellte und die letztlich auch die Fragen Kafkas waren, der sich »in den kalten Raum der Welt geworfen« fühlte:

> Bedenke ich die kurze Dauer meines Lebens, aufgezehrt von der Ewigkeit vorher und nachher; bedenke ich das bißchen Raum, den ich einnehme, und selbst den, den ich sehe, verschlungen von der unendlichen Weite, von denen ich nichts weiß und die von mir nichts wissen, dann erschaudere ich und staune, daß ich hier und nicht dort bin; keinen Grund gibt es, weshalb ich gerade hier und nicht dort bin, weshalb jetzt und nicht dann. Wer hat mich hier eingesetzt? Durch wessen Anordnung ist mir dieser Ort und diese Stunde bestimmt worden? [28]

Vor allem in den »berühmten, aus einer Fülle von Notizen exzerpierten 109 Aphorismen«[29] Kafkas, welche er 1917/18, in einer Zeit ernster religionsphilosophischer Studien verfaßte und die Max Brod posthum unter dem Titel *Betrachtungen über Sünde, Leid, Hoffnung und den wahren Weg* herausgab, hat die Lektüre Pascals (und Kierkegaards) stark nachgewirkt. Nach Ries »können sie – neben den Tagebüchern und weiteren Passagen aus dem Nachlaß – als Dokument für Kafkas theologia occulta gelten«.[30] Indessen konnte Pascal nur deshalb eine so starke Wirkung auf Kafka ausüben, weil ihm dieser *a priori* nahestand. Pascal hat Kafka darum auch nichts schlechthin Neues oder gar Andersartiges eingebracht, sondern hat ihn – wie Kierkegaard – in seinem Eigenen spontan angesprochen und »bestätigt«. Alle drei waren verwandte Naturen, für die das Existieren als solches das eigentliche, ja einzige Problem darstellte. Von zarter Gesundheit, sind auch alle drei relativ früh gestorben: Pascal mit 39, Kafka mit 41 und Kierkegaard mit 42 Jahren. Scharfsinnigen Intellekt verbanden sie mit tiefem religiösem Engagement. Auch für Kafka, den unentschiedenen Skeptiker, war die religiöse Frage letztlich die zentrale Frage. Wenn auch keine Erlösung kommen sollte, so bekannte er, wolle er doch in jedem Augenblick der Erlösung würdig sein. Entsprechend teilte er mit Pascal den Zug zu strenger Askese und Meditation, aber auch das tief pessimistische Menschenbild. Wie dieser empfand er die Nichtigkeit und Verlorenheit des Menschen, der zu seiner Rettung eines Absoluten bedürfte. Zugleich aber war er sich der unendlichen Ferne Gottes und der Ungewißheit der göttlichen Gnade schmerzlich bewußt. Er war Geist von seinem Geist, erregt von den letzthin transzendenten Fragen: Wer bist du? Wo stehst du?, bedrückt durch die Einsicht in die menschliche Unzulänglichkeit, durch das Gefühl des Ausgeliefertseins an ein undurchdringlich labyrinthisches Dunkel und in fatalistischer Ergebenheit leidend am Wissen um die Unaufhebbarkeit des Nichtwissens, das nur durch den Sprung in den unbedingten Glauben erlöst werden könnte. Diese Übereinstimmung in der Sicht der Welt und in der Rangordnung der Werte betrifft nicht nur den Menschen Kafka, sie besitzt auch Relevanz für sein literarisches Schaffen. Denn in allen seinen Werken geht es um Variationen dieses unauslotbaren Themas der Unfaßbarkeit, ja Unmöglichkeit der menschlichen Existenz.[31]

8.

Trotz mancher äußeren Unterschiede im Leben und Dichten *Baudelaires* (1821–1867) und Kafkas sind doch typologische Zusammenhänge zwischen beiden unverkennbar. Trotz seines mehr extravertierten eleganten Lebensstils war auch der junge Baudelaire von ausweisloser Trauer, ja vom Leiden am Menschsein angekränkelt. Das Leben erschien ihm »leer, schal, widerwärtig und trostlos«. »Alle Erinnerungen, die ihm kamen, waren unangenehm und bitter.«[32] Wie Kafka hatte auch ihn in der Gestalt seines Stiefvaters schon früh auf ein schweres Vaterproblem belastet. Dieser Stiefvater Baudelaires ist insofern mit dem Vater Kafkas vergleichbar, als auch er zur Individualität seines Sohnes in krassem Gegensatz stand. Er war ein General und als solcher ein rigoroser Zwingherr der Familie, der den zum Dichter geborenen Sohn »zu einem nützlichen Mitglied der menschlichen Gesellschaft« erziehen wollte und das mit militärisch strengen Zuchtmitteln zu erreichen suchte. Mit dem Eintritt dieses Mannes in Baudelaires Leben nahm dessen Unglück seinen Anfang. Einem jungen Menschen, der Gedichte schrieb, stand der Stiefvater ohne Verständnis gegenüber. »In seinem Mund hatte das Wort Poet ... denselben Klang wie Deserteur, Defraudant oder ... Ähnliches.« Der Kontakt zur musischen Sensitivität des Sohnes war in der Tat unüberbrückbar. Wie Kafka ist darum auch Baudelaire von seinem traumatischen Vaterkomplex nie ganz frei geworden.

Gemeinsam ist ihnen ferner ein tiefer Spürsinn für die leidenden Menschen in der erbarmungslos harten Welt, ein Mitleid, das freilich auch das unstillbare eigene Leiden empfindsam mit einschloß. Ihre bedeutungsvollste Übereinstimmung jedoch lag in ihrem problematischen Verhältnis zur Sexualität. So ist auch Baudelaire ähnlich wie Kafka an der Frau gescheitert, erlebte und erlitt er die Frau, die er leidenschaftlich begehrt hatte, letzthin als Verhinderung seiner Selbstverwirklichung als Dichter. Wie er in einem Brief an seine Mutter darüber klagte, erinnert an die auch von Kafka wiederholt beklagte Fatalität seiner Frauenbeziehungen und könnte zum Teil im gleichen Wortlaut von Kafka selber geschrieben sein, nur daß der weltoffenere Baudelaire noch tiefer in die sexuelle Katastrophe geraten war als der asketisch sich abschirmende Kafka:

Meist bin ich gezwungen, nachts zu arbeiten, um ein wenig Ruhe zu haben und von den unerträglichen Quälereien dieser Frau verschont zu sein, mit der ich zusammen lebe. Manchmal renne ich von zuhause fort, um irgendwo ein wenig schreiben zu können; ich gehe in die Bibliothek oder einen Lesesaal, oder ich setze mich in eine Weinhandlung oder ein Café wie heute. Jeanne ist nicht nur ein unüberwindliches Hindernis für mein Glück – das wäre nicht das Schlimmste, ich kann auf das Vergnügen verzichten, wie ich Dir schon bewiesen habe – aber auch ein Hindernis für mein geistiges Schaffen![33]

Man denkt bei diesen Worten an Kafkas Äußerung, die Frauen seien »Fangeisen«, die den Mann in das Nur-Endliche reißen, an das befremdlich negative Frauenbild Kafkas überhaupt, welches das gesamte literarische Werk Kafkas bestimmt und demzufolge er keine einzige liebenswerte Frauengestalt geschaffen hat. Die Frauenkatastrophe repräsentiert indessen nur einen Teilaspekt des leidvollen Weltkomplexes beider Dichter, dem Baudelaire in demselben Brief mit kafkahaft anmutenden Klagen Ausdruck gegeben hat:

Was ich in mir fühle, das ist eine grenzenlose Verzweiflung, das Bewußtsein einer unerträglichen Vereinsamung, eine ewige Furcht vor neuem ungeahntem Unglück, ein vollständiges Versagen meiner inneren Kräfte, das Fehlen jeglicher Wünsche, ein Unvermögen, noch an irgend etwas eine wirkliche Freude zu haben. Unaufhörlich frage ich mich: welchen Zweck hat das alles noch? Ich fühle mich an der Grenze des Irrsinns.

Bezeichnenderweise spielte auch Kafka wiederholt auf den ihn bedrohenden Irrsinn an. Als leidvolle Schicksalsverwandte repräsentieren Baudelaire und Kafka mit ihrem Leben und Werk Dichtertum als tragische Existenz.

9.

Nach Kafkas eigenen Äußerungen ist *Gustave Flaubert* (1821–1880) der von ihm »am meisten und am konsequentesten bewunderte Schriftsteller« gewesen.[34] Auch mit dem Menschen Flaubert verband Kafka ein starkes Affinitätsgefühl. Wie er selbst war auch Flaubert von angekränkelter Gesundheit, ja durch ein Nervenleiden sogar von praktischer Berufsausübung ausgeschlossen, und lebte in kaum unterbrochener Einsamkeit diszipliniert planvoll ganz seinem Schreiben. Er verwirklichte also eine im Sinne Kafkas ideale Schriftstellerexistenz, ein Leben strenger Entsagung um der Kunst willen. In einem Brief an seine Braut Felice Bauer (F 460) sowie in Tagebucheinträgen (T 311 und 318), »in denen [er] Schreiben und Ehe als unüberbrückbare Gegensätze kennzeichnete, hat sich Kafka auf Dostojewski, Grillparzer, Kleist, Kierkegaard und Flaubert als seine ›Blutsverwandten‹ berufen«.[35] Wie Johannes Urzidil mitteilte, fühlte sich Kafka als Flauberts »geistiges Kind«.[36] Und als er Felice ein französisches Exemplar der *Éducation sentimentale* schenken wollte, bemerkte er dazu: »Schreibe, daß Du französisch liest, auch wenn es nicht wahr ist, denn diese französische Ausgabe ist prachtvoll.« Die Faszination durch Flaubert und die lebhaft gefühlte Affinität erhellen auch aus seinem Tagebucheintrag vom 6. Juni 1912:

> Ich lese in Flauberts Briefen: »Mein Roman ist der Felsen, an dem ich hänge, und ich weiß nichts davon, was in der Welt vorgeht.« – Ähnlich wie ich es für mich am 9. Mai eingetragen habe. (T 280)

Rund ein Jahrzehnt später hat Kafka im Gespräch mit Gustav Janouch noch einmal an diese briefliche Äußerung Flauberts angeknüpft und sich selbstkritisch demütig zu dessen stilstrenger Kunst als seinem unerreichbaren Vorbild bekannt:

> . . . Kafka [sagte]: »Flaubert schreibt in einem Brief, daß sein Roman ein Felsen sei, an dem er sich halte, um nicht in den Wogen der Umwelt unterzugehen. [. . .] Nur ist die Sache bei mir etwas komplizierter. Durch das Gekritzel laufe ich vor mir selbst davon, um mich beim Schlußpunkt selbst zu ertappen. Ich kann mir nicht entrinnen.« (J 243 f.)

Als ein engagierter Anhänger, ja als ein bewußt Lernender hat Kafka die Werke und Briefe Flauberts gelesen. Diese Lektüre war für Kafka ein Akt künstlerischer Selbstfindung. Schon in seinem Frühwerk *Hochzeitsvorbereitungen auf dem Lande* (1907) versuchte er, »es Flaubert gleichzutun in einer möglichst genauen Beschreibung der Wirklichkeit«. »Das Wenige, was von diesem Roman vorhanden ist, macht den Eindruck, daß es ihm mehr darum zu tun war, die neue Kunst zu lernen, als eine Romanhandlung in Gang zu bringen . . . Man muß annehmen, daß Kafka die bloße Beschreibung [anfänglich] schwergefallen ist. Dafür spricht, daß er ganze Strecken aus Flaubert entlehnt.«[37] Aber nicht nur im ästhetischen Exaktheitsideal der Erzählkunst stimmte Kafka mit Flaubert überein, er teilte auch dessen fatalistischen

Pessimismus, die Enttäuschung darüber, daß die Welt eher die schlechteste als die beste aller möglichen Welten ist und der Mensch dem ihm zuerteilten Titel eines *homo sapiens* hohnspricht. Nichts ist in ihren Augen so abwegig, als daß es nicht doch geschähe. Angewidert durch die Erbärmlichkeit der menschlichen Natur ist Lebensekel das sie beherrschende Gefühl. Aber im Unterschied zu Flaubert schloß Kafka in das pessimistische Aburteil über den Menschen gerade auch sich selber voll ein. Je mehr Kafka und Flaubert an der Banalität der Welt und an sich selber litten, um so mehr galt ihnen die Literatur als einzige Chance der Erfüllung, waren sie beide kritisch hellwache Formkünstler. Infolgedessen haben sie das Schreiben zum Gegenstand intensiven Nachdenkens gemacht und die Gesetze künstlerisch gültiger Erzähltechnik zu erfassen gesucht. Dabei erwies sich Flaubert für Kafka insofern als direktes Vorbild, als er in seinem Werk die Erzählergegenwart grundsätzlich aufgehoben hat. Wie er über *Madame Bovary* bemerkte, gibt es in diesem Roman »keine Lyrik, keine Reflexionen: [bleibt] die Persönlichkeit des Verfassers . . . aus dem Spiel«, ist sich das Erzählte in sich selbst genug. Hier war in der Tat die epische Haltung Kafkas bereits vorgebildet. Auch Kafka wollte keine Erzählung »von außen her«, sondern verwarf das als »zu hotel- und detektivmäßig«. Ihm ging es um den unvermittelten, gleichsam sich selbst erzählenden Vorgang. Indem er bei der Darstellung des Innenlebens der Figuren »den zeitlichen Standort in das Geschehen selbst« verlegte, schloß er den darüberstehenden allwissenden Erzähler aus und folgte damit der Forderung Flauberts: »Der Künstler muß in seinem Werk sein wie Gott in der Schöpfung: unsichtbar und allmächtig; man muß ihn überall spüren, aber nirgends sehen.«[38] »Kafka brauchte hier nur anzuknüpfen und den Weg bis zur völligen Zurückdrängung des Erzählers zu Ende zu gehen.« Kafka stimmte mit den ästhetisch literarischen Forderungen Flauberts so genau überein, daß alles, was dessen epische Technik kennzeichnet, auch auf seine Erzählweise zutrifft. Auch ihm ging es darum, objektiv genau wie ein Anatom zu beobachten und das Beobachtete vollständig wiederzugeben, schreibend das Persönliche aufzugeben und sich ganz an das Tatsächliche hinzugeben, die Dinge also unentschieden auf sich selbst beruhen zu lassen und infolgedessen auch das Krasseste mit ungerührt grausamer Objektivität zu beschreiben. Wichtig war, daß Kafka die Perspektivtechnik Flauberts, die Vergegenwärtigung des Geschehens in der jeweiligen Sicht der Personen schon früh kennenlernte und grundsätzlich akzeptierte. Auch kann kein Zweifel darüber bestehen, daß die suggestive Wirkung des Kafkaschen Erzählens nicht zuletzt auf der perspektivischen Eindeutigkeit der Gestaltung beruht.

In Übereinstimmung mit Flaubert war »allgemeinster Gesichtspunkt der Darstellung für Kafka, die entworfene Situation in ihrer Unversehrtheit [zu bewahren] und durch fremdartige Bestandteile nicht [zu entwerten]«. Um die Wirkung auf den Leser nicht abzuschwächen, galt es, die

Erzählperspektive nicht zu brechen, sondern »auf die durchgehende Stimmigkeit des Erzählten bedacht« zu sein. Was Kafka infolgedessen ablehnte, sind Abschweifungen, Übergänge auf andere Ebenen der Betrachtung, Vergleiche, die von der erlebten Situation ablenken und aus der Gesamtstimmung herausreißen. Ein Roman, so schrieb er an seinen Freund Oskar Baum, sollte direkt mit dem Ende der Fabel abschließen. Ein angehängter Epilog würde den Rahmen der Geschichte sprengen und das Dargestellte zum Teil wieder aufheben. Bei allem Erzählen müßten »die Einheitlichkeit und Einlinigkeit des Leseeindrucks« gewahrt und die klaren Umrisse der Geschichte jederzeit vor Augen gehalten werden. Langsam sich steigernd, ohne plötzliche Richtungsänderungen, solle sich eine Fabel entwickeln. Eine Erzählung, die nicht mit ihrem Ausgangspunkt einsetze, sei als »unvollständig« abzulehnen. Sind also einerseits situationsfremde Details auszuschalten, so geht es andererseits innerhalb der einheitlichen Erzählperspektive um detailbeflissene Vollständigkeit der Beschreibung, wobei aber in einen Erzählzusammenhang nur das gehört, »was sich zwangsläufig aus einem einzigen Ansatz entwickeln kann«. Um dieser inneren Stimmigkeit willen muß ein unvermitteltes Aufeinanderprallen von Gegensätzen vermieden werden. Gefordert ist vielmehr eine »natürliche Entfaltung, die von kaum merkbaren Anfängen auszugehen hat«.

An den Erzählungen *Der Bau* und *Das Urteil* wurde beispielhaft gezeigt, wie sorgfältig Kafka diese gestalterischen Forderungen erfüllt hat. Man verwies auf den allmählichen »Übergang . . . von der anfänglichen schläfrigen Entspanntheit des Waldtiers im *Bau* zur schreckhaften Erregung im Schlußteil der Erzählung« sowie auf den schrittweise sich entfaltenden Demoralisierungsvorgang, demzufolge das Entsetzen Georg Bendemanns im *Urteil* so suggestiv aufgebaut wird, daß das Unglaubliche am Ende glaubhaft erscheint und der Leser es akzeptiert, wenn sich Georg zuletzt »aus dem Zimmer gejagt« fühlt und den befohlenen Selbstmord widerspruchslos, ja willig vollzieht. Worum es Kafka und Flaubert gleichermaßen ging, war also ein sorgfältig motivierter, folgerichtiger und vollständiger Erzählungsaufbau.

Nichts darf die durchgehende Geschehnisfolge und Einlinigkeit aufheben. Deshalb müssen auch »Nebensächlichkeiten innig mit der Handlung verbunden werden, damit ein geschlossenes Gefüge entsteht« und die Erzählung die Dichtigkeit eines Gewebes erhält. Man könnte auch sagen, daß es innerhalb des jeweils gegebenen Rahmens für den Dichter überhaupt nichts Nebensächliches gibt.

Dem entspricht die Wichtigkeit, die scheinbar nebensächlichen Details im Erzählen Kafkas und Flauberts zukommt. Die Orientierung Kafkas am Detail bezeugen u. a. seine Reisetagebücher, welche »vor allem flüchtige Einzelimpressionen, Nebensächlichkeiten, Zufallsereignisse und subjektiv empfundene Ausschnitte festhalten«.[39] Kafka war eben auch darin ein Schüler Flauberts, daß für ihn *expressis verbis* dessen Satz galt: »Alles ist interessant, wenn man es nur lang genug anschaut.« Dasselbe besagt Kafkas Äußerung gegenüber Janouch: »Das Gewöhnliche selbst ist ja schon ein Wunder! Ich zeichne es nur auf.« (J 31) Wie H. C. Buch betont, erklärt sich die Auffälligkeit detaillierter Beschreibung in Kafkas Werk aus seinem an Flaubert orientierten Selbstverständnis als Schriftsteller: »er habe sich im öffentlichen wie im privaten Bereich als Beobachter verstanden«.[40]

Vorbild war Flaubert als ein Gegner der Flucht bzw. Ausflucht in die Phantasie, eben als ein Realist, »who [like Stifter] attached significance to the minutest details«. »All his life Kafka studied Flaubert, his antidote to romantic vagueness and effusion, particularly *Sentimental Education* and *Temptations of St. Anthony*; *Forschungen eines Hundes*, one of Kafka's last stories, on the *Bouvard and Pécuchet* theme.«[41] Dieser an Flaubert orientierte und geschulte Realismus Kafkas bedingte auch seinen zumindest partiellen Gegensatz zu seinen expressionistischen Zeitgenossen. Denn:

> Unlike the expressionists . . . Kafka presents situations clearly and within easy range of the immediate understanding. ›If the expressionists converted natural events into magic . . . Kafka attempted to show the magic within the simple course of events.‹ Like Flaubert he, too, sought a clear approximation to the reality of the event he was describing.[42]

Zu dem Realismus Flauberts und Kafkas gehört die vollkommene Unterwerfung der Figuren unter die Herrschaft des Zufalls und eine entsprechend akausale Situationsfolge in ihren Dichtungen. Am 18. September 1846 schrieb Flaubert an Louise Colet: er leugne, weil er sich unfrei fühle, die individuelle Freiheit. Kafka radikalisierte noch diese Zufallsherrschaft, indem er die absurde Diskrepanz zwischen nichtigem Anlaß und katastrophaler Auswirkung betonte. Symptomatisch ist der Schlußsatz seiner Erzählung *Ein Landarzt*: »Einmal dem Fehlläuten der Nachtglocke gefolgt – es ist niemals gutzumachen.« Hier kommt bereits das existentialistische Verlorenheitsgefühl der »Geworfenheit« zum Ausdruck.

Endlich die Neigung Kafkas, Bewußtseinslagen seiner Figuren durch Mimik und Gestik zu verdeutlichen, ja daß Dialoge und Ausdrucksbewegungen seine wichtigsten Mittel zur Personencharakterisierung darstellen, weist gewiß auch auf Flaubert und Kleist als Vorbilder zurück. Diese haben den ihm eigenen Zug bestätigt und bestärkt. Für alle drei sind Dialoge und Gesten bevorzugte »Gegenstände der Darstellung und stellen dar«. In ihnen gibt eine Figur jeweils Aufschluß über sich und den Partner oder Kontrahenten, und zwar sowohl durch das, was sie sagen und tun, als auch dadurch, wie sie es sagen und tun. Gerade Flaubert »hatte diese Technik vorzüglich angewandt«.[43] »Durch den Dialog zeichnen« nannte er es in einem Brief an Louise Colet vom 29. September 1853.

10.

Eine Beziehung ganz anderer Art verbindet Kafka mit *Octave Mirbeau* (1850–1917). Kafka kannte diesen Schriftsteller aus der Lektüre des Romans *Der Garten der Qualen* (*Le Jardin des Supplices*, 1899), den er neben zwei anderen Werken des Autors persönlich besaß. Rein stofflich betrachtet ist der literarische Zusammenhang Kafkas mit Mirbeau enger als mit jedem anderen französischen Dichter. In typologischer Hinsicht jedoch stehen sich beide so fern, daß man fast von einem Nichtverhältnis sprechen könnte. Ihre Verbindung liegt darin, daß Mirbeaus *Garten der Qualen* die Hauptquelle, ja eine Art Modell zu Kafkas Erzählung *In der Strafkolonie* darstellt. Wohl als erster hat W. Burns diesen Zusammenhang aufgedeckt.[44] Auch H. Binder, Ingeborg Henel, Nagel und Karl-Heinz Fingerhut haben dazu Stellung genommen.[45] »K. Wagenbach hat Abschnitte [des Mirbeauschen] Romans abgedruckt, um über die Quellenkombination mit Kafkas amtlichen Beschreibungen von Hobelmaschinen und Arbeitsunfällen einen direkt sozialkritischen Impuls in der Erzählung deutlich zu machen.«[46]

Unübersehbar ist, daß die Bauform der Kafkaschen Erzählung, »wesentliche Teile der Beschreibung des Strafapparates«, das distanzierte Berichten »ausgesuchter Grausamkeiten« und »das Motiv der Unverhältnismäßigkeit der Strafe« (Fingerhut) dem Mirbeauschen Roman entstammen. Wie in der *Strafkolonie* werden im *Garten der Qualen*, der im fernen China liegt, Verurteilte durch raffiniert ausgedachte Folterungen qualvoll langsam exekutiert. Der Ich-Erzähler entspricht dem Forschungsreisenden, ist auch wie dieser mit einem Empfehlungsschreiben ausgestattet und erreicht den Strafort ebenfalls zu Schiff übers Meer. Die Rolle des kommentierenden Gerichtsoffiziers übernimmt eine Frau, die den Garten der Qualen eingehend beschreibt. Nach der Besichtigung verläßt der Erzähler den Garten in einem Boot. Hier wie dort haben die Verurteilten wenig oder nichts verbrochen; ihre Hände und Füße sind mit Ketten gefesselt. Den Handzeichnungen des alten Kommandanten über die Foltermaschine der Strafkolonie entsprechen im Garten der Qualen bildliche Darstellungen der mathematisch ausgeklügelten Hinrichtungsarten. »Man trifft einen ›tourmenteur‹, der gerade die außerordentliche Arbeit einer Exekution hinter sich hat. Er reinigt seine Instrumente, gibt Auskünfte über den Verurteilten und über den Hinrichtungsmechanismus ... den [Kafka], durch eine große Hinrichtungsmaschine ersetzend, ins Zentrum seiner Erzählung gestellt hat. Dabei bleibt der Hinrichtungsmodus, nämlich möglichst langsames, qualvolles Sterben, beide Male gleich ... Es ist erstaunlich, wie Kafka wirklich noch die unbedeutendsten Einzelheiten ... wie z. B. die Erwähnung eines Teehauses, des Reises, einer Münzverteilung, aufgreift.«[47]

Trotz dieser verblüffenden Übereinstimmungen der Kafkaschen *Strafkolonie* mit Mirbeaus *Garten der Qualen* gehen aber, wie Ingeborg

Henel mit Recht betont hat, gerade im Entscheidenden die beiden Erzählungen auseinander. Handelt es sich im *Garten der Qualen* um rein sadistische Prozeduren, stehen hier die Folterungen um ihrer selbst willen, so soll in der *Strafkolonie* der exekutierte Schuldige die Gnade der »Verklärung« erlangen. Wertet der Gerichtsoffizier sein Amt als »Dienst am Gesetz«, so betrachtet der »tourmenteur« Mirbeaus seine Funktion lediglich als eine raffinierte Kunst, die jetzt »zu seinem Bedauern ... zugunsten neuer, aus Europa importierter Methoden des Massenmordes« vernachlässigt wird – »eine ganz andere Situation also als die des Offiziers, der den Untergang des alten Strafverfahrens zu verhindern sucht, nicht weil roher Massenmord, sondern weil falsche Milde an seine Stelle treten soll«. »Daß der sadistische Roman [Mirbeaus] als Gesellschaftssatire gemeint war, rückt ihn der *Strafkolonie* [auch] nicht näher.«[48] Als primär am Individuum interessierter Dichter, der darum auch »keine Theorie der Gesellschaft entwickelt« hat, verfolgte Kafka auch in der *Strafkolonie* nicht die Absicht, eine Gesellschaftssatire zu schreiben, auch wenn es gerade in dieser Erzählung nicht ganz an gesellschaftskritischen Einschlägen fehlt. Vor allem die durch den Nachfolger des alten Kommandanten in der Kolonie eingeführten neuen Gesellschaftsformen, im besonderen das starke Hervortreten des weiblichen Elements – der neue Kommandant mit seinem Anhang aufdringlicher Damen und Dämchen – werden satirisch beleuchtet. Aber auch die Kennzeichnung der strikten früheren Männergesellschaft unter dem alten Kommandanten zeigt satirische Züge. Gleichwohl geht es in Kafkas Strafkolonie letztlich um anderes als in Mirbeaus *Garten der Qualen*, auch wenn andererseits nicht nur oberflächliche Parallelen zwischen beiden Erzählwerken bestehen. So erscheint hier wie dort die Marterprozedur als eine aufwendig dargebotene »raffinierte Kunst«, ja so sehr als Kunst, daß über der Bewunderung, die das großartige Schauspiel erweckt, die Brutalität des Folterungsaktes fast nicht mehr wahrgenommen wird. Nicht die Folterung als solche, sondern ihre kunstvolle Durchführung zieht die Aufmerksamkeit auf sich. »Mit der Sakralisierung der Hinrichtungsprozedur verbindet sich die Ästhetisierung des Exekutionsvorgangs.«[49] Im Blick auf die technische Perfektion des Strafapparates hegt der Gerichtsoffizier geradezu ästhetische Ambitionen. Der Apparat ist ihm nicht nur ein Heiligtum, sondern auch »a thing of beauty«.

Diese perverse Verbindung eines subtilen Schönheitssinns mit barbarisch grausamen Folterungsvorgängen rücken Kafkas *Strafkolonie* und Mirbeaus *Garten der Qualen* einander nah. Gewiß ist Kafkas Erzählung Dichtung und keine psycho-pathologische Studie, aber ebenso sicher ist, daß sie sadomasochistische Assoziationen hervorruft und damit einen tief eingewurzelten Zug des Dichters trifft, der sich in vielfältigen Spielarten auch in seinen anderen Werken bekundet. Entscheidend ist jedoch, daß – trotz der unübersehbaren Berührungen der *Strafkolonie* mit dem sadistischen Roman Mirbeaus – die Kafkasche Erzählung etwas

47

Neues, Eigenes darstellt, worin die Ferne des Grauens, wie sie im *Garten der Qualen* erscheint, als bedrückende Nähe enthüllt wird. Das Absurde der Begebenheiten zeigt sich nicht in der distanzierten Form der Parabel, sondern tritt – unverfremdet, wenn auch Entsetzen weckend – als ein Stück möglicher Wirklichkeit vor Augen. Es wird keine abseitige Schreckensvision entfaltet, auch liegt nicht – wie sonst häufig bei Kafka – das Zwielicht eines Erwachens über der Situation, sondern alles vollzieht sich im hellen Tageslicht und auf konkret vorstellbare Weise. Die sich aufdrängende Aktualität des Straflagerthemas kommt noch verschärfend hinzu. Was den Menschen bedroht, ist hier nicht etwas hinter den Dingen Verborgenes, das auf einmal unerwartet hervorbrechen kann, sondern etwas wie selbstverständlich Gegebenes und Permanentes. Es fehlt der Unwirklichkeitscharakter einer imaginierten Traumwelt. Aber eben diese realistische Natürlichkeit des Geschehnisablaufs macht das Ungeheuerliche noch ungeheuerlicher und steigert so den spezifischen Kafkaeffekt. Das Entsetzliche »überrumpelt« keinen ahnungslosen Betroffenen, sondern ist als das Übliche mitten unter uns. Das Grauen, das Kafka hier erregt, hat nichts zu tun mit sadistischem Spuk, es ist vielmehr ganz hier und jetzt, integrierender Bestandteil einer erfahrbaren menschlichen Lebenswelt. Das Unmenschliche der *Strafkolonie* ist zugleich das Gewohnte und Alltägliche, das gedankenlos Akzeptierte und Praktizierte, kein Bruch der üblichen Ordnung. Was hier schockiert, geschieht immer wieder und überall. In Mirbeaus Roman hingegen, von dem der *stoffliche* Anstoß zu Kafkas Erzählung ausgegangen war, geht es gerade nicht um schockierend Normales, sondern um schlechthin Ausnahmehaftes, um einen Sonderfall von ausgeklügeltem Sadismus. In den Kraßheiten der *Strafkolonie* jedoch, die »das Gewöhnliche« als das Gespenstisch-Unheimliche, Aggressive und Unfaßliche vor Augen stellt, ist letztlich unser aller Schicksal angesprochen. So genau auch beide Erzählungen im äußeren Ablauf des Geschehens übereinstimmen mögen, handeln sie doch von ganz verschiedenen Dingen.

11.

Anders als zur französischen und englisch-amerikanischen Literatur scheinen zur Dichtung Italiens keine näheren literarischen Verwandtschaftsbeziehungen Kafkas zu bestehen. Die Vergleiche, die zwischen Kafka und Dante angestellt worden sind, haben freilich zu wenig Spezifisches eingebracht, als daß eine typologische Zusammengehörigkeit beider erkennbar geworden wäre. Kafka und Dante gehörten verschiedenen Geisteswelten an. Die Nöte, die sie durchlitten, waren nicht dieselben. Und wo sie an gleiche oder vergleichbare Probleme rührten, geschah das unter jeweils anderen Gesichtspunkten.[50]

Unter den ihm nahestehenden italienischen Dichtern sei ein neuerer Autor herausgegriffen, dessen Thematik und Problematik Assoziationen zu Kafka hervorrufen: *Luigi Pirandello* (1867–1936).[51] Schon dessen frühe Dichtungen bekunden einen Kafka verwandten resignativen Pessimismus, eine (scheinbare) Kälte gegenüber den Erscheinungen des Lebens, eine selbstquälerische, ja makabre Ironie. Wie Kafka ist auch Pirandello ein Dichter des Individuums, den als Hauptproblem die Frage nach der Bestimmung des Menschen beschäftigte. Und wie Kafka war er von der Unsicherheit alles Bestehenden, von der Unmöglichkeit objektiver Erkenntnis und der Fragwürdigkeit der menschlichen Existenz überzeugt. Vor allem aber ist beiden ein fundamentaler Selbstzweifel gemeinsam. Und es war Pirandello, in dessen Werk die krisenhafte Identitätsproblematik der Moderne ihren am schärfsten artikulierten Ausdruck gefunden hat. In seinem Buch *Uno, nessuno e centomila* hat er die Frage nach dem eigenen Selbst in eine Reihe unlösbarer Einzelfragen aufgelöst: Bin ich Einer? Bin ich Keiner? Bin ich Hunderttausend? Daß hier sogar die bislang als zweifelsfrei unterstellte Selbstgewißheit des Ich, das *cogito ergo sum* Descartes', hinfällig geworden ist, daß es mithin überhaupt keinen sicheren Anhalt des Denkens mehr gibt und der Mensch sich in labyrinthische Finsternis – in ein Tunnel ohne erkennbaren Ein- und Ausgang (Kafka) – »geworfen« fühlt, ist das wohl kennzeichnendste und bedrückendste Symptom der modernen Krise: der Selbstverlust des Individuums

Bereits 1885 hatte der Physiker und Philosoph *Ernst Mach* (1838–1916) in seiner *Analyse der Empfindungen* das Ich für »unrettbar« erklärt: »das Ich ist keine unveränderliche, bestimmte, scharf begrenzte Einheit.« In die gleiche Richtung drängte die Psychoanalyse, die die menschliche Person als Triebbündel definierte und damit den Anspruch des Ich, autonome Instanz zu sein, untergrub. Etwa gleichzeitig hatten Quantenmechanik und Relativitätstheorie auch das physikalische Weltbild grundlegend verändert und dadurch ebenfalls zur Verunsicherung des menschlichen Selbstbewußtseins beigetragen. Ich und Welt waren inkonsistent und chaotisch geworden. Das Schlagwort »Alles ist relativ« suggerierte fatalistischen Pessimismus, der in Nietzsches Nihilismus seinen philosophischen Nährboden fand und weithin in den Existentialismus Sartrescher Richtung ausmündete. Die Auflösung des Ich »stellte den letzten Schritt der Entwurzelung des Menschen dar, der nun nicht nur ohne Gott, sondern auch ohne den Halt eines eigenen Ich existieren mußte«,[52] allein gelassen in einer Welt ohne erkennbaren Sinn, flüchtig und unbehaust, wie schon der verzweifelnde Faust klagte, ein »Unmensch ohne Zweck und Ruh« (3348/49), »ein Spiel von jedem Druck der Luft« (2724).

Im geistigen Klima dieser radikalen Zeitenwende entfalteten sich das Denken und Dichten Kafkas und Pirandellos. Was sie aber über diese allgemeinen geschichtlichen Voraussetzungen hinaus persönlich miteinander verbindet, bezeugt sich darin, daß die Identitätskrise für sie nicht lediglich Ergebnis unerbittlich bohrenden Nachdenkens war, sondern vor allem Niederschlag schmerzlicher Erfahrungen. Pirandello mußte erleben, daß er in den Augen seiner pathologisch eifersüchtigen Frau – trotz der gültigsten Beweise seiner Unschuld – als ein mit schwerer Schuld Beladener erschien. In einer solchen Hölle grundloser Verdächtigungen lebend, zog er folgerichtig den Schluß: »Für sie bin ich also nicht ich. Ich existiere doppelt: so wie ich mich sehe, und so, wie sie mich sieht.« Und die Reihe solcher kontrastierender Sichten ist endlos fortsetzbar. Die Unterschiede, wie ich mich sehe und wie die anderen mich sehen, treten in unzähligen Variationen zutage. Und jeder und jede dieser vielen anderen haben auf ihre Weise recht. Es gibt nun einmal keine absolute Wahrheit. In letzter Konsequenz resultiert aus alledem der kafkasche Schock von der schlechthinnigen Andersheit alles Seins und alles Geschehens. *Expressis verbis* hat Pirandello diese Unerfaßbarkeit der menschlichen Lebenswelt im Titel seines Dramas *Non si sa come* (*So ist es.Ist es so?*) lapidar formuliert.

Die besondere Nähe Pirandellos zu Kafka erhellt nicht zuletzt auch aus gewichtigen biographischen Parallelen. Hat doch auch er wie Kafka die schmerzlichen Lebenserfahrungen, die den Ausgangs- und Stützpunkt seiner Kunst bildeten, innerhalb des intimsten Lebenskreises, nämlich innerhalb der Familie, erlitten. Ähnlich wie der Vaterkonflikt, ja Vaterkomplex Kafkas für dessen Schreiben grundlegend war, stimulierte hinter Pirandellos gesamtem Werk das Trauma seines unheilbaren Ehekonflikts. In beiden Fällen gründete die Katastrophe in einem tragischen Nichtverstehenkönnen, das einander nächststehende Menschen entzweite, die auf partnerschaftliches Verstehen angewiesen waren. Wie die literarische Erscheinung Pirandellos »demjenigen fast unverständlich bleibt, dem der Kern seines gesamten Lebenswerkes – eben die Familientragödie – unbekannt ist«, enthüllt Kafkas 1919 geschriebener *Brief an den Vater*, daß auch in seinem Leben und Dichten eine familiäre Tragödie, nämlich sein von Kind an bestehender und nie verwundener Vaterkonflikt, zentrale Bedeutung besaß und als ein Schlüssel zum Verständnis seines Schreibens unentbehrlich ist.

12.

Typologische Verwandtschaft verbindet Kafka auch mit nordischen Dichtern, welche auf eigene Weise die Problematik der Moderne zum Gegenstand ihres Dichtens gemacht haben. Unter diesen steht *August Strindberg* (1849–1912) Kafka am nächsten. Unverkennbare Affinität besteht aber auch zu *Jens Peter Jacobsen*(1847–1885), dessen Vita in charakteristischen Einzelzügen an Kafka erinnert. Wie dieser war Jacobsen Sohn eines geschäftstüchtig nüchternen Vaters und einer schwärmerisch romantischen Mutter. Doch erlebte er – anders als Kafka – eine sorglose Jugend. Ein zermürbender Konflikt mit dem Vater blieb ihm erspart. Der tragische Zwiespalt, der sein Leben und Schreiben bestimmte, lag ganz in ihm selbst. Mit Kafka verband ihn Sensitivität höchsten Grades, zugleich ein darwinistisch begründeter Atheismus, wie er auch für den jungen, durch Darwin und Nietzsche beeinflußten Kafka kennzeichnend war. Nicht zuletzt haben beide schwere religiöse Kämpfe durchlitten. Schließlich die markanteste biographische Parallele: Jacobsen und Kafka litten an Tuberkulose, schrieben während ihrer letzten Lebensjahre im Bewußtsein des nahenden Todes ihre reifsten Werke und starben früh.[53]

Im Blick auf die Titelfigur ist Jacobsens Roman *Niels Lyhne* (1880) mit Kafkas Romanen vergleichbar. Gegenstand der Darstellung ist hier wie dort die heillose Situation des Menschen in einer entgötterten Welt. Wie die Protagonisten Kafkas trägt Niels Lyhne autobiographische Züge. Er ist ein sensitiver idealistischer Atheist, der sich in der Wirklichkeit nicht zurechtfindet. Das Scheitern erscheint unausweichlich, da die Welt nicht so ist, wie sie sein sollte. Der Pessimismus beider Dichter bekundet sich in einem (scheinbar) erbarmungslosen Realismus der Darstellung, der nichts beschönigt, sondern auch das Krasse schonungslos enthüllt. Aber anders als Kafka, in dessen Werken immer eine männliche Gestalt im Mittelpunkt steht, hat Jacobsen gerade auch leidvolle Frauenschicksale vor Augen gestellt, so in dem Roman *Frau Marie Grubbe* (1876) und in der Brieferzählung *Frau Fönß* (1882).

Knut Hamsum (1859–1950), den Kafka schon früh durch seinen Freund Max Brod kennenlernte, mit Begeisterung las und als Schriftsteller hochschätzte, war in seinem Welt- und Selbstverständnis, auch nach Temperament und Neigung zu andersartig geprägt, als daß er zur näheren literarischen Verwandtschaft des Dichters gezählt werden dürfte. Gleichwohl ist er nicht ohne Einfluß auf Kafkas Schreiben geblieben. Sein Roman *Mysterien* (1892) hat offentsichtlich auf Kafkas *Schloß* gestaltbestimmend eingewirkt. Nagel, der Protagonist in Hamsuns Roman erinnert in der Tat an den Romanhelden Kafkas. Auch er ist wie dieser ein nicht integrierbarer Außenseiter der Gesellschaft, voll Ablehnung gegenüber der ihm widerstrebenden und letzthin unverständlichen Welt der Konventionen. Und wenn er an seiner Liebe zu einer ihm unzugänglichen Frau scheitert, so ist auch das ein Symptom dafür, daß er in die Welt, wie sie nun einmal ist, nicht paßt und darum zugrunde gehen muß. Er teilt also das makabre Schicksal der Kafkaschen Gestalten.

Daß *Strindberg* eine starke Faszination auf Kafka ausübte, kann nicht verwundern. Ist es doch derselbe pessimistische kritische Tiefenblick hinter die Dinge, der beide Dichter kennzeichnete und an der Wirklichkeit irre werden ließ. Für Strindberg und Kafka gilt, was Schopenhauer von sich gesagt hat: »Sobald ich zu denken angefangen, habe ich mich mit der Welt entzweit gefunden.« Hartmut Binder hat auf neun Tagebuchstellen hingewiesen, die Strindbergs Wirkung auf Kafka bezeugen.[54] Früh schon las er Strindbergs Dramen und erlebte sie auch in Aufführungen des Prager »Deutschen Sommertheaters«, einer »mutigen Experimentierbühne der zeitgenössischen Moderne«, auf der Ibsen, Materlinck, Schnitzler, Tolstoj und Strindberg gespielt wurden. Wie Kafka an Felice schrieb, las er 1912 Ola Hanssons *Erinnerungen an Strindberg*, die ihn »ganz verrückt« machten. (F 242) In einem anderen Brief schwärmte er: »Nur die Augen schließen und das eigene Blut hält Vorträge über Strindberg.« (F 734) Ab 1914 hat Kafka seine Kenntnisse über Strindberg (und Dostojewski) systematisch erweitert und vertieft. Jetzt las er dessen ihm bisher nur in Auszügen bekannte *Gotische Zimmer* (T 408), die ihm, wie er an Felice schrieb, mit ihren negativen Stellungnahmen zu Eheproblemen und ihrem kraß artikulierten Sexualabscheu »unendlich lieb« waren. (F 170) Auch die Fortsetzung der *Gotischen Zimmer*, *Schwarze Fahnen*, hat er damals gelesen und vor allem den Roman *Am offenen Meer*, den er »eine Herrlichkeit« nannte. (F 632) Die Aufführung von Strindbergs Drama *Der Vater* hat ihn, den selber auch am Weib Krankenden, stark angesprochen. In seiner Handbibliothek befanden sich außer Romanen und Erzählungen Strindbergs (u. a. die »Zwanzig Ehegeschichten«) vor allem auch dessen autobiographische Schriften, so die *Inferno-Legenden* und *Entzweit-Einsam*, die ihn durch Parallelen zur eigenen Vita beeindruckten. Die Zusammenhänge zwischen Leben und Werk waren ihm wichtig. Strindbergs schwierige, durch die zweite Ehe seines Vaters empfindlich belastete Kindheit erinnerte Kafka an die Leiden seiner eigenen Knabenzeit und knüpfte ein Band der Sympathie zu dem unglücklichen schwedischen Dichter, der schon im zarten Alter die Brutalität ungerechter Machtausübung hatte erdulden müssen.

Indessen enthüllen die Lebensläufe beider Dichter außer auffälligen Übereinstimmungen auch entschiedene Gegensätze ihrer Naturen. War Kafka ein wesentlich apolitischer Mensch, so Strindberg ein engagierter Revolutionär, ja ein Anarchist, der absolute Ausdrucksfreiheit und Selbstverwirklichung forderte, also nicht nur ein scharfer Kritiker der politischen Mißstände, sondern auch ein entschlossener Aktivist, der sogar vor Terrorismus nicht zurückschreckte und z. B. detaillierte Pläne zur Sprengung des Stockholmer Schlosses ausarbeitete. Als ein sich erniedrigt fühlender »Sohn einer Magd«, dessen verletzter Stolz nach Überkompensationen verlangte, war er letzthin gegen alles und alle. Das erklärt den Widerspruch, daß er einerseits auf der Seite der »Erniedrigten und Beleidigten« stand, andererseits zum Antidemokraten wurde und einem Aristokratentum Nietzschescher Prägung frönte.[55] Sein lädiertes Ehrgefühl eskalierte in einen Selbstbehauptungswillen, der sich nicht genugtun konnte. Dieser kämpferische Aktivismus stand im äußersten Gegensatz zu Kafkas rein literarischer Existenz, auch zu dessen politischem Fatalismus, dem das Elend der Welt als irreparabel galt und der das Getto der Ausgestoßenen und Gedemütigten in gewisser Weise als den ihm zugehörigen Ort empfand. Sein sadomasochistischer Zug zur Selbsterniedrigung kontrastierte zu Strindbergs autokratischem Macht- und Herrschaftsdrang. Kafka sprach u. a. von einer Hundehütte als dem ihm gemäßen Aufenthaltsort. Im Gegensatz zu Strindberg war Kafka ein Dulder, nicht ein Kämpfer. Adäquates Existieren gab es für ihn nur in der Zurückgezogenheit, in »besinnungsloser Einsamkeit«, wie er selber sich ausdrückte, denn »nur der innerste Kreis ist rein«. Strindberg hingegen war aufbegehrender Rebell, der seinen aggressiven Trotz in die Welt hinausrief, der die Opposition nicht scheute, sondern suchte, der nicht introvertierte, sondern herausforderte, nicht resignierte, sondern immer aufs neue wieder angriff.

Die auffälligste Affinität zwischen Kafka und Strindberg zeigt sich in dem problematischen Verhältnis beider zur Sexualität und zur Frau überhaupt. Freilich gibt es auch in diesem Bereich insofern keine volle Übereinstimmung, als bei Kafka die negativen Affekte nicht in so exzessiver Form zum Ausdruck kommen wie bei Strindberg. Grundsätzlich sind es aber dieselben sexuellen Komplexe, die beide lebenslang belastet, ja verbiestert haben. Kafkas Darstellung des Geschlechtlichen im *Schloß*-Roman bezeichnet Erich Heller mit Recht als den ingrimmigen »Epilog zur europäischen Geschichte der romantischen Liebe«, deren letztes Kapitel bereits Strindberg geschrieben hatte.[56] Beide Dichter konnten keine dauerhafte positive Beziehung zur Frau finden, weil sie ihrer Anlage nach zu keiner partnerschaftlichen Liebe fähig waren. Beiden gemeinsam war vielmehr ein pathologisch überspitztes negatives Frauenbild. War Kafka auch kein enragierter Frauenhasser wie Strindberg, so teilte er doch dessen demoralisierende Auffassung der Frau als eines bloßen Geschlechtswesens, das den Mann erniedrige und an seiner geistigen Bestimmung und Leistung hindere. Einer altererbten Zwangsvorstellung folgend, sahen beide in der Frau nur die verführende Eva. So sprach Kafka von »weiblichen Fangeisen«: die Frauen seien »Fallen, die den Menschen von allen Seiten belauern, um ihn in das Nur-Endliche zu reißen«. (J 109) Für die Emanzipationsbestrebungen der Frauen hatte Strindberg nur Hohn. Die Selbständigkeit der Frau paßte nicht in sein patriarchalisches Konzept.

Infolgedessen war es für Strindberg – und *cum grano salis* für Kafka – selbstverständlich, daß die Frau intellektuell und moralisch dem Mann unterlegen, an Raffinesse hingegen überlegen sei und dieser als der Anständigere in der Liebe das Spiel immer verliere. Dem entspricht die Auffassung der Liebe als eines Machtkampfes der Geschlechter, in dem der Edlere, weil zugleich Schwächere, untergeht. Liebe schlägt darum notwendig in Haß um, ja sie ist schon von vornherein zum pathologischen Zustand einer Haßliebe disponiert. Worauf es ankäme, wäre daher: sich vor den Frauen zu schützen, zumal zu der Furcht, sich zu binden und mit der Freiheit auch sein moralisches Niveau zu verlieren, bei beiden noch eine gewisse Sexualscheu hinzukam. Aus dieser Einstellung heraus liebte Kafka Strindbergs Roman *Am offenen Meer*, in dem sich der Held, dem sinnlichen Liebestrieb nachgebend, mit einem ihm geistig unterlegenen Mädchen verlobt, dann aber zu seiner Höherentwicklung von dieser Bindung wieder losringt und in die Einsamkeit zurückzieht, wo er schließlich im Freitod endet. Dieses Geschehen mußte Kafka um so stärker beeindrucken, als er darin eine genaue Parallele zu seiner eigenen problematischen Beziehung zu Felice Bauer sah, unter der er zu diesem Zeitpunkt (1913) sehr gelitten hat. Bezeichnend ist ferner, daß er durch die Lektüre von *Entzweit – Einsam*, der Geschichte von Strindbergs zweiter Ehe, unangenehm berührt wurde, solange das Verhältnis der Ehepartner gut ging (T 475), sich dagegen positiv bewegt und bestätigt fühlte, als die Liebe in Haß umschlug. Im panisch gewordenen Angstzustand seiner Gebundenheit an Felice war Kafka jedes Beispiel willkommen, das die Auflösung einer fatalen Bindung als reale Möglichkeit vor Augen stellte.

Die Anmaßung dieses einseitigen Männerstandpunktes hat von vornherein eine erträgliche Geschlechterbeziehung unmöglich gemacht. Andererseits hat aber gerade das selbstverschuldete Scheitern erotischer Bindungen der vorbestehenden moralischen Diffamierung des Weiblichen immer noch weiteren Auftrieb gegeben und im Mann den Askenstolz des edlen Einsamen gezüchtet. Doch war es nicht nur patriarchalische Selbstherrlichkeit, welche die Frauenfeindschaft nährte. Hinzu kam vielmehr ein aus dem Bewußtsein eigener Schwäche resultierender Selbsthaß, der – unbewußt – in einen um so grimmigeren Frauenhaß umgemünzt wurde. Das fatale Wort Byrons »Es ist das Schreckliche an den Frauen, daß man weder mit ihnen noch ohne sie leben kann« galt eben auch für Strindberg und Kafka und bezeugt sich in dem leidvollen Hin und Her ihrer erotischen Beziehungen. Strindberg haßte die Frauen, weil er sie zugleich auch lieben mußte. Er haßte sie der Liebe wegen, der er nicht widerstehen konnte. Letzthin haßte er die Frauen deshalb, weil er zu einer Liebe, wie er sie sich ersehnte, selber nicht fähig war, diesen eigenen Mangel aber nicht – oder nur in seltenen Augenblicken – erkennen konnte. Ein solch ausnahmehaftes Erkennen des eigenen Versagens erfolgte, als Harriet, seine dritte Frau, die er liebte, in Tränen ausbrach und er selbstanklagend ausrief: »Ekel erfaßt mich vor mir selbst! Wie könnte ich nur mir selber entfliehen!« Für einen Augenblick sah er hier auf den Grund der ehelichen Katastrophe. Aber aus der Zwangsjacke seiner unheilschwangeren Zwiespaltnatur konnte er sich so wenig befreien wie Kafka. Dieser Frauenhasser war aber andererseits auch ein vergötternder Liebender, der Herrschsüchtige zugleich ein sich unterwerfender Höriger, der kritisch Nörgelnde ein großmütig Verwöhnender, der rasch Enttäuschte ein ebenso rasch Entflammter. Immer wieder hat ihn die Liebesleidenschaft gepackt, und immer wieder schlug sie jäh in enragierte Feindschaft um.

In weniger krasser Form traf all das auch auf Kafka zu: das jähe Entflammen einer Liebesneigung und das ebenso jähe Abbrechen eingegangener Verbindungen. Unüberhörbar ist die Härte des Tons in den Briefen an Felice, in denen er die sofortige Lösung ihres Verhältnisses geradezu verfügte. Fast scheint es, als schreibe hier ein anderer Kafka. Aber im Gegensatz zu Strindberg war Kafka bei aller Entschiedenheit des Trennungswillens nicht auch noch ein unerbittlicher *Rächer*. Die *Beichte eines Toren*, das Buch, in dem Strindberg die Katastrophe seiner ersten Ehe beschrieben und dabei die schrecklichsten Auseinandersetzungen und beschämendsten Intimitäten schonungslos preisgab, war ein Racheakt rigorosester Art, eine moralische Vernichtung, ja ein Totschlag der früheren Gattin. Strindberg selbst erklärte später: »Ich war damals krank, als ich es schrieb, und ich bereue bitter, dieses Buch geschrieben zu haben.« Doch gab es bei seinem Temperament keine Gewähr dafür, daß sich ein solch rachsüchtiger Exzeß nicht wieder ereignen könnte. Hingegen wäre bei Kafka, der sich in erster Linie immer selbst beschuldigte, undenkbar gewesen, daß er sich zu einer Rachehandlung in literarischer Form befugt und überhaupt fähig gefühlt hätte.

Die Frage, ob Kafka, der Strindberg als großen Schriftsteller bewunderte, in seinem dichterischen Werk durch diesen beeinflußt worden sei, ist verschieden beantwortet worden. Baumgartner hat eine literarische Beeinflussung entschieden bestritten.[57] A. Rendi hingegen unterstellt, daß Strindbergs *Am offenen Meer* auf Kafkas *Schloß* eingewirkt habe.[58] Und Politzer glaubt in Kafkas Dramenfragment *Der Gruftwächter* die Nähe Strindbergs zu spüren. H. von Hentig zieht Parallelen zwischen Kafkas *Prozeß* und Strindbergs *Inferno*. Auch in Kafkas Roman sei »jene Mischung angeborenen Mißtrauens und übersteigerter Ich-Auffassung [dargestellt], die von den verschiedensten psychischen Erkrankungen hochgespült werden«.[59] Nach Sokel ähnelt die in Kafkas *Brief an den Vater* »geschilderte quälende Vater-Sohnbeziehung . . . einer Ehe, wie sie Strindberg in seinem naturalistischen Aspekt öfters gestaltet« habe.[60]

Läßt sich ein direkter literarischer Einfluß Strindbergs auf Kafka nur in wenigen Spuren nachweisen, so ist die typologische Verwandtschaft beider Dichter desto klarer erkennbar. Was sie kennzeichnet, ist ein »Leiden an Ichschwäche« (Baumgartner), die Kafka zum Resignieren, Strindberg hingegen zu forciertem Kämpfen, Kompensieren und Sich-Behaupten drängte. Sein Leben war überhaupt ein »permanenter Kampf des Selbstbehauptungsdrangs gegen die Inkonstanz und mangelnde Geschlossenheit seines Ichs«, ein Kampf, der »den ständigen Hintergrund seiner Liebes- und ehelichen Konflikte« bildete.[61] Aber sowohl dem ausweichenden Introvertieren Kafkas wie dem angreifenden Extravertieren Strindbergs lagen eine ähnliche Persönlichkeitsstruktur und Denkweise zugrunde. Beide waren unglückliche, an der schnöden Welt und an sich selbst leidende Menschen, zwiespältige Naturen. Die zwei (und mehr) Seelen in ihrer Brust stimmten nicht zusammen. In ihrem Ja verbarg sich immer ein Nein, in ihrem Nein immer auch ein Ja. Sie scheuten, ja fürchteten Kontakte und sehnten sie zugleich herbei. Das gilt gerade auch für Kafka, der *expressis verbis* nach »besinnungsloser Einsamkeit« begehrte. Aber auch Strindberg litt an einem solchen »Need – Fear Dilemma«, weil er sein Verhältnis zu anderen nicht im Gleichgewicht zu halten vermochte.[62] Beiden gemeinsam ist ferner ein gelegentliches Verschwimmen der Gedanken, eine Lockerung des Zusammenhangs von Bild und Bedeutung, ja »eine den Geisteskrankheiten vergleichbare Archaik des Denkens und Bewußtseinsregression«, in deren Folge »Bilder und Metaphern . . . wie echte Realitätsbestandteile wörtlich und wirklich genommen und wie diese behandelt« werden.[63]

Obwohl nach dem Urteil von Psychologen und Psychiatern bei Strindberg und Kafka eine schizoide Disposition vorliegt und auch die beiden selbst sich vom Irrsinn bedroht fühlten, zögert man, sie als Psychopathen zu klassifizieren. Gewisse hypochondrische Züge sind jedoch nicht zu übersehen. Der Erklärung des Offiziers in Strindbergs *Traumspiel*:

> . . . es geht bei mir doch immer schlecht aus! Jede Freude im Leben muß mit doppeltem Elend bezahlt werden. Da wo ich jetzt sitze, habe ich's schwer, aber wenn ich mir die holde Freiheit erkaufe, muß ich dreifach leiden . . . ich laß es lieber, wie's ist.

stellt sich Kafkas Tagebuchäußerung zur Seite:

> Als ich noch zufrieden war, wollte ich unzufrieden sein und stieß mich mit allen Mitteln der Zeit und der Tradition, die mir zugänglich waren, in die Unzufriedenheit . . . Ich war also immer unzufrieden, auch mit meiner Zufriedenheit.

Daß ein solches Verhalten den Rahmen des Üblichen sprengt, duldet keinen Zweifel. Gleichwohl erklärte Peter Weiss in seiner Gedenkrede auf Strindberg:

> Ich sehe nichts Krankes an ihm. [Denn] ein Kranker wagt nicht, in das Fieber, in die Fäulnis einzudringen. Ein Kranker ist gelähmt, wartet vielleicht auf die Wundertaten von Ärzten. Strindberg war sein eigener Arzt. Er machte sich selbst zum Gegenstand der Untersuchung, der Vivisektion. Er stellte sich dar auf seinem Vordringen im völlig Weglosen und öffnete Möglichkeiten für neue Ausdrucksformen . . .[64]

Das trifft genau auch die Situation Kafkas, der wie Strindberg »an den Grenzen des Denkbaren und Faßbaren lebte, [so] daß jeder weitere Vorstoß ihn in Gebiete führte, die damals noch Niemandsland waren«.

Daß beide mit ihrem Anstürmen gegen die Grenzen zugleich »gegen die Gesetze der Normalität« verstießen, verdammte sie zu Einsamkeit und Nichtverstandenwerden, zu fatalem Scheitern in und an der Wirklichkeit. Da es ihnen versagt war, harmonisch ausgeglichen in sich zu ruhen, waren sie auch sich selbst ein unlösbares Problem. Vor allem aber

war ihnen als einsamen Grenzgängern der Kosmos der Welt zum Labyrinth geworden. Nicht erst für Kafka, auch schon für Strindberg war »die
Erde ein Ort der Verdammnis, ein Labyrinth, voll befremdender Ereignisse, in die man verstrickt wird«.[65] Allezeit saß ihnen die Furcht vor
bösen Überraschungen im Nacken. Schon in dem frühen Werk *Hochzeitsvorbereitungen auf dem Lande* (1907) gab Kafka seinem heillosen
Pessimismus Ausdruck: »immer war ich überzeugt, daß je mehr mir
gelingt, desto schlimmer es schließlich wird ausgehen müssen.«
(HL 206) Dem entsprach die pessimistisch fatalistische Grundhaltung
beider auch *in politicis*. Trotz seines Aktivismus war auch Strindberg
überzeugt, daß die Welt nicht in Ordnung zu bringen ist.

In sich zurückgezogen und allem Aktivismus abhold teilte Kafka die
politische Skepsis Strindbergs durchaus. Von der Unveränderbarkeit der
menschlichen Natur überzeugt und um die immanente Gesetzmäßigkeit
geschichtlicher Abläufe wissend, galt ihm die Situation der Menschen als
hoffnungslos. Wie Strindberg sah er das menschenerniedrigende Elend
in den versprochenen Paradiesen voraus. Es war ihm klar, daß jede
Revolution zuletzt durch die Bürokratie erledigt wird. Wie er zu Janouch sagte, erhoffte er »weder von einem Krieg noch von einer Revolution Erneuerungen . . . Hinter allen revolutionären Bewegungen sah
er ›die Sekretäre, Beamten und Berufspolitiker, alle die modernen Sultane‹ stehen, denen jene nur den Weg bereiten«. (J 80)

Diesem Pessimismus Strindbergs und Kafkas im Blick auf die menschlichen Dinge stand in ihrem gestalterischen Künstlertum ein kreatives
Positivum gegenüber. Und auch hier schöpften sie aus verwandten
Quellen. Wenn Strindberg im *Traumspiel* ausspricht, was Dichtung für
ihn ist, nämlich »nicht Wirklichkeit«, sondern »mehr als Wirklichkeit«,
»nicht Traum«, sondern »waches Träumen«, also ein in die Tiefe drin-
gendes Einsichtigwerden, ein intuitives Erschauen der eigentlichen
Wirklichkeit, so meint er genau das, was Kafka »traumhaftes inneres
Leben« nannte.[66] Es geht dabei um eine Konfrontation mit der Realität, die vom üblichen Wahrnehmen so verschieden ist, daß sie die
vordergründig Nüchternen wie eine »verwirrte Sinneswahrnehmung«
anmutet. Wie Weiss annimmt, schrieb Strindberg unter dem Eindruck
von Rimbauds *Une saison en enfer* auch eine kleine Arbeit, die er
Verwirrte Sinneswahrnehmungen nannte und einleitend mit programmatischen Aussagen erläuterte:

> Ich bereite hier die Fähigkeiten einer höher entwickelten seelischen Tätigkeit
> vor, die wir heute noch nicht besitzen und die ich nur in kurzen Augenblicken
> hervorrufen kann – um dann übermüdet vor Anstrengung ins Alte zurückzu-
> fallen. Ich will beim Schreiben eine Einheit herstellen aus Naturwissenschaft,
> Poesie und Raserei.

In diesen Sätzen ist auf Strindbergsche Weise ausgesprochen, was
Kafka nach der geglückten Niederschrift seiner Erzählung *Das Urteil*
über den schöpferischen Akt des Schreibens bekannte:

... Die fürchterliche Anstrengung und Freude, wie sich die Geschichte vor mir entwickelte, wie ich in einem Gewässer vorwärtskam. Mehrmals in dieser Nacht trug ich mein Gewicht auf dem Rücken. Wie alles gesagt werden kann, wie für alle, für die fremdesten Einfälle ein großes Feuer bereitet ist, in dem sie vergehn und auferstehn ...

Die Übereinstimmung beider in ihrem Verlangen nach »einer höher entwickelten seelischen Tätigkeit« im Akt des Schreibens erhellt daraus, daß es ihnen gerade nicht um ein müßiges weltflüchtiges Träumen ging, sondern im Gegenteil um einen vertieften und umfassenden *Realismus*, wie das Peter Weiss für Strindberg nachdrücklich bestätigte: »Im Inferno-Tagebuch fand ich eine absolute Wirklichkeit ... Hier war das Dasein geschildert, voll Drohungen, Verfolgungen und unerklärlicher Erscheinungen ... es war besser, das Unheil deutlich vor sich zu sehen, als im dunkeln zu tappen.« Um solche »absolute Wirklichkeit« war es auch Kafka zu tun, wie er Janouch gegenüber erklärte:

Edschmid behauptet, daß ich Wunder in gewöhnliche Vorgänge hineinpraktiziere. Das ist natürlich ein schwerer Irrtum von seiner Seite. Das Gewöhnliche selbst ist ja schon ein Wunder. Ich zeichne es nur auf. (J 31)

Mit diesem konsequenten Realismus hängt auch zusammen, daß beide, Strindberg und Kafka, im Menschen kein eindeutiges Wesen sahen, ja daß ihnen das Wort Charakter verdächtig war. Sie konfrontieren den Leser mit der Vielfalt der Motive im Geschehen der Welt, mit dem »Widerspruchsvollen und Unerklärlichen in den Handlungen der Personen«. Das aber heißt: Kafkas Epik ist »Ereignisdichtung«. Sie denkt nicht in Charakteren, sondern in Situationen und Vorgängen. Dem entspricht seine Vorliebe für geborene Erzähler wie Johann Peter Hebel und Charles Dickens. Kafka zeigt den Menschen an dem Punkt des Weges, an dem seine Sicherheit zerbricht, an dem sich das bisher Gewohnte und als gültig Akzeptierte als Täuschung erweist, an dem der Held seinen Halt verliert und »kein Hiesiger« mehr ist. Höchst polemisch hat sich Strindberg mit dem Phänomen »Charakter« als etwas nur aufgeheftetem Unwirklichen auseinandergesetzt.

Ein Charakter, das ist ein fix und fertiger Herr, der mit unveränderlichen Merkmalen auftritt, einer, der sich einer bestimmten Rolle im Leben angepaßt hat, einer der aufgehört hat, zu wachsen und sich zu entwickeln, einer, der sicher dahinsegelt. Und charakterlos wird der genannt, der seine Gesichtspunkte ändert, einer der stürzt und sich wieder aufrafft und nach neuen Wegen sucht, einer der schwer einzufangen und zu registrieren ist ... Meine Gestalten sind zusammengesetzt aus vergangenen und gegenwärtigen Kulturphasen, aus Bücherseiten und Zeitungsblättern, aus Stücken anderer Menschen, aus Kleiderfetzen und Lumpen, und ihre Ideen entnehmen sie wechselweise voneinander.

Das *Mixtum compositum*, das die Gestalten Strindbergs repräsentieren, reflektiert zugleich die eigene Zerrissenheit des Dichters und begründet seinen Extremismus im Leben wie im Schreiben. Unbehaust und unerlösbar, zugleich aber mehr als andere der Erlösung bedürfend, fand er sich wie Kafka in ein Niemandsland ausgesetzt. Weiss bemerkt dazu: »Ein halbes Jahrhundert vor Kafka, vor Joyce, Sartre und Genet, konnte er im Endstadium seiner Inferno-Zeit nur in eine pseudo-religiöse Krise geraten.« Wer von »pseudo-religiöser Krise« spricht, verkennt jedoch Strindbergs inbrünstiges Verlangen nach Erlösung von den Leiden des irdischen Lebens, übersieht, daß für einen Menschen solcher Art nur in intensiver Religiosität Rettung möglich war. Wie Strindberg selbst sagte, kann man nur durch willige Unterwerfung unter die Forderungen der unbekannten höheren Mächte Vergebung seiner Schuld erlangen. Dem entsprachen auch die pathologisch übersteigerten Selbstprüfungen und Bußen, denen er sich – ähnlich wie Kafka – unterzog. Nicht nur in der Dichtung, auch im Leben mußte Strindberg seinen Weg *nach Damaskus* gehen. Wer lebenslang ohnmächtig gegen die eigene Hilfsbedürftigkeit aufbegehrte und so immer wieder und in wachsendem Maße das »schlechthinnige Abhängigkeitsgefühl« der Kreatur in sich erlitten hat, kann nur durch den entschlossenen Sprung in den Glauben den Seelenfrieden gewinnen. Gerade der ins Nichts auslaufende Exzeß prometheischen Denkens und Verhaltens forderte als rettenden Ausgleich den absoluten Glauben. Auch in dieser Hinsicht ist die Parallele im Werdegang Kafkas klar erkennbar, nur eben in der milderen Form, wie sie dessen um vieles weniger heftigen, ja zur Unterwerfung und Selbstbezichtigung neigendem Naturell entsprach.

13.

Von den slawischen Literaturen ist für unser Thema die russische die ergiebigste. Ihr kommt repräsentative Bedeutung zu. Gogol, Dostojewski, Tolstoj und Tschechov werden darum in einem eigenen Kapitel als Ahnen Kafkas gewürdigt. Ohne Frage ließen sich auch zur Dichtung der anderen slawischen Völker, insbesondere der Tschechen und Polen,[67] literarische Verwandtschaftsbeziehungen nachweisen, die aus Raumgründen hier ausgespart bleiben, zugleich aber nachdrücklich als ein fruchtbares Feld für weitere komparatistische Untersuchungen nahegelegt werden. Ausgespart bleibt auch die Literatur des Mittelalters insgesamt, die zwar keineswegs eine homogene Einheit darstellt, aber in der sie bestimmenden Weltsicht und Lebenswertung einer so verschiedenen Bewußtseinsstufe angehört, daß ihre geistige Situation mit der der Moderne kaum vergleichbar erscheint. Gewiß gab es auch im Mittelalter eigenwüchsige Geister mit dem Mut zum Selbstsein, Außenseiter und Ketzer. Ob aber modernes Lebensgefühl, moderne Problematik oder gar existentielle Krisen im heutigen Sinn damals schon möglich waren, ist eine offene Frage. Um so mehr könnte es andererseits locken, nach solchen Ausnahmegestalten zu fahnden, die dem geistigen Klima des

Mittelalters bereits entwachsen waren und vielleicht schon zu den Ahnen Kafkas gezählt werden dürfen. Indessen ist nicht zu verkennen, daß das Denken und Dichten der so viel älteren Antike Kafka näher standen als das Literatur- und Geistesleben des Mittelalters. Der Prozeß der Säkularisation, die Entmythisierung der Welt, der Sieg der Ratio als des einzig zuständigen Erkenntnisvermögens, welche Neuzeit in gleichsinnigem Zusammenwirken heraufführten und im Geist der Moderne kulminieren, haben die auf Transzendenz gestellte mittelalterliche Welt ins schier Unzugängliche gerückt. Das Bekenntnis *credo, quia absurdum est* scheint nicht länger möglich. Die Entscheidungsgewalt des Intellekts ist totalitär geworden. Wenn aber Intellektuelle vom Rang Kierkegaards oder Kafkas sich zu jenem paradoxen Glaubenssatz bekennen, so fehlt ihnen die naive Unschuld des mittelalterlichen Menschen, handeln sie im Zwiespalt mit einem Teil ihrer selbst. Ihre religiöse Leistung mag damit um so größer sein; zugleich aber verweist sie auf eine krisenhafte Problematik, wie sie in dieser Form dem Mittelalter unbekannt war.

Daß für einen deutsch schreibenden Autor des 20. Jahrhunderts die neuere deutsche Literatur die Hauptquelle ist, aus der er die ersten prägenden Anregungen empfing, versteht sich von selbst. Sie war auch für Kafka die geistige und künstlerische Heimat, in der er aufgewachsen ist. Mit Grillparzer, Hebbel, Nietzsche und vor allem Kleist fühlte er sich verwandtschaftlich eng verbunden. Und Goethe hat er – im vollen Bewußtsein des zugleich Gemeinsamen und Unvereinbaren – lebenslang hohe Verehrung gezollt.

Typologische Verwandtschaft verbindet Kafka mit *Friedrich Hölderlin* (1770–1843). Daß sein Leben und Werk in einer bereits mythenlos gewordenen Zeit noch ausschließlich dem Mythos galt, ja den Mythos neu erringen wollte – diese sehnsüchtige Hinneigung zur antiken Götterwelt scheint ihn zwar von Kafka zu trennen, doch dieser Schein trügt. »Als Prophet ohne eine inhaltlich abgesicherte Verkündigung« hatte Hölderlin schon »eine sehr moderne Dichterposition« inne[68] und stand Kafka wie all den introvertiert einsamen Dichtern der Jahrhundertwende nah.

In der Tat könnte die Charakterisierung, die Hans Gottschalk von Hölderlins Menschen- und Dichtertum gegeben hat, fast unverändert auf Kafka übertragen werden.

Niemals ist ausschließlicher ein Menschenleben für die Dichtkunst gelebt worden . . . Für Hölderlin war die Dichtung, auch in dem geringeren, alltäglichen Sinn, der *Beruf* seines Lebens. Untüchtig, unfruchtbar, erfolglos nach dem Maßstab des täglichen Lebens, entging er immer wieder jedem Amt und Geschäft, jeder praktischen Tätigkeit. Und da denn dieses Leben der Dichtung durch die Art des Zeitalters, durch die Qual der Einsamkeit oder durch die zu große Last der vielleicht unerfüllbaren Berufung ein Leben unaufhörlicher Leiden und sein Ende der Wahnsinn war, so scheint es uns fast wie ein einziges Opfer der Kunst, ein Opfer aller Kräfte und alles Glücks, von dem wir kaum noch zu unterscheiden vermögen, ob es einen angemessenen Sinn oder Nutzen gehabt hat.[69]

Daß auch Kafkas Leben »ein einziges Opfer der Kunst, ein Opfer aller Kräfte und alles Glücks« gewesen ist, hat er selber ausgesprochen:

Als es in meinem Organismus klar geworden war, daß das Schreiben die ergiebigste Richtung meines Wesens sei, drängte sich alles hin und ließ alle Fähigkeiten leer stehn, die sich auf die Freuden des Geschlechts, des Essens, des Trinkens, des philosophischen Nachdenkens, der Musik zuallererst richteten; ich magerte nach allen diesen Richtungen ab. Das war notwendig, weil meine Kräfte in ihrer Gesamtheit so gering waren, daß sie nur gesammelt dem Zweck des Schreibens halbwegs dienen konnten. (T 229)

In *Franz Grillparzer* (1791–1872) sah Kafka – ähnlich wie in Kleist, Flaubert und Dostojewski – einen nahen Verwandten, dessen Lebensverhalten in vielem dem seinen glich. Zugleich liebte er ihn als Schriftsteller, vor allem die Erzählung *Der arme Spielmann*, die er neben dem *Michael Kohlhaas* Kleists als eine literarische Kostbarkeit bewunderte. Es ist sogar ein direkter literarischer Einfluß von dieser Geschichte auf ihn ausgegangen, insofern Kafka »die Beschreibung der Lebensumstände des Sohnes im Hinterzimmer« aus ihr übernahm »und auf die des Vaters in seiner Erzählung *Das Urteil*« übertrug.[70] Heinz Politzer hat im *armen Spielmann* auch eine Quelle für Kafkas *Verwandlung* gesehen. Indessen ist es nicht so sehr die literarische Beziehung, die Kafka mit Grillparzer verband. Was ihn ansprach und anzog, war vor allem die menschliche Nähe, die er zu diesem Dichter empfand, das ganz persönliche Interesse, das er für dessen Lebensgeschichte hegte. Als er sich darüber klar geworden war, daß er die Verbindung mit Felice Bauer lösen muß, wenn er er selber bleiben soll, hat er sich zur Bestätigung und Rechtfertigung auf das Beispiel Grillparzers berufen, der unter der gleichen Bindungsangst litt und trotz langer Bekanntschaft mit Kathi Fröhlich diese nicht heiratete. Darin sah Kafka – wie auch im Verhalten Kierkegaards und Flauberts – eine Parallele zu seiner eigenen unerträglich gewordenen Verlobungsmisere. In Grillparzers Verhalten gegenüber der Verlobten, die ihm, als er sie aus Mitleid auf dem Schoß hielt, völlig gleichgültig war, erkannte er die Trostlosigkeit seiner Situation. Im Tagebuch brachte er eine »Zusammenstellung alles dessen, was für und gegen meine Heirat spricht«. (T 310) »Alles gibt mir gleich zu denken. Jeder Witz im Witzblatt, die Erinnerung an Flaubert und Grillparzer, der Anblick der Nachthemden auf den für die Nacht vorbereiteten Betten meiner Eltern. Maxens [Brod] Ehe.« (T 311) Kafkas Entscheidung für die Literatur war zugleich eine Entscheidung gegen die Ehe. Es war also in erster Linie die ihn *bestätigende* Affinität, die Kafka mit Grillparzer verband, dessen ewige Zweifel an sich selbst, an seiner Kunst und an seinen erotischen Beziehungen er teilte. Empfindlich, angstvoll, hypochondrisch, selbstquälerisch zwiespältig, unzufrieden, durch Depressionen bedroht und Untergangsstimmungen hingegeben, kamen Grillparzer und Kafka nicht nur mit der Welt, sondern auch mit sich selber nicht zurecht.

Aus den gleichen Gründen fühlte sich Kafka auch dem anderen großen österreichischen Dichter, *Adalbert Stifter* (1805–1868), verbunden. Auch hier bestanden Ähnlichkeiten im Typus der Persönlichkeiten sowie in den Lebensabläufen. Beide waren unglücklich – man kann auch sagen »unbefähigt« – in ihren Beziehungen zu Frauen. Ebenso litten beide an unheilbaren Krankheiten und mußten den harten Konflikt zwischen Brotberuf und literarischer Berufung durchstehen. Sensibilität und Angst bestimmten ihr Lebensgefühl. Wenn Kafka während seiner Schulzeit jedes Jahr aufs neue von der Angst befallen wurde, nicht in die nächste Klasse versetzt zu werden, so entspricht das der übermächtigen Examensangst, die Stifter nicht zu bewältigen vermochte, so daß er sein Jurastudium ohne Prüfungsabschluß aufgab. Hinzu kam ein tragischer Fatalismus der Weltsicht, ein hintergründig drohender Pessimismus, der Stifter – angesichts seines Leidens – zum Selbstmord trieb.

Stifter gehörte zwar zu den erst später gelesenen Autoren Kafkas, hat aber als ein literarisches Vorbild auf diesen gewirkt; Max Brod nannte ihn in seiner Autobiographie sogar dessen »Lehrmeister«. Kafka liebte vor allem Stifters Erzählung *Nachkommenschaften*, den Roman *Der Nachsommer* und die *Studien*. Was ihn an diesen Werken anzog, war die künstlerische Sorgfalt der Darstellung, die liebevolle Versenkung ins scheinbar Kleine und Unscheinbare, eben die präzise Aufzeichnung des »Gewöhnlichen«, das »ja selbst schon ein Wunder ist«. Kafka las Stifter mit dem Gefühl: »So muß geschrieben werden.«

Die literarische Verwandtschaft beider ist schon zu Lebzeiten Kafkas erkannt und ausgesprochen worden. Otto Pick nannte Kafka 1922 »einen Stifter verwandten gläsern klaren Prosaisten«.[71] Und am Tag nach der Beerdigung Kafkas, am 12. Juni 1924, klagte derselbe:

> Der deutsche Dichter Franz Kafka, dessen Prosa seit Adalbert Stifter die lauterste im Bereich des deutschen Schrifttums ist, hat den irdischen Umkreis seines lautlosen, nach innen gewandten Wirkens schier unbemerkt verlassen.

Charakteristische Übereinstimmung beider zeigte sich auch in ihrer negativen Wertung des Junggesellen und ihrer Hochschätzung, ja Idealisierung von Ehe und Vaterschaft, in der Lobpreisung jener Lebenswerte und Lebensleistungen, die zu verwirklichen ihnen selber nicht gegeben war.

Daß *Friedrich Hebbel* (1813–1863), der sich seinerseits Kleist verwandt fühlte und als Dichter dessen Spuren folgte, Kafka angezogen hat, kann nicht verwundern. Seine Briefe und Tagebücher, die den Menschen Hebbel und seine Lebensgeschichte vergegenwärtigen, waren für Kafka ein Gegenstand lebhaften Interesses. Er besaß auch die vierbändige historisch-kritische Ausgabe der Tagebücher Hebbels, zu deren wiederholter Lektüre er durch einen Vortrag Paul Wieglers über Hebbels Leben (im November 1910) angeregt wurde. Im Januar 1913 las er dann die Briefe Hebbels (in der Auswahlausgabe Kurt Küchlers) und war gleichermaßen fasziniert und betroffen durch das konsequent genaue Denken des Dichters, das auf die »Winkelzüge [verzichtet], in denen man sich so gern mit seiner Verzweiflung zu retten sucht«. Wie er schon 1904 an seinen Freund Oskar Pollak geschrieben hatte, wurde er durch Briefe, Tagebücher und Biographien von Persönlichkeiten, die ihn verwandt anmuteten, stark bewegt: »Wenn man so ein Leben überblickt, das sich ohne Lücke wieder und wieder höher türmt, so hoch, daß man es kaum mit seinen Fernrohren erreicht, da kann das Gewissen nicht zur Ruhe kommen.«

Ein geborener Tragiker wie Hebbel, der stets auf den Grenzfall des Menschlichen zielt und den Lebensprozeß immer wieder als einen unausweichlichen »Vernichtungsprozeß« vor Augen stellt, mußte den geborenen Tragiker Kafka als verwandt ansprechen. Denn auch in seinen Gestaltungen menschlichen Scheiterns leuchtet kein Sinn im Leiden auf, stellt sich keine reinigende, befreiende Erhebung, keine Katharsis ein. »Die Katastrophe stößt bei ihm kein Tor auf, das ins Freie führt. Der Schock erweist sich als permanent. Die Unerlösbarkeit des Menschen tritt als ein Strukturgesetz des Lebens in den Blick.«[72] Wie bei Hebbel herrscht hier die »unbedingte Notwendigkeit« des tragischen Geschehens. Ist die *Wirkung* der Hebbelschen und Kafkaschen Dichtung solcher Art, ergibt sich doch bei eingehender Betrachtung, daß – allem Nihilismus zum Trotz – von beiden die Bindung an ein Absolutes gesucht oder doch ersehnt wird. So fern und tatenlos, so tot Gott in ihren Gestaltungen zu sein scheint, ist gleichwohl der Gesamthorizont dieser Tragödien so weit gespannt, daß alles Geschehen zu einer letzten transzendenten Instanz hin offen bleibt. In der Kraßheit der Katastrophen ist die Spannung zwischen schmerzlich erfahrener Gottferne und ununterdrückbarer Sehnsucht nach dem Absoluten spürbar. Hebbel selbst hat 1859 im Tagebuch als sein Credo formuliert: »Alles Realistische hat einen idealen Moment«, der gegen alle äußere Zwangsläufigkeit als das Bleibende besteht. Daß er diesen Augenblick nicht kennt, daß es jeder sein kann, der vorüberrollt, dieses Nichtwissen macht recht eigentlich seine Tragik aus. Auch Kafkas Mann vor dem Gesetz, ja alle seine Protagonisten scheitern infolge ihres tragischen Nichtwissens. Zugrunde aber liegt die Glaubensüberzeugung: Transzendenz *ist* – unabhängig von allem menschlichen Versagen oder Gelingen. 1863, im Jahr seines Todes, sprach Hebbel, im Blick auf eine rein kausale Welterklärung, von einem »falschen Realismus, der den Teil für das Ganze nimmt«, während der wahre Realismus »auch das mit umfaßt, was nicht auf der Oberfläche liegt«. Aber eben darauf komme es an, mittels der »künstlerischen Phantasie . . . diejenigen Tiefen der Welt« auszuschöpfen, »die den übrigen Fakultäten unzugänglich sind«. Hier bekundet sich ein in metaphysische Tiefen hinabreichendes Daseinsgefühl, demzufolge die Welt, in der wir erst wirklich existieren, mehr sein müsse als die Wirklichkeit der einzelnen Dinge und Wesen. Und wenn Hebbel in einem Brief aus seinem Todesjahr die Welt als eine »für Menschen unbegreifbare Welt« bezeichnete, so zeigt das, daß sein Dichten über bloße »Ausgedachtheiten« hinausging, wie man sie ihm in abfälliger Weise oft unterstellt. Vor allem stimmt diese Einsicht in die Unbegreifbarkeit der Welt genau mit der Einsicht Kafkas zusammen, daß die Welt nicht sinnlos, wohl aber daß ihr Sinn für bloßen Menschenverstand nicht zu fassen ist.

Ein markanter Gegensatz jedoch trennt die beiden Dichter. Die Helden und Heldinnen Hebbels sind keine Jedermannsgestalten wie die Protagonisten Kafkas, sondern unalltägliche, ja ungeheure Charaktere. Hebbel wollte »Menschen, die wie Fackeln brennen«. Dabei ist es – ähnlich wie bei Kleist – ein Hebbelscher Zug, gerade auch in weiblichen Gestalten das Äußerste darzustellen, während Kafka meist nur nichtssagende Frauenwesen ins Spiel bringt. Neben Frauen heroischen Maßes wie Brunhild, Kriemhild, Judith oder auch subtil grausamen Rächerinnen wie Mariamne und Rhodope hat Hebbel auch bis an die Grenzen des Möglichen leidensfähige große und stille Dulderinnen wie Genoveva, Klara und Agnes Bernauer gestaltet. Nach allen Seiten hin wollte er das Außerordentliche und sogar das Abnorme als das noch Menschenmögliche sichtbar machen. Der Ansicht Kafkas, daß das Gewöhnliche selbst schon ein Wunder sei, hätte sein exzessiver Geist nicht zugestimmt. Literarhistorisch betrachtet, erweist sich das dichterische Werk Hebbels (und Kleists) als »das Vorspiel der modernen Tragödien der monomanischen Leidenschaften und der heillosen Einsamkeit«.[73] Einsamkeit ist die »existentielle Mitgift Hebbelscher Helden«. Mehr noch die neurotischen, ja psychotischen Züge, die Kafka und die Krise der Moderne überhaupt kennzeichnen, waren auch schon seinen Vorläufern eigen.

Auch der radikale Geschichtspessimismus Kafkas, daß es keinen menschlichen Fortschritt gebe, daß alles nur anders und schlimmer, niemals aber besser werden könne, war schon lange vor ihm entschieden ausgesprochen worden, philosophisch allgemein durch Schopenhauer (1788–1860), der mit dem Optimismus der Aufklärung brach, historisch konkret durch Jacob Burckhardt (1818–1897), der sich »von der Zukunft . . . gar nichts« erhoffte, den vielmehr »ein Grauen [überkam], die Zustände Europas möchten einst über Nacht in eine Art Schnellfäule überschlagen, mit plötzlicher Todesschwäche der jetzigen scheinbar erhaltenden Kräfte«.[74] Ja, in einer geradezu kafkahaften Vision sah Burckhardt schon die Krisensituation des modernen Menschen vor Augen, der, von allen Seiten sich bedroht fühlend, wie das Waldtier in Kafkas Erzählung *Der Bau* ein Leben permanenter Angst und Abwehr leben muß: »Ich kenne schon Leute, die nach der wirklichen Lage der Dinge zu leben angefangen haben; sie existieren wie Belagerte.« In kongenialen Vorformulierungen hat Nietzsche die Krise der Kafkageneration des Jahrhundertbeginns zum Ausdruck gebracht und schon die moderne Position Gottfried Benns vorweggenommen:

Wir leben die Periode der Atome, des atomistischen Chaos. *(Schopenhauer als Erzieher)* Die Zeit, in die wir geworfen sind – die Zeit eines großen inneren Verfallens und Auseinanderfallens ... nichts steht auf festen Füßen und hartem Glauben an sich ... wo wir gehen, da wird bald niemand mehr gehen können! ... Es fehlt das Ziel; es fehlt die Antwort auf das »Warum?« *(Wille zur Macht)*

Aber auch schon bei dem politisch aktiven *Georg Büchner*(1813–1837) hat nihilistischer Pessimismus über den revolutionären Elan gesiegt. *Dantons Tod* (1835) ist darum auch kein revolutionäres Drama, sondern Ausdruck einer »tiefen Enttäuschung an der Revolution, eine lyrisch-dramatische Klage über den ›gräßlichen Fatalismus der Geschichte‹, geschrieben von einem Menschen, der am Sinn der Welt verzweifelte«.[75] Seine eigene pessimistisch-fatalistische Einsicht in den nicht zu steuernden, inkalkulablen Irrlauf der menschlichen Dinge ließ Büchner den scheiternden Danton aussprechen:

Puppen sind wir, von unbekannten Gewalten am Draht gezogen; nichts, nichts wir selbst. (*Danton* II, Ein Zimmer. Es ist Nacht.) Da ist keine Hoffnung im Tod; er ist nur eine einfachere, das Leben eine verwickeltere Fäulnis, das ist der ganze Unterschied. (*Danton* III, Conciergerie)

An Kafka erinnert der sadomasochistische Zug, der in einer Anhäufung makabrer degradierender Bilder der menschlichen Nichtigkeit zutage tritt:

Morgen bist du eine zerbrochene Fiedel; die Melodie darauf ist ausgespielt. Morgen bist du eine leere Bouteille; der Wein ist ausgetrunken ... Morgen bist du eine durchgerutschte Hose; du wirst in die Garderobe geworfen, und die Motten werden dich fressen ... [Was übrig bleibt, ist nur] eine Handvoll gemarterten Staubes.

Mit Kafkas Worten heißt das: Du stirbst »wie ein Hund«.

Was für die Krise der Moderne gilt, daß nämlich der Geschichtspessimismus zu einem generellen Existenzpessimismus gesteigert und erweitert wurde, daß man also nicht an benennbaren Einzelübeln leidet, sondern am Dasein an sich, am mißratenen Ganzen der Welt, galt auch schon für Büchner, und er hat das sogar in seinem Lustspiel *Leonce und Lena* (Zweiter Akt, Dritte Szene) lapidar ausgesprochen: »Es kommt mir ein entsetzlicher Gedanke: ich glaube, es gibt Menschen, die unglücklich sind, unheilbar, bloß weil sie *sind*.«

Die Modernität *Annette von Droste-Hülshoffs* (1797–1848), ja auch schon ihre Kafka-Nähe hat Reinhold Schneider eindringlich vergegenwärtigt und betont,

wie dicht wir [hier] an der Grenze sind, die Tag und Nacht scheidet, wie die Toten zu uns herandrängen und unter uns sind ... welche Versuchung ist im Hinschwinden, Versinken, Verdämmern, in der stummen Hingabe an das Unsägliche ..., daß eine große Gefahr in dieser zweiten Wirklichkeit [hinter den Dingen] und in der Hingabe an sie ist, eine Art von Todesverlockung, vom Glück der Abseitigkeit des Hinaus- und Hinunterwollens, des Nicht-mehr-dazu-Gehörens, welcher Gefahr wir in dem einmal betretenen Zwischenreich nicht leicht widerstehen ... An der äußersten Grenze hielt sie aus, ... alles ist doppelt, hintergründig, die Zeiten fließen zusammen ... und doch ist die Wirklichkeit gerade deshalb zwiegesichtig, weil sie unheimlich scharf gesehen ist, mit all ihren verborgenen Merkmalen ... Das ganz Wirkliche, das Unerbittliche ist auch das Geheimnis ...[76]

Kein Zweifel, daß mit dieser Charakterisierung Annettes zugleich die spezifische Kafka-Situation des »Nicht-mehr-dazu-Gehörens«, der »andere Zustand« im Zwischenreich des »traumhaften inneren Lebens« gekennzeichnet ist, im besonderen Kafkas »Ansturm gegen die letzte irdische Grenze«, sein »Geblendetsein von der Wahrheit« und sein daraus resultierendes unerbittliches Enthüllen. Denn »traumhaftes inneres Leben« meint: tiefer sehen, genauer sehen, auch das sonst Übersehene sehen. Das impliziert intensivere Zuwendung zu den kleinen, unscheinbaren (aber nicht unwichtigen) Dingen, ein Offensein für das Ungewohnte im Gewohnten, ja ein einfühlsames Einswerden mit den Dingen, das sich in der wachsenden Bedeutung des Dinggedichtes in der Lyrik des 19. und 20. Jahrhunderts bekundet. Man denke an Annettes Gedichte *Die Krähen* und *Der Weiher*, an Mörikes *Auf eine Christblume* und *Auf eine Lampe*, an C. F. Meyers *Der römische Brunnen*, *Möwenflug*, *Schwarzschattende Kastanie* und vor allen Dingen an Rilkes *Blaue Hortensie*, *Das Karussell*, *Papageienpark*, *Römische Fontäne*, *Übung am Klavier*, *Dame vor dem Spiegel*, *Die Flamingos*, *Der Panther*, *Der Schwan*, *Die Gazelle*. Dinggedichte solcher Art haben nichts mit verspieltem »lyrischem Kunstgewerbe« zu tun. Wie Fritz Usinger erklärte, geht es dabei um nichts Geringeres als: »dem Verhältnis Gottes zu den Dingen« auf die Spur zu kommen.[77] So sah es auch George, und der Chandos Hofmannsthals bekannte, daß ihm jetzt »eine Gießkanne, eine auf dem Felde verlassene Egge, ein Hund in der Sonne, ein ärmlicher Kirchhof, ein Krüppel, ein kleines Bauernhaus ... das Gefäß [einer] Offenbarung werden« könne. Das verweist wiederum auf Kafka, für den die Dinge ebenfalls eine über sie selbst hinausweisende, hintergründige Realität besaßen.

Nächste Kafka-Nähe zeigt Annette darin, daß auch schon »ihr – wie der krisenhaft verunsicherten Generation um 1900 – die Identität des eigenen Ich nicht mehr selbstverständlich war. Auf die (an ihr Spiegelbild gerichtete) Frage: Wer bin ich? antwortete sie bestürzt:

Es ist gewiß, du bist nicht ich.
Ein fremdes Dasein, dem ich mich
Wie Moses nahe, unbeschuhet,
Voll Kräfte, die mir nicht bewußt,
Voll fremden Leides, fremder Lust;
Gnade mir Gott, wenn in der Brust
Mir schlummernd deine Seele ruhet!

Wie krisenhaft zugespitzt und schmerzlich die Selbstauseinandersetzung, ja die Infragestellung des eigenen Ich hier bereits geworden ist, erhellt aus der letzten Zeile von Annettes Spiegelbildgedicht: »Mich dünkt – ich würde um dich weinen.« Den gleichen fundamentalen Selbstzweifel erlitt auch *C. F. Meyer* (1825–1898):

Allgemach beschlich es mich wie Grauen,
Schein und Wesen so verwandt zu schauen,
Und ich fragte mich, am Strand verharrend,
Ins gespenstische Geflatter starrend:
Und du selber? Bist du echt beflügelt?
Oder nur gemalt und abgespiegelt?
Gaukelst du im Kreis mit Fabeldingen?
Oder hast du Blut in deinen Schwingen?

(Möwenflug)

Wie in *Hofmannsthals* (1874–1929) *Chandos-Brief*, Musils (1880–1942) *Mann ohne Eigenschaften* und in der impressionistischen Literatur und Kunst überhaupt besaß auch in *Rilkes* (1875–1926) Roman *Aufzeichnungen des Malte Laurids Brigge* die Identitätskrise thematische Bedeutung. Und ebenso wie für Chandos war auch für Malte die Sprachkrise eine Krise der Sprechenden, Symptom einer Existenzkrise also im Sinn Kafkas, nach dessen Urteil es einzig ein Versagen des Menschen sei, wenn ihm zur Aussage des Wesentlichen »alle Worte zu arm erscheinen«. Dieser bedrückenden Einsicht in das zunehmende eigene Versagen gilt Maltes bewegende Klage:

Noch eine Weile kann ich das alles aufschreiben und sagen. Aber es wird ein Tag kommen, da meine Hand weit von mir sein wird, und wenn ich sie schreiben heißen werde, wird sie Worte schreiben, die ich nicht meine. Die Zeit der anderen Auslegung wird anbrechen, und es wird kein Wort auf dem anderen bleiben, und jeder Sinn wird wie Wolken sich auflösen und wie Wasser niedergehen . . .

Der Prager Rilke und der Prager Kafka standen einander so nah, daß ihr inneres Schicksal fast identisch erscheint. Übersensitiv, wie sie waren, scheuten sie vor den Menschen zurück und ergossen sich »in eine mitunter nur noch briefliche Existenz«.[78] Angstvoll auf sich selbst zurückgezogen, blieben sie zeitlebens »Menschen in der Abwehr«. Ihrer beider Thema ist das Einsamkeitsgefühl des modernen Menschen, seine quälende Menschen- und Gottferne, letztlich seine Angst und Unsicherheit. Um die totale Verunsicherung des in heillose Isolation geratenen Individuums geht es sowohl in Rilkes *Malte* wie auch in Kafkas etwa gleichzeitig entstandener *Beschreibung eines Kampfes*. Ein Vergleich beider Werke ergibt, daß sich ganze Partien sowohl inhaltlich wie sprachlich-stilistisch so genau entsprechen, daß sie geradezu ausgetauscht werden könnten. Mit Malte teilt Kafka die Erkenntnis von der »Existenz des Entsetzlichen in jedem Bestandteil der Luft« und damit von der Unausweichlichkeit der Katastrophe. Zugleich waren sich Kafka und Rilke der Problematik ihrer ausschließlich literarischen Existenz bewußt, daß sie sich nämlich mit ihrer Entscheidung für die Kunst »gegen alles . . . [von ihr] Abziehende, [ja gegen] das Leben schlechthin« entschieden haben und um ihrer künstlerischen Berufung willen auch das Opfer der Liebe bringen müssen, daß also, wie auch Tolstoj klagte, ihr Herz »der Liebe nicht habe«.

Dieser Selbstanklage entsprang bei Rilke die Forderung nach einer »Wendung«, die kommen müsse, wenn er leben soll, »nach einer Wendung vom beziehungslosen Neben- und Gegeneinander zum lebendigen Miteinander«. »Hatte er früher bekannt: ›Für mich ist die Hauptsache nicht der Mensch‹, so geht es ihm jetzt darum, sein ›Fenster auf die Menschen‹ zu öffnen. Das heißt: jene Selbstsucht der Schriftstellereitelkeit aufgeben, deren auch Kafka sich schuldig wußte und die er als ›Teufelsdienst‹ verwarf. Daß Rilke dieser ›Umschlag aus der Negation in die Bejahung, aus der Einsamkeit in das Miteinander der Gemeinschaft‹ gelang, unterscheidet ihn von Kafka, der den Bann der Vereinzelung nicht zu brechen vermochte.«[79]

Was die beiden trennt, lag aber nicht nur darin, daß sie sich – trotz verwandter Ausgangssituationen – zuletzt in verschiedenen Wegrichtungen voneinander weg bewegten, auch in ihrem gestalterischen Wollen waren sie verschieden gerichtet. »Ging es Kafka um höchstmögliche Genauigkeit und Sparsamkeit des Ausdrucks, um ein durch Präzision gerechtfertigtes *Untersprechen*, so verlangte es Rilke nach sprachlicher Vielfalt und Fülle, nach einem potenzierten, geschmückten, ja in Klangreizen schwelgenden Sagen. Zur stilistischen Askese Kafkas kontrastiert die sprachspielende Ausdruckslust Rilkes, die – um der Volltönigkeit willen – mitunter einem allzu starken Pedalgebrauch frönt und sogar vor Manierismen nicht immer zurückschreckt.« Kafka hingegen »zeichnet nur auf«. Darin liegt das Geheimnis seiner suggestiven Kunst.

14.

Wie schon betont, stand der Erzähler Kafka den Lyrikern seiner Zeit typologisch näher als den zeitgenössischen Erzählern. Die stärkste Affinität verband ihn mit dem jung verstorbenen *Georg Trakl* (1887–1914).[80] Dessen Klage: »Es ist ein so namenloses Unglück, einem die Welt entzwei bricht« war auch die lebenslange Klage Kafkas. Trakls Gedichte »sind die Scherben einer . . . zerbrochenen Welt, Stücke, in die das Dasein auseinanderfällt, das von keinem Sinn mehr geordnet ist. Wie Hofmannsthals Lord Chandos [und Rilkes Malte] sah auch Trakl nur noch Einzelheiten, aber wie [diese] . . . mit unerhörter Intensität«.[81] Mit Kafka teilte er das Schicksal der Vereinzelung, das Nichtverhältnis zur Umwelt. Wie dieser unter den Menschen leidend, war er schon in der Schule ein Ausgeschlossener und auch im eigenen

Elternhaus nicht zuhause. Beiden blieb darum nur der Rückzug ins eigene Innere. Ein Bedürfnis, nach außen zu wirken, haben sie nie empfunden. Gemeinsam war ihnen auch ein lebenslang auf ihnen lastender Schuldkomplex. Der Qualschrei nach Erlösung von der Schuld, nach »einem reinen Himmel in den Zweigen«, durchklingt als zentrales Motiv Trakls gesamte Dichtung. Wie Kafka sich unrein fühlend, hungerte er nach der Reinheit, die nur im innersten Kreis zu erreichen war. Auf diesem Weg nach innen vollbrachte Trakl als Lyriker, was Kafka als Erzähler verwirklichte.

Trakl nahm wahr, was auch Kafka wahrnahm: die unauslotbare Hintergründigkeit der Dinge, die bestürzende Tatsache, daß – mit Röntgenblick betrachtet – alles ganz anders und erschreckend ist. So schrieb er 1905 an seinen Freund Buschbeck: »Alles ist so ganz anders geworden. Man schaut und schaut – und die geringsten Dinge sind ohne Ende.« Es ist aber nicht empirische Auseinandersetzung mit der Wirklichkeit, sondern der Tiefenblick der Introversion, der diese Entdeckungen des Unerwarteten zeitigt. Wirklichkeit und Vision sind unauflösbar ineinander verwoben.

Und auch dies macht Trakl zu einem Seelenverwandten Kafkas, daß er – durch Schuldgefühle heimgesucht – ein Leben permanenter Angst lebte, in ständigem Aufblick zu einem sich ihm versagenden, unbekannten Gott. Beide, Trakl und Kafka, sind Gottsucher, die nach Erlösung verlangen. Ihre eigentliche Not ist religiöse Not. Trakls Verdammungsruf »Groß ist die Schuld des Geborenen« ist eine poetische Fassung der Grundthese Kafkas von der »immer zweifellosen Schuld« des Menschen. Ihr Leben in der Angst entspringt also dem Bewußtsein der Schuldverfallenheit, dem Gewärtigsein eines ständigen Strafgerichts, so wie das Kafka in seinen *Aphorismen* ausgesprochen hat: »Nur unser Zeitbegriff läßt uns das Jüngste Gericht so nennen, eigentlich ist es ein Standrecht.« Auch Rilke fühlte angstvoll, »wie um ihn in der Luft unsichtbare Stimmen zu Gericht sitzen und über sein Herz richten«. Dem entspricht ferner, daß der Gott, dem sie sich zugehörig wissen, nach ihrer Vorstellung noch der strafende Richtergott des alten Testamentes ist, ein Gott ohne Milde, ein eifernder Gott der Rache. »Rasend peitscht Gottes Zorn die Stirn des Besessenen« heißt es in Trakls Gedicht *An die Verstummten*. Und in *Winternacht* spricht er von »Gottes Geiern«, die das Herz zerfleischen. Und wenn bei Trakl »alles . . . in die Leere, ins Grab, in die Stille, in das Nichtmehrsein mündet«,[82] so entspricht dem bei Kafka der immer tödliche Ausgang seiner Dichtungen.

»Es geht hier also um ein Leiden, das letzthin Selbstzerstörung bedeutet. Denn wenn die aus Zweifeln und Selbstzweifeln sich nährende Krise einen Dichter zum Verstummen zwingt, wenn also seine Skepsis nicht mehr nur das eigene Ausdrucksvermögen, sondern das Potential der Sprache überhaupt betrifft, so ist seiner Existenz der Boden entzogen. Für einen Menschen des Wortes ist Verstummenmüssen Wahnsinn und

Selbstmord zugleich. Doch auch dies, daß man Künstlertum und Krankheit, Genie und Irrsinn weithin als zusammengehörig und wechselseitig sich bedingend, ja als identisch zu sehen beliebt, ist ein Krisensymptom der Moderne.«[83]

Die tiefste Gemeinsamkeit zwischen Trakl und Kafka lag in den individuellen Voraussetzungen ihres Künstlertums, in ihrer nach innen gerichteten Einbildungskraft, in der Entdeckung und Gestaltung einer sich selbst genügenden Seelenwirklichkeit.

Beide Dichter können nur im Ganz-in-sich-selbst-Sein das Glück der Erfüllung finden. Auch der asketisch formulierende Kafka preist das Glück reiner Selbstbegegnung im eigenen Innern in einer an Trakl gemahnenden hymnischen Sprache. Das Waldtier in seiner Erzählung *Der Bau* genießt beseligt sein vom Einbruch der Außenwelt geschütztes Refugium:

> Das schönste an meinem Bau ist seine Stille ... Die Waldluft weht herein, es ist gleichzeitig warm und kühl. Manchmal strecke ich mich aus und drehe mich in dem Gang rundum vor Behagen. Schön ist es ..., einen solchen Bau zu haben ... Dort schlafe ich den süßen Schlaf des Friedens, des beruhigten Verlangens, des erreichten Hausbesitzes ... weiß ich doch genau, daß hier meine Burg ist ... meine Burg, die auf keine Weise jemandem anderen gehören kann ... Und die kleinen Plätze, jeder mir wohlbekannt ... sie umfangen mich friedlich und warm, wie kein Nest seinen Vogel umfängt ...

Auch biographisch sind Trakl und Kafka auf fatale Weise miteinander verbunden. Wie bei Kafka gründete auch Trakls Schuldkomplex in einer Familienfatalität. Dem gestörten Verhältnis zum Vater, das sich Kafka als Schuld anlastete, entsprach Trakls schuldhafte Bindung an die Schwester, seine als ein über ihn verhängter Fluch empfundene Inzestliebe: »O des verfluchten Geschlechts« ertönt immer wieder sein Klageruf. Und Kafkas *Brief an den Vater* von 1919 zeigt, daß sogar der Sechsunddreißigjährige seinen niederdrückenden Vaterkomplex noch nicht überwunden hatte, noch je würde bewältigen können. Kafka und Trakl sind also durch ein ähnlich belastendes Schicksal fast wie Brüder miteinander verwandt. Die Gegenwelt, an der sie zerbrachen, war der intimste Lebenskreis, dem sie durch die Bande des Blutes zugehörten. Die Schuld, unter der sie lebenslang litten, war – unablösbar wie ein Fluch – an die eigene Sippe, an ihr Sohn- bzw. Brudersein geknüpft. Die Familie war der Ort ihres Verhängnisses, die Stätte ihres Sündenfalls und für Trakl die immerwährende Versuchung. Noch in seinem letzten Gedicht (*Grodek*), kurz vor seinem Tod im Lazarett, ruft Trakl die Schwester an:

> Schwester stürmischer Schwermut
> Sieh ein ängstlicher Kahn versinkt
> Unter Sternen
> Dem schweigenden Antlitz der Nacht.

In dieser Inzestliebe Trakls gibt es bei Kafka gleichfalls eine – wenn auch schuldfreie – Parallele, nämlich seine innige Beziehung zur Lieblingsschwester Ottla. Diese war die einzige Frau, die Kafka lieben konnte, ohne sie zu fürchten, weil sie keine sein Selbst gefährdende Bindung bedeutete. Wie Reich-Ranicki formulierte, war »seine Liebe zu Ottla nicht mehr und nicht weniger als Inzest im Geist«. Schwach, krank, lebensuntüchtig und unglücklich, wie er war, liebte er in ihr die Starke, Gesunde, Tüchtige und Glückliche. Die einzigartige Stellung, die Ottla im Leben Kafkas einnahm, macht seine Beziehung zu ihr mit Trakls Liebe zur Schwester vergleichbar. Doch im Gegensatz zur demoralisierenden Tragik der Inzestliebe Trakls stand Kafkas Liebe nicht unter dem Druck zermürbenden Schuldgefühls, sondern gehörte zu den wenigen als schuldfrei empfundenen Glücksumständen in seinem Leben.

Als entscheidend stellt sich jedoch die Frage, ob der schicksalhaft menschlichen Nähe zwischen Kafka und Trakl auch eine spezifisch künstlerische Verwandtschaft entspricht. Trakls musikalisch beschwingte, bilderreiche Sprache scheint mit Kafkas stilistischem Untersprechen kaum vergleichbar. Und gewiß liegt auch ein elementarer Unterschied darin, daß Trakl aus primär lyrischen Antrieben dichtete, während Kafka ausschließlich »Geschichtenerzähler« war. Indessen wird der aufmerksame Leser in Kafkas nüchternem Protokolldeutsch »die leisen, fast unfreiwilligen Aufhöhungen nicht überhören, die nun doch eine Gefühlsbeteiligung verraten«,[84] ja sogar lyrisch beschwingten Sprachfluß und spontane Bildprägungen erkennen lassen, die der musikalischen Ausdruckskunst Trakls nahekommen. Hierher gehört u. a. die wie in *einem* Atem niedergeschriebene Kurzgeschichte *Auf der Galerie*, deren stilistischer Gestus expressionistisch anmutet. Vor allem aber zeigt sich, daß die gleiche Seelenverfassung sich bei beiden Dichtern auch in kongenialen Formulierungen niederschlägt. »Der Ausdruck auswegloser Not in Kafkas Tagebucheintrag vom 9. Dezember 1919: ›Aber wohin ich mich wende, schlägt mir die schwarze Wolke entgegen‹ (T 539) könnte eine Wortschöpfung Trakls sein.«[85]

Grundsätzlich bleibt jedoch der stilistische Gegensatz zwischen beiden Dichtern bestehen. »Kafka versagte sich dem lyrischen Ausdrucksverlangen und mißtraute dem Opium sprachmusikalischer Wirkung, »das sich trübend in die Sinne streut« (Rilke). Gerade weil er sich an der Grenze zum Irrationalen wußte, bestand er auf durchsichtig klarer Rationalität der Formulierung [und wollte] weder überreden, noch berauschen, nicht einmal betonen, sondern nur sorgfältig protokollieren. Doch darf dieser schmucklose Stil auf keinen Fall mit der Alltagssprache verwechselt werden. Im Gegenteil, »Kafka [ging] es um die Loslösung der Sprache von den Klischees undifferenziert pauschaler Ausdrucksweise . . . Was ihn zum Dichter macht, ist . . . vor allem die Entdeckung der mißbrauchten oder ungenützten Möglichkeiten der Sprache, die volle Ausschöpfung ihres Potentials . . . «

Bei diesem Zug zu detailbeflissen vollständigen Beschreibungen ließ Kafka doch auch einiges bewußt unausgesprochen. So schloß er Emotionales grundsätzlich aus seiner Darstellung aus und enthielt sich persönlicher Stellungnahmen. Aber auch daraus ergibt sich ein Verhältnis besonderer Zusammengehörigkeit beider Dichter. Denn »eben dort, wo Kafka schweigt und verschweigt, beginnt das lyrische Sprechen Trakls«. »Als der zum Singen und Sagen auch des Unsagbaren Berufene führt er die Epik Kafkas über die selbstgesetzten Grenzen hinaus und transponiert ihren Gehalt in ein lyrisches Medium. So ist Trakls Dichtung gleichsam das lyrische Komplement, ja ein Kommentar zu Kafkas Erzählen. Wie sehr auch die beiden in ihren gestalterischen Antrieben und Zielsetzungen auseinandergehn, gemeinsam ist ihnen die gleiche Thematik . . . Es ist dasselbe Leiden, das den Lyriker wie den Epiker gepeinigt hat.« Und zur lyrischen Spiegelung der neuartigen Kafkaschen Epik brachte Trakl eine neue lyrische Sprache, so neu, als habe es nie anakreontische Reimereien gegeben. »Trakls Dichtung hat alle Klischees hinter sich gelassen. Seine Sprache bezeugt dieselbe Reinheit der Kunstgesinnung, die Beißner dem Erzählen Kafkas nachgerühmt hat. Denn in all ihrem Wohllaut ist sie keine schwelgerische oder gar in Assoziationen ausschweifende Sprache, sondern ein vollgültiges Pendant zu Kafkas diszipliniertem, treffsicherem Stil, streng auswählend und doch voll gesammelter Kraft, fähig, die sprachlose Trauer der Kinder eines dunklen Geschlechts zu verlautbaren. Mit wenigen Worten gelingt es dem Dichter, die Verlorenheit der Schuldbeladenen, die Tragik scheiternder Existenz und damit die Katastrophe Trakls und Kafkas in ihrer vollen Schwere zu vergegenwärtigen:

Schwarzer Frost. Die Erde ist hart, nach Bitterem schmeckt die Luft. Deine Sterne schließen sich zu bösen Zeichen. *(Winternacht)*
Der kalte Mond in seinen zerbrochenen Augen *(Traum und Umnachtung)*

Fast keines der Bilder Trakls ist konkret nachvollziehbar, . . . aber alle sind sie wahr, gerade weil sie die vordergründige Wirklichkeit hinter sich lassen und so das Nichtsichtbare sichtbar, das Unerhörte hörbar, das Unsägliche sagbar machen. Die deformierende Verfremdung der Realität ins (scheinbar) Absurde – ›O! Verzweiflung, die mit stummem Schrei ins Knie bricht‹ *(Verwandlung des Bösen)* – ist nicht artistisches Spiel, sondern sittlicher Ernst, nicht Experiment . . ., sondern im Sinne Kafkas eine ›Expedition nach der Wahrheit‹. Von außen betrachtet stellen die Bilder Trakls sprachliche Deformationen dar, vergleichbar den schokkierenden Deformationen in Kafkas Erzählungen, die ihrerseits als literarische Pendants zu den Deformationen der Wirklichkeit in der Kunst Pablo Picassos gelten dürfen. Kafkas kongeniales Einverständnis mit den damals noch umstrittenen Gestaltungen Picassos ist kein Zufall. Im Gegensatz zu den meisten seiner Zeitgenossen erkannte und anerkannte er spontan die entdeckende und verwandelnde Genialität dieses Malers, der einen gleichsam gesteigerten Realismus verwirklichte, um den es auch ihm selbst und Trakl ging, einen Realismus, der, wie Paul Klee formulierte, nicht das Sichtbare wiedergibt, aber ›sichtbar macht‹. Jean Cocteaus Feststellung: ›Die Photographie hat die Malerei befreit‹, gilt nicht weniger für die Literatur. Mimesis ist nicht länger die vorherrschende Forderung. Nicht Abbilden, sondern Tranzendieren und Transformieren der Wirklichkeit, Reflektieren und Hinzugestalten sind die Ziele moderner Kunst und Literatur. Die »grotesken« Erzählinhalte Kafkas und die »unrealistisch« assoziierende Bildersprache Kafkas sind eindrucksvolle Zeugen der Befreiung der Dichtung von mimetischen Gestaltungsforderungen.

Die nahe Verwandtschaft, welche die beiden Dichter verbindet, ist in der Lyrik Trakls zur Identität geworden. Denn Trakls Verse enthüllen mit der Passion seines eigenen Lebens zugleich die Leidensgeschichte Kafkas. »Sie spiegeln die Sanftmut und Zerrissenheit seiner Seele, seine Sehnsucht nach Geborgenheit in familiärer Eintracht, nach Heimat und Frieden, nach ›Abenden von sanftem Schmelze‹ (Rilke), nach einem *Verklärten Herbst* voll Frucht und Fülle, nach dem Glück eines normalen natürlichen Lebens, nach Ehe und Vaterschaft in einem ›wohlbestellten Haus‹, an einem ›bereiteten Tisch‹, auf dem ›in reiner Helle . . . Brot und Wein‹ erglänzt . . . Nicht Kafka selbst hat diese leidgeborenen, selbstvergessenen Träume gedichtet, diese illusionären Widerspiele der ihn marternden Einsicht, daß man leben könnte und doch nicht lebt, sondern Trakl, der im Wohllaut seiner todestraurigen Verse die Tragödie ihrer beider Erdentage, ihr Sehnen, Leiden und Scheitern zur *Heiterkeit der Kunst* erlöste: Daß Kafka diese Erlösung zur Heiterkeit der Kunst nicht – oder nur in ganz seltenen Augenblicken und nur um den Preis des ihm versagten Lebens[86] – erreichbar war, macht seine tiefste Tragik aus.« Ist auch Gottfried Benn – als ein am Leben und an der Welt Leidender – ein Seelenverwandter Kafkas, dann wird von ihm aus ein Zusammenhang sichtbar, der von Kafka, Trakl, Rilke, Hofmannsthal über Nietzsche, Büchner, Meyer, Mörike, die Droste, die Romantiker, Hölderlin und Kleist zu Goethe zurückreicht. Denn für alle diese gilt, was für Goethes Tasso galt: sie alle schrieben, um zu sagen, was sie litten.

15.

Wie für Kafka ist auch für *Gottfried Benn* (1886–1956) die eigentliche Not des Menschen das Leiden am Dasein an sich, am Bewußtsein, mit einer Welt ohne erkennbaren Sinn konfrontiert zu sein. Und wie bei Kafka und Trakl ist ausweglose Trauer der Grundzug seines Werkes. Aber er ging noch einen Schritt weiter als diese: vom Pessimismus zum Nihilismus, von der Skepsis zur Leugnung jeglichen Sinns überhaupt.

Die Welt galt ihm nicht nur als unbegreifbar, sondern als schlechthin sinnlos. Infolgedessen gab es keinen anderen Ausweg aus der Not, als einen eigenen Sinn zu setzen. Und als konsequenter Nachfolger Nietzsches entschied sich Benn für die Kunst als einzig möglichen Sinn des Daseins, eine Überzeugung, der bis zu einem gewissen Grad auch Trakl zuneigte. Kafka hingegen konnte sich – trotz typologisch ähnlicher Lebenstragik – nicht für eine ausschließlich ästhetische (und letzthin amoralische) Sinnsetzung entscheiden. Als religiös motivierter Moralist gehörte Kafka mit Kierkegaard und Tolstoj zusammen und konnte das Schreiben, obwohl es ihm Lebensinhalt war, nicht zu einer Ersatzreligion aufwerten. Zuletzt hat er den reinen Ästheten sogar als einen Falschspieler diffamiert und das Schreiben als ein genußsüchtiges Spiel der Schriftstellereitelkeit verurteilt.

Aber obwohl Kafka Benns totalitären Kult der Kunst mit seinem Lebensgefühl nicht vereinbaren konnte, lagen die desillusionierende Nüchternheit und das Schockierend-Verzerrende der Bennschen Ästhetik seinem gestalterischen Sinn gleichwohl nah. Benns detailbeflissene Ausschilderungen ekelerregender Dinge muten sadomasochistisch an und erinnern an Kafkas präzise Beschreibungen grauenvoller Vorgänge in der *Strafkolonie*, im *Prozeß*, in *Ein Brudermord*, in *Ein Landarzt* u. a. Er teilte mit Benn die Fixierung des Blicks auf die Nachtseiten des Lebens, als ob es in der Welt nur Fäulnis und Verwesung gäbe. Hingegen war es ihm versagt, seine Enttäuschungen an der unvollkommenen Welt wie Benn mit dem schwarzen Humor eines Zynikers zu überspielen.

Mit seinem frustrierten Außenseiterleben und seiner pessimistischen Weltschau und Lebenswertung hatte Arthur Schopenhauer schon im Jahrhundert vor Kafka dessen These von der »Unmöglichkeit zu leben« vorweggenommen. Und, wie schon betont, gehörte Georg Büchner zu den wortgewaltigsten Ahnherren des Kafkaschen Pessimismus, der selbst in seinem Lustspiel *Leonce und Lena* die Klage über die heillose Leere des Daseins nicht unterdrücken konnte:

> Mein Leben gähnt mich an wie ein großer weißer Bogen Papier, den ich vollschreiben soll, aber ich bringe keinen Buchstaben heraus. Mein Kopf ist ein leerer Tanzsaal, einige verwelkte Rosen und zerknitterte Bänder auf dem Boden, geborstene Violinen in der Ecke, die letzten Tänzer haben die Masken abgenommen und sehen mit todmüden Augen einander an. Ich stülpe mich jeden Tag vierundzwanzigmal herum wie einen Handschuh.

Hier äußert sich gewiß ein anderes, ein kämpferisches Temperament als Kafka, aber die gleiche Hoffnungslosigkeit.

»Indessen zeigten sich Zeitverdrossenheit und Verfallspessimismus nicht allein bei sensitiven Dichtern, sondern auch bei Historikern und Philologen und gerade bei solchen, die in großräumigen Perspektiven dachten. So war z. B. die sprachhistorische Sicht Jacob Grimms durch spätzeitlichen Pessimismus bestimmt, dem zufolge die geschichtlichen

Abläufe nicht mehr wie [im Zeitalter der] Aufklärung als Steigerungen, sondern als Absinkeprozesse gesehen werden. Sprachentwicklung war für ihn gleichbedeutend mit Sprachverfall.«[87]

Den gleichen Geschichtspessimismus bekundete Jacob Burckhardt und gebrauchte bereits das dafür charakteristische Bild der Eingeschlossenheit, das auf Kafkas Erzählung *Der Bau* vorausweist.

In diesen Zusammenhang gehört auch Hermann Hesses Ausspruch: »Ich bin ein Dichter, . . . in der Welt und Luft dieses Heute gefangen und zum Verrecken bestimmt wie ein seltenes Tier im Käfig des Zoo.« Hier spricht der Nietzschesche »Mensch, an sich selbst leidend, . . . etwa wie ein Tier, das in den Käfig gesperrt ist.« Man denke auch an Rilkes Gedicht *Der Panther* und an den von Camus betonten »Lyrismus der Zelle«, der für die Moderne kennzeichnend sei. Hinzuweisen ist ferner auf Jean-Paul Sartres *Huis clos* (1944): *Bei geschlossenen Türen* (1948) und die diesem Werk zugrunde liegende These: »Die Hölle, das sind die anderen.« Aus diesen charakteristischen Äußerungen erhellt zugleich das unterscheidende Neue der modernen Krise, daß in ihr nämlich der Geschichtspessimismus zu einem generellen Existenzpessimismus geworden ist, wonach die Katastrophe nicht erst kommt, sondern immer schon da ist.

16.

Daß diese Not der Krisengeneration um und nach 1900 schon in Nietzsches negativer Diagnose der Zeit voll entfaltet war, daß also, wie Benn formulierte, »eigentlich . . . alles, was meine Generation diskutierte . . . , bereits bei Nietzsche . . . definitive Formulierung gefunden [und] alles weitere Exegese« gewesen sei, ist leicht zu belegen: Thomas Mann und Ernst Jünger, George und Hesse, Rilke und Camus, Gide, Malraux und Sartre, Jaspers und Heidegger, Yeats und D. H. Lawrence, Hamsun und d'Annunzio, Saint-Exupéry, Montherlant, Valéry und noch viele andere haben entscheidende Denkanstöße durch ihn erfahren. Und Kafka selbst war – zumindest in einer frühen Phase – ein Nietzscheaner und sogar ein Darwinist. Nietzsche lieferte bereits die Stichworte der modernen Krise: »Wir leben die Periode der Atome, des atomistischen Chaos.« »Die Zeit, in die wir *geworfen* sind . . . « *(Der Wille zur Macht)* Kafka teilte Nietzsches negative Sicht der Welt, ging aber dessen Weg nicht zu Ende. Er war wohl Pessimist, aber nicht Nihilist. In aller Dunkelheit seines Lebenshorizontes bekannte er, daß der Mensch nicht leben könne ohne den Glauben an »ein Unzerstörbares«. Er war ein sich marternder Skeptiker, aber kein Atheist. Sein Gott war fern, unendlich fern, aber nicht tot. Sein skeptisches Credo lautete: auch wenn keine Erlösung kommt, wolle er sich doch in jedem Augenblick ihrer würdig erweisen. Aber auch dies trennte Kafka von dem ihm andererseits nahestehenden Nietzsche (und Benn), daß die Kunst des Schreibens, der er sein ganzes Leben zum Opfer brachte, ihn nicht erlösen konnte. Die These des konsequenten Ästheten Nietzsche: »Wir haben die Kunst, damit wir nicht an der Wahrheit zugrunde gehen«, ließ der Moralist Kafka nicht als Rechtfertigung eines ausschließlichen Ästhetentums gelten.

17.

Wo immer wir Kafka in literarische Zusammenhänge und geistesgeschichtliche Traditionen einreihen, stets nimmt er zugleich eine Sonderstellung ein. Das gilt auch für sein Verhältnis zu den in eine Sprachkrise geratenen Dichtern seiner Generation.[88] Aus dem hohen stilistischen Anspruch, den Kafka an sein Schreiben stellte, – er »strebte nach der vollkommenen Gegenwärtigkeit des vom Wort auszudrückenden Gefühls im Wort« (Sokel) – ergaben sich seine Zweifel an einer befriedigenden Kommunikationsfähigkeit der Sprache, Zweifel, die er schon in frühen Briefen an seinen Freund Oskar Pollak äußerte. Worte, so schrieb er, seien schlechte Bergsteiger und schlechte Bergmänner: »Sie holen nicht die Schätze von Bergeshöhen und nicht die aus den Bergestiefen.« (Br 9) Er teilte mit den anspruchsvollen Dichtern seiner Zeit das Leiden am Versagen der Sprache, an ihrer entwertenden, ja verfälschenden Wirkung, über die sein Freund Franz Werfel klagte: »Wer sagt, versagt«, und aus der Hofmannsthals Chandos die radikal negative Konsequenz zog, verstummen zu müssen. Sogar der von seiner Sprachkraft so überzeugte Stefan George, an den Hofmannsthals *Chandos-Brief* als Absagebrief gerichtet war, blieb von dieser Sprachskepsis nicht unberührt:

So lernt ich traurig den verzicht:
kein ding sei, wo das wort gebricht!

Vollends der sprachsensible Rilke »fürchtete sich so vor der Menschen Wort«. Die allgemeine Klage ging dahin, daß eine neue Sprache nottäte, die, wie Chandos erklärte, vielleicht erreichbar würde, wenn es uns gelänge, »mit dem Herzen zu denken«. Es ging also nicht lediglich darum, daß die vorhandene Sprache durch inflationären Mißbrauch für dichterische Aussagen unbrauchbar geworden ist, sondern um deren fundamentales Unvermögen zu adäquatem Ausdruck. Mit am heftigsten hat gerade der worttrunkene Franz Werfel das Versagen der Sprache angeprangert und seine Sprachverzweiflung in den negativen Affekten von Scham und Schuld entladen.[89] In seiner bitteren Selbstverurteilung ist fast etwas wie Sprachhaß spürbar, wenn er im Blick auf seine Dichtung von »langwortigen Würmern«, »langen Streifen von Worten« oder gar von »meines Lügens Lügenwiderhall« spricht. Schon 1840 hatte der russische Lyriker Fedor Tyutschev in seinem Gedicht *Silentium* geäußert: »Ein Gedanke, der ausgesprochen wird, ist eine Lüge.« Der Schwierige Hofmannsthals meinte dasselbe: »Alles, was man ausspricht, ist indezent.« Und Maurice Maeterlinck bekannte in *Trésor des humbles* die gleiche Not: »Sobald wir etwas aussprechen, entwerten wir es . . .« Wenn Rilkes Malte klagt, es werde ein Tag kommen, da seine Hand Worte niederschreiben wird, die er nicht meint, so kennzeichnet er damit die sich ausbreitende Sprachkrise als eine zeitbedingte Existenzkrise. Zugleich aber ist die Sprache als solche in Frage gestellt.

Auch Kafka sah sich durch die Unzulänglichkeit der Sprache bedroht. Im November 1910 schrieb er ins Tagebuch:

> Kein Wort fast, das ich schreibe, paßt zum andern. Meine Zweifel stehn um jedes Wort im Kreis herum, ich sehe sie früher als das Wort . . . Wenn ich mich zum Schreibtisch setze, ist mir nicht wohler als einem, der mitten im Verkehr der Place de l'Opéra fällt und beide Beine bricht . . . ein Verkehrshindernis . . . (T 27 f.)

Die Sprache hilft ihm also nicht vom Fleck. Mitten im Verkehr bleibt er gestrandet liegen. Und im Dezember 1910 schrieb er an Max Brod:

> Mein Körper warnt mich vor jedem Wort, jedes Wort, ehe es sich von mir niederschreiben läßt, schaut sich zuerst nach allen Seiten um; die Sätze zerbrechen mir förmlich . . . (Br 85)

Aber schon in diesen frühen Äußerungen Kafkas vor seinem literarischen Durchbruch (1912) ist hinter der Klage über das Ungenügen der Sprache die Selbstanklage hörbar: »Meine Kraft reicht zu keinem Satz mehr aus.« (T 34, Dezember 1910) Im Februar 1913 schreibt er an seine Freundin Felice Bauer:

> . . . ich schreibe Unverantwortliches oder fürchte, es jeden Augenblick zu tun. Die falschen Sätze umlauern meine Feder . . . Ich bin nicht der Meinung, daß einem jemals die Kraft fehlen kann, das, was man sagen oder schreiben will, auch vollkommen auszudrücken. Hinweise auf die Schwäche der Sprache . . . sind ganz verfehlt. Das unendliche Gefühl bleibt in den Worten genauso unendlich, wie es im Herzen war. Das, was im Innern klar ist, wird es auch unweigerlich in Worten. Deshalb muß man niemals um die Sprache Sorge haben, aber im Anblick der Worte oft Sorge um sich selbst. (F 305 f.)

Hier wird eindeutig festgestellt: Nicht die so viel gelästerte Sprache versagt, sondern der Mensch im Gebrauch der Sprache. Es gibt also keine Krise der Sprache, wohl aber eine Krise der Schreibenden. Diese schonungslose Selbstkritik unterscheidet Kafka von den andern Dichtern der Sprachkrise, die, dem Selbstmitleid frönend, primär das Versagen der Sprache beklagen. Für Kafka hingegen ist es ausschließlich das eigene Ungenügen, wenn zur Aussage des Wesentlichen »alle Worte zu arm erscheinen«. Diese pessimistische Einsicht hat er auch in einem Brief an Ottla vom Juli 1914 ausgesprochen: »Ich schreibe anders als ich rede, ich rede anders als ich denke, ich denke anders als ich denken soll, und so geht es weiter bis ins tiefste Dunkel.«

18.

Auch zum zeitgenössischen *Expressionismus* besaß Kafka ein ganz eigenes und nicht eindeutig bestimmbares Verhältnis. So zählt ihn Walter Sokel zum innersten Kreis dieser literarischen Bewegung und rühmt sein Werk als »das eigentümlichste Geschenk des deutschen Expressionismus an die Welt«.[90] Nach Paul Raabe hingegen liegt die Gemeinsamkeit Kafkas mit den Expressionisten »in erster Linie in der Gleichzeitigkeit des Lebens und Schreibens«.[91] Wie diese gehörte auch Kafka zu den Autoren des Rowohlt- bzw. Kurt Wolff Verlags, der ein Zentrum der expressionistischen Dichtung gewesen ist. Im »Jüngsten Tag«, einer Schriftreihe dieses Verlags, publizierte Kafka neben Gottfried Benn, Kasimir Edschmid, Leonhard Frank, Hardekopf, Hasenclever, Musil, Schickele, Sternheim, Trakl, Werfel, Arnold Zweig. Im Blick darauf, lag es nah, in Kafka einen expressionistischen Schriftsteller zu sehen, zumal auch er durchaus unkonventionell und antitraditionell schrieb. Seine Introversion kontrastierte jedoch zur literarischen Betriebsamkeit der Expressionisten, die »sich möglichst überall gedruckt sehen wollten«, während er selbstkritische Zurückhaltung übte und sich den ihn umwerbenden Literaten durch Nicht-Mitarbeit versagte. Er schloß sich keiner der zum Expressionismus gehörigen literarischen Gruppen an, um von beschränkenden Bindungen frei zu bleiben und den inneren Kreis seines Ich rein zu erhalten. Andererseits bewunderte er Werfel als eine »ungeheure Natur«, mißtraute aber gleichzeitig dem wortgefräßigen Pathos seiner Verse. Sein Enthusiasmus für Werfels Gedichte und Dramenszenen konnte darum rasch in kritische Distanz umschlagen. So sagte er einmal: »Durch Werfels Gedichte hatte ich den ganzen Vormittag den Kopf wie von Dampf erfüllt ... Einen Augenblick fürchtete ich, die Begeisterung werde mich ohne Aufenthalt bis in den Unsinn mit fortreißen.« Er empfand diesen Dichter als »groß« und »monströs« zugleich. Nach dem Anhören seiner Rezitationen fühlte er sich gleichermaßen »zerworfen« und »erhoben«.[92] Diese Ambivalenz gegenüber Werfel bestimmt Kafkas Beziehung zum Expressionismus insgesamt.

Eindeutig ablehnend verhielt er sich gegenüber der Lyrik Johannes R. Bechers, die er als »Lärm- und Wortgewimmel« verwarf, das sich nicht zu Sprache verdichtete, sondern nur »ein Schreien« sei. Der expressionistische Schrei und Kafkas Lärmempfindlichkeit vertrugen sich nicht miteinander. Der »Tendenz zum Dynamischen und Dithyrambischen [stand] Kafkas exakte und klare Stilhaltung diametral gegenüber.« Zum Lyrikband A. Ehrensteins bemerkte er: »So ein kleines Buch und so viel Lärm darin.« Aber auch die Dichtung Else Lasker-Schülers und ihre extravagante Persönlichkeit hat Kafka fast verächtlich abgetan. Nur Werfel, in dem er das Lebensideal des Gesundseins verkörpert sah, hat ihn fasziniert. Allerdings ist auch ihm gegenüber »literarische Entfremdung ... schon früh als Möglichkeit nachzuweisen«.

Auch wenn Kafka als Zeitgenosse der Expressionisten zum Lebensraum dieser literarischen Bewegung gehörte, sind typologische Gegensätze nicht zu übersehen. Sein »grillparzerisches Selbstmißtrauen, seine Unjugendlichkeit, seine Geduld und Zähigkeit, seine hochgesteigerte Unterscheidungsgabe, seine Reinheitsforderung bezeichnen genau das Gegenteil zu jener unkontrollierten, unerzogenen Fülle des Herzens, die sich in Kunst entladen will«.[93]

Anders als die auf Aktivität gestellten Expressionisten, die »die Flucht nach vorn« antraten, die provozieren und mit der Macht des Wortes die Welt verändern wollten, hat Kafka an diese Möglichkeit nie geglaubt. »Seine Dichtung beschreibt die Paradoxie des Daseins und die Unentrinnbarkeit des Schicksals.«[94] Er teilte nicht die politischen Illusionen der expressionistischen Himmelsstürmer, daß durch Kriege und Revolutionen ein Paradies auf Erden geschaffen werden könne. Im Gegenteil, hinter allen revolutionären Bewegungen sah er die »Sekretäre, Beamten, Berufspolitiker, alle die modernen Sultane« stehen, denen jene nur »den Weg bereiten.« (J 80)

Die meisten Untersuchungen, die Kafkas Verhältnis zum Expressionismus berühren, kommen zu dem Schluß, daß er mit dieser Bewegung kaum etwas gemein habe, und, wie Bernhard Rang formulierte, »innerhalb seiner expressionistischen Generation ein einzigartiger, einsamer ... Fall« geblieben sei.[95] Hartmut Binder betonte mit Recht, daß man den Expressionismus nicht von seinen sprachlichen Besonderheiten trennen könne, die aber Kafka in keiner Weise teile, sondern im Gegenteil bewußt verwerfe.[96] Auch Hans Mayer sieht Kafka in gehörigem Abstand zur »musa expressionistica«; seine Wirkung als Schriftsteller habe »nichts mit seinen Grenzaffinitäten zur expressionistischen Strömung zu tun«.[97] In der Tat muß man nur die expressionistisch wortreiche Erzählprosa Lion Feuchtwangers mit Kafkas fast nüchtern asketischer Sprache vergleichen, um den Abstand zu erkennen, der Kafka vom Stil des Expressionismus trennt.[98] Auch nach Hans Schwerte kann man Kafka nicht als einen Expressionisten bezeichnen – »oder höchstens im Sinne jenes Frühexpressionismus von Trakl und seiner abgrundtiefen Trauer über die Verlorenheit und Verfallenheit des Menschen«.[99] Kafka gehe »durch den Expressionismus nur hindurch« und entwickle »einen eigenen Stil, den man magischen existentiellen Realismus oder Surrealismus nennen mag ...«

Einige Arbeiten zeigen jedoch eine gewisse Neigung, Kafka (und mit Vorzug den frühen Kafka) zumindest teilweise dem Expressionismus zuzuordnen.[100] Fritz Martini räumt ein, daß sich »zwischen Rilke und dem Expressionismus ... noch unausgedeutete Zusammenhänge nachweisen« lassen und daß die Anfänge Kafkas »auf eine ähnliche Verwandtschaft« hindeuten, »so einsam und unabhängig er sich selbst zugewandt war«. Hier habe sich »eine Dialektik von Anziehung und Abstoßung« abgespielt.[101]

Daß nicht nur »Grenzaffinitäten«, sondern auch kernhafte Zusammenhänge zwischen Kafka und dem Expressionismus bestehen, hat Walter Sokel mit Nachdruck vertreten, und Herbert Kraft ist dieser These bis zu einem gewissen Grad gefolgt.[102] Zwar sei »in den stilistischen Einzelheiten . . . kaum eine Verwandtschaft Kafkas mit dem Expressionismus festzustellen«; »die auflösende Prosa, die Zusammenfügung heterogener Elemente [habe] Kafka nicht wiederholt«; es fehle auch »das Pathos des Aufbruchs, wie es die Expressionisten vorgetragen haben«; statt dessen herrsche ein klarer, sachlich protokollierender Stil. Hingegen könne die *Grundbestimmung des Kafkaschen Stils* expressionistisch genannt werden: »eine Rahmenmetapher (z. B. Der Prozeß als Romanganzheit) ist die Voraussetzung dafür, daß das Ganze als Bild stehen kann, welches das Unbildliche mit umfaßt, und daß so die Wirklichkeit nicht in ihren Einzelheiten transformiert, sondern im Ganzen verfremdet wird.« Das heißt: »Die Dichtung Kafkas zeichnet sich nicht durch einzelne Metaphern aus, sondern durch den metaphorischen Horizont.«[103]

Auffällig ist ferner, daß die für den Expressionismus bezeichnende *Absolutsetzung der Metapher* auch bei Kafka begegnet. So wird Gregor Samsa in der *Verwandlung* nicht nur mit einem Ungeziefer verglichen, sondern dieser Vergleich wird absolut gesetzt: Gregor Samsa *ist* ein Ungeziefer. Oder man denke an die Kafkastelle: »Er sagte ›Hundsfott‹. Auf einmal nahm er das ernst und begann auf allen Vieren zu laufen.« Das ist in der Sicht Sokels konsequenter Expressionismus. Denn:

> Der Expressionist übersetzt die Gefühle seiner Personen unmittelbar in Handlungen. Die Personen plappern ihre innersten Gedanken nicht einfach heraus; sie spielen sie sofort vor. In Paul Kornfelds Drama *Die Verführung* begegnet der Held einem Mädchen, fällt ihr alsbald zu Füßen, gesteht ihr seine Liebe und versucht, sie zu umarmen. Wenige Augenblicke später tritt ihr Verlobter ins Zimmer. Der Held beleidigt ihn sofort mit den heftigsten Ausdrücken, schiebt ihn aus dem Zimmer und erwürgt ihn im Vorraum. Wie in Träumen wird der Wunsch zur Tat, das Gefühl zum Ereignis.[104]

Worum es bei den Expressionisten wie bei Kafka immer wieder geht, ist das Traumhaft-Unbedingte der hintergründigen Wirklichkeit, die Enthüllung des Unheimlichen im Vertrauten, das unvermittelte Überrumpeltwerden durch Unerwartetes, ja Unglaubliches, die »Konfrontation der Normalität mit der Paradoxie« (Herbert Kraft) und damit die Tendenz, die Scheinhaftigkeit der für verläßlich gehaltenen »normalen« Lebenswelt bewußt zu machen. Diese Gemeinsamkeiten Kafkas mit dem Expressionismus verweisen letzthin auf »eine verwandte Art der Welterfahrung«.[105]

Lapidar erklärt Kraft, die Dichtung Kafkas sei »aus wesentlichen Voraussetzungen des Expressionismus erwachsen«.[106] Marinettis Forderung nach Zerstörung des »Ichs« in der Literatur erläutere die Grundsituation des Expressionismus wie der Dichtung Kafkas. Zugrunde liege hier wie dort die Konzeption einer Welt ohne absolutes Bezugssystem. Das bekannt Geglaubte ist auseinandergefallen. Vor allem aber hat sich das Verhältnis zwischen dem Menschen und den Dingen verändert, insofern sich die Dinge verselbständigt und damit die vertraute Welt zerstört, ja zu einer aggressiven Gegenwelt haben werden lassen: »Sie verdrängen den Menschen aus seiner Position: sie sind in den Bereich des Menschen eingebrochen und haben menschliche Züge angenommen«, was in letzter Konsequenz sogar »zur Vorrangigkeit der Dinge« führt. Der Mensch beherrscht die Dinge nicht länger. Er ist ihnen ausgeliefert. Sie treiben ein tückisches Spiel mit ihm, wie das in Kafkas Erzählung *Blumfeld, ein älterer Junggeselle* mit dem nicht mehr zu stoppenden lästigen Hüpfen zweier Zelluloidbälle exemplarisch vor Augen geführt wird. Man denke auch an die Geisterpferde des Landarztes und überhaupt an die wunderlich surrealen Wesen und Dinge, die in Kafkas Dichtung ihr unberechenbares Unwesen treiben und damit erkennen lassen, daß der Kosmos zum Chaos geworden ist. Vor allem aber denke man an »Odradek«, die vielleicht eigentümlichste Schöpfung Kafkas, jenes unqualifizierbare Etwas, das weder Mensch noch Tier noch Ding ist und doch als real vergegenwärtigt wird.

Thematisch berührt sich Kafkas Dichtung darin auffällig mit dem Expressionismus, daß auch in ihr der Kampf der Söhne gegen die Väter eine zentrale Rolle spielt. Doch ist das, wie Kraft modifiziert, bei Kafka nicht lediglich Wiederholung; auch handelt es sich nicht um sozialkritische Auflehnung, sondern um ein Stück Autobiographie, um eine persönliche Auseinandersetzung, nämlich um Kafkas eigenen lebenslangen Kampf mit dem Vater. Zugleich aber ist offenkundig, daß Kafka bei der Gestaltung seiner Erzählung *Das Urteil* nicht etwa nur »an Freud«, sondern direkter noch an Werfels Dramenfragment *Die Riesin* (T 294) und vor allem an dessen Gedicht *Vater und Sohn* gedacht hat, in beiden Dichtungen wünscht der Sohn den Tod des Vaters herbei:

Und der Sohn harrt, daß der Alte sterbe.
Und der Greis verhöhnt mich jauchzend: Erbe!
Daß der Orkus widerhallt.

Das hier angesprochene antagonistische Vater-Sohn-Verhältnis vergleicht sich genau mit der Situation in der Geschichte Kafkas.

Eine weitere charakteristische Übereinstimmung liegt darin, daß wie der Expressionismus so auch die Dichtung Kafkas wesentlich »städtische Dichtung« ist. Die Natur ist nicht der Entfaltungsraum seiner Erzählungen und Romane. Die Handlung spielt mit Vorzug in geschlossenen Räumen. Das gilt gerade auch für die Erzählung *Der Bau*, deren Protagonist doch ein Waldtier ist, aber in einem selbstgeschaffenen unterirdischen Bau sein angstvolles Leben fristet, nicht geborgen im Schoß der Natur, sondern in einem permanenten Spannungsverhältnis zur Lebenswelt der anderen außerhalb. Es geht also um ein Kernthema des Expressionismus: Der einzelne in Auseinandersetzung mit menschlichen Gemeinschaftsformen. Herbert Krafts Feststellung: »Der Ort des Kampfes um den Menschen ist wesentlich die Stadt« gilt im Prinzip auch für Kafkas Dichtungen. *Der Prozeß* ist ein städtischer Roman wie Rilkes *Malte* und Döblins *Berlin Alexanderplatz*. Der *Amerika*-Roman spielt in den Städten Amerikas, und *Das Schloß* hat eine Dorfgemeinschaft als Handlungsraum.

Was Kafka von den Expressionisten trennt, ist also nicht so sehr die Thematik und Problematik seines Schreibens, die er vielmehr weithin mit diesen teilte, als die Art der Gestaltung, die Zucht der Form, kraft deren er die (auch ihn bewegenden) Emotionen gebändigt und zu klassischer Klarheit geläutert hat. Das theatralisch Laute und Ungezügelte ihrer Sprache, den ekstatischen Worttaumel hat er infolgedessen entschieden abgelehnt. »Auch in seinen erregendsten Gestaltungen hat er niemals einen ›O Mensch‹-Ruf ausgestoßen. Implicite aber begegnete dieser Ruf in seinen Dichtungen durchaus. Ja, man könnte sogar sagen, daß dieser Ruf, weil er so konsequent verschwiegen wird, um so stärker und fordernder wirkt. Ist nicht sein Werk als Ganzes ein solcher Appell an alle, ein einziger machtvoll stummer Anruf ›O Mensch!‹?«[107]

So stellt sich denn die Frage, ob sprachlich-stilistisch ein absoluter Trennungsstrich zwischen Kafka und dem Expressionismus gezogen werden muß. Ein Vergleich seines asketischen Stils mit Lion Feuchtwangers expressiver, ja auch erregt manieristischer Erzählprosa zeigt, daß im künstlerischen Gebrauch der Sprache, in der Ökonomie der Mittel, beide verschiedenen Welten angehörten. Jeglicher Manierismus lag Kafka fern. Selbstgenuß der Sprache in Worthäufung und Wortspiel waren mit seinem sachlichen Erzählerethos unvereinbar. »Er ist der Meister des treffsicher knappen Ausdrucks, der durchsichtig klaren, schlanken Satzgefüge, des gleichmäßig ruhigen Sprachflusses, des gedämpften Tons. Er vertraut auf die Aussagekraft des einzelnen Wortes und verzichtet auf schmückende Zutat. Seine Prosa ist eine Kunst des Untersprechens.« Anders die Expressionisten: »Genug ist nicht genug« ist der Sprachimpuls, der diese antrieb und in einen auf Fülle gerichteten Stil ausschweifen ließ. Als Beispiel sei Feuchtwangers worthäufende Beschreibung des schier endlos scheinenden Überlandstraßen-Verkehrs in *Jud Süß* zitiert:

> Das alles trieb vorwärts, rückwärts, querte sich, staute sich, hetzte, stolperte, trottete gemächlich, fluchte über die schlechten Wege, lachte, erbittert oder behaglich spottend, über die Langsamkeit der Post, greinte über die abgetriebenen Klepper, das gebrechliche Fuhrwerk. Das alles flutete vor, ebbte zurück, schwatzte, betete, hurte, lästerte, bangte, jauchzte, atmete.

Hier geht es nicht lediglich um Vollständigkeit der Beschreibung, um die es auch Kafka zu tun war, hier triumphiert zugleich und vor allem die reine Ausdruckslust, der sich Kafka versagte. Doch ist das nicht die ganze Wahrheit. Denn dem aufmerksamen Leser kann nicht entgehn, daß Kafkas fiktive Schilderung des New Yorker Straßenverkehrs im *Amerika*-Roman stilistisch an die zitierte Verkehrsbeschreibung Feuchtwangers erinnert. Vollends seine früheste größere Dichtung *Beschreibung eines Kampfes* (1904/5) war in einem extravagant expressionistischen Stil geschrieben. Seine Kurzgeschichte *Auf der Galerie* repräsentiert klanglich und satzrhythmisch gewollte Ausdruckskunst. Aber auch noch in der späten Erzählung *Der Bau* finden sich sprachliche Aufhöhungen expressionistischen Charakters. Mit anderen Worten: auch in dem stilistischen Asketen Kafka war ein – freilich weithin verhaltener – ausdrucksträchtiger Sprachimpuls wirksam. Tatsache ist ferner, daß es die expressionistische Sprache war, die Kafka an Werfels Dichtung begeisterte, ja nach seinem eigenen Bekenntnis bis zur Ekstase hingerissen hat. (T 202 und F 178) Kein Zweifel, da war etwas am Expressionismus, was Kafka emotional ansprach, ein Überschwang, der ihn mitriß, vor dem er aber auch zurückwich, aus Furcht, sich an ihn zu verlieren. Wie er an Felice schrieb, bewunderte er, wie ein Werfelsches Gedicht, »den ihm eingeborenen Schluß in sich tragend, sich erhebt, mit einer ununterbrochenen, inneren, strömenden Entwicklung«. (F 280)

Gerade die späte Erzählung *Der Bau* drängt die Frage nach expressionistischen Elementen in Kafkas Dichtertum auf. Denn statt des sonst für Kafka charakteristischen Untersprechens begegnen hier erregte Worthäufungen, die mit den stilistischen Eskapaden Feuchtwangers durchaus verglichen werden können:

> dann eile, dann fliege ich, dann habe ich keine Zeit zu Berechnungen . . . fasse willkürlich, was mir unter die Zähne kommt, schleppe, trage, seufze, stöhne, stolpere . . .

Ferner hören wir vom »Kratzen und Beißen, Stampfen und Stoßen«, mit dem das Waldtier seinen Festungsbau dem widerspenstigen Boden abgerungen hat, oder auch vom »Kratzen der Krallen knapp unter der Erde«, Formulierungen, die mit ihren fast aufdringlichen Assonanzen und Alliterationsmanierismen expressionistischen Überschwang verspüren lassen. Denkt man gar an die wortreich wilden Beschreibungen animalischer Begierden in dieser Geschichte, insbesondere an den Ausbruch, mit dem das Waldtier seinen blutrünstigen Furor gegen ein feindliches anderes Tier verlautbart:

> damit ich endlich in einem Rasen hinter ihm her, frei von allen Bedenken, ihn anspringen könnte, ihn zerbeißen und austrinken und seinen Kadaver gleich zur anderen Beute stopfen könnte . . .

dann wird einem bewußt, daß auch im Blick auf die Sprache das Verhältnis Kafkas zum Expressionismus neu – und das heißt differenzierter – durchdacht werden sollte.

Im übrigen hat Kafka selber seinen »expressionistischen« Gestaltungstrieb in zahlreichen Äußerungen unüberhörbar deutlich gemacht. Im Dezember 1911 schrieb er ins Tagebuch:

Ich habe jetzt und hatte schon nachmittags ein großes Verlangen, meinen ganzen bangen Zustand ganz aus mir herauszuschreiben und ebenso wie er aus der Tiefe kommt, in die Tiefe des Papiers hinein, oder es so niederzuschreiben, daß ich das Geschriebene vollständig in mich einbeziehen könnte. (T 185 f.)

Im Dezember schrieb er an Felice: »Morgen fange ich wieder mein Schreiben an, ich will mit aller Kraft hineinreiten . . . « (F 197) und bekennt »eine schreiende Lust zum Schreiben in sich zu haben.« (F 218) Schon früher im selben Jahr 1912, seinem literarischen Durchbruchsjahr, hatte er von einer Geschichte gesprochen, zu der er sich gerade niedersetze »mit einem unbegrenzten Verlangen, mich in sie auszugießen« und »mit einem wilden Wunsch . . . [sie] fortzusetzen«. (F 105) »Hätte ich die Nacht frei, um sie, ohne die Feder abzusetzen, durchschreiben zu können bis zum Morgen! Es sollte eine schöne Nacht werden.« (F 102) »Die Nächte können gar nicht lang genug sein für dieses übrigens äußerst wollüstige Geschäft [des Schreibens].« (F 117) Schon 1903 hatte er an Oskar Pollak geschrieben: » . . . ich war so vertollt in die großen Worte.« »Was mir fehlt, ist Zucht.« Im Januar 1913 schrieb er an Felice: »Schreiben heißt ja sich öffnen bis zum Übermaß.« (F 250) Und in einem späteren Brief dieses Jahres heißt es: »Ich las mich an meiner Geschichte in Raserei.« (F 320) Im Juni 1913 trug er ins Tagebuch ein: »Die ungeheure Welt, die ich im Kopf habe. Aber wie mich befreien und sie befreien, ohne zu zerreißen. Und tausendmal lieber zerreißen, als sie in mir zurückhalten oder begraben . . . « (T 306) Bereits 1910 notierte er: »Ich werde mich nicht müde werden lassen. Ich werde in meine Novelle hineinspringen und wenn es mir das Gesicht zerschneiden sollte.« (T 26) Wie er 1915 schrieb, will er »die Geschichten durch die Nächte jagen«, damit sie nicht ausbrechen und sich verlaufen. (T 454) Und zu Max Brod sagte er: »Man muß ins Dunkel hineinschreiben wie in einen Tunnel.«

Von größter Wichtigkeit sind in diesem Zusammenhang Kafkas Äußerungen über die Entstehung seiner ersten von ihm als künstlerisch gelungen akzeptierten Erzählung *Das Urteil*. Während *einer* Nacht, »im Feuer zusammenhängender Stunden«, ganz dem schöpferischen Impuls hingegeben, hat er in einem trance-ähnlichen Zustand der Inspiration diese Geschichte niedergeschrieben. Und frohlockend bekannte er: »Wie alles gesagt werden kann, wie für die fremdesten Einfälle ein großes Feuer bereitet ist, in dem sie vergehen und auferstehen.« (T 293) Entscheidend war jedoch, daß zum mystischen Akt der Inspiration ein waches kritisches Bewußtsein hinzukam, das den kreativen Vorgang steuerte.

Unmöglich kann man an den vielen authentischen Zeugnissen expressionistischer Emotionalität Kafkas vorbeigehen, wenn man über sein Verhältnis zum Expressionismus befinden soll. Zugleich darf aber auch das ganz Eigene, ja Paradoxale dieser Beziehung nicht übersehen werden, daß er nämlich ein *gezügelter Expressionist* gewesen ist, was wiederum eine *contradictio in adjecto* darstellt. Denn beim Schreiben ging es ihm um eine durch Emotionen ungetrübte Klarheit des Blicks, nicht um Suggerieren und Kommentieren, sondern um reines »Aufzeichnen«, um eine Haltung neutralen Gegenübers. Überscharf formuliert könnte man sagen: Kafka war zugleich Expressionist und Klassiker. Vor allem aber war er er selbst. Das heißt: es gibt wohl genuine Gemeinsamkeiten, die Kafka mit dem Expressionismus verbinden, aber es besteht keine Identität. Der Expressionismus ist auf Aktualität und Aktivität gestellt; seine Themen und Probleme sind von hier und heute; er ist durchaus säkulare Dichtung. Die Dichtung Kafkas hingegen ist weder räumlich noch zeitlich festzulegen. Sie spielt in einer Dimension des überall und nirgends, des immer und nie, die – undefiniert – auch das hic et nunc einschließt und – der säkularen Begrenzung enthoben – zum Transzendenten hin offen ist. Gewiß findet sich auch außerliterarisches Erbe in Kafkas dichterischem Werk: theologisches, philosophisches, existentialistisches (Kierkegaard), pessimistisch-nihilistisches (Nietzsche), zionistisches, darwinistisches und psychoanalytisches Gedankengut. Aber er ist nichts von alledem, was man aus ihm zu machen sucht – trotz der Faszination, die er für Existentialisten (Camus, Sartre) und Nihilisten, Theologen, Zionisten und Freudianer besitzt. Vielmehr hat seine Dichtung »alle Moden und Interpretationsversuche [solcher Art] siegreich überstanden«.[108] Kafka ist kein Philosoph, ja auch nicht ein Denker im streng typologischen Sinn, auch wenn sich Ingeborg Henel mit großem Einsatz darum bemühte, ihn als einen Denker reinsten Wassers glaubhaft zu machen.[109]

19.

Aber Kafka selbst wußte es besser. Wie er in Briefen an Felice erklärte und wie auch sein Freund Max Brod feststellte, war er »zu abstrakter Argumentation unfähig« (F 71) und konnte nicht logisch-diskursiv einen Gedankengang entwickeln (F 275). Er dachte intuitiv sprunghaft, ging von sinnlichen Details aus, die assoziativ verbunden wurden, setzte Bildervorstellungen für herkömmliche, hierarchische Allgemeinvorstellungen und war nur zu tieferer Aufnahme und Verarbeitung solcher Dinge befähigt, die er mit seinen eigenen Schwierigkeiten in eine innere Beziehung bringen konnte ... Auch konnte er dem Gedankengang der philosophischen Arbeiten seiner Freunde nur mit Mühe folgen (F 317). Wiederholt klagte er über sein nebelhaftes undeutliches Bewußtsein (T 439, 480, F 66, 184 und 298). Doch äußerte sich in dieser Selbstbeurteilung zugleich die Selbstherabsetzung des Perfektionisten Kafka, der sich nicht genügen konnte, weil er in allen Dingen den höchsten Anspruch an sich stellte. Und gewiß wäre es absurd, anzunehmen, daß Kafka als Dichter nicht auch gedacht habe und sogar intensiver und eigenwilliger als manche Logiker herkömmlicher Art. Aber sein Denken war ein konkret gebundenes Denken, nicht abstrakt und systematisch, sondern unablösbar verhaftet der Welt der Dinge, wo »hart im Raume sich die Sachen stoßen«, ein Denken, das darum keine eindeutigen Entscheidungen traf, vielmehr die jeweiligen Gegenpositionen als gleichermaßen gültig bestehen ließ. Eben darin sah Camus die eigentliche Größe der Dichtung Kafkas, daß sie alles darbiete, aber nichts bestätige. Das gleiche betont Sokel.[110]

Gewiß kann man ein solches Sich-nicht-entscheiden-Können als ein weises Sich-Bescheiden akzeptieren, aber sicher nicht als einen Beweis besonderen denkerischen Engagements werten. Eine *a priori* bestehende Neigung, vor Widersprüchen zu kapitulieren, steht dem philosophischen Willen zum Zuendedenken der Probleme entgegen. Resignation nimmt allzu rasch eine negative Verzichtlösung vorweg, als ob der Pessimismus des Dichters nicht schnell genug bestätigt werden könne. Es sind dunkle Emotionen, die das Denken niederdrücken und sich in fatalen Bildern manifestieren. Wenn nun aber Ingeborg Henel erklärt, von einem »Denken in Bildern« könne bei Kafka keine Rede sein, richtig sei lediglich, daß er »seine Gedanken mit Vorliebe in Bildern ausgedrückt« habe, der Denkakt als solcher mithin das Wesentliche sei, so wird diese Deutung der Spontaneität der inneren Vorgänge nicht gerecht. Übersehen wird dabei, daß Kafka von seinen Bildern geradezu bedrängt wurde und seine Gedanken sich daher von selbst in Bilder und Vorgänge umsetzten. Kafka suchte nicht nach Bildern, sie fielen ihm zu, ja sie überfielen ihn, und als ein geborener Erzähler setzte er sie jeweils sogleich in Handlung um. Er selbst hat diesen kreativen Akt mit Staunen festgestellt, »wie für die fremdesten Einfälle ein großes Feuer bereitet ist, in dem sie vergehen und auferstehen«. Die Bilder sind keine sekundäre Zutat, sie illustrieren nicht nur, sie sind vielmehr die eigentliche dichterische Substanz.

Daß Kafka kein Philosoph »in the technical sense« gewesen ist und darum auch kein Gedankensystem aus seinen Werken abgeleitet werden kann, diese vielmehr »a category of their own« darstellen und eben deshalb besondere Hochachtung genießen, hat auch Urzidil betont[111] und damit Kafkas Selbstauffassung, »nichts als Literatur« zu sein, bestätigt. Ebenso erklärte Garaudy, Kafka sei ausschließlich Dichter, und das bedeute, seine Absicht und Aufgabe liege nicht darin, eine Theorie zu beweisen, sondern uns eine Gesamtschau zu vermitteln[112], die eine individuell bestimmte Wirklichkeit vergegenwärtigt. Das spricht zugleich gegen die üblich gewordene Auffassung der Erzählungen Kafkas als allegorisierender Darstellungen der Schriftstellerexistenz, womit sein programmatisches Bekenntnis, Geschichten erzählen zu wollen, Lügen gestraft wird. Daß z. B. Kafkas Erzählung *Elf Söhne* nichts anderes sei als eine in verschlüsselter Form durchgeführte Auseinandersetzung mit elf seiner eigenen Erzählungen, ist nicht nur unglaubhaft, sondern wäre auch künstlerisch fragwürdig, ja, peinlich. Mag sich auch diese Geschichte im ersten Ansatz aus kritischen Überlegungen über die bisher verfaßten Geschichten entwickelt haben, so hat doch Kafka im Impuls seines Schreibens diesen Ansatz überflogen und ein eigenständiges erzählerisches Gebilde geschaffen, eine Geschichte »jenseits von Allegorie und Symbol«. Das gleiche gilt für die Erzählung *Der Bau*, die man ebenfalls ausschließlich als eine kritische Spiegelung der literarischen Lebensleistung gedeutet und damit in ihrem Eigenwert als Erzählung verkannt und künstlerisch degradiert hat. Äußere Anlässe mag es viele verschiedene gegeben haben – Dichtung ist zu einem gewissen Teil immer auch »Gelegenheitsdichtung« –, aber bei einem Erzähler von Rang wie Kafka entsteht jeweils etwas anderes, Eigenes, Neues. Die Geschichten Kafkas sind autonome Erzählungen, nicht pseudodichterische Allegorien.

20.

Zutreffend kennzeichnet Claudine Raboin die Protagonisten Kafkas als »Gestalten an der Grenze«, die »ihr kümmerliches Dasein in Form einer unmöglichen Existenz fristen« und häufig durch einen Überrumpelungsakt radikal verwandelt und so zu »Gestalten an der Grenze« werden. Oder es sei ihnen schon von vornherein »aufgrund einer mehr oder weniger erklärbaren Schuld der Grenzbereich zwischen Leben und Tod, zwischen Diesseits und Jenseits . . . als letzter Wohnort zugewiesen«.[113] Wenn aber daraus gefolgert wird, es gehe dabei um »differenzierte Darstellungen der schriftstellerischen Existenz«, so läßt sich das von den Romanhelden Kafkas Karl Roßmann, Josef K. und K., aber auch von Georg Bendemann, Gregor Samsa, dem Landarzt, dem Junggesellen Blumfeld und den meisten anderen Personen Kafkas sicher nicht behaupten. Und das elende Leben, das der Jäger Gracchus an der Grenze zwischen Leben und Tod führt, als »Charakteristikum der Schriftstellerexistenz« zu deuten, ist ebenfalls ein Gewaltakt weiterdichtender Phantasie. Allenfalls bei Gestalten wie dem Hungerkünstler und Josefine kann man einräumen, daß in ihnen »das Schriftstellersein als ein unmenschliches Leben in einem Grenzgebiet« versinnbildlicht ist. Auch ist zuzugeben, daß in Briefen, Gesprächen und Tagebuchäußerungen Kafka die Problematik des Nur-Schreibens, des nichtgelebten Lebens, des Sich-nicht-Bewährens im praktischen Dasein wiederholt angesprochen hat. Grundsätzlich gilt aber, daß seine Sicht der menschlichen Dinge weiter gespannt ist und er letzthin immer den Menschen an sich im Blick hat. Dem entspricht auch die weitgehende Namenlosigkeit seiner Personen und damit der bewußte Verzicht auf individuelle Charakterisierung und psychologische Motivation ihres Verhaltens.

Eben dies ist das Hauptcharakteristikum und irritierend Neue der

Kafkaschen Dichtung, daß es in ihr kein monokausales Erzählen noch auch eine psychologische Berechenbarkeit der Personen mehr gibt. Das Geschehen verläuft akausal, und die Menschen verhalten sich apsychologisch wie sonst nur in Träumen.[114] Andererseits hat aber Kafka selbst bekannt, daß er bei der Abfassung seiner Erzählung *Das Urteil* auch an »Freud natürlich« gedacht habe.[115] Und nach Brod hatte Kafkas problematisches Vaterverhältnis zweifellos mit Freuds Theorie des Unterbewußten zu tun. Da es ferner nicht an Versuchen gefehlt hat, Kafkas Werk insgesamt psychoanalytisch zu deuten,[116] muß hier die Frage erörtert werden, ob auch Freud zu den Ahnen Kafkas gehört. Feststeht, daß sich Kafka mit der Psychoanalyse Freuds befaßt hat und daß sich diese Auseinandersetzung besonders auffällig in den Erzählungen *Der Heizer*, *Das Urteil* und *Die Verwandlung* niederschlug, die nach seinem Wunsch unter dem Titel »Die Söhne« in einem Buch zusammengefaßt veröffentlicht werden sollten. Zugleich aber steht fest, daß Kafkas Verhältnis zur Psychologie problematisch gewesen ist.

In seinen Ausführungen über die psychologische Deutbarkeit des Dichters betont Lawrence Ryan mit Recht Kafkas eigenen »grundsätzlichen Vorbehalt gegenüber der Psychologie«. So habe Kafka aus »Mißtrauen gegenüber dem allwissenden Erzähler« den psychologischen Roman abgelehnt und sich, um »den Schein einer solchen Allwissenheit« zu meiden, »an die begrenzte Perspektive einer einzelnen Gestalt« gehalten; denn »der Freiheit eines souveränen Überblicks haftet für ihn etwas Unwahres an«. Glaubte er doch noch an eine letztlich »undurchdringliche Dichte des menschlichen Seelenlebens«, der die alles verstehen wollenden Psychologen niemals beikommen könnten. Infolgedessen lehnte er »den therapeutischen Anspruch der Psychoanalyse« *expressis verbis* als einen »hoffnungslosen Irrtum«, als »Anthropomorphismus«, ja als ein bloßes »Annagen der Grenzen« ab. Die Psychoanalyse sei nicht imstande, »eine Spiegelung der irdischen Welt in der himmlischen Fläche zu erreichen«; denn »die Begrenztheit des irdisch befleckten Auges (HL 73) schließt auch den Psychologen mit ein«. Nach Kafka ist die Psychoanalyse »gerade jener Trübung verhaftet, die sie zu klären vorgibt«.

Weil aber andrerseits Kafkas Werk selbst zum Psychologisieren anreizt, gilt es, seine Eigenständigkeit als Dichtung festzuhalten und vor dem allzu hemmungslosen »Mißbrauch der Freudschen Grundbegriffe durch . . . fahnenflüchtige Philologen« zu warnen.[117] Auch Walter Sokel, der in Kafkas Werk die metaphorische Konkretisierung der »inneren Existenz« sieht,[118] räumt ein, »daß die tiefste Motivationsschicht der Gestalten Kafkas nicht mit psychoanalytischen Vorstellungen zu erfassen ist«; ebensowenig werde man seinem Werk gerecht, wenn man es ethisch oder metaphysisch oder mythologisch-religiös oder existentialistisch deute: alle diese Deutungen träfen zwar in gewisser Hinsicht zu, aber keine lote den Dichter aus.

Am skeptischsten verhält sich Hans Mayer zur psychologischen Deutung Kafkas.[119] Der Dichter habe »allzu lange herhalten müssen für die psychologischen Deutungsversuche, denen sein Verhältnis zur Familie, zu Frauen, zum Beruf, zum Judentum, zur Literatur höchst gelegen kam . . .« Mit Recht konzentriere man sich jetzt auf das Werk selbst, auf den Wortlaut und die Form der Dichtung. Überhaupt sei diese Epik eher eine »Erzählkunst der Verfremdung als der Einfühlung«; denn Kafka habe »keinerlei Sympathie mit den verschiedenen K.s oder Samsas«; er verstehe zwar »seine Figuren«, versage ihnen aber das eigene Mitfühlen und Mitleben. Wohl beschreibe er Gedankengänge und Taten, hüte sich aber, durch Psychologie nachzuhelfen, biete vielmehr nur den gleichsam sich selbst erzählenden Vorgang. Und in seiner Gefolgschaft hätten seit 1945 »nicht wenige Schriftsteller ihre Werkstatt hinter dem Strom angesiedelt«.

Indessen hat Kafka selbst – bei seiner paradigmatischen Erzählung *Das Urteil* – psychoanalytische Bezüge eingeräumt, und Ingo Seidler unterstellt, daß »wir es [hier] zunächst mit einer symbolischen Strafphantasie zu tun [haben] . . ., die sich aus Kafkas tief gestörtem Verhältnis zu seinem Vater nährt«. »Auf dieser Ebene [sei] tatsächlich Kafkas berühmter Brief an diesen Vater der beredteste Kommentar der Geschichte.«[120] Gleichwohl mischen sich in der Erzählung so viele Elemente, daß sie nicht einseitig als Exempel des Kafkaschen Vaterkomplexes gedeutet werden kann. Hier geht es in der Tat um Multivalenz und Vielschichtigkeit, um jene von Politzer so benannte »multiplicity«, die realistische und nicht zuletzt auch religiöse Aspekte einschließt.[121]

Psychologisch-symbolischer Deutung Kafkas hat sich vor allem Ingeborg Henel widersetzt,[122] obwohl sie die Möglichkeit symbolischer Beziehungen im Werk des Dichters nicht schlechthin leugnet. Ihrer Grundthese nach stelle Kafka keine Welt an sich, sondern sein inneres Leben dar. Es gehe hier also weder um eine transzendente Welt noch auch um Abbild oder Persiflage einer empirischen Welt, sondern um eine »geschaffene« und damit autonome Welt. Mit guten Gründen widerspricht Seidler dieser radikalen Trennung zwischen der selbstgeschaffenen Welt des Dichters und der realen Welt. Er fragt, warum eine geschaffene und autonome Welt keine Entsprechung in der wirklichen Welt sollte haben können, ja, wie sie überhaupt ohne jeden Bezug auf die bekannte Welt zu existieren vermöchte. Infolgedessen seien »Wechselbezüge« »zwischen der autonomen Welt Kafkas und der empirischen Welt keinesfalls auszuschließen«. Doch geht Seidler insofern mit Ingeborg Henel einig, als auch er die Grenzen psychologischer Deutung bei Kafka betont und nicht glaubt, durch psychologisch-symbolische Interpretation den Gesamtsinn eines Werkes aufdecken zu können.

Könnte man das *Leben* Kafkas als einen klaren Fall für eine psychoanalytische Biographie ansehen, so ist hingegen seine Dichtung »far too complex, much too complex, much too richly rewarding in several areas of aesthetic and intellectual comtemplation, to be dismissed as an imperfect sublimation or an anxiety neurosis«.[123] Und Kafka selbst hat eine Interpretation seines Werkes im Sinne Freuds als unzureichend verworfen. Sie könne weder den Einzelheiten noch der Essenz der darin dargestellten Konflikte gerecht werden, da sie nie tief genug nach den eigentlichen Ursachen forsche. Andererseits räumte er ein, daß die biographischen Quellen seines Schreibens psychoanalytischer Erhellung zugänglich seien. But »the ultimate progress of his art goes beyond the limits of psychoanalysis«. Doch in begrenzter Weise, eben mit den Vorbehalten, die Kafka selbst gegenüber der Psychologie ausgesprochen hat, gehört auch Sigmund Freud zu den Ahnen des Dichters.[124]

21.

Die Frage, ob Kafka als Nihilist zu gelten habe und wie sein Verhältnis zur literarischen Tradition des *Nihilismus* zu beurteilen sei, läßt sich nicht mit pauschaler Eindeutigkeit beantworten. Auch die ihm eng verbundenen Freunde gehen in ihren Urteilen auseinander. Zwar haben die meisten betont, er sei kein Nihilist gewesen, aber gerade die intime Lebensgefährtin seiner letzten Wochen, Dora Dymant, hat die Erfahrungen ihres Zusammenlebens mit Kafka in der fatalen Feststellung zusammengefaßt: »Weiter als bis zur Verzweiflung ist er nicht gekommen.« Feststeht, daß Kafka kein Nihilist sein *wollte*; ebenso sicher ist jedoch, daß er nihilistischen Anfechtungen nicht ganz widerstehen konnte. In allen seinen Lebensphasen brach immer wieder sein selbstzerstörerischer Pessimismus durch. Als ein Beispiel unter vielen sei ein Tagebucheintrag Kafkas zitiert, der genau dokumentiert, was Nihilismus im heutigen Sprachgebrauch meint, »daß [nämlich] das Nichts sich verselbständigt und überhaupt alles nichtet und nichtswürdig macht, die irdischen Erscheinungen sowohl als auch die oberen geistigen, seelischen und sittlichen Werte«, daß also schlechthin »alles sinnlos und ekelerregend« wird.[125]

Nach Emrich kann das nihilistische Ausmaß der Kafkaschen Weltsicht nicht überboten werden. Er sehe die Menschheit ahnungslos schlafend, ohne Bewußtsein, dem Nihil preisgegeben. In den *Hochzeitsvorbereitungen auf dem Lande* habe sich Kafka mit dem Nihilismus seiner Zeit identifiziert, indem er sich außerstande erklärte, religiöse Traditionen fortzuführen oder wieder an sie anzuknüpfen: »Ich bin Ende oder Anfang.«

»Gegen die . . . gesamten Möglichkeiten modernen Denkens und Hoffens stemmt sich Kafka. Sie sind für ihn ein längst verlorenes Spiel . . . «[126] Er will auch die Verhältnisse nicht reformieren noch revolutionieren, weil man nie sicher weiß, was besser wäre und ob es überhaupt eine bessere Alternative gibt. In der Erzählung *In der Straf-*

kolonie trifft der Forschungsreisende seine Entscheidung für die moderne Form der Strafjustiz nur halbherzig, ja sogar mit einem etwas schlechten Gewissen. Denn weder das alte noch das neue Gesetz kann befriedigen. Was Kafka bedrückt, ist also die Unentscheidbarkeit der Fragen, die Einsicht, daß man nur sekundäre Fragen zu beantworten vermag, aber auch diese nur relativ und kurzfristig.

Diese nihilistische Frustration ist indessen nicht neu. In Deutschland erschien der literarische Nihilismus bereits um die Wende vom 18. zum 19. Jahrhundert, »etwa in Ludwig Tiecks Roman *William Lovell* (1794–1795), in Jean Pauls Traumdichtung *Rede des toten Christus vom Weltgebäude herab, daß kein Gott sei* [schon 1789/1790 konzipiert], in der Kantkrise Kleists und in dem Roman *Die Nachtwachen des Bonaventura* (1804 erschienen),« in dem der Nihilismus in konsequenter Vollständigkeit vorweggenommen ist: Alles sei nichts, denn alles sei Rolle. Die Menschen seien nur Marionetten, Puppen, Masken, mit denen ein wahnsinniger Weltschöpfer ein sinnloses und immer gleiches Possenspiel aufführe – Gedanken, die dann z. T. wörtlich bei Büchner und Grabbe erscheinen, danach im Naturalismus und Expressionismus wieder auftauchen, »um schließlich in der Gegenwart bei Ionesco und Beckett einen neuen Höhepunkt zu erreichen: Das Weltspiel als sinnlos sich drehendes Karussell . . . Aufhebung des Komischen und Tragischen durch Groteske, Verbindung von Lachen und Entsetzen.« Auch Kafka reiht sich in diese Tradition des literarischen Nihilismus ein. Auch er hat Tragisches und Komisches zu grotesken Einheiten zusammengefügt. Und über seine Erzählung *Ein Hungerkünstler* hat er, wie Freunde berichtet haben, beim Vorlesen unbändig gelacht – aber gewiß ein Lachen des Entsetzens, nicht der Heiterkeit.

Was jedoch Kafka von den entschiedenen Nihilisten trennt, ist, daß er den Weg zum Nihilismus nicht zu Ende ging. Da war etwas in ihm, was einer solchen letzten Konsequenz widerstand, nämlich seine Überzeugung, daß es ein absolutes Gesetz, eine unzerstörbare Instanz gebe und der Nihilismus darum nicht das letzte Wort sein könne. So schrieb er in den *Hochzeitsvorbereitungen:* »Der Mensch kann nicht leben ohne ein dauerndes Vertrauen zu etwas Unzerstörbarem in sich.« Kafkas Tragik lag nicht darin, daß er Nihilist war, sondern daß er unerlöst *zwischen* Nihilismus und Glauben sein Leben fristete und ihm daher in keiner Richtung die Ankunft gelang. Während sowohl der Nihilist als auch der Gläubige, jeder auf seine Weise, das Ziel erreicht und einen festen Standpunkt einnimmt, bleibt der pessimistische Skeptiker, der Kafka war, als ein Zerrissener und Ungeborgener auf der Strecke. Und ein solcher war Kafka in doppelter Weise: eine hoffnungslos leidende Seele in einem hoffnungslos leidenden Körper, hoffnungslos, aber hoffen wollend, zweifelnd, aber nach bedingungslosem Glauben dürstend, dem Leiden masochistisch sich hingebend und das Aufbrechen der todbringenden Wunde freudig begrüßend, aber zugleich das kraftvoll Gesunde bewundernd und bejahend (wie am Schluß der Erzählungen *Die Verwandlung* und *Ein Hungerkünstler*) und damit dem positiven Bekenntnis Goethes zustimmend, daß die Natur immer recht habe.

Sich nicht entscheiden können, dem Nichtwissen ausgeliefert sein – diese schlechthinnige Ungewißheit des Existierens war die Not Kafkas, die ihn zum Skeptiker bestimmte. Während der Nihilist weiß (oder doch zu wissen glaubt), daß hinter allem das Nichts steht, kann der Nichtwissende weder das Sein noch das Nichtsein Gottes behaupten. Er kann allenfalls nur das eine wünschen und das andere fürchten. Immer aber bleibt er in den Teufelskreis des Zweifels gebannt. Und niemals hebt sein Zweifeln sein Nichtwissen auf. Nichtwissen läßt aber keinen Nihilismus zu; es impliziert nicht Sinnlosigkeit der Welt. Nicht einmal das Absurdeste kann der Nichtwissende als sinnlos abtun. So stellt Kafkas absurd anmutende Dichtung auch nicht die Sinnlosigkeit, sondern die Unbegreiflichkeit des Daseins dar.[127]

22.

Vom Nihilismus zum *Existentialismus* ist nur ein kleiner Schritt. In einigen ihrer Erscheinungsformen sind beide sogar identisch. Es bezeugt die Aktualität des Kafkaschen Werkes, daß es weithin im Zusammenhang mit dem Existentialismus gesehen wird[128] und auch gesehen werden muß. Stanley Corngold betont, von Anfang an sei Kafkas Dichtung von grundlegenden ontologischen Begriffen durchtränkt und durchformt – von Angst, Schuld, Selbstsein, Auslegung, Fiktion, so daß die ontologische Funktion bei Kafka als unabdingbar gelten müsse. Ja, Corngold klagt, »die Hintansetzung des existential-hermeneutischen Selbstverständnisses [wirkte] sich in der Kafka-Kritik verarmend aus«.[129]

Dennoch ist, wie Ingeborg Henel aus kritischer Distanz bemerkt, die Einordnung Kafkas in eine philosophische Tradition ein problematisches Unternehmen.[130] Zwar räumt sie ein existentielles Moment in Kafkas Denken ein, behauptet aber zugleich, daß er mit dem philosophischen Existentialismus Heideggers und Sartres wenig gemein habe und von dorther darum auch keine Hilfe zum Verständnis seiner Werke zu erwarten sei. In den Konsequenzen, die Heidegger und Sartre aus ihren Systemen gezogen haben, zeige sich der Gegensatz zu Kafka. Heidegger habe sich auf eine Art Mystik zurückgezogen und das moralische Problem unbeantwortet gelassen. Sartre habe aus der Behauptung der absoluten Freiheit den Sprung in die absolute Autorität eines politischen Systems getan. »Keine dieser Lösungen war eine Möglichkeit für Kafka.«

Näher stand Kafka der Existenzphilosophie Karl Jaspers', die im Gegensatz zu Sartres säkularistisch atheistischen Schlußfolgerungen das Sein der Transzendenz setzt und sich darin mit dem Wunschdenken

Kafkas berührt: »Existenz – so heißt es bei Jaspers – ist nicht ohne Transzendenz.« »Wenn alles versinkt, Gott bleibt.« »Es ist genug, daß Transzendenz ist.«[131] Das gleiche »nur mit ein wenig anderen Worten« hat auch Kafka wiederholt ausgesprochen.

Wie nah sich jedoch Kafkas Dichten – trotz der Vorbehalte Ingeborg Henels – auch mit Sartres Existentialismus berührt, hat Walter Sokel in tiefgründigen Untersuchungen dargelegt.

Unübersehbar sei die thematische Relevanz der Kafkaschen Romane *Der Prozeß* und *Das Schloß* für die Sartresche Theorie des Anderen[132]:

Das vereinzelte Bewußtsein, eingekerkert in seiner Isolierung und von undefinierten Anklagen durch unbekannte und unfaßbare Ankläger erweckt und herausgefordert, vergeblich Zugang zu den den Protagonisten bedrohenden oder seine beanspruchten Rechte hintanhaltenden Behörden suchend – das ist ja die Thematik des Kafkaschen Werkes, und sie scheint mit unheimlicher und prophetischer Genauigkeit der Sartreschen Theorie zwischenmenschlicher Beziehungen Rechnung zu tragen.

Indessen sei es »nicht bloß im Thematischen, wo Kafkas Erzählkunst der existentiellen Isoliertheit der menschlichen Realität Ausdruck verleiht«. Noch gewichtiger sei es, »daß [auch] in der Form und Struktur dieses Erzählens . . . die vollkommene Entsprechung der existenzphilosophischen Anthropologie erscheint«, und zwar in der Einsinnigkeit der Perspektive, der zufolge alles Geschehen vom Standpunkt des Protagonisten aus gesehen und dargestellt wird. Was hier vorliegt, ist also eine »gewaltsame Begrenzung der Kenntnis der Motivierungen der Umwelt, die der Erzähler nicht nur seiner Hauptgestalt, sondern sich selbst auferlegt. Im Kafkaschen Weltall besteht die quälende Unmöglichkeit, irgend etwas mit Gewißheit zu wissen, was über die bloßen vom Protagonisten erlebten Tatsachen hinaus reicht.« Das entspricht aber der condition humaine, wie Sartre sie sieht, nämlich »eingekerkert im Einzelbewußtsein«, als »äußerste und unabwendbare Isolierung und Ungewißheit [des Einzelichs] allen Anderen gegenüber«. Diese »unerlösbare Isoliertheit«, dieses »Verhaftetsein in einer Subjektivität, aus der die Sprache nicht befreien kann, ist eines der ältesten und grundlegendsten Themen der existenzphilosophischen Tradition«. Es begegnet bereits in Kierkegaards *Furcht und Zittern* und wird neu und weiter formuliert mittels der Heideggerschen Begriffe von Angst und Tod«. »Seine gründlichste und systematischste Behandlung erfährt das Thema . . . in Sartres *L'être et le néant*, wo es einer allgemeinen Anthropologie einverleibt wird.«

Unabhängig davon, wie weit man im einzelnen Sokels Bemühungen um Erhellung des »existentiellen Sinns« des Kafkaschen Werkes folgen will, und auch unabhängig davon, ob die aufzeigbaren Parallelen als Ergebnisse systematischen philosophischen Denkens oder als spontane dichterische Leistungen zu werten sind, kann doch kein Zweifel darüber bestehen, daß sich das Dichten Kafkas und der Existentialismus im gleichen geistigen Klima entfaltet haben. Existentiell ist nicht zuletzt der in Kafkas Dichtung zentrale Begriff der Schuld. Die Schuld ist immer unbekannt, – sowohl dem Protagonisten selbst wie auch dem Leser –, zugleich aber das ganze Leben bestimmend. Heißt das aber nicht: »Grundbös ist der Mensch geboren«? Liegt diesem Begriff einer unbestimmten, doch schicksalsentscheidenden Schuld nicht die Idee der Erbsünde zugrunde? Und der infolge der Schuld anhängige Prozeß, der den Menschen (jeden Menschen) zum Angeklagten macht, ist eine Aufforderung an diesen, sich auf die Suche nach seiner Schuld zu begeben und im letztendlichen Bewußtwerden der Schuld sich selbst zu erkennen. Insofern hier persönliche Verantwortung gefordert ist, besteht dieser schuldklärende Lebensprozeß aus existentiellen Entscheidungen des Protagonisten.

23.

Wie aber verhielt sich Kafka zu der intimen Literaturlandschaft, in die er hineingeboren war? Im Kontext der Weltliteratur war er mit vielen verbunden. Hier gab es über Räume und Zeiten hinweg literarische Verwandtschaftsbeziehungen mannigfaltiger Art, ja sogar »Blutsverwandte«, denen er sich ganz nahe fühlte. Im literarischen Leben Prags hingegen stand er allein oder richtiger: hielt er sich allein. Sein dichterisches Wollen stand in radikalem Gegensatz zur Prager Schwulstliteratur seiner Zeit. Klaus Wagenbachs zutreffend drastische Beschreibung der Prager Literaturszene[133] erhellt diesen unüberbrückbaren Gegensatz der Kunstgesinnung.

Die Unechtheit der Inhalte spiegelte sich in der Unredlichkeit der Sprache, in der lauten und leeren Rhetorik des Stils. Nicht nur Viktor Hadwiger, Egon Erwin Kisch, Paul Leppin, Gustav Meyrink, Oskar Wiener u. a., auch Max Brod, Franz Werfel und sogar noch der junge Rilke verfielen dem verbalartistischen Schwulst. Kafkas Wahrheitswille jedoch widerstand aller Theatralik; er reagierte allergisch gegen künstlichen Trug und Mißbrauch der Sprache. In seinem Purismus ist Kafka der wahre Antipode seiner Prager Schriftstellerkollegen.

24.

Die Sonderstellung Kafkas in der Literatur seiner Zeit erhellt auch aus einem Vergleich mit den prominentesten deutschen Autoren dieser Epoche: *Hermann Hesse* (1877–1962), *Thomas Mann* (1875–1955) und *Robert Musil* (1880–1942). Gewiß läge es auch nah, einen vergleichenden Blick auf den großen französischen Romancier *Marcel Proust* (1871–1922) zu werfen, den »many similarities of destiny and work« mit Kafka verbinden.[134] Oskar Baum verglich Kafkas problematisches

Verhältnis zum Vater mit Prousts »family complex« und nannte die beiden »contemporaries who did not know each other«. Schriftstellerische Verwandtschaft zeigt sich in ihrer bewußten Abwendung von einem bloßen Oberflächenrealismus der Darstellung. Aber auch das Thema von Prousts siebenbändigem Roman *Auf der Suche nach der verlorenen Zeit:* die destruktive Wirkung der Zeit auf Mensch und Welt sowie die Folgerung, die Proust zieht, daß nämlich der einzige Weg zur eigentlichen Wirklichkeit außerhalb der Zeit liege, lassen an Kafkas »traumhaftes inneres Leben« als eine tiefere Form der Wirklichkeitserfahrung denken.

Traumcharakter, ja ein Ineinanderfließen von Tagtraum und nächtlichem Traum, kennzeichnet die Dichtung *Robert Walsers* (1878–1956). Ihn faszinierte »alles, was in magisch-traumhaftes Licht eintaucht«[135] und so eine weitere Dimension, einen »anderen Zustand« (Musil) erschließt. Es verwundert nicht, daß Kafka diesen Dichter geliebt und Verwandtes in ihm erspürt hat. War er doch auch ein autobiographischer Dichter, der sich in seinen Roman- und Erzählfiguren spiegelte, und zwar als eine empfindsame Natur, als ein Horchender und Wartender, der gelernt hat zu träumen, während er wartet, als ein Selbstgenügsamer, der sich und seinen Wert nicht an anderen mißt. In der Charakterisierung des Gehilfen Joseph (in: *Der Gehülfe*) mochte Kafka z. T. sich selbst erkennen, seine eigenen Klagen und Sehnsüchte:

Er war so alt gewesen in seiner Jugend. Wie hatte ihn das Bewußtsein, nirgends zu Hause zu sein, lähmen und innerlich würgen können! Wie schön war es, jemandem anzugehören, in Haß oder in Ungeduld, in Mißmut oder in Ergebenheit, in Liebe oder in Wehmut! Ein Heim, ein Haus schafft Geborgenheit. Aber: »Draußen empfing ihn eine klare, kalte Welt. Etwas Hohes und Gewölbtes von einer Welt.«

Wie Kafka kannte und liebte Walser das Abseits, zugleich aber auch die Angst.

Was man als Grundzüge seines Schreibens rühmt, nämlich »Unpathetik und Bescheidenheit«, gilt auch für Kafkas dichterisches Gestalten: »Hier ist nichts Pose, nichts überhöht oder um der Wirkung willen stilisiert.«[136] Selbst der spielerisch verschnörkelte Sprachstil Walsers, seine zu Kafkas asketischer Diktion kontrastierenden »ironisch-blumenreichen« Redeformen sind nicht gekünstelt, sondern natürlicher Ausdruck eines überschäumenden Sprachtemperaments. Und der sprachsensible Kafka, der keinen falschen Ton ertragen konnte, »bewunderte« die verblüffenden, aber genau treffenden »abstrakten Metaphern in Walsers Prosa«, wenn es etwa von einem unsympathischen Menschen heißt, er spreche »wie ein mißlungener Purzelbaum« bzw. er benehme sich »wie eine große, zu Menschenform zusammengeknetete Unwahrscheinlichkeit«, oder von einem einsamen Schulhof: er liege »verlassen da wie eine viereckige Ewigkeit«. Kafka spürte, daß hier ein schöpferischer Spieltrieb der Sprache am Werk war.

Blicken wir schließlich auf *Thomas Mann* und *Hermann Hesse*, so wird schlagartig deutlich, in wie hohem Maße Kafkas dichterisches Werk einen Neubeginn darstellte. Der Abstand zu jenen scheint fast unüberbrückbar, obwohl sie mit ihren Themen Kafka nahestehen. Die Krise der Moderne ist ja auch ihr Gegenstand, und die zeitkritische Philosophie Nietzsches war ein entscheidender Anstoß ihres Denkens. Noch aber waren beide dem Geist und Ethos der Klassik und der Romankunst Goethes (*Die Wahlverwandtschaften* und *Wilhelm Meister*) als literarischem Vorbild verpflichtet. Gewiß haben sie auch einen subtilen persönlichen Erzählstil errungen und so das traditionelle Erzählen nuancierend, steigernd und bereichernd zu einer Ausdrucksqualität eigenen Ranges weiterentwickelt.

Auffällige biographische Parallelen verbinden Kafka und Hesse.[137] Beide standen in einem unheilbar gestörten Verhältnis zu ihrem Vater, wobei Hesse zwar einen trotzigeren Selbstbehauptungswillen zeigt, andererseits aber als Fünfzehnjähriger einen Selbstmordversuch unternahm und damit die eskalierende Heftigkeit dieses Konflikts sichtbar machte. Auch haben beide die Hurra-Begeisterung bei Ausbruch des Ersten Weltkriegs nicht geteilt, sondern in dem Ganzen nur eine sinnlose Schlächterei gesehen. Ebenso war Hesse wie Kafka der pessimistischen Überzeugung, daß die Welt nie ein Paradies gewesen ist, noch je eines sein wird, daß sie vielmehr, wie er im *Steppenwolf* ausgeführt hat, »immer und jederzeit unvollkommen und dreckig« sei. Aber anders als Kafka zog er aus dieser tristen Weltsicht positive Folgerungen: »um ertragen und wertvoll zu werden«, so schrieb er in einem Brief vom Ende Januar 1933, bedürfe die schmutzige Welt »der Liebe, des Glaubens«. Und am 8. Juli 1938 bekannte er: »Ich glaube an den Menschen als an eine wunderbare Möglichkeit, die auch im größten Dreck nicht erlischt . . . « In diesem Bekenntnis äußert sich ein das Negative voll einbeziehender, realistischer Optimismus, jenes Goethesche Dennoch, zu dem sich Kafka nie ganz emporringen konnte.

»Die unlösbare Problematik der menschlichen Existenz, wie sie – in tragischer Zuspitzung – als Krise oder in den komödiantischen Frustrationen eines Schelmenromans zutage tritt, war auch das Thema Manns. *Die Buddenbrooks, Der Zauberberg, Tod in Venedig, Tristan* und noch viele andere seiner Erzählungen, insbesondere aber auch sein letztes Werk *Die Betrogene,* handeln von Verfall und Tod, von Fatalität und Vergeblichkeit. In den Inhalten und Motiven ist also ein der Weltsicht Kafkas verwandter pessimistisch nihilistischer Zug spürbar. In der Gestaltung jedoch hebt sich Mann um so entschiedener von der Epik Kafkas ab. Zwar mildert er das Miserable und Lächerliche in keiner Weise, auch verzichtet er nicht auf Satire und Karikatur, aber er bietet das Ganze stets mit dem Charme und Humor eines menschenfreundlichen Ironikers, zugleich aus einer Distanz, die den Leser gleichsam zum Zuschauer eines Spiels werden läßt und so – im Schillerschen Sinn – ›ein

Vergnügen an tragischen Gegenständen‹ möglich macht. Kraft der Form hat Thomas Mann – wohl auch für sich selbst – die mit der Thematik gegebene Krise der Moderne gemeistert und als Erzähler noch einmal das Ideal der Klassik erfüllt, den ›Ernst des Lebens‹ mit der ›Heiterkeit der Kunst‹ zu verbinden. Andererseits aber zeigt der *Doktor Faustus*, sein persönlichstes und – dem Gegenstand nach – Goethe am nächsten stehendes Werk, eine Modernisierung der Faustsage, die eine entschiedene Abwendung von Goethes *Faust* darstellt, eine Modernisierung, die aber in Wahrheit eine Rückkehr zur alten Sage bedeutet, insofern sein Faust am Ende nicht erlöst, sondern vom Teufel geholt wird. Diese einschneidende Veränderung verweist denn doch auf eine pessimistischere Weltsicht, auf jenen Glaubensverlust, der die durch die Skepsis Nietzsches inaugurierte moderne Krise kennzeichnet. Sie demonstriert, daß auch Thomas Mann – in all seiner Pietät vor dem Genius Goethes und der Klassik überhaupt – in der Problematik des zwanzigsten Jahrhunderts angesiedelt ist, zu deren literarischen Kronzeugen vor allem Kafka gehört.«[138]

25.

Unter den zeitgenössischen Erzählern stand *Robert Musil* (1880–1942) Kafka am nächsten.[139] Bereits 1914 rezensierte er in der Juli-Dezember-Ausgabe der »Neuen Rundschau« Kafkas Erzählungen *Der Heizer* und *Betrachtung*. Und diese Besprechung gehört – neben den Artikeln Oskar Walzels (Berliner Tageblatt, 1916) und Kurt Tucholskys (Die Weltbühne, 1920, 1926 und 1929) – »zu den wenigen außergewöhnlich genauen und zielsicheren Äußerungen« über Kafka.[140] Offenbar empfand Musil verwandtschaftliche Zusammengehörigkeit. In Kafkas Dichtungen sei »ein sehr bewußter Künstler am Werk«; in seinem Schreiben bekunde sich »eine moralische Zartheit . . . etwas von der verschütteten Leidenschaft des Kindesalters für das Gute . . . [und auch] etwas von der gewissenhaften Melancholie, mit der ein Eisläufer seine langen Schleifen und Figuren ausfährt«; es gehe darin um »kleine Fragen von großer Bedeutung«; man fühle dabei, »wie weit und bewegt bei manchen Menschen der Weg von einem ereignisreichen Tag zum andern ist«. Vor allem erkannte Musil das ganz Neue, Eigene dieser Erzählkunst; alles sei hier anders als in der herkömmlichen Novelle, sowohl die Thematik als auch die Gestaltung.

In diesem ganz Neuen, Eigenen äußert sich die literarische Affinität Kafkas zu Musil, der mit seiner Verwerfung des traditionellen monokausalen Erzählens ebenfalls zu den Initiatoren der modernen akausalen Literatur gehört und mit seiner Idee eines »Mannes ohne Eigenschaften« dem anonymen Menschenbild Kafkas nahesteht. Für beide Autoren gilt, daß in ihrem Romanschaffen die überlieferte Romanform aufgehoben ist. Die Übereinstimmung geht so weit, daß Emrichs Kennzeichnung der Kafkaschen Epik weithin auch auf Musil zutrifft:

> Die Welt ist hier in keinem Sinne mehr . . . vorkonstituiert. Vielmehr werden die Möglichkeiten ihrer Konstituierung unausgesetzt neu erfragt . . . Hier ist »Realismus« am Werk, für den die Voraussetzungen, die die alte Romanform konstituierten, nicht mehr gelten. Die erkenntnistheoretischen und ontologischen Kategorien, die einen einheitlichen Welt- und Erkenntniszusammenhang stiften, sind außer Kraft gesetzt. Einen geschlossenen Handlungsablauf innerhalb eines raumzeitlichen Kontinuums oder eine romanhafte Verknüpfung festumrissener Charaktere gibt es infolgedessen nicht mehr. Kafkas Epik enthüllt also das bestürzende Paradox, daß die Wirklichkeit um so rätselhafter, ja unwirklicher erscheint, je voraussetzungsloser sie vergegenwärtigt wird. Mehr noch, es zeigt sich, daß der Mensch der Konfrontation mit der eigentlichen (und ganz anderen) Wirklichkeit als etwas Erschreckendem ausweichen möchte und daher eines schockhaften Erwachens bedarf, um der verborgenen Problematik seines Lebens bewußt zu werden. Erst die Aufhebung des gewohnten Wirklichkeitsbewußtseins bringt die Helden . . . zu sich selbst und zur Einsicht in die Undurchschaubarkeit der Existenz.[141]

Diese für Kafka kennzeichnende Voraussetzungslosigkeit der Menschen- und Wirklichkeitsdarstellung ist aber, wie betont, keineswegs auf dessen Werk beschränkt, läßt sich vielmehr als »eine notwendige Konsequenz aus dem Erkenntnisstand des zwanzigsten Jahrhunderts« auch bei anderen bedeutenden Romanautoren dieser Epoche feststellen. »Ähnliche Aufhebung des gewohnten Wirklichkeitsbewußtseins in einem Zustand zwischen Schlaf und Wachen« findet Emrich z. B. in dem großen Romanwerk Marcel Prousts, ferner in Hermann Brochs Schlafwandlervisionen und »Halluzinatorischen Betrachtungen des sterbenden Vergil« und nicht zuletzt gerade auch in Musils *Mann ohne Eigenschaften*. Und mit seinem »hermetisch« abgeschlossenen, »hochgetriebenen« und von der Welt des tätigen »Flachlandes« isolierten Zauberberg gehöre sogar Thomas Mann hierher. Wie dessen Hans Castorp während der entrückenden Fahrt nach Davos werde Josef K. in Kafkas *Prozeß*roman gleich zu Beginn aus der Bahn seines gewohnten tätigen Lebens herausgeschleudert und radikal mit sich selbst und der Welt konfrontiert, zur totalen Rechtfertigung seines Lebens und seiner Umwelt gezwungen: »In einem unvorbereiteten Augenblick . . . fällt er aus dem verfestigten, schematisierten Wirklichkeits- und Bewußtseinszusammenhang heraus, der sein bisheriges Leben sicherte: ›Ich wurde überrumpelt, das war es . . . ‹«

Eben dies, daß die Wirklichkeit anders ist, als man sie gemeinhin sieht, daß die sogenannte »normale Ordnung der Dinge« in Wahrheit gar nicht besteht, sondern auf kurzschlüssigem Wunschdenken beruht, die Enthüllung also der akausalen Absurdität alles Geschehens und damit das Ausgeliefertsein des Menschen an eine weder logisch noch psychologisch erfaßbare Welt sind die Gegenstände modernen Denkens und Dichtens. Das *credo quia absurdum est* ist für den säkularen Menschen nicht länger begründbar. Das Glaubenwollen wird durch das rationale Nichtglaubenkönnen ausgeschlossen. Auch der genuin religiöse Kafka hat den Zwiespalt zwischen Glaubenwollen und Glaubenkönnen nicht mehr ganz überbrücken können. »Infolgedessen kann die Absurdität der Geschehnisse, die er darstellt, nicht mehr harmonisiert und die Existenz seiner Figuren nicht ins Mythische erhöht werden.« Rechtfertigungen kennen die schmählich verendenden Gestalten Kafkas nicht. Sie scheitern, ohne daß ein Sinn ihres Scheiterns aufscheint. »In allen seinen Fabeln: *Urteil, Verwandlung, Landarzt, Blumfeld, Prozeß, Schloß* . . . begegnet die gleiche, nicht mythisierbare absurde Rätselhaftigkeit: lauter Vorgänge und Situationen, die durch Kierkegaards *Furcht und Zittern* bestimmt sind, aber der erlösenden Kategorie des Religiösen ermangeln.«[142]

Das gilt weiterhin auch für Robert Musil, insbesondere für seine Erzählung *Tonka*, in der Kafkasche Akausalität herrscht. Tonka stirbt an ihrer Krankheit, bevor sie das Kind gebären kann und ohne daß das Rätsel, das sie aufgibt, gelöst würde. Das Erregende und Irritierende dieser Schriftsteller liegt darin, daß sie »ihre Figuren, und damit uns, die Leser, in das Dilemma versetzen, in dem Verstand und Glauben, Erfahrung und innere Selbstgewißheit auseinanderklaffen und wir »aufhören müssen, an die Erklärbarkeit und Rationalität der Erscheinungswelt zu glauben«.[143] Mit dem Verlust der Weltgeborgenheit ist auch »Persönlichkeit« als »höchstes Glück der Erdenkinder« fragwürdig geworden. Ergebnis des neuen Welt- und Selbstverständnisses war vielmehr der Mensch als ein inkonsistentes Wesen, als eine offene Möglichkeit nach allen Seiten, als »einer« und zugleich »hunderttausend«, damit aber auch als »keiner« (Pirandello), eben als ein »Mann ohne Eigenschaften«.

»Der Untergang der leitenden Funktion des Ego, den Walter Jens als Kennzeichen der deutschen Literatur des zwanzigsten Jahrhunderts betrachtet«[144], ist in der Tat das eigentümlich Neue der Moderne. Kern der Gegenwartskrise ist die Infragestellung des Ich und mit ihr »eine letzthin tödliche Einsamkeit des Menschen, die als Isoliertheit in einer Welt ohne Sinn, als Alleinsein ohne Transzendenz erfahren wird . . . totale Verlassenheit also, in der man keinen Gott mehr zur Gesellschaft hat und auch vom eigenen Ich sich im Stich gelassen sieht. Eben dies, daß nun auch das eigene Ich, das von alters her als der ruhende Pol in der Erscheinungen Flucht gegolten hatte, als unbeständig erschien, als eine trügerische Fiktion, als ein fließendes Nacheinander von Erlebnismomenten, löste die nihilistische Verzweiflung der Krisengeneration um die Jahrhundertwende aus. Es war eine totale Krise, in der – über die Kantkrise Kleists hinaus – auch die Selbstgewißheit des Ich, ja das Selbstsein der Person ihre Geltung verloren hatten. Diese Auflösung des Ich stellte den letzten Schritt der Entwurzelung des Menschen dar, der nun nicht mehr nur ohne Gott, sondern auch ohne den Halt eines eigenen Ich existieren mußte.«[145]

Nicht zufällig waren Wien und Prag, wo die alarmierende These Machs von der Nichtexistenz des Ich das Dichten und Denken am stärksten beeinflußte, die Zentren der avantgardistischen und zugleich von Verfallsstimmung bedrohten Literaturlandschaft: Schnitzler, Hofmannsthal, Musil, Trakl, Rilke und Kafka sind ihre herausragenden Repräsentanten. Die Erklärung Kafkas: »Ich zeichnete keinen Menschen, ich erzählte eine Geschichte« und die Klage von Hofmannsthals Chandos, daß er sich nicht auf sich verlassen könne, da er heute nicht mehr derselbe sei, der er gestern gewesen war, und morgen wiederum ein anderer sein werde als der, der er heute ist, sind beredte Zeugnissse der modernen Krise des Ichbewußtseins. Aber auch die umgebende Welt ist inkonsistent und chaotisch geworden: alles zerfiel »in Teile, die Teile wieder in Teile, und nichts mehr ließ sich mit einem Begriff umspannen«. (*Chandos-Brief*) Das Individuum verfiel der Existenzangst eines Ausgeschlossenen, der wie ein Fremdkörper verloren im dunklen Strom treibt. Der Mensch ist kein Held mehr, den es zu rühmen gilt, sondern ein beklagenswertes, seiner selbst nicht sicheres, letzthin eigenschaftsloses Etwas. Es gibt keine Chance, »sich lebend zu entwikkeln«, sondern nur heillose Determiniertheit, nur Fixierung und Verhinderung, Verhaftung in einer Gefängniszelle, Eingesperrtsein in einem Käfig, ja Degradation zum Ungeziefer.

Nicht nur Gregor Samsa, alle Protagonisten Kafkas werden »in ein ungeheueres Ungeziefer verwandelt«, und alle sterben sie »wie ein Hund«. Das gefangene Tier versinnbildlicht das Selbstverständnis der Krisengeneration um und nach 1900. So schrieb Hofmannsthal in einem Brief (1920): »Seit sechs Jahren liege ich hier wie ein Hund an der Kette . . . in einer langsam zusammenstürzenden, dann verwesenden Welt.« Ebenso hat sich Kafka wiederholt als Hund an der Leine bzw. in einer Hundehütte gesehen. Auch Rilkes Panther ist Metapher auswegloser Gefängnisexistenz. Musils Erzählung *Das Fliegenpapier* (1913), die etwa gleichzeitig mit Kafkas *Verwandlung* geschrieben wurde, gehört ebenfalls in diesen Zusammenhang. Das Bild der Fliege, die auf einem mit giftigem Leim bestrichenen Papier festklebt, demonstriert: »Wie Fliegen gehen die Menschen auf den Leim« oder in der Sprache Musils: »Ein Nichts, ein Es zieht sie hinein«, und alle Widerstandsbemühungen sind vergebliche »Fluchtbewegungen«.

Im Blick auf den makabren, ja sadistisch anmutenden Gebrauch der Tiermetapher als Sinnbild menschlicher Existenz gehört auch *Wilhelm Busch* (1832–1908) zu den Vorfahren Kafkas. Einsiedlerischer Junggeselle wie dieser, war Busch ein durchaus pessimistischer Humorist. In seinem galgenhumorigen Bild von dem auf dem Leim festklebenden Vogel, dem sich unaufhaltsam der Kater nähert, ist etwas von der Angstqual Kafkascher Verengungsträume vorweggenommen.

Daß das symbolkräftige Bild eines hilflos zappelnden Ungeziefers – gleichzeitig und unabhängig voneinander – bei Kafka (*Die Verwand-*

lung, 1912), Musil (*Das Fliegenpapier*, 1913) und Kandinsky (*Rückblicke*, 1913) – erscheint, zeigt an, wie hoffnungslos negativ der Mensch jetzt gesehen wurde, nicht mehr als Herr der Schöpfung, sondern als Scheiternder und Versager.

Die literarisch bedeutungsvollste Übereinstimmung Musils mit Kafka liegt darin, daß auch er den revolutionären Schritt in die Akausalität vollzogen hat. Wie in Kafkas Dichtungen besitzt auch in Musils *Mann ohne Eigenschaften* das Mögliche den Vorrang vor dem Wirklichen. Das hat aber nichts mit phantasievollem Ausschweifen oder Realitätsflucht zu tun, sondern im Gegenteil mit einem tiefer eindringenden Sehen und einer vollständigeren Erfassung der Realität. Es geht hier um jene Form grenzüberschreitender Wahrnehmung, die Musil den »anderen Zustand« und Kafka »traumhaftes inneres Leben« nannte, ein intensives Innewerden des eigentlich Wirklichen jenseits raumzeitlicher Anschauungsformen und kausal-logischer Kategorien. Die Welt als solche, nicht die durch uns selbst konstituierte Welt ist das Ziel solchen Denkens und Dichtens. Voraussetzung aber ist ein Sehertum traumhafter Freiheit. Gemeint ist jener Zustand, in dem »eine Daseinssekunde als Treffpunkt der Jahrtausende« erlebt wird. In einer Besprechung von Ernst Jüngers Altersnotizen[146] hat Günther Blöcker an diesem so rational anmutenden Autor das hier angesprochene schöpferische Vermögen »traumhaften« Schauens eindrucksvoll beschrieben, und zwar am Beispiel der Äußerung Jüngers beim Betrachten einer Papageientulpe:

> Ihr Anblick entschlüsselt den Barock. Man begreift den Triumph des Schief-Runden. Die Mauern beginnen sich zu bewegen; sie verlieren ihre statische Macht. So auch das krause Aufblättern der Bilder in den Gedichten von Gryphius, Gerhardt und Günther . . .

In der Tat bekundet sich in diesen glasklaren Formulierungen zugleich etwas »traumhaft Schwebendes, ein Element des Überzeitlichen«. Blökker spricht sogar von einer »Traumverfallenheit« Jüngers, die aber nichts mit Freudschen Theorien zu tun habe, also nicht im Dienst psychologischer Aufklärung stehe, sondern »den Zugang zum Schöpferischen, zur ursprünglichen Bilderwelt« suche. Dazu stimmt, daß »die erstaunlich lückenlosen Träume, die Jünger beschreibt, imaginierten Kunstwerken« ähneln. Die Parallele, die hier sichtbar wird, ist unübersehbar. Dem von Jünger betonten »plastischen, kompositorischen Element der Träume« entspricht die präzise Ausgeformtheit der Kafkaschen Traumerzählungen. Und daß, wie Jünger formuliert, der Traum »unser Selbst in Fülle« sei, hat Kafka wiederholt ausgesprochen. Und wenn Blöcker hinzufügt: »In diesem Sinne ist für Jünger überall Traumwelt«, so gilt das ebenso für Kafka und Musil und die seherischen Dichter überhaupt.

26.

In besonderem Maße gehört Kafka zu jenen Auserwählten, denen die traumhafte Gabe transzendenten Sehens zuteil geworden ist, die aber mit diesem Blick über die Grenzen hinaus zugleich begnadet und geschlagen sind, weil sie für die empfangene Begnadung mit einem leidvollen Leben bezahlen müssen. Zu allen Zeiten mußten die Seher mehr leiden, weil sie mehr sahen und den sie bedrängenden Gesichten nicht ausweichen konnten. Die alten Propheten waren Leidende, die in Klageliedern das Elend verkündeten, das sie schauten. Klassisches Beispiel dieser Tragödie der Sehenden ist Kassandra. Auch der blinde Seher Teiresias wird vom Schmerz über das im Innern Geschaute niedergedrückt. Eben dies war auch das Schicksal Kafkas, dessen seherischer Blick ihn mit dem unsichtbar Wirklichen und Wirkenden konfrontierte und so sein Dichten zu einem »Ansturm gegen die letzte irdische Grenze« werden ließ.

Wie sich bei Jüngers Betrachten einer Papageientulpe zeigt, geht es bei diesem Sehertum um ein erregend paradoxales Geschehen, nämlich um das Sichtbarwerden des Unsichtbaren. Jünger nimmt zwar die Blume genau in den Blick; indem er aber gleichzeitig durch sie hindurch und über sie hinaus blickt, sieht er mehr als nur sie und auch anderes, ja eine ganze Welt, die noch zu ihr gehört. Auch der Maler Picasso besaß die Gabe solchen durchdringenden, *entdeckenden* Schauens, wodurch er die Betrachter seiner Bilder oft irritierte. Vor allem aber war auch Goethe ein seherischer Augenmensch, dem beim Anblick eines Schachtelhalms die jahrtausendelange Metamorphose der Pflanzen spontan vor Augen trat und er – Raum und Zeit transzendierend – die Urpflanze sinnenhaft wirklich vor sich sah. Für Goethe war ja die Urpflanze nicht lediglich abstrahierte Idee, wie Schiller unterstellte, sondern geschaute Wirklichkeit.

Ähnlich wie Picasso die Betrachter seiner Bilder, so schockiert Kafka seine Leser mit den Schreckgesichten seiner Wahrnehmung. Seiner traumhaft visionären Erlebnisweise entspricht der durch keine raumzeitlichen Ordnungen gebundene Ablauf des Geschehens, das scheinbar Unwirkliche und Absurde der erzählten Begebenheiten. Aber Kafka selbst wertete sein »traumhaftes inneres Leben« als ein autonomes Außerhalbstehen, das ihn, wie Hillmann formulierte, »aus der Umklammerung der Welt und aus der Befangenheit des eigenen Ichs« befreit und damit »die für das umfassende Erkennen unabdingbare Distanz« sichert. Diesen den Kern der Dinge treffenden Realismus meinte Kafka, wenn er sagte, daß nur »mit einer vollständigen Öffnung des Leibes und der Seele« geschrieben werden sollte. Und Albert Camus bestätigte: »Wir werden hier an die Grenzen des menschlichen Denkens versetzt. Ja, in diesem Werk ist im wahren Sinn des Wortes alles wesentlich. Jedenfalls stellt er das Problem des Absurden in seiner Gesamtheit dar . . . « Ebenso aber betonte Emrich, daß es sich in Kafkas Werk grundsätzlich um »universelle Thematik« handle, um menschliche Existenz an sich und nicht lediglich um apart verschlüsselte Autobiographie, auch wenn der Rohstoff seines Dichtens stets autobiographisch ist. Infolgedessen seien Kafkas Gleichnisse »keine Verzeichnung der Wirklichkeit, sondern ihre volle Aufdeckung«, ja ihre »Wiederherstellung« und Sichtbarmachung.[147] Ähnlich formuliert Ingeborg Henel: »Die Welt, die ein solcher Dichter darstellt, ist unabhängig von der Subjektivität, die sie erschuf.«[148] Sie ist gleichermaßen autonom und universal.

Noch hymnischer als Emrich, der Kafka als »Klassiker von unbezweifelbarer Geltung«, ja als »vielleicht einzigen« feierte, der »zur Gestaltung eines universellen wahren Allgemeinen vordrang«[149], rühmte Max Brod seinen Freund als den größten Dichter überhaupt. Hermann Hesse zählte Kafka zu den prophetischen Gestalten und »Seismographen unserer Epoche«, in denen die Vorahnung der großen Umwälzungen schöpferisch, wenn auch qualvoll zum Ausdruck kam. Und Franz Werfel sah in Kafka einen »Herabgesandten und Auserwählten«. In der Tat war das Schreiben Kafkas auf das Absolute gerichtet. Er selber nannte seine Dichtungen »Expeditionen nach der Wahrheit«. Doch teilte er nicht den Glauben seiner Bewunderer, daß er sein hohes Ziel erreicht habe. Wie sehr er sich in seinem literarischen Bemühen als gescheitert empfand, erhellt aus seiner testamentarischen Verfügung, das von ihm hinterlassene Werk zu vernichten, eine Entscheidung, die aber zugleich die Reinheit und Strenge seiner Kunstgesinnung bezeugt.

Indessen fehlt es auch nicht an Kritikern, welche die Dichtungen Kafkas nicht als gültige Parabeln akzeptieren. Die marxistische Literaturkritik hat sein Werk ideologisch gewogen und zu leicht befunden. Nach ihrem Urteil *mußte* Kafka künstlerisch scheitern, da er politisch nicht auf der richtigen Seite stand und darum keinen Beitrag zur »progressiven« Veränderung der Welt leisten konnte. Ein Autor, der sich nicht politisch engagiert und »die gebrechliche Einrichtung der Welt« für irreparabel hält, paßt nicht in ein utopisch-optimistisches Weltbild. Weil er in seinem unbedingten Wahrheitswillen selbst vor dem Absurdesten nicht zurückschreckt, um das unauflösbar Rätselhafte alles Geschehens vor Augen zu stellen, wird seine Dichtung oft als eine Verzerrung der Wirklichkeit mißverstanden. Auch Thomas Mann, der »Kafkas liebevolle Fixierungen zum Lesenswertesten rechnete, was die Weltliteratur hervorgebracht hat«, wurde der transzendentalen Dimension des Kafkaschen Dichtens nicht ganz gerecht, wenn er von dessen »ganz im Charakter des Traumes konzipierten« Gestaltungen, ja sogar von »alogischer und beklommener Narretei« und »wunderlichen Schattenspielen des Lebens« sprach. Offenbar stand er Kafka typologisch zu fern, um den existentiellen Ernst dieser »wunderlichen Schattenspiele des Lebens« adäquat würdigen zu können.

Anders und zutreffender als Mann wertete Alfred Döblin Kafkas

Traumdichtungen nicht artistisch als literarische Spielformen, sondern als »Berichte von völliger Wahrheit, ganz und gar nicht wie erfunden, zwar sonderbar durcheinander gemischt, aber von einem völlig wahren, sehr realen Zentrum geordnet.« Was ihn ergriff, war also der Wahrheitsgehalt des Dargestellten, die »jederzeit ganz einleuchtende« Transparenz, die »tiefe Richtigkeit dieser ablaufenden Dinge und das Gefühl, daß diese Dinge uns sehr viel angehen.«

Eben dies, daß Kafka kaum einen gleichgültig läßt, den sein Wort erreicht, daß sich jeder persönlich gemeint und getroffen fühlt, der ihn liest, auch wenn ihn Welten von der Welt Kafkas trennen, daß dieser Verborgenes und Verdrängtes, Ungeahntes und Vergessenes heraufholt und uns so auf bestürzende Weise mit dem eigenen Selbst als einem noch unbekannten Wesen konfrontiert, läßt Kafka als zur Schar der Seherdichter gehörig erkennen, die aus tieferen Quellen schöpfen und in der Hellsicht ihrer Visionen dem Transzendenten um einen Schritt näher kommen als andere.

Geschichtliche Zusammenhänge
Grenzaffinitäten und »Blutsverwandte«

Jüdisches Erbe

Die Sonderstellung, die Kafka in der neueren Literatur einnimmt, hat dazu verführt, ihn in weitem Umfang als eine nur sich selbst verpflichtete, singuläre Erscheinung zu sehen und sein Werk voraussetzungslos und ahistorisch wie etwas vom Himmel Herabgefallenes zu betrachten. Die Frage nach dem Woher, nach den Ursprüngen und geschichtlichen Vorbedingungen seiner Kunst wurde vielfach übergangen, als ob sein Schreiben einen völligen Neubeginn bedeute und Bemühungen um Einordnung in die literarhistorische Gesamtentwicklung oder um Aufhellung formgeschichtlicher Zusammenhänge a priori gegenstandslos seien. Was als reine Originaldichtung angestaunt wurde, könnte – gerade auch im Blick auf die spezifisch kafkahaft anmutenden Elemente – inhaltlich bis zu einem gewissen Grad als eine Kompilation erwiesen werden. Hartmut Binder betont mit Recht, daß Kafka »die Umsetzung der darzustellenden Begebenheiten in Sprache (selbst im Falle eigener Erlebnisse) nur vermittels vorgeprägter sprachlicher Einheiten leisten« konnte; denn »sein Verhältnis zur Wirklichkeit war . . . gebrochen, literarisch«.[1] Entscheidend ist jedoch, daß das Übernommene jeweils in eine neue Konzeption einging und so etwas Eigenes entstand.[2] Auch will beachtet sein, daß schon die Wahl eines Motivs eine persönliche Entscheidung des Dichters voraussetzt, und daß dieses auch immer etwas von seinem Ursprung wahrt, also etwas hinzubringt, was zumindest als Farb- oder Stimmungswert zur Wirkung kommt. Auf jeden Fall ist es sowohl literarästhetisch als auch literarhistorisch wichtig, diesen eigentümlichen Gestaltungsvorgang Kafkas zu erkennen und den Weg von der Kompilation zur Konzeption nachzuverfolgen.

Binder und Wagenbach, aber auch Evelyn Torton Beck, Brod, Eisner, Falke, Flores, Bluma Goldstein, Janouch, Politzer, Weinberg, Weltsch u. a. haben zur Erhellung der biographisch-literarischen Hintergründe des Kafkaschen Werkes beigetragen und dabei mit Vorzug das darin fortwirkende *jüdische Erbe* betont. In den Konflikten der Protagonisten Kafkas sah Brod Einflüsse der hebräischen religiösen Literatur und vor allem des Talmud wirksam. Kafkas Thema sei nicht »Mensch und Gesellschaft«, sondern »Mensch und Gott«. Auch Margarete Susman erspürte die altjüdisch geprägte religiöse Existenz Kafkas:

> Im Herzen dieses unheimlichen und qualvollen Traumgespinstes, das unser Leben ist, steht das Hiobproblem des Leides und der Schuld. Aber der Zusammenhang zwischen Leid und Schuld ist allen bisherigen Einsichten, auch denen Freuds gegenüber, gelockert. Ja, er scheint gelöst; er ist vollkommen und unbegreiflich geworden. Damit scheint Gott noch ferner gerückt als selbst in Freuds atheistischem Bekenntnis – und doch ist Er es allein, von dem jedes

Buch, von dem jede Zeile Kafkas redet, um den es in allen seinen Gedanken und Gestalten geht. Das Hadern und Rechten mit Gott um Leid und Schuld tritt bei ihm mit voller Wucht in den Vordergrund. In jedem seiner Worte führt er den einen, einzigen großen Prozeß mit Gott, der nur unheimlicher und verwirrender ist dadurch, daß Gott und sein Gesetz nirgends mehr, weder in der Schöpfung noch über ihr, zu finden, zu erkennen ist.[3]

Ähnlich sprach Günther Anders von Kafkas »Rechten mit Gott« und sah darin einen charakteristischen Nietzscheschen Zug. Von der Situation »Gott ist tot« sei alles ausgegangen, was Kafka schrieb.[4] Daran anknüpfend bezeichnete Wiebrecht Ries Kafka sogar als »den exponiertesten Repräsentanten der *Hiob-Situation des religiösen Denkens,* insofern in seinen Dichtungen . . . die Grunderfahrung Hiobs – die schweigende Abwesenheit Gottes – zum Paradigma für die Erfahrung des Absoluten wird«. In denkwürdiger »Gleichzeitigkeit« mit Kierkegaard und Nietzsche erhebe Kafka die *Hiob-Frage nach der Redlichkeit Gottes* und beantworte sie »in kaum mehr verschleierter Weise zunehmend negativ«, indem er die »Unmoralität in dem deus absconditus« (Nietzsche) als einen »Mißbrauch der Macht« vor Augen stelle.[5] Doch anders als Nietzsche blieb Kafka stets ein »Knecht Gottes«, hat er niemals Gott befehdet oder gar geleugnet. Was bei ihm als ein »Hadern und Rechten mit Gott« anmutet, war kein trotziges Aufbegehren, sondern ein demütiges Leiden unter der schweigenden Ferne dieses Gottes, den er suchte, dessen Stimme er vernehmen wollte.

Aber auch die restlose Theologisierung des Kafkaschen Werkes durch Max Brod stellt eine Vereinfachung dar, die dem vielschichtigen Reichtum seiner Dichtung nicht gerecht wird; Brod sieht in den Romanen *Der Prozeß* und *Das Schloß* lediglich zwei Projektionen von Eigenschaften des jüdischen Gottes: Gerechtigkeit und Gnade. Das ist zwar gewiß ein wesentlicher Aspekt, insofern die Dichtungen Kafkas nach dem Transzendenten hin offen sind und auch stets in irgendeiner Form um die Fragen von Gerechtigkeit und Gnade kreisen; aber sie spielen nicht in der Transzendenz, sondern im Hier und Jetzt leidender Menschen. Und in den Schicksalen, die diese erleiden, spiegelt sich jüdisches Schicksal. In seiner Erzählung *Der Bau,* einem inneren Monolog kurz vor dem Tod, hat Kafka die Summe seiner Existenz gezogen.[6] Gewiß wollte er auch hier, getreu seiner schriftstellerischen Intention, »keinen Menschen darstellen«, sondern »eine Geschichte erzählen«, eine Geschichte, die die kontroverse Vielfalt seiner Lebensprobleme in dem eindringlichen Bild eines zur tödlichen Falle gewordenen Schutzbaus vergegenwärtigt und einsträngiger Deutung entzogen ist. Denn in dem ganz Persönlichen, das sich hier aussagt, kommt zugleich Allgemeines zum Ausdruck, Gegenwärtiges und Überzeitliches, die eigenen Nöte des Schreibens und die der Schriftstellerexistenz überhaupt. In der Zwangssituation der Isolation eines Einzelnen, eines Nichtintegrierten und Nichtintegrierbaren, eines heimatlosen, feindlicher Verfolgung Ausgesetzten, in permanenter Angst und Abwehr Lebenden ist zugleich das Schicksal des jahrhundertelang verfemten und verfolgten jüdischen Volkes Bild geworden. Doch handelt es sich hier keineswegs um die programmatische Durchführung eines Plans, sondern um Dichtung, das heißt um Gestaltung der inneren Gesichte des Dichters, der in den vor Augen gestellten Leiden eines Einzelwesens die Leiden eines Volkes sichtbar werden läßt. Doch bleibt die Erzählung ganz persönliche Konfession, absichtsloses Bekenntnis. Aber gerade weil jeder didaktische Hinweis fehlt und auch in keiner Weise beabsichtigt ist, wird die Tragik fataler Schicksalsgemeinschaft um so nachdrücklicher fühlbar.

Tatsache ist, daß Kafka in seiner Dichtung Züge des Chassidismus übernommen und verfremdet hat.[7] Auch Hannah Arendt, Demetz, Nemeth, Noth, Rabi, Schoeps, Strich, Margarete Susman und – mit besonderem Gewicht – Martin Buber haben die jüdische Komponente in Kafkas Schreiben beleuchtet.[8] Die Parabel von der Fatalität des Lebens, die Tatsache nämlich, daß die Tür, durch die der Mensch gehen soll, für ihn offen steht, er selber das aber nicht weiß, noch überhaupt wissen kann und eben darum scheitert – diese Parabel, die sowohl dem *Prozeß* wie dem *Schloß* Kafkas zugrunde liegt, spiegelt nach Buber einen Paulinischen Fatalismus, aber ohne das Licht der Gnade: »a Paulinism of the unredeemed – one, that is, from which the abode of grace is eliminated.«[9]

Insgesamt gilt, daß das Verhältnis Kafkas zum Judentum und zur jüdischen Überlieferung vielschichtig und zwiespältig ist. Doch läßt sich zeigen, daß viele Elemente aus literarischem jüdischem Erbe im Werk des Dichters begegnen und manche Dunkelheiten in seiner Epik von der altjüdischen Tradition her erhellt werden können. In seinen Erörterungen über die Romane *Der Prozeß* und *Das Schloß* verweist Heinz Politzer auf bestimmte Aspekte der jüdischen Religion und Lehre als Schlüssel zum Verständnis dieser Werke.[10] Bluma Goldstein sucht einige der mysteriösen Züge in der Erzählung *Ein Landarzt* aus der Kafka vertrauten jüdischen Mystik des Chassidismus zu erklären.[11] Sie betont, daß breite Partien in seinen Tagebüchern, Briefen, Gesprächen (mit Gustav Janouch) und in seinem *Brief an den Vater* durch Perspektiven jüdischen Lebens und jüdischer Tradition bestimmt sind oder auch Auseinandersetzungen mit diesen ihm erbmäßig überkommenen Elementen des Judentums darstellen. »Even though there is no definitif proof that Kafka intended *Ein Landarzt* to be a kind of Hasidic story, there are certain indications of real connection between this story and Hasidism. Not only was Kafka aware of and clearly interested in this Jewish tradition, but also motifs from several of the Hasidic tales Kafka knew are of some importance in his story.«[12]

Ohne Frage hat Kafka viele chassidische Erzählungen gekannt. In der von Klaus Wagenbach mitgeteilten Liste der Bücher seiner Handbibliothek befanden sich z. B. die von Alexander Eliasberg herausgegebenen *Sagen polnischer Juden* (München 1916), ferner die Ausgabe von 1913 der von Micha Josef bin Gorion gesammelten *Sagen der Juden* (neueste Ausgabe: Frankfurt a. M. 1962), sowie eine Sammlung jüdischer Legenden.[13] Bluma Goldstein verweist auf Herbert Musurillo, der zwei Beispiele aus dem Alten Testament anführt, wo Kinder dadurch geheilt werden, daß sich der Heiler selber auf das Kind legt.[14] Hierher kommt zweifellos der eigentümliche Heilungsversuch des Kafkaschen Landarztes, der zu dem kranken Knaben ins Bett gelegt wird, um diesen zu heilen. Was hier erzählt wird, ist also keine abwegige Erfindung des Dichters, sondern ein noch fortwirkendes altertümliches Motiv.

Wie die Briefe und Tagebücher von 1911–12 ausweisen, zeigte Kafka in dieser Zeit ein reges Interesse an den kulturellen Aspekten des Judentums, im besonderen am Jiddischen Theater, dem Kafka eine Fülle wichtiger Anregungen verdankt. Evelyn Torton Beck betont: »Kafka's respone to . . . [the] Yiddish plays was enthusiastic. For months he regularly attended their performances and often listened to private readings of the plays. Numbered among his close friends were some of the actors.«[15] Im einzelnen verweist die Verfasserin auf eine ganze Reihe von Parallelen zwischen den Erzählwerken Kafkas und den zwölf in seinen Tagebüchern erwähnten jiddischen Theaterstücken, die er besucht hatte. »*The Judgement,* for example, reflects many of the themes and dramatic techniques found in Yakov Gordin's *God, Man and Devil* and *The Savage One,* and Avraham Sharkanski's *Kol Nidre.*« Auch in späteren Dichtungen Kafkas, wie *Die Verwandlung, Der Prozeß* und der *Amerika*-Roman, sei dieser Einfluß noch zu erkennen: »His concern with justice, authority, the relationship between the individual and the community as well as his usage of the castle, court and machine, are . . . extensions of themes and symbols found in Yiddish drama.«[16] Wie Kurt Weinbergs Aufspüren von Parallelen zu Kafka in Bibel und Talmud (s. u. Anmerkung 80) ist Evelyn Torton Becks stoffreine Dokumentation des jiddischen literarischen Einflusses auf Kafka eindrucksvoll. Auch besteht kein Zweifel darüber, daß unverständlich gewordene alte Überlieferungen in Kafkas Dichtung fortwirken. Ob aber in seinen Gestaltungen *überall,* wo Ähnlichkeiten in Form und Motivik begegnen, direkter prägender Einfluß der jiddischen Dramen unterstellt werden muß, ist eine offene Frage. Im *Urteil* und im Amerika-Roman *Der Verschollene* ist dieser Einfluß unbestreitbar. Wichtiger aber als das Woher der oft rätselhaft anmutenden Motive ist das Wohin ihrer Gestaltung. Zwar hat Kafka manches wörtlich übernommen, doch das Ergebnis ist nicht Bibel oder Talmud, auch nicht jiddisches Drama, sondern Kafka, ein Eigenes also in der bis zur Dissonanz gespannten Einheit von »alt und neu«.

Indessen darf der Anteil des jüdischen Erbes an Kafkas Werk um so weniger unterschätzt werden, als er am leidvollen Schicksal der Juden wie überhaupt an allen Leidenden, an den *outcasts* und Parias persönlichen Anteil nahm. Andererseits hat er immer wieder seine kritische Distanz zur jüdischen Tradition bekundet, ja sogar seine innere Nicht-mehrzugehörigkeit ausgesprochen. Symptomatisch für dieses wechsel-seitige Zwiespaltverhältnis zur eigenen Herkunft war, daß die einzige Krise, die es in der Freundschaft zwischen Kafka und Brod gegeben hat, die Stellung zum Zionismus betraf, den Kafka lange Zeit ablehnte. Wie Julius Herz dargelegt hat, zeigte er erst nach 1918 Interesse an dieser Bewegung, nachdem er Bürger der neugegründeten tschechoslowaki-schen Republik geworden war:

> ... he spent more and more time on Jewish and Hebrew studies including Zionist publications ... He was interested in the haluts movement in Palestine and adopted towards the end of his life a number of Zionist ideas ... [He became] an avid reader of the Jewisch weekly paper, the *Selbstwehr* ... an organ of the Zionist movement and later became associated with a Jewish nationalist party. Kafka, who in 1913 was annoyed with Max Brod over the question of Zionism and was bored and disappointed at the Zionist Congress in Vienna, apparently had a change of heart after the collapse of Austria ... he also understood the need of roots ... not only family ties but also national roots. Towards the end of his life he came close to being a Jewish nationalist, but *he never took the last step towards total commitment.*[17]

(Hervorhebung vom Vf.)

Der letzte Satz dieses Zitats ist wichtig. Er wirft Licht auf die unauf-hebbare Ambivalenz in Kafkas geistig-seelischer Verfassung. Auch die Geschichte seiner Beziehung zum Judentum zeigt, daß es für ihn nie und nirgends ein endgültiges Ja oder Nein geben konnte, daß er stets in der Spannung zwischen Für und Wider leben mußte.

Infolgedessen verwundert es nicht, daß in der Beurteilung von Kafkas Judentum die Auffassungen auseinandergehn. Und das nicht zuletzt deshalb, weil sich Kafka selbst so verschieden und widersprüchlich dar-über geäußert hat. Sogar Züge jüdischen Selbsthasses lassen sich bei ihm nachweisen.[18] So spricht Werner Kraft von einem »antijüdischen Kom-plex« Kafkas[19], und Heinz Politzer betont, Kafka sei »in hervorragender Weise der antisemitischen Stimmung des alten Österreich und der jun-gen Tschechoslowakei« erlegen.[20] In Christoph Stölzls Buch »Kafkas böses Böhmen« findet sich ein Kapitel mit der bezeichnenden Über-schrift: »Jude, Antisemit, Zionist Kafka«.[21] Den entschiedensten und einseitigsten Standpunkt verfocht Max Brod, der in Kafka einen eindeu-tigen Zionisten sehen wollte und sich ein entsprechendes Wunschbild von ihm geschaffen hat, um seine ganz persönliche, »aus dem Werk abgezogene philosophisch-theologische Botschaft vordergründig zu legi-timieren«.[22] Auch Hannah Arendt hat Kafka wesentlich als Zionisten gesehen.[23] Ebenso gab es für Felix Weltsch keinen Zweifel, daß Kafka »in his later years ... could be described as a convinced Zionist«.[24] Oskar Baum führte aus: »Rührend war seine Art, Jude zu sein und vor allem Jude sein zu wollen. Seine Sehnsucht ging – durchaus nicht nur akademisch – ins Land unserer Volksverjüngung.«[25] Für Gustav Ja-

nouch, der jedoch seit den Enthüllungen Eduard Goldstückers[26] nur
noch mit Vorbehalt zitiert werden kann, war Kafka »überzeugter Anhänger des Zionismus«.[27] Bezeichnend ist, daß gerade die Freunde und
nahestehenden Bekannten Kafkas die Wichtigkeit des zionistischen Elements in seinem Leben hervorhoben. Eine zionistische Phase hat u. a.
auch Hartmut Binder eingeräumt.[28] Samuel Hugo Bergmann bestätigte
beides, sowohl den freidenkerischen, sogar zum Atheismus neigenden
jungen Kafka, als auch den zionistisch engagierten älteren Kafka, der
die Übersiedlung nach Palästina ins Auge faßte.[29] Neuerdings hat sich
Klara Carmely noch einmal um den Nachweis bemüht, »daß Kafka die
zionistische Idee, dem jüdischen Volk eine Heimstätte in Palästina zu
schaffen, durchaus bejahte«.[30]

Es gehört jedoch zur spezifischen Problematik Kafkas, daß ihm – wie
in allen anderen Bereichen – auch im Blick auf den Zionismus die
Ankunft nicht voll gelungen ist. Wie ihm Ehe, Vaterschaft und Familie
als die höchsten Formen der Lebenserfüllung galten, ohne daß er von
Natur aus die Voraussetzungen dafür mitbrachte, so wäre er gewiß
liebend gern ein konsequenter Zionist gewesen, wenn er es nur vermocht hätte. Aber es war ihm nicht gegeben, sich eindeutig festzulegen.
Er konnte weder den zionistischen Weg zurück zu den Ursprüngen
geradlinig zu Ende gehen, noch die volle Assimilation an das moderne
westliche Europäertum vollziehen. Da er aber an beiden teilhatte, war
er in sich zerrissen und heimatlos. Hinter seinen zionistischen Neigungen
stimulierte als stärkster Antrieb das Bedürfnis nach Geborgenheit, das
Leiden an seiner Unbehaustheit. So befand sich Kafka wohl lebenslang
auf dem Weg zum Zionismus. Mit dem Studium des Talmud begann er
zwar erst relativ spät (nach 1918), aber schon im Dom-Kapitel des
Prozeß-Romans, in den kniffligen Auseinandersetzungen Josef K.s mit
dem Priester über die Parabel *Vor dem Gesetz* bezeugte sich Kafkas
Engagement im tiefsinnigen Kommentieren einer Fabel jüdisch-religiö-
sen Gehaltes. Und in einem späten Brief (1923) an den Vater Dora
Dymants, worin er diesen um die Hand seiner Tochter bat, schrieb er,
daß er zwar kein orthodoxer Jude sei, wohl aber ein reumütiger Jude *auf
dem Weg* zurück zu seiner Herde. Dieses existentielle Judentum Kafkas
hat auch Martin Buber in seinen Ausführungen über »Schuld und
Schuldgefühle« (Merkur 9, 1957, 705–729) und »Das Schloß« (Zwei
Glaubensweisen, Zürich 1950, 167–172) betont. Wie Buber unterstellt,
handle es sich in Kafkas Werken jeweils um grundsätzliche Auseinandersetzungen mit dem Gedankengut der jüdischen Religion und Tradition. Zum Zionisten im Vollsinn des Wortes ist aber Kafka nie geworden. Allenfalls war es ihm in der euphorisch beschwingten letzten Phase
seines Lebens – in der Gemeinschaft mit der jüdisch-orthodoxen Freundin Dora Dymant – vergönnt, »einen Blick in das gelobte Land« zu
werfen.

Was aber Kafkas kritische Äußerungen über das Judentum betrifft, die seine fundamentale religiöse Bindung in Frage zu stellen scheinen, sollte nicht übersehen werden, daß er zwar die Formen und Formeln des religiösen jüdischen Ritus schonungslos ironisiert (weil sie nämlich zu bloßer Routine erstarrt seien), sich aber mit keinem einzigen Wort jemals gegen die ethisch-religiösen Gehalte des jüdischen Glaubens wendet. Es ist also nicht die jüdische Religion, die er verwirft, sondern im Gegenteil der Mangel an Religiosität, das Fehlen eines echten religiösen Engagements, die Oberflächlichkeit der Religionsausübung. Sein religiöser Ernst ertrug es nicht, den jüdischen Glauben zu einer bloßen Formsache pervertiert zu sehen. Gesetz und Gericht, Schuld und Strafe im alttestamentarischen Sinn waren für Kafka die die menschliche Existenz bestimmenden Realitäten, immanent und transzendent zugleich.

Dem entspricht Kafkas Zuneigung zu dem noch traditionsgebundenen Ostjudentum sowie seine entschiedene Ablehnung des sich assimilierenden Westjudentums. Nach seiner Überzeugung konnte ein Jude niemals im Vollsinn des Wortes ein Deutscher oder ein Tscheche werden. Ja, er beneidete seine nichtjüdischen Mitbürger, weil sie im allgemeinen Verkehr ständig die Gefühle der Nähe verspüren und genießen könnten (T 219) – »ein ungeheurer psychologischer Vorteil«, den die Juden in Ermanglung eines eigenen Landes entbehren müßten. Um so größer war seine Verachtung des assimilierten westlichen Verfallsjudentums, das er gerade auch an seinem Vater als eine Form ohne Inhalt beklagte; es sei »ein Nichts, ein Spaß, nicht einmal ein Spaß«.

Wohl am stärksten erweist sich Kafkas Festhalten am jüdischen Erbe »in seinem Verhältnis zur deutschen Sprache«.[31] Ein jüdischer Schriftsteller, der deutsch schreibt, maße sich fremden Besitz an, Besitz, »den er nicht erworben, sondern durch einen (verhältnismäßig) flüchtigen Griff gestohlen« habe und der fremder Besitz bleibe, »auch wenn nicht der einzigste Sprachfehler nachgewiesen werden könnte . . .«. (Br 336) »Weg vom Judentum . . . wollen die meisten, die deutsch zu schreiben anfingen, . . . aber mit den Hinterbeinchen klebten sie noch am Jüdischen des Vaters und mit den Vorderbeinchen fänden sie keinen neuen Boden.« (Br 337) Was bei diesen verzweiflungsvollen Anstrengungen herauskomme, sei nicht deutsche Dichtung, sondern etwas »Unmögliches«, eine »Zigeunerliteratur, die das deutsche Kind aus der Wiege gestohlen und in großer Eile irgendwie zugerichtet habe, weil doch irgendjemand auf dem Seil tanzen muß«. (Br 338)

Es ist eine bestürzende Feststellung, daß Kafka, dessen Sprache als das »reinste Deutsch« seiner Zeit gerühmt worden ist, die deutsche Sprache nicht als seine »Sprachheimat« empfunden hat. Selbst innerhalb seiner Familie, so stellte er mit Bedauern fest (T 82 f.), habe ihn der Gebrauch der deutschen Sprache befremdet und besonders das Verhältnis zu seiner Mutter getrübt: Nur deshalb habe er seine Mutter nicht immer so geliebt, wie sie es verdiente und wie er es könnte, weil ihn die deutsche Sprache daran gehindert habe.

Das deutsche Wort »Mutter« für eine jüdische Mutter zu gebrauchen, erschien Kafka ganz inadäquat, da es nicht wiedergebe, was eine jüdische Mutter ausmacht. Der mitteleuropäische Jude, der die deutsche Sprache annimmt, verfälsche die Beziehung zu seinem Judentum, »from which he sprang, in which he had his roots, and from which he could not truly extricate himself, but to which he referred in the words of, and therefore with the thoughts of, an alien language ... The true link between signifier and signified, which is truth, was broken ... The Jewish speaker of German concealed his rupture from himself. His self was split. He spoke, and therefore thought, differently from the way and remembered. His thoughts became estranged from his emotions, and he became a stranger to himself.«[32] Im Blick auf diese als unheilbar empfundene Selbstentfremdung des deutschsprechenden und -schreibenden Juden verwarf Kafka die deutsch-jüdische Literatur als arglistigen Trug: »This literature has no true substance because it does not have a language which it can call its own.« Wie er ins Tagebuch eintrug, war ihm das Deusche nur eine linguistische Fassade und konnte niemals der wahre Ausdruck seines Selbst werden.

Objektiv ist diese negative Stellungsnahme Kafkas zur deutschen Sprache ein Hirngespinst, da er ja kein jüdisches Idiom kannte und das Hebräische erst später und auch nur notdürftig erlernte.[33] *Subjektiv* aber war diese radikale Verwerfung des Deutschen als einer für das eigene Schreiben untauglichen Sprache eine schwerwiegende Realität. Vor allem aber bezeugt sich darin ein starkes emotionales Bekenntnis Kafkas zu seinem Judentum. In seiner Erzählung *Das Urteil* erscheint nach Sokel der Protagonist Georg Bendemann als Vertreter des verwestlichten deutschsprechenden Juden, als »prototype for the uprooted and condemned literary individual« und wird unter diesem Aspekt mit einem gewissen Recht verurteilt.

Milena gegenüber klagte Kafka, daß die westlich orientierten Juden die Geborgenheit in der eigenen Tradition verloren hätten, dabei aber die deutsche Geschichte nicht als die ihrige betrachten könnten. Und weil er selber der westjüdischste von allen sei, sei ihm keine ruhige Sekunde geschenkt: nichts sei ihm geschenkt, alles müsse erworben werden, nicht nur die Gegenwart und die Zukunft, auch noch die Vergangenheit, etwas, das doch jeder Mensch vielleicht mitbekommen hat, auch das müsse erworben werden. Wiederholt beklagte Kafka diesen »Mangel jedes festen jüdischen Bodens unter den Füßen« (Br 404) und suchte den Anschluß an die jüdische Vergangenheit wiederzugewinnen, indem er Hebräisch lernte[34], talmudische und chassidische Geschichten aufschrieb, sich in Marienbad dem Gefolge eines berühmten Rabbi anschloß (Br 142–146) und ein emotionales Interesse an der jüdischen Geschichte bekundete:

Heute Geschichte des Judentums von Graetz gierig und glücklich zu lesen angefangen. Weil mein Verlangen danach das Lesen weit überholt hatte, war es mir zuerst fremder, als ich dachte, und ich mußte hie und da einhalten, um durch Ruhe mein Judentum sich sammeln zu lassen. (T 94, 1911)

... las Pines, L'historie de la Littérature Judéo-Allemande, fünfhundert Seiten, und zwar so gierig, wie ich es mit solcher Gründlichkeit, Eile und Freude bei ähnlichen Büchern noch niemals getan habe; jetzt lese ich Fromer, Organismus des Judentums. (T 173)

Entsprechend rühmte er die überlieferungstreuen Ostjuden – im Gegensatz zu den degenerierten Westjuden – als »ein vitales Volkstum, in dem eigene Sprache, religiöse Lebenspraxis und geschichtlicher Zusammenhang noch lebendig sind und dessen Literatur der notwendigen Stärkung des eigenen Nationalbewußtseins dient. (T 149 und auch 63) Die jiddischen Schauspielaufführungen beeindruckten ihn deshalb so tief, weil er dabei das Glück empfand, mit dazu zu gehören. Und er sprach dieses spontane Zugehörigkeitsgefühl auch aus. (T 58) Die Erfahrung des Antisemitismus in Prag wird ihn in seiner jüdischen Selbstbesinnung ebenfalls bestärkt haben.

Abgesehen davon, daß Kafka eine ganze Reihe von Werken über den Zionismus in seiner Handbibliothek hatte, gehörte er überdies dem zionistischen Studentenverein Bar Kochba an, abonnierte die zionistischen Zeitschriften *Palästina* und *Selbstwehr*[35], nahm im September 1913 am Zionistenkongreß in Wien teil und hat überhaupt mit großem Interesse die Entwicklung in Palästina verfolgt (während er an den Ereignissen des Weltkriegs völlig desinteressiert geblieben ist). Noch kurz vor dem Tod, als Schwerkranker, besuchte er in Berlin die »Hochschule für die Wissenschaft des Judentums«. Hinzu kommt, daß er sich auch werbend für den Zionismus eingesetzt hat, so bei seiner Schwester Ottla, bei Felice, bei seiner späteren Verlobten Julie Wohryzek, in seinen Briefen an Fräulein Minze und in noch vielen weiteren Zeugnissen.[36] Auch hat er 1923 die Absicht einer Übersiedlung nach Palästina in einigen Briefen ausgesprochen. Ob er aber, wie Klara Carmely annimmt, diesen Plan auch ausgeführt hätte, falls er nicht durch seine Krankheit daran gehindert worden wäre, muß gleichwohl bezweifelt werden. Der Vielzahl seiner positiven Äußerungen über den Zionismus stehen auch negative Stellungnahmen gegenüber. So schrieb er an Felice (F 698), bei einer Prüfung würde sich wohl herausstellen, daß er kein Zionist sei. Das schon deshalb nicht, weil er nach eigenem Bekenntnis »nichts als Literatur« sein konnte und darum allem anderen letztlich kritisch gegenüber blieb. Auch Carmely räumt ein, daß Kafka »sich seines Zionismus nicht immer sicher« gewesen sei. War ihm somit volle Identifizierung mit dem Zionismus von seinen individuellen Voraussetzungen aus nicht möglich, weil er – in einem unaufhebbaren inneren Widerspruch lebend – nie wirklich sein konnte, was er sein wollte, so hat er doch als ein völkisch bewußter Jude die zionistische Idee bejaht, auch wenn er als ein unerlösbar Einsamer nicht in ihr aufgehen konnte, sondern eingegrenzt auf den kleinsten inneren Kreis sein Leben leben mußte. Aber gerade weil er das jüdische Erbe als etwas ihm Zugehöriges und Pietätgebietendes ernstnahm, war ihm der leer gewordene, konventionelle Judaismus seines Vaters unerträglich. Entsprechend schrieb er in den *Hochzeitsvorbereitungen auf dem Lande*:

> Wie man mit diesem Material etwas Besseres tun konnte, als es möglichst schnell loszuwerden, verstand ich nicht; gerade dieses Loswerden schien mir die *pietätvollste* Handlung zu sein.   (HL 186. Hervorhebung vom Vf.)

Von Interesse ist in diesem Zusammenhang eine neuere Studie Erwin Steinbergs über die Erzählung *In der Strafkolonie,* insofern sie auf eigene Weise das Judentum Kafkas beleuchtet und deutlich macht, daß ohne Kenntnis des jüdischen Erbes diese Geschichte nicht voll verständlich ist.[37] Als das Entscheidende in dieser Novelle erscheint Steinberg die Tatsache, »daß [hier] weder der Reisende noch Kafka selbst eine Wahl treffen konnten«, daß sie also nicht wirklich konnten, was sie wollten und infolgedessen dazu verurteilt waren, im Zwiespalt zu leben. Auch wenn man dem Verfasser nicht in allen Details folgen will, so wird man doch einräumen, daß in Kafkas *Strafkolonie* mit dem Gegensatz zwischen dem alten und dem neuen Kommandanten zumindest auch das jüdisch-christliche Verhältnis mitbedacht und die Nichtentscheidbarkeit der darin implizierten Probleme thematisiert ist. Hierzu gehört, daß Kafka selbst sich jahrelang fürchtete, er könne jemals gebeten werden, die Thora (die fünf Bücher Mose) zu lesen, eine Furcht, die aber im Grunde Ehrfurcht war. Abgesehen davon hätte Kafka die Schrift der Thora auch nicht entziffern können, da sie in Hebräisch geschrieben ist, was er damals nicht verstand und auch später – trotz seiner philologischen Bemühungen – nie wirklich beherrschte. Dazu stimmt, daß der Forschungsreisende in der Strafkolonie die Konstruktionszeichnungen des alten Kommandanten zu dem von ihm geschaffenen Apparat nicht entziffern kann und der Exekutionsoffizier dazu bemerkt, es sei in der Tat »keine Schönschrift für Schulkinder«; man müsse vielmehr lange darin lesen. Mehr noch, diese Pläne des alten Kommandanten werden wie ein religiöses Dokument behandelt, und zwar in auffällig ähnlicher Weise, wie das im Umgang mit der Thora üblich ist. Wird diese in der Synagoge aus der Bundeslade geholt, damit während des Gottesdienstes daraus vorgelesen werde, so verhalten sich die (männlichen) Mitglieder der Gemeinde dieser Schriftrolle gegenüber mit derselben auf Distanz bedachten Ehrfurcht, wie sie der Offizier der Strafkolonie von dem Reisenden gegenüber den Aufzeichnungen des alten Kommandanten fordert. Das Vorzeigen erfolgt also in den Formen eines religiösen Ritus. Der Offizier prüft erst seine Hände, ob sie auch rein genug sind, um die als Heiligtum verehrten Dokumente anzufassen, nach denen die Gerechtigkeitsmaschine der Strafkolonie konstruiert wurde. Vor allem wird dem Reisenden nicht gestattet, diese Pläne auch nur anzurühren. Die Parallele zur Enthüllung der Schriftrolle der Thora im jüdischen Gottesdienst ist unübersehbar. Auch hier darf auf die zum Vorlesen auserwählte Stelle nicht mit dem Finger, sondern nur mit einem Stab gedeutet werden. Überhaupt nur die Hände derer, die den Gottesdienst abhalten, dürfen die Thora berühren, während Mitglieder der Gemeinde überhaupt nicht mit ihr in Berührung kommen. Entsprechend läßt der Gerichtsoffizier der Strafkolonie die Zeichnungen des alten Kommandanten nicht aus den Händen, was ohne rituelle Bedeutung ein sinnloses Verhalten wäre.

Die Frage drängt sich auf, wer der alte Kommandant eigentlich ist, auf dessen Göttlichkeit so nachdrücklich hingewiesen wird. Er hat den Apparat geschaffen, der, indem er die Schuldigen straft, Gerechtigkeit vollzieht und »Aufklärung« bringt, so daß sogar »dem Blödesten Verstand aufgeht«. Ja, die gesamte Einrichtung der Strafkolonie ist *sein* Werk. Wie der Exekutionsoffizier ausführt, gilt (bzw. galt) er als allwissend und ist »Soldat, Richter, Konstrukteur, Chemiker, Zeichner« alles in allem. Auch die Prophezeiung, daß er nach einer bestimmten Anzahl von Jahren auferstehen und triumphierend wiederkommen werde, erweist ihn als eine göttliche Gestalt. Aber, so fragt Steinberg: »Was für ein Gott ist er?«

Wie in fast allen Erzählungen Kafkas ist auch in die Strafkolonie ein Stück Autobiographie eingegangen, eben das noch virulente Element seines jüdischen Erbes. Die autoritäre archaische Väterwelt war für ihn noch gegenwärtige Wirklichkeit. Und in seinen Vätergestalten wie auch im alten Kommandanten der Strafkolonie ist, wie pervertiert auch immer, etwas vom strafenden, auf das Gesetz pochenden Richtergott Jahwe erkennbar. Auch im Zwielicht moralischer Fragwürdigkeit besitzen sie untilgbare Autorität, sind sie noch immer stärker als die Protagonisten, die sie vernichten.

Steinberg erörtert noch zahlreiche weitere Parallelen spezifischer Art zur religiösen jüdischen Tradition, die nicht lediglich zufällig sein können. Wenn z. B. der Forschungsreisende die Schrift der Dokumente des alten Kommandanten nicht auf den ersten Blick lesen kann, weil das ein lebenslanges Studium voraussetzen würde, so erinnert das an das lange und sorgfältige Studium, das die orthodoxen Juden auf die Thora verwenden. Und die komplizierte, mit vielen Zieraten versehene Schrift in den Dokumenten über den Strafapparat »weist auf einen weiteren hebräischen Text – den Talmud«.[38] In diesem ist das mündliche Gesetz mit Kommentaren und Diskussionen versehen, welche »in der Tat Verzierungen waren und die Folgerungen analysierten, erweiterten und überprüften«.

Aber nicht nur in den auffällig übereinstimmenden Formen, sondern gerade auch in Inhalt und Aussage der Kafkaschen Erzählung ist das jüdische Erbe von zentraler Bedeutung. Ist doch die Frage nach der Geltung des Gesetzes, die das Thema der Strafkolonie darstellt, die fundamentale Frage der jüdischen Religion schlechthin. So unterschied der Juden-Christ Paulus zwischen dem Judaismus als einer Religion der

Erlösung durch Erfüllung des Gesetzes und dem Christentum als einer Religion durch den Glauben an Christus. Der altbiblische Grundzug des Judaismus als einer Religion der Gesetze bezeugt sich auch in dem »Gesetzescharakter und dem strengen Ton der beiden Befehle«, die in den Dokumenten des alten Kommandanten schriftlich niedergelegt sind: »Ehre deinen Vorgesetzten!« und »Sei gerecht!«.

In die gleiche Richtung weist, wenn Kafka, wie Steinberg wahrscheinlich machen konnte, die *Strafkolonie* unmittelbar oder doch kurz nach Yom Kippur geschrieben hat. Denn Yom Kippur ist der Bußtag der Juden, »der Tag des Gerichts, wie es die Gemeinde in ihren Gebeten bekennt« und wobei eben das unterstellt wird, was in der Strafkolonie *a priori* als »Grundsatz« aller Gerichtsentscheidungen gilt: »Die Schuld ist immer zweifellos.« Am Yom Kippur Festtag beherrscht das Bewußtsein, gesündigt zu haben, den ganzen Gottesdienst; die Betenden gestehen Gott, daß kein lebender Mensch schuldlos ist.« Diese Elemente jüdischer Religiosität sind in die Erzählung Kafkas integriert, aber ohne daß sie restlos dieselben geblieben wären. Doch so weit wird man Steinberg zustimmen können, daß der alte Kommandant der Strafkolonie als Repräsentant des traditionellen Judaismus erkennbar ist, dem zufolge Gott ein strenger Richtergott der strafenden Gerechtigkeit ist, der die verzeihende Barmherzigkeit des Christengottes nicht kennt. Wenn aber Kafka über den die Gerechtigkeit exekutierenden Strafapparat sagen läßt, daß er beschädigt und in wichtigen Teilen stark verbraucht sei, so mag man das mit Steinberg in Parallele setzen zu Kafkas Aburteil über den kläglich leerlaufenden Judaismus seines Vaters und der verweltlichten Westjuden überhaupt. Nehmen wir hinzu, daß der alte Kommandant (wie auch alle anderen autoritären Gestalten und Vatergestalten Kafkas) als fragwürdig dargestellt wird, so versteht man, was Günther Anders meinte, wenn er sagte, Kafka sehe sein Judesein christlich. Er sei kein jüdischer Theologe, sondern ein christianisierender Theologe der jüdischen Existenz.[39] Das ist indessen keine rundum stimmige Feststellung, sondern eine modifikationsbedürftige Grenzthese, die aber in eine richtige Richtung weist.

Auch die Schlußfolgerungen, die Steinberg zieht, sind solche Grenzthesen, die ein wichtiges Moment in hellstes Licht rücken, aber anderes im Dunkel lassen oder nur notdürftig beleuchten. Er stellt die rhetorische Frage, ob wir nicht annehmen sollten, »daß der alte Kommandant den Gott des Alten Testamentes darstellt?« Und er verweist auf mehrere Stellen in Kafkas Erzählung, die seiner Meinung nach »eine solche Auslegung rechtfertigen«.[40] Die Antwort kann nur lauten: Ja *und* Nein. Ja, weil theologische Elemente in Kafkas Dichtung integriert sind und seine Werke sich nie im nur Säkularen erschöpfen. Nein, weil andererseits die Thematik Kafkas zu vielschichtig ist, als daß eine ausschließlich theologische Deutung ihr gerecht werden könnte. Multivalenz ist das eigentliche Signum des Kafkaschen Dichtens und Denkens. Wie Goethes *Faust* fordert auch Kafkas Werk vielfältiges »Assoziieren und Supplieren«. Hier gibt es keine Einbahnstraße, die zum Ziel führt. Vielmehr gilt es, das eine zu tun und das andere nicht zu lassen, dabei aber die Vergleichbarkeiten jeweils *adäquat zu gewichten*. Als Wichtigstes jedoch ist festzuhalten, daß Kafka nicht Ideologe, sondern Dichter war, daß er nicht dozieren, sondern »Geschichten erzählen« wollte, und daß darum sein Werk weder Theologie noch Philosophie noch auch Psychologie, sondern, wie er selbst kategorisch ausgesprochen hat, *»nichts als Literatur«* ist. Diese authentische Feststellung sollte die Vertreter anderer Fachrichtungen mahnen, ihren interpretatorischen Eifer in den gebotenen Grenzen zu halten.

Wie Kafka nach eigenem Bekenntnis bei der Niederschrift seiner Erzählung *Das Urteil* »natürlich auch an Freud« gedacht hat, so ist bei seiner Gegenüberstellung der Zustände in der Strafkolonie unter dem alten und dem neuen Kommandanten gewiß auch das Verhältnis zwischen Judentum und Christentum mitbedacht und bis zu einem gewissen Grad sogar Thema geworden. Das Charakteristische Kafkas aber liegt darin, daß er all das, was er integriert nicht auch vollgültig identifizierte bzw. zu ausschließlicher Geltung erhob. Das Vergleichbare, das er vor Augen stellt, setzt er nicht schlechthin gleich. So steckt in den Vätern Bendemann und Samsa und im alten Kommandanten der Strafkolonie gewiß etwas von dem Gott Jahwe des Alten Testaments; gleichzeitig sind sie aber pervertiert, zum Teil sogar karikierte, entmythologisierte Gestalten und darum mit dem alten Gott der Juden nicht mehr identisch.

Entscheidend ist jedoch, daß Kafka selber nie eine Lösung gibt. Zwar läßt er den Forschungsreisenden das alte Strafsystem als inhuman und grausam ablehnen, aber von einer Bejahung des humaneren neuen Systems ist keine Rede. Im Gegenteil, es verfällt ebenfalls ironisierender Kritik. Vollends die Rolle des Reisenden, der scheinbar eine positive Lösung bringt, insofern er zur Aufhebung der alten brutalen Strafjustiz beiträgt, erweist sich am Ende als bestürzend fragwürdig. Nicht nur unterläßt er es, sein Plädoyer gegen das alte System beim neuen Kommandanten vorzutragen, sondern bezeugt dem alten Kommandanten, dessen Grabstätte er aufsucht, kniefällig seine Ehrerbietung. Und um einer Entscheidung auszuweichen, verzichtet er darauf, dem neuen Kommandanten den gebotenen Abschiedsbesuch abzustatten, sondern verläßt, ohne das von ihm erwartete Urteil abzugeben, fluchtartig die Strafkolonie. So spricht in der Tat alles dafür, daß, wie auch Steinberg unterstellt, »weder der Reisende noch [auch] Kafka [selbst hier] eine Wahl treffen konnten«.[41]

Die kernhafte Bedeutung des jüdischen Erbes für Werk und Persönlichkeit des Dichters darf man um so weniger übersehen, als dieser am Schicksal der Juden wie überhaupt an allen Leidenden stärksten Anteil nahm und nicht zuletzt aus diesem Grund auch den zionistischen Bestrebungen zuneigte. Das Isolationsgefühl, ja das Verfolgungstrauma des nichtintegrierten und nichtintegrierbaren Juden, des ruhelos wandernden, heimatlosen Fremden unter allen Völkern hat Kafka persönlich durchlitten und in immer neuen Abwandlungen dichterisch gestaltet:

> True, the Jew as a stranger, and the loneliness of a Jew, are expressed not only by the hero of *The Castle,* but in Kafka's various animal stories, as for instance, in *The Giant Mole,* in *Josephine the Singer,* in *Jackals and Arabs* or even in *The Metamorphosis* and most impressively in *The Burrow;* but the example of the Jew, being the most obvious and perfect case, suggested itself to the author as a symbol of the general strangeness and loneliness of man. He presents us with the innumerable means, cautious experiments, deliberate untertakings man has to invent and the fabulous habitations, underground canals and labyrinthine zigzags to overcome the Bablelike confusion, the incommensurability of phenomena, the askew contrapositions of life, the lack of mutual understanding. It shows us how man struggles for regions, which lie beyond his life and which cannot be reached by his soul. These, however, are religious problems in general and cannot with reason be confined behind the walls of a solely Jewish attitude notwithstanding the fact that it is this attitude which gave Kafka his standard of judgment and the principal material for his most impressive symbols together with certain formidable Talmudic weapons of his style. In this respect he reminds us of Spinoza who also drew from Jewish sources both deliberately and unconsciously and who likewise achieved a far-reaching general effect.[42]

In ähnlicher Weise hat Max Brod Kafka als den Dichter des Judentums gekennzeichnet. Über den Protagonisten des Schloß-Romans K. schrieb er:

> He is a stranger, and happens to come to a village where strangers are looked upon with suspicion . . . This ist the particular feeling of the Jew who would like to set root in strange surroundings, who strives with all the power of his soul to come closer to the strangers by becoming completely like them, and who never succeeds in achieving the fusions. The word »Jew« does not appear in the book. Nor does it appear in any other novel or short story of Kafka's . . . Yet you detect almost tangibly that in The Castle Kafka has set forth the great and tragic presentation of assimilation and of its futility, that from his Jewish soul he has said more in this simple tale about the universal situation of Jewry than can be gleaned from a hundred scientific treatises.[43]

Ebenso beschreibt George Woodcock, wie sehr Kafka das tragische Volksschicksal der Juden als gegenwärtig und unerlösbar immerwährend empfunden und dargestellt hat:

> Kafka was a Jew, and therefore came of a race with an ingrown feeling of isolation in a hostile world. I have not heard that he experienced any great degree of direct persecution, but even in Jews who have lived normally among their neighbours there will remain a memory of hostility and a feeling of difference based on the racial theories of Jewish orthodoxy. When a race has been isolated and persecuted intermittently for twenty centuries, it is unlikely that any of its members will feel completely at ease even in apparently friendly environment.
> In connection with Kafka's Jewish race we must also recollect the journey

symbolism in his work – the journey to America, the setting of K.'s struggle against the Castle as the penultimate stage of a journey by a vagrant, the departure of the explorer in The Penal Colony, etc. This symbolism can be paralleled by the continual presence of the journey in the historical traditions of the Jews, the great race of wanderers. The series is long – there are the Bedouin wanderings of Abraham and Isaak, the exodus from Egypt and the long desert journey to the Promised Land, the journeys into exile in Babylon, the dispersal after the Roman sack of Jerusalem, and, last of the series in Kafka's day, the breaking up of the ghettos of Europe and the dispersal of the Jews among the Gentiles as neighbours and fellow-citizens in a – comparatively – liberal world.[44]

Sicher ist, daß die Selbstanklage Kafkas, sich nicht in eine Gemeinschaft integrieren zu können, vielmehr immer »im Grenzland zwischen Einsamkeit und Gemeinschaft« leben zu müssen, nicht nur sein ganz eigenes Problem betrifft, sondern zugleich das jüdische Problem überhaupt, ein Problem, das durch die Landlosigkeit bzw. Landgefährdetheit der Juden zusätzlich verschärft wird. Andererseits, so betont Urzidil, sei die Konfliktsituation des Judentums in der Welt »only a group example of an otherwise individual problem of mind«. Darum sei alles, was Kafka schrieb, »as many jewish as it is generally human«. Denn der ewige Konflikt zwischen dem Drang sich zu isolieren und dem Wunsch zu sein wie die andern, sei »the very problem of the conscious man«.[45]

Indessen hat sich Kafka, so nichtssagend ihm die rituellen Förmlichkeiten der jüdischen Überlieferung erschienen, durchaus als Jude gefühlt und sich wiederholt auch zu seinem Judentum bekannt. So erklärte er: »*Wir Juden* sind Geschichtenerzähler.« Und über den Helden seines Amerika-Romans sagte er: »Roßmann ist nicht Jude. *Wir Juden* werden aber schon alt geboren.« Zugleich engagierte er sich für das jiddische Theater, in dem er das unverfälschte alte Judentum noch lebendig sah. Er befreundete sich mit dem aus Rußland stammenden jiddischen Schauspieler Jizchak Löwy und verfaßte eine Rede über die jiddische Sprache (T 250, 25. Februar 1912) und hat zu einem Vortragsabend des Freundes die Einleitungsworte gesprochen. Am 12. Mai 1917 schrieb er voll Befriedigung an Martin Buber, den Herausgeber der Monatsschrift *Der Jude:* »So komme ich also doch noch in den *Juden* und habe es immer für unmöglich gehalten.«[46] Nach der Mitteilung Gustav Janouchs soll Kafka über dessen Plan zu einem Drama über Saul folgendes geäußert haben:

Es ist die Stimme des jüdischen Volkes, die nicht etwas historisch Gestriges, sondern etwas durchaus Gegenwärtiges ist. In Ihrem Drama wird sie aber als geschichtlich mumifizierte Tatsache behandelt, und das ist falsch . . . Sie wollen . . . die heutigen Massen auf die Bühne bringen. Sie haben mit der Bibel nichts gemeinsam . . . Das Volk der Bibel ist die Zusammenfassung von Individuen . . . durch ein Gesetz. Die Massen von heute widersetzen sich aber jeder Zusammenfassung. Sie streben auseinander aufgrund der inneren Gesetzlosigkeit. Das ist die Triebkraft ihrer rastlosen Bewegung. Die Massen hasten, laufen, gehen im Sturmschritt durch die Zeit. Wohin? Von wo kommen sie?

Niemand weiß es. Je mehr sie marschieren, um so weniger erreichen sie ein Ziel. Nutzlos verbrauchen sie ihre Kräfte. Sie denken, daß sie gehen. Dabei stürzen sie – auf der Stelle tretend – nur ins Leere. Das ist alles.[47]

Auch wenn eine eindeutige Festlegung Kafkas nicht möglich ist, weil mehr als »zwei Seelen in seiner Brust« wohnen und auch er selbst seinen Ort nicht letztgültig hätte bestimmen können, ist die Bedeutung des jüdischen Erbes und des religiösen Moralismus in seinem Menschen- und Dichtertum unübersehbar. Nicht nur eine Vielzahl authentischer Zeugnisse, sondern auch die Formen seiner Lebensführung erweisen ihn als einen homo religiosus jüdischer Prägung. Existenz war für Kafka, gemäß jüdisch-christlicher Tradition, »immer gefallene, sündige Existenz«, die darum »aufgehoben, zerstört werden« müsse.[48] Seinem Freund Max Brod gegenüber erklärte er: »Was ich zu tun habe, kann ich nur allein tun. Über die letzten Dinge klar werden.« In solchem Sinn kommentierte R. O. C. Winkler die drei Romane Kafkas:

> The ultimate concern is religious. In Kafka's view there is a way of life for any individual that is the right one, and which is divinely sanctioned . . . To Kafka this fact constitutes a problem of tremendous difficulty, because he believes the dichotomy between the divine and the human to be absolute. Thus, though it is imperative for us to attempt to follow the true way, it is impossible for us to succeed in doing so.[49]

Aber im Gegensatz zur rein theologischen Kafka-Auslegung Brods ist für Winkler dieses unausweichliche Dilemma des Menschen nicht ausschließlich.

> The Puritan problem of justifying one's behavior is the eyes of God alone . . . it emerges as a general problem of the individual's relation to society, and any attempt at a solution must involve an attempt to come to terms with, and find a place in, the social organism . . . Kafka felt this problem with peculiar acuteness in virtue of his racial isolation as a Jew and his general isolation as a consumptive.

Einen vermittelnden Standpunkt vertritt Urzidil, wenn er Brod zubilligt, Kafka unter eingegrenzt jüdischem Aspekt interpretieren zu können, gleichzeitig aber auch zustimmt, wenn andere den Judaismus Kafkas »only as a ferment of his work« erachten und ihn als einen »analyst of the human soul in general« auffassen. Und er fügt hinzu: »The narrow interpretation is no less right than the broad one. This, too, makes Kafka an outstanding author.«[50] Überscharf formuliert könnte man sagen: (fast) jede Interpretation trifft bei Kafka etwas Richtiges, aber keine gibt das Ganze. Im übrigen sieht Urzidil selbst in Kafka primär den religiösen Menschen und in seinem Judaismus »only the personification of his religiousness in general«. Nach seiner Meinung könnte Kafkas Ausdruck »Schreiben als eine Form des Gebetes« als Schlüssel zu seinen Werken dienen. Zur Qualifizierung der Religiosität Kafkas verweist Urzidil auf dessen Ausspruch: »Der Mensch kann nicht leben ohne ein dauerndes Vertrauen zu etwas Unzerstörbarem in sich, wobei sowohl das Unzerstörbare als auch das Vertrauen ihm dauernd verborgen bleiben können.« (HL 44)

Nicht so konziliant wie Urzidil verhält sich Lienhard Bergel zu der strikten Judentumsthese Brods und beruft sich auf kritische Stellungnahmen Kafkas zum Judentum, so z. B. seine Äußerung über die chassidischen Riten, an denen er zusammen mit Brod teilgenommen hatte, und die er als rohen Aberglauben aburteilte: »Looking at it closely was like observing a wild African tribe.« Seine entschiedene Kritik an Brod, der Kafka nicht als den krisenhaften Kranken, sondern als den durchaus Gesunden, nicht als den Negativen, sondern als den ganz Positiven und vor allem als den rein theologisch zu deutenden Dichter kennzeichnete, faßte Bergel in folgenden Sätzen zusammen:

> Brod sees him predominantly concerned with religious problems. He gives a special »Jewish« interpretation to some of Kafka's writings, particularly the Castle. It will be one of the main tasks of future critics of Kafka to refute Brod on this point.[51]

Für Bergel ist Kafka »the poet of the metaphysics of everyday reality«. Das ist er gewiß auch, zugleich aber und nicht weniger der Dichter des Judentums. Nicht nur darin, daß sich Kafka als Jude bekannte und für die Sache der Juden engagierte, sondern am unmittelbarsten darin, daß die fundamentalen Vorstellungen des altbiblischen Judentums in ihm noch lebendig waren, bezeugt sich das Fortwirken des jüdischen Erbes. Kafkas Gott ist noch der richtende und strafende Gott des alten Testaments. Das Gesetz gilt ihm als von Gott gestiftet und darum absolut. Schuld ist – als bewußte oder unbewußte Gesetzesverletzung – im Leben unausweichlich und darum, wie es in der *Strafkolonie* heißt, »immer zweifellos«. Infolgedessen ist der Mensch auch immer schuldig und verfällt einem unnachsichtigen Strafgericht.

Daß sich das jüdische Erbe auch als *direkter literarischer Einfluß* in Kafkas Werk ausgewirkt hat, bezeugt sich am auffälligsten in den zahlreichen Übernahmen aus jiddischen Dramen, auf welche mit Bezug auf Evelyn Torton Becks Untersuchungen bereits hingewiesen wurde. Ein Vergleich von Kafkas *Verwandlung* mit Yakov Gordins *Der Wilde* enthüllt Übereinstimmungen, die in der Tat nicht zufällig sein können. Die Protagonisten beider Dichtungen leiden unter ihren Familien und verlieren dabei die Fähigkeit zur Kommunikation. Und in beiden Werken handelt es sich um die Tragödie eines Sohnes und Bruders, dessen Liebe zu Mutter und Schwester »becomes confused with sexual desire«.[52] Ebenso kommen beide Protagonisten zu dem Schluß, daß es um ihrer Liebe willen besser wäre zu sterben. Und beide Familien fühlen sich auch nach dem Tod des ihnen lästig gewordenen Angehörigen wieder froh und frei und blicken voll Hoffnung einer vorteilhaften Heirat der jungen Tochter entgegen. Am stärksten erweisen sich die jiddischen Elemente in jenen Erzählungen, die Kafka unmittelbar nach seiner engagierten Teilnahme am jiddischen Theater geschrieben hat: *Das Urteil, Die Verwandlung, In der Strafkolonie* und Teile des *Prozeß*-Romans. Sie sind »histrionic in style and . . . show the influence of the Yiddish plays in theme, character, and structure«. Doch auch noch in späteren Erzählungen wie *Ein Landarzt, Ein Brudermord, Ein Bericht für eine Akademie* klingen Echos des jiddischen Theaters nach.[53]

Ebenso besteht ein direkter formgeschichtlicher literarischer Zusammenhang der Kafkaschen Epik mit der altjüdischen Erzähltradition. Denn eine der ältesten Formen jüdischer Darstellung, die Parabel, ist auch noch für Kafka eine Hauptform dichterischen Gestaltens. Und wie Heinz Stroh in seinem »In Memoriam Franz Kafka« hervorgehoben hat, erinnern die Erzählungen Kafkas an die Sprache des Alten Testaments, so daß er geradezu als »Reinkarnation« einer altbiblischen Priester- und Prophetengestalt erscheine.[54] Für Charles Neider ist Kafka »rabbi and doctor, Talmudist and scientific skeptic in one«.[55] Wer öfter Zivilprozeßverhandlungen beigewohnt hat, in denen die beiden Parteien jeweils gegensätzliche Darstellungen, Behauptungen und strikt widersprechende Zeugen präsentieren und wo es fast immer unmöglich erscheint, sicher zu entscheiden, wer recht hat, weil ja die Wahrheit von der Glaubwürdigkeit der Zeugen und der Verschiedenheit der beiderseitigen Gesichtspunkte abhängt, der sei mit dem dialektisch haarspalterischen Stil des Kafkaschen Argumentierens durchaus vertraut. Denn auch in Kafkas Erzählungen gehe es oft um anscheinend klar durchschaubare einfache Vorfälle, die aber im Verlauf der Verhandlung zu unentscheidbar widersprüchlichen Fällen werden, »where no ›absolute truth‹ is ever achieved«. Diese peinlich juristische Form der Darbietung der jeweiligen Fälle sei zum einen »the heritage of Kafka's law studies«, sie sei aber zugleich und vor allem »his Talmudic heritage«. In diesem Zusammenhang zeige sich, daß die hebräische Tradition ungleich stärker ist als die hellenistische: »the sensuous element in him is meager compared to the moral and ratiocinative. One feels that he is ashamed of the sensuous as if it were pagan and amoral . . .«

Über das Nachleben des jüdischen Erbes in Kafka hat neuerdings Werner Hoffmann eingehend gehandelt:[56]

Wie Kafka . . . über die Wendung nach innen, die ihn in dem Vertrauen zu etwas Unzerstörbarem in sich eine Lebensnotwendigkeit erkennen läßt, zu dem Gefühl untrennbarer Verbindung mit der Menschheit und zum mystischen Gottesbegriff gelangt, ist ebenso originell wie *fruchtbar für die Wiederbelebung alten Gedankengutes.*[57]   (Hervorhebung vom Vf.)

Auf die jüdische Mystik verweisen vor allem Kafkas Aphorismen: *Betrachtungen über Sünde, Leid, Hoffnung und den wahren Weg,* die Spruchreihe: *Er,* viele Reflexionen in den Tagebüchern, Briefen und Gesprächen, nicht zuletzt aber auch seine als Parabeln konzipierten Erzählungen. Kafka selbst bezeichnete seine Dichtung einmal als »Ansturm gegen die letzte irdische Grenze«, als eine Literatur, die »sich leicht zu einer neuen Geheimlehre, einer Kabbala, hätte entwickeln können«. (T 553) Die nahe Übereinstimmung des Kafkaschen Denkens und Dichtens mit dieser jüdischen Geheimlehre, die den verborgenen Sinn der Welt zu erfassen suchte und im Chassidismus der Ostjuden fortlebte, erhellt aus einem Tagebucheintrag vom 16. Januar 1922, den Kafka in einem Zustand krisenhafter Erschütterung niedergeschrieben hat, als er »vor der Schwelle zu einer anderen Welt zu stehen [glaubte], in der es das Glück des Beisammenseins mit einer Frau nicht mehr gibt, keine Gemeinschaft anderer Art, keine menschliche Wärme, nur die kalte Höhenluft geistiger Klarheit«. Aber schon rund ein Jahrzehnt früher hatte er in einem Brief an seine Verlobte Felice Bauer gefragt, »ob sie ununterbrochene Beziehungen zu einer beruhigend fernen, womöglich unendlichen Höhe oder Tiefe der Gottheit fühle« (F 289) und bekundete damit seine Ergriffenheit durch die jüdische Mystik und die durch diese geprägte Zielsetzung des Chassidismus: »die ständige Verbindung mit Gott trotz einem unendlichen Abstand von ihm.« Durch Max Brod war er mit kabbalistischer Literatur bekannt gemacht worden und ihm schrieb er auch, daß er sich in den chassidischen Geschichten »gleich und immer zuhause fühlte«. (Br 173) In der Tat können die chassidischen Erzählungen als literarische Vorbilder Kafkas angesprochen werden, durch welche die religiösen Anschauungen der jüdischen Mystiker auf ihn eingewirkt haben. Hinzu kam seine eifrige Lektüre aller ihm erreichbaren Literatur über das Judentum, seine Religion, seine Philosophie, seine Geschichte, seine Sagen und anderen Überlieferungen. So studierte er auch den Talmud, das Gesetzbuch des nachchristlichen Judentums und zitierte daraus. Kein Zweifel, das jüdische Erbe war ihm ein Gegenstand lebhaften Interesses geworden.

Literarischer Erbzusammenhang mit der jüdischen Tradition ist greifbar in der prägenden Bedeutung der Parabelform für das Kafkasche Erzählen, im Fortwirken der altbiblischen Sprache, in den gedanklichen Einflüssen des Talmud, der Kabbala und des Chassidismus und sehr direkt auch in den inhaltlichen Auswirkungen der jiddischen Dramatik auf Kafkas Epik. Die Themen und Probleme seiner Dichtung, sein Menschen- und Gottesbild und die Sicht der Existenz unter dem moralisch-religiösen Aspekt von Schuld, Gericht und Strafe, aber auch die Denk- und Sprach*formen,* die das literarische Gestalten Kafkas bestimmen, sind weithin altes jüdisches Erbe, das im Werk dieses Dichters ungeschwächt als etwas noch Gegenwärtiges fortwirkt. Und auch den Glauben an die Juden als das auserwählte Volk hat Kafka geteilt und klar ausgesprochen:

> Das jüdische Volk ist zerstreut, wie eine Saat zerstreut ist. Wie ein Saatkorn die Stoffe der Umwelt heranzieht, so ist es Schicksalsaufgabe des Judentums, die Kräfte der Menschheit in sich aufzunehmen, zu reinigen und so höher zu führen. Moses ist noch immer aktuell. Wie Abiram und Datan sich Moses widersetzten mit den Worten: »Lo naale! Wir gehen nicht hinauf!«, so wider-

setzt sich die Welt mit dem Geschrei des Antisemitismus. Um nicht zur Menschlichkeit aufzusteigen, stürzt man sich in die dunkle Tiefe der zoologischen Lehre von der Rasse. Man schlägt den Juden und erschlägt den Menschen.[58]

Andererseits hat Kafka wiederholt seine persönliche Distanz zum jüdischen Glauben betont und von dem »Nichts des Judentums« gesprochen, das er von zuhause mitbekommen habe. Ja, das Judentum stelle für ihn nur noch ein Stück historischer Tradition dar. Im Januar 1914 schrieb er ins Tagebuch: »Was habe ich mit Juden gemeinsam? Ich habe kaum etwas mit mir gemeinsam.« Am radikalsten hat er seine Emanzipation vom Judentum im *Brief an den Vater* (1919) ausgesprochen. Über den Besuch im Tempel heißt es dort:

> Ich durchgähnte und durchduselte . . . die vielen Stunden (so gelangweilt habe ich mich später, glaube ich, nur noch in der Tanzstunde) und suchte mich möglichst an den paar kleinen Abwechslungen zu freuen, die es dort gab, etwa wenn die Bundeslade aufgemacht wurde, was mich immer an die Schießbuden erinnerte . . . So war es im Tempel, zu Hause war es womöglich noch ärmlicher und beschränkte sich auf den ersten Sederabend, der immer mehr zu einer Komödie mit Lachkrämpfen wurde. . . . Wie man mit diesem Material etwas Besseres tun könnte, als es möglichst schnell loszuwerden, verstand ich nicht.

Bis 1911 hatte Kafka kein Interesse am Jüdischen gezeigt. Er war (und blieb) für die Strebungen der eigenen Zeit, auch für technische Neuerungen aufgeschlossen und insofern ein emanzipierter moderner Mensch. Erst die Begegnung mit der noch lebendigen Religion der Ostjuden, wie sie ihm durch das jiddische Theater nahegebracht wurde, weckte sein Interesse am Judentum. Nun befaßte er sich mit jüdischer Geschichte, jüdischer Erziehung, jüdischem Ritual, auch mit Antisemitismus und Zionismus, mit jiddischer Literatur und Chassidismus, mit dem Gegensatz zwischen östlichem und westlichem Judentum, mit den jüdischen Kolonien in Palästina, ja auch mit der hebräischen Sprache. So tendierte seine religiöse Entwicklung durchaus in Richtung auf das Judentum.[59] Doch ist er kein praktizierender Jude noch auch ein politischer Zionist geworden, obwohl er sich für die Struktur der jüdischen Neusiedlungen interessierte und wiederholt Pläne für eine Palästinareise machte. Wie Wagenbach erklärt, waren es »besonders die Solidarität und Selbstlosigkeit innerhalb der freiwilligen Genossenschaft und die . . . einfache Lebensweise«, die ihn dort anzogen.

Zugleich aber klagte er über seine Beziehungslosigkeit zu den jüdischen Bräuchen.[60] Es falle ihm nicht ein, in den Tempel zu gehen; andererseits erkennt er, daß »das Halten der Gebote nichts Äußeres sei, [sondern] im Gegenteil der Kern des jüdischen Glaubens«. Doch schienen ihm die Zeremonien nur noch auf Hochzeiten und Begräbnisse beschränkt. Man sehe förmlich »die strafenden Blicke eines vergehenden Glaubens«. Auch im Zionismus kann er keine Lösung sehen und erklärt: »Ich bewundere den Zionismus und ekle mich vor ihm.« Wie er an Felice Bauer schrieb, sei seine »Gleichgültigkeit [gegenüber] jedem Zionismus grenzenlos und unausdrückbar« (F 318), und auf dem Wiener Zionisten-Kongreß im September 1913 fühlte er sich »wie bei einer gänzlich fremden Veranstaltung«. (Br 120) Noch 1921 betonte er den »Mangel jedes festen jüdischen Bodens unter den Füßen«.[61] Auch im religiösen Bereich konnte der Unerlösbare die Erlösung nicht finden. Andererseits erwies sich aber das altjüdische Erbe als die stärkste ihn bestimmende Kraft.

Walter Sokel verweist auf »Analogien, die sich von Kafkas Parabel *Schakale und Araber* zu Grundvorstellungen der jüdischen und christlichen Religion ziehen lassen«:

Dazu gehören die Sehnsucht nach der Überwindung des Fleisches und seines Zwangs töten zu müssen, die Hoffnung auf eine künftige, reine und stille Welt ohne irdischen Schmutz, in der seliger Genuß allein herrschen wird, die Flucht in die Wüste vor der Scheußlichkeit des Lebens . . . Mit Wortwahl und -fügung vor allem spielt Kafka in frappierender Weise auf die Bild-, Gefühls- und Gedankenwelt der jüdischen und christlichen Tradition an. ›Glaube es!‹ ruft der Sprecher der Schakale dem Reisenden als unbedingten Imperativ zu. ›Reinheit, nichts als Reinheit wollen wir‹, schluchzen die Schakale. ›Wie erträgst nur du es in dieser Welt, du edles Herz . . .? fragen sie sich. Und von den Arabern sagen sie: › . . . und heben sie den Arm, tut sich in der Achselhöhle die Hölle auf.‹[62]

Gershom Scholem nennt Kafkas Werk »die säkularisierte Darstellung des kabbalistischen Weltgefühls«[63], demzufolge Gesetzübertretung Schuld bedeutet und unausweichlich Gericht und Strafe nach sich zieht. Denn der jüdische Gott ist »ein eifriger Gott, der da heimsucht der Väter Missetat an den Kindern bis ins dritte und vierte Glied«. Eben dies ist für Kafkas Dichten und Denken fundamental: Schuld und Strafe, Gesetz und Gericht. Unter Hinweis auf Scholem (»Die jüdische Mystik in ihren Hauptströmungen«, Frankfurt a. M. 1967, 54) hat Heinz Politzer in seiner Interpretation von Kafkas Gleichniserzählung *Vor dem Gesetz* den geheimen Zusammenhang dieser Parabel mit der Gnosis betont und festgestellt, daß »der Vorstellung vom Mann, der, an dem Türhüter vorbei, seinen Aufstieg zum Thron des Lichts, zur Merkarba versucht, gnostische und hermetische Anschauungen zugrunde« liegen, »deren jüdische Abart Gershom Scholem bis ins zweite und dritte nachchristliche Jahrhundert zurückverfolgt hat«.[64] In der judaisierten Form der Gnosis begegnen ähnlich wie in Kafkas Parabel *Torwächter,* die rechts und links an den Pforten der himmlischen Hallen postiert sind und die beim Aufstieg passiert werden müssen. An jeder neuen Station des Aufstiegs bedarf die Seele eines neuen Passes. Daß Kafka diese Vorstellungen übernommen hat, duldet keinen Zweifel. Auch die Vorstellung des Gesetzes als Haus beruht, wie Johannes Urzidil ausgeführt hat[65], auf altjüdischer Tradition.

Andererseits ist Kafkas Bewahrung dieser Tradition zugleich Veränderung, ja Aufhebung, insofern er »diesem ›Haus‹ mit seinen endlosen

Gängen und Gemächern . . . den labyrinthischen Grundriß seines Schlosses zugrunde legt« und so etwas charakteristisch Eigenes daraus macht. Zur Bezeichnung des Protagonisten der Parabel als »Mann vom Lande« bediente er sich »eines talmudischen Terminus, der hebräisch als ›Am-ha-Arez‹ im Gebrauch ist und soviel bedeutet wie ›Landvolk‹ oder ›unwissender Laie‹ im Gegensatz zum eingeweihten Gelehrten«.[66]

Daß altbiblisch-jüdisches Glaubensgut und talmudistische Lehre die Aussagen Kafkas weithin bestimmen und die Wiederherstellung des Urjudentums ihm ein Anliegen war, hat Heinz Friedrich hervorgehoben. Im *Brief an den Vater* warf Kafka diesem die konventionelle Oberflächlichkeit seines Judentums vor und betonte, daß eben hier – im religiösen Bereich – für ihn »Rettung denkbar« gewesen wäre.[67] Entsprechend konnte das an sich primitive Jiddische Theater orthodoxer Ostjuden eine aufwühlend tiefe Wirkung auf Kafka ausüben und auch die Thematik seines dichterischen Werkes entscheidend mitbestimmen. Tendenziell ist also Kafka »gar nicht so modern«. Im Gegensatz zum säkularisierten europäischen Bewußtsein der Moderne ist sein Bewußtsein vielmehr noch vielfältig im religiösen jüdischen Erbe verwurzelt: »Kafkas Glaube an das Unzerstörbare ist alter jüdischer Glaube, nicht europäische Gegenwart.« Dieser Initiator und Repräsentant der literarischen Moderne ist zugleich eine Stimme aus der Frühzeit. Gerade dies, daß in ihm ganz Ursprüngliches noch lebendig fortwirkt, daß hier in der Sprache des zwanzigsten Jahrhunderts Jahrtausende zu uns sprechen, daß also dieser so moderne Autor älter ist als Goethe, als Shakespeare, ja auch als Dante, macht nicht zuletzt die Macht und Faszination seines dichterischen Werkes aus.[68]

Wie intensiv Kafka das jüdische Schicksal in sich verspürte, erhellt aus seiner Äußerung zu Gustav Janouch über das alte Prager Judengetto:

> In uns leben noch immer die dunklen Winkel, geheimnisvollen Gänge, blinden Fenster, schmutzigen Höfe, lärmenden Kneipen und verschlossenen Gasthäuser. Wir gehen durch die breiten Straßen der neuerbauten Stadt. Doch unsere Schritte und Blicke sind unsicher. Innerlich zittern wir noch so wie in den alten Gassen des Elends. Unser Herz weiß nichts von der durchgeführten Assanation. Die ungesunde alte Judenstadt in uns ist viel wirklicher als die hygienische neue Stadt um uns.[69] (J 42)

Diese Äußerung Kafkas entspricht der Reaktion der Juden nach der Aufhebung des Judengettos im 19. Jahrhundert. Als die Gettomauern niedergelegt wurden, zogen die Juden nicht weg, sondern erklärten: »Bisher waren wir aus Zwang hier, jetzt bleiben wir aus Liebe hier.«

Wenn Kafka Ende September 1917, als ein Vierunddreißigjähriger, ins Tagebuch schrieb: »Dem Tod also würde ich mich anvertrauen. Rest eines Glaubens. Rückkehr vom Vater. Großer Versöhnungstag«, so ist der hier festgehaltene Rest eines Glaubens »das religiöse Rudimentgestein jüdischer Mystik«[70], zugleich aber Ausdruck intensiver Sehnsucht nach Geborgenheit im alten Glauben, nach Heimkehr des verlorenen Sohnes zum Vater.

Nicht zuletzt sei als eine Besonderheit des Kafkaschen Judentums dessen österreichisch-deutsche Prägung genannt, auf welche u. a. Max Brod, Albert Ehrenstein, Willy Haas, Julius Herz und Marthe Robert hingewiesen haben.[71] Deutsche und Juden, so betonte Willy Haas, das sei damals für die Tschechen in Prag fast identisch gewesen: »beide, Deutsche und Juden, waren gleich verhaßt.« Auguste Hauschner, eine Dichterin des alten Prag und selbst eine Jüdin, kannte in Prag nur Tschechen und Deutsche als miteinander kämpfende Völker und wußte von den Juden nur zu sagen, daß sie nicht wüßten, wohin sie gehören. In solchem Sinn schrieb Julius Herz: »The Jews found themselves between two hostile camps.« Albert Ehrenstein bezeichnete Kafka als einen »deutsch-österreichischen Dichter jüdischer Herkunft«, der das Erbe seiner »stilistischen Ahnherren ... Kleist und Stifter ... jüdisch-österreichisch verwaltet« habe. Ebenso nannte ihn Marthe Robert »un écrivain juif autrichien«.

Das vielleicht wichtigste Faktum aber ist, daß ein halbes Jahr vor seinem Tod – mit dem Besuch der Berliner Hochschule für das Judentum – Kafka eine entschiedenere Hinwendung zum Zionismus vollzog.[72] Schon im März 1923 hatte er eine große zionistische Versammlung besucht. Dora Dymant, die Lebensgefährtin seiner letzten Monate, war chassidisch erzogen und stammte aus einer jüdisch-orthodoxen polnischen Familie. Und zusammen mit ihr plante Kafka sogar die Einwanderung nach Jerusalem. Schon im Sommer 1923 überprüfte er »die Möglichkeit seiner Transportabilität«, war also dabei, »sich für die Fahrt ... vorzubereiten«.[73] Wenn er aber auf die Einladung, die große Reise anzutreten, erklärte, daß er leider jetzt nicht fahren könne, da er »sich zu dieser Zeit [dafür] noch nicht würdig, nicht rein genug fühle«, daß jedoch »die Hoffnung ... für eine spätere Zeit« bleibe, so spricht das nicht gegen, sondern für ein religiös moralisches Engagement. Lebenslang sehnte sich Kafka nach einer Heimstätte, wie sie ihm das väterliche Haus nicht hatte bieten können. In seiner vertieften Hinwendung zur religiösen Welt des alten Judentums sah Bergmann daher wohl mit Recht ein elementares Heimkehr-Bedürfnis, »den Durst nach dem lebendigen Volk Israel und dem seelischen Boden, den ein lebendiges Volk dem Menschen geben kann«, und verweist auf Kafkas Erzählung *Forschungen eines Hundes,* in welcher der Protagonist von der »ersehnten Wärme versammelter Hundeleiber« spricht.[74] In Kafkas Israelwunsch ging es darum, endlich die ersehnte Nahrung zu finden, die der »Hungerkünstler« vergebens suchte und darum unausgesetzt hungern *mußte.* So scheint es, daß Kafka im Heiligen Land die Chance »eines neuen Lebens sah, für das Volk Israel und für sich selbst; einen wirklich neuen Anfang in Reinheit durch Verwirklichung des himmlischen Jerusalem hier auf Erden«.

Rein emotional gedeutet ist das richtig, aber doch nicht die ganze Wahrheit. Denn Werk und Persönlichkeit Kafkas entziehen sich einer rein emotionalen Deutung. Seinem Wunschdenken und Glaubenwollen stand immer auch die Skepsis des Hoffnungslosen entgegen, der das unausweichliche Scheitern alles Bemühens resignierend vorwegnimmt. Daß Kafka gleichzeitig beides war: altjüdisch gläubig (dem archaischen Gesetz sensitiv verbunden) *und* aufgeklärt skeptisch, *homo religiosus und* Freigeist, eine Gestalt der Frühzeit *und* ein Mensch der Moderne, bedingte seine Problematik. Daß er den Spannungsgegensatz von Jahrtausenden in sich trug und nicht auszugleichen vermochte, darin lag seine Unerlösbarkeit. Letzthin aber überwog das alte Erbe, die religiöse Bindung an den jüdischen Ursprung. Schuld galt ihm als *Sünde* gegenüber Gott.[75]

Emanzipiert und doch nicht frei geworden, sondern in einem äußerlich gebrochenen Verhältnis seinem Judentum verhaftet, ist Kafka ein religiös motivierter Moralist und, wie schon betont, gerade auch in seinem Selbsthaß ein jüdischer Dichter. Jüdisch ist vor allem auch Kafkas religiöse Ehrfurcht vor dem Gesetz. Die Absolutheit des Gesetzes, das der Mensch zu befolgen hat, auch wenn er es nicht (oder nicht mehr) kennt, ist ein *A priori* seines Denkens und Wertens und verweist auf den richtenden Gott, der die Übertreter des Gesetzes, auch die unwissend schuldig Gewordenen straft. Im Blick auf diese Grundbefindlichkeit seiner Existenz erscheint die Frage, wie sich Kafka zum jüdischen Ritus verhielt, zweitrangig, ja gegenstandslos. Nicht so sehr äußerlich formal als vielmehr existentiell war Kafka ein jüdischer Schriftsteller. Zum eigentümlich Jüdischen Kafkas gehört nicht zuletzt auch sein »unbedingter Wahrheitsfanatismus«, der »ihn unbewußt mit der langen Ahnenreihe jüdischer Propheten und Gelehrten verbindet«.[76]

Wohl am eindringlichsten hat Hans Joachim Schoeps das genuin Jüdische Kafkas vergegenwärtigt. Er stellt ihn »in die Reihe der großen homines religiosi Pascal – Baalschem – Kierkegaard – Dostojewski« und betont, daß wie diese auch er »nur aus dem Glaubenshintergrund« seiner Religion zu verstehen sei. Nur handle es sich bei ihm »um abtrünnig gewordenes Glaubensgut, ja geradezu um eine Theologie des Abgefallenseins, der Heillosigkeit, in der verzweifelt nach dem Heil gesucht wird«. Das aber sei ein Element der *jüdischen* Theologie, die als einzige »das Phänomen echter Unheilsgeschichte [kennt], daß [nämlich] heilsgeschichtliche Sachverhalte sich in ihr striktes Gegenteil verwandeln und das Strukturgesetz der Offenbarung: das *Gesetz* weiterregiert in der Weise der Abwesenheit und eine unverkennbare Herrschaft ausübt«.[77] »Nach Gesetzen beherrscht zu werden, die man nicht kennt« – darin liege das »äußerst Quälende« des ungeborgenen Daseins der Gestalten Kafkas. Im besonderen spiegle sich darin »die religiöse Situation des modernen Judentums«, das zwar noch die »Ahnung eines verpflichtenden Gesetzes« in sich trage, aber von der alten »gesetzestreuen Orthodoxie . . . weithin abgekommen« sei. Infolgedessen gehe es hier grundlegend um *»Schuld,* in ihrem Wesen freilich nicht mehr erkennbare

Schuld, die die Welt . . . verfinstert«. Das Problem der Geschichte als *Heils*geschichte (besser ihre Verkehrung in *Unheils*geschichte) – dieser Aspekt jüdischer Theologie spiele in Kafkas Denken eine entscheidende Rolle, so daß die durch ihn bezeichnete »tragische Position nur geschichtlich entstanden und verständlich ist«. Im Grunde handle es sich in allen Dichtungen Kafkas »um das unausschöpfbare Phänomen des Vergessenhabens«, um die (nicht bewußte) Schuld des Abgefallenseins vom Gesetz. Die Fatalität der Welt Kafkas liegt somit darin, daß sie auch »weiterhin auf das Gesetz angewiesen« ist, aber – weil sie es verloren oder vergessen hat – »im Leeren treibt«. Was zurückbleibt, »sind Ängste, ungewisse Ahnungen – und eine phantastische Erwartung, daß in einer fernen Zukunft . . . das heilsgeschichtliche Wunder eintritt«.

Als einen legitim jüdischen Denkprozeß bezeichnet Schoeps die für Kafkas Dichtung typische »Schuldenträtselung aus Strafe«. »Wenn das Gesetz nicht mehr erkennbar ist«, weil es – »zu einer unendlich fernen Größe geworden« – in die Transzendenz entrückt erscheint, »dann läßt sich auch das Wesen der Verschuldung nicht mehr erkennen«; nur noch »aus der Strafe als solcher, aus ihrem Charakter und ihren Formen«, lassen sich Rückschlüsse auf die Schuld ziehen. »Solche für die altjüdische Theologie bezeichnende Kausalverknüpfung zwischen Verschuldung und Bestrafung« begegnet allenthalben bei Kafka.[78] Sowohl in den Romanen als auch in den Erzählungen zeigt sich »die Tendenz, aus der Art der Strafe das Wesen der Schuld enträtseln zu wollen«. Wenn in der *Strafkolonie* der Verurteilte den ihm in den Leib geritzten Schuldspruch mit den dabei empfangenen Wunden entziffert, so ist das eine solche symbolische Form der Enträtselung der Schuld aus der dafür erhaltenen Strafe. Auch im *Prozeß* geht es um die Existenz einer unbekannt gebliebenen Schuld, die – wie in der *Strafkolonie* – »einen unerbittlich präzisen Mechanismus in Bewegung . . . setzt«.[79]

Andrerseits läßt sich aber die *Strafkolonie* insofern nicht mit dem *Prozeß* vergleichen, als in ihr die Darstellung zugleich konkret realistische Ansprüche stellt und daher eine konsequente metaphysisch-religiöse Deutung nicht zuläßt. Hier hat sich der Vorgang der »Schuldenträtselung aus Strafe« von seinem heiligen Ursprung gelöst. In der Brutalität der barbarischen Strafprozedur ist nichts mehr von der Göttlichkeit des verlorenen Gesetzes gegenwärtig. Das Motiv als solches stammt zwar aus altehrwürdiger Tradition, aber in der hier begegnenden Verwendung ist es seines mythischen Zaubers entkleidet und in die profane Welt der gemeinen menschlichen Niedertracht einbezogen. Ähnliches gilt von der Vatergestalt in *Das Urteil,* die zwar in ihrer Riesenhaftigkeit noch etwas von der göttlichen Größe und Macht Jahwes zu repräsentieren scheint, gleichzeitig aber in krassester Form menschliche Unzulänglichkeit vor Augen stellt und die Würde des Alters als kindisch und lächerlich enthüllt. Die Senilität des patriarchalischen Gebarens läßt den erhobenen Autoritätsanspruch zur peinlichen Farce werden.[80] Infolgedessen darf die Interpretation Kafkas nicht bei einer Erörterung des Woher seiner Motive stehen bleiben, so kräftig auch altjüdisch-theologische Elemente in seiner Dichtung fortwirken und so viele seiner Bilder und Vorstellungen nur von diesen Ursprüngen her verstanden werden können. Tatsache ist, daß Altehrwürdiges hier in einer neuen säkularisierten Form und nicht selten ins Banale verfremdet erscheint, während umgekehrt Nichtiges als bedeutungsvoll, Beiläufiges als zentral fungieren kann. Das Werk dieses Dichters ist niemals nur Dokument jüdischer Religiosität und Ethik. Sein Horizont ist weiter gespannt. Er überschreitet die Bedingungen seiner geschichtlichen Herkunft.

Vor allem aber ist Kafka Erzähler und sein Werk Dichtung, nicht Theologie (welcher Herkunft auch immer). Das heißt: die altjüdisch theologischen Motive, die darin begegnen, sind in eine neue und weithin ahistorisch zeitlose Weltsicht eingegangen. So können sie zwar noch Altes signalisieren, gleichzeitig aber auch völlig umgewertet, mit andersartigen, ja gegensätzlichen Sinngebungen und in ganz neuen Funktionen erscheinen. Wie die Vatergestalt im *Urteil* zeigt, kann Heiliges ins Banale verfremdet werden. Vieles, was aus ehrwürdigsten Quellen geholt ist, verleugnet seinen göttlichen Ursprung.[81]

Dennoch wird man – vor allem im Blick auf die Romane *Der Prozeß* und *Das Schloß* – Schoeps zustimmen müssen, »daß in den Werken Kafkas eine zugespitzte religiöse Problematik herrscht und . . . – wenn auch in säkularisierter Form – die zentralen Themen jüdischer Religiosität durchgetragen werden«.[82] Vor allem geht es immer wieder um »die Metaphysik der unbekannten, aber realen Schuld«, die darin besteht, »daß das Gefühl der Sündhaftigkeit ausbleibt« und die Strafe infolgedessen in einem Akt der Überrumpelung auf den Menschen trifft. Weil aber die Schuld unbekannt bleibt (zumindest nicht überzeugend bewußt gemacht wird), erscheint das Strafgericht unverständlich, ja absurd. Das Bedrückende der Dichtung Kafkas liegt in der Tat darin, daß »der Himmel unsichtbar, das Gesetz unbekannt, die Gnade verschlossen, [aber] das Gericht [in seiner unerbittlichen Härte] wirklich« sind und der Leser – trotz des scheinbar unmotivierten Handlungsverlaufs – gleichwohl die unabweisliche Notwendigkeit des Geschehens spürt. Es geht bei den Protagonisten Kafkas um ein »Leben in der Selbstverlorenheit und unter einem Gesetz, das vergessen, darum aber nicht aufgehoben worden ist . . . seine Gültigkeit für den Menschen dauert an; er bleibt hineingezwungen in die Generationskette derer, die dem Gesetz tributpflichtig sind, selbst wenn sie den Tribut gar nicht mehr kennen und füglich nicht mehr entrichten können. Geschlechterkette und Gesetze sind unentrinnbar, gleichgültig, ob ihr Sinngrund ins Bewußtsein tritt oder unverständlich bleibt«. In diesen Sätzen ist – wie in einem Modell – die tragische Position der Gestalten Kafkas gekennzeichnet, ihr lebenslang vergebliches Ringen um die Wiedereinfügung in die Geborgenheit einer universalen Ordnung, in das verlorene unbekannte Gesetz.

Antike

Man zögert, antikes Erbe in Kafkas Dichtung anzunehmen. Direkte Beziehungen zur Welt der Alten sind darin so selten, daß man eher von einem Nichtverhältnis Kafkas zur Antike sprechen könnte. In der Tat gibt es in seinen Erzählungen und Romanen für die Olympier keinen Raum, und selbst ein symbolisches Nachleben ist ihnen versagt.[1] Überhaupt war die alte Götterwelt, die das abendländische Denken und Dichten so lang und nachhaltig bestimmt hatte, schon seit Novalis' *Hymnen an die Nacht* aus der modernen deutschen Literatur verbannt. Der *poetische* Polytheismus Schillers und Goethes und Hölderlins »feierndes Rühmen der Götter« haben die Epoche der Klassik nicht überdauert.[2] In seiner Skizze *Prometheus,* die von den vier auf uns gekommenen Berichten über diese Gestalt handelt, hat Kafka den irreversiblen Untergang der antiken Götterwelt drastisch verdeutlicht. Nach der dritten Fassung der Prometheus-Sage, so heißt es hier, sei dessen Verrat in den verflossenen Jahrtausenden vergessen worden. Und nach der vierten sei man »des grundlos Gewordenen« endgültig müde geworden: »Die Götter wurden müde, die Adler wurden müde, die Wunde schloß sich müde.«

Indessen war Kafka als Schüler des humanistischen Altstädter Gymnasiums in Prag selbstverständlich mit der Antike in Berührung gekommen und hat die im Lehrplan vorgesehenen Werke antiker Literatur im Originaltext gelesen.[3] Doch hat – außer gelegentlichen Nennungen antiker Namen[4] – diese Lektüre in Kafkas Werk kaum einen Niederschlag gefunden. Wie Johannes Urzidil überlieferte, hat Kafka die Welt der Antike zwar voll Scheu respektiert, ist aber nicht in sie eingetaucht, hat sich ihr gegenüber ironisch distanziert und dadurch sich selbst zu behaupten gesucht. Urzidil spricht sogar von »der nie überwundenen Gymnasiastenlust [Kafkas], den Griechischlehrer zu veräppeln«.[5] Diese Einstellung bezeugt sich auch darin, daß die wenigen kurzen Erzählungen, in denen er altgriechische Stoffe aufgriff, keine Wiederbelebungsversuche, sondern Umdichtungen, ja Verfremdungen darstellen.[6] Infolgedessen geht es bei der Beziehung Kafkas zur Antike nicht um einen lebendig fortwirkenden Traditionszusammenhang, nicht um direkte literarische Einflüsse, die Kafka durch die Lektüre altgriechischer Dichtung erfahren hat, sondern um typologisch bedingte ursprüngliche Gemeinsamkeiten. Was Kafka an Übereinstimmendem oder Vergleichbarem zum Beispiel mit Sophokles verbindet, hat er nicht von diesem übernommen; hier geht es darum auch nicht um den Nachweis von Plagiaten, sondern um die Feststellung, daß *unabhängig voneinander* bei beiden Dichtern prinzipiell ähnliches begegnet. Andererseits ist Kafka in seinen Themen, Problemen und Motiven nicht so originell, wie er dem modernen Leser erscheint. Ja, er hat manches von dem, was er gelesen hatte, stofflich genau übernommen. Aber für alle solche stofflichen Entlehnungen Kafkas gilt, was er selbst über seine literarische Beziehung zu Kierkegaard geäußert hat: »Er bestätigt mich wie ein Freund.« Mit anderen Worten, der Ertrag seiner Lektüre war nie ein Sich-Schmücken mit fremden Federn, sondern immer nur Bestätigung des Eigenen.

Was Kafka übernahm, war also nie etwas Fremdes, nichts neu Hinzukommendes, sondern immer etwas in ihm schon Angelegtes. So mußte er den Sisyphus der Antike nicht erst kennenlernen. Sisyphus war er selbst. Er hätte ihn erfinden müssen, falls es ihn nicht schon – eben in der Antike – gegeben hätte. Sisyphus ist geradezu der Archetypus der Kafkaschen Gestalten. In immer neuen Erscheinungsformen hat Kafka die Sisyphusmarter der menschlichen Existenz vor Augen gestellt. Aber gewiß lassen sich auch direkte literarische Einflüsse nachweisen, die das Schreiben Kafkas geprägt oder doch mitgeprägt haben. Und sicher hat er von seinen Vorbildern auch beflissen »gelernt«. So hat die Dialogform Platos – in gleichsinnigem Zusammenwirken mit dem dialektischen Stil juristischen Argumentierens, wie das Kafka durch Studium und Beruf nahelag – Einfluß auf die Kunst seines sprachlichen Gestaltens geübt.[7]

Aber auch in seiner ureigenen, den Leser als ganz modern ansprechenden Thematik ist Kafka – bewußt oder (mehr noch) unbewußt – ein Erbe vieler Ahnen. Das hat auch John Fowles ausgesprochen und zugleich darauf hingewiesen, daß diese Ahnenreihe bis in die frühe Antike zurückreicht.[8] Kein Geringerer als Jorge Luis Borges, der selber zur Nachfolge Kafkas gehört und einige seiner Werke ins Spanische übersetzt hat, plante einmal, wie er in *Otras inquisiziones* ausführt, einen chronologisch geordneten Überblick über die Vorläufer Kafkas. Zuerst habe er diesen Autor zwar für so einmalig gehalten wie den wunderhaften Vogel Phönix der Fabel. Nachdem er ihn aber genauer kennengelernt hatte, glaubte er, die Stimme und Eigentümlichkeiten des Dichters in den verschiedensten Literaturen und Zeitaltern wahrnehmen zu können. Eine erste Spur solcher Art entdeckte er gerade auch in der griechischen Antike.

In der Tat gibt es einige charakteristische Züge in Kafkas Dichtung, welche auffällige (und nicht nur äußerliche) Parallelen in der Literatur der Antike aufweisen. So spielt die für die Weltsicht Kafkas fundamentale Vorstellung des *Labyrinths* auch in der altgriechischen Vorstellungswelt eine Rolle von sinnbildlicher Bedeutung. Ähnliches gilt von der *Tiermetapher,* die im bildhaften Denken der Alten ebenfalls eine eigene Aussagekraft besaß. Zwar läßt sich die Verwandlung Jupiters in einen Schwan gewiß nicht mit der Verwandlung Gregor Samsas in ein Ungeziefer vergleichen, zumal sie eine gewollte Selbstverwandlung des

Gottes war und keine vernichtende Fatalität. Doch begegnen solche erstaunlichen Verwandlungsvorgänge bei Kafka so häufig, daß sich Assoziationen zu den eigenartigen tiermenschlichen Zwittergestalten und Tierverwandlungen in antiken Sagen und Mythen (Minotaurus, Polyphem, Skylla, Charybdis, die Verwandlung der Gefährten des Odysseus in Schweine durch die Zauberin Kirke u. a.) aufdrängen. Und wie bei Kafka bekundet sich in diesen Erscheinungen auch dort das Grauen vor der Unheimlichkeit und Bedrohlichkeit der Welt. Vor allem aber ist die antike Gattung der *Fabel* zu nennen, die schon im sechsten Jahrhundert vor Christus durch Äsop zur Blüte gebracht wurde und mit ihrer Spiegelung menschlicher Typen in Tiergestalten für Kafka literarische Modellbedeutung besaß. Hinzu gehört auch die aus dem zweiten vorchristlichen Jahrhundert stammende *Marmorgruppe des Laokoon*, des trojanischen Priesters, der mit seinen beiden Söhnen von zwei Schlangen umzingelt und erwürgt wird. Stellt sie doch – ähnlich wie das Bild des Labyrinths – das Kernthema Kafkas vor Augen: die fatale Sisyphusexistenz des Menschen, aus der es kein Entrinnen gibt, das Eingekreistwerden von einem sich nahenden Verderber, das Zuschlagen der Falle und zuletzt die gnadenlose Vernichtung. Direktes antikes Erbe ist Kafkas angstvolle Anspielung auf den »Neid der Götter«, wenn er in einem Brief an Max Brod (Br 384) bekannte, daß er sich davor fürchte, durch eine für seine Verhältnisse große Tat »die Aufmerksamkeit der Götter« auf sich zu lenken.

Aber auch das dialektische Spielen mit dem Absurden, wie es die Sophisten in der Antike entwickelt haben, lebt auf eigene Weise im Dichten Kafkas fort. Eine gewisse Zusammengehörigkeit Kafkas mit Zenon dem Älteren aus Elea (etwa 490–430 v. Chr.), dem Schüler des Parmenides und »Erfinder« der Dialektik, hat schon Borges festgestellt. Und zwar bezieht er sich im besonderen auf Zenons berühmten Trugschluß über die Bewegung, demzufolge ein sich bewegender Körper im Punkt A den Punkt B niemals erreichen könne, weil er, bevor das möglich wäre, erst einmal die halbe Distanz zwischen den beiden Punkten und vorher noch die Hälfte dieser halben Distanz und vor dieser auch erst die Hälfte des halbierten Abstandes und so weiter bis ins Unendliche überwinden müßte. Infolgedessen sei es aber unmöglich, jemals den Weg von A bis B zurückzulegen. Genau nach dieser Formel – so argumentiert Borges – ist Kafkas Roman *Das Schloß* aufgebaut. Wenn K., der Held dieses Romans, trotz zielstrebiger Bewegung und unermüdlicher Anstrengung nicht ins Zentrum der Schloß-Verwaltung einzudringen vermag, so demonstriert er beispielhaft das Zenonsche Paradox, daß eine Bewegung von A bis B grundsätzlich nicht gelingen könne. Das gleiche besagt Zenons Unterstellung, der fliegende Pfeil ruhe, da er in jedem Moment nur an *einem* Ort sei. Am bekanntesten ist sein Trugschluß vom Wettlauf des Achill mit der Schildkröte: Achill, der schnellste Mensch, könne eine Schildkröte, das langsamste Tier, niemals einholen, wenn diese auch nur einen ganz geringen Vorsprung habe; denn der Verfolger müsse in jedem Augenblick erst den Punkt erreichen, von dem in demselben Augenblick die Schildkröte aufbricht, und so werde diese stets einen, wenn auch immer kleinen Vorsprung behalten.

Noch präziser als im *Schloß* ist dieses Niemals-ans-Ziel-gelangen-Können in der kurzen Erzählung *Eine kaiserliche Botschaft* verdeutlicht:

> Der Bote hat sich gleich auf den Weg gemacht; ein kräftiger, ein unermüdlicher Mann; einmal diesen, einmal den anderen Arm vorstreckend schafft er sich Bahn durch die Menge; ... er kommt auch leicht vorwärts, wie kein anderer ... Aber ... wie nutzlos müht er sich ab; immer noch zwängt er sich durch die Gemächer des innersten Palastes; niemals wird er sie überwinden; und gelänge ihm dies, nichts wäre gewonnen; die Treppen hinab müßte er sich kämpfen; und gelänge ihm dies, nichts wäre gewonnen; die Höfe wären zu durchmessen; und nach den Höfen der zweite umschließende Palast; und wieder Treppen und Höfe; und wieder ein Palast; und so weiter durch Jahrtausende ...

Die zu durcheilenden Gemächer des inneren Palastes, die zu überwindenden Treppen, die zu durchmessenden Höfe, der folgende zweite Palast mit den wiederum folgenden Treppen und Höfen und die endlos sich anschließenden weiteren Paläste mit Treppen und Höfen verbildlichen die Unmöglichkeit, irgend etwas zu überspringen, das nicht zu umgehende strikte Nacheinander aller einzelnen Wegstationen und damit die letzthin unendliche Zahl der kleinen Einzelschritte. Diese Erzählung vergegenwärtigt also die Absurdität des Zenonschen Trugschlusses als Realität und Fatalität. Was jedoch in antiker Philosophie noch dialektisches Gedankenspiel und sophistisches Vergnügen war, erscheint in der modernen Literatur als lastender Ernst, als Signum der »gebrechlichen Einrichtung der Welt«. Was als lediglich gedacht praktisch *ad absurdum* geführt werden konnte, erweist sich jetzt als eine zu erleidende groteske Wirklichkeit. Die Philosophie hat somit – ungewollt und unbewußt – die Krisen des in ein Labyrinth geratenen modernen Menschen, seine heillose Isolation und sein zwangsläufiges Scheitern gedanklich vorweggenommen. Die Trugschlüsse Zenons treffen den tragischen Kern des menschlichen Daseins. Sie liefern die abstrakte Formel für das *Warten auf Godot*, das *Endspiel* ohne Ende, die Frustrationen der Kafkaschen Protagonisten, das Hungernmüssen, weil es die Nahrung nicht gibt, die sättigen könnte.

Indessen geht es bei dieser assoziativen Verbindung Kafkas mit Zenon nicht lediglich um Ideelles oder Inhaltliches, nicht darum daß hier aus unverbindlichem Spiel existentieller Ernst geworden ist, sondern auch um die Kunstmittel der Form. Die Bilder, die Kafka wählt, oder richtiger: sein Denken in Bildern, betreffen mit Vorzug die in Zenons Trugschlüssen angesprochenen Bewegungsvorgänge, die ihrerseits – trotz höchster Anstrengung – weniger ein Fortbewegen, als ein Auf-der-

Stelle-Treten darstellen und so die Vergeblichkeit des Lebenskampfes als einen Vorgang sichtbar machen.[9] Denn in Kafkas Darstellungen ist die Abstraktion im Vollsinn des Wortes konkret geworden. Das heißt, es geht um autonome Bilder, nicht um (der Wirklichkeit enthobene) Allegorien. Das vor Augen Gestellte besitzt Eigenleben und will als solches ernstgenommen werden; es illustriert nicht lediglich, es meint sich selbst. Diese Gestaltungen sind in der Tat »jenseits von Allegorie und Symbol«.[10] Eben darin liegt das Geheimnis ihrer Wirkung. Sie symbolisch und allegorisch aufzuschlüsseln, wäre ein Akt vivisektorischer Gewalttätigkeit.

Die Dialektik Zenons ist nicht das einzige, aber vielleicht charakteristischste Beispiel in der Antike, das Assoziationen zu Kafka nahelegt. Ob Kafka Zenon überhaupt gekannt hat, spielt dabei keine entscheidende Rolle. Wichtig ist lediglich, daß ein Zusammenhang erkennbar ist, unabhängig davon, wie er zustande kam. Gerade wenn sich keine direkten Beziehungen nachweisen lassen, bleibt es ein um so erregenderes Faktum, daß Gedankenexperimente aus dem vierten vorchristlichen Jahrhundert für einen modernen Dichter modellhafte Bedeutung besitzen. Zwar hat Zenon selbst bei seinen Trugschlüssen sicher nicht an die in seinen Gedankenspielen angelegten ernsten Möglichkeiten gedacht. Der existentielle Wahrheitsgehalt seiner absurden Schlußfolgerungen lag noch außerhalb seines Blickfeldes. Aber alles Gedachte, auch das (scheinbar) Absurde, besitzt die Potenz zum Sein und will sich verwirklichen. Der moderne Flugverkehr setzt die Sage vom Ikarusflug voraus. Die Möglichkeit des Fliegens mußte erst einmal gedacht werden, ehe sie in einem langwierigen Prozeß des Experimentierens, Scheiterns, Korrigierens und schließlichen Gelingens realisiert werden konnte. Da zudem nichts verloren geht, was einmal gedacht worden ist, enthält die Gegenwart immer die Summe der ganzen Vergangenheit. Gleichzeitig gilt jedoch, daß kein Gedanke genau das bleibt, was er *in statu nascendi* war, daß er sich vielmehr variierend weiterentwickelt und neue Gedankenketten in Bewegung setzt. Ja, er kann in Seitenpfade einmünden, die dann später wieder zu Hauptstraßen werden. Goethes Feststellung »Vernunft wird Unsinn, Wohltat Plage« gilt auch umgekehrt: Trugschlüsse und Paradoxe, absurde Folgerungen, die schon vor Jahrtausenden als solche gesehen wurden, können fatale Aktualität gewinnen und so aus Unsinn Sinn werden. Die nur fingierte Absurdität dialektischen Spiels erweist sich auf einmal als real. In der Sicht moderner Literatur erscheint die Wirklichkeit als solche grotesk.

Zenon und Kafka repräsentieren geschichtlich und individuell verschiedene Welten und gehören dennoch zusammen. Was in der Dialektik des alten Philosophen noch ein absurder Einfall außerhalb aller Wirklichkeit war, stellt sich in Kafkas Gestaltungen als das durchlaufend geltende Gesetz des menschlichen Lebens dar, dessen »labyrinthisch-irrer Lauf« nur durch die paradoxe Formel eines Trugschlusses zu fassen ist. Darum trifft Borges einen wichtigen Punkt, wenn er die Paradoxe Zenons mit Kafka verbindet:

> ... the moving body and the arrow and Achilles are the first Kafkaian characters in literature.[11]

Aber wie betont, ist das Verhältnis Kafkas zur Antike nur unter typologischem Gesichtspunkt fruchtbar zu erörtern. Rezeptionstheoretisch hingegen gibt ein Vergleich kaum etwas her. Wenn auch, wie sich zeigen läßt, Kafka in manchem mit Sophokles vergleichbar erscheint, so war er doch kein fundierter Kenner noch auch ein engagierter Leser des antiken Tragikers; er hat Sophokles nicht »studiert«, sich nicht als ein Lernender mit ihm auseinandergesetzt. Was ihn mit Sophokles verbindet, sind nicht historisch ableitbare Gemeinsamkeiten, sondern zeitunabhängige typologische Übereinstimmungen, »Grundbefindlichkeiten« also, aus denen heraus beide – unter ihren jeweils besonderen zeitgeschichtlichen Bedingungen – gedichtet haben. Als bloßer Sophokles-Epigone könnte Kafka auch niemals das Interesse finden, das ihm weltweit zuteil geworden ist. Seine außerordentliche Wirkung beruht vielmehr eben darauf, daß seine Gemeinsamkeiten mit anderen Dichtern nicht auf Nachahmung, sondern auf Verwandtschaft beruhen und darum seine gestalterische Originalität nicht aufheben. So trifft zwar zu, daß die zur Katastrophe treibende Situation *tragischen Nichtwissens,* wie sie im *Ödipus* des Sophokles exemplarisch gestaltet ist, für alle Protagonisten Kafkas gilt, aber ohne daß das antike Beispiel als direktes Vorbild – wie etwa für Schillers *Braut von Messina* – angesprochen werden könnte. Ebenso ist jede Gestalt Kafkas wie Sisyphus ein sich plagender, durch die ihm auferlegte Aufgabe überforderter und täglich aufs neue scheiternder Mensch, aber ohne daß Kafka jemals an die antike Figur des Sisyphus anknüpft. In der Sicht Kafkas ist jeder Mensch, auch er selbst und jeder seiner Helden jeweils sein eigener Sisyphus. Unter diesem pessimistisch resignierenden Aspekt, der auch der Antike nicht fremd war, hat er Welt und Leben gesehen.

Neuerdings hat Eugen Biser auf die an Kafka gemahnende »Position der pessimistisch gestimmten Antike [hingewiesen], für die das größte Glück des Menschen darin bestand, nicht geboren zu werden, und das zweitgrößte, alsbald nach der Geburt zu sterben«.[12] So ließ Sophokles »im letzten Chorlied seines *Ödipus auf Kolonos* [verkünden]: ›Nicht zu entstehen, ist das Beste. Bist du aber da, dann ist das Zweitbeste, daß du so rasch wie möglich dorthin zurückkehrst, von wo du kamst.‹ (1224).«[13] Das sind Aussagen, die Kafka nicht kannte, die er aber geradezu wörtlich ebenso geschrieben haben könnte: gleichsam eine antike Version der Kafkaschen These von der »Unmöglichkeit zu leben«, die auch schon in der Dichtung des Altertums in zahlreichen Variationen begegnet und in manchen ihrer Ausdrucksformen fast krisenhaft modern anmutet. Der Ausspruch des Ödipus: »Ich fürchte vor mir selbst mich,

Weib . . .« scheint ganz von hier und heute; er beschwört verzweiflungs-
voll den drohenden Selbstverlust der Person und damit die Bodenlosigkeit der Existenz. Auch der wiederholte Klageruf Kassandras im *Agamemnon* des Äschylos:

> Oh, oh, wehe
> Apollon, Apollon

ist Ausdruck krisenhafter Verzweiflung und Lebensangst.[14]

Das Wissen um den überall drohenden Abgrund, die Angst undurchschaubar dunklen Mächten ausgeliefert zu sein, waren dem antiken
Lebensgefühl immanent. Nachdrücklich hat Nietzsche diese pessimistischen Züge in der Weltsicht der Antike betont:

> Über das Leben haben zu allen Zeiten die Weisesten gleich geurteilt: *es taugt
> nichts* . . . Immer und überall hat man aus ihrem Munde denselben Klang
> gehört – einen Klang voll Zweifel, voll Schwermut, voll Müdigkeit am Leben,
> voll Widerstand gegen das Leben. Selbst Sokrates sagte, als er starb: »leben –
> das heißt lange krank sein: ich bin dem Heilande Asklepios einen Hahn
> schuldig«.[15]

Und wie in der Moderne ergab sich auch in der Antike dieser krisenhafte Pessimismus aus dem Gefühl der Verlorenheit angesichts der
brüchig gewordenen alten Glaubensfundamente – aus dem Schwinden
des Götterglaubens, wie Sophokles klagt – ein Pessimismus, der »den
Willen zum eigenen Sein« untergräbt:

> Er hat sich gleichsam in den Lebenswillen selbst eingenistet und ihn von innen
> her ausgehöhlt. Das aber besagt, daß der . . . Mensch in der Integrität seines
> Selbstseins angefochten und von daher weithin unfähig ist, sich in dem, was er
> ist und was mit ihm geschieht, zu akzeptieren.[16]

Diese in Kafkas Dichtungen eindringlich vergegenwärtigte Existenzkrise, der zufolge der Mensch der Motivation zum Selbstsein verlustig
gegangen ist, hatte schon im *Ödipus* – in den zeitgerechten Formen der
antiken Lebenswelt – radikalen Ausdruck gefunden durch einen Dichter, der die heile Welt des unangefochtenen alten Götterglaubens festhalten wollte. Auch für Kafka war die Geltung des alten Gesetzes noch
ein Absolutum und der Abfall vom Gesetz die die Katastrophe auslö-
sende Ursünde, die Rückkehr zum alten Glauben darum »ein Ziel aufs
innigste zu wünschen«, der Eintritt bzw. der Wiedereintritt in das Gesetz
die zu leistende eigentliche Aufgabe.[17]

Der vergleichende Blick auf Dichtung, Kunst und Kultur der Antike
erhellt also, daß es in den schockierenden Gestaltungen Kafkas nicht um
Absonderliches geht, sondern um etwas in wechselnden Erscheinungsformen immer wiederkehrendes wesenhaft Menschliches, eben um die
Schrecken einflößende Konfrontation mit der aus eigenen Kräften allein
nicht zu bewältigenden Problematik des Menschseins. Auch ihn bedrängte die angstvolle Einsicht des Sophokles, daß mit dem Schwinden
des religiösen Haltes der Mensch den Boden unter den Füßen verliert

und diesen Verlust nur notdürftig kaschieren, nicht aber beheben kann. Was daraus resultiert, ist darum hier wie dort ein Leben in der Angst, die, so sehr man sie auch verdrängen oder gar vergessen mag, uns am Ende doch einholt und niederzwingt. Existentielle Angst ist schon immer erlebt und erlitten worden. Nicht erst Kierkegaard hat sie in die Welt gebracht, wohl aber am eindringlichsten analysiert. In der Literatur der Welt – und sogar, ja gerade im Märchen – war sie von Anbeginn ein erregendes Thema. In diesen Zusammenhang gehört auch die existentielle Auffassung des Schuldbegriffs, daß nämlich, wie Walter Sokel betont, bei Kafka »Schuld« nicht im gängigen Sinn zu verstehen sei, sondern als ein komplexes Verhängnis, wie es die Helden der klassischen Tragödie von Äschylos bis Kleist kennzeichnet.[18]

Aber wie alle dichterischen Auseinandersetzungen Kafkas mit traditionellem Erzählgut stets zu etwas gestalterisch Eigenem führten, stellen sich auch seine wenigen und knapp gehaltenen Befassungen mit Themen der Antike als *Umdichtungen* und *Neudeutungen* der alten Mythen dar.[19] Ging es ihm doch nicht um Vergegenwärtigung von historisch Antikem, sondern um die ahistorisch persönlichen Assoziationen, welche durch die Sagen des Altertums in ihm ausgelöst wurden.[20] Nicht das Einmalige, sondern das Überzeitliche und darum *auch* Jetztzeitige war der Bezugspunkt seines Denkens. Was hier vorliegt, ist daher ironische Distanzierung von der alten Welt, Entmythologisierung im weitesten Sinn des Wortes, radikale In-Frage-Stellung der Überlieferung.[21] Wie Richard Thieberger betont, wähle Kafka

> mit Vorliebe Themen – Geschichten, Sagen, Legenden, [Mythen], literarische Motive, die schon vor ihm behandelt worden sind und in einer vermeintlich gesicherten Tradition stehen. An dieser rüttelt er mit Vorliebe. Die überlieferte Wahrheit wird in Frage gestellt und darüber hinaus die Möglichkeit der Wahrheitsfindung überhaupt ... Odysseus, die Sirenen ... Prometheus [und vor allem auch Poseidon sind] Beispiele einer solchen Entmythologisierung.[22]

In Kafkas Erzählung *Poseidon* (1920) ist die Entmythologisierung am weitesten getrieben. Hier erscheint der antike Gott nicht mehr als Herr der Meere, sondern als Chef einer Kanzlei, dem »die Verwaltung aller Gewässer« übertragen ist und der nun in dieser Funktion als ein pedantisch gewissenhafter Beamter »ununterbrochen rechnet, dabei aber die Meere selber« kaum je gesehen hat, vielmehr zu sagen pflegt, »er warte damit bis zum Weltuntergang, dann werde sich wohl ein stiller Augenblick ergeben, wo er knapp vor dem Ende, nach Durchsicht der letzten Rechnung, noch schnell eine kleine Rundfahrt werde machen können«. Offenkundig handelt es sich hier nicht lediglich um »humorige Darstellung«, wie Krusche an dieser Erzählung rühmt,[23] sondern um eine »feine, von grotesken Zügen durchsetzte Ironie, deren Strategie Umfunktionierung und Verfremdung ist«.[24] In dieser Kontrastierung von antikem Mythos und moderner Manager-Rationalität liegt ein stark parodistisches Element. Mehr noch, die Deklassierung des Gottes zu einem »unermüdlichen Rechner«[25] bedeutet parodistische Zerstörung des Mythos, restlose Vernichtung der antiken Götterwelt. Schon in einem gut zwei Jahre vorausliegenden Fragment hatte Kafka in solch destruktivem Sinn von dem Meergott gehandelt, der, »seiner Meere überdrüssig, an felsigem Gestade sitzt« und dessen Händen der Dreizack entfallen ist, während nur noch »eine von seiner Gegenwart betäubte Möwe . . . schwankende Kreise um sein Haupt zieht«.

Auch im *Prometheus*text vom Januar 1918, der aber gleichzeitig im biblisch religiösen Sinn gedeutet werden kann,[26] geht es um Entmythologisierung durch »Gegenüberstellung und Relativierung von vier verschiedenen Auslegungen der Prometheussage«. »Die Auflösung des Mythos besteht hier in der von Kafka proklamierten ›Unerklärlichkeit des Wahrheitgrundes‹ dieser Sage.«[27] Der Mythos löst sich von selber auf, insofern der von Prometheus an den Göttern begangene Verrat von beiden Seiten einfach vergessen wird. Von Herakles, der nach der Sagenüberlieferung Prometheus befreite, indem er den quälenden Adler durch einen Pfeilschuß tötete, ist bei Kafka keine Rede mehr.

Eine besondere Form parodistischer Verfremdung begegnet in der Erzählung *Der neue Advokat* (1916).[28] Wenn von diesem gesagt wird, daß er sich aus den Zeiten Alexanders des Großen, in denen er dessen *Streitroß* war, in die Gegenwart verirrt habe, so ist hier durch eine bestürzende Verwendung der Tiermetapher die Parodie auf extravagante Weise verschärft. Dabei wirken Tiermetapher und Rückbezug auf die Antike in gleichem Sinn. Beide sind extreme Formen der Verfremdung und *Vereinzelung* des Protagonisten. Der isolierte Mensch erscheint bei Kafka jeweils in Tiergestalt, und in der Erzählung *Die Verwandlung* geht er sogar der fundamentalsten aller menschlichen Qualitäten, des Kommunikationsmittels der Sprache, verlustig. Vollends in der Geschichte *Die Sorge des Hausvaters* begegnet der Protagonist *Odradek* »als ein Wesen, das weder Mensch noch Tier noch Ding« ist.[29] Der Kafkasche Held bzw. Antiheld ist also »als ein Fremdling von der Welt, in der er angetroffen wird, getrennt«. »Er hat nicht teil an ihrer Zeit, ist nicht gleichzeitig mit ihr.« So gehört der *Jäger Gracchus* (1917) zur Welt vor fünfzehnhundert Jahren, und vom *Hungerkünstler* (1922) wird gleich im ersten Satz gesagt, daß er einer anderen Zeit als der gegenwärtigen angehöre. Das gleiche meint, wenn von K. im *Schloß* (1922) mitgeteilt wird, daß er von anderswo herkomme, also kein Zugehöriger sei und darum niemals in die Dorfgemeinschaft eingegliedert werden könne. Der Bezug auf die Antike und die Vergangenheit überhaupt erfolgt also nicht um des Gewesenen willen, sondern unter aktuellem Aspekt. Kafka geht es immer um die überzeitlichen Leiden gegenwärtiger Menschen.

Auch die Erzählung *Das Schweigen der Sirenen* (1917) verfremdet ihren an antike Sage und Mythos anknüpfenden Gegenstand durch moderne Auslegung. Der Odysseus dieser Geschichte ist ein Geschöpf Kafkas, keine Gestalt Homers. Die Sage wird geradezu auf den Kopf gestellt. Denn die von den Sirenen drohende Gefahr liegt nicht mehr in ihrem Gesang, sondern in ihrem Schweigen. Vor diesem aber kann man sich nicht retten. Und der Held selber wird entheroisiert: Odysseus verstopft nämlich nicht seinen Gesellen, sondern sich selbst die Ohren in der Absicht, die Sirenen und die Götter durch einen Trick zu überlisten. Es geht ihm also nicht um einen wirklichen Sieg über die Sirenen, er stellt sich nicht der Gefahr, sondern weicht ihr aus. Was er aber bei seiner vermeintlichen Schlauheit übersieht, ist, daß die Sirenen überhaupt nicht singen. Der Trickreiche erliegt also selber einem Trick. Er verkennt die Situation: er hört das Schweigen der Sirenen nicht und glaubt, sie singen. Das aber besagt: nicht als Sieger, sondern als ein schmählich Getäuschter geht er aus dieser Begegnung hervor und weiß es nicht einmal. Es war ihm entgangen, daß »nicht der Gesang der Sirenen, sondern ihr Schweigen« die Gefahr für ihn ist, »weil es ihm einen Sieg bloß vortäuscht und ihn so zur Überheblichkeit verführt«.[30] »Indem er der Verführung der Sirenen durch ihren Gesang zu entgehen glaubt«, so argumentiert Ingeborg Henel, verfalle er einer schlimmeren Verführung durch ihr Schweigen und gebe dadurch »der Schraube der Verführung gewissermaßen eine weitere Drehung«. Die Verführung betreffe nicht mehr das äußere Schicksal des Odysseus wie in der Sage, sondern den inneren Menschen und könne daher »auf den Menschen schlechthin bezogen werden«. Indem aber das Problem der Verführung solchermaßen vertieft und die Sage zur Parabel wird, ist aus dem alten Mythos moderner Kafka geworden. Auch der Odysseus dieser Geschichte ist somit wie alle Protagonisten Kafkas ein scheiternder Sisyphus – trotz seines scheinbar so klugen Verhaltens.

Insgesamt gilt also, daß Kafkas Anknüpfen an Elemente antiker Überlieferung immer ein Umfunktionieren, ja ein modernisierendes Transformieren ins Eigene darstellt. Auch die für ihn charakteristische Neuerscheinung des »gleitenden Paradoxes«, auf die Gerhard Neumann hingewiesen hat, bestätigt diesen Zug zu verfremdender Weiterführung des Angesprochenen an einem Beispiel aus der Antike:

In dem Tagebucheintrag (T 29): »Zeno sagte auf eine dringliche Frage hin, ob denn nichts ruhe: Ja, der fliegende Pfeil ruht.« beginnt Kafka mit einer Umkehrung der Behauptung Zenos, es gebe keine Bewegung, und gelangt dann zu der für das Paradoxon typischen Vereinigung des Unvereinbaren.[31]

Auffällig ist, daß gerade in den Erzählungen Kafkas, in denen Gestalten und Begebenheiten der Antike angesprochen werden, kein Zusammenhang mit der Welt der Alten besteht. Prometheus, Poseidon, Odysseus sind hier keine antiken Helden und Götter, sondern Kafkasche Gestalten. Umgekehrt begegnet der antike Ahne der Kafkaschen Protagonisten in keiner Dichtung Kafkas. Nur einmal – in einer Tagebuchnotiz – wird *Sisyphus* genannt. Paradoxerweise steht Kafka der Antike dort am nächsten, wo er sich mit keinem Wort auf Antikes bezieht.

Urmodell seiner Dichtung ist aber de facto die Geschichte des Königs Sisyphus, der von den Göttern dazu verurteilt war, einen schweren Marmorblock bergauf zu wälzen, diese mühevolle Arbeit jedoch nie zu Ende bringen konnte, sondern immer wieder von neuem beginnen mußte, da der tückische Fels, wenn er ihn glücklich an den Gipfel herangebracht hatte, jedesmal wieder herabrollte. Das gleiche Motiv permanenter Frustration liegt der Sage von den Danaiden, den Töchtern des Königs Danaos, zugrunde. Diese konnten die ihnen zuerteilte Strafe, ein Faß mit Wasser voll zu schöpfen, trotz aller Anstrengungen niemals erfüllen, da das Faß einen durchlöcherten Boden hatte. Auch die Sage von Tantalus variiert dieses Thema der Vergeblichkeit. Obwohl er bis zum Kinn im Wasser stand und die herrlichsten Früchte zum Greifen nahe über ihm hingen, konnte er seinen Hunger und Durst nie stillen: »Die Früchte wichen zurück, wenn er mit den Händen danach langte, und das Wasser des Sees entschwand vor seinem gierigen Munde. Über seinem Haupt schwebte noch obendrein ein Felsstück in der Luft, das ständig herabzustürzen drohte, so daß sich zu seinem peinigenden Hunger und Durst auch noch immerwährende Todesangst gesellte.«[32] Kafkahaft qualvolle Vorstellungen ähnlicher Art begegnen ferner in den Sagen von Prometheus und Tityos: Beide waren gefesselt, und Geier fraßen an ihrer Leber. Da ihnen aber die Leber immer wieder nachwuchs, konnten ihre Qualen niemals ein Ende finden.

Es ist erstaunlich, wie nahe sich moderner tragischer Fatalismus mit solchen uralten Sagenmotiven berührt, und daß gerade Kafkas selbstzerstörerische Hoffnungslosigkeit in archaischen Vorstellungen vorweggenommen scheint. Das Grundthema des Dichters, die Vergeblichkeit jeder (noch so eifrigen und geschickten) menschlichen Bemühung, ist in jenen antiken Bildern und Mythen eindrucksvoll vergegenwärtigt. Wie bei den Kafkaschen Protagonisten geht es auch bei den genannten alten Sagenhelden um ein Niemals-ans-Ziel-gelangen-Können, um jene unaufhebbare Fatalität also, der sich Karl Rossmann im *Verschollenen,* Josef K. im *Prozeß,* K. im *Schloß* und die Hauptpersonen in den Erzählungen und Parabeln ausgeliefert sehen. Eine paradigmatische Gestaltung dieses ewigen menschlichen Dilemmas enthält das bereits zitierte kurze Prosastück *Eine kaiserliche Botschaft.*

Was Kafka darin vorträgt, ist eine neue (und noch gesteigerte) Fassung der Sisyphusfabel, eine Verpflichtung, die dem Auftrag, das durchlöcherte Danaidenfaß mit Wasser zu füllen, an Aussichtslosigkeit nicht nachsteht. Und die Qualen, die sich aus dem stetigen Weiterwachsen der Schwierigkeiten ergeben, sind Tantalusqualen. Nutzlos müht sich der Bote ab, und wenn ihm auch im einzelnen dies oder das gelänge, »nichts wäre gewonnen«. »Niemals, niemals kann es geschehen«, »Niemand dringt hier durch« lauten die unerbittlichen Formeln des fortgesetzten Scheiterns. Die Zwangsvorstellung des Mißlingens bestimmt die Sicht und verdichtet sich zu Kafkas These von der »Unmöglichkeit zu leben«.

In der Tat kreisen Kafkas Dichten und Denken immer um die Sisyphusmarter des Lebens. Die Überforderung des Menschen durch das
Leben ist sein durchlaufendes Thema. Jeder seiner Protagonisten ist ein
Sisyphus. Die antiken Vorstellungen destruktiver Fatalität bestimmen
das Welt- und Menschenbild des Dichters. Und bezeichnenderweise
sieht er Achilles nicht im Sinne Homers als herrlichen Helden, sondern
im Blick auf die ihm (und allen Sterblichen) anhaftende verletzliche
Ferse, die auch ihn, den Sohn einer Göttin – trotz einmalig günstiger
Voraussetzungen und unerhörter Taten – am Ende kläglich scheitern
läßt.[33] Selbst dieser Auserwählte erscheint ihm als ein Sisyphus, der, da
er frontal nicht besiegt werden könnte, ähnlich wie Siegfried um so
heimtückischer aus dem Hinterhalt gefällt wird. Auf die Achillesferse als
das sinnfällige Zeichen des Ausgeliefertseins an den Untergang ist Kafkas Blick gerichtet. So ist es kein Zufall, daß er von den Helden der
Antike nicht Herakles, den durch göttliche Abkunft und zusätzliche
göttliche Hilfe begünstigten permanenten Sieger, sondern den trotz
höchster Möglichkeiten letztlich doch scheiternden Achilles zitiert.

Unter diesem Aspekt der Konzentration Kafkas auf die Sisyphustragödie des Menschen könnte man alle seine Werke, die Romane, die
Erzählungen, die Kurzgeschichten, auch die Briefe und Tagebuchaufzeichnungen als ein einziges großes (Fragment gebliebenes) Werk auffassen und mit dem musikwissenschaftlichen Terminus *thema con varia-
zioni* kennzeichnen.[34] Sind jedoch die alten Sagen und Mythen archety-
pische Modelle von harter Tatsächlichkeit, Realsymbole ohne psychologisierende Zutat, so ist es Kafka *expressis verbis* darum zu tun, *Geschichten zu erzählen,* Geschichten, in denen modellhaft Gültiges in
einzelmenschlich einmaligen Situationen und Vorgängen zutage tritt. So
hat er in variierender Vielfalt eben die individuell wechselnden Erscheinungsformen der Sisyphus-Gestalt vor Augen gestellt, dies aber nicht in
Anlehnung an die alte Sage, nicht nachgestaltend, sondern unabgeleitet
in eigenen Visionen. Doch gerade infolge dieser stofflichen Unabhängigkeit besitzt sein Werk mehr genuine Teilhabe an der Antike als die
Nach- und Neugestaltungen altgriechischer Dichtung durch andere moderne Autoren, die bei allem aktualisierenden Umdeuten und Weiterdichten dem modellhaften Grundriß der antiken Fabeln verpflichtet
bleiben.[35]

Für Kafka hingegen ist Sisyphus eine ganz gegenwärtige Realität, ja
ein Stück Autobiographie. Noch im Alter von achtundzwanzig Jahren
kommt er auf die Sisyphusqualen zurück, die er als Schüler durchlitten
hat:

> . . . blieb die Überzeugung, daß ich die Endprüfung des Jahres nicht bestehen
> werde und, wenn das gelingen sollte, daß ich in der nächsten Klasse nicht
> fortkommen werde und, wenn auch das noch durch Schwindel vermieden
> würde, daß ich bei der Matura endgültig fallen müßte und daß ich im übrigen
> ganz bestimmt, gleichgültig in welchem Augenblick, die durch mein regelmäßi-

ges Aufsteigen eingeschläferten Eltern sowie die übrige Welt durch die Offenbarung einer unerhörten Unfähigkeit mit einem Male überraschen werde.
(T 225)

Wie persönlich Kafka sein Sisyphusschicksal empfand, erhellt vor
allem auch aus seinem Tagebucheintrag vom 19. Januar 1922, der
einzigen Stelle, an der er den Namen seines antiken Ahnen zitiert:

> Das unendliche, tiefe, warme, erlösende Glück, neben dem Korb seines Kin-
> des zu sitzen, der Mutter gegenüber. Es ist auch etwas darin von dem Gefühl:
> es kommt nicht mehr auf dich an, es sei denn, daß du es willst. Dagegen das
> Gefühl des Kinderlosen: immerfort kommt es auf dich an, ob du willst oder
> nicht, jeden Augenblick bis zum Ende, jeden nervenzerrenden Augenblick
> immerfort kommt es auf dich an und ohne Ergebnis. Sisyphus war ein Jungge-
> selle. (T 555)

Unmißverständlich ist in diesem leidvollen Bekenntnis das Junggesellentum als fatale Fehlentscheidung gekennzeichnet, die ein vollgültiges
Leben ausschließt und zu frustrierender Sisyphusexistenz verdammt.
Der Satz: »Sisyphus war ein Junggeselle« impliziert: »Jeder Junggeselle
ist ein Sisyphus.«
Daß dieser Identifizierung des Sisyphus mit Junggesellentum prinzipielle Bedeutung zukommt, duldet keinen Zweifel. Wie Kafka selbst
sind auch alle seine Protagonisten Junggesellen. Der Landvermesser K.
im *Schloß*-Roman ist zumindest wieder Junggeselle. Daß Kafka, der in
allen seinen Werken von der Sisyphustragödie des Menschen handelt,
die antike Symbolgestalt nur einmal, und zwar im Zusammenhang mit
seiner Klage über das Elend des Junggesellentums, namentlich erwähnt,
kann kein Zufall sein:

> Alleinsein war ihm lebenswichtig. Zugleich aber war es die Quelle seiner
> Leiden. Denn obwohl er menschliches Miteinander nicht ertragen konnte,
> sehnte er sich danach. Er begehrte, was er verwarf. Dieser Widerspruch, der
> ihn zu zerreißen drohte, wurde ihm nicht von außen aufgenötigt, sondern
> hauste mitten in seiner Seele . . . Eben hier liegt die tragische Paradoxie seines
> Lebens . . . Ehe und Vaterschaft galten ihm als höchste Lebenswerte, aber
> dennoch entschied er sich für konsequentes Junggesellentum und beklagte
> gleichzeitig das Nichteingeordnetsein in den natürlichen Fortgang des Lebens,
> das Ausgeschlossensein aus der weiterführenden Geschlechterfolge, das Redu-
> ziertsein auf das endliche Ich, die ins Nichts auslaufende Isolation des Entwur-
> zelten.[36]

An seinen Gestalten demonstrierte Kafka das Sisyphusschicksal permanenter Frustration:

> One's complaint always reaches the wrong office; one stands in front of the
> wrong window, one is passed on from office to office, in general moving up the
> scale of delegated authority toward the mysterious ones higher up, only to find
> that the proper official to handle the complaint is out of town or the necessary
> documents are lost or one's complaint is outlawed . . . every expert is inexpert
> at satisfying a simple need for justice.[37]

145

Ähnlich äußerte sich Albert Camus.[38] Wie in der griechischen Tragödie (Sophokles' *Ödipus*) vollziehe sich in Kafkas Dichtungen das absurd anmutende fatale Geschehen jeweils Schritt für Schritt in logisch und natürlich scheinender Abfolge. Camus betont also auch die Verwandtschaft der literarischen Formen, in denen das inhaltlich Vergleichbare gestaltet wird. Der tragische Ablauf der Begebenheiten wird im Rahmen des normalen Lebens, der Gesellschaft, des Staates, der Erregungen im Familienkreis demonstriert, wobei eine bestürzende Disproportion zwischen Gewichtigem und Banalem sichtbar wird. So ist das einzige, was Gregor Samsa anläßlich seiner Verwandlung in einen Käfer aufregt, nicht das Ungeheuerliche des Vorgangs als solches, sondern die Tatsache, daß sein Chef wegen seiner Abwesenheit vom Dienst ungehalten sein werde. So sind es im *Schloß*-Roman, in dem nichts zum Abschluß kommt, sondern alles wieder und gleich aussichtslos von neuem beginnt, die Nichtigkeiten des alltäglichen Lebens, die vor Augen gestellt werden, während es sich wesentlich um das abenteuerliche Unternehmen eines Menschen handelt, der in die Isolation geraten ist und nirgends mehr Fuß fassen kann. Mit Recht deutet Camus Kafkas *Schloß* als eine Sisyphustragödie: Der Protagonist des Romans, der zum Landvermesser des Schlosses ernannt werden will, kommt in das zum Schloß gehörige Dorf. Aber trotz eifrigster Bemühungen ist es ihm unmöglich, vom Dorf aus mit dem Schloß zu kommunizieren. Jeder Kontaktversuch scheitert und zieht einen weiteren nach sich, der wiederum mißlingt: »The extent of this persistence constitutes the tragic aspect of this work.« (Camus)

Auch als unausweichliche Fatalität, als Verhängnistragik schlechthin besitzt die Sisyphustragödie der Kafkaschen Gestalten Analoga in der Antike, wenn z. B. auf bestimmten Familien, wie denen des Atreus oder Ödipus, ein Fluch lastet, dem zufolge die Betroffenen zu verbrecherischem Handeln vorherbestimmt sind und auch das Strafurteil, das sie trifft, vorgegeben ist. Wie Ödipus und die Atriden sind auch die Protagonisten Kafkas schon von Anfang an verurteilt. Und keine Änderung ihres Verhaltens, kein Einschlagen neuer Wege könnten die über sie verhängte Strafe aufheben. Claude-Edmonde Magny nennt diese Erscheinung in antiker Dichtung »the ›stigma‹ of the Greeks« und fährt fort: »There weighs on Kafka's characters as on the characters of Greek tragedy, the sense of hidden guilt, . . . something analogous, perhaps, to the sense of original sin . . .«[39] Diese Unterstellung einer dem Handeln vorausliegenden, aber nicht gewußten moralischen Verantwortung gilt für alle Erzählungen Kafkas, am krassesten für die *Strafkolonie,* wo der das Urteil vollstreckende Gerichtsoffizier erklärt, daß der Verurteilte weder weiß, was er verbrochen hat, noch seinen Schuldspruch kennt. Das gleiche gilt für Josef K. im *Prozeß*-Roman. Und auch der *Bericht für eine Akademie* gehört hierher. Wenn nämlich darin auf Achilles angespielt wird und der Vortragende später noch bemerkt: » . . . ich lernte, meine Herren. Ach, man lernt, wenn man muß; man lernt, wenn man einen Ausweg will; man lernt rücksichtslos«, so muß man im Blick auf die lapidare Feststellung am Eingang der Rede hinzufügen: *aber die Achillesferse wird man dennoch nicht los.* An dieser Fatalität muß selbst der herrlichste aller Helden scheitern. In der Sicht Kafkas ist auch Achilles ein Sisyphus. Eben darauf, nicht auf den Glanz seines Heldentums ist hier der Blick gerichtet. Gleichsam genarrt geht er an einer absurden Nichtigkeit zugrunde. Fatalität und Frustration kennzeichnen die Lebensreise des Menschen, die Kafka in einer alpdruckhaften Traumwelt ablaufen läßt:

Time plays tricks: K. starts out in the morning from the inn toward the castle; in a few hours, night comes and it is dark. Space plays tricks; the more K. presses toward the castle, the farther away it seems to get. There are changes of identity. In fact the whole Kafka universe seems to illustrate the principle of discontinuity. You go from A to C without having passed B.[40]

Eine besondere Variation des Sisyphusthemas findet sich in Kafkas Erzählung *Forschungen eines Hundes* (1922).[41] Hier ist es der »Sündenfall der Reflexion«, der den Verlust der tierischen Unschuld auslöst und damit den »Forscherhund« der Sisyphusplage der mißlingenden Ankunft verfallen läßt. Denn gerade aufgrund seines geschärften Nachdenkens kann sich dieser nicht länger der destruktiven Erkenntnis verschließen, daß die munter fortschreitende Entwicklung der Menschheit nur ein vermeintlicher Fortschritt ist und der erzielte Gewinn nur scheinbar ein Gewinn, weil er jeweils mit einem Überpreis bezahlt werden muß. Im Rückblick auf die Zeiten, da er »noch inmitten der Hundeschaft [als] ein Hund unter Hunden lebte«, stellt der Protagonist dieser Geschichte mit unverhohlener Enttäuschung fest, daß »hier seit jeher etwas nicht stimmte« und ihn daher sogar »inmitten der ehrwürdigsten volklichen Veranstaltungen [stets] ein . . . Unbehagen« befiel. Allem Fortschrittsglauben zum Trotz zeige sich nämlich selbst bei angestrengtestem Denken »niemals« die Wahrheit, sondern immer nur »etwas von der tiefen Verwirrung der Lüge.« »Alle unsinnigen Erscheinungen des Lebens und die unsinnigsten ganz besonders lassen sich nämlich begründen. Nicht vollständig natürlich – das ist der teuflische Witz –, aber um sich gegen peinliche Fragen zu schützen, reiche es hin.« Statt zu einer Lösung führe das Nachdenken also nur zu einer billigen Ausflucht, zu einer Utopie, die »in einen sich selbst widerlegenden seichten Optimismus« mündet.[42]

Auch die *Forschungen eines Hundes* vergegenwärtigen somit das tragische Paradox des mißlingenden Gelingens, des Freiseins als Zwangsjacke[43], der Wahrheit als Lüge. »In den letzten Worten des Forscherhundes klingt [zwar] eine leise Hoffnung an, da sie eine Einheit der Gegensätze anvisiert, [nämlich] ein Verschmelzen des Instinkts mit der Wissenschaft«[44], *aber einer anderen Wissenschaft als sie heute geübt wird, einer allerletzten Wissenschaft,* in welcher der Gewinn nicht mit anpassungswilliger Einseitigkeit und entsprechendem Freiheitsverlust erkauft werden müsse. Da aber wahre Freiheit, also Freiheit nicht als »Besitz«, sondern Freiheit als »Sein«, das eigentliche Ziel wäre, dieses Ziel jedoch nach den Forschungsergebnissen des Hundes nicht zu erreichen ist, erweist sich auch die am Schluß der Erzählung leise anklingende Hoffnung als eine Illusion: Sie »attestiert die eigene Bodenlosigkeit. In ihrer Bejahung wird sie verneint«.

Wenn sich der Forscherhund in solcher Weise müde resignierend mit einer Halblösung zufrieden gibt, so stellt dies vielleicht die schlimmste aller möglichen Variationen des Sisyphusthemas dar, weil nämlich hier der Protagonist das Mißlingen nicht einmal mehr als Katastrophe wertet und als Versagen *erleidet,* sondern gleichmütig *akzeptiert.* Selbstaufgebend sich anpassen und Kompromisse schließen, die man wachen Sinnes nicht billigen könnte, das Gewissen leichthin einschläfern und selbstzufrieden kapitulieren – ein solches Sichabfinden mit etwas, womit man sich niemals abfinden dürfte, ein solcher Verzicht auf Identität ist der letzte und traurigste Akt der Sisyphustragödie.

Roman Struc's Ausführungen über Kafka und seine Protagonisten treffen so genau auf Sisyphus zu, daß sie als psychologische Interpretation der antiken Symbolgestalten gelten können. Der Kafkasche Protagonist ist für ihn »a type of man at odds with himself«[45] und darum ein Mensch, gefangen in seinem hyperklug entworfenen, selbstgeschaffenen Gefängnis: » . . . in general, his protagonists are known to be doomed to failure.« »The psychic pattern« ist bei allen dasselbe und verweist auf Sisyphus als Archetypus. Wie Kafka selbst kommt keine seiner Gestalten mit den Situationen zurecht, in die sie gestellt ist. Das Leben überhaupt ist für sie ein unlösbares Problem. Angesichts von Schwierigkeiten, mit denen andere Menschen mühelos fertig werden, zeigen sie eine erstaunliche Unsicherheit, die sie scheitern läßt. Doch ist diese Lebensuntüchtigkeit andererseits durch eine »specific quality, . . . [nämlich] a very peculiar« configuration of often incompatible traits« bedingt. Ihre Qualifikationen kommen ihnen infolgedessen nicht zugute, sondern sind ihnen im Gegenteil hinderlich. So heißt es von Josef K. im *Prozeß:*

> . . . er erhielt die Niederlage nur deshalb, weil er den Kampf aufsuchte. Wenn er zu Hause bliebe und sein gewohntes Leben führte, war er jedem dieser Leute tausendfach überlegen und konnte jeden mit einem Fußtritt von seinem Wege räumen.

Also nicht Nachlässigkeit oder Gedankenlosigkeit, sondern Übereifer und zu vieles Denken lassen ihn in die Irre gehen. Er selbst bekennt am Ende des Romans: »Ich wollte immer mit zwanzig Händen in die Welt hineinfahren.« Er wollte seine Sache nicht lediglich gut, sondern mehr als gut machen. Er überspitzte die Spitze, so daß sie abbrach. Woran die Kafkaschen Protagonisten scheitern, ist in der Tat ihre »negative capability«, nicht ein Zuwenig, sondern ein Zuviel, ihr Überengagement, das sie in dringlichen Augenblicken keinen Ausweg sehen läßt, sondern blind macht für Alternativen oder dritte Möglichkeiten. Was ihnen fehlt, ist das innere Gleichgewicht, die nötige Distanz zu den Dingen. Aus einseitiger Konzentration resultiert ihre »inability to negotiate with polarities whether they be primarily of [their] own making or those with which [they are] confronted«.

Die Sage von Sisyphus ist die eindrucksvollste Verbildlichung solcher tragischen Ironie und der *Ödipus* des Sophokles das krasseste Beispiel. So zwingend aber die typologische Verwandtschaft zwischen den Protagonisten Kafkas und diesen antiken Gestalten auch ist, hat Kafka doch nie daran gedacht, in konkret direktem Sinn die Geschichte eines modernen Ödipus oder Sisyphus zu schreiben. Gegenstand seiner Dichtungen sind immer die eigenen Irrungen und Wirrungen. Die Ödipus- bzw. Sisyphusschicksale seiner Helden sind autobiographischer Herkunft, nicht Ergebnisse rezeptiver Auseinandersetzung mit der Dichtung der Antike, sie stellen sich als Selbsterlebtes, Selbsterlittenes daneben, sie sind nicht von dort abgeleitet, sie sind Urerlebnisse, nicht Bildungserlebnisse. Unübersehbar aber ist ihre Vergleichbarkeit mit den antiken Gestaltungen. Sie bezeugt, wie alt und neu zugleich die Themen und Probleme Kafkas sind.

Wie in der religiös motivierten großen Dichtung der Antike geht es in Kafkas Werk nie um Vordergründiges und darum auch nie um nur äußerliche Lösungen. Titorelli im *Prozeß*-Roman betont, daß es sich bei dem Problem des Josef K. um eine Lösung von absolutem Charakter handle, die für die meisten Menschen unzugänglich sei. Und Struc erkennt denn auch »some tragic grandeur in K.'s uncompromising attitude«.[46] Letzthin scheitern überhaupt alle Protagonisten Kafkas an der Absolutheit ihrer Zielsetzungen. Sie wollen sich nicht bescheiden und mit dem Agnostizismus eines Titorelli zufrieden geben, der erklärte, »wie es dort [nämlich im obersten Gericht] aussieht, wissen wir nicht und wollen wir, nebenbei gesagt, auch nicht wissen«. So kann auch der relativierende Bescheid des Geistlichen, man müsse nicht alles für wahr halten, man müsse es nur für notwendig halten, Josef K. nicht befriedigen; er weist ihn vielmehr als »trübselige Meinung« zurück. Aber damit überschreitet er zugleich seine Kompetenz und hält an der Hybris fest, die ihn zu Fall bringt.

Eine typische Kafkasche Erscheinungsform des Sisyphus ist vor allem auch »der Mann vom Lande«, der in das Gesetz einzutreten wünscht und damit ein absolutes Ziel anstrebt. Entsprechend hatte er sich »für seine Reise mit vielem ausgerüstet« und verwandte dann auch »alles, und sei es noch so wertvoll, um den Türhüter zu bestechen«, damit dieser ihn einlasse. Seine Bemühung bei diesem Unternehmen war also nicht gering, sein Einsatz vielmehr mit großen Opfern verbunden. Er gab auch – zumindest von außen gesehen – nicht auf, sondern zeigte Ausdauer. Tage und Jahre saß er vor dem Eingang in das Gesetz und machte immer wieder neue Versuche, eingelassen zu werden. Gleichwohl schlugen alle seine Bemühungen fehl. Die Methode, die er anwandte, war inadäquat, der Weg, den er einschlug, führte nicht zum Ziel. Und er mußte in die Irre gehn, weil er das Entscheidende *nicht wußte,* daß nämlich dieser Eingang für ihn – und nur für ihn – bestimmt war, er also durchaus hätte hineingehen können, ja hineingehen müssen, ohne sich durch den furchterregenden Türhüter von seinem vorgesehenen geraden Weg abschrecken zu lassen. Aber auf den Unwissenden mußte dieser Türhüter doppelt abschreckend wirken, und er verstand es auch, den Zögernden mutlos zu machen. »Merke«, so wandte er sich an den zaghaften Bittsteller, »Ich bin mächtig. Und ich bin nur der unterste Türhüter. Von Saal zu Saal stehen aber Türhüter, einer mächtiger als der andere. Schon den Anblick des dritten kann nicht einmal ich mehr ertragen.« In diesem Nacheinander der immer größeren und schrecklicheren Türhüter hat das antike Motiv der Hydra, der für einen abgeschlagenen Kopf immer sogleich zwei größere und schrecklichere Köpfe nachwachsen, eine ganz eigene Neugestaltung gefunden, eine zwingende Vergegenwärtigung der nicht zu bewältigenden Sisyphusmarter des Lebens, der tragischen Ironie, daß trotz beharrlichem Weiterschreiten das Ziel nicht näher, sondern ferner rückt.

Wenn der Mann vom Lande nicht in das Gesetz gelangt, weil er den hierzu gebotenen Weg nicht sicher weiß, so ist sein Mißlingen *Verhängnis.* Indem er sich aber durch den Türhüter ablenken und täuschen läßt und infolgedessen seine Möglichkeiten nicht richtig nützt, ist sein Mißlingen zugleich persönliches *Versagen.* In dieser Koinzidenz von fatalem Nichtwissen und falschem Gebrauch der gegebenen Fähigkeiten fallen somit Schicksal und Schuld zusammen, wird die Frage nach primär und sekundär gegenstandslos. Hier ist der Protagonist zugleich Opfer und Vollzieher des Verhängnisses, verstrickt in das Netz, das er sich selbst gelegt hat, das Ganze also ein akausaler, alogischer Teufelskreis.

Eben dies ist entscheidend, daß Kafka und – wie der *Ödipus* des Sophokles ausweist – auch der antike Tragiker fatales Scheitern nicht so sehr als Verhängnis werten als vielmehr – aus letztlich religiösen Gründen – als persönlich zu verantwortende Schuld. In solch transzendenter Sicht verweist Scheitern auf Verlust des Einklangs mit dem Ganzen, auf »eigenmächtige Ausdehnung des Ichs« (Hebbel), die die Strafe der »Götter« provoziert, auf Hybris also, die – oft unbewußt und ungewollt – daraus erwächst, daß »die Gedanken Gottes und die Gedanken der Menschen zwei sehr verschiedene Dinge« sind. Worum es hier geht, ist mithin das fatale Faktum der Vorgegebenheit der Schuld.

Was Josef K. und dem Mann vom Lande, ja allen Protagonisten Kafkas – trotz des von ihnen geleisteten Einsatzes – als Schuld angerechnet wird, gilt zwar als ein letzthin moralisch-religiöses Versagen, ist aber nicht ohne weiteres dasselbe wie »Sünde« im christlichen Sinn des Wortes; »it is more to be conceived as blind ignorance«[47], als *tragische Agnoia,* als ein Zustand der Verblendung, der seinerseits auf ein Nichteinssein mit den Göttern, auf einen Status der Ungnade verweist. Es geht um ein uneingestandenes, ja überhaupt nicht erkanntes Nichtwis sen, das durch kurzschlüssigen Übereifer, eben durch »negative capability«, den Mangel an umfassender Einsicht zu kompensieren sucht. Nichtwissen bedeutet hier: nur in *eine,* die falsche Richtung schauen, konsequent nur das im eigenen Blick Liegende sehen, dies aber so akkurat, daß das Nichtwissen als besonders genaues Wissen erscheint und infolge dieser Selbsttäuschung gerade das Wesentliche, das Notwendend-Notwendige nicht gesehen wird. Was die Kafkaschen Gestalten heillos irren läßt, ist also ihre Selbstbesessenheit, die den Horizont jeweils zu einer Einbahnstraße verengt und ihre oft spitzfindige Klugheit in blindem Übereifer verkommen läßt.[48] Wie die Helden der Antike scheitern auch Kafkas Antihelden an ihrer Hybris.

Tragisches Nichtwissen, dieses zentrale Moment antiker Dichtung und Weltsicht, ist auch in Kafkas Werk der eigentliche Kern der Sisyphusexistenz des Menschen. Tragisches Nichtwissen läßt Ödipus, aber auch den Mann vom Lande in Kafkas Parabel *Vor dem Gesetz* scheitern.[49] Seine Protagonisten wissen zwar manches, ja auch Ausgefallenes, aber gerade das Entscheidende wissen sie nicht. In gewisser Weise erinnern sie an den tumben Parzival, der unwissentlich und unwillentlich in die Irre geht und so scheinbar schuldlos schuldig wird, indem er aus vermeintlich guten Gründen es unterläßt, das Notwendend-Notwendige zu tun, nämlich die heilbringende Frage nach dem Leiden des Königs Amfortas zu stellen.[50] Bedeutungsvoll ist, daß wie bei Kafka auch in der Antike Nichtwissen und Nichtwissenkönnen als Versagen gelten, daß sie also moralisch-religiös gewertet und somit als Schuld angerechnet werden. Nichtwissen schützt darum auch nicht vor Strafe. Das tragische Paradox liegt letzthin darin, daß Verhängnistragik und Schuldtragik hier zusammenfallen, wie das im *Ödipus* des Sophokles drastisch vor Augen gestellt wird. Durch den im Orakel verkündeten Spruch der Götter ist zwar das Schicksal des Ödipus schon im voraus entschieden. Aber zugleich ist es schuldhafte Hybris, aus der die Katastrophe resultiert, schuldhafte Hybris sowohl der Eltern als auch des Sohnes, die beide den Willen der Götter zu umgehen suchen und bei diesen Versuchen scheitern: die Aussetzung des Kindes mißglückt; es wird gerettet und bleibt am Leben. Und das Bemühen des Ödipus, die Götter zu überlisten, läßt ihn zum eigenwilligen Vollstrecker des ihm verderblichen Götterwillens werden. Indem er sich durch Flucht dem Verhängnis zu entziehen glaubt, führt er es herbei. Es ist seine eigene fürwitzige Klugheit, an der er scheitert. Zuletzt ist dieser Klügste und Wissendste der Ahnungsloseste von allen. Klugheit, die sich dem Götterwillen widersetzt, erweist sich als Torheit, Wissen als Nichtwissen.

Der Königssohn, der in bester Absicht seine (vermeintlichen) Eltern verläßt, damit er nicht, wie das Orakel vorausgesagt hat, den eigenen Vater töten und die eigene Mutter heiraten könne, dann aber überhaupt erst aufgrund dieser Aktion seines guten Willens in die Lage kommt, seinen wirklichen Eltern zu begegnen und so das Schreckliche zu tun, was er vermeiden wollte – dieser der Tragik des Nichtwissens verfallene und dadurch zum Scheitern verurteilte Mensch ist – auf einer anderen Ebene – auch der Mensch der Kafkaschen Dichtung, eben ein Sisyphus eigener Prägung, in dessen forcierten, fehllaufenden Anstrengungen dieselbe schuldhafte Hybris zutage tritt. Wie für Ödipus gilt auch für die Protagonisten Kafkas, daß alle ihre Anstrengungen vergeblich, ja tödlich sind, weil sie, durch Nichtwissen verblendet, jeweils mit Eifer und im Glauben an die Richtigkeit ihres Handelns das Falsche tun. Und wie Ödipus sind sie nicht lediglich arme Opfer fataler Situationen, sondern vollziehen infolge falscher eigenwilliger Reaktionen auch selber ihre Katastrophen.

Anders als Kafka, der nur »eine Geschichte erzählen will«, akzentuiert Sophokles mit Nachdruck die Schuld seines Helden, den Mangel an Furcht vor den Göttern und damit die sträfliche Überhebung des eigenen Ich. Nicht nur daß Ödipus sich befugt glaubt, den Beschluß der Götter zu unterlaufen und den vorbestimmten Gang der Dinge abzuändern, er läßt sich auch noch durch Iokaste zum Zweifel an der Seherkunst, an der Gültigkeit göttlicher Verkündigung überhaupt verführen.[51] Und im übermütigen Glauben, den Seherspruch klug umgangen zu haben, wischt er das Orakel vom Tisch:

Ödipus: Wohlan! Wer sollte nun, o Weib, noch einmal
         Den prophezeienden Herd befragen, oder
         Von oben schreiend die Vögel? Deren Sinn nach
         Ich töten sollte meinen Vater, der
         Gestorben schlummert unter der Erd . . .
         . . . zugleich nahm er auch
         Die heutigen Sehersprüche mit und liegt nun
         Im Hades, Polybos, nicht weiter gültig.
Iokaste: Hab ich dir dies nicht längst vorausgesagt?
Ödipus: Du hast's gesagt. Ich ward von Furcht verführt.

Aber »Hochmut kommt vor dem Fall«, wie Sophokles am Schicksal des Ödipus demonstriert. Dieser muß leidvoll erfahren, »daß der Gott im Orakel die Wahrheit ist, während er in der Lüge [in der Irrung des Nichtwissens] lebte«.[52] Erst am Ende erkennt Ödipus, »was er ist, im Gegensatz zu dem, was er zu sein schien«. Wie die Verurteilten in Kafkas *Strafkolonie* kommt er erst in der Stunde des Gerichts zur Einsicht in seine Schuld. »Er endet sein Leben, wie er es begann: als ein Ausgestoßener. Die Zwischenzeit war nur Schein«[53] und Schuldigwerden.

Wenn Ödipus etwas bereut, wofür er (von außen gesehen) nichts kann, was er sogar mit allen Mitteln vermeiden wollte, aber nicht konnte, weil es von den Göttern selbst verhängt worden war, so liegt in diesem nachträglichen Akt der Reue und Selbstbestrafung ohne Frage zugleich eine Ahnung, ja ein Eingeständnis der eigenen Schuld. Denn Reue setzt Schuldgefühl voraus. Und das Waldtier in der Erzählung *Der*

Bau spricht das auch ahnungsvoll aus: »...ich werfe mich in ein Dornengebüsch, um mich zu strafen für eine Schuld, die ich nicht kenne.« Eben dieses unentwirrbare Ineinander von Schuld und Schicksal, von Versagen und Verhängnis, diese letzthin transzendente Sicht der Schuld als eines Symptoms der unausweichlichen Schuldverfallenheit des Menschen ist der eigentliche Gegenstand des Kafkaschen Dichtens. Josef K. im *Prozeß*, K. im *Schloß*, Karl Roßmann im Amerikaroman *Der Verschollene*, der Mann in der Parabel *Vor dem Gesetz*, Georg Bendemann, Gregor Samsa..., sie alle scheitern nicht an äußeren Widrigkeiten, nicht weil sie gegen Gesetzesparagraphen verstoßen, sondern weil sie als Menschen schuldverfallene Kreaturen sind. Dem entspricht, daß sie zuletzt auch alle ihr Scheitern als Schuld erkennen und das über sie gefällte Strafurteil akzeptieren. Überhaupt gelten hier nicht die üblichen moralischen Kausalitäten. Das heißt: die Menschen Kafkas *werden* nicht schuldig, weil sie nicht wissen, sondern sie wissen nicht, weil sie schuldig sind.

Auch in Kafkas Kurzgeschichte *Gibs auf* wird das Nichtwissen dem Protagonisten als persönliches Versagen angelastet:

> Es war sehr früh am Morgen, die Straßen rein und leer, ich ging zum Bahnhof. Als ich eine Turmuhr mit meiner Uhr verglich, sah ich, daß es schon viel später war, als ich geglaubt hatte, ich mußte mich sehr beeilen, der Schrecken über diese Entdeckung ließ mich im Weg unsicher werden, ich kannte mich in dieser Stadt noch nicht sehr gut aus, glücklicherweise war ein Schutzmann in der Nähe, ich lief zu ihm hin und fragte ihn atemlos nach dem Weg. Er lächelte und sagte: »Von mir willst du den Weg erfahren?« »Ja«, sagte ich, »da ich ihn selbst nicht finden kann.« »Gibs auf, gibs auf«, sagte er und wandte sich mit einem großen Schwunge ab, so wie Leute, die mit ihrem Lachen allein sein wollen.

Das auf den ersten Blick unverständliche Verhalten des Schutzmanns, der dem um Rat Bittenden die Auskunft versagt, zu der er doch verpflichtet wäre, kann nur bedeuten: Diesem Menschen, der hier nach dem Weg fragt, kann nicht geholfen werden. Er ist ein Versager, der nicht einmal seinen eigenen Weg kennt und nun mich danach fragt; er hat sich so verrannt, daß er auch dann fehlginge, wenn ich ihm seinen Weg sagte. »Aufgeben« ist noch das beste, was man einem solchen Irren raten kann.

Kafkas schmerzlichste Einsicht, ja die eigentliche Katastrophe seines Lebens lag darin, daß auch das Schreiben, dieser einzige Sinn, den er seinem Dasein zu geben vermochte und um dessen willen er die Entsagungen der Junggesellenexistenz auf sich nahm, von ihm als eine Sisyphusmarter erlitten werden mußte. So schrieb er im April 1913 an Felice Bauer: »Und doch darf ich nicht die Feder weglegen, was das beste wäre, sondern muß es *immer wieder* versuchen, und immer wieder muß es mißlingen und auf mich zurückfallen.« (F 368) Und zehn Jahre später klagte er Janouch: »Ich habe mich in den eigenen Dornen verrannt. Ich bin eine Sackgasse.« Drastischer kann man die Sisyphusmarter des eigenen Lebens nicht zum Ausdruck bringen. Unüberhörbar ist aber in diesen Bekenntnissen zugleich die Selbstanklage, daß nämlich die Sisyphusqualen nicht lediglich verhängt, sondern als Folge eigenen Versagens auch selbstverschuldet sind. Eben dieses kausale Verbinden von Verhängnis und Versagen berührt sich mit antiken Vorstellungen, so daß die Gestaltungen des Sisyphusthemas in der Dichtung und Kunst der Alten mit den Sisyphus-Legenden Kafkas vergleichbar erscheinen.

Andererseits bestehen aber auch markante Unterschiede. So bieten die antiken Mythen und Sagen Modelle von harter Tatsächlichkeit, Realsymbole ohne psychologisierende Zutat: das ewige vergebliche Bergaufwälzen eines Steins, das erfolglose Füllen eines Fasses mit durchlöchertem Boden, das Eingeschlossen- oder Gefesseltsein ohne Aussicht auf Befreiung, das Hungern- und Durstenmüssen mit köstlichen Früchten und Wasser unmittelbar vor Augen, aber ohne sie erlangen zu können, das Verletztwerden durch gierig angreifende Raubvögel ohne eine Möglichkeit der Abwehr, das permanente Überfordertsein durch unerfüllbare Aufgaben etc. In vielfältigen Variationen hat Kafka diese Modelle vermenschlicht, psychologisch motiviert und dadurch zu konkretem Leben gebracht. Nicht nachgestaltend, auch nicht lediglich umgestaltend, sondern in eigenen neuen Visionen hat er in wechselnden individuellen Verkörperungen die Sisyphusgestalt vor Augen gestellt und vermöge dieser kreativen Selbständigkeit mehr genuine Teilhabe an der Antike bezeugt als die stoffgebundenen Nach- und Neugestaltungen antiker Sagen und Mythen, wie sie in neuerer Dichtung Mode geworden sind. Kafka ging es nicht um literarische Reminiszenzen, sondern um die Sisyphusthematik an sich.

In der wohl autobiographischsten Erzählung Kafkas *Der Bau* treten die Gemeinsamkeiten mit der Glaubens- und Vorstellungswelt der Antike in der verfremdenden Form einer Tiergeschichte vor Augen. Äußerlich betrachtet scheint der Vergleich des ingeniösen Waldtiers im *Bau* mit dem hyperklugen Ödipus zwar abwegig zu sein, aber bei genauerem Hinsehen zeigen sich verblüffende Übereinstimmungen. In beiden Dichtungen geht es um die *Tragödie des scheiternden Perfektionisten*. Was sowohl Ödipus wie das Waldtier kennzeichnet, ist ein Höchstmaß an »negative capability«, einer konstruktiven Fähigkeit, die sich gleichwohl tückischerweise gegen sie selbst richtet und die Katastrophe herbeizwingt. So ist Ödipus der Klügste von allen, der einzige, der die Rätsel der Sphinx zu lösen weiß, aber dennoch im entscheidenden Punkt mit Nichtwissen geschlagen, so daß er als letzter die eigene Lage durchschaut und gerade durch sein scharfsinniges Engagement selber die Schlinge zuzieht, die um seinen Hals gelegt ist. Zwar erscheint er – im Gegensatz zu dem verängstigt im Bau sich verbergenden Tier – als ein furchtloser, mutiger Mann. Aber sind denn der inquisitorische Eifer, mit dem Ödipus die Enthüllung seines Falles betreibt, und die Unrast, die ihn hetzt, nicht zugleich Symptome einer durch ein Gefühl der Unsicherheit ausgelösten (unbewußten) Angst? Und ist das antike »Grauen vor der Götter Neide«, gegen den kein Sterblicher gefeit ist, letzthin nicht dasselbe wie die tiefsitzende Lebensangst der Kafkaschen Gestalten und des modernen Menschen überhaupt?

Auch das Leben der antiken Helden war ja nicht eitel Sonnenschein. Über dem Glanz und Ruhm ihrer Taten hing allezeit drohend das Damoklesschwert des unberechenbaren Neides der Götter. Sie wußten um das dunkle Walten bald strafender, bald lohnender höherer Mächte. Dieses Wissen um ihre unabänderliche Schicksalsbestimmtheit war aber zugleich tragisches Nichtwissen über den Willen der Götter, letzte Ungewißheit also und als solche eine noch *heroische* Form der Lebensangst, ja eine Herausforderung ihres Mannestums und noch keine demoralisierende Lebenshemmung wie bei Kafka und seinen Protagonisten, in denen die Angst den Lebensmut untergräbt. So rühmt zwar das Waldtier die Stille als das Schönste an seinem Bau, kann sie aber nicht genießen, weil sie plötzlich einmal unterbrochen werden könne und alles zu Ende sei. Angstvoll fragt es:

Kann ich denn trotz aller Wachsamkeit nicht von ganz unerwarteter Seite angegriffen werden? Ich lebe im Innern meines Hauses in Frieden und inzwischen bohrt sich langsam und still der Gegner von irgendwoher an mich heran ... es gibt viele, die kräftiger sind als ich und meiner Gegner gibt es unzählige, es könnte geschehen, daß ich vor einem Feinde fliehe und dem anderen in die Fänge laufe ... Und es sind nicht nur die äußeren Feinde, die mich bedrohen. Es gibt auch solche im Innern der Erde ... Sie kommen, man hört das Kratzen ihrer Krallen knapp unter sich in der Erde, die ihr Element ist, und schon ist man verloren.

Mut und Angst halten sich hier nicht länger die Waage. Die Angst ist totalitär geworden:

... Mir ist manchmal, als verdünne sich mein Fell, als könnte ich bald mit bloßem, kahlem Fleisch dastehen und in diesem Augenblick vom Geheul meiner Feinde begrüßt werden.

Und diese Angst ist nicht zu beschwichtigen, weil sie bei Kafka durch Schuldgefühle genährt wird, ohne daß die Menschen ihre Schuld überhaupt kennen. Schuldgefühle solcher Art sind den antiken Helden (noch) fremd. Und gerade Ödipus glaubt, mit allem seinem Tun und Lassen voll im Recht zu sein. Ja, es bedarf höchster Anstrengungen, ihn seiner Schuld zu überführen. Andererseits trifft aber Siegfried Engel ins Schwarze, wenn er betont:

Jede Zeile, ja fast jedes Wort des Sophokles ... hatte seinen schaurig ironischen Doppelsinn. Denn der Inhalt des Stückes ist eigentlich die scharfsinnige Kleinarbeit eines Untersuchungsrichters in einem jahrelang zurückliegenden ... Fall.[54]

155

Um eine solche »scharfsinnige Kleinarbeit eines Untersuchungsrichters« geht es aber *implicite* auch in vielen Erzählungen Kafkas und insbesondere in seinen Romanen *Der Prozeß* und *Das Schloß*.

In Einzelheiten und Äußerlichkeiten jedoch stimmt das Königsschicksal des Ödipus mit dem einsiedlerischen Jedermannsschicksal des Waldtiers in Kafkas *Der Bau* natürlich nicht zusammen. Unverkennbar aber ist die typologische Parallele zwischen beiden. Wie Ödipus in seiner scheinbar perfekten Lebensplanung hat auch das Waldtier beim Ergraben, Ausgestalten und Einrichten seines Schutzbaus scheinbar an alles gedacht und detailbeflissen alles notwendig Scheinende einkalkuliert, dabei aber – in seiner Überklugheit – des Guten zuviel getan, indem es das scharfe Messer seines ingeniösen Intellekts zu raffiniert vielseitig einsetzte, so daß es über dem Vieles-Sehen das *eine* Entscheidende übersah und darum sein aufwendiges Vielwissen in tragisches Nichtwissen auslief. Was vollkommen gelungen schien, erweist sich bei beiden am Ende als Trug. Wie das Waldtier in seinem klug entworfenen und zweckmäßig ausgeführten Bau, so lebte auch Ödipus unwissentlich in einem selbstgeschaffenen Gefängnis, aus dem es kein Entrinnen gab. Die kunstvoll angelegte Festung, die nach allen Seiten Schutz zu bieten schien, wurde für beide zuletzt zur tödlichen Falle. Die Leistung, die sie mit Einsatz aller Kräfte vollbrachten, die Riesenanstrengung ihres ganzen Lebens entpuppt sich zuletzt als ein ins Extrem gesteigertes Sisyphusunternehmen. Die Tragödie des Ödipus und die Katastrophe des Waldtiers demonstrieren in verschiedenen Einkleidungsformen, daß der sich emanzipierende Mensch – ungeachtet der ihm verliehenen Gaben – scheitern muß. Wie der herrlichste Held muß auch der klügste Mensch mit einer Achillesferse leben, die ihm früher oder später zum Verhängnis wird.

Nach alledem verwundert es nicht, daß Kafka von den antiken Sagengestalten zwar Achilles, den Helden mit der unheilbringenden Ferse, nicht aber Herakles, den permanenten Sieger, zitierte, diesen Göttergleichen, der *kein Sisyphus* ist und so als der wahre Antipode der Kafkaschen Antihelden erscheint. Andererseits ist aber die Herakles-Sage im Blick auf Kafka insofern besonders ergiebig, als sie gleichzeitig Verbindendes und Trennendes vor Augen stellt. Wie Herakles werden auch die Protagonisten Kafkas mit frustrierend absurden Aufgaben konfrontiert, die das Menschenmaß überschreiten. Die zehn bzw. zwölf Arbeiten, die dem antiken Heros auferlegt werden, sind für einen gewöhnlichen Sterblichen schlechthin unerfüllbar und verdeutlichen damit die typisch Kafkasche Situation des Niemals-ans-Ziel-gelangen-Könnens. Schon der erste Auftrag an Herakles, dem König Eurystheus das Fell des nemeischen Löwen herbeizuschaffen, greift *expressis verbis* über das Menschenmögliche hinaus. Denn dieser Löwe »konnte mit keinen menschlichen Waffen verwundet werden«. Herakles' Pfeilschuß drang daher auch »nicht ins Fleisch, [sondern] prallte wie von einem

Stein ab«.[55] Da das Tier nicht mit Waffen zu verwunden war, erstickte er es mit der Kraft seiner Arme. Noch ungeheuerlicher und jeder menschlichen Anstrengung spottend war die zweite Aufgabe, die Hydra, eine Riesenschlange mit neun Häuptern, zu erlegen. Auch nützte es Herakles nichts, diese Köpfe der Hydra mit seiner Keule zu zerschmettern; denn, war ein Haupt zerschlagen, so wuchsen jeweils sogleich zwei neue Häupter anstelle des zerschmetterten hervor. Eine tragisch paradoxale Situation also: jeder Schritt näher zum Ziel rückt in Wahrheit das Ziel um einen Schritt ferner. Dieser Kampf war also ein aussichtsloses Unternehmen und wie der erste nur auf einem nicht zu ahnenden Umweg zu gewinnen.

Auch für alle weiteren Aufgaben des Herakles gilt, daß sie das Leistungsvermögen eines Menschen überstiegen und nur mit göttlicher Hilfe oder dadurch, daß sie mit ingeniöser List umgangen wurden, gelöst werden konnten. Hierher gehört die fünfte Arbeit des Helden, den Stall des Augias an einem einzigen Tage auszumisten, einen riesengroßen Stall, in dem sich der Mist von 3000 Rindern seit mehreren Jahren angehäuft hatte. Zweifellos eine Aufgabe, die auf normalem Wege nicht zu leisten war. Herakles aber fand einen Weg: »er leitete . . . die nicht weit davon fließenden Ströme Alpheas und Peneos durch einen Kanal herzu und ließ sie den Mist wegspülen.«

Ebenso war die sechste Arbeit, die Stymphaliden zu vertreiben, eine Überaufgabe. Waren doch diese ungeheuren Raubvögel mit eisernen Flügeln, Schnäbeln und Klauen versehen und besaßen überdies »die Macht, ihre Federn wie Pfeile abzudrücken und mit ihren Schnäbeln selbst eherne Panzer zu durchpicken«. Tatsächlich wußte auch Herakles selbst keinen Rat, »wie er über so viele Feinde Herr werden sollte«, und konnte nur mit Hilfe der Göttin Athene den Sieg erringen.

Typisch ist ferner die zehnte Aufgabe, die Rinder des ungeheuren, mit drei Leibern, drei Köpfen, sechs Armen und sechs Füßen ausgestatteten Riesen herbeizuschaffen, wobei diese die Norm überschreitende Vielzahl auf die Endlosigkeit des zu bewältigenden Weges hinweist. Das gleiche gilt für den hundertköpfigen Drachen Ladon in der elften und den dreiköpfigen Höllenhund in der zwölften Aufgabe des Helden. Vor allem aber gilt es auch für die Kämpfe des Helden gegen die Riesen Antäos und Alkyoneus, die, nachdem sie überwunden sind, bei Berührung mit dem Heimat- oder Mutterboden, sich sofort wieder mit erneuter Lebenskraft erheben und so die Endlosigkeit bzw. Unlösbarkeit der hier zu bewältigenden Aufgabe deutlich machen. Das sind in der Tat typisch Kafkahafte Situationen.

Der Unterschied gegenüber Kafkas Romanen und Erzählungen liegt aber darin, daß Herakles das Unlösbar-Scheinende wirklich löst, daß dieser also eine schlechthinnige Ausnahmegestalt ist und nicht ein Alltagsmensch wie die Kafkaschen Protagonisten. Ja, Herakles ist überhaupt nicht nur ein Mensch, sondern ein Göttersohn und Halbgott, ein

Auserwählter und durch die Hilfe der Götter Begünstigter. Deshalb – und nur deshalb – kann er das Unmögliche vollbringen. Die Sage berichtet, daß er, der Sohn des Zeus und der Alkmene, kurzfristig sogar von der Göttin Hera selbst gesäugt worden sei, und daß diese wenigen Tropfen Göttermilch genügt hätten, ihm Unsterblichkeit zuteil werden zu lassen. Schon als ein noch in der Wiege liegendes Kind bezeugte er das göttliche Erbe durch seine übermenschliche Kraft. Zwei entsetzliche Schlangen, die toddrohend seinen Hals umstrickten, packte er, jede mit einer Hand, am Genick und erstickte sie beide mit einem einzigen Druck. Auch der Seher Tiresias weissagte bereits von dem Kind, daß es zu großen Taten berufen sei und am Ende seines Erdendaseins des ewigen Lebens bei den Göttern teilhaftig werde.

Von vornherein stand also von Herakles fest, daß er der menschlichen Gebrechlichkeit enthoben und zum Siegen bestimmt war. Zur Fülle der angeborenen Gaben kam eine hervorragende, vielseitige Erziehung, die er seinerseits mit größtem Eifer wahrnahm und sich so in allen Bereichen immer als der beste erwies. Auch äußerlich hob er sich als eine Ausnahmegestalt heraus: »er war vier Ellen lang, Feuerglanz entströmte seinen Augen«, nicht nur ein Mensch, sondern ein Sohn des Zeus. »Die Götter selbst beschenkten den siegreichen Halbgott: Hermes gab ihm ein Schwert, Apollon Pfeile, Hephästos einen goldenen Köcher, Athene einen herrlichen . . . Waffenrock.« Nach seinem Sieg über die Giganten erhielt er von Zeus den Ehrennamen »Olympier«. Ja, Zeus selbst soll »in Menschengestalt mit Herakles gerungen und besiegt seinem Sohn zur Götterstärke Glück gewünscht haben.« Alles in allem ist also Herakles ein Superlativ der Möglichkeiten und zusätzlich noch göttlicher Hilfe, insbesondere Athenes, sich erfreuend, nicht ein Antiheld, wie die K.s und Samsas Kafkas, sondern der Prototyp des Helden, nicht eine Alltagsfigur, sondern ein Einmaliger, Begnadeter, mit den Göttern Verwandter.[56]

Der Unterschied ist somit grundsätzlich und unüberbrückbar. Geht es in der Herakles-Sage um die Erfolgsgeschichte eines vergötterten Heroen, so in den Erzählungen Kafkas um Katastrophen von Menschen, um die Sisyphusexistenz des Menschen an sich. Zur Glorie göttlicher Erwähltheit kontrastiert die Misere der menschlichen Gebrechlichkeit. Dieser Gegensatz des antiken Sagenhelden zu den Kafkaschen Protagonisten bedeutet aber seinerseits zugleich eine Bestätigung Kafkas. Denn er besagt: nur einer, der nicht nur ein Mensch ist, kann (bzw. könnte) die Überforderungen erfüllen, die an den Menschen gestellt sind. Für einen bloßen Menschen hingegen sind die Probleme des Menschenlebens nicht lösbar. Auch die Herakles-Sage mit ihrer Heraushebung eines den Göttern nahekommenden Übermenschen impliziert also im Grunde die Kafkasche Vorstellung von der Unzulänglichkeit des Menschen und der dadurch bedingten Unausweichlichkeit des Scheiterns. Müßte man doch ein Übermensch wie Herakles sein, um das auferlegte Soll erfüllen zu können. Kafkas Gestalten jedoch – Karl Roßmann, Josef K., K., Gregor Samsa, der Landarzt, der Junggeselle Blumfeld oder der Hungerkünstler, das Waldtier im *Bau* u. a. – sind keine Göttersöhne, keine durch höhere Mächte begnadeten Auserwählten und überhaupt keine Helden, sondern ungeborgene, bis auf den Grund verunsicherte Kreaturen, schutzlos einer feindlichen Übermacht Ausgelieferte, zwar verzweifelt sich wehrend oder fliehend, aber außerstande, sich aus der tödlichen Schlinge zu befreien. Sie kämpfen alle einen verlorenen Kampf, einen Kampf, den nur ein Herakles gewinnen könnte. Wenn sie resignieren, bestätigen sie lediglich das schon erfolgte Scheitern.

Ein weiterer Unterschied liegt darin, daß den Kafkaschen Erzählungen eine andere moralische Problematik zugrunde liegt als der Herakles-Sage, daß nämlich das Versagen seiner Figuren nicht als Folge mangelnden Vermögens, sondern als Auswirkung einer vorgegebenen Schuld erscheint. Freilich fehlt auch bei Herakles der moralische Aspekt nicht ganz. Dieser permanente Sieger kämpft vielmehr erklärtermaßen für das moralisch Gute. Am Scheideweg hatte er den Versuchungen der Liederlichkeit widerstanden und sich entschlossen, den Weg der Tugend zu gehen. Bei Sisyphus, Tantalus, Ixion, den Danaiden u. a. liegt hingegen eine eindeutige Schuld-Gericht-Strafe-Thematik vor. Doch bleibt insofern ein Unterschied zu Kafka bestehen, als bei jenen die begangenen Verfehlungen klar vor Augen stehen, die Schuld der Kafkaschen Protagonisten jedoch jeweils eine unbewußte, verborgene ist.

Zusammenfassend läßt sich sagen, daß die Beziehungen zwischen Kafka und der Antike zahlreicher und vielfältiger sind, als man zunächst annehmen möchte. Nicht nur die Trugschlüsse Zenons, sondern vor allem auch die alten Sagen und Mythen rufen Assoziationen wach und lassen erkennen, daß die negativen Züge tragischer Fatalität, wie sie Kafkas Dichtung kennzeichnen, dem Welt- und Menschenbild der Antike nicht unbekannt waren. Auffällig ist jedoch, daß Kafka gerade dort, wo er sich direkt mit antiken Gestalten befaßt, am weitesten von diesen entfernt erscheint. In seinen Kurzgeschichten *Prometheus, Poseidon, Das Schweigen der Sirenen* und *Der neue Advokat* identifiziert er sich nicht mit den alten Vorstellungen, sondern verfremdet seinen Gegenstand. Indem er hier die antike Welt ironisch, ja satirisch spiegelt, bleibt er ihr wie ein Parodist dem Parodierten *gegenüber*. In seinen eigentlichen Protagonisten jedoch, in den Antihelden seiner Romane und Erzählungen, die keinen antiken Namen tragen, sondern ganz von hier und heute sind und deren alltäglich anmutende Lebensläufe mit antiken Heldenschicksalen nichts gemein haben, tritt existentiell Gemeinsames zutage, ist menschliche Urverwandtschaft erkennbar.

Als wohl Erstaunlichstes und Bedeutungsvollstes kommt hinzu, daß auch das Eigenste Kafkas, sein »traumhaftes inneres Leben«, dieser modernste Zug seines Dichtertums, ihn zugleich am engsten mit der Antike verbindet.[57] »Traumhaftes inneres Leben«, in dem alles nur

Scheinhafte »ins Nebensächliche gerückt«, ja ausgeschaltet wird, ist vergleichbar mit dem Sehertum des Tiresias, der gerade weil er äußerlich blind ist, tiefer sieht als alle anderen, durch die täuschenden Fassaden hindurch auf den katastrophalen Grund der Dinge blickt und sich nicht retten kann vor den Schreckensvisionen, denen er ausgeliefert ist. Kafka selbst bekannte, daß er nur mitteile, was ihm sein »traumhaftes inneres Leben« eingibt. Denn in dieser schöpferischen Trance erfahre er die Wirklichkeit, wie sie so eindringlich unter »normalen« Tagesbedingungen nicht erfahren werden könnte. In dieser vollen Konfrontation mit der Wirklichkeit kann er sich nicht länger durch Illusionen oder Scheuklappen schützen, muß er sich vielmehr – ohne Vorauswahl und Wegweiser, ja auch ohne gesicherten Ausgangspunkt – der kontroversen Fülle des Ganzen stellen, wobei sich dann vermeintlich Nebensächliches unter Umständen als Hauptsache erweist und die das gewöhnliche Tagleben bestimmenden Auswahl- und Ordnungsprinzipien ihre bindende Kraft verlieren. »Traumhaftes inneres Leben« im Sinne Kafkas meint somit: in eine tiefere Schicht der Daseinserfahrung eingegangen und den Schrecken der Welt ungeschützt ausgesetzt sein. Es ist der leidvolle Tiefenblick Kassandras, der sich in Wehklagen verlautbart.[58] Und der Klageruf der antiken Seherin durchtönt wie ein Leitmotiv Kafkas gesamtes Werk.

Als Dichter des »traumhaften inneren Lebens« ist Kafka den alten Sehergestalten verwandt, die – für die Außenseite der Dinge blind – in der Hellsicht inneren Schauens um so unerbittlicher die eigentliche Wirklichkeit hinter den Dingen wahrnehmen und die erschreckenden Visionen, die sie bedrängen, unretuschiert vergegenwärtigen. Auch für Kafka ist dieses ganz konkrete Sehen charakteristisch. Er »zeichnet nur auf«, was ihm in voll ausgeformten Bildern vor Augen steht. Er allegorisiert nicht, sondern »erzählt eine Geschichte«, die sich selbst genug ist. Der blinde Seher Tiresias und die klagende Kassandra gehören zu den frühen Ahnen des modernen Dichters.

Aber zwischen Kafka und der Antike liegen Jahrtausende, die sich nicht überspringen lassen. Denn sie bedeuten nicht nur zeitlichen Abstand, sie bedeuten Verwandlung. Geschichte wiederholt nicht. Sie steht unter dem Gesetz, »daß alles gleitet und vorüberrinnt«:

Gestaltung, Umgestaltung,
Des ewigen Sinnes ewige Unterhaltung.
(*Faust* II, 6287/88)

So gibt es wohl Ähnliches oder Verwandtes, aber nicht Identisches, vieles Vergleichbare, aber nicht Gleiches. Schon vom Gestern zum Heute bleibt dasselbe nicht dasselbe. Entsprechend gibt es das Alte als solches nie mehr, es gibt immer nur »das Alte im Neuen«. Da aber die Gegenwart jeweils die volle Summe der Vergangenheit ist, ist alles Gegenwärtige stets alt und neu zugleich. Denn geschichtliches Leben ist beides: anachronistisch und irreversibel. Das heißt, die Vergangenheit ist nie ganz vergangen, und die Zukunft hat immer schon begonnen. Als wichtig kommt hinzu, daß – nach dem geheimnisvollen Walten der Erbgesetze – großer zeitlicher Abstand nahe Verwandtschaft nicht ausschließt. So steht Kafka in entscheidenden Aspekten der Antike näher als der Klassik um 1800. Aber zugleich ist er ein Dichter des 20. Jahrhunderts, der Dichter der Krise des modernen Menschen. Das Gemeinsame, das ihn mit der Antike verbindet, ist *Gemeinsames im Unvereinbaren*.

Don Quijote

Es verwundert nicht, daß auf der Suche nach dem »Alten im Neuen« Kafka auch mit *Don Quijote* in Verbindung gebracht und in dem »Ritter von der traurigen Gestalt« ein Ahnherr seiner Protagonisten gesehen worden ist. Aber die wenigen Zeilen, in denen sich Kafka mit den Romanfiguren des Cervantes befaßte und denen Max Brod den Titel »Die Wahrheit über Sancho Pansa« gegeben hat, vermögen einen solchen verwandtschaftlichen Zusammenhang nicht zu bestätigen. Im Gegenteil, wir bewegen uns in jeweils verschiedenen Räumen. Das Gemeinsame beschränkt sich auf etwas nur Äußerliches, auf die simple Tatsache nämlich, daß hier wie dort die beiden Namen »Don Quijote« und »Sancho Pansa« begegnen. Im übrigen aber setzt sich Kafka mit seinen Ausführungen entschieden vom Werk des spanischen Dichters ab. Die »in Kafkas Lebenszeugnissen häufig zu beobachtende Tendenz, Gestalten der Mythologie, Sage und Geschichte entgegen der historischen Überlieferung zu verändern«[1], tritt hier besonders kraß zutage. Ja, die Überlieferung wird geradezu auf den Kopf gestellt, insofern nicht Don Quijote, sondern Sancho Pansa als Zentralgestalt erscheint und somit beide mit den Gestalten des Cervantes nichts mehr gemein haben.

Es geht hier also um mehr als nur darum, daß Kafka altes Dichtungsgut als bloße Stoffquelle benützt, wie das sonst vielfach bei ihm festgestellt werden kann[2], auch nicht um Übernahme eines Erzählmodells, wie sie Hartmut Binder in Kafkas Werken mehrfach nachweisen konnte[3], sondern um eigenwillige »Deformation klassischer Motive«.[4] Das entsprach dem kreativen Bedürfnis des Dichters, »jedes von ihm registrierte Phänomen sich jeweils ganz persönlich anzueignen und damit der eigenen Situation anzuverwandeln«.[5] In der Tat führt dieser Text über Sancho Pansa aus der Welt Don Quijotes hinaus und in die ganz andere Eigenwelt Kafkas hinein. Was die Dichtung Kafkas mit dem *Don Quijote* Cervantes' verbindet, ergibt sich also gerade nicht aus jenem Erzählstück, das sich namentlich auf den spanischen Roman bezieht. Wie bei der Beziehung Kafkas zur Antike geht es auch hier um stofflich unabhängige, ursprüngliche Gemeinsamkeiten. Wenn Don Quijote, fasziniert durch die Ritterromane, die er gelesen hat, das Ritterleben konsequent nachvollzieht, »stellt er die Welt seiner geliebten Bücher hoch über jene der Erfahrung« und schiebt die Wirklichkeit kurzerhand beiseite, »sobald sie seinen Traum stört«.[6] Das heißt, nur das auf ihn Wirkende gilt ihm als wirklich. Wie für Kafka hat auch schon für Don Quijote die Realität seines »traumhaften inneren Lebens . . . alles andere ins Nebensächliche gerückt [und] nichts anderes kann [ihn] jemals zufriedenstellen«.[7] Beide setzen also etwas rein Innerliches, nur für sie selbst Existierendes als das Eigentliche und Einzige und entwerten damit die empirische Wirklichkeit. Infolgedessen haften den Gestalten Kafkas Züge des Cervanteschen Ritters an. Der Protagonist des Schloß-Romans K. ist »ein von der Wirklichkeit stets überraschter Außenseiter« und kann als »ein quijotesker Antiheld« angesprochen werden.[8] Für die Bewohner des Dorfes ist er kein Hiesiger, sondern ganz anderswo, eben in einer nur ihm eigenen Welt zu Hause und in die hier gegebene Wirklichkeit nicht einzugliedern. Das erinnert an die Situation und das Lebensverhalten des Don Quijote, an dessen »Verfolgung eines ganz bestimmten Ziels, das schlechthin darin besteht, das, was er in den Büchern gelesen hat, in die Tat umzusetzen«.[9] Wie die Geschichte des Don Quijote handeln auch die Romane Kafkas »von einer Suche, deren Ziel fest umrissen, wenn auch anscheinend absurd ist, und die es um jeden Preis zu Ende zu führen gilt«.

Eine nicht nur äußere Parallele zwischen Cervantes und Kafka liegt ferner darin, daß nicht auszumachen ist, ob und wofür sie Partei ergreifen. Marthe Robert weist mit Recht darauf hin, daß Kafkas Texte mit keinem einzigen Wort verraten, auf welcher Seite er steht, ob er mit seinen Helden sympathisiert oder das Recht der Gegeninstanz, z. B. des Schlosses oder des obersten Gerichtes, bejaht. Wie Cervantes erzählt er mit so präziser Nüchternheit, daß sich über seinen persönlichen Standort nicht »mehr als Vermutungen« beibringen lassen; »denn die Antworten wechseln oder vielmehr gibt es keine Antworten, alle Gewißheiten sind verfrüht und werfen perfiderweise neue Fragen auf«. Das aber besagt, daß auch für Kafka selbst die hier aufgeworfenen Fragen nicht zu beantworten sind. Wenn er – nach seinen eigenen Worten – »nur aufschreibt« und sich jeglichen Kommentars enthält, so ist das nicht lediglich epische Technik, sondern Ausdruck dieser Unentscheidbarkeit der angesprochenen Probleme. Darin zeigt sich zugleich der Gegensatz zu Cervantes. Die Labyrinthe Kafkas entspringen nämlich nicht den fanatischen Irrungen eines Monomanen, sondern haben es mit dem normalen Leben zu tun, sie parodieren nicht, sie enthüllen. Was der *Don Quijote* erzählt, sind die Eskapaden eines vom Ritterwahn Besessenen, die darum auch verdientermaßen der Lächerlichkeit preisgegeben werden. Denn es besteht hier kein Zweifel darüber, was Wahn und was Wirklichkeit ist. Cervantes schreibt vom gesicherten Boden der (als wirklich akzeptierten) Wirklichkeit aus. Für Kafka hingegen gibt es diesen sicheren Standort nicht. Er steht selber mitten im Labyrinth. Die natürliche Ordnung der Dinge erweist sich hier als Schein. Jede Orientierung täuscht, da sie immer nur auf neue Sackgassen verweist. Worum es Kafka geht, ist also nicht Satire[10], die ja die Überlegenheit eines zweifelsfrei Wissenden voraussetzt, sondern die Fragwürdigkeit menschlichen Existierens überhaupt, »die Unmöglichkeit zu leben«.[11]

Man wird Marthe Robert zustimmen müssen, daß es »keinen Verrat an Kafka« bedeutet, »wenn der Kommentator sich bestrebt zu erkennen, was das Schloß, die oberste Gerichtsbehörde, das Gesetz, die Chinesische Mauer, die Strafkolonie eigentlich sind«, daß er damit vielmehr Kafkas eigene Methode anwende und »dem unwiderstehlichen Zug seines Denkens« folge.[12] In solchem (als kongenial empfundenen) Deutungsbemühen um den Schloß-Roman kommt die Verfasserin zu dem Schluß, K. sei »nicht ins Dorf gekommen, um seine geistige Versklavung zu teilen, sondern ganz im Gegenteil, um die Notwendigkeit des Zweifels zu proklamieren, um einer neuen Erfahrung, lebendiger als die Überlieferung, zum Durchbruch zu verhelfen, um das individuelle Denken an die Stelle dumpfer kollektiver Glaubensanschauungen treten zu lassen, durch die es gehemmt wird; kurzum, er handelt als echter Abkömmling der Aufklärungsphilosophie, deren Aufgabe es von jeher gewesen ist, das ›Dorf‹ von den Finsternissen des ›Schlosses‹ zu befreien«.

Das ist eine interessante und in sich schlüssige Deutung, die aber die Grenzen textgebundener Interpretation sprengt, da sie nicht auslegt, sondern hinzugestaltet, weiterdichtet.[13] Auch fällt es schwer, in dem von allem Anfang an heillos frustrierten Landvermesser K. einen »echten Abkömmling der [optimistisch fortschrittsgläubigen] Aufklärungsphilosophie« zu sehen. Mit solchen Assoziationen werden Probleme herangetragen, die in dem ganz als Individualgeschichte konzipierten Schloß-Roman keinen Raum finden können. Geht es hier doch keineswegs um die historisch fixierbare, sozialpolitische Problematik von Dorf und Schloß – diese bilden vielmehr nur den Handlungsspielraum der Biographie des Helden bzw. Antihelden –, sondern um die ahistorisch parabolische Vergegenwärtigung einzelmenschlichen Daseins. Jede Bezugnahme auf bestimmte geschichtliche Situationen oder spezifisch politische Belange widerspräche dem zugleich individuellen und universellen Konzept des Dichters. Dessen Gegenstand ist der leidende, scheiternde Mensch als solcher – unabhängig von seinen geschichtlich konkreten Existenzbedingungen. Die Problematik der gesellschaftlichen Verhältnisse jedoch war nicht sein Thema.[14] Zwar stand er den sozialen Problemen durchaus nicht gleichgültig gegenüber[15], doch hat er sich – im Gegensatz zu seinen expressionistischen Dichterkollegen – nicht (partei)politisch engagiert. Zu tief saß sein Zweifel daran, daß Systemveränderung eine Besserung bringen könnte.

In jedem Falle verfälscht man den Dichter, wenn man seine grundsätzlich zeitlosen Darstellungen historisch festlegt oder gar politisch aktualisiert. Wenn er sich politischer Aktivität versagte, so hatte das nichts mit mangelnder Teilnahme am Schicksal der Menschen und der Völker zu tun, entsprang vielmehr seiner fatalistisch pessimistischen Überzeugung von der Unverbesserlichkeit und Unerlösbarkeit der menschlichen Natur. Keine Institution, kein System und keine politische Ideologie – so hat er wiederholt geäußert – vermöchten den Menschen vor sich selbst zu schützen. Trotz aller verführerischen Schlagworte werde daher jede Revolution über kurz oder lang durch die Bürokratie erledigt werden und damit in dieselbe Misere einmünden, die sie zu überwinden vorgab, denn »die Fesseln der gequälten Menschheit sind aus Kanzleipapier«.[16]

Historisch oder politisch akzentuierte Deutungsgesichtspunkte, so bestechend sie auch auf den ersten Blick anmuten mögen, zielen letzthin an Kafka vorbei, und die Dorf-Schloß-Thematik, die Marthe Robert dem Roman Kafkas unterstellt, lag völlig außerhalb der Absichten des Dichters. Ihm ging es erklärtermaßen nicht um geschichtlich Identifizierbares und Spezifisches, sondern um bildhaft realisierte Grundsituationen, um immer und überall sich Ereignendes, um die dem Menschen an sich immanente Problematik. Doch bleibt bemerkenswert, daß Kafkas Werk gleichwohl auch Assoziationen in ganz anderer Richtung anzuregen vermag.

Fassen wir die Beziehungen, die sich zwischen Cervantes' Don Quijote und dem Protagonisten in Kafkas *Schloß* feststellen lassen, nochmals ins Auge, so ergibt sich, daß Marthe Roberts Versuch, den Don Quijotismus in Kafkas Roman als ein Beispiel des »Alten im Neuen« aufzuweisen, nicht rundum zu überzeugen vermag. Ja, man wird Bondy zustimmen müssen, daß die Unterschiede der beiden Gestalten ihre verwandtschaftlichen Züge überwiegen. Während sich der Landvermesser K. »unablässig« darum bemüht, »die drohende Wirklichkeit zu erforschen, in die er geworfen wurde«, will »Don Quijote . . . die ihn umgebende Wirklichkeit gar nicht kennen, sondern stellt ihr unerschütterlich sein traditionsgebundenes Wertsystem entgegen – mit dem Erfolg, daß Sancho . . . seinen Verheißungen schließlich Glauben schenkt«.[17] »Der ritterlichen ›Suche‹ – wie absurd und parodistisch sie auch sei – und den Untersuchungen dessen, der sich als Detektiv gebärdet, um nicht Opfer zu sein, ist nur eines gemeinsam: das Scheitern.« Doch sind auch hierbei die Lösungen verschieden: »Don Quijote kann immerhin zur Einsicht kommen und seine Bücher als die Verursacher seiner Irrungen verbrennen.« K. hingegen bleibt eine solche »heilsame Erkenntnis« versagt. Auch steht ihm nicht wie jenem »eine verkannte, sondern eine unerkennbare Welt gegenüber . . . eine Welt, der er niemals eine Norm aufzwingen wollte«. Seine Situation ist also von der Don Quijotes grundverschieden. Die Welt, die er nicht zu erfassen vermag, »weist ihm nicht einmal die Rettung eines konformen Verhaltens; sie gestattet dem Außenseiter nicht die Anpassung an kapriziöse veränderliche Spielregeln«. Sein Scheitern erweist sich daher als permanent; es vollzieht sich nicht in einem abschließenden Akt, nicht als ein Ende mit Schrecken, sondern als ein Schrecken ohne Ende.

Es liegt in der Konsequenz der archetypisch orientierten, anthropologischen Literaturbetrachtung Marthe Roberts, daß sie nicht nur Kafka und Cervantes einander zuordnet, sondern in den Essays ihres späteren Werkes »Sur le papier« (Grasset 1967) auch ganz allgemein den »don-

quijotesken« Charakter der Romanliteratur des 19. Jahrhunderts nachzuweisen sucht. Die gleiche Tendenz, »eine Reihe von Autoren unter
einem literarischen Archetyp« zusammenzufassen, begegnet ähnlich bei
René Girard (»Mensonge Romantique et Vérité Romanesque« = Romantische Lüge und Wahrheit des Romans), Roger Shattuck und Giorgio Manganelli (»La letteratura come mensogna« = Die Literatur als
Lüge).[18] Bei solchen großräumigen Perspektiven und Reihenbildungen
geht es freilich nicht ohne Überschneidungen und Simplifizierungen
ab.[19] Fast könnte man dabei den Eindruck gewinnen, »als wäre alle
große Literatur ein und dasselbe Buch, das nur aus historischen und
persönlichen Gründen jeweils anders geschrieben wurde;[20] als sei es das
Zeichen des literarischen Genies, sich den Notwendigkeiten einer begrenzten Zahl großer Themen zu fügen;[21] als habe, durch verschiedene
Federn, die wahrhaft bedeutende . . . Literatur sich gewissermaßen selber geschrieben, wobei die Unterschiede weniger in der individuellen
Laune und Phantasie ihrer Schöpfer zu suchen wären, als in den historischen Umständen.«[22]

Das Unbefriedigende einer solchen großzügig assoziierenden »anthropologischen Literaturanalyse« liegt darin, daß der eigentliche Akt
der künstlerischen Gestaltung, der schöpferische Anteil des Individuums
dabei zu kurz kommen. Gemeinsamkeiten in Thematik und Problematik, die hier in erster Linie interessieren, sind zwar gewiß wichtig, aber
allein nicht entscheidend. Denn der zentrale Gegenstand der Literaturkritik ist nicht das Was, sondern das Wie, die hinzukommende persönliche Leistung also, die eigentümlich neue Formung, die die (meist
vorgegebene) Fabel gefunden hat. Tatsache ist auch, daß man bei Werken desselben stofflichen Inhalts kaum je den gleichen Gehalt oder die
gleiche Gestalt finden wird, nicht einmal dort, wo es die erklärte Absicht
des Dichters war, nichts zu ändern, sondern Substanz und Konzeption
des Originals festzuhalten.[23] Auf diesem Eigenen in der Auswertung
und Formung des stofflich Gleichen muß das Hauptgewicht liegen. Was
ein Autor hinzubrachte und ob er etwas hinzubrachte, das sind die
entscheidenden Fragen der Literaturkritik. Seine typologische Einordnung – etwa als »typischer Romantiker« oder »typischer Naturalist« –
ist zwar eine Orientierungshilfe, aber doch eine nur erst vorläufige und
vordergründige Information.

Über Zeit- und Völkergrenzen hinweg Zusammenhänge zu stiften
und weit voneinander abstehende Erscheinungen in Reihen zu ordnen,
ist ein gleichermaßen faszinierendes und riskantes Unternehmen. Es
erlaubt, in weitem Umfang Altes im Neuen zu entdecken und dadurch
etwas von der Vielfalt der geschichtlichen Voraussetzungen eines literarischen Werkes transparent zu machen. Es ermöglicht eine Sicht des
Gegenstandes, wie sie werkimmanente Interpretation allein nicht zu
erschließen vermöchte. Jeder, auch der originellste Dichter steht – bewußt oder unbewußt – in einem vorgegebenen und in sich vielfältig

differenzierten Traditionszusammenhang, weshalb sich manches in seinem Werk oft nur aus dieser Vorgegebenheit begreifen läßt. Dunkelheiten, die zu müßigen Spekulationen verleiten, werden durchsichtig, sobald man ihre Ursprünge erkennt. Und gerade für Kafkas Dichtung gilt, daß sie – ohne Blick auf das vorgegebene jüdische Erbe – nicht adäquat verstanden werden könnte. Daß er, der emanzipierte Jude, gleichwohl noch die Last der jahrtausendealten Tradition seines Volkes trug, machte nicht zuletzt sein (produktiv stimulierendes) Leiden aus. Zur Tradition kommt freilich bei Kafka die »Verwandlung« als entscheidende und unterscheidende Tendenz hinzu. Daran scheitert auch die Identifizierung der Protagonisten Kafkas mit jenem literarischen Archetyp, der in Don Quijote beispielhaft verkörpert ist.

Don Quijote ist der »Leser als literarische Gestalt«, nämlich der »aus Büchern gebildete«, durch Lektüre geprägte, ja umgeprägte Mensch. Seine Person erweist »das Buch als Lebensführer . . . als Macht des Geschaffenen über das Gegenwärtige . . . [ja sogar] als Bild noch unverwirklichter Möglichkeiten«.[24] Literatur fungiert hier als Vorschrift, die »dem, was nur gelebte Wirklichkeit ist, ein Ideal entgegenstellt, ein Nachahmung heischendes Modell«. »Auch die sogenannte Trivialliteratur, zu der die Mehrzahl jener Ritterromane gehörte, die Don Quijote verschlingt, ist edel im Vergleich zur Wirklichkeit . . .« Als etwas Ähnliches, ja Verwandtes, nämlich dem inneren Wollen Gemäßes und das eigene Selbst Erfüllendes läßt sich – cum grano salis – auch Kafkas »traumhaftes inneres Leben« hiermit assoziieren. Doch ist es mit dem literarisch erzeugten Traum Don Quijotes weder direkt noch konsequent vergleichbar. Denn der Dichter und seine Gestalten sind durch keine bestimmten literarischen Vorbilder angeregt und fixiert. Kafka will nichts als sein eigenes Sein leben. Die Voraussetzungen seines literarischen Existierens sind also anderer Art als die in Cervantes' Roman angesprochenen.

Wenn man Vergil als den verehrenden Leser Homers und gleichzeitiges Vorbild Dantes mit jenem als Vorgänger und diesem als Nachfolger in eine Reihe stellt, so setzt Kafka – trotz erkennbarer spurenhafter Zusammenhänge – diese Reihe nicht fort. Er ist zwar vielfacher Erbe, aber kein direkter Nachkomme. Eine direkte (oder doch eindeutige) Linie archetypischen Charakters verbindet hingegen Francesca da Rimini in Dantes Inferno mit Don Quijote und der Madame Bovary Flauberts. Denn diese drei Personen verkörpern den Archetyp des Lesers als literarische Gestalt. Francesca beging deshalb »ihren Fehltritt, weil sie mit dem Freund zur Unzeit ein Buch las . . . ein Buch, das ein Vorläufer eben jener Ritterromane war, an dem sich Don Quijotes Sinne verwirren sollten«. Und ebenso verfiel Emma Bovary deshalb der Sünde, »weil sie in ihrer Langeweile zu viele Kitschromane las«.

Sicher ist die Macht der Kitschliteratur, mit deren Gestalten sich die Leser in ihren Tagträumen zu identifizieren pflegen, nicht zu unterschätzen. Aber mit dem Scheitern der Kafkaschen Protagonisten hat das alles nichts zu tun. Keiner von ihnen scheitert infolge eines verhängnisvollen literarischen Einflusses. Alle scheitern vielmehr an ihrer Eigentümlichkeit und der durch diese bedingten Isolation, an der Diskrepanz zwischen ihrem *Selbst*sein und dem sie umgebenden, bedrohenden *Da*sein. Ihre mit der Erfahrungswirklichkeit nicht vereinbare Innenwelt ist der realitätsblinden Versponnenheit des literarischen Lesertypus von der Art Don Quijotes zwar nicht unähnlich, aber anderen Ursprungs. Ist es doch ein Unterschied, ob der Held an sich selbst oder an einer von außen in sein Leben hineinwirkenden Ursache scheitert. Die Personen Kafkas sind keine »Leser als literarische Gestalten«, mag auch er selbst dem seinem Rittertraum verfallenen Don Quijote insofern vergleichbar sein, als auch er, eingesponnen in seine als Literatur definierte Eigenwelt, gegen die empirische Welt lebte. Was seine Protagonisten mit jenem verbindet, ist ihre durch Isoliertsein verursachte Konfliktsituation gegenüber der Wirklichkeit. Und hier wie dort löst dieser Kontaktverlust das Scheitern des Helden aus.

Aber bei keiner Kafkaschen Gestalt ist es eine klar bezeichnete, konkrete Ursache – oder gar das Bücherlesen –, was den Konflikt mit der Welt und damit die Katastrophe verschuldet. Das Scheitern ist vielmehr ein jeder konkreten Erklärung enthobener, existentieller Tatbestand. Was K. im *Schloß* von Don Quijote trennt, ist also nicht nur ein weiter, sondern auch ein grundsätzlicher Abstand. Es sind Welten, die zwischen Kafka und Cervantes liegen, aber nicht so sehr wegen der räumlich-zeitlichen Distanz, als vielmehr wegen der Differenzen in ihrem Welt- und Selbstverständnis. Diese Unterschiede reichen so tief, daß, wenn sich die beiden begegneten, sie keine gemeinsame Sprache noch überhaupt eine Kommunikationsebene besäßen, um sich zu verständigen.

Von der Schwierigkeit, ja Not des Schreibens, die Kafka durchlitt, hat ein Dichter wie Cervantes noch nichts geahnt. Man muß nur einige einschlägige Sätze Kafkas zitieren, um diese Diskrepanz fühlbar zu machen:

Ich ziehe, wenn ich nach längerer Zeit zu schreiben anfange, die Worte wie aus der leeren Luft. Ist eines gewonnen, dann ist eben nur dieses eine da und alle Arbeit fängt von vorne an. Wenn ich mich an den Schreibtisch setze, ist mir nicht wohler als einem, der mitten im Verkehr der Place de l'Opéra fällt und beide Beine bricht. Alle Wagen streben trotz ihres Lärmens schweigend von allen Seiten nach allen Seiten, aber bessere Ordnung als die Schutzleute macht der Schmerz jenes Mannes, der ihm die Augen schließt und den Platz und die Gassen verödet, ohne daß die Wagen umkehren müßten. Das viele Leben schmerzt ihn, denn er ist ja ein Verkehrshindernis, aber die Leere ist nicht weniger arg, denn sie macht seinen eigentlichen Schmerz aus.
Sicher ist, daß alles, was ich im voraus selbst im guten Gefühl Wort für Wort oder sogar nur beiläufig, aber in ausdrücklichen Worten, erfunden habe, auf dem Schreibtisch beim Versuch des Niederschreibens trocken, verkehrt, unbe-

weglich, der ganzen Umgebung hinderlich, ängstlich, vor allem aber lückenhaft erscheint, obwohl von der ursprünglichen Erfindung nichts vergessen worden ist. Es liegt natürlich zum großen Teil daran, daß ich frei vom Papier nur in der Zeit der Erhebung, die ich mehr fürchte als ersehne, wie sehr ich sie auch ersehne, Gutes erfinde, daß dann aber die Fülle so groß ist, daß ich verzichten muß, blindlings also nehme, nur dem Zufall nach, aus der Strömung heraus, griffweise, so daß diese Erwerbung beim überlegten Niederschreiben nichts ist im Vergleich zur Fülle, in der sie lebte, unfähig, diese Fülle herbeizubringen, und daher schlecht und störend ist, weil sie nutzlos lockt.   (Aus dem Nachlaß)

Niemals hätte Cervantes solches aussprechen, reflektieren oder auch nur verstehen können. Die Not des Schreibens, wie sie Kafka Satz für Satz, ja Wort für Wort bedrängte, lag außerhalb seines Vorstellungsvermögens. Das Schreiben galt ihm als ein Können, das man – wenn auch mit wechselnden Graden des Gelingens – beherrschte, nicht aber eine Spiegelung der Krisenhaftigkeit des Daseins. Die Sprache als solche war noch kein Problem, der Glaube an ihre Aussagefähigkeit und »Abbildekraft« noch unangefochten. Sprachkrise im Sinne der Dichter der Jahrhundertwende,[25] also Verzweiflung darüber, daß »wer sagt, versagt«,[26] kannte der Dichter des *Don Quijote* noch nicht und schrieb überhaupt von ganz anderen Voraussetzungen aus als Kafka. Der Daseinsraum des Menschen galt ihm nicht als Labyrinth. Die grotesken Irrungen seines verspäteten Ritters haben also nichts mit der »gebrechlichen Einrichtung der Welt« oder mit der »Unmöglichkeit zu leben« zu tun, sie erscheinen nicht als tragische Fatalität, sondern als eine klar erkennbare Fehlleistung des Helden. Cervantes ist nicht Tragiker, sondern Satiriker, nicht Pessimist, sondern Parodist.[27] Da aber unter seinem satirisch-parodistischen Aspekt auch Tragisches in den Blick tritt und andererseits Kafkas Darstellungen der Verlorenheit und Vergeblichkeit menschlichen Daseins mitunter gleichfalls eine satirisch-parodistische, ja sogar grotesk-komische Tönung zeigen, liegt vergleichende Betrachtung beider Dichter nahe. Da es sich aber nur um Ähnlichkeiten in Grenzbereichen und nicht um kernhafte Identitäten handelt, sind solche Parallelen mit Pirandellischer Skepsis zu werten: »So ist es. Ist es so?« Die Assoziationen, die sich hier anstellen lassen, werden um so aufschlußreicher sein, je fester man die fundamentalen Unterschiede zwischen Cervantes und Kafka im Blick behält.

Goethe

1.

Bei der vergleichenden Gegenüberstellung Kafkas und Goethes geht es nicht um auffindbare äußere Parallelen in ihrem Leben und Dichten, aber auch nicht eigentlich darum, ob und in welchem Umfang Kafka sich mit Goethe auseinandergesetzt hat, sondern um die typologische Frage nach den genuinen Voraussetzungen beider, welche – im Neben- und Gegeneinander – ihr Gemeinsames und Trennendes bedingen. Unter diesem Gesichtspunkt würde es die Ergebnisse unserer Erörterungen nicht wesentlich verändern, wenn Kafka den Weimarer Klassiker überhaupt nicht gekannt hätte. Aber natürlich ist es von zusätzlichem Interesse, sich zu vergegenwärtigen, welcher Art die Begegnungen Kafkas mit Goethe gewesen sind und wie er selber sein Verhältnis zu Goethe empfunden hat. Infolgedessen sei hier das einschlägig Wissenswerte in einer knappen Zusammenfassung dem typologischen Vergleich vorangestellt.

Die erste Berührung Kafkas mit Goethe erfolgte in der Schule. Und hier war es nicht gleichgültig, daß Kafkas Deutschlehrer in den beiden letzten Schulklassen, Dr. Josef Wihan, ein begeisterter Goethe-Verehrer war und die Schüler mit Hauptwerken des Dichters bekannt machte. Das hat gewiß mit dazu beigetragen, daß sich Kafka lebenslang mit Goethes Dichtung, insbesondere mit seiner Prosa befaßte und auch seinerseits ein aufrichtiger Goethe-Verehrer gewesen ist. So hat er während seines Jurastudiums die Goethelektüre weitergeführt, u. a. den *Werther* und wohl auch die *Wahlverwandtschaften* gelesen bzw. wiedergelesen. Im August 1909, während seiner Urlaubstage am Gardasee, verfolgte er zusammen mit seinem Freund Max Brod die Spuren Goethes, der im September 1786 in Torbole beim Anblick der Seewogen an die endgültige Gestaltung seiner *Iphigenie* gegangen war. 1911 und 1912, die Jahre seiner Selbstfindung als Schriftsteller, waren zugleich Jahre intensiven Goethestudiums. Mit besonderem Interesse las er die Tagebücher und Reisetagebücher des Dichters, ferner Flodard Frh. von Biedermanns fünfbändige Ausgabe der *Gespräche* Goethes. Auch *Dichtung und Wahrheit* und *Iphigenie* las er noch einmal. In der Zeit vom 29. Juni bis 6. Juli 1912 besuchte er mit Brod die Stadt Weimar, wo das Goethehaus am Frauenplan der Hauptgegenstand seines Interesses war. Dabei interessierte er sich gerade auch für die Innenausstattung, um festzustellen, ob und inwieweit die äußeren Schreibbedingungen Goethes seinem eigenen Wunschbild einer Schriftstellerwohnung entsprachen. Das Gartenhaus des Dichters hat er nicht nur besichtigt, sondern auch gezeichnet. Ähnlich wie Goethe begriff auch Kafka sich als Augenmensch. Ohne Frage war er von Goethe fasziniert und wollte sogar einen Aufsatz über die Persönlichkeit des Dichters schreiben. Wie er im Tagebuch (T 290) vermerkte, galt ihm Goethes inspiriertes Schreiben als unerreichtes Vorbild, das ihn aus den Niederungen seiner eigenen bisherigen Versuche befreien könnte.

In Bewunderung der realistischen Genauigkeit, übersichtlichen Klarheit und Lebendigkeit Goethescher Darstellungen hat Kafka ein Verzeichnis solcher besonders eindrucksvollen Stellen aus *Dichtung und Wahrheit* angelegt (T 214) und damit auf einen ihm mit Goethe gemeinsamen Zug hingewiesen, nämlich auf sein Bedürfnis nach präziser und jeweils vollständiger Darstellung der Situation und Vorgänge, die vergegenwärtigt werden sollen. Entsprechend heißt es in seiner *Beschreibung eines Kampfes:* »Ich will nichts mehr in Brocken hören. Erzählen Sie mir alles, von Anfang bis zu Ende. Weniger höre ich nicht an, das sage ich Ihnen. Aber auf das Ganze brenne ich.« Indessen besteht insofern ein Unterschied zwischen beiden, als dieser detailbeflissene Realismus bei Goethe einen möglichst breiten Ausschnitt der empirischen Welt einzufangen und zur Anschauung zu bringen sucht, während er bei Kafka mehr als ein magischer Realismus, eben als der Realismus seines »traumhaften inneren Lebens« erscheint. Auch kann kein Zweifel darüber bestehn, daß Kafka bei aller Bewunderung der schriftstellerischen Kunst des alten Meisters auch den Typengegensatz empfand, der ihn von Goethe trennte. Gleichwohl konnte er sich dessen Einfluß nicht ganz entziehen. Hartmut Binder hat einige Textstellen Kafkas aufgezeigt, die von der ihm sonst eigenen Darstellungsweise abweichen und das gestalterische Vorbild Goethes erkennen lassen.[1] In einer Tagebuchnotiz vom 25. Dezember 1911 betonte Kafka jedoch die künstlerische Problematik, die das übermächtige Fortwirken des Goetheschen Vorbildes in der neueren deutschen Literatur gezeitigt habe:

Goethe hält durch die Macht seiner Werke die Entwicklung der deutschen Sprache wahrscheinlich zurück. Wenn sich auch die Prosa in der Zwischenzeit öfters von ihm entfernt, so ist sie doch schließlich, wie gerade gegenwärtig, mit verstärkter Sehnsucht zu ihm zurückgekehrt und hat sich selbst alte, bei Goethe vorfindliche, sonst aber nicht mit ihm zusammenhängende Wendungen angeeignet, um sich an dem vervollständigten Anblick ihrer grenzenlosen Abhängigkeit zu erfreuen. (T 212)

Indessen war Kafka selbst zu eigenwillig und eigenwüchsig, um jemals ein Goethenachahmer zu werden. Er konnte als Schriftsteller nur *seinen* Weg gehen. Von den literarischen Eindrücken, die er erfuhr, hat er daher nur solche aufgenommen und sich anverwandelt, für die er *a priori* empfänglich war. Aber eben dies, sich nur im Eigenen entfalten zu können, verbindet ihn zugleich mit Goethe, der von sich bekannte, daß nur das ihm Gemäße ihn zu bilden vermochte.

Andererseits war es gerade die Sprache Goethes, die Kafka bewunderte, ja begeisterte. Am 13. Februar 1913 schrieb er ins Tagebuch: ». . . ich träume melodischen Aufschwung und Fall, ich lese Sätze Goethes, als liefe ich mit ganzem Körper die Betonungen ab.« (T 249) Sein Tagebucheintrag vom 9. März 1912, daß »Goethes Gedichte unerreichbar für den Rezitator« seien, gehört gleichfalls in diesen Zusammenhang. Auch diese Äußerung bezeugt, wie viel der Klang und der Rhythmus der Sprache, ihre musikalischen Elemente also, für Kafka bedeuteten und wie viel Entsagung die selbstauferlegte stilistsiche Askese von ihm forderte. Ähnlich wie Goethe galt ihm die gesprochene Sprache als die eigentliche Sprache, während die geschriebene Sprache gleichsam nur eine Konserve sei, der die Vitamine fehlen. In solchem Sinn erklärte Goethe in *Dichtung und Wahrheit:* Schreiben sei »ein Mißbrauch der Sprache, still für sich lesen ein trauriges Surrogat der Rede«.

Wenn Kafka unter den Opfern, zu denen ihm, wie er sagte, sein konzentriertes Schreiben nötige, »die Freuden des Geschlechts, des Essens, des Trinkens, des philosophischen Nachdenkens, *der Musik zuallererst*« (T 229) aufzählte, so verweist das auf seinen tief eingewurzelten Moralismus gegen die Verherrlichung des Nur-Schönen, auf einen Moralismus Tolstojscher Prägung, der ihn gegen die Verzauberung durch den Klang mißtrauisch machte und ihm nur selten den ästhetischen Genuß »sprachlicher Aufhöhungen« erlaubte. Bezeichnend hierfür ist seine Bemerkung vom 5. Februar 1911: »Goethes schöne Silhouette in ganzer Gestalt. Nebeneindruck des Widerlichen beim Anblick dieses vollkommenen menschlichen Körpers.« (T 247) Der Ästhet in Kafka empfindet zwar sehr stark die Schönheit des Schönen, aber der Moralist in ihm vergällt ihm dessen Anblick, ganz im Gegensatz zu Goethe, der sich am Vollkommenen rückhaltlos erfreute und das klassische Ideal des Schönen als des zugleich Guten als einen Wert höchsten Ranges pries. Nicht einmal Mephistopheles, »der Geist, der stets verneint«, kann beim Anblick Helenas der Schönheit seine Anerkennung versagen: »Schelten sie mich auch für häßlich, kenn ich doch das Schöne wohl.« (*Faust* II, 8912)

Wenn Kafkas Wahrnehmungs- und Darstellungsweise »ganz vom Subjektanteil geformt ist« und seine Beschreibung von Paris darum ganz »dem Paris seines Kopfes entspricht«, er andererseits aber die Objektivität Goethescher Beschreibungen bewunderte, insbesondere die »Ordnungslinien Goethes, die in der von Kafka empfundenen weitläufigen Ungegliedertheit des Wahrgenommenen Bezugspunkte der Orientierung schaffen« (T 30 f.), so zeigt das, daß er an Goethe gerade das hochschätzte, was ihm selber fehlte. Und sicher war er sich auch bewußt, wie sehr seine Sehweise sich von der Goethes unterschied. Ebenso erkannte er, daß Bewunderung noch nicht stilistisches Vorbild bedeuten muß. War für Goethe das wahrzunehmende Objekt das Entscheidende, so für Kafka »die Art und Weise, wie Äußeres aufgenommen wird«, also die im betrachtenden Subjekt ausgelöste Wirkung des Objekts. Bestimmend für ihn war »das entstehende innere Bild, das den Sinneneindruck sofort ersetzt«. Was ihn als dichterischer Gestalter von Goethe elementar unterschied, war sein ganz andersartiger, nicht empirisch aufnehmender, sondern introvertiert sich anverwandelnder und umgestaltender »Dingbezug«, eben der Primat seines »traumhaften inneren Lebens«, welches das Außen »ins Nebensächliche rückt und verkümmern läßt«. (Tagebuch, 6. August 1914) Daß infolgedessen »das Schwergewicht des Wahrnehmungsvorgangs auf das gelegt wird, was innerlich durch den Objektanstoß ausgelöst wird«, bedingte naturgemäß auch die Subjektivität der Kafkaschen Objektauswahl.

Im Bewußtsein dieser Besonderheit seiner Wahrnehmungsform und damit seines Gegensatzes zu Goethe, erkannte Kafka, daß gestalterische Antriebe und stilistische Eigenheiten solcher Art typologisch gebunden sind und er darum nicht die gebahnten Wege Goethes beschreiten durfte, sondern im Gegenteil sich von den »Charakterzeichen« Goethes freihalten, ja freikämpfen mußte, um er selbst zu sein. Etwas anders stellt sich das wechselseitige Verhältnis im Blick auf die Dichtungsinhalte dar. Hier herrscht mehr Übereinstimmung, als man zunächst annehmen möchte. Auch wenn im einzelnen Werkvergleiche sich auszuschließen scheinen, insofern die Helden Goethes mit Vorzug Ausnahmegestalten, die Antihelden Kafkas hingegen Jedermannsfiguren sind, hat Goethe durch die Aussagen seiner Dichtungen Kafka stark angesprochen. Zu Janouch äußerte er: »Goethe sagt fast alles, was uns Menschen betrifft.« (J 39) Ja, er empfand sich durch eine gemeinsame Zielsetzung mit Goethe verbunden und hat im Blick auf den wertbeständigen Reichtum von dessen Werken die zeitgenössische moderne Literatur ähnlich pauschal und entschieden abgelehnt, wie Goethe die als subjektiv ausschweifend empfundene Romantik. Was Kafka Janouch gegenüber erklärte, erinnert an die entsprechenden kritischen Äußerungen Goethes gegenüber Eckermann:

> Sie beschweren sich zu sehr mit Eintagsfliegen. Die Mehrzahl dieser modernen Bücher sind nur flackernde Spiegelungen des Heute. Das erlischt sehr rasch. Sie sollten mehr alte Bücher lesen. Goethe. Das Alte kehrt seinen innersten Wert nach außen – die Dauerhaftigkeit. Das Nur-Neue ist die Vergänglichkeit selbst. Die ist heute schön, um morgen lächerlich zu erscheinen.

Nicht zuletzt stimmen Kafka und Goethe in der tragischen Sicht der menschlichen Existenz zusammen. Hier ist entscheidend Gemeinsames im gleichwohl Unvereinbaren greifbar. Beide sehen das Leben als »labyrinthisch irren Lauf«, werten es *expressis verbis* als eine »Sisyphusmarter«, als unausweichliches, permanentes Scheitern und Schuldigwerden, reagieren aber grundsätzlich verschieden auf die Fatalitäten der »gebrechlich eingerichteten Welt«. Goethe akzeptiert das ungewisse Menschenlos, nicht resignierend oder gar verzweifelnd, sondern vertrauensvoll, mit geschöpflicher Ergebenheit: Die Natur – und sie ist für ihn »Gottnatur« – »hat mich hereingeführt, sie wird mich herausführen. Sie wird ihr Werk nicht hassen.«[2] Kafka hingegen fühlte sich einer feindlichen Welt hilflos ausgeliefert und lebte ein Leben immerwährender Angst.

Es ist ein erregendes Paradox, daß Kafka, der im Grunde stärker religiös motiviert war als der sogenannte »Heide« Goethe, in seiner religiösen Position gleichwohl ungesicherter war als dieser. Bei aller Intensität seines religiösen Wollens, bei aller Inbrunst seines Erlösungsverlangens fehlte ihm das fundamentale geschöpfliche Vertrauen Goethes, blieb er qualvollen Zweifeln verhaftet, konnte er sich nie endgültig zwischen Ja und Nein entscheiden, sondern schwankte heillos zwischen Entweder/Oder und vermochte daher den rettenden Kierkegaardschen Sprung in den bedingungslosen Glauben nicht restlos zu vollziehen, blieb vielmehr – theologisch gesehen – in der Wüste schuldhafter Gottferne ausgesetzt, wohl wissend, daß der Zweifel eine gottwidersetzliche Haltung, eine fundamentale Sünde ist. Ihm fehlte eben das, dessen er am dringendsten bedurfte: letzte Glaubenssicherheit. Und wenn er erklärte, alles tun zu wollen, um der Erlösung würdig zu sein, *wenn* sie einmal kommen sollte, so war für ihn dieses einschränkende »Wenn« etwas niederdrückend Fatales, das von vornherein keine Hoffnung aufkommen läßt.

Wie illusionslos auch Goethe die Situation des Menschen sah, erhellt aus vielen seiner Äußerungen und insbesondere aus der *Faust*tragödie, in der er das Leiden und Scheitern aus Nichtwissen gestaltet hat. Diese Dichtung demonstriert, daß die Vernunft Gottes und die Vernunft der Menschen nicht zusammenstimmen, daß also Welt und Leben zwar nicht sinnlos, aber für bloße Menschenvernunft in ihrem Sinn nicht erkennbar sind. Und wenn nach Goethes bekanntem Wort die Natur die Entelechie nicht entbehren kann, wenn sie mithin alles in individuellen Gestaltungen hervorbringt, sich aber andererseits nichts aus Individuen mache, so besagt das, daß auch der Mensch, das individuellste aller Wesen, zu einem Sisyphuslos des Frustrierens und Scheiterns bestimmt ist. Man kann gewiß nicht sagen, daß Goethe gegenüber dieser Tragödie unempfindlich gewesen ist, aber die von ihm berufene »Ehrfurcht vor dem, was über uns ist«, vermochte ihn dazu, auch das Leiden an den uns gesetzten Grenzen als sinnvolle Schickung zu bejahen. Zugleich aber fühlte sich Goethe durch dieses tragische Lebensgefühl innerlich so schwer bedroht, daß er sich davor schützen mußte und sich nach eigenem Bekenntnis außerstande glaubte, eine Tragödie zu schreiben, da ihn das, wie er fürchtete, vernichten würde. Im Gegensatz dazu hat sich der »masochistische« Kafka dem Tragischen, auch in seinen krassesten Formen, geradezu hingegeben und an der makabren Vorstellung eines im eigenen Herzen umgedrehten Messers Freude empfinden können. In diesem Gefühlsbereich tritt der vielleicht schroffste Gegensatz zwischen Kafka und Goethe zutage.

Bei vergleichender Betrachtung zweier Dichter läge es gewiß nahe, vor allem ihre Werke zu vergleichen. Und »mit Mühe und Not« ließe sich gewiß auch zwischen den Dichtungen Goethes und Kafkas einiges Vergleichbare entdecken.[3] Aber das jeweils ganz andere Milieu, in welchem die dargestellten Vorgänge hier und dort spielen, vor allem aber der Unterschied im Persönlichkeitsrang der Helden bzw. Antihelden lassen ins einzelne gehende Vergleiche kaum zu. Sie sind auch in dieser typologisch orientierten Gegenüberstellung weder beabsichtigt noch unentbehrlich. Immerhin könnte man Goethes Werther, aber auch den (als »gesteigerten Werther« bezeichneten) Tasso typologisch mit den Protagonisten Kafkas vergleichen. Auch sie sind letzthin unerlösbar Scheiternde. Auch ihre Anstrengungen münden wie in einem Teufelszirkel jeweils ins Gegenteil der Katastrophe. Auch kann man nicht kurzschlüssig sagen: Kafkas Gestalten gehen elend zugrunde, während Faust glorreich erlöst werde. Im Gegenteil, wenn es von Josef K. im *Prozeß* (und sinngemäß auch von jedem anderen Protagonisten Kafkas) am Ende heißt: »er starb wie ein Hund«, so gilt das *cum grano salis* auch für Faust, der – total erblindet und in völliger Selbsttäuschung über seine Situation – gleichfalls auf elende Weise verendet. Hohnvoll verkündet sein lebenslanger Widersacher:

Der mir so kräftig widerstand,
Die Zeit wird Herr, der Greis liegt hier im Sand.
(Faust II, 11591/92)

Die Erlösung Fausts jedoch ist ein transzendenter Vorgang und hat mit dem Faust in der sichtbaren irdischen Welt nichts mehr zu tun. Sie erfolgt im Jenseits, während das Erdenleben Fausts eine einzige Kette von Irrungen und Wirrungen, eine Katastrophe fortgesetzten Scheiterns war. Denn »solang er auf der Erde lebt[e]«, solange war er den wechselnden Verführungen des Teufels »überlassen«, so daß all sein Streben sich als Irren und moralisches Versagen erwies. Eine Parallele zwischen dem Ausnahmemenschen Faust und den Alltagsfiguren Kafkas in ihren Lebensabläufen ist also nicht zu übersehen.

Nicht unerwähnt bleibe in diesem Zusammenhang auch folgende inhaltsbezogene Äußerung Rudolf Kaysers, der in seinem Nachruf auf Kafka (in der Neuen Rundschau) dessen Werke als »Novellen im Sinne der bekannten Goetheschen Definition« bezeichnete. In der Tat geht es in allen seinen Erzählungen um »unerhörte Begebenheiten«, die aber Kafka selbst als durchaus gewöhnliche, immer und überall sich ereignende Geschehnisse erachtete.

Daß auch die Einstellung Kafkas zu dem Menschen Goethe auf Hochschätzung beruhte, erhellt aus seinen Tagebucheintragungen vom 28. Februar und 17. März 1912:

Zu verzeihen, wäre auch menschlicher, goethischer. (T 262)

Goethe, Trost im Schmerz. Alles geben die Götter, die unendlichen, ihren Lieblingen ganz: Alle Freuden, die unendlichen, alle Schmerzen, die unendlichen, ganz. (T 272)

Das Zitat dieses Goethewortes und der daraus geschöpfte »Trost im Schmerz« deutet auf ein Kafka mit Goethe verbindendes Gemeinsames, das – über alle Gegensätze hinweg – die Lieblinge der Götter als die »Hungerleider nach dem Unerreichlichen« zu Brüdern macht.

2.

Oberflächliche Betrachtung könnte dazu verführen, Kafka und Goethe als reine Antipoden zu sehen.[4] Blickt man aber tiefer, so erkennt man, daß sich beide in ihrem Menschen- und Künstlertum zugleich nahe- und fernstehen. Das Verwirrende ihrer Beziehung wird noch dadurch gesteigert, daß sie sich auf keine ihrer Äußerungen festlegen lassen. Manche Aussagen und Selbstbetrachtungen Goethes und Kafkas stimmen so weitgehend zusammen, daß man darüber das Unvereinbare ihrer Naturen fast übersehen könnte. Ihr Widersprüchliches liegt also darin, daß sie einerseits durch Typengegensätze getrennt sind, andererseits aber zugleich den Gegentypus in sich tragen. So steckte in Goethe, der Möglichkeit nach, auch ein Kafka. Doch war es ein gebändigter, überwundener Kafka, der sich zwar gelegentlich, in »grillenhaften Stunden«, voll »Übermut« äußern mochte, »im Großen aber nichts verrichten« konnte. Eben dies, daß es Goethe gelang, die beklagten Negativa des Daseins jeweils in ein positiv gewertetes Ganzes zu integrieren, bildete den Kern seiner Lebensleistung und die Grundlage seiner Produktivität.

Daß sich gleichwohl zu Kafka und Goethe auch gewichtige Assoziationen aufdrängen, kann insofern nicht verwundern, als die zwiespaltreich vielschichtige Persönlichkeit Goethes mehr als andere an der kontroversen Fülle des Menschenmöglichen teilhatte. Karl Jaspers sprach mit Recht von der »alles bergenden Tiefe« des Dichters.[5] Der Verlauf von Goethes Erdentagen stand unter dem Motto: »Nur wer sich wandelt, bleibt mir verwandt.«

Andererseits gab es auch in Kafka Goethisches oder doch die Sehnsucht danach. Das Verlangen nach der Selbstverständlichkeit eines solchen Lebens und Wirkens, das Bedürfnis nach Ruhe des Wachsens und Reifens, der Wunsch nach einem Leben ohne Angst, nach einem ungebrochen natürlichen Dasein finden in seinen Briefen, Tagebüchern, Gesprächen und auch in seiner Dichtung vielfältigen Ausdruck. Im Einklang mit dem Ganzen und aus den Kräften des Ganzen zu leben, war Kafka »ein Ziel aufs innigste zu wünschen«. Während er das Versagen der Schwachen und Kranken als Schuld verurteilte, bewunderte er die Gesunden und Starken und bejahte ihr Recht auf rückhaltlose Selbstverwirklichung. Das zeigt sich u. a. am Schluß der Erzählung *Die Verwandlung,* wo die Familie Samsa nach Gregors elendem Tod eine vergnügte Fahrt ins Grüne unternimmt und die Befreiung von den

Belästigungen durch den »in ein ungeheueres Ungeziefer« Verwandelten mit vollen Zügen genießt.

Was an der Vitalität dieses Verhaltens als gefühllos schockiert, ist im Grunde nichts anderes als eine (scheinbar) krassere Variante zu dem zukunftsfrohen Ausklang des Trauerchors auf den verunglückten Euphorion in *Faust* II:

> Doch erfrischet neue Lieder,
> Steht nicht länger tief gebeugt:
> Denn der Boden zeugt sie wieder,
> Wie von je er sie gezeugt.

Im übrigen fehlt Kafkas Beschreibung des Familienausflugs am Ende der *Verwandlung* jeder negative Akzent. Das Ganze wird vielmehr mit Sympathie geschildert, wie um zu demonstrieren, daß hier die Welt im Lot – wieder im Lot – ist:

> »Der Wagen, in dem sie allein saßen, war ganz von warmer Sonne durchschienen. Sie besprachen, bequem auf ihren Sitzen zurückgelehnt, die Aussichten für die Zukunft, und es fand sich, daß diese bei näherer Betrachtung durchaus nicht schlecht waren, denn aller drei Anstellungen waren, worüber sie einander eigentlich noch gar nicht ausgefragt hatten, überaus günstig und besonders für später vielversprechend.«

Nichts könnte die Berechtigung der Gesunden und Lebenstüchtigen zwingender verdeutlichen als diese wie von selbst sich ergebende sorgenfreie Sicherheit ihres Überlebens. Der Richtspruch der Natur bestätigt ihre Unschuld und stellt klar, daß Moral eine Sache der Stärke ist. Herr und Frau Samsa stellen beim Anblick »ihrer immer lebhafter werdenden Tochter« mit Befriedigung fest, »wie [diese] in der letzten Zeit trotz aller Plage, die ihre Wangen bleich gemacht hatte, zu einem schönen und üppigen Mädchen aufgeblüht war. Stiller werdend und fast unbewußt durch Blicke sich verständigend, dachten sie daran, daß es nun Zeit werde, auch einen braven Mann für sie zu suchen. Und es war ihnen wie eine Bestätigung ihrer neuen Träume und guten Absichten, als am Ziele ihrer Fahrt die Tochter als erste sich erhob und ihren jungen Körper dehnte.«

Auch am Schluß der späten Erzählung *Ein Hungerkünstler* wird das selbstverständliche Recht des überlebenden bzw. nachrückenden Stärkeren augenfällig vergegenwärtigt und die durch einen Außenseiter gestörte natürliche Ordnung wieder hergestellt:

> »Nun macht aber *Ordnung!*« sagte der Aufseher, und man begrub den Hungerkünstler samt dem Stroh. In den Käfig gab man aber einen jungen Panther. Es war eine *selbst dem stumpfsten Sinn fühlbare Erholung,* in dem so lange öden Käfig dieses wilde Tier sich herumwerfen zu sehn. *Ihm fehlte nichts.* Die Nahrung, die ihm schmeckte, brachten ihm ohne langes Nachdenken die Wächter; nicht einmal die Freiheit schien er zu vermissen; *dieser edle, mit allem Nötigen bis knapp zum Zerreißen ausgestattete Körper schien auch die Freiheit mit sich herumzutragen;* irgendwo im Gebiß schien sie zu stecken; und

die Freude am Leben kam mit derart starker Glut aus seinem Rachen, daß es für die Zuschauer nicht leicht war, ihr standzuhalten.

(Hervorhebungen vom Vf.)

Die persönliche Emphase, die in dieser Beschreibung spürbar ist, läßt erkennen, wie sehr Kafka das Gesunde und Starke bewunderte, ja daß er es als das zu einem vollgültigen Leben Notwendige erachtete, wenngleich er selber sich von der Außenseiterexistenz des Hungerkünstlers nicht zu befreien vermochte. Wie die Protagonisten in seiner Dichtung war und blieb er lebenslang ein Ausgeschlossener und auch willentlich sich Ausschließender. Seine Einsicht in das, was einzig richtig wäre, konnte sich nicht auswirken, da sein pessimistisch gestimmtes Lebensgefühl sich solcher Erkenntnis versagte und ihn von vornherein unter die Angstvollen, Kranken und Schwachen einreihte. Das positive Goethische in ihm war nicht stark genug, um der Verdüsterung durch das Negative zu widerstehen. Aber es war stark genug, um ihn immer wieder bewußt werden zu lassen, daß das Leben, das er lebte, verfehlt war. Um so sehnsüchtiger und selbstkritischer schaute er zu jenen Großen empor, die ihr Leben meistern und »ohne Lücke wieder und wieder höher türmen, daß . . . [das eigene] Gewissen nicht zur Ruhe kommen« kann.[7] Es war also das positive Goethische in Kafka, das ihn in den Krisennächten der Selbstauseinandersetzung mit »schrecklicher Angst« und »Reue« bedrängte und ihm den fatalen Schluß aufnötigte: »Ich könnte leben [nämlich: ein erfülltes, natürliches Leben] und ich lebe nicht.«[8]

Indessen war jenes von Kafka als Ideal bewunderte »normale natürliche Leben« auch für Goethe selbst keine voll realisierbare Möglichkeit. Auch in ihm steckte bereits zu viel von moderner Krisenanfälligkeit, als daß Wunsch und Wirklichkeit nicht in einem Spannungsverhältnis zueinander gestanden hätten. So ist es – trotz seiner Verbindung und (späten) Verehelichung mit Christiane – in seinem Haus nie zu einem »normalen« Familienleben gekommen. Von einer Lebensgemeinschaft auf allen (oder zumindest auf mehreren) Ebenen konnte keine Rede sein. Im Grunde blieb Goethe wie Kafka ein Junggeselle, wenn auch kein solcher der »besinnungslosen Einsamkeit«, sondern ein weltoffener, dem geselligen Miteinander und dem Austausch der Gedanken aufgeschlossener Zeitgenosse.[9] Andererseits ist Kafka der volle Rückzug auf sich selbst auch nicht gelungen. So schrieb er 1913: »dieses Verlangen nach Menschen, das ich habe und das sich in Angst verwandelt, wenn es erfüllt wird.« (Br 101) In einem späteren Tagebucheintrag (T 514) hingegen heißt es: »Lieber Scheuklappen anziehen und meinen Weg bis zum Äußersten gehn, als daß sich das heimatliche Rudel um mich dreht und mir den Blick zerstreut.« Diese widersprüchlichen Äußerungen zeigen, daß Kafka das, was er nicht wollte, gleichzeitig auch wollte, und, weil er solchermaßen zwei sich ausschließende Dinge begehrte, im Grunde keines von beiden eindeutig wünschte. Darum war es, wie er selber hellsichtig erkannte, das »Grenzland« oder besser das Niemandsland zwischen den Fronten, in dem er siedelte.

Dieser Gespaltenheit des Wollens in Kafka entspricht bei Goethe, daß die Einheit seiner Persönlichkeit eine in Gegensätzen gespannte Einheit war. Doch lassen sich die in ihrem Leben *vorherrschenden* Tendenzen erkennen, die ihrerseits auf das ihre Existenz bestimmende Zentrum zurückweisen. Nach Art und Zahl sind es zwar ähnliche und zum Teil sogar die gleichen Elemente, aus denen sich die Persönlichkeiten Goethes und Kafkas aufbauen; aber das Mischungsverhältnis ist jeweils ein anderes. Ihr Leben und Dichten wurden durch gegensätzliche Dominanten geprägt. Das heißt, die in beiden sich findenden Elemente sind *verschieden gewichtet,* so daß sich im Ergebnis die Waagschalen nach verschiedenen Seiten senken: In Goethe *überwogen* die positiven, in Kafka die negativen Elemente.

Dieses Bild vom Überwiegen ist dynamisch als ein wechselreich bewegter, nie ganz zum Stillstand kommender Vorgang aufzufassen. Das heißt, in der nach unten gesenkten Waagschale vibrieren noch – wenn auch ohne Entscheidungsmacht – die aufwärts drängenden Kräfte, und in der gehobenen Waagschale bleiben die Gegentendenzen allezeit virulent und drohen, das Kräfteverhältnis immer wieder in Frage zu stellen. Wie der »Optimismus« Goethes nicht unangefochten war, so hat der »Pessimismus« Kafkas die Sehnsucht nach Erlösung nicht völlig ausgelöscht. Ja, Kafka hätte die Last seiner Hoffnungslosigkeit gar nicht tragen können, wenn nicht auch noch ein Rest von Glauben an das Unglaubliche in ihm lebendig gewesen wäre.

Übereinstimmung zwischen Goethe und Kafka zeigt sich nicht zuletzt in ihrer Thematik. Beide sehen das Leben als »labyrinthisch-irren Lauf«, als schuldbehaftetes Dasein, das am Ende sein Gericht findet. Wie die Protagonisten Kafkas verdeutlichen Clavigo, Weislingen, Fernando und gerade auch der immer wieder sich verfehlende Faust die unausweichliche Folge von Schuld und Strafe. Sinn der Fausttragödie ist, daß jede Form der Lebensgestaltung scheitert. Der Herr selbst spricht im *Prolog* das fatale Wort: »Es irrt der Mensch, solang er strebt.«

Die Gestaltung der Schuldthematik jedoch erfolgt unter verschiedenen Aspekten. Geht es bei Goethe um ein Schuldig*werden,* so bei Kafka um ein Schuldig*sein.* Was der Gerichtsoffizier in der *Strafkolonie* lapidar formuliert, gilt für Kafkas Menschenbild insgesamt: »Die Schuld ist immer zweifellos.« Das heißt: Schuld muß nicht erst bewiesen werden; sie ist ein vorgegebener fundamentaler Tatbestand. Schuld wird darum auch nicht eruiert, sondern als selbstverständlich vorausgesetzt. Im Gegensatz dazu wird in Goethes Darstellungen die Schuld jeweils erst begangen und *in statu procedendi* vor Augen gestellt. Ihm geht es also um Schuldenthüllungen, um den konkreten Vorgang der Verfehlung. Die Schuld der Kafkaschen Protagonisten hingegen tritt nicht in den Blick. Sie wird nicht einmal genannt, sondern spiegelt sich lediglich in der angstvollen Verunsicherung der Helden. Die Lebensangst der Kafkaschen Gestalten ist nichts anderes als die Resultante einer tiefwurzelnden, unterbewußten und erst im Angesicht des Todes erkennbar werdenden Schuld. Ob die Personen resignieren oder aggressiv werden, stets handeln sie unter dem Druck der Angst, mit der die Schuld sie geschlagen hat. Kafkas Helden sind Antihelden, die im »Alltagsmilieu von Amtsstuben, Wirtshäusern, Bodenkammern und Hinterhöfen ... gegen verborgene, aber allgegenwärtige, gnaden- und namenlose Schattenmächte einen aussichtslosen Kampf ... führen«.[10]

Anders Goethe und seine Helden, die Mut fühlen, »sich in die Welt zu wagen«. Und noch der greise Faust bekennt – trotz aller Rückschläge in seinem vielbewegten, langen Leben – diesen positiven Glauben: »Dem Tüchtigen ist diese Welt nicht stumm.« (11446) Angriffsaktionen aus bloßer Furcht oder gar Flucht und Rückzug vor einem (als übermächtig empfundenen) Gegner, wie sie die Protagonisten Kafkas kennzeichnen, sind den Helden Goethes fremd. Gewiß scheitern auch sie (oder können doch scheitern), aber nicht deshalb, weil sie sich selbst schon von vornherein verlassen und verloren glauben. Gegen Kafkas Hoffnungslosigkeit steht vielmehr Goethes Ethos der »Beherzigung« (*Lila,* 1777):

Allen Gewalten
Zum Trutz sich erhalten,
Nimmer sich beugen,
Kräftig sich zeigen,
Rufet die Arme
Der Götter herbei.

Andererseits wurde aber auch Goethe durch kafkahaften Pessimismus angefochten, und seine nüchterne Feststellung:

Über's Niederträchtige
Niemand sich beklage;
Denn es ist das Mächtige,
Was man dir auch sage.
(*West-östlicher Divan:* Buch des Unmuts)

berührt sich nahe mit Kafkas makabrem Ausspruch, daß der Mensch nichts als »ein Rattenloch elender Hintergedanken« (T 462) sei. Und in den verzweiflungsvollen Klagen und Anklagen Fausts klingt kafkaähnliche Existenzproblematik an. Wenn dieser in der Szene *Wald und Höhle* die Frage stellt:

Bin ich der Flüchtling nicht, der Unbehauste,
Der Unmensch ohne Zweck und Ruh ...?

und sich als »Gottverhaßten« bezeichnet, so erscheint er damit – ähnlich wie die in die Isolierung geratenen Protagonisten Kafkas – als einer, der der geschöpflichen Geborgenheit verlustig gegangen ist. Schon die Wortprägung »der Unbehauste« läßt aufhorchen, insofern sie ein Kennwort der modernen Existenzkrise vorwegnimmt. Goethes

Grundgefühl der Geborgenheit hob also seine Vorstellung von der tragischen Wirrnis des Lebens nicht völlig auf. Es wäre darum ein Mißverständnis, wenn man den tragischen Aspekt seiner Weltschau und Lebenswertung verharmlosen wollte. Ernst Beutler nannte ihn mit Recht einen »Dichter des Leidens«, so heiter auch auf den ersten Blick seine Lebenslandschaft aussieht und so sehr er selber gerade dieses Wort »heiter« liebte.[11] Viele seiner Gestalten sind leidende, am eigenen Selbst leidende Menschen. Wenn er dennoch letzthin positiv blieb, so ging es dabei um keinen eilfertigen Optimismus, sondern um ein Trotzdem-Glauben, um ein Ja-Sagen also, das sich gegen die Anfechtungen der Verneinung durchsetzen mußte und ihn dazu vermochte, noch in einem seiner spätesten Gedichte *(Der Bräutigam)* seinsdankbar zu bekennen: »Wie es auch sei, das Leben, es ist gut.« Kafka hingegen hätte in keiner Stunde seines Lebens ein solches Bekenntnis ablegen können.

3.

Dieser Typengegensatz zwischen Kafka und Goethe ist indessen auch ein Gegensatz der Zeiten. Daß Goethe in der Mitte des 18. Jahrhunderts, im Zeitalter der Aufklärung, geboren wurde, hat sowohl seine Denk- und Vorstellungsweisen als auch seine moralisch-religiösen Überzeugungen geprägt. Der Glaube an eine insgesamt vernünftige, gottgewollte Ordnung der Welt, an einen nach festen Gesetzen sinnvoll aufgebauten Kosmos und – *cum grano salis* – auch an einen stetigen Fortschritt der Entwicklung war ihm gleichsam angeboren. Die Erde galt ihm daher trotz allem als ein wohnlicher Ort, und im menschlichen Miteinander sah er eine Chance der Bereicherung. Wohl sah er, daß alles Tätigsein mit Irren und Schuldigwerden verknüpft ist, aber diese Unausweichlichkeit des Scheiterns bestimmte ihn nicht zu einem Kafkaschen »Gibs auf!«, sondern zum »Weiterschreiten . . . in Qual und Glück«. Wenn auch wiederholt durch Zweifel und Krisen angefochten und mitunter sogar durch Pessimismus verdüstert, hat Goethe das insgesamt positive Welt- und Menschenbild des 18. Jahrhunderts nie aufgegeben. Zerstörung war daher für ihn nicht das Letzte, sondern nur Stufe und Übergang. Es widerstrebte der Universalität seines Denkens, den permanenten Fortgang der Dinge gleichsam aufzuhalten und die Vorgänge der Vernichtung und des Scheiterns als endgültig zu sehen. Im Gegenteil, daß das Leben immer wieder den Tod überwindet, war seine Überzeugung.

Kafka teilte diese Lebenszuversicht nicht. Er war nicht zum Kämpfen noch gar zum Siegen gerüstet. Nicht einmal zur Verteidigung reichten seine Kräfte. So blieb ihm keine andere Wahl als der kampflose Rückzug ins eigene Innere, wo er – in steter Erwartung der Katastrophe – ein Leben permanenter Angst lebte. Ein Mensch seiner Art wäre auch unter anderen äußeren Bedingungen gescheitert. Daß aber seine Lebenszeit (1883–1924) in die Jahrzehnte vor und nach 1900 fiel, hat die ihm eigene Problematik zweifellos noch verschärft. Ja, er repräsentiert beispielhaft die um die Jahrhundertwende akut werdende Krise des modernen Menschen, der sich ungeschützt einer ihm feindlichen Welt ausgeliefert fühlt oder gar mit dem Nichts konfrontiert sieht.

In der Tat ist es die Krise des Jahrhundertbeginns, die Krise der Unbehausten und Hoffnungslosen, der Verunsicherten und Ungläubiggewordenen, der Pessimisten und Nihilisten, der Ambivalenten und Angstvollen, der Destruktiven und Genußsüchtig-Leidenden, der Resignierenden und zugleich Maßlosen, der sich Bemitleidenden und zugleich Verdammenden, der Tragiker und der Gaukler, jene Krise also, an der sich wie an einem Testfall Goethe und Kafka, Klassik und Moderne scheiden. Diese Krise um 1900, die nicht durch eine Katastrophe von außen verursacht wurde, vielmehr im Schonklima gesicherten Wohlstandes sich entwickelte, war innere Krise, Krise der Selbstreflexion, der Selbstverurteilung, ja des Selbstverlustes. Als solche war sie aber nicht schlechthin neu, sondern hatte profilierte Vorläufer schon unter den Zeitgenossen Goethes. Und Goethe selbst war, wie betont, von krisenhaften Anfechtungen solcher Art nicht verschont. Im Gegenteil, es gibt kaum ein Symptom der modernen Krise, das nicht schon spurenhaft in seinen Werken begegnete. In *Werther, Tasso,* in den *Wahlverwandtschaften* und vor allem im *Faust* hat er die als Möglichkeit in sich verspürte existentielle Krise eindringlich gestaltet. Die radikale In-Frage-Stellung des menschlichen Daseins, wie sie in der sogenannten Kantkrise Kleists als Zusammenbruch zutage tritt, jenes Leiden an geistiger Not und seelischem Ungenügen, das zum Selbstmord treibt, ist bereits ein Gegenstand des Goetheschen Denkens und Dichtens. Die Verzweiflung darüber, daß wir – trotz allem Streben und Forschen – »nichts wissen können«, daß wir vielmehr lebenslang in Zweifel und Verzweiflung frustrieren müssen und infolgedessen »der Tod erwünscht, das Leben uns ... verhaßt« ist, diese tödliche Krise des modernen Menschen, erscheint schon ein gutes Jahrhundert vor der nihilistischen Literatur der Moderne in der Fausttragödie Goethes umfassend dargestellt. Ebenso sind Werther und Tasso Prototypen des durch schrankenlosen Subjektivismus zum Scheitern verurteilten modernen Menschen. Solche extremen Gestalten lassen erkennen, in welchem Maße auch Goethe selbst innerlich bedroht war.

Was ihn von der Krisengeneration um 1900 unterscheidet, war somit nicht glückliche innere Unberührtheit, wohl aber dies, daß er – anders als die gefährdeten Dichter dieser Epoche (und ihre Vorläufer) – sich nicht selbstzerstörerisch seinen Krisen auslieferte, sondern gegen sie ankämpfte. Also nicht, daß er keine existentielle Not erlitt, sondern daß er sie bewältigte, trennt Goethe von Kafka und dessen unglücklichen Zeitgenossen. Während sich diese in ihre Krisen zum Teil erst hineindichteten und sie – durch die literarische Gestaltung ihrer Nöte – noch steigerten, hat sich Goethe dichtend von seinen Krisen befreit. »Zu sagen, was er leidet«, war für ihn der natürliche Weg, die inneren Wirren zu klären und für die eigene Person mit den Problemen fertig zu werden, an denen seine Protagonisten scheitern. Infolgedessen ist Goethe auch kein konsequent autobiographischer Dichter. Er war ebenso wenig Faust, wie er Werther oder Tasso war, obwohl in allen drei Gestalten genuine Möglichkeiten seiner Natur angelegt sind. Goethe überlebte aber den Selbstmord Werthers und meisterte die Maßlosigkeit Tassos. Auch ist er nicht wie Faust »nur durch die Welt gerannt, ein jed Gelüst . . . bei den Haaren« ergreifend, sondern hat sich in weiser Selbstbeschränkung zu Maß und Gesetz, zur »Ehrfurcht vor dem, was über uns ist«, bekannt.[12]

Es bedarf keines Wortes, daß es die Empfindsamen und Denkenden sind, die durch solche Krisen heimgesucht werden, während die Masse der Gedankenlosen und Robusten unangefochten bleibt und ihr gewohntes Leben unverändert weiterlebt. Aber ebenso selbstverständlich ist, daß der in die Krise geratene Mensch nach einem Ausweg aus der Krise sucht. Die Flucht der Romantiker in die Utopie, ihre Versenkung in Nacht und Traum, ihre Heimkehr in den Schoß der Kirche waren solche Rettungsversuche, die dem richtungslos gewordenen Leben erneut ein absolutes Ziel setzen sollten. Auch die Jugendbewegung zu Beginn des zwanzigsten Jahrhunderts unternahm – in später Nachfolge Rousseaus – einen solchen Rettungsversuch aus der Krise, indem sie als eine Art Ersatzreligion den Natur- und Wanderkult proklamierte und damit gegenüber dem von Hermann Löns so benannten Asphalt- und Kulturklimbim der Moderne ein Ideal aufstellte. Wirkliche Gegenkräfte gegen die krisenhafte Verunsicherung konnten aber nur aus jenen Bereichen geistigen und seelischen Lebens erwachsen, die das Transzendente zum Inhalt haben, aus Religion und Philosophie. Wenn Kafka – trotz aller Skepsis und Verzweiflung – nicht gänzlich scheiterte, sondern sich insgeheim noch an einem Strohhalm der Hoffnung festklammerte, so deshalb, weil sein letztes Ziel ein religiös moralisches war. Als ein »Knecht Gottes«, wie seine Freunde ihn nannten, mußte er auch im Dunkel der Hoffnungslosigkeit ausharren. Philosophische Besinnung nach dem Vorbild der stoischen Ethik war es, die Rilke und Hofmannsthal befähigte, der Krise standzuhalten und der pessimistischen Verdüsterung ein Dennoch entgegenzusetzen, ja sich zur Bejahung des Ganzen der gebrechlich eingerichteten Welt durchzuringen und in solch unverzagter Haltung Sinn und Ziel ihres Lebens zu sehen.

Dieses tapfere Dennoch meint aber nicht Überwindung und Ausschaltung der Krise im Sinne Goethes:

Was euch nicht angehört,
Müsset ihr meiden.
Was euch das Innre stört,
Dürft ihr nicht leiden.

Es bedeutet lediglich: den Kampf durchstehen, nicht mehr: ihn siegreich beenden; es bedeutet: mit der Krise leben, nicht sie aufheben. Die als unausweichlich erkannte Fatalität des Daseins bleibt vielmehr jederzeit voll im Blick. Ihre Bejahung ist ein Akt des moralischen Willens, nicht Ausdruck seinsdankbarer Verbundenheit mit dem Ganzen; sie entstammt nicht spontanem Einklang, sondern ist einer ganz sich selbst überlassenen Einzelseele abgerungen, die aus der Einsamkeit ihres Gegenüber den Brückenschlag zu der ihr unfaßlich entfremdeten Welt versucht. Die Wirklichkeit wird nicht angeklagt, sondern mit all ihren Schrecken akzeptiert; aber das innere Verhältnis zu ihr bleibt gebrochen. Triumph des Lebens in einem Goetheschen »Stirb und werde« ist hier keine Möglichkeit mehr. Mensch bleiben in einer unmenschlichen Welt stellt sich als die alle Kräfte fordernde Aufgabe dar.[13]

Angesichts dieser Krisensituation vor Beginn des ersten Weltkrieges erscheint es um so betonenswerter, daß auch eine Stimme des Protestes gegen die lebenshemmende Verdüsterung des Denkens und Fühlens laut wird, eine Stimme Goethescher Weltoffenheit, die »nicht leiden« will, »was . . . das Innere stört«, und es ablehnt, in chaotisch bedrohliches Dunkel zu starren, während die Sonne scheint. In solchem Sinn kennzeichnet Wassily Kandinsky die Krise seiner freud- und glaubenslosen Jugendphase und verwirft sie – wie Mephisto das starrsinnig negative Grübeln Fausts – als törichte Irrung:

Ich sag es dir: ein Kerl, der spekuliert,
Ist wie ein Tier, auf dürrer Heide
Von einem bösen Geist im Kreis herumgeführt,
Und rings umher liegt schöne grüne Weide.

(*Faust* I, 1830–33)

Wahrhaft erregend jedoch wirkt die Äußerung Kandinskys dadurch, daß er darin wie Kafka die Käfermetapher verwendet, aber im Gegensatz zu diesem die degradierende Verwandlung nicht fatalistisch akzeptiert, sondern entschieden zurückweist:

Der Mensch gleicht oft einem Käfer, den man am Rücken hält: er bewegt mit stummer Sehnsucht seine Ärmchen, greift nach jedem Halm, den man ihm vorhält, und glaubt beständig an diesem Halm seine Rettung zu finden. In Zeiten meines »Unglaubens« fragte ich mich: Wer hält mich am Rücken? Wessen Hand hält mir den Halm vor und entzieht ihn wieder? Oder liege ich auf der staubigen, gleichgültigen Erde auf dem Rücken und greife nach den Halmen, die »von selbst« um mich wachsen? Wie oft fühlte ich aber diese Hand an meinem Rücken und dann noch eine andere, die sich auf meine Augen legte, so daß ich mich in finsterer Nacht befand, während die Sonne schien.[14]

Daß dasselbe Bild eines hilflos zappelnden Ungeziefers als Metapher einer menschlichen Krisensituation – gleichzeitig und unabhängig voneinander[15] – bei Kafka, Musil und Kandinsky begegnet, dürfte kein Zufall sein, enthüllt vielmehr, wie negativ das Selbstverständnis des Menschen in dieser Zeit geworden war.

Kaum etwas könnte die Unvereinbarkeit Goethes mit Kafka drastischer verdeutlichen als die für das Menschenbild des beginnenden 20. Jahrhunderts so geläufig gewordene Ungeziefermetapher. Kontrastiert sie doch unüberbrückbar zu Goethes Überzeugung, daß alles Leben auf Höherentwicklung angelegt ist, und daß auch der Mensch noch kein Ende bedeutet, sondern wieder nur als »ein Wurf nach einem höheren Ziele« zu gelten hat.[16] Woher nahm Goethe dieses selbstverständliche Vertrauen in einen sinnvollen Plan der Welt, in die »heilsam schaffende Gewalt« der Natur, in die unendlich fortschreitende Steigerung ihres Vermögens? Wie konnte er so unbeirrbar über die ihm klar erkennbaren Abgründe hinwegblicken und an den Sieg des Guten über das Böse, des Kosmos über das Chaos, des Produktiven über das Destruktive, des Lebens über den Tod glauben? Worin lag die Quelle seiner Kraft und Sicherheit? Und was hat andererseits den krisenhaft Verunsicherten der Kafka-Generation ein solches Vertrauen in die Güte der Natur unmöglich gemacht? Was hat diese einem selbstzerstörerischen Pessimismus anheimfallen lassen?

Alle diese Fragen verweisen auf den fundamentalen Gegensatz von *kosmischer Geborgenheit* und *akosmischer Isolation.*

Für Goethe gilt, daß er als »naiver« Dichter (im Sinn der Schillerschen Definition) selber auch noch Natur *ist* und als solcher weltoffen, ja in kosmischen Dimensionen fühlte und dachte. Für die Dichter der Krisenzeit um 1900 hingegen gilt, daß sie aus »sentimentalischer« Distanz Natur allenfalls *wollen,* ihr aber in einem gebrochenen Verhältnis gegenüberstehen, nämlich in der Isolation des Reflektierenden und nicht mehr in spontaner Verbundenheit. Als nicht zugehörig und ganz auf sich selbst zurückgewiesen, sind sie nicht wirklich integrierbar. Weil sie aber die Natur als etwas von ihnen Getrenntes sehen, kann ihnen die Natur auch nicht Quelle der Rekreation bedeuten. Im Gegenteil, »die Naturkräfte erscheinen ihnen fremd und daher feindlich«.[17] Was Goethe von der Natur sagte: »Wir sind von ihr umgeben, unvermögend, aus ihr herauszutreten . . . Ich vertraue mich ihr. Sie mag mit mir schalten«, besitzt für sie keine Geltung mehr. Das Erlebnis Goethes, »daß die Naturkräfte Schwingungen desselben Geistes sind, der in ihm wirkt« und kraft dessen er »die Sorglosigkeit des Kindes, die wahre Freiheit« fühlt, ist ihnen nicht nachvollziehbar. Die akosmische Isolation, in der sie leben, hat »die natürliche, naturbedingte Kommunion von Mensch und Schöpfung« unterbrochen, hat sie auf sich selbst eingegrenzt, verunsichert und so auch mit sich selbst entzweit.

In Ablehnung solcher naturwidrigen Vereinzelung ging es »Goethe darum, den Menschen inmitten seiner Welt zu erhalten, die der Gesamtheit seiner Organe als heimische Stätte anvertraut ist«.[18] Haben doch, wie er selbst sagte, »alle gesunden Menschen . . . die Überzeugung ihres Daseins und eines Daseienden um sie her«. Dieses im Ganzen und aus dem Ganzen sich entfaltende, Sicherheit gebende und lebenssteigernde

Elementargefühl kosmischer Geborgenheit war die Kraftquelle, aus der sich die Fülle des Goetheschen Schöpfertums speiste.[19] In der Isolierzelle der Introversion hätten weder das künstlerische Werk noch die Lebensleistung Goethes gedeihen können. Daß Einssein mit der Natur Gesundheit bedeutet, Entfremdung von der Natur aber Krankheit bedingt, war ein *A priori* seines Lebensgefühls. Und er vertraute darauf, daß die Natur stärker ist als die Krankheit, daß sie Wunden heilen und den positiven Fortgang des Ganzen, in das der Einzelne eingegliedert ist, sichern kann. Infolgedessen war es ihm um unmittelbaren Kontakt mit der Natur zu tun. »Mikroskope und Teleskope (so bemerkte er zu Eckermann) verrücken beide den eigentlichen menschlichen Standpunkt.« Die Verzerrung der menschlichen Sicht durch Zwischenschaltung von Apparaten störte ihn. Natürliche Sinneswahrnehmung galt ihm mehr als das Experimentieren »mit Hebeln und mit Schrauben«. »(Sein) Geist trieb nichts voran, was nicht das Innere nachwachsend vital erfüllte. Es entstanden weder Diskrepanzen noch Hypertrophien . . . Und aus dieser inneren Verfassung, diesem Sich-Anheimgeben der ewigen Verwandlung, dieser organischen Einordnung in den natürlichen Ablauf des Geschehens entstanden die Dichtungen Goethes.«[20] Voll Seinsdankbarkeit bekannte er:

> Kein Wesen kann zu nichts zerfallen!
> Das Ewige regt sich fort in allen,
> Am Sein erhalte dich beglückt!

Im Gegensatz zu dieser »beglückten« Geborgenheit Goethes im Ewigen und Ganzen stand Kafka von Anfang an unter dem Angsterlebnis der akosmischen Isolation. Schon seine frühesten Äußerungen kreisen um das Thema der Verlorenheit. Am 19. Juli 1910 notiert er ins Tagebuch:

> . . . Der Mann steht nun einmal außerhalb unseres Volkes, außerhalb unserer Menschheit, immerfort ist er ausgehungert, ihm gehört nur der Augenblick der Plage, dem kein Funken eines Augenblickes der Erholung folgt, er hat immer nur eines: seine Schmerzen, aber im ganzen Umkreis der Welt kein zweites, das sich als Medizin aufspielen könnte, er hat nur so viel Boden, als seine zwei Füße brauchen, nur so viel Halt, als seine zwei Hände bedecken, also um so viel weniger als der Trapezkünstler im Varieté, für den sie unten noch ein Fangnetz aufgehängt haben! (T 20)

Als unerlösbarer »Junggeselle« ist er ein Ausgeschlossener, »hat nichts vor sich und deshalb auch nichts hinter sich« und »kann nur als Einsiedler oder als Schmarotzer leben«. Im Tagebucheintrag vom 19. Januar 1911 bekennt er diese totale Unbehaustheit: »Ich bekam selbst innerhalb des Familiengefühls einen Einblick in den kalten Raum der Welt, den ich mit einem Feuer erwärmen müßte, das ich erst suchen wollte.« (T 41) In der *Verwandlung* (1912) ist der Schrecken der Entfremdung durch Verlust der Sprachfähigkeit irreversibel und total geworden. Dem entspricht die resignierende Feststellung, »wie jeder

Mensch unrettbar an sich selbst verloren ist« (T 349: 5. Januar 1914), und – nicht zuletzt – sein ebenso schmerzliches wie entschiedenes Bekenntnis der »Unerträglichkeit des Zusammenlebens mit irgendjemanden«. (T 504: 6. Juli 1916) Vor allem aber erlebt er die Welt insgesamt als ein feindliches Chaos, vor dessen Bedrohung auch der Rückzug in das eigene Innere nicht schützt. Er erleidet das Dilemma, daß es keinen Halt geben kann, wenn die Integration ins Ganze mißlang, daß man vielmehr auch im sichersten Schutzbau dem verfolgenden »Verderber« ausgeliefert bleibt.

Letzthin ist es also die Nichtintegriertheit bzw. Nichtintegrierbarkeit, woran Kafka und seine Protagonisten scheitern. Das heißt aber zugleich, daß in seinen Parabeln und parabolischen Erzählungen recht eigentlich das jüdische Schicksal, die über tausendjährige Passion des ewigen Juden, des Nichthiesigen, Heimatlosen, permanent Verfolgten, in Angst Lebenden und an der vollen Integration Verhinderten gestaltet worden ist. Als Jude hat Kafka das leidvolle Erbe des *outcast* betont, wie sehr er – trotz aller Emanzipation – das Elend des alten Gettos in seinem Innern noch immer bedrohlich gegenwärtig fühlt. Eben dies, daß die Erzählungen Kafkas nicht nur die Leiden einer übersensitiven Einzelseele aussagen, sondern zugleich die Unheilsgeschichte seines Volkes in sich schließen und so das Subjektiv-Persönliche mit der Macht des Historisch-Objektiven verbinden, sichert seinem Werk die Spannweite universeller Thematik. Die Isolation, die er sich als Schuld anlastet, ist nicht zuletzt überkommene Fatalität, die Katastrophe, die ihn ereilt, eine Tragödie gleichsam stellvertretenden Leidens. Infolge seines Naturells mehr als andere der Geborgenheit bedürfend, fand sich Kafka in ein unwirtliches Dunkel geworfen und jedes geschöpflichen Kontaktes mit dem Ganzen ermangelnd. Daß er, der nach Erlösung dürstete, seines Erlösers nicht sicher war, sondern im kalten Raum der Gottferne sein Leben durchleiden mußte, macht seine Tragik aus. Kafkas Not war letztlich religiöse Not.

Anders der als »großer Heide« verdächtigte Goethe, dessen Auffassung der Natur als Gottnatur die Glaubensgewißheit der Allgegenwart und Allwirklichkeit Gottes zugrundelag. »Wenn er sich mit Herder zu Spinoza bekannte, so meinte er damit . . . das Erahnen Gottes in der Welt und ein liebevolles Ruhen in der Allnatur«.[21] Goethes Welt- und Naturfrömmigkeit war nicht Ausdruck säkularisierten Lebensgefühls, sondern *amor Dei,* Bekenntnis zu Gott als dem Allumfasser und Allerhalter:

> Faßt und erhält Er nicht
> Dich, mich, sich selbst?
> (*Faust* I, 3440–41)

Und aus diesem Vollgefühl geschöpflichen Glücks (das dem heillos isolierten Kafka lebenslang versagt bleibt) stellte er die Frage:

Darfst du dich in der Mitte dieser ewig lebendigen Ordnung auch nur denken, sobald sich nicht gleichfalls in dir ein herrlich Bewegtes, um einen reinen Mittelpunkt kreisend, hervortut?

und sprach von der »überall wirksamen ewigen Liebe«. Und weil ihm alles mit allem durch *ein* All-Leben verbunden galt, und so in jedem Teil das universale Ganze lebt, spürte er »die Kraft des Universums auch in den eigenen Adern«, fühlte er sich als Geschöpf in des Schöpfers Hand, lebendig tätig zum Ganzen der Welt gehörig, nicht wie Kafka verlassen und »an sich selbst verloren«. Selbst Faust, der als »Flüchtling« und »Unbehauster«, als maßlos Begehrender in die Irrungen der Gottferne gerät, fällt nicht endgültig aus der Gnade Gottes, sondern ist, wie der *Prolog im Himmel* verkündet, »im voraus in seine Gnade aufgenommen«[22], so daß Mephisto – trotz seiner listenreichen Verführungskünste – zuletzt als ein geprellter Teufel scheitert. Der Gott ist ein all-liebender Vatergott, nicht der strafend strenge Richtergott Jahwe.

Goethes Vertrauen in »des Allmächtigen Güte« war indessen nicht nur individueller Ausdruck kosmischen Lebensgefühls, sondern spiegelt zugleich den Geist seiner Zeit, die Glaubenszuversicht des 18. Jahrhunderts, die optimistische Religiosität des Aufklärungsmenschen. Um 1900 war diese Daseinssicherheit endgültig dahin. Schillers vernunft- und fortschrittsgläubige, frohe Botschaft:

Wie schön, o Mensch, mit deinem Palmenzweige
Stehst du an des Jahrhunderts Neige
In edler, stolzer Männlichkeit,
Mit aufgeschloßnem Sinn, mit Geistesfülle,
Voll milden Ernsts, in tatenreicher Stille,
Der reifste Sohn der Zeit

hätte dieser skeptisch gewordenen Generation nur noch wie Hohn geklungen. Bei Kafka kam hinzu, daß auch der Ort seiner Geburt, die mehrheitlich tschechische Stadt Prag, das Krisengefühl der Verlorenheit verschärfte, insofern sich hier für einen emanzipierten und sich radikal isolierenden Juden das Minoritätenproblem in potenzierter Form stellte. Kafkas Vereinzelung und Goethes Geborgenheit wurden also jeweils noch durch die geschichtlichen Bedingungen des Ortes und der Zeit gefördert.

Optimistischem Aufklärungsdenken entsprach, wenn Goethe – im Gegensatz zu dem von Schuldgefühlen und Reueaffekten bedrückten Kafka – den Gedanken der Erbsünde abgelehnt und die Vorstellung des radikal Bösen im Menschen als eine abscheuliche Irrung verworfen hat. Von »Kreuzigung und Marterwunden« oder gar von grausamem Selbstgericht wollte er nichts wissen.[23] Kafkas Kultivieren der eigenen Wunde wäre ihm ein Greuel gewesen. Selbstzerstörerisches »Wühlen in den eigenen Eingeweiden« erschien ihm als Frevel gegen den auf Wachstum bedachten Ordo der Natur. Es widerstrebte seiner Vorstellung von der Welt als einem festgegründeten, sinnvoll aufgebauten, gotterfüllten Ganzen.

Es kann in der Tat kein Zweifel darüber bestehen, daß in Goethes Sicht der Welt der »allumfassende, allerhaltende« Schöpfergott unentbehrlich war. Sein Bekenntnis: »Ich glaube an Gott und an die Natur und an den Sieg des Edlen über das Schlechte«[24] ist konzentrierter Ausdruck der optimistischen Aufklärungsreligiosität und hätte im gleichen Tenor auch von Gellert so geäußert werden können. Ja, der Goethesche Begriff der voll Güte und Weisheit aufgebauten, planvoll gelenkten und erhaltenen »Gottnatur« ist in den (von Carl Philipp Emanuel Bach und Beethoven vertonten) *Geistlichen Oden und Liedern* Gellerts bereits vorweggenommen.

Der vergleichende Hinweis auf Gellert kann indessen noch erweitert und vertieft werden. Sein Lied »Wie groß ist des Allmächtigen Güte« harmoniert mit Goethes Gottesauffassung, und seine Lobpreisung der *Ehre Gottes aus der Natur* steht in Aussage, Sprache, Stimmungsausdruck und Tonlage den hymnischen Eingangsversen zum *Prolog im Himmel* so nahe, daß man versucht sein könnte anzunehmen, sie habe Goethe als Anregungsmodell gedient. Auch sind die sich findenden Übereinstimmungen nicht nur allgemeiner Art; es geht nicht nur um die gleiche Thematik: Verherrlichung Gottes in seinen »unbegreiflich hohen Werken« (bzw. »Wundern der Werke«), nicht nur um die gleiche kosmische Weite der Sicht, in der hier wie dort die Schöpfungsmacht Gottes vergegenwärtigt wird, sondern auch um dieselben spezifischen Motive der Musik der zum Ruhm Gottes tönenden Himmelssphären und der Sonne als des machtvollsten Zeugen der Schöpfung, die ihren Weg »gleich als ein Held« »mit Donnergang« leuchtend am Himmel schreitet:

Die Sonne tönt nach alter Weise
In Brudersphären Wettgesang,
Und ihre vorgeschriebne Reise
Vollendet sie mit Donnergang.
Ihr Anblick gibt den Engeln Stärke,
Wenn keiner sie ergründen mag;
Die unbegreiflich hohen Werke
Sind herrlich wie am ersten Tag.

(*Faust* I, 245–50)

Die Himmel rühmen des Ewigen Ehre,
Ihr Schall pflanzt seinen Namen fort.
Ihn rühmt der Erdkreis, ihn preisen die Meere;
Vernimm, o Mensch, sein göttlich Wort!

Wer trägt der Himmel unzählbare Sterne?
Wer führt die Sonn aus ihrem Zelt?
Sie kommt und leuchtet und lacht uns von ferne,
Und läuft den Weg, gleich als ein Held.

Beide Dichtungen, Goethes Prologverse und Gellerts *Die Ehre Gottes aus der Natur* kulminierten im Lobpreis der gesetzhaft geregelten Ordnung der Welt, des sicheren Zusammenstimmens der Planeten- und

Sternenbahnen, der kosmischen Harmonie, die das Chaos ausschließt. Daraus resultiert zugleich die Forderung, niemals gegen die vorgeschriebene Bestimmung und Ordnung zu verstoßen. Denn jede eigenmächtige Ausdehnung des Ichs würde den Schöpfungsplan stören und den Störenfried am eigenen Unmaß scheitern lassen. Auch wer wie Kafka sich ausschließt und nicht mitschwingt im Ganzen, stört die gottgewollte Ordnung und fällt in die Katastrophe akosmischer Isolation, erleidet die Tragödie des »Verlorenen Sohnes« ohne Hoffnung auf Heimkehr.

Nun war aber auch Goethes Naturfrömmigkeit nicht unrealistisch. Schon 1787, im *Fragment über die Natur,* schrieb er, die Natur sei auf Individualität gestellt, aber sie mache sich nichts aus Individuen. Ein hartes Wort, das den tragischen Kern menschlicher Existenz trifft und nicht weniger erschüttert als die bedrückenden Traumgesichte in Kafkas Erzählungen und Romanen. Auch hat man zu beachten, daß das »optimistische« Welt- und Lebensbekenntnis in *Faust* II (11 300 ff.)

> Ihr glücklichen Augen,
> Was je ihr gesehn,
> Es sei, wie es wolle,
> Es war doch so schön!

im »Widerspruch [steht] zu der an Verzweiflung und Elend reichen Handlung der Tragödie« und daß Goethe »die Fragwürdigkeit der Haltung, selbst bei einem Menschen, der über die Welt herausgehoben . . . lebt, . . . durch den Verlauf des Dramas schonungslos entschleiert«.[25] Goethes Bejahung des Daseins bedeutet mithin kein Übersehen der Abgründe, wohl aber ein Darüber-hinaus-Schauen. Kosmische Geborgenheit, wie sie ihn auszeichnete, meint: Mit den Schrecken der Welt leben können, ohne sich an sie zu verlieren, das Negative sehen, aber nicht verabsolutieren. Sie impliziert die Gewißheit, daß Katastrophen nicht endgültig sind, sondern überwunden werden können, daß Fäulnis und Verwesung nicht dauern, sondern wieder zu Erde und Blumen werden. Sich zu einem solchen befreienden Ausblick zu erheben, war Kafka versagt.

Der kosmischen Geborgenheit Goethes und der akosmischen Isolation Kafkas entsprechen die verschiedenen Formen ihres Wirklichkeitsbezugs. Goethe war nach seiner eigenen Kennzeichnung ein »Stockrealist«, der in seiner Betrachtung der Dinge nichts übersah, aber auch nichts hinzufügte, ein »nach allen Seiten« gehender und alle den Sinnen faßbaren Phänomene sorgfältig beobachtender Empiriker, der die Fülle und Vielfalt der Welt mit der Entdeckerfreude des Augenmenschen in sich aufnahm. Es ist kein Zufall, daß er den Zwischenkieferknochen am menschlichen Skelett entdeckte. Die Ehrfurcht vor dem Konkreten, das Ernstnehmen des Einzelnen, das Akzeptieren des Gegebenen als eines Aufgegebenen waren ihm eingeboren. Weltoffene Empirie bestimmte sein Lebensverhalten.

Kafkas Stellung in der Welt hingegen hat man zutreffend mit einem

Wort Kleists in den *Empfindungen vor Caspar David Friedrichs Seeland-schaft* gekennzeichnet: »Der einsame Mittelpunkt im einsamen Kreis«[26]. Ihm geht es nicht um allseitige Aneignung der umgebenden Welt, sondern um Selbstversenkung zur Entdeckung der eigenen inneren Welt, was ihm aber doch nur Lebensersatz sein kann. Aus seiner weltabgewandten Introversion ergeben sich Subjektivität und Einseitigkeit, ja auch Farblosigkeit seiner Darstellungen. Gleichwohl erhebt auch Kafka den Anspruch, ein Realist zu sein und lediglich aufzuzeichnen, was ist. Die schockierend absonderlichen Begebenheiten in seinen Erzählungen gelten ihm als durchaus alltäglich; denn sie fänden sich überall, auf der Straße, zu Hause im vertrauten Zimmer, wenn plötzlich zwei tanzende Bälle auftauchen oder ein Mann beim Erwachen sich in ein Ungeziefer verwandelt sieht oder in einen bereits laufenden Prozeß verwickelt ist. Im Gegensatz zum empirisch objektiven Realismus Goethes zeigt Kafka einen subjektiven und *a priori* negativen Pseudorealismus. Greift Goethe »ins volle Menschenleben«, das, wo man es auch packt, »interessant« sei, stellt Kafka »das intimste Leben seiner Seele in menschlichen Figuren aus sich heraus«. In der Tat ist »sein Werk . . . nach außen projizierter Traum«, weshalb seine Menschen keine vollrunden Gestalten, [sondern] eher [nur] Figuren [oder] Schemen« sind.[27] Die Problematik von Kafkas vermeintlichem Realismus liegt mithin darin, daß er den begrenzten Aspekt seiner individuellen Existenznot als Totalaspekt setzt. Auf ihn trifft zu, was Giuseppe Tomasi di Lampedusa vom Helden seiner Erzählung *Der Fürst* sagt, daß er nämlich, da er »ein nicht durchschnittlicher Mann war, seine Eintagsnöte sogleich in die auf Dauer angelegte Welt der Geschichte übertrug«.[28]

Der Gegensatz von Empirie und Introversion spiegelt sich auch in einem prinzipiellen Gegensatz zwischen den Hauptwerken Goethes und Kafkas. Der *Prozeß* und *Das Schloß* sind monologisch einsinnige Romane, die nicht von der Stelle kommen, geschweige denn eine Welt ausschreiten, sondern sich innerlich und äußerlich im Kreise drehen. Sie vergegenwärtigen immer nur die *eine* Sicht der ewig gleichen Vorgänge und Situationen. Goethe hingegen sah das Leben im Bild des »Wanderns«, dessen Sinn darin liegt, »die Welt von anderen Perspektiven aus kennen zu lernen«. Mit dem programmatischen Titel *Wilhelm Meisters Wanderjahre* hat er sein spätes Prosawerk als perspektivischen Roman gekennzeichnet und darin »die allerverschiedensten Standorte geschildert . . ., in deren *Gesamtheit* erst Gehalt und Sinn des Menschenlebens sich vollständig enthüllen: man lernt es kennen, wie es sich in verschiedenen Kulturepochen, verschiedenen Lebensaltern, mannigfachsten Berufen spiegelt . . .«[29] Vollends *Faust* ist Weltdichtung im weitestgespannten Sinn des Wortes. Was Goethe über den Unterschied zwischen dem ersten und zweiten Teil des Werkes zu Eckermann geäußert hat, erhellt, wie sehr es ihm um objektive Weltoffenheit zu tun war und wie hoch er die Empirie als eine »produktive Tendenz« gewertet hat:

... daß ich ihn [*Faust* II] erst jetzt schreibe, nachdem ich über die weltlichen Dinge so viel klarer geworden, mag der Sache zugute kommen.

(6. Dezember 1829)

Im zweiten Teil aber ist fast gar nichts Subjektives, es erscheint hier eine höhere, breitere, hellere, leidenschaftslosere Welt, und wer sich nicht etwas umgetan und einiges erlebt hat, wird nichts damit anzufangen wissen.

(17. Februar 1831)

Sich von sich selbst distanzieren und offenen Auges in der Welt umtun, um aus dem *circulus vitiosus* der Selbstbefangenheit herauszutreten, sind also die Ziele, denen Goethe in seiner künstlerischen und menschlichen Entwicklung zustrebte. Hingegen hat er den »etwas dunklen Zustand des Individuums«, aus dem noch der erste Teil des *Faust* hervorgegangen war, abgelehnt. Und wenn er am 3. Januar 1830 zu Eckermann bemerkte, daß eben dieses Dunkel die Menschen reize und sie sich daran abmühen »wie an allen unauflösbaren Problemen«, so läßt sich daraus schließen, wie er über die in solchem Dunkel gehaltenen Dichtungen Kafkas geurteilt hätte.

Indessen zeigte schon der junge Goethe diesen empirisch objektiven Wirklichkeitsbezug. So schrieb er in einem Brief vom 24. August 1770: »Die Sachen anzusehen, so gut wir können, sie in unser Gedächtnis schreiben, aufmerksam zu sein und keinen Tag, ohne etwas zu sammeln, vorbeigehen lassen«. Sechzig Jahre später, am 21. März 1830, erklärte er Eckermann: »Ich hatte in der Poesie die Maxime des objektiven Verfahrens und wollte nur dieses gelten lassen.« Sogar den von ihm nicht übermäßig geschätzten Kotzebue hat Goethe deshalb gelobt, weil »er sich im Leben umgetan und die Augen offen gehabt« habe. Und immer wieder betonte er »die Gegenständlichkeit« der eigenen Poesie, die er der »großen Aufmerksamkeit und Übung des Auges« verdanke.

Goethe müßte kein Künstler sein, wenn er nicht auch den Wert der Einbildungskraft als eines schöpferischen Vermögens erkannt und anerkannt hätte. Aber er sah sie nicht als ein Produkt der reinen Introversion, sondern angeregt und gefördert durch einen möglichst vielfältigen sinnlichen Kontakt mit der umgebenden Welt:

Ohne diese hohe Gabe [sei auch] ein wirklich großer Naturforscher gar nicht zu denken. Und zwar meine ich nicht eine Einbildungskraft, die ins Vage geht und sich Dinge imaginiert, die nicht existieren, sondern eine solche, die den wirklichen Boden nicht verläßt und *mit dem Maßstab des Wirklichen und Erkannten* zu geahndeten, vermuteten Dingen schreitet . . . Eine solche Einbildungskraft setzt aber freilich einen weiten ruhigen Kopf voraus, dem eine *große Übersicht der lebendigen Welt und ihrer Gesetze* zu Gebote steht.
(Zu Eckermann am 27. Januar 1830. Hervorhebungen vom Vf.)

Diese späte Äußerung Goethes läßt die entschiedene Ablehnung erkennen, die er gegenüber einem weltflüchtig introvertierten Menschen- und Dichtertum hegte. Zwar räumte er im Gespräch mit Eckermann vom 26. Februar 1824 ein, daß »dem echten Dichter die Kenntnis der

Welt angeboren« sei und dieser daher »die Kenntnis mannigfaltiger menschlicher Zustände durch Antizipation besitze«. Doch müsse noch eine ausgreifende »Erforschung der Welt hinzukommen«. Es ging Goethe also um weltbezogene, welthaltige Innerlichkeit, nicht um eine weltabweisende, monomanisch sich selbst umkreisende Innerlichkeit, wie sie Kafka kennzeichnet. In solchem Sinn erklärte er: »Lust, Freude, Teilnahme an den Dingen ist das einzige Reelle, und was wieder Realität hervorbringt.« Wie weitgespannt der Prozeß der Weltaneignung nach den Vorstellungen Goethes sein sollte, erhellt aus seinem vielzitierten Vierzeiler:

Wer nicht von dreitausend Jahren
Sich weiß Rechenschaft zu geben,
Bleib im Dunkeln unerfahren,
Mag von Tag zu Tage leben.

Unüberbrückbar kontrastieren Goethes realistische Weltoffenheit, sein empirischer Drang nach lebendiger Berührung mit allen Phänomenen des Daseins, sein Bedürfnis nach Aussichheraustreten und Objektivierung zu Kafkas Verlangen nach »besinnungsloser Einsamkeit«, nach weltabweisender Selbstversenkung, nach Beschränkung auf den kleinsten inneren Kreis. Wo immer Goethe sich gedrängt fühlte, seine eigene menschliche und künstlerische Haltung zu begründen, hat er sie polemisch gegen Subjektivismus, Isolation und Introversion als krankhafte Irrungen oder Narrheiten abgegrenzt. Seine Selbstkennzeichnungen stellen infolgedessen die kritischsten Auseinandersetzungen mit dem in Kafka repräsentierten Menschen- und Künstlertum dar.

Gewiß bedurfte auch Goethe zum schöpferischen Gestalten der auf sich selbst konzentrierten Einsamkeit, aber nicht als eines Dauerzustandes, sondern nur als *einer* der »zweierlei Gnaden« des Atemholens. Sein universaler Drang aus sich heraus in die Fülle der Welt war nicht Sehnsucht, sein Eigenes aufzugeben und im Allgemeinen aufgehen zu lassen, sondern im Gegenteil der elementare Wunsch nach Selbsterfüllung, das Bestreben, durch Einklang mit dem Ganzen »sich selbst zu gewinnen, in sich fest zu werden, die eigenste Bestimmung, eben den ›Mittelpunkt‹ zu finden«. Sein Ausspruch von 1797, daß »immer tätiger, nach innen und außen fortwirkender . . . Bildungstrieb den Mittelpunkt und die Base seiner Existenz« ausmache, erhellt diese »Dialektik zwischen dem Aussichheraustreten und dem Beisichselbstbleiben«, damit aber zugleich den Gegensatz zu Kafkas einperspektivischer Einsamkeit. Isolation und Introversion, die Kafka als unverzichtbare Lebens- und Schaffensbedingungen erachtete, galten Goethe als einengend und irreführend, ja als krank und widernatürlich, da der Mensch von der Natur als *zoon politikon* entworfen und daher zum Miteinander als der produktivsten Lebensform bestimmt sei. Auch hatte er an einigen Jugendfreunden, insbesondere an Lenz und Merck, erlebt, welche tödliche Gefahr darin liegt, wenn der Mensch »sich zu sehr auf sich selbst zurückwirft und in die Fülle der äußeren Welt zu greifen versäumt, wo er allein Nahrung für sein Wachstum und zugleich einen Maßstab desselben finden kann«. Es war eine durch wiederholte Erfahrung erhärtete Überzeugung Goethes, daß ohne den befruchtenden Kontakt mit dem Außen das Innen des Menschen nicht gesund bleiben kann. Das aber rührt an die eigentliche Not Kafkas, daß er nämlich, je konsequenter er sich dem Miteinander entzog und allein auf sein Inneres konzentrierte, des eigenen Selbst um so unsicherer wurde.

Im Gegensatz zu Kafka war sich Goethe bewußt, daß isoliertes Leben nicht gesteigertes, sondern reduziertes Leben bedeutet, da »der einzelne in sich nicht hinreichend« sei und »Gesellschaft daher eines wackeren Mannes höchstes Bedürfnis« bleibe. Denn nur im Miteinander könne sich der Mensch im Ganzen fühlen:

> Sehen wir während unseres Lebensganges dasjenige von andern geleistet, wozu wir früher einen Beruf fühlten, ihn aber, mit manchem andern, aufgeben mußten, dann tritt das schöne Gefühl ein, daß die Menschheit zusammen erst der wahre Mensch ist, und daß der einzelne nur froh und glücklich sein kann, wenn er den Mut hat, sich im Ganzen zu fühlen.[30]

Daß Kafka lebenslang diesen Mut nicht finden konnte, war nicht der geringste Grund seines Scheiterns. Goethe hat immer im engagierten Kontakt mit anderen gelebt. Der Gedankenaustausch mit produktiv tätigen Menschen war ihm spontanes Bedürfnis und ein Stimulans seiner Produktivität. Wie er im Altersrückblick bekannte, wechselten zwar die Freunde von einer Entwicklungsphase zur anderen, aber das regsame Miteinander in Zusammenarbeit und ergänzender geistiger Partnerschaft blieb ihm bis zuletzt eine Lebensnotwendigkeit.

Während Kafka jeglichen mitmenschlichen Kontakt von sich abwies und immer wieder seine Unfähigkeit zur Freundschaft bzw. zum Zusammenleben mit irgend jemandem bekannte, hat Goethe die Freundschaft als einen Hort der Geborgenheit gepriesen und den jungen Eckermann mit warmherzigen Worten zu den ihm zugänglich gewordenen gesellschaftlichen Beziehungen beglückwünscht.

Menschsein hieß für Goethe: mit Menschen sein. Das Miteinander war ihm nicht wie für Kafka etwas zu Meidendes, sondern ein Notwendiges, da, wie ein grundlegender Satz aus dem Lehrbrief im *Wilhelm Meister* betont, kein einzelner das ganze Menschentum repräsentiere: »Nur alle Menschen machen die Menschheit aus, nur alle Kräfte zusammengenommen die Welt.«

Der empirischen Grundhaltung Goethes entsprach seine Ablehnung extremer Subjektivität, die eine Art antizipierter Kafkakritik darstellt. Am 29. Januar 1826 klagte er gegenüber Eckermann über die Subjektivität als die allgemeine Krankheit der jetzigen Zeit und fügte hinzu:

> Alle im Rückschreiten und in der Auflösung begriffenen Epochen sind subjektiv, dagegen haben aber alle vorschreitenden Epochen eine objektive Richtung. Unsere ganze jetzige Zeit ist eine rückschreitende, denn sie ist eine

subjektive . . . Jedes tüchtige Bestreben dagegen wendet sich aus dem Inneren hinaus auf die Welt, wie Sie an allen Epochen sehen, die wirklich im Streben und Vorschreiten begriffen und alle objektiver Natur waren.

Was aber im besonderen den Dichter betrifft, so sei er »noch keiner zu nennen, solange er bloß seine wenigen subjektiven Empfindungen ausspricht«. Erst »sobald er die Welt sich anzueignen und auszusprechen weiß, ist er ein Poet«. Eine nur subjektive Natur habe »ihr bißchen Inneres bald ausgesprochen und [gehe] zuletzt in Manier zugrunde«. Darum laute der Imperativ für den Dichter: »Richte dich auf die wirkliche Welt und suche sie auszusprechen!« Einundeinhalb Jahre später, am 24. September 1827, verschärfte er seine Kritik:

> Die Poeten schreiben jetzt alle, als wären sie krank und die ganze Welt ein Lazarett. Alle sprechen sie von dem Leiden und dem Jammer der Erde . . . und unzufrieden, wie schon alle sind, hetzt einer den andern in noch größere Unzufriedenheit hinein. Das ist ein wahrer Mißbrauch der Poesie, die uns doch eigentlich dazu gegeben ist, um die kleinen Zwiste des Lebens auszugleichen und den Menschen mit der Welt und seinem Zustand zufrieden zu machen. Aber die jetzige Generation fürchtet sich vor aller echten Kraft, und nur bei der Schwäche ist es ihr gemütlich und poetisch zu Sinne . . .

Indessen ging es Goethe bei seiner Forderung nach gestalterischer Objektivität nicht um naturalistische Wiedergabe des bloß Wirklichen, sondern um Wahrheit der Darstellung in dem Sinne, wie er selber von den Bildern Claude Lorraines gerühmt hat, sie hätten »höchste Wahrheit, aber keine Spur von Wirklichkeit« (was aber andererseits nur deshalb möglich sei, weil Lorraine »die reale Welt bis ins kleinste Detail auswendig gekannt und als Mittel gebraucht habe, um die Welt seiner schönen Seele auszudrücken«). Zur wahren Kunst gehöre eben, daß sie »sich realer Mittel zu bedienen weiß«.[31] Entsprechend verurteilte er ein Gedicht »als ein sehr schwaches Produkt«, weil es »nicht die Spur von äußerer Anschauung« gebe und damit der »eigentlichen poetischen Grundlage, der Grundlage des Realen« entbehre.

Dem Empiriker und Augenmenschen Goethe ging es um lebendige Anschauung, um konkret gegenständliche, nicht schemenhaft abstrakte Darstellung. Die anonymisierten Gestaltungen Kafkas, die sprachliche Gleichschaltung der Personen in seinen Romanen und Erzählungen hätten vor seinem künstlerischen Urteil keine Gnade gefunden.

So verwundert es nicht, daß auch Goethes letzte, eingehende Selbstcharakteristik im Gespräch mit Eckermann vom 17. Februar 1832 noch einmal den weltoffenen Realismus seines Lebens und Dichtens begründet und damit zugleich eine exemplarische Kritik an einem weltabweisend introvertierten Menschen- und Künstlertum darstellt:

> Im Grunde aber sind wir alle kollektive Wesen, wir mögen uns stellen, wie wir wollen. Denn wie weniges haben und sind wir, das wir im reinsten Sinn unser Eigentum nennen! Wir müssen alle empfangen und lernen, sowohl von denen, die vor uns waren, als von denen, die mit uns sind. *Selbst das größte Genie würde nicht weit kommen, wenn es alles seinem eigenen Innern verdanken*

wollte. Das begreifen aber viele sehr gute Menschen nicht und tappen mit ihren Träumen von Originalität ein halbes Leben im Dunkeln. Ich habe Künstler gekannt, die sich rühmten, keinem Meister gefolgt zu sein, vielmehr alles ihrem eigenen Genie zu danken zu haben. Die Narren! Als ob das überall anginge! Und als ob sich die Welt ihnen nicht bei jedem Schritt aufdrängte und aus ihnen, trotz ihrer eigenen Dummheit, etwas machte! Ja ich behaupte, wenn ein solcher Künstler nur an den Wänden dieses Zimmers vorüberginge und auf die Handzeichnungen einiger großer Meister, womit ich sie behängt habe, nur flüchtige Blicke würfe, er müßte ... als ein anderer und Höherer von hier gehen ... Und *was ist denn überhaupt Gutes an uns, wenn es nicht die Kraft und Neigung ist, die Mittel der äußeren Welt an uns heranzuziehen und unseren höheren Zwecken dienstbar zu machen* ... Was hatte ich ..., wenn wir ehrlich sein wollen, das eigentlich mein war, als die Fähigkeit und Neigung, zu sehen und zu hören, zu unterscheiden und zu wählen, und das Gesehene und Gehörte mit einigem Geist zu beleben und mit einiger Geschicklichkeit wiederzugeben. Ich verdanke meine Werke keineswegs meiner eigenen Weisheit allein, sondern Tausenden von Dingen und Personen außer mir, die mir dazu das Material boten ... ich hatte weiter nichts zu tun als zuzugreifen und das zu ernten, was andere für mich gesät hatten.   (Hervorhebungen vom Vf.)

Was Empirie und Introversion als unvereinbar gegensätzliche Formen des Welt- und Lebensverhaltens für Goethe und Kafka bedeuteten, ist in diesem todesnahen »Bruchstück einer großen Konfession« eindringlich ausgesprochen. Dem Blick nach außen kontrastiert der Blick nach innen, dem weltbegierigen Ausschreiten nach allen Seiten die weltflüchtige Konzentration auf das eigene Ich, dem stets neuen Zuwachs an Erfahrung »Sehen und Hören, Wählen und Unterscheiden« die wiederkäuende Selbstbefriedigung an den nicht zu bewältigenden Komplexen des »traumhaften inneren Lebens«, dem fortschreitenden Sichentwikkeln das Stagnieren in ewig gleicher Selbstumkreisung. Der in England verstorbene Maler Fritz Feigl hat das Frustrierende dieser auf Abwehr gestellten Introversion seines Prager Schulfreundes Franz Kafka knapp und treffsicher gekennzeichnet:

Seine Art zu schreiben war eine Selbstbefriedigung. Er brauchte und wünschte niemand zur Bestätigung. Die Ehe mit einer Frau, das Verhältnis von Autor und Publikum ist eine Realität. Er hat sich gegen die Realität gewehrt, er hat sich eine eigene Realität geschaffen, in der er sich an der scheinbaren Sinnlosigkeit und Ungerechtigkeit der Realität gerächt hat, indem er sie karikierte.[32]

Das Nicht-vom Fleck-Kommen oder, was dasselbe ist, das Sich-im-Kreis-Drehen, die Tatsache also, daß er nicht »empfangen und lernen«, sondern »alles seinem eigenen Innern verdanken wollte«, hat Kafka scheitern lassen, indem er dadurch auf sich selbst fixiert blieb und so den eigenen unbefriedigenden Zustand festschrieb. Die Expeditionen in die Welt des Innern erwiesen sich als Wiederholungsfahrten in einem eng begrenzten Raum. Hier gab es keine Möglichkeit, immer neue Welt in sich aufzunehmen und so sein Leben in Stufen »hochzutürmen«, kein »Stirb und werde«, kein Wachsen und Reifen, sondern nur das Auf-der-Stelle-Treten und Resignieren des an sich selbst Verlorenen. Es fehlte der offene Horizont, der dem empirischen Weltverhalten den Reiz der Weite und des Wagnisses, die Chance der Erneuerung und Steigerung gibt. Goethe hat diese Chance in beispielhafter Weise wahrgenommen und alle Stufen seines wandlungsreichen Lebens voll verwirklicht: Der junge Goethe, der reife Goethe der Mannesjahre, der alte Goethe, jeder ist in seiner Weise exemplarisch. Kafka hingegen, durch Introversion in seinen frühen Nöten festgehalten, blieb bis ins reife Alter der knabenhaft scheue, ja kindhaft angstvolle, junge Kafka. In solchem Sinn sprach Musil von seiner »moralischen Zartheit« und Franz Blei von der »knabenhaften Zartheit« seiner Prosa. Und Fritz Feigl betonte: »Knabenhaft – das ist das Charakteristische, das ihm sein ganzes Leben anhaftete.« »Im Grunde war Kafka ein Jüngling, dem nicht vergönnt war, alt zu werden. Er ist in seinen Jugendjahren gestorben . . . Trotzdem er über vierzig war.«[33]

Selbstverständlich stellt die hier getroffene typologische Unterscheidung Goethes und Kafkas nach Empirie und Introversion (als gegensätzliche Formen des Weltverhaltens) keine absolute Klassifizierung dar. Sie meint nicht, daß Goethe pausenlos nur Welt in sich aufgenommen und nicht auch intensiv introvertiert habe. Nur freilich bedeutete Introversion für Goethe nicht Selbstzweck, sondern diente dazu, die empfangenen Eindrücke und Erfahrungen zu verarbeiten und ins Eigene zu integrieren. Weltbegegnung war für ihn ein Akt der Selbstfindung. »Nach allen Seiten gehen« hieß: das geistige und moralische Potential zur Gänze ausschöpfen. Reine Selbstversenkung hingegen hätte Goethe als Verhinderung an der vollen Selbstentfaltung, als Versäumnis der in ihm angelegten Möglichkeiten gegolten. Darum lehnte er den völligen Rückzug auf die eigene Innerlichkeit kategorisch ab. Als kosmisch geborgener Mensch bedurfte er des natürlichen Wechsels von Einatmen und Ausatmen, Aufnehmen und Auswerten. Andererseits liegt die Problematik Kafkas eben darin, daß er – in der akosmischen Isolation seiner Existenz – gegen dieses natürliche Gesetz zu leben suchte und um der ungestörten Selbstversenkung willen der Begegnung mit der Welt nach Möglichkeit auswich oder, wie er selbst formulierte, sie »ganz ins Nebensächliche« rückte und »verkümmern« ließ.

Aus der kosmischen Geborgenheit und weltzugewandten Empirie Goethes resultiert die sein Leben und Dichten bestimmende positive Gesamthaltung. Der Isolation und Introversion Kafkas hingegen entspricht eine insgesamt pessimistische Sicht der menschlichen Existenz. Carlyle sah in Goethe den Positiven schlechthin, das ewige Ja, das dem ewigen Nein entgegengesetzt werden müsse. Goethe war ihm der Überwinder, der Sieger, der Held und daher eine Idealgestalt für sein Lebensthema »Helden und Heldenverehrung«. Eine heroische Kämpfernatur im strikten Sinn des Wortes ist Goethe gleichwohl nicht gewesen. Da aber seine Lebensbejahung nicht kurzschlüssigem Optimismus entsprang, sondern gegen wiederholte Krisen errungen und behauptet werden mußte, kann hier doch von einem moralischen Kämpfertum gesprochen werden. Das bezeugte sich nicht zuletzt in Goethes Zielsetzung, alle in ihm angelegten Möglichkeiten zu voller Entfaltung zu bringen. In einem Schreiben vom 20. September 1780 bekannte er:

> Diese Begierde, die Pyramide meines Daseins, deren Basis mir angegeben und gegründet ist, so hoch als möglich in die Luft zu spitzen, überwiegt alles andere und läßt kaum augenblickliches Vergessen zu. Ich darf mich nicht säumen, ich bin schon weit in Jahren vor, und vielleicht bricht mich das Schicksal in der Mitte, und der Babylonische Turm bleibt stumpf unvollendet. Wenigstens soll man sagen: er war kühn entworfen, und wenn ich lebe, sollen, will's Gott, die Kräfte bis hinauf reichen.

Weil Goethe nicht scheitern wollte, ließ er das Negative nicht in sich aufkommen, sondern »kommandierte« sich zu einer positiven Lebensphilosophie. Daß das zugleich ein Gebot der Selbsterhaltung war, hat er in *Dichtung und Wahrheit* ausgesprochen:

> Und so begann diejenige Richtung, von der ich mein ganzes Leben über nicht abweichen konnte, nämlich dasjenige, was mich erfreute oder quälte, oder sonst beschäftigte, in ein Bild, ein Gedicht zu verwandeln und darüber mit mir abzuschließen, um sowohl meine Begriffe von den äußeren Dingen zu berichtigen, als mich im Innern deshalb zu beruhigen. Die Gabe hierzu war wohl niemand nötiger als mir, den seine Natur immerfort aus einem Extreme in das andere warf.

Im Gegensatz zu Kafkas *a priori* pessimistischer Auffassung, daß alles schief laufe und daher jegliches Bemühen vergeblich sei, steht Goethes Glaube an seinen guten Stern, an die Chance des Gelingens[34], an die Möglichkeit, mit den Schwierigkeiten des Lebens fertigzuwerden, seine Entschlossenheit, die positiven Seiten der Dinge wahrzunehmen und sich durch die negativen nicht beirren zu lassen. Schon früh erkannte er, daß »Unglück auch gut« sei, und in einem Brief vom 8. März 1776 heißt es: »Es geht mit allem gut, denn was schlimm ist, lass' ich mich nicht anfechten.«

Anders als Kafka, dem, wohin er sich auch wendet, »die schwarze Welle entgegenschlägt«, der »das Gefühl hat, gebunden zu sein, und gleichzeitig das andere, daß, wenn man losgebunden würde, es noch ärger wäre«[35] und der solchermaßen unablösbar am Negativen festhaftet[36], konzentriert sich Goethe bewußt auf das Positive und läßt das Schlimme nicht übermächtig werden. Klagt Kafka über die »Unmöglichkeit, das Leben zu ertragen« (T 552), so weist Goethe alle negativen Affekte und Aspekte, gerade auch Reue, Schuldbewußtsein und Sorge, als lebensfeindlich zurück. Er will Fatalitäten nicht einfach erleiden, sondern umwerten und einen eigenen Sinn setzen. Wie er aus Rom schrieb, sollten wir uns »des Erfreulichen erfreuen« und jeweils »bald möglichst aus Verhältnissen treten, die einen Mißklang in unser Leben bringen«. Kann Kafka sich nicht genugtun im Wiederkäuen des Unerfreulichen, so verwirft Goethe alles »unnütze Erinnern«:

Wer möchte gern Rechnungen früherer Jahre und die einzelnen Posten des Credit und Debet wieder durchsehen, wenn man das Summa summarum längst gezogen, den Verlust verschmerzt und den Gewinn verzehrt hat.

Im Gegenteil, positiv sein heißt für Goethe: auch etwas gut zu sich selber sein.

Für solches Denken ist in Kafkas masochistischem Pessimismus kein Raum. Da er die eigene Unvollkommenheit nicht weniger schmerzlich empfindet als die Unvollkommenheit der Welt, öffnet sich ihm nach keiner Seite ein Fenster ins Helle. Unablenkbar bleibt sein Blick auf das Makabre fixiert, dem sich kein Sinn abgewinnen läßt:

> Zwei Kinder, allein in der Wohnung, stiegen in einen großen Koffer, der Deckel fiel zu, sie konnten nicht öffnen und erstickten.[37]

Hier gibt es keine Möglichkeit einer positiven Lösung. Der letale Ausgang ist unausweichlich und von drastischer Brutalität.

Goethe weigerte sich, in solch selbstquälerischer Weise immer nur das Destruktive zu sehen. Daß alles eitel sei, hielt er für einen »falschen, ja gotteslästerlichen Spruch«. In solchem grundsätzlichen Pessimismus sah er einen Verstoß gegen die Lebensweisheit, einen Kunstfehler in der Lebensführung:

Es galt ihm als ein Gebot der seelischen Ökonomie, seine Kräfte nicht an negative Emotionen zu verschwenden. Hingegen erschien es ihm unerläßlich und lohnend, sich um das Positive zu bemühen. Denn es sei »ein großer Unterschied, ob wir jämmerlich wie arme Hunde leben, oder wohl und frisch.«[38] Andererseits bedürfe der Mensch der Selbstbescheidung, da er »nicht geboren [sei], die Probleme der Welt zu lösen ... die Handlungen des Universums zu messen und in das Weltall Vernunft bringen zu wollen«. Denn »die Vernunft des Menschen und die Vernunft der Gottheit [seien] zwei sehr verschiedene Dinge«.[39] Den Wunsch zu erkennen, »was die Welt im Innersten zusammenhält«, das faustische Verlangen über die dem Menschen gesetzten Grenzen hinaus lehnte Goethe als unrealistisch ab. Er identifizierte sich also keineswegs mit dem Helden seines Lebenswerkes, dessen Scheitern schon in den Prämissen gegeben war. Umgekehrt steht Kafka mit seinem »Begehren des Unmöglichen«, mit seiner Zielsetzung, den archimedischen Punkt zu finden und »die Welt ins Reine, Wahre, Unveränderliche zu heben«, der Faustgestalt Goethes in gewisser Weise näher als dieser selbst.[40]

Zwei Äußerungen Goethes, die eine vom 11. August 1781, die andere in einem Brief aus Italien vom 17. März 1788 an Herzog Karl August, beleuchten das positive Grundkonzept seiner Existenz, seine Bejahung der realen Gegebenheiten und sein gesundes Augenmaß für die Verteilung von Licht und Schatten im Ganzen seiner Lebenslandschaft:

> Was meine Lage betrifft, so hat sie, ungeachtet großer Beschwernisse, auch sehr viel Erwünschtes für mich, wovon der beste Beweis ist, daß ich mir keine andere mögliche denken kann, in die ich gegenwärtig hinübergehen

möchte . . . wie könnte ich mir, nach meiner Art zu sein, einen glücklicheren
Zustand wünschen, als einen, der für mich etwas Unendliches hat. (1781)

Nehmen Sie mich als Gast auf, lassen Sie mich an Ihrer Seite das ganze Maß
meiner Existenz ausfüllen und des Lebens genießen; so wird meine Kraft, wie
eine nun geöffnete, gesammelte, gereinigte Quelle von einer Höhe, nach
Ihrem Willen leicht dahin oder dorthin zu leiten sein. (1788)

Es ist unvorstellbar, daß Kafka jemals Ähnliches gesagt oder auch nur
gedacht haben könnte. Von Kindheit an empfand er sich als hoffnungslosen Verlierer. Was ihn lebenslang bedrückte, war »letzthin die Vorstellung, daß ich als kleines Kind vom Vater besiegt worden bin und nun
aus Ehrgeiz den Kampfplatz nicht verlassen kann, alle die Jahre hindurch, trotzdem ich immer wieder besiegt werde«.[41] In *Er* hat Kafka
selbst die absurd überspitzte Negativität seiner Sicht dargetan: »Manche
leugnen den Jammer durch Hinweis auf die Sonne, er leugnet die Sonne
durch Hinweis auf den Jammer.«

Hodin, ein jüngerer Prager Zeitgenosse Kafkas, verurteilt diesen Pessimismus als »spitzfindigste Selbstquälerei«, als Dekadenz, die sich auch
künstlerisch negativ ausgewirkt habe.[42] Darum fühle man auch, »wie das
Persönliche seine Kunst vergiftet«. Denn »ein Werk, das geschrieben
wurde, um sich übermächtiger Komplexe zu erwehren, verfehlt, die
Katharsis zu erzeugen . . .«.

Indessen gab es für Kafka (und seine Helden) keinen Ausweg aus der
Monotonie der Aussichtslosigkeit, die ihrerseits nicht lediglich nutzloser
Wartestand, sondern degradierende Verwandlung, Schwund der Kräfte,
tödlicher Schrumpfungsprozeß war. Ihm fehlte, was die Einzigartigkeit
Goethes ausmacht, die Fähigkeit zur steigernden Verwandlung, zur
Verjüngung, zur Wiedergeburt. Die *Reise in Italien* ist nur das sinnfällig-
ste Beispiel jenes produktiven »Stirb und werde«, das den in Stufen
fortschreitenden Gang des Goetheschen Lebens bestimmte. Kafka hin-
gegen blieb im Prozeß der Selbstumkreisung befangen, ohne Lust, neue
Daseinsformen zu entdecken, vielmehr in »Furcht und Zittern« (Kierkegaard) vor den Bedrohungen der als hinterhältig empfundenen Welt.
Goethes Lebensfreude und Lebensbejahung in Italien bezeichnet den
äußersten Gegensatz zu diesem angstvoll negativen Weltbezug Kafkas.
In spontanem Vertrauen auf die Güte eines (uns unbekannten) höheren
Sinnes aller Dinge erlebt Goethe hier ein Glück, das Kafka nicht einmal
nachzufühlen vermöchte.

Bereits zu Beginn seines Italienaufenthaltes, am 18. September 1786,
schrieb Goethe an Herzog Karl August:

Schon fühl ich in meinem Gemüt, in meiner Vorstellungsart gar merklichen
Unterschied, und ich habe Hoffnung, einen wohl ausgewachsenen, wohl aus-
staffierten Menschen wieder zurück zu bringen.

Am 10. November teilte er Herder mit, wie wohltuend Italien auf
seinen Seelenzustand wirke: es sei »eine innere Solidität, mit der der

Geist gleichsam gestempelt« werde, und er denke, »die gesegneten Folgen auf [sein] Leben zu fühlen.« Anfang Dezember 1786 zählt er »einen zweiten Geburtstag, eine wahre Wiedergeburt, da ich Rom betrat«. »Diese Erkenntnis war so stark, das Erlebnis der Wandlung, Verjüngung [und Weitung] so beglückend, ernst und dauernd, daß er zu biblischen Wendungen wie Wiedergeburt, Läuterung, Erneuerung greift, um den Freunden diesen glühenden Kern seines ›Rom-Glücks‹ zu umschreiben.«[43] Mitte Dezember schreibt er an Herder, man müsse »so zu sagen wiedergeboren werden«, um »auf seine vorigen Begriffe wie auf Kinderschuhe« zurückzublicken. Die Wiedergeburt, die ihn von innen heraus umarbeite, wirke immer fort. In einem Brief vom 6. Januar 1787 an Frau von Stein bekennt er:

> Schon habe ich viel in meinem Innern gewonnen, schon habe ich viele Ideen, auf denen ich festhielt, die mich und andre unglücklich machten, hingegeben und bin um vieles freier. Täglich werfe ich eine neue Schale ab und hoffe, als ein Mensch wiederzukehren.

Das Glücksgefühl seines Italien-Erlebnisses ist hörbar in dem neuen Ton, »der jubelnd jede Briefstelle, jede Tagebuchnotiz durchdringt« und in den Distichen der *Römischen Elegien* seinen dichterischen Niederschlag findet: ganz dem Augenblick hingegeben, spricht er »entspannt von den *Freuden des nackten Amor*« und genießt aufatmend und frei von »flackernder Unruhe« das Behagen des reinen Daseins.

Was Goethe in Italien zuteil wurde, war freilich Höhepunkt und Ausnahme im Ablauf seines Lebens, eine kurze Phase wolkenlosen Glücks. Überhaupt war Goethes sogenannter Optimismus ein Trotzdem-Optimismus, wie umgekehrt der Pessimismus Kafkas ein Trotzdem-Pessimismus, nämlich die Resultante aus dem Gegeneinander von zaghaftem Glaubenwollen und übermächtigem Verneinungszwang. Im letzten Augenblick hat Kafka immer negativ entschieden. Sichtbarstes Kennzeichen dafür ist der grundsätzlich katastrophale Ausgang seiner Dichtungen. Entsprechend haßte er die Märchen, die, wie er spottet, immer ein gutes Ende haben. Symptomatisch ist ferner, daß er einen fast buchlangen Brief an seinen Vater schrieb, in dem er den ihn seit der Kindheit belastenden Komplex zu bewältigen suchte, dieses wichtige Dokument dann aber doch nicht dem Vater zugehen ließ. Daß sich Kafka zweimal mit Felice Bauer verlobte und wieder entlobte, aber auch alle anderen Verlöbnisse und sonstige Bindungen an Frauen wieder auflöste, bezeugt gleichfalls diesen unwiderstehlichen Zug zu negativen Entscheidungen. Die letzte euphorisch beschwingte Liebesbeziehung Kafkas, seine über ein halbes Jahr dauernde Lebensgemeinschaft mit Dora Dymant, scheint eine Ausnahme zu sein. Doch stand diese Zeit seiner tödlichen Erkrankung unter Sonderbedingungen. Und es bleibt eine offene Frage, ob nicht der Tod der Wiederauflösung auch dieses Verhältnisses zuvorgekommen ist.

Eine scheinbare Ausnahme bildet die Erzählung *In der Strafkolonie,* insofern hier die Hinrichtungsmaschine zuletzt zerstört wird und damit – nach der Meinung Brods – eine positive Lösung, nämlich die Aufhebung einer barbarischen Strafjustiz, erfolgt. In Wahrheit gibt es aber auch hier kein glückliches Ende, keinen Jubel der Befreiung, keinen Triumph des Guten über das Böse, sondern einen höchst fatalen, ja makabren Ausgang. Der Forschungsreisende verläßt fluchtartig die Strafkolonie und stößt den Soldaten und den Sträfling, die zusammen mit ihm in die Freiheit entkommen wollen, brutal zurück:

> Sie hätten noch ins Boot springen können, aber der Reisende hob ein schweres geknotetes Tau vom Boden, drohte ihnen damit und hielt sie dadurch vom Sprunge ab.

Schlimmer noch, der Forschungsreisende sucht den neuen Kommandanten der Strafkolonie, den Vertreter der »humaneren« Strafjustiz, nicht mehr auf, erweist hingegen dem alten Kommandanten noch seine Reverenz, indem er dessen Grabstein aufsucht, davor niederkniet und »die Macht der früheren Zeiten« fühlt. Hier ist also nicht, wie es für einen Augenblick aussehen mochte, ein Retter erschienen, der der Qual der Strafkolonie ein Ende setzt. Der vermeintliche Befreier läßt vielmehr die »Befreiten« im Stich. Er ist also nicht besser als der fanatische Exekutionsoffizier, der immerhin im Glauben an die Gerechtigkeit seiner Sache handelt. Eine Wandlung zum Guten findet somit auch hier nicht statt. Wie immer die Geschichten Kafkas verlaufen, sie alle münden in die Katastrophe, auch das eigene Leben, das nach Kafkas letztwilliger Verfügung, seinen literarischen Nachlaß zu vernichten, mit einem Widerruf endet.

Gleichwohl gibt es etwas in Kafka, das seinem Pessimismus entgegensteht. Zwar zeigt er in seinen Romanen und Erzählungen den angstvoll irrenden, rat- und haltlosen Menschen, der den Zusammenhang mit dem »Unzerstörbaren« verloren hat und in der Not seiner Verlassenheit ganz dem Labyrinth des eigenen Innern ausgeliefert bleibt, aber in den *Aphorismen* (und z. T. auch in den Gesprächen und Tagebüchern) spricht ein anderer Kafka, einer, der – wenn auch »unter tausend Anfechtungen« – »des Transzendenten im Wesentlichen gewiß« ist. Hier bekundet sich ein unstillbares Glaubensbedürfnis, ein Erlösungsverlangen nach dem »Unzerstörbaren«.[44] An diesen Gottsucher denkt, wer wie Max Brod oder Albert Camus in Kafka einen dem Positiven zugewandten Dichter der Hoffnung sehen will. Aber der Verneiner in Kafka war stärker, und *er* war es, der sein Werk geprägt und sein Leben bestimmt hat. Hoffnung war sein Wunsch, Verzweiflung seine Wirklichkeit. Dora Dymant, die Lebensgefährtin seiner letzten Monate, hat es klar ausgesprochen: »Weiter als bis zur Verzweiflung ist er nicht gekommen.«

Im Gegensatz dazu gilt für Goethe, daß er positiv blieb, obwohl er das Negative in vollem Umfang sah. Wie illusionslos skeptisch er die Menschenwelt beurteilte, erhellt aus vielen seiner Äußerungen:

»Es gehört viel Mut dazu, in der Welt nicht mißmutig zu werden.« »Käme Christus, man würde ihn zum zweiten Male kreuzigen.« »Wir schlafen sämtlich auf Vulkanen.« »Der Mensch wird in seinen verschiedenen Lebensstufen wohl ein anderer, aber er kann nicht sagen, daß er ein besserer werde.« »Man muß keine Jugendfehler ins Alter hineinnehmen. Denn das Alter führt seine eigenen Mängel mit sich.« »Derjenige, der sich in höherem Sinne ausgebildet, kann immer voraussetzen, daß er die Majorität gegen sich habe.« »Die Erfahrung ist immer eine Parodie auf die Idee.«

Und die Trinität des Klassizismus: das Wahre, Gute, Schöne hat ihm den Blick auf die Unzulänglichkeit des Menschen nicht verstellt. Die Klage, daß die Menschen sich stets geängstigt und geplagt, sich untereinander gequält und so sich selbst und den anderen das Leben sauer gemacht und darüber die Schönheit der Welt versäumt hätten, durchzieht wie ein Leitmotiv Goethes Dichten und Denken und hat in seinen Altersbriefen sowie in seinen Gesprächen mit Eckermann (und anderen Partnern) oft schmerzlichen Ausdruck gefunden.

Mit Kafka teilte Goethe die prinzipielle Skepsis *in politicis,* die sich im Lauf seines Lebens zu pessimistischer Bitterkeit steigerte. Angesichts des Terrors der Französischen Revolution stellte er mit Entsetzen fest, daß »bei keiner Revolution . . . die Extreme zu vermeiden« sind. Zwar wolle man am Anfang gewöhnlich nichts weiter als die Abstellung von allerlei Mißbräuchen; »aber ehe man es sich versieht, steckt man tief in Blutvergießen und Greueln.« Aus solchen Enttäuschungen folgte sein »Mißvergnügen an der Weltgeschichte«, insbesondere sein angstvolles Mißtrauen gegenüber dem Revolutionären, das, wie er beklagte, durch ideologisches Simplifizieren den Geist bedrohe und das Denken verführe. Infolgedessen war ihm die Politik »mehr eine Beunruhigung als ein Gebiet innerer Teilnahme«, und »die ganz großen politischen Aktionen hielt er sich fern, um seine Wesensart zu retten«. Ja, »im höchsten Alter schließt er sich . . . aus . . . Selbstschutzbedürfnis von *allem* Politischen ab . . . stellt das Zeitungslesen ganz ein und fühlt sich nun viel wohler. Ähnlich wie . . . Wilhelm von Humboldt sah er das Politische als etwas an, das das Innere des Menschen nicht bereichert.«[45] Zwei Äußerungen des alten Goethe mögen diese durch das Unbehagen an der Politik bedingten pessimistischen Anwandlungen belegen. Am 12. März 1828 bemerkte er zu Eckermann:

Denkt man sich bei deprimierter Stimmung, recht tief in das Elend unserer Zeit hinein, so kommt es einem oft vor, als wäre die Welt nach und nach zum Jüngsten Tage reif. – Und das Übel häuft sich von Generation zu Generation! – Denn nicht genug, daß wir an den Sünden unserer Väter zu leiden haben, sondern wir überliefern auch diese geerbten Gebrechen, mit unseren eigenen vermehrt, unseren Nachkommen.

Und am 17. März 1832, fünf Tage vor seinem Tod, hat Goethe im Gespräch mit Eckermann noch einmal kritisch distanziert zur Weltlage Stellung genommen:

Verwirrende Lehre zu verwirrendem Handel waltet über der Welt, und ich habe nichts angelegentlicher zu tun, als dasjenige, was an mir ist und geblieben ist, wo möglich noch zu steigern.

Beide Äußerungen sind Ausdruck tiefer Enttäuschung und erhellen die illusionslose Nüchternheit, mit der Goethe das Treiben der Welt betrachtet hat. Zugleich aber bezeugen sie seinen bis zuletzt ungebrochenen Willen, in sich selber fest zu bleiben und – allen Widerwärtigkeiten zum Trotz – weiterzuschreiten. Aber zweifellos war sein Blick in die Zukunft durch Endzeitstimmung getrübt. Das kommende Jahrhundert, so sagte er 1825 im Blick auf das sich entfaltende Maschinenwesen, sei das »Jahrhundert für die fähigen Köpfe, für leicht fassende, praktische Menschen, die, mit einer gewissen Gewandtheit ausgestattet, ihre Superiorität über die Menge fühlen, wenn sie gleich nicht zum Höchsten begabt sind«.

Der Fortschrittsglaube der Aufklärung, von dem Goethe ausgegangen war, hat sich hier in sein Gegenteil verkehrt. Vom Zeitalter der Manager und Technokraten, das er heraufkommen sah, erwartete er eher Verlust als Gewinn. Doch im Gegensatz zu Kafka, der, auf diesen einen negativen Aspekt fixiert, den zyklischen Ausgleich im großen Ablauf der Dinge nicht wahrnahm, blickte Goethe über die Mißstände im nächsten Umkreis hinaus in die Welt der »ewigen, ehernen, großen Gesetze«, die die heilsame Ordnung des Ganzen verbürgen und dadurch sicherstellen, daß das Störende nichts Endgültiges, sondern jeweils nur Stufe und Übergang ist. So ist Goethe im Grunde ehrfürchtiger und demütiger als der so bescheiden sich gebende, ja in Selbsterniedrigung ausschweifende Kafka, der sich zwar mit harten Worten der Schwäche zeiht, aber nicht bereit ist, die Welt, wie sie ist, zu akzeptieren. Sein Sich-nicht-abfinden-Können mit der Welt ist letzthin Anmaßung. Und diese hinderte ihn, zu jener leidenschaftslosen Breite und Helle der Sicht zu gelangen, die den weltoffenen Realismus Goethes auszeichnet.

Immer wieder droht bei dieser Unterscheidung die Gefahr, daß Goethe und Kafka zu eindeutig als der Positive und der Negative einander gegenübergestellt werden.[46] Goethes Anwandlungen von Alterspessimismus waren aber häufiger und heftiger, als sich aus den Eckermann-Gesprächen erkennen läßt.[47] Wichtige Zeugnisse hierfür sind die kurzen Verssprüche unter den Altersgedichten Goethes, die dieser, »meist mit Bleistift, als Selbstgespräche vor sich hinschrieb und die er dann merkwürdigerweise unter dem Titel *Zahme Xenien* sammelte«; in ihnen wird deutlich, »wie sehr es in und um ihn gewitterte«. Hier finden sich »Worte zur Zeit und über Zeitgenossen, manche wohlwollend, viele verstimmt«.[48] Vor allem zeigt sich in diesen nach Thematik und Stimmung wechselreichen »Selbstgesprächen«, daß Goethe »mehr als andere sehr verschiedene Haltungen, ja gewaltige Spannungen widerspiegelt«. So konnte er »als Gläubiger sich in alle Religionen verwandeln, als Ironiker [aber] jede Religion in Frage stellen, im politischen Bereich bald liberale, bald streng konservative Grundsätze [vertreten], Leben und Welt ... zuweilen pessimistisch, ja fast nihilistisch [aburteilen], zu andern Zeiten [jedoch] ehrfürchtig und dankbar [bejahen]. Diese Bejahung war und blieb letzten Endes die Dominante, in schwerem Ringen immer wieder hergestellt.« Eben dies betont auch Eckermann in der Vorrede zum Dritten Teil (1822–1832) der *Gespräche*.

Beim Vergleich mit Kafka dürfen jedoch die negativen Äußerungen Goethes um so weniger übergangen werden, als in ihnen die größtmögliche Nähe beider erkennbar wird und sogar ähnliche Formulierungen begegnen. Wie Kafka kennzeichnet auch Goethe rückblickend sein gesamtes Leben als eine Sisyphusmarter: »Es war das ewige Wälzen eines Steines, der immer von neuem gehoben sein wollte ...« Ja, er glaubt sagen zu können, daß er in seinen fünfundsiebzig Jahren »keine vier Wochen eigentliches Behagen gehabt habe«.[49] Auch das grundliegende Kafkaproblem der »mißlingenden Ankunft« begegnet in den Altersklagen Goethes: »Ja, selbst wenn ich nach Amerika flüchten wollte, ich käme zu spät, denn auch dort wäre es schon zu helle.«

Die Trauer und Hoffnungslosigkeit, die aus diesen Worten spricht, sind der Verzweiflung Kafkas und Trakls nahe, nur daß diese nicht über die Gegenkräfte verfügten, die Goethe zu Gebote standen. Im Blick auf die vielen Güter, von denen der Alternde Abschied nehmen muß, stellt er sich die zweifelsschwere Frage: »Ich wüßte nicht, was dir noch vieles bliebe?«, antwortet aber klar und bestimmt: »Es bleibt genug: Es bleibt Idee und Liebe.« Das aber heißt: es bleibt fortschreitende Produktivität und damit Hoffnung. Auch das Gedicht »Kein Wesen kann zu nichts zerfallen«, dem er den Titel *Vermächtnis* gab, ist ein Zeugnis seines positiven Ethos. Am 12. Februar 1829 hat er mit Eckermann darüber gesprochen und die antinihilistische Richtung seines Denkens bekannt:

Ich habe dieses Gedicht als Widerspruch der Verse: Denn alles muß zu Nichts zerfallen, wenn es im Sein beharren will – geschrieben, welche dumm sind und welche meine Berliner Freunde ... zu meinem Ärger in goldenen Buchstaben ausgestellt haben.

Dieser positive Zug bewährte sich gerade auch im Alter gegenüber den hier sich häufenden pessimistischen Anfechtungen. Er zeigte sich in Goethes Bejahung der »rastlosen Tätigkeit, die er ... mit Luther als Heiligung der Arbeit und Heiligung durch Arbeit empfand« und in der »fast fieberhaften Ausnützung der Zeit, ehe die Nacht käme, da niemand wirken kann«.[50] »All dieses Mühen hat etwas Testamentarisches, Letztwilliges. Jetzt endlich konnte er die großen Lebenswerke vollenden, die mit mannigfachen Teilschlüssen liegen geblieben waren ...« Dieses Zuendegehen des Weges und das Vermächtnishafte seiner letzten Arbeiten, diese abschließende Erfüllung der eigenen Existenz kontrastieren unüberbrückbar zu der schonungslosen Selbstverurteilung, mit der Kafka am Ende sein gesamtes Leben verwarf und seine schriftstellerische Leistung zur Vernichtung bestimmte. Daß Kafka solcherma-

ßen die Ankunft mißlang, während Goethe das »selbstgesteckte Ziel«
erreichte und die Lebenszeit, die ihm nach der Vollendung des *Faust*
noch verblieb, befriedigt »als ein reines Geschenk« betrachten konnte,
verweist auf die Tragik, die dem Gegensatz beider zugrunde liegt.

Dieser Gegensatz, der Kafka und Goethe trennt, bezeugt sich vor
allem auch in ihrem fundamental verschiedenen Verhältnis zum Tod.
»Das Lebendige will ich preisen« war von Anbeginn das Leitmotiv des
Goetheschen Dichtens. Infolgedessen empfand er den Tod als etwas
störend Gewaltsames, das er nur schwer in sein harmonisch ausgegliche-
nes Welt-Lebensbild einzugliedern vermochte. Sein zurückschreckendes
Fremdheitsgefühl gegenüber dem Tod kontrastiert aufs äußerste zu
Kafkas emphatisch bekundeter »Lust zum Tode«.[51] Als etwas bestürzend Widersprüchliches resultiert hieraus der *antitragische* Zug des Tragikers Goethe, sein Ausweichen vor allem, was mit dem Tod zu tun hat,
sein Ausweichen auch vor tragischen Schlüssen und krassen Lösungen,
seine auf Ausgleich gerichtete Konzilianz.

Spranger bezeichnete es als »zu Goethes tiefster Wesensbestimmtheit
[gehörig], daß er über das Tragische schweigt [und] es erst [dann gestal-
tet], wenn er das Versöhnliche gewonnen hat«.[52] Deshalb habe es auch
so lange gedauert, bis Goethe über »die Kluft zwischen dem ersten und
zweiten Teil des *Faust*« hinwegkam. Da Faust am Ende des ersten Teils
der Dichtung moralisch vernichtet ist, mußten erst Versöhnung und
Vergessen, Reinigung und Rekreation ihn zu neuem Dasein ermächti-
gen. Dabei wird aber kein Strafgericht über den Sünder gehalten, es
läuft kein zermürbender und letztlich tödlicher Prozeß gegen den Helden wie in Kafkas Romanen, sondern zum Beginn des zweiten Teils »ist
alles Mitleid und das tiefste Erbarmen . . . und da ist [auch] keine Frage,
ob er es verdient habe oder nicht«:

> Kleiner Elfen Geistergröße
> Eilet, wo sie helfen kann,
> Ob er heilig, ob er böse,
> Jammert sie der Unglücksmann.
> (*Faust* II, 4617–4620)

Infolgedessen hat er auch die tragische Schicksalsidee der Griechen
abgelehnt. Die Vorstellung eines blindwütenden Schicksals widersprach
seinem ausgleichend vernünftigen, konstruktiven Denken, seinem rationalen Bedürfnis nach einem allem Geschehen innewohnenden positiven
Sinn: »Dergleichen ist unserer jetzigen Denkungsweise nicht mehr gemäß, es ist veraltet und überhaupt mit unseren religiösen Vorstellungen
in Widerspruch.«[53]

Die antitragische Tendenz des Tragikers Goethe, sein Wunsch, Konflikte zu entschärfen und der aussöhnenden Vernunft eine Chance zu
geben, zeigt sich besonders auffällig in der für ihn charakteristischen
Erscheinung der sogenannten *Mittlergestalten,* solcher Personen also,
die – wie Iphigenie, Herzog Alfons in *Tasso* oder Mittler in den *Wahl-*

verwandtschaften – zwischen den Gegnern vermitteln und die aus ihrer Entzweiung drohenden Katastrophen zu verhindern suchen. Bei Kafka gibt es bezeichnenderweise keine solchen Figuren. Gregor Samsas Schwester, die eine Zeitlang zwischen dem verwandelten Bruder und der Familie zu vermitteln scheint, entpuppt sich am Ende als radikalste Gegenpartei:

> »Liebe Eltern«, sagte die Schwester und schlug zur Einleitung mit der Hand auf den Tisch, »so geht es nicht weiter. Wenn ihr das vielleicht nicht einsehet, ich sehe es ein. Ich will vor diesem Untier nicht den Namen meines Bruders aussprechen, und sage daher bloß: wir müssen versuchen es loszuwerden.«

Bezeichnend ist ferner, daß auch der Forschungsreisende in der Strafkolonie, der für eine Mittlerrolle prädestiniert zu sein scheint, sich zuletzt in geradezu brüsker Form dieser ihm nahegelegten Aufgabe entzieht. Umgekehrt ist es für Goethe bezeichnend, daß er sich im reifen Alter von seinem Jugendwerk, dem Selbstmordroman *Die Leiden des jungen Werthers,* angstvoll distanzierte. Wie er am 2. Januar 1824 erklärte, habe er dieses Buch seit seinem Erscheinen (1774) nur ein einziges Mal wieder gelesen und sich gehütet, es abermals zu tun, da er fürchte, den pathologischen Zustand wieder durchzuempfinden, aus dem jene Dichtung hervorging.

Aus dieser antitragischen (nicht untragischen) Tendenz Goethes folgt, daß der Gedanke der Vernichtung für ihn etwas Unerträgliches hatte. Das Verschwinden eines tätigen Geistes im Nichts schockierte ihn als sinnwidrig, ja unnatürlich. Mit der Tatsache des Todes sich abzufinden, war für ihn ein schweres, kaum lösbares Problem. Er suchte es dadurch zu bewältigen, daß er den Tod als die letzte Verwandlung »dem Gesichtspunkt einer Metamorphose des Menschen unterordnete« (Spranger). Darüber hinaus hat er Unsterblichkeit *gefordert.* Die Überzeugung unserer Fortdauer entsprang ihm aus dem Begriff der Tätigkeit; denn wenn er bis an sein Ende rastlos wirke, so sei die Natur verpflichtet, ihm eine andere Form des Daseins anzuweisen, wenn die jetzige seinen Geist nicht ferner auszuhalten vermag. Dieser Glaube an die Unsterblichkeit, demzufolge »jede Entelechie ein Stück Ewigkeit« sei, war es auch, der Goethe mit dem Phänomen des Todes etwas versöhnte.

Der Tod als das schwer zu fassende Unerhörte, ja Ungehörige sollte gleichsam reduziert, entmachtet werden. Nach Spranger gehört es zu den Grenzen Goethes als Dichter, daß er das Tragische, die schweren Brüche des Innern, nicht stehen zu lassen vermochte, daß er das Katastrophale, wenn er nicht wegblicken konnte, immer abzuschwächen versuchte. Aber andererseits bestätigte er damit die Auffassung Kafkas, daß für den *gesunden* Menschen das Leben eigentlich nur eine unbewußte und uneingestandene Flucht bedeutet vor dem Bewußtsein, daß man einmal wird sterben müssen.[54]

Beim Tod der Großherzogin Luise am 14. Februar 1830 war Goethe so erschüttert, daß er zunächst kein Wort darüber äußern konnte. Tags darauf sagte er zu Eckermann:

Ich muß mit Gewalt arbeiten, um mich oben zu halten und mich in diese plötzliche Trennung zu schicken. *Der Tod ist doch etwas so Seltsames,* daß man ihn, unerachtet aller Erfahrung, bei einem uns teuren Gegenstande nicht für möglich hält und er immer als etwas Unglaubliches und Unerwartetes eintritt. Er ist *gewissermaßen eine Unmöglichkeit,* die plötzlich zur Wirklichkeit wird. Und dieser Übergang aus einer uns bekannten Existenz in eine andere, von der wir auch gar nichts wissen, ist etwas *so Gewaltsames,* daß es für die Zurückbleibenden nicht ohne die tiefste Erschütterung abgeht.

(Hervorhebungen vom Vf.)

Worum es hier letztlich geht, ist der dem Menschen innewohnende »Protest gegen den Tod . . . aber nicht nur jene Gegenwehr des Lebens, die sich auch beim Tier findet, sondern [gerade auch] der Einspruch des Geistes, er könne den Sinn des Todes nicht einsehen und daher dessen Tatsache nicht annehmen«.[55] Zugrunde liegt also die Frage, »ob der Tod mit klarer Einsicht und verantwortetem Urteil in sich als sinnvoll bejaht werden« kann. Daß diese Frage offen bleiben muß, ist der eigentliche Grund für Goethes unverwundenes Unbehagen am Tod. Um so mehr lag es in seinem Sinn, wenn Lessing am Ende seiner Abhandlung *Wie die Alten den Tod gebildet* die Künstler aufruft, »das alte heitere Bild des Todes« wieder an die Stelle des »scheußlichen Gerippes« zu setzen und so seine Schrecken zu bannen.

Den Tod dem Leben unterordnen, ihm ausweichen, ja, ihn fürchten als das zerstörend Mächtige, aber auch zu Überwindende war Goethes natürliche Reaktion, im schroffen Gegensatz zu Kafka, der das Aufbrechen der todbringenden Wunde in seiner Lunge als eine Befreiung »freudig begrüßte«. Goethes strikte Ablehnung der Romantiker beruhte nicht zuletzt darauf, daß diese, statt den Triumph des Lebens zu feiern, dem Kult des Todes frönten. Für ihn war der Tod das harte Ende, nicht ein »traulicher Einfall der Erde« wie für Rilke, noch gar die Gipfelung des Lebens wie für Hölderlin, noch auch – im Sinne von Matthias Claudius – ein Freund, der uns zu sanftem Schlaf in die Arme schließt. Weil aber Kafka – um des Absoluten willen – an der Welt litt, war seine todessüchtige Traurigkeit »eine höhere, festgewurzelte und unheilbare«[56], eine Lebenstrauer, die nur durch Todeslust erlöst werden konnte. Indessen ist es zweifelhaft, ob diese Lust zum Tode die harte Wirklichkeitsprobe immer besteht. Und von Kafka hat Dora Dymant überliefert, daß er »in den letzten Augenblicken doch wieder zu leben wünschte«. Für Kleist und Henriette Vogel mag allerdings zutreffen, daß sie, wie ihre seraphisch beschwingten Abschiedsbriefe bezeugen, mit »unaussprechlicher Heiterkeit«, sehnsuchtstrunken und zuinnerst einverstanden in den Tod gegangen sind. Für Kafka hingegen ist kennzeichnend, daß er einer solchen Kleistischen Eindeutigkeit nicht fähig war, weil es für ihn niemals ein ausschließliches Nein noch ein endgültiges Ja geben konnte, weil sich Wollen und Nichtwollen in ihm nicht schlechthin ausschlossen. Eben dies machte die Unerlösbarkeit Kafkas aus, daß er sich in keiner Richtung jemals definitiv entscheiden konnte, daß er paradoxerweise immer auch nicht wollte, was er wollte.

Kleist

1.

»Die Wahlverwandtschaft zwischen Kafka und Kleist ist längst zu einem fest umrissenen Fragekreis der neueren Forschung geworden, der gedeutet sein will.«[1] In der Tat geht von beiden Dichtern »eine tiefe Beunruhigung« aus, und »ihr Werk widersetzt sich noch immer jeder Einordnung und jeder Konvention«. Stärker denn je, so betont Benno von Wiese, empfänden wir heute »das beunruhigend Moderne an Kleist«, wodurch er uns nahe, manchmal sogar gefährlich nahe stehe und es unmöglich mache, »ihn im Literaturmuseum abzustellen«.[2] Modern sei auch seine Sprache, deren »expressive Kraft des Ausdrucks ... sich nicht glätten, nicht harmonisieren« lasse. Von vielen Seiten, im Leben wie im Dichten, zeigt sich Gemeinsames zwischen Kleist und Kafka. Was Emil Staiger über Kleist gesagt hat, gilt ähnlich für Kafka: »Als Urbild des einsamen Genies, ... als stumm verzweifelnder Schmerzensmann lebte er fort im Geist der erschütterten Nachwelt ... Rätselhafte, unheimliche, ja verstörende Züge treten hervor.«[3] Vergleichende Untersuchungen, die das Affinitätsverhältnis zwischen beiden Dichtern erhellen, sind um so mehr geboten, als dieses Thema schier unausschöpfbar zu sein scheint und überdies eine immer strengere Nachprüfung darüber fordert, ob bei allen sich aufdrängenden Vergleichen dasselbe auch wirklich stets dasselbe ist. An Versuchen, die literarische Verwandtschaft zwischen Kleist und Kafka zu erhellen, fehlt es indessen nicht, und ihre typologische Zusammengehörigkeit ist schon früh erkannt worden.

F. G. Peters beginnt seine Studie über Kafka und Kleist[4] mit der Feststellung: »Connection between the works of Kleist and Kafka have been frequently asserted ...«[5] und fährt fort: »The comparison which follows is designed to bring out significant structured and thematic similarities between them, but also to show the important differences within these similarities.« In der Tat geht es bei einem Vergleich Kafkas mit Kleist nicht um Identität, die sich durch den Nachweis *genauer* stilistischer oder thematischer Übereinstimmungen erhärten ließe, wohl aber um Affinität, um typologische Verwandtschaft also, die beide Dichter verbindet und in ursprünglichen Gemeinsamkeiten greifbar ist. »Feinfühlige«, so heißt es schon in der ersten eingehenden Besprechung Kafkascher Texte (*Der Heizer* und *Die Verwandlung*)[6], erspürten spontan das »Kleistische« dieser Erzählkunst. Sowohl stilistisch, in der detailbeflissenen Anschaulichkeit der Beschreibungen, als auch im Gebrauch von Mimik und Gestik als bevorzugten Charakterisierungsmitteln sei Kafkas Erzählung *Der Heizer* mit Kleists Novelle *Michael Kohlhaas* verwandt. Wenn in Kafkas epischen Gestaltungen Ausdrucksbewegungen die jeweiligen Bewußtseinslagen der Personen vergegenwärtigen, wenn ferner die Protagonisten »fast mehr auf Gestik und Mimik als auf Worte der Gegenspieler« achten und die Gesten in angefügten Als-ob-Sätzen gedeutet werden, so verweist das auf Kleist und Flaubert (und wohl auch auf den Stummfilm) als Vorbilder.[7]

Was die sprachliche Verwandtschaft betrifft, so hat Max Brod schon 1913 die Souveränität des Kafkaschen Prosastils gerühmt und auf die Sprachkunst Kleists als Analogon hingewiesen. Auch hat man erkannt, daß diese stilistische Nähe beim Vorlesen noch stärker auffällt als beim stillen Lesen. Denn wie die Sprache Kleists ist auch die Sprache Kafkas durch suggestive Mündlichkeit gekennzeichnet, gesprochene Sprache, kein Papierdeutsch. Anläßlich eines Rezitationsabends Ludwig Hardts im Herbst 1921, bei dem u. a. Texte Kafkas vorgetragen wurden, erklärte Kurt Tucholsky, Kafka, den man viel zu wenig kenne, sei »ein Großsohn von Kleist« und schreibe die klarste und schönste Prosa, die zur Zeit in deutscher Sprache geschaffen werde. An anderer Stelle nannte er Kafka sogar einen »Zwillingsbruder« Kleists. Und in der »Weltbühne« (Nr. 23, 3. Juni 1920) feierte er Kafkas Erzählung *In der Strafkolonie* als Kohlhaas-Nachfolge.

Auch Max Brod, der Kafka als Freund nahestand und zugleich ein Gespür für das Menschen- und Künstlertum Kleists besaß, hat ähnlich geurteilt. Mag man ihm auch nicht in allen Einzelheiten seiner Kafka-Deutung folgen, insofern er – unbewußt – dessen Bild mitunter zu sehr nach seinen eigenen Wunschvorstellungen formte, so gehörte er doch gewiß zu jenen »Feinfühligen«, die im Sinne Walzels das »Kleistische« in Kafka erfaßten. Brod hat vor allem die innere Situation Kafkas mit der Kleists verglichen: Kafkas höchstes Ideal sei nirgendwo besser ausgedrückt als in Kleists sehnsuchtsvollem Ausruf: »ein Feld bebauen, einen Baum pflanzen, ein Kind erzeugen!« Andererseits waren aber sowohl Kleist wie Kafka für diese ihnen ideal erscheinende Lebensform nicht gerüstet. »Das erträumte Idyll im Stil Rousseaus«, das Kleist in der Schweiz zu verwirklichen hoffte, »erwies sich als Chimäre«.[8] Letzthin war beiden Dichtern, wie sie selber klagten, »auf Erden nicht zu helfen«.

Die nächste literarische Nähe beider zeigt sich darin, daß nach ihrem eigenen Bekenntnis das Schreiben ihr eigentliches Leben war. Wiederholt bekannte Kafka, »nichts als Literatur« zu sein. Ebenso erklärte Kleist als sein höchstes Ziel, »sich ausschließlich der Dichtung widmen zu können«. In einem Brief an Rühle vom 31. August 1806 beschrieb er diesen ersehnten Zustand dichterischer Erfüllung mit den Worten: »Nun wieder zurück zum Leben . . .«[9]

Das »Kleistische« in Kafka ist also in der Tat nicht zu übersehen. Mitunter ist es sogar als so stark empfunden worden, daß man ein Abhängigkeitsverhältnis unterstellte. Aber Kafka ist nach keiner Seite hin in so direkter Weise festzulegen. »Ob man ihn mit Kleist oder E. T. A. Hoffmann, Kierkegaard, Nietzsche oder Strindberg, Flaubert oder Dickens, Gogol, Dostojewski oder Tolstoj, mit Existentialisten, Theologen oder Freudianern vergleicht, stets bleiben unaufhebbare Gegensätze bestehen. Infolgedessen sind alle Gleichsetzungen sowohl mit Persönlichkeiten als auch mit Systemen und literarischen Richtungen gescheitert.«[10] Und das ist gut so. Denn was bliebe von Kafka, wenn die kurzschlüssigen Vereinnahmer seines Werkes recht hätten?

Es versteht sich, daß für eine authentische Beurteilung seines Verhältnisses zu Kleist in erster Linie Kafkas eigene einschlägige Äußerungen wichtig sind. Und in dieser Hinsicht hat Kafka aus seinem Herzen keine Mördergrube gemacht. Außer Dostojewski, Flaubert, Grillparzer und Kierkegaard zählte er gerade auch Kleist zu seinen »Blutsverwandten«. (F 460, T 311 und T 318)[11] Er bewunderte gleichermaßen den Dichter wie den Menschen und nahm mitleidend Anteil an dessen tragischem Geschick. Bereits als Gymnasiast hat er mit Begeisterung Kleist gelesen, insbesondere die Anekdoten, die ihn durch ihre sprachliche Lebendigkeit faszinierten und dazu anreizten, sie auch zu wiederholten Malen mit Engagement und rezitatorischem Können vorzulesen. »Aus dieser trockenen Schrift«, so schrieb er an Max Brod (Br 96), »wird man *die Höhe des Gefühls* um so besser rauschen hören.« Auch verfaßte er einen Aufsatz: »Über Kleists *Anekdoten*«. Was ihn an dem Anekdotenerzähler (und Novellisten) Kleist besonders beeindruckte, war »the matter of factness of his style, a quality which he found attractive in Hebel's *Anecdotes,* too«.[12] Wie Kate Flores betonte, nahm Kleist für Kafka eine Sonderstellung unter den deutschen Dichtern ein: »Of the German romanticists he liked only Kleist . . .«

Es verwundert nicht, daß der *Michael Kohlhaas* Kafkas geliebteste Dichtung gewesen ist. Der Protagonist dieser Erzählung, dessen »Rechtsgefühl einer Goldwaage glich«, mußte einen Menschen mit so subtiler Rechtsempfindlichkeit wie Kafka spontan ansprechen, auch wenn Kohlhaas nach Temperament und Charakter eine Heldennatur und nicht ein Antiheld Kafkascher Prägung war. Immer wieder hat Kafka diese Novelle gelesen und noch vor der Niederschrift des *Prozeß*-Romans auch in mehreren öffentlichen und privaten Lesungen vorgetragen, was bei der Publikumsscheu Kafkas gewiß als ungewöhnlich gelten muß. »Zahlreiche Äußerungen in Tagebüchern und Briefen . . . bezeugen seine Bewunderung für den Autor des *Michael Kohlhaas,* dessen Erzählhaltung, Sachlichkeit und Sinn für Gestik ihm wesensverwandt [und vorbildlich] erschienen . . .«[13] Daß er seiner Lieblingsschwester Ottla und Dora Dymant, also Menschen, die ihm besonders nahe standen, wiederholt Erzählungen Kleists vorgelesen hat, läßt die Intensität und Dauer seines Kleisterlebnisses erkennen. Dora Dymant bestätigte, wie sehr er Kleist liebte und daß er neben dem *Michael Kohlhaas* vor allem auch die *Marquise von O* . . . als eine der bewundernswertesten

Dichtungen Kleists hochgeschätzt hat: »Er war imstande, dessen *Marquise von O* . . . mir fünf- oder sechsmal hintereinander vorzulesen.«

Da sich Kafka nach eigener Aussage als »Geschichtenerzähler« verstand, galt sein Interesse mit Vorzug den Erzählungen Kleists. Zumindest fällt auf, daß er die Dramen überhaupt nicht erwähnt. Hingegen befaßte er sich eingehend auch mit den Briefen und Lebenszeugnissen des Dichters und dessen Biographie insgesamt. Seine intensivste Beschäftigung mit Kleist begann mit dem Jahreswechsel 1910/11, fiel also noch vor Kafkas eigenen literarischen Durchbruch und damit in eine für künstlerische Befruchtung besonders empfängliche und bedürftige Lebensphase. Zur hundertsten Wiederkehr von Kleists Todesjahr erschien damals eine fünfbändige Ausgabe seiner sämtlichen Werke, die Kafka alsbald kennenlernte. Mit besonderem Interesse las er den biographisch orientierenden letzten Band »Leben, Werke und Briefe«. Dabei erkannte er, in wie hohem Maße die Lebensprobleme Kleists mit seinen eigenen zusammenstimmten und daß sie auch in ähnlicher Weise durch schwierige Familienverhältnisse bedingt oder doch mitbedingt waren.

Unverkennbar ist, daß Kafka und Kleist von innen her zur Tragik bestimmt waren, einer Tragik, die durch Mißstände und Mißgeschicke von außen zusätzlich verschärft wurde. Beide zogen auch das gleiche pessimistische Fazit, daß es nämlich für sie keinen Ausweg aus der Katastrophe gab. In solchem Sinn schrieb Kafka: »Falls ich in nächster Zeit sterben oder arbeitsunfähig werden sollte, . . . so darf ich sagen, daß ich mich selbst zerrissen habe. Die Welt und mein Ich zerreißen in unlösbarem Widerstreit meinen Körper.« (HL 131 f.) Ein Bekenntnis, das in ähnlichem Wortlaut auch Nietzsche, ein anderer »Blutsverwandter« Kafkas, ausgesprochen hat. Ebenso gehören Hölderlin, Beethoven und Trakl zu diesen »Unbehausten«, denen die »Abkapselung des Ich«, die totale Isolation des Gefühls und das Zurückgeworfensein auf die eigene und einmalige Innerlichkeit zum Verhängnis geworden sind.[14] Empfindsam mitleidig gegenüber allem menschlichen Elend, aber gleichzeitig immer um das eigene Ich kreisend und infolgedessen ohne soziale Aktivität, blieben sie zeitlebens »Menschen in der Abwehr«, den Krisen der Einsamkeit, ja auch der Selbstzerfleischung ausgeliefert und unter der Not der Gottferne leidend.

Wenn E. T. A. Hoffmann, der von außen gesehen Kafka in vielem nahe zu stehen scheint, noch strikt zwischen der hellen Tageswirklichkeit und der halluzinatorischen Schreckenswelt der Nacht unterscheidet, so ist für Kafka auch die scheinbar durchsichtig klare Tageswelt unentwirrbar dunkel. Indessen gab es auch für Kleist eine solche Trennung nicht mehr unbedingt. Auch ihn beherrschte schon die Vorstellung der Bedrohtheit aus einem unbekannten Dunkel. Das Leben galt ihm als »ein schweres Spiel«, bei dem »man beständig und immer von neuem eine Karte ziehen muß und doch nicht weiß, was Trumpf ist, . . . weil man beständig und immer von neuem handeln soll und doch nicht weiß, was recht ist . . .«[15] Vollends in einem Brief vom 9. April 1801 kennzeichnet er die Situation totaler Verlorenheit in Bildern, in denen Kafkasche Vorstellungen vorweggenommen scheinen:

> Ich habe mich wie ein spielendes Kind auf die Mitte der See gewagt, es erheben sich heftige Winde, gefährlich schaukelt das Fahrzeug über den Wellen, das Getöse übertönt alle Besinnung, ich kenne nicht einmal die Himmelsgegend, nach welcher ich steuern soll, und mir flüstert eine Ahnung zu, daß mir mein Untergang bevorsteht . . .

Nicht zufällig stammen diese Äußerungen aus dem Jahr der sogenannten Kantkrise Kleists (1801), aus der er die niederdrückende Erkenntnis gewonnen hatte, daß wir nicht entscheiden können, ob das, was wir für wahr halten, wahrhaft wahr ist oder ob es uns nur so scheint. »Die Spitze dieses Gedankens«, so schrieb er, traf ihn mitten ins Herz. Diese Kantkrise Kleists ist ein für Kafka und seine Protagonisten geradezu typischer Vorgang, ein Wandlungserlebnis, das den Menschen unerwartet überfällt, so wie Josef K. in Kafkas Roman völlig unvorbereitet durch einen Prozeß überrumpelt wird oder wie sich Gregor Samsa in der *Verwandlung* »eines Morgens« unversehens »in ein ungeheueres Ungeziefer verwandelt« findet. So war für Kleist durch das Studium Kants mit einem Schlag der optimistische Glaube an die Möglichkeiten der menschlichen Vernunft zerbrochen, das hohe Ideal gültiger Wahrheitsfindung zerstört. Das Trauma schlechthinniger Ungewißheit, ja der Geworfenheit in eine unbegreifbare feindliche Welt – eben jenes Trauma, das von Anfang an das Leben und Dichten Kafkas belastete – hatte das Denken Kleists erfaßt und verdüstert. Und es ist ein bestürzendes Paradox, daß er diese Tragik letzter Ungewißheit und Unentscheidbarkeit der Probleme in einem als »Lustspiel« bezeichneten Theaterstück gestaltet hat, nämlich in *Amphitryon,* wo zum Schluß Alkmene durch die Enthüllung Jupiters jählings in den Zweifel an der Unfehlbarkeit des eigenen Herzens gestürzt wird und mit dieser Aufhebung der Untrüglichkeit des Gefühls auch die letzte feste Burg menschlicher Selbstsicherheit fällt. Denn die Lehre aus *Amphitryon* ist eindeutig: sogar das innerste Gefühl, ja auch »das moralische Gesetz in uns« kann täuschen, kann irregeführt und genarrt werden. Und auch die Folge des vermeintlichen Lustspielgeschehens ist bedrückend eindeutig: Der Selbstzweifel, der in Alkmenes treues Herz gesenkt wurde, wird unausrottbar in ihr weiterwirken. Das aber bedeutet: wenn der Vorhang nach dem letzten Akt der Komödie gefallen ist, beginnt die Tragödie dieser unschuldig schuldig gewordenen Frau. Ein kafkahaft unerbittlicher Ausklang: das sogenannte »Lustspiel nach Molière« erweist sich im nachhinein als gefühlsverwirrendes Vorspiel einer Tragödie irreparabler Unsicherheit und Angst.

Die Personen, das Milieu und die zwischen Göttern und Menschen spielende Handlung in Kleists *Amphitryon* scheinen zwar mit den Begebenheiten in Kafkas Erzählungen und Romanen im einzelnen nicht vergleichbar. Aber existentiell gesehen, im Blick auf die vor Augen gestellten verworrenen Situationen geht es hier wie dort um dieselbe Thematik und Problematik: um das Ausgesetztsein des Menschen in einem labyrinthischen Dunkel, um fatales Nichtwissen und tragisches Scheitern. Im verhauchenden »Ach« der Alkmene klingt ja nicht Jubel, sondern Bestürzung, kündigt sich die tragische Wende an: der Sturz von der Höhe eines als Trug entlarvten höchsten Glücks in die Tiefe schamvoller Reue. Gewiß schwingt in diesem »Ach« Alkmenes auch noch etwas nach von dem erlebten Paradiesesaugenblick ihrer Liebesbegegnung mit dem Gott. Aber danach kann es nicht ausbleiben, daß sie dieses höchste Glück als eine Illusion erkennen muß, als ein Spiel Jupiters, in dem sie zu flüchtigem Genuß genarrt worden ist. Was ihr bleibt, ist die leidvolle Einsicht in die Utopie des Glücks. Denn daß es Jupiter war, der zu ihr kam, kann eine Alkmene, die auch in dem Gott *nur* Amphitryon liebte, nicht als eine Heiligung empfinden. Ein wenig trösten mag sie allenfalls, daß sogar der Gott die Gestalt Amphitryons annehmen mußte, um von ihr geliebt werden zu können.

Aus der tragischen Gestimmtheit beider Dichter, aus ihrem Leiden an der Welt um des unerreichbaren Absoluten willen resultiert ihre Lebenstrauer, die sich in Todeslust zu erlösen trachtet. Wie Henriette Vogel, die Todesgefährtin Kleists, erklärte, war dessen Traurigkeit »eine höhere, festgewurzelte und unheilbare«. Und wenn Kafka das Aufbrechen der tödlichen Wunde freudig begrüßte, so entspricht dem bei Kleist, daß dieser schon früh den Tod als eine positive Alternative zum Leben wertete und das Schönste am Leben darin sah, daß man es jederzeit großmütig wegwerfen könne.

Hierzu stimmt als ein weiteres Gemeinsames zwischen Kleist und Kafka der tragische Fatalismus ihrer Weltsicht. Er bezeugt sich in der dominierenden Rolle, die dem Zufall als handlungstreibendem Moment in ihren Dichtungen zukommt. Beide sind betroffen von den Fatalitäten und Unberechenbarkeiten des chaotischen Zufalls, von der absurden Diskrepanz zwischen banalem Anlaß und katastrophalen Folgen im privaten Leben sowohl wie im Ablauf der Weltgeschichte. Versehen und Verwechslungen nichtigster Art können Projekte höchsten Ranges vereiteln, Fehlentscheidungen erzwingen, Katastrophen weltweiten Maßes auslösen. War Goethe in seiner Abneigung gegen alles Gewaltsame und Krasse nicht gewillt, den Terror des Zufalls rückhaltlos zu akzeptieren, war er vielmehr bemüht, ihn durch die moralischen Kräfte der Gesittung und durch die charakterlichen Qualitäten der Persönlichkeit zu mildern, so war sich Kleist der Ohnmacht des Menschen gegenüber der Macht des Zufalls voll bewußt. Wie er am 9. April 1801 an seine Braut Wilhelmine von Zenge schrieb, führt uns »der Zufall allgewaltig an tausend feingesponnenen Fäden fort«. Kleist hegte schon fast den heillosen Pessimismus Georg Büchners: »Puppen sind wir, von unbekannten Gewalten am Draht gezogen; nichts, nichts wir selbst!« (*Danton* II.

Ein Zimmer. Es ist Nacht.) Mit Recht hat man betont, von allen Gestalten Kleists sei »Penthesilea diejenige, die am meisten der ›Puppe am Draht des Schicksals‹ gleicht«.[16] Und zu Robert Guiskard wurde gesagt: »Zufall als übermächtiges Schicksal – so könnte man das Denkmodell für dieses Drama umschreiben.« In allen Erzählungen Kleists, besonders auffällig in *Das Erdbeben in Chili,* spielen Zufälle eine entscheidende Rolle.

Auch Gustave Flaubert gehört in diesen Zusammenhang. Denn bei diesem von Kafka bewunderten Schriftsteller, »dessen *Éducation sentimentale* lange Kafkas Lieblingswerk war und seine eigene Darstellungsweise mitbestimmte, ist die Unterwerfung der Figuren unter die Herrschaft des Zufalls vollkommen geworden«.[17] Flaubert leugnete die individuelle Freiheit. Und Kafka hat, wie Binder betont, diese Position noch »radikalisiert . . . z. B. im *Jäger Gracchus,* wo eine kleine Unachtsamkeit des Steuermanns eine entscheidende, unkorrigierbare Verfehlung des Ziels bewirkt, oder im *Landarzt,* dessen Schlußsatz lautet: ›Einmal dem Fehlläuten der Nachtglocke gefolgt – es ist niemals gutzumachen.‹« Daß Kleinigkeiten, ohne daß man es erkennen kann, wichtigste Dinge entscheiden, diese Absurdität ist für Kafka immer wieder ein Stein des Anstoßes. Indem er die Gewaltherrschaft des Zufalls im Licht leidvoll empfundener tragischer Ironie vor Augen stellt, geht er über Kleist und Flaubert noch hinaus und steigert den tragischen Fatalismus der Weltsicht ins Heillos-Makabre.

2.

Auch in den Inhalten und Gehalten ihrer Werke stehen Kleist und Kafka einander nah. »Die gebrechliche Einrichtung der Welt« ist der Gegenstand ihrer Gestaltungen. Beide teilen die Einsicht, daß auch das Unglaubliche zutrifft und selbst das Absurdeste im Menschenleben geschieht, ja, daß für den, der hinter die Dinge blickt, das Bestürzende als das allgemein Übliche sichtbar wird. Die Entdeckung des irritierend Geheimnisvollen im (nur scheinbar leicht zu durchschauenden) Alltag war der Ansatzpunkt ihres Denkens, die Initialzündung ihres Dichtens, der tiefste Grund, warum sie überhaupt schrieben und schreiben mußten.[18] So kann es nicht überraschen, daß sich auch im einzelnen thematische Übereinstimmungen zwischen den Erzählungen Kleists und Kafkas finden lassen. Vor allem Peters hat mit Übereifer Parallelen aufgespürt, die durch ihre Vielzahl beeindrucken, wenn auch nicht in jedem Fall überzeugen. Bemerkenswert ist, was er zwischen dem *Findling* Kleists und dem *Urteil* Kafkas an Vergleichbarem hervorhebt. In beiden Erzählungen geht es um einen Vater/Sohn-Konflikt, der sich daran entzündet, daß die Väter sich der Verbindung des Sohnes mit einer von ihnen abgelehnten Frau widersetzen. Die Auseinandersetzungen, in denen die

Söhne von ihren Vätern angeklagt und verurteilt werden, aber auch die Strafen, die diese über sie verhängen, sind in der Tat sehr ähnlich:[19] »Nicolo stand wie vom Donner gerührt«, heißt es im *Findling;* »Georg sah zum Schreckensbild seines Vaters auf«, lesen wir im *Urteil.* Auch ihre körperlichen Reaktionen sind die gleichen: »Er warf sich dem Alten zu Füßen.« »Georg kniete neben dem Vater nieder.« In beiden Geschichten suchen die Söhne ihre Väter zu täuschen, aber diese durchschauen die Täuschung und bestrafen die Söhne. »Georg fühlte sich aus dem Zimmer gejagt, den Schlag, mit dem der Vater hinter ihm aufs Bett stürzte, trug er noch in den Ohren davon.« »Piachi fiel, da er sein Zimmer erreicht hatte, bewußtlos an seinem Bette nieder.«

Die Übereinstimmung gerade auch in konkreten Einzelzügen ist nicht zu übersehen. Dennoch besteht hier kein literarischer Zusammenhang in so direktem Sinn, daß der *Findling* Kleists als Modell für das *Urteil* Kafkas angesprochen werden könnte. Wie Evelyn Torton Beck schlüssig nachgewiesen hat, geht die Erzählung Kafkas nach Inhalt und Aussage auf jiddische Quellen zurück.[20] Die Ähnlichkeiten besagen daher nichts anderes, als daß Kleist und Kafka, weil sie verwandte Naturen waren, durch ähnliche konflikthaltige Stoffe angezogen wurden[21] und aus kongenialen Gestaltungsantrieben zu auftritthafter, gestisch und mimisch akzentuierender Darstellung drängten. Gewiß war auch Kafkas beflissene Kleistlektüre nicht ohne Einfluß auf seine eigene Erzählweise geblieben. Aber es ging dabei nicht einfach um nachahmende Übernahme. Kleists epischer Stil bedeutet für Kafka eine Bestätigung des eigenen gestalterischen Wollens.

Was Peters an thematisch Vergleichbarem zwischen Kleists *Michael Kohlhaas* und Kafkas *Schloß* anführt, scheint auf den ersten Blick überzeugend. Das Hauptthema in beiden Werken ist »the attempt of the protagonist to break through to the very center of authority in order to present a request«.[22] Auch die Art und Weise, Zugang zu dieser Autorität zu gewinnen, erscheint als die gleiche: »Woman alone can break directly through the labyrinth surrounding the highest authority.« Beeindruckend ist nicht zuletzt Peters' Definition der hier in Frage stehenden Autoritäten: »Authority in the works of Kleist and Kafka might be best symbolized by the labyrinth. The State, the Court, and the Castle all take the form of a forbidding although infinitely fascinating labyrinth in which the protagonist exposes himself to continual frustration, if not final destruction.« Aber – so stellt sich hier die Frage – meint das Labyrinth in Kafkas *Schloß* wirklich dasselbe wie das Labyrinth des frustierend langen Instanzenweges bei der Rechtssuche des Michael Kohlhaas? Wird hier nicht Unvergleichbares miteinander verglichen? Der Kampf des Kohlhaas um sein Recht wird in der realen Welt ausgetragen. Die letzte Appellationsinstanz in diesem Rechtsstreit ist zwar schwer zugänglich, aber nicht schlechthin unerreichbar und wird zuletzt auch erreicht. Die Handlung des Kafkaschen Romans hingegen spielt auf einer anderen Ebene, außerhalb der greifbaren Wirklichkeit. Sie vollzieht sich im Innern des Protagonisten und vergegenwärtigt das Niemals-ans-Ziel-kommen-Können des Menschen, ein grundsätzliches Scheitern also, das auch durch noch so viele gewonnene Gerichtsprozesse nicht verhindert werden könnte. Es geht um die Tragödie der menschlichen Unzulänglichkeit als solcher, unabhängig von Recht oder Unrecht, Gelingen oder Versagen innerhalb der äußeren Welt.

Das gilt in ähnlicher Weise für Peters' Vergleich zwischen Kleists *Marquise von O . . .* und Kafkas *Verwandlung*.[23] Gewiß handelt es sich in beiden Novellen um die Verstoßung eines Menschen aus dem Familienverband. Auch ist es hier wie dort der Vater, der mit unerbittlicher Härte die Tochter bzw. den Sohn verstößt, was jedoch nicht als ein ausnahmehaftes Verhalten anzusprechen ist, sondern eher in der natürlichen Ordnung der Dinge liegt. Wenn aber die Schwester Gregor Samsas in der *Verwandlung* von ihrem Bruder sagt: »Du mußt bloß den Gedanken loszuwerden suchen, daß es Gregor ist . . .«, so entspricht dem genau, was der Vater der Marquise von seiner Tochter sagt, »daß er nämlich sein Gedächtnis ihrer ganz zu vertilgen wünsche; und er meinte, er hätte keine Tochter mehr«. Doch obwohl hier eine spezifische Übereinstimmung vorliegt, dürfte auch diese Form moralischer Selbstrechtfertigung weithin die Regel sein, ganz abgesehen davon, daß die Schicksale der Marquise und Gregor Samsas nicht nur äußerlich anders verlaufen, sondern auch als solche inkommensurabel sind.

Peters hat noch auf weitere inhaltliche Entsprechungen in den Erzählungen Kleists und Kafkas hingewiesen, darunter aber auch auf solche, die ebenso in Werken anderer Dichter aufgezeigt werden können und überhaupt so allgemeiner Art sind, daß sie keinen direkten literarischen Zusammenhang bezeugen. Doch auch bei den auffälligen Parallelen, die Peters zitiert, ist im Gemeinsamen immer zugleich Unvereinbares eingeschlossen. Hingegen besteht in Sprache und Stil beider Dichter kongeniale Übereinstimmung. Kleists sachlich präzise Erzählprosa war eben das stilistische Vorbild und eigene Wunschbild Kafkas. Syntaktisch und satzrhythmisch ist ihre Sprache oft fast zum Verwechseln ähnlich. Die Eingangssätze von Kafkas *Amerika*-Roman klingen wie ein Stück Kleistischer Prosa:

> Als der sechzehnjährige Karl Roßmann, der von seinen armen Eltern nach Amerika geschickt worden war, weil ihn ein Dienstmädchen verführt und ein Kind von ihm bekommen hatte, in dem schon langsam gewordenen Schiff in den Hafen von New York einfuhr, erblickte er die schon längst beobachtete Statue der Freiheitskönigin wie in einem plötzlich stärker gewordenen Sonnenlicht. Ihr Arm mit dem Schwert ragte wie neuerdings empor, und um ihre Gestalt wehten die freien Lüfte.

Auch in den Novellen Kleists, insbesondere in den Eingangssätzen, begegnet eine solche scharf beobachtende, fast gefühlskalt anmutende, nüchtern berichtende Sprache, die wie diejenige Kafkas zur Protokollgenauigkeit eines Beamten- oder Juristendeutsch erzogen ist, zugleich aber in kompliziert kunstvoller Syntax brilliert. Ein Musterbeispiel dieses im Wortmaterial trocken sachlichen, im Satzbau aber ausgeklügelt künstlichen Kleistischen Erzählstils ist der Beginn der *Marquise von O . . .*:

> In M . . ., einer bedeutenden Stadt im oberen Italien, ließ die verwitwete Marquise von O . . ., eine Dame von vortrefflichem Ruf, und Mutter von mehreren wohlerzogenen Kindern, durch die Zeitungen bekannt machen: daß sie ohne ihr Wissen in andere Umstände gekommen sei, daß der Vater zu dem Kinde, das sie gebären würde, sich melden solle, und daß sie, aus Familienrücksichten entschlossen wäre, ihn zu heiraten.

Daß sich der faszinierte Kleistleser als Erzähler an der Epik Kleists geschult hat, ist unverkennbar. Das gilt vor allem für sein Schreiben seit dem Jahreswechsel 1910/11, der Zeit seiner intensivsten Kleistlektüre[24], die eine Erweckung Kafkas zum Eigenen bewirkte. Beiden Dichtern ging es darum, das Gewicht der Aussagen nicht durch Sprachschwulst zu schwächen, sondern im Gegenteil durch stilistische Askese um so stärker zur Geltung zu bringen. Infolgedessen ist ihre Sprache »already exceptional for the absence of the lyrical element«.[25] Andererseits fehlt es in ihrem Erzählen doch auch »nicht an sprachlichen Aufhöhungen von melodisch-rhythmischem Reiz, von einer – freilich disziplinierten – Musikalität der stilistischen Phrasierung«.[26] Und für beide gilt, daß »die Ehrlichkeit ihres Wollens, ihr ›Wahrheitsfanatismus‹ . . . [sie] niemals dem Zauber des reinen Klangs verfallen« ließen.

Zutreffend kennzeichnet Landsberg die Prosa Kafkas als »closely related to that difficult and dry prose of Kleist's novels«. »Kafka loved to draw his terms from the language of the juridical and business world. He liked to borrow the terminology of the exact sciences and the most up-to-date dayly speech. I may even assert that, except for Kleist's *Michael Kohlhaas* and old Feuerbach's *Remarkable Criminal Trials* no one in Germany ever told a story in so classical a style as Kafka.«[27]

Was man von Kleists Novellen festgestellt hat, daß sie nämlich von der Satzstruktur her »für das sprechende Lesen« und nicht nur fürs Auge geschrieben seien[28], gilt auch für die Erzählungen Kafkas, der selber ein engagierter, ausdrucksstarker Vorleser eigener und fremder Dichtung gewesen ist. Und wenn Kleists »eigentümlicher, höchst präziser und bei aller Knappheit des Ausdrucks so anschaulicher Stil als einmalig in der deutschen Novellenkunst« gerühmt wird, so muß man hinzufügen, daß Kafka der originale Erbe dieser Sprachkunst ist. Alle stilistischen Qualitäten, die Grützmacher bei Kleist hervorhebt, teilt Kafka mit diesem.[29] Der gewählten Trockenheit des Kleistschen Kanzleistils, die das Erzählte jeweils »zum dramatischen Spannungsfeld verwandelt«, entspricht das »juristische« Protokolldeutsch Kafkas, das um detailbeflissene Bestandsaufnahme der Fakten bemüht ist.

Am deutlichsten bestätigt sich die sprachliche Verwandtschaft beider

Dichter darin, daß die Stilcharakteristik, die Karl Ludwig Schneider über Kleist vorgetragen hat, nahezu unverändert auf die Sprachgestaltung Kafkas übertragen werden kann.[30] Auch dessen Stil »ist von höchster Eigenwilligkeit, die allem, was er schuf, den Stempel seines Wesens aufprägte und seine Kunst in hohem Grade als Sprachkunst erscheinen läßt«. In der grammatischen Eigenwilligkeit Kleists und Kafkas sind darum keine Verstöße gegen die Sprachlehre, sondern ein »Ausdrucksprinzip« des Stils zu sehen. Das kunstvolle Geschlinge ihrer langen Sätze, in die um der Vollständigkeit willen eine Vielzahl von abhängigen Gliedern und adverbialen Bestimmungen eingeschachtelt sind, und ihre »Abweichungen von der normalen Wortfolge [müssen] als … Äußerungsform eines höchst instinktsicheren Stilwillens, [als] die ganz natürliche Folge des Strebens nach möglichst lebendiger Darstellung« erkannt und gewürdigt werden.[31] Dabei handelt es sich aber um mehr als nur um Nachahmung der gewöhnlichen Sprechsprache, sondern um bewußte Kunstsprache. Denn anders als das vage Deutsch der Alltagsrede zeigt die Sprache Kleists und Kafkas einen gleichsam wissenschaftlichen Zug zu Präzision und Vollständigkeit, ja »denselben ernsten gewissenhaften Drang«, alles Zusammengehörige restlos zusammenzufassen, wie er für die Sprache in den Werken Kants charakteristisch ist. Dieser vergleichende Hinweis Erich Schmidts auf die Darstellungsweise des Philosophen ist nicht abwegig, falls man damit lediglich feststellen und nicht polemisieren will.[32] Daß Kleists (und Kafkas) Freiheiten gegenüber den Regeln der Schulgrammatik als künstlerische Vorzüge zu werten sind, insofern sie »dem höheren Ziel einer möglichst spannungsgeladenen und suggestiven Sprachgestaltung« dienen, hat Friedrich Beißner im Blick auf Kleist überzeugend dargelegt.[33]

Indem Kleist und Kafka »die das Gesamtverständnis allererst aufschließenden Satzelemente in raffiniert hinhaltender Technik möglichst an das Ende [ihrer] Langperioden« verlagern, »zwingen sie die Leser zu gesteigerter Teilnahme an der Darstellung, formen sie den planen Satz zum Spannungsbogen um…« Eine gleichsinnige Wirkung, nämlich eine Steigerung der Suggestionskraft der Aussagen, erzielen sie durch Herausstellung bedeutungsschwerer Wörter und Wortgruppen aus der Satzkonstruktion – eine Darstellungstendenz, derzufolge die Dinge und Vorgänge jeweils so mitgeteilt werden, wie sie gerade ins Auge fallen, um sie also nicht lediglich sinngemäß zu bezeichnen, sondern zusätzlich noch durch die Wortfolge im Satz gleichsam abzubilden und so »die künstlerische Ausdrucksfunktion der Wort- und Satzstellung« voll auszuschöpfen. Mit anderen Worten, es geht hier darum, daß die Sprache selber »Aktionscharakter« gewinnt und die Wortstellung zum rhythmischen Mitausdruck, ja zur Aussage wird.

Unabhängig davon, daß es Kleists vorgegebenes Sprech- und Sprachtemperament war, das ihn zu solcher Stilform drängte, haben wohl »auch literarische Anregungen zur Entwicklung dieser Ausdrucksform beigetragen«. So verweist Schneider auf einschlägige Äußerungen Herders[34] und Lessings[35] und sieht speziell in Klopstock einen Anreger, der als Dichter schon ähnliche stilistische Tendenzen verfolgt und auch theoretisch über die Wortstellung als künstlerisches Ausdrucksmittel gehandelt habe.[36] Er zitiert Beispiele, die stilistische Ähnlichkeiten mit Kleists Sprachgestaltung aufweisen, unterstellt aber einen Einfluß Klopstocks nur in dem Sinne, »daß Kleist bei dem älteren Dichter ein Ausdrucksprinzip vorgebildet fand, das seiner eigenen Erlebnisweise besonders entsprach«. In eben diesem Sinn einer originalen, d. h. typologisch bedingten Verwandtschaft sind auch die sprachlich stilistischen Übereinstimmungen zwischen Kafka und Kleist zu deuten, insofern sie prägenden Einfluß zwar nicht ausschließen, aber im wesentlichen auf genuinen Voraussetzungen beruhen. Zu betonen ist ferner, daß exzessive grammatikalische Freiheiten im Sprachgebrauch bei Kafka viel seltener begegnen als bei Kleist, ja daß Kafka spürbar um grammatische Korrektheit bemüht ist. Gemeinsam aber ist beiden eine »emotional getriebene und zugleich ganz sachlich konzentrierte Sprache«,[37] ein Untersprechen also, aus dem man, um Kafkas eigene Äußerung zu wiederholen, »*die Höhe des Gefühls* um so besser rauschen hören« kann.

Letzthin geht es bei den stilkünstlerischen Bemühungen Kleists und Kafkas darum, einem höchstgesteigerten Anspruch an das Ausdrucksvermögen der Sprache Genüge zu tun. Bereits hundert Jahre vor dem *Chandos-Brief* Hofmannsthals hat Kleist eine Sprachkrise, ja eine verzweiflungsvolle Sprachnot aus absolutem Wahrheitsanspruch durchlitten. Am 5. Februar 1801 schrieb er an seine Stiefschwester Ulrike:

> Gern möchte ich Dir alles mitteilen, wenn es möglich wäre. Aber es ist nicht möglich, und wenn es auch kein weiteres Hindernis gäbe als dieses, daß es uns an einem Mittel zur Mitteilung fehlt. Selbst das einzige, das wir besitzen, die Sprache, taugt nicht dazu, sie kann die Seele nicht malen, und was sie uns gibt, sind nur zerrissene Bruchstücke.

Und zwei Jahre später schreibt er: »Ich weiß nicht, was ich Dir über mich *unaussprechlichen* Menschen sagen soll. – Ich wollte, ich könnte mir das Herz aus dem Leibe reißen, in diesen Brief packen, und Dir zuschicken.«

Diese Klage erinnert an den utopischen Wunsch des Chandos, »mit dem Herzen zu denken« und so das Ganze zu fassen. Dieselbe Verzweiflung, nicht alles, nicht die ganze Wahrheit aussprechen zu können, sondern nur verfälschende »Bruchstücke und Teilaussagen«[38] bekundet sich in Kleists heftiger Sprachkritik. Auch Kafka bezeugt solche Sprachnot aus empfindlichem Wahrheitsethos, eine Sprachnot, die sich als Sprachscheu und Sprachscham äußert. So klagt er einmal, daß wenn er sich zum Schreiben niedersetze, ihm nicht wohler sei, als einem, der mitten im Verkehr des Opernplatzes hinfällt und beide Beine bricht. Das Wort vermag ihm also nicht von der Stelle zu helfen. Aber seine

Begründung der schmählichen Sprachnot weicht von der Kleists und der seiner in Sprachverzweiflung geratenen Dichterkollegen ab. Wie er an seine Braut Felice Bauer schrieb, sei es nicht die Sprache, die versagt; vielmehr liege es einzig am Menschen selbst, wenn ihm zur Aussage des Wesentlichen »alle Worte zu arm erscheinen«. Denn was im Innern klar sei, werde unzweifelhaft auch im Wort klar sein. Darum solle man nicht eigentlich um die Sprache, sondern um sich selbst besorgt sein – um sich selbst im Verhältnis zur Sprache. Indessen zielt aber auch Kleists Anklage gegen das mangelhafte Instrument der Sprache auf ein Ungenügen des Dichters an sich selbst, ein Ungenügen, das – wie bei Kafka – aus höchstgespanntem künstlerischem Ehrgeiz entsprang.

Aus der genannten »Faktennähe« der epischen Darbietung resultiert der für Kleist und Kafka typische »umständliche« Stil und zugleich »die sachliche Kühle, die gerade bei Höhepunkten die Dinge in knappen Aussagesätzen nebeneinanderstellt:

> Der Erzähler ist so dicht am Vorgang, daß er alles aus nächster Nähe sieht, wie in einem stumpfen Winkel, aber er ist zu nahe, um alles zu übersehen. Kleist spielt niemals den allwissenden Berichterstatter, der im Grunde den Ablauf der Dinge kennt und den Leser nur an seinem Wissen nach und nach teilnehmen läßt. Das Gegenteil ist der Fall; alles geschieht im Moment, es ist immer punktuelle Ereignissituation.[39]

Überscharf formuliert heißt das, daß es in der Epik Kleists keinen Erzähler gibt, der dem Leser an Wissen voraus ist, sondern weithin nur noch den gleichsam sich selbst erzählenden Vorgang. Entsprechend gibt es kaum Voraussagen und so gut wie keine Beschreibungen, die sich an den Leser wenden. »Der Erwartungshorizont ist immer greifbar nahe. Daher die ständige Spannung und Konzentration, wie sie ein dicht vor Augen geführtes plötzliches Geschehen hervorruft . . .« Mit dieser Zurückdrängung des allwissenden Erzählers hat Kleist bereits ein Kernstück der Erzähltechnik Kafkas vorweggenommen: die Fixierung auf das Hier und Jetzt, die Vergegenwärtigung des Geschehens als überraschendes Augenblicksgeschehen und damit *cum grano salis* eine einsinnige Erzählperspektive, die besonders auffällig in der »paradox-präteritalen« Darbietung der als gegenwärtig suggerierten Begebenheiten erkennbar ist. Obwohl noch vermittelnder Erzähler, verzichtet Kleist auf kommentierende Zusätze und läßt so das Faktische des Geschehens durch sich selber wirken. Wenn er aber bei mehreren Handlungssträngen gelegentlich einige Rückgriffe durchführen muß, so überschreitet er »in seinen Urteilen [nicht] den Horizont der gerade dargestellten Szene«.[40]

Dieser szenischen Fixierung, die die Perspektive in dem gerade laufenden Geschehen festhält, entspricht die Neigung, die Vorgänge und Situationen jeweils in der Sicht oder Reflexion der betreffenden Personen zu vergegenwärtigen. »Tatsächlich kennt schon die Epik Kleists mit ihrem weithin verborgenen oder unauffälligen Erzähler Perspektiventräger in einem Kafka verwandten Sinn. Bei Kafka selbst ist dann die erzählerische Darbietung nahezu ganz auf die Innensicht des Helden reduziert. Nur noch das, was [dieser] selber aufnimmt, wird mitgeteilt.«[41] »Die Innenwelt ist [hier] in ganz anderem Maße als bei Kleist thematisch geworden.«[42] Entsprechend wird in der *Verwandlung* die Vorgeschichte Gregor Samsas auch nicht erzählt, »sondern im Bewußtsein Gregors reflektiert und damit der Ordnung und dem Zusammenhang des Erzählerberichtes entzogen«. Als etwas »von den Figuren Gedachtes besitzt die Vorgeschichte keine eigene Zeitdimension mehr, wie es bei der Darbietung durch einen Erzähler der Fall wäre«. Bei Kleist ist der Erzähler zwar noch nicht verabschiedet, aber bereits ganz unauffällig geworden. Er erscheint »auf die Rolle eines Ordners beschränkt, der die nötigen Informationen erteilt, wo sich die Begebenheiten nicht aus sich selbst verdeutlichen können«.

3.

Die vollkommenste gestalterische Übereinstimmung zwischen Kafka und Kleist bezeugt sich in ihrer Konzentration auf den Erzählbeginn. Zugrunde liegt ein episches Konzept, demzufolge möglichst schon im ersten Satz einer Geschichte die »keimhafte Mitexistenz alles Künftigen« fühlbar gemacht wird. Solche »Mühe und Kunst des Anfangs« erscheinen um so größer und wichtiger, als alle ihre Erzählungen – im Sinn der Goetheschen Definition der Novelle – »unerhörte Begebenheiten« zum Inhalt haben. Hinzu kommt, daß beide Dichter die »unerhörten Begebenheiten« nicht als solche betonen, sondern kommentarlos mitteilen und dadurch zu Alltäglichkeiten verfremden. Entscheidend aber ist, daß schon im Anfang das Ende anvisiert wird. Infolgedessen bilden ihre Geschichten »in sich geschlossene Erzählverläufe, die sich von einer epischen Keimzelle aus bis zum organischen Ende . . . entfalten«.[43] Wenn einige Werke Kafkas Fragmente geblieben sind oder nicht voll befriedigend abgeschlossen werden konnten, so erhellt daraus, daß in diesen Fällen das epische Konzept den Autor überfordert hat. Andererseits hat man mit Recht die kongenial Kleistische Kunst in Kafkas Erzählungsanfängen gerühmt. Über den Beginn des *Schloß*-Romans äußerte Mühlberger: »Wenige Zeilen nur, und es ist alles da.«[44] Und Eisner sah in den Einleitungssätzen Kafkas »eine Weltschöpfung, in der jeder Satz Schicksal ist«.[45] In solchem Sinn spricht auch Grützmacher von den »berühmten Anfangssätzen« Kleists als »Expositionen, die dem Leser Ort, Zeit und Personen vorstellen«. »Aber nicht das allein; mit einer andeutenden Wendung oder einem widersprüchlichen Detail wird der Erlebnisraum zum Schicksalsraum erweitert.« Das gleiche, doch spezifizierter im Blick auf Kafkas *Verwandlung* und Kleists *Erdbeben in Chili* bemerkt Binder:

222

Jeweils gleich im ersten Satz werden die Hauptfiguren mit einem überraschend eingetretenen Ereignis konfrontiert, mit dessen Auswirkungen sie sich dann befassen müssen. Die Folgen treffen . . . gleichzeitig die Umwelt des Helden, im Falle der *Verwandlung* die Familie Samsa, das Geschäft und die Zimmerherren, in Kleists Novelle Josephe mit ihrer Familie und die Stadt St. Jago.[52]

Vor allem aber hat sich Kafka selbst über die Wichtigkeit und Schwierigkeit des Erzählbeginns in solchem Sinn geäußert, und zwar in seinem Tagebucheintrag vom Dezember 1914:

Anfang jeder Novelle zunächst lächerlich. Es scheint hoffnungslos, daß dieser neue, noch unfertige, überall empfindliche Organismus in der fertigen Organisation der Welt sich wird erhalten können, die wie jeder fertige Organismus danach strebt, sich abzuschließen. Allerdings vergißt man hierbei, daß die Novelle, falls sie berechtigt ist, ihre fertige Organisation in sich trägt, auch wenn sie sich noch nicht ganz entfaltet hat . . . (T 450)

Daß die fertige Konzeption des Ganzen bereits im noch nicht voll entfalteten Anfang enthalten sein müsse, ist also eine künstlerische Grundüberzeugung des Erzählers Kafka.

Dem schon zitierten Anfangssatz der Kleistschen *Marquise von O . . .* korrespondiert nicht nur der (gleichfalls schon angeführte) Beginn des Kafkaschen *Amerika*-Romans, sondern auch der lapidare erste Satz der *Verwandlung:*

Als Gregor Samsa eines Morgens aus unruhigen Träumen erwachte, fand er sich in seinem Bett zu einem ungeheueren Ungeziefer verwandelt.

Dem konzentriert knappen, auf kommendes Unheil hinweisenden ersten Satz des *Michael Kohlhaas*

An den Ufern der Havel lebte, um die Mitte des sechzehnten Jahrhunderts, ein Roßhändler, namens Michael Kohlhaas, Sohn eines Schulmeisters, einer der *rechtschaffensten zugleich und entsetzlichsten* Menschen seiner Zeit.

stellt sich der kurze, ein überraschendes folgenschweres Geschehen mitteilende Anfangssatz des *Prozeß*-Romans zur Seite:

Jemand mußte Josef K. verleumdet haben, denn ohne daß er etwas Böses getan hätte, wurde er eines Morgens verhaftet.

In diesen Zusammenhang gehören so gut wie alle Novellenanfänge Kleists und auch die Eingänge vieler Erzählungen Kafkas.

Das Erdbeben in Chili:

In St. Jago, der Hauptstadt des Königreichs Chili, stand *gerade in dem Augenblick der großen Erschütterung* vom Jahre 1647, bei welcher viele tausend Menschen ihren Untergang fanden, ein junger, *auf ein Verbrechen angeklagter Spanier,* namens Jeronimo Rugera, an einem Pfeiler des Gefängnisses, in welches man ihn eingesperrt hatte, und wollte sich erhenken.

In der Strafkolonie:

>»Es ist ein eigentümlicher *Apparat*«, sagte der Offizier zu dem Forschungsrei-
>senden und überblickte mit einem gewissermaßen *bewundernden* Blick den
>ihm doch wohlbekannten *Apparat.*

Die zweimalige Nennung des Apparates, der von dem ihn »bedienen-
den« Offizier immer aufs neue wieder bewundert wird, signalisiert die
fatale Herrschaft dieser Folter- und Hinrichtungsmaschine in der Strafkolonie.

Die Verlobung in St. Domingo:

>Zu Port au Prince, auf dem französischen Anteil der Insel St. Domingo, lebte,
>zu Anfang dieses Jahrhunderts, als *die Schwarzen die Weißen ermordeten,* auf
>der Pflanzung des Herrn Guillaume von Villeneuve, *ein fürchterlicher alter
>Neger,* namens Congo Hoango.

Ein Landarzt:

>Ich war in großer Verlegenheit: eine dringende Reise stand mir bevor; ein
>Schwerkranker wartete auf mich in einem zehn Meilen entfernten Dorfe;
>starkes Schneegestöber füllte den weiten Raum zwischen mir und ihm; einen
>Wagen hatte ich, leicht, großrädrig, ganz wie er für unsere Landstraßen taugt;
>in den Pelz gepackt, die Instrumententasche in der Hand, stand ich reisefertig
>schon auf dem Hofe; aber das Pferd fehlte, das Pferd.

Auch hier kündigt sich unüberhörbar die Katastrophe an: alles ist da
bis auf das zunächst Wichtigste: das Pferd (das ebenfalls zweimal – in
Form eines emphatischen Ausrufes – genannt wird).

Ein Meisterstück konzentriert stoffreicher Exposition und zugleich
vorausdeutender Motivation ist der erste Abschnitt der Kleistschen Novelle *Der Zweikampf.* In drei langen Sätzen von kunstvoll verschlunge-
ner Syntax wird die komplizierte Vorgeschichte der zu erzählenden
Begebenheiten in geraffter Detailgenauigkeit mitgeteilt und der daraus
erwachsende unheilvolle Familienkonflikt als Gegenstand der Novelle
bewußt gemacht. Nicht thematisch, aber erzähltechnisch vergleichbar
erscheint der Eingang von Kafkas Erzählung *Der Bau,* wo das Selbstge-
spräch des Protagonisten mit seinen unauflösbaren Widersprüchen
(»manche List ist so fein, daß sie sich selbst umbringt«) schon die
Endkatastrophe einschließt. Auch der Beginn des Kafkaschen *Schloß*-
Romans mit seiner nebeldichten winterlichen *tristesse,* die »auch der
schwächste Lichtschein« nicht durchdringt und damit bereits die labyrinthischen Irrungen des Protagonisten einleitet, ist ein Beispiel des für
Kafka und Kleist charakteristischen epischen Konzepts, das den Anfang
einer Erzählung als Keimzelle des Ganzen setzt.

Wie betont, haben »feinfühlige« Kritiker, Schriftstellerkollegen und
Freunde schon von Anfang an die Kleistnähe Kafkas erkannt. Aber

auch Kafka selbst war sich seiner nahen Verwandtschaft mit Kleist, dem Dichter wie dem Menschen, voll bewußt. Beide litten »an den Grenzen der Menschheit« (Staiger). Beide konnten und wollten keine Kompromisse schließen und scheiterten. Das Ungenügen, an dem sie litten, kam aus ihnen selbst. Erschien ihnen ein natürliches Leben als höchstes Ziel, so waren sie andererseits doch nicht imstande, den Weg zu diesem Ziel zu gehen. Diese eingeborene Tragik bestimmte weithin ihr Leben und ihr Werk. Dem tragischen Fatalismus ihrer Weltsicht entsprach die wiederholt geäußerte Lust zum Tod, die verlockende Vorstellung vom Sterben als der Erlösung von aller Qual, zugleich aber auch ihre Betroffenheit durch das zerstörerische Walten des Zufalls und die dadurch bedingte Absurdität der Menschen- und Völkerschicksale. In ihren Dichtungen spielt daher der Zufall eine oft gespenstisch hintersinnige Rolle.

Die vielleicht tiefste Gemeinsamkeit beider bezeugt sich in ihrer Einstellung zur schriftstellerischen Tätigkeit. Für Kafka und Kleist war Schreiben nicht nur ein Wollen, sondern ein Müssen, ihre eigentliche Lebenserfüllung. Daß die spontane Mündlichkeit des Kleistschen Stils Kafka faszinierte, hat dieser selbst bekannt. »Gemeinsam ist beiden eine kommentarlos nüchterne, auf reine Tatsächlichkeit abhebende, fast statistisch genau beschreibende und syntaktisch oft bis zum letzten ausgekünstelte Sprache, die Unerhörtes als überraschendes Augenblicksgeschehen vergegenwärtigt.« Indem Kleist als Erzähler bewußt zurücktritt und die Begebenheiten durch sich selber wirken läßt, so daß sie der Leser ganz im *hic et nunc* erlebt, steht er bereits der einsinnigen Erzählperspektive Kafkas nah.

Was die thematischen Übereinstimmungen Kafkas mit Kleist betrifft, so ist grundsätzlich festzustellen, daß Kafka kein produktiver Stofferfinder war, sondern vieles von anderen übernommen, aber nie nur übernommen hat. Das gilt gerade auch für die inhaltlichen Parallelen zu Dichtungen Kleists, ganz abgesehen davon, daß sie zum Teil als unabhängig und im Grunde auch unvergleichbar anzusehen sind. Die (zunächst) unerklärliche Schwangerschaft der Marquise von O . . . und die unbegreifliche Verwandlung Gregor Samsas »in ein ungeheueres Ungeziefer« sind gewiß ähnlich bestürzende und rätselhaft anmutende Vorgänge, vollziehen sich aber auf verschiedenen Ebenen. Und der Kampf des Michael Kohlhaas um sein Recht, den er auf dem schier endlos scheinenden Weg durch den Dschungel der vielen sich versagenden Gerichtsinstanzen durchführen muß, erinnert an die vergeblichen Anstrengungen der Romanhelden Kafkas, die, einer Unzahl labyrinthischer Irrungen und Wirrungen ausgeliefert, zu den entscheidungsfähigen letztgültigen Institutionen des Gerichtes bzw. der zentralen Schloßverwaltung vergebens durchzudringen suchen. Aber das Labyrinth, das Kafka ausbreitet, hat nichts mit der Korruptheit eines bestimmten Rechtssystems oder dem Terror der Bürokratie zu tun, es befindet sich vielmehr in der Seele der Protagonisten selbst, verstört und zerstört sie von innen her. Indessen ist das Chaos im Innern des Menschen zugleich ein Symptom des chaotischen Zustandes der Welt. Und unter dieser weitgespannten Perspektive deckt sich die Thematik Kafkas mit der Kleists. Thematische Übereinstimmung beider besteht ganz allgemein darin, daß sie außergewöhnliche, ja auch schockierende Begebenheiten als Erzählinhalte wählen, diese aber verfremdend wie gewöhnliche Ereignisse vor Augen stellen.

Noch ehe wir die nicht minder gewichtigen Gegensätze zwischen Kleist und Kafka erörtern, soll auf eine Studie Beda Allemanns eingegangen werden, der einen typologisch orientierten Vergleich, wie er hier durchgeführt worden ist, als nicht zureichend erachtet und pauschal solche Arbeiten verwirft, die, wie er sagt, den Vergleich zwischen beiden Dichtern »auf einer nicht selten vagen, weltanschaulich-existentiellen Ebene ansiedeln«.[46] Stattdessen empfiehlt und präsentiert er einen »Strukturvergleich« zwischen Kleist und Kafka, der im einzelnen wertvolle Beobachtungen enthält, als Ganzes aber leider nicht überzeugt. Allemann übersieht, daß die von ihm als »vage« beanstandete »weltanschaulich-existentielle Ebene«, nämlich die typologisch orientierte Gegenüberstellung der beiden Dichter, als einzige eine Möglichkeit bietet zu vergleichen, ohne zu vergewaltigen. Wer Identitäten inhaltlicher, sprachlicher oder struktureller Art unterstellt, verfehlt das Wichtigste: das Einmalig-Eigene der Individualitäten, setzt letzthin Unvergleichbares kurzschlüssig gleich.

So vergegenwärtigt denn Allemanns Strukturvergleich – gegen die von ihm verfolgte Absicht – weniger die Übereinstimmungen, die Kleist und Kafka verbinden, als vielmehr die Unvereinbarkeiten, die sie trennen. Die als strukturell stimmig bezeichnete »temporalanalytische Analogie«, die zwischen Kleist und Kafka bestehen soll und – im Gegensatz zu lediglich typologischen Vergleichen – als etwas zuverlässig Sicheres vorgestellt wird, erweist sich bei kritischer Nachprüfung als nicht stichhaltig. Der paradox gespannte Zeitbegriff, den man *cum grano salis* bei Kleist einräumen kann, hat mit dem als strukturell verwandt behaupteten Zeitbegriff in Kafkas Erzählungen schlechthin nichts gemein. Bei Kafka geht es nicht lediglich um »gezielte Paradoxie des Zeit- und Geschichtsverständnisses« wie bei Kleist, sondern um eine Aufhebung der Zeit überhaupt, um Akausalität und Irrationalität also, wie sie für das »traumhafte innere Leben« gilt, das der erklärte Gegenstand des Kafkaschen Schreibens gewesen ist.

Wenn Allemann davon ausgeht, daß Kleist und Kafka ein eigentümlich paradoxer Zeitbegriff gemeinsam ist, so steht diese »temporalanalytische Analogie« von vornherein schon deshalb auf schwachen Füßen, weil sie gerade für das in erster Linie zu Vergleichende, nämlich für die erzählende Dichtung beider Autoren nicht zutrifft. Von den Novellen Kleists läßt sich sicher nicht behaupten, daß in ihnen Kafkas paradoxe

Zeitauflösung strukturbestimmend sei. Vielmehr wird der Ablauf des Geschehens jeweils in einem chronologisch korrekten Nacheinander vergegenwärtigt. Die Realität des Zeitfaktors wird voll respektiert. Von einem Heraustreten aus aller Zeit kann nirgends die Rede sein. Die Meßbarkeit der Zeit bleibt stets gewahrt. Anders Kafka, in dessen Dichtung das Koordinatensystem realer Weltorientierung weithin aufgegeben ist. Als Beispiel solcher Aufhebung von Raum und Zeit sei folgende Skizze aus seinem Nachlaß zitiert, die Max Brod fälschlich *Eine alltägliche Verwirrung* überschrieben hat:

... A hat mit B aus H ein wichtiges Geschäft abzuschließen. Er geht zur Vorbesprechung nach H, legt den Hin- und Herweg in je zehn Minuten zurück und rühmt sich zu Hause dieser besonderen Schnelligkeit. Am nächsten Tag geht er wieder nach H, diesmal zum endgültigen Geschäftsabschluß. Da dieser voraussichtlich mehrere Stunden erfordern wird, geht A sehr früh morgens fort. Obwohl aber alle Nebenumstände, wenigstens nach A's Meinung, völlig die gleichen sind wie am Vortag, braucht er diesmal zum Weg nach H zehn Stunden. Als er dort ermüdet abends ankommt, sagt man ihm, daß B, ärgerlich wegen A's Ausbleibens, vor einer halben Stunde zu A in sein Dorf gegangen sei und sie sich eigentlich unterwegs hätten treffen müssen. Man rät A zu warten. A aber, in Angst wegen des Geschäftes, macht sich sofort auf und eilt nach Hause.

Diesmal legt er den Weg, ohne besonders darauf zu achten, geradezu in einem Augenblick zurück. Zu Hause erfährt er, B sei doch schon gleich früh gekommen – gleich nach dem Weggang A's; ja, er habe A im Haustor getroffen, ihn an das Geschäft erinnert, aber A habe gesagt, er hätte jetzt keine Zeit, er müsse jetzt eilig fort.

Trotz diesem unverständlichen Verhalten A's sei aber B doch hier geblieben, um auf A zu warten. Er habe zwar schon oft gefragt, ob A nicht schon wieder zurück sei, befinde sich aber noch oben in A's Zimmer. Glücklich darüber, B jetzt noch zu sprechen und ihm alles erklären zu können, läuft A die Treppe hinauf. Schon ist er fast oben, da stolpert er, erleidet eine Sehnenzerrung und fast ohnmächtig vor Schmerz, unfähig sogar zu schreien, nur winselnd im Dunkel hört er, wie B – undeutlich, ob in großer Ferne oder knapp neben ihm – wütend die Treppe hinunterstampft und endgültig verschwindet.

Wenn in dieser Kurzgeschichte Kafkas derselbe Weg einmal in zehn Minuten, ein anderes Mal – trotz beflissener Eile – in zehn Stunden und wieder ein anderes Mal in *einem* Augenblick zurückgelegt wird, so sind hier Zeit und Raum und überhaupt alle rationalen Kategorien aufgehoben. Kafka steht in der Tat »an der Wende zu einer akausalen Welt und Literatur«.[47] Er vollzieht jene »dem normalen Bewußtsein unverständliche Zerstörung aller unser konkretes Leben fundierenden Ordnungskategorien«, die nach Emrich die moderne Literatur und Kunst kennzeichnet: »Aufhebung des Raum-Zeit-Kontinuums, Vernichtung anschaulicher Gegenständlichkeit, Ausbruch aus den Gesetzen der Logik, der Kausalität, der psychologischen Entwicklung, ja sogar der Einheit der Person ...«[48]

Aber eben dies, und insbesondere seine akausale Zeitauflösung, trennt Kafka von Kleist, der das rationalistische Erbe der Aufklärung nie ganz verleugnet, auch wenn »die Welt, die in den tragischen Prozessen Kleists aus den Fugen gerät, . . . die der Aufklärung« ist.[49] Andererseits schrieb Kleist den »Aufsatz, den sichern Weg des Glücks zu finden und ungestört – auch unter den größten Drangsalen des Lebens – ihn zu genießen«, ein Aufsatz, der nach Thema und Zielsetzung als ein geradezu programmatisches Dokument des Aufklärungsdenkens angesprochen werden kann und ein kämpferisches Dennoch der Lebensbejahung artikuliert, wie das für Kafka undenkbar gewesen wäre. Etwas vom Geist der Aufklärung steckt auch in seiner »gefährlichen Überzeugung, daß alles, die Liebe, die Kunst, der Beruf, nur mit der unbeugsamsten Konsequenz bewältigt werden könne«. »Wie Tugend und Glück, so will er, als ein Zögling seines Jahrhunderts, Wahrheit; und abermals will er sie unbedingt.« Gewiß wird die ererbte Aufklärungshaltung, durch das leidenschaftliche Temperament Kleists bereits problematisiert; auch bedrückt ihn schon der Zweifel, ob die Empirie ein verläßliches Erkenntnismittel sei, ob sie nicht vielmehr nur Teilwahrheiten biete und uns daher verhindere, das Ganze zu sehen. Bezeichnend aber ist, daß die Ereignisse in seinen Novellen, so ungewöhnlich und irritierend sie auch sein mögen, zuletzt eine rationale Erklärung finden. Sie bleiben nur so lange unbegreiflich, wie ihre Ursachen unbekannt sind.

Gewiß fesseln ihn Charaktere, die aus dem Rahmen fallen, Vorgänge und Situationen, die als ausnahmehaft erscheinen, aber sein Sehen und Denken bleiben sinnenhaft realistisch, rational bestimmt und kausal motiviert. Kafka hingegen geht es überhaupt nicht mehr um Mimesis, nicht um die konkrete Außenwirklichkeit, sondern, wie er selber programmatisch ausgesprochen hat, um »die Darstellung meines traumhaften inneren Lebens«. (T 420) Und diese Äußerung ist ganz wörtlich zu nehmen. Seine Gestaltungen zeigen wirklich die Irrationalität und Akausalität von Träumen. Vieles, was er in seinen Geschichten, Kurzgeschichten und Romanen erzählt, kann so überhaupt nur in Träumen, niemals aber in der Wachwirklichkeit des Tages ablaufen. Unmöglich kann Kleists realistisch rationales, chronologisch orientiertes Zeitverständnis mit Kafkas akausal irrationalistischer Ausschaltung der Zeit in eins gesetzt werden. Sie sind nicht nur nicht identisch, sondern auch nicht vergleichbar. Infolgedessen bietet die von Allemann vorgeschlagene »zeittemporale Analyse« keine tragfähige Analogie für einen »Strukturvergleich« zwischen den beiden Dichtern. Kafkas »Blutsverwandtschaft« mit Kleist gründet sich auf andere Faktoren.[50]

Wichtig ist jedoch, daß die traumhaft akausale Aufhebung der Zeit (und auch des Raumes) in Kafkas Dichtung nicht als ein Verwirrspiel mißverstanden, sondern im Sinn des Dichters ernstgenommen wird. Wie Kafka selbst betonte, beruht sein Schreiben auf der Voraussetzung, daß das »traumhafte innere Leben«, das er darstellt, die tiefere Wirklichkeit hinter den Dingen sichtbar mache, daß also das gemeinhin für wirklich Gehaltene nur eine trügerische Oberflächenwirklichkeit sei und es darum des traumhaft sicheren Tiefenblicks des Sehers bedürfe, um unserer eigentlichen Existenz inne zu werden.[61] Eben darin gründe unsere Tragik, daß wir in permanenter Selbsttäuschung leben, daß wir nicht sehen, was wirklich ist, und den Schein wie selbstverständlich für die Wahrheit halten.

Trotz der grundsätzlichen Verschiedenheit des Zeitbegriffs bei Kleist und Kafka wählte Allemann »als exemplarischen Einstieg« in den Strukturvergleich zwischen beiden Dichtern »eine bestimmte Form der Temporalanalyse Kleistscher und Kafkascher Werke«[51] und betont: »Wenn es eine Blutverwandtschaft zwischen Kleist und Kafka gibt, so scheint sie mir am ehesten von der völlig unorthodoxen Zeitkonzeption her analysierbar zu sein, die den Werken beider als Voraussetzung zugrunde liegt.« Da die Erzählungen eine temporalanalytische Analogie zwischen Kleist und Kafka von vornherein ausschließen, spezifiziert sich Allemann auf die Dramatik Kleists und insbesondere auf den *Prinzen von Homburg,* aber ohne seine These erhärten zu können. Denn von der akausalen Zeitauflösung (was etwas durchaus anderes ist als »völlig unorthodoxe Zeitkonzeption«) findet sich auch in den Dramen Kleists keine Spur. Und auch im *Prinzen von Homburg* entfaltet sich die Handlung, einschließlich der »traumhaften« Eingangs- und Schlußszenen, durchaus in einem real meßbaren, chronologisch folgerichtigen Zeitablauf.

Allemanns Argument, daß der Schluß des Spiels in die nächtliche Vision des Anfangs zurückmünde und somit am Ende alles wieder genau so offen sei wie am Beginn des Dramas vor der Schlacht von Fehrbellin und daher alles wieder von vorn beginnen könne, da ja der entscheidende Sieg erst noch erkämpft werden müsse, verfängt hier nicht. Wenn ein strategisches Ziel aufgrund menschlichen Versagens nicht voll erreicht wird und selbst dann, wenn ein Rückfall hinter die Ausgangsposition in Kauf genommen werden müßte, wäre das kein anormaler Vorgang und hätte nichts mit paradoxem Zeitverständnis zu tun. Frustrationen sind ja gerade das Übliche im Ablauf des privaten wie des politisch geschichtlichen Lebens. Vor allem aber kann man nicht sagen, daß zwischen Anfang und Schluß des Dramas nichts geschehen und nichts anders geworden sei. Im Gegenteil, die inzwischen gemachten Erfahrungen haben für alle Beteiligten die Situation *in jeder Hinsicht* verändert. Und durch die Gleichheit des äußeren Rahmens wird dieser Gegensatz zwischen Anfang und Ende sogar noch gesteigert. Schließlich heißt das Spiel *Der Prinz von Homburg.* Das besagt: es geht darin um seine Person. Er ist der Protagonist. Und gerade für ihn ist die Zeit zwischen den beiden Traumszenen nicht stehen geblieben oder gar ausgeschaltet worden. In dem Prinzen ist nicht nur einiges anders geworden, er hat sich grundsätzlich gewandelt. Er ist ein entscheidendes Stück seines

Lebensweges weitergeschritten, er ist gereift. Von einem paradoxen Zeitbegriff im Sinne eines »stehenden Sturmlaufes«, eines Nicht-weiter-Kommens, eines Auf-der-Stelle-Tretens, wie das für die Protagonisten Kafkas zutrifft, kann man bei dem Helden des Kleistschen Schauspiels nicht sprechen. Die dramatische Handlung beruht vielmehr eben darauf, daß dieser im Ablauf des äußeren und inneren Geschehens eine verwandelnd neue Einsicht gewinnt, eine objektivere Sicht der Dinge überhaupt und damit eine reifere Stufe des Bewußtseins. Die Krise, in die er geraten war, ist am Ende überwunden. Sie war nicht Dauerkrise wie die Krise der Antihelden Kafkas.

Der sich träumend den Ruhmeskranz windende General ist »noch leer«, wie Hebbel sagt; es geht nicht um den fertigen Helden, sondern um den »Werdeprozeß eines bedeutenden Menschen in voller Unmittelbarkeit«. Der Durchbruch zum existentiellen Ich ist zugleich das Erkennen der Funktion dieses Ich in der Gemeinschaft, ist die Synthese zwischen Individualität und Staatsräson. Es ist Kleists Ideal, daß zwischen beiden kein Widerspruch herrschen möge.[52]

»Das Vaterland zur Heimstätte einer gelebten Humanität« zu machen, war Kleists (durchaus real gemeintes) Ziel. Er hat den optimistischen Aufklärungsglauben an die gestaltend umgestaltende Macht der menschlichen Vernunft, an ihren möglichen Sieg und damit an den Fortschritt der menschheitlichen Entwicklung nie aufgegeben. Das gilt trotz seines Freitods. Diesem lag die Überzeugung zugrunde, fatalerweise zur falschen Zeit zu leben. Das schloß aber nicht aus, daß die Zukunft einmal bessere Möglichkeiten bieten könnte. Wie auch Staiger[53] betont, schien Kleist »nach der Botschaft seiner spätesten Werke bereit« zu glauben, daß es auch »auf dieser unerklärlichen Erde . . . ein Heil« gebe, wenngleich er davon durchdrungen war, »daß es gewiß nicht ihm beschieden sei«. Der noch ungetilgte Rest von Aufklärungsoptimismus in Kleist trennt ihn von Kafka, der an keinen positiven Fortgang der menschlichen Dinge mehr glauben konnte. Nach Kafkas pessimistischer Geschichtsauffassung gab es überhaupt keinen Fortschritt, schon deshalb nicht, weil man ja nie wissen kann, was Fortschritt ist. Die Verhältnisse werden nach ihm allenfalls nur *anders,* aber nicht *besser.* Es gibt mithin nur einen Wechsel von einer Katastrophe zur andern, die ewige Wiederkehr der alten Übel in neuer Gestalt. Infolgedessen betonte Peters mit Recht:

Kafka's view of man is infinitely more tragic than Kleist's. Kleist does finally bridge the abyss between consciousness and external reality by showing at the end of the story that reality is not an incomprehensible mystery at all . . . In Kafka, there is no bridge, except through death, between the conscious world of the rational facade and the deeper truth . . . He is truly divided into two opposing selves, and so suffers not from merely temporary confused feelings but from irresolvable ambivalence. Georg and Josef K. remain imprisoned in their egos until the very end and are thus unable to effect a life-affirming reconciliation between the two worlds.[54]

Wie immer die Geschichten Kafkas verlaufen, sie alle münden in die Katastrophe. Am Ende seiner Erzählungen, in der sinnlos anmutenden Kraßheit der zum Schluß erfolgenden Katastrophen zeigt sich der nicht zu brechende Verneinungszwang Kafkas: die Verweigerung der Gnade gegenüber seinen Protagonisten. Jeder von ihnen »stirbt wie ein Hund«. Der richtende und rächende Gott Jahwe kennt kein Erbarmen mit denen, die sich selbst verstoßen und aus dem verlorenen Paradies ausgestoßen haben. Hier bezeugt sich ein prinzipieller Gegensatz zu Kleist. Die Helden Kleists wollen und erringen den Sieg – auch noch im Untergang, die Protagonisten Kafkas hingegen geben auf und akzeptieren das über sie verhängte Urteil oder vollziehen es gar selbst durch Freitod. Wie Pongs betont, schlägt bei Kleist »die Ekstase nach oben, bei Kafka nach unten aus«. Entsprechend erlebt Kohlhaas »den Tag, an dem ihm sein Recht geschieht, glückstrahlend, obgleich er zum Tod verurteilt ist ... und versichert, daß sein höchster Wunsch auf Erden erfüllt sei; seine Ehre ist wiederhergestellt, so ganz, daß nach seiner Hinrichtung die Söhne zu Rittern geschlagen werden. Bereitwillig nimmt er dann den Tod durchs Beil auf sich.«[55] Er stirbt als ein Held, nicht »wie ein Hund«. Eine solche positive Lösung, in der die Gerechtigkeit letzthin doch siegt, könnte es bei Kafka niemals geben, da diesem die Frage der Gerechtigkeit als grundsätzlich unentscheidbar galt. »Auch die zur ehrlosen Schwangeren verwandelte Marquise von O ... wird in Kleists Novelle *in den unbeirrbaren Stolz ihres Gefühls* hinaufgerettet, das sich auch noch den äußeren Triumph erkämpft.« Ebenso geht es in der Erzählung *Der Zweikampf* »um den Sieg des Rechts, um das Nichtaufgeben der Protagonisten und damit um die Gegenposition der Kafkaschen [Anti]helden«. Trotz der Verunsicherung, in die Kleist im Gefolge seiner »Kantkrise« gestürzt worden war, blieb er bis zuletzt ein engagierter Kämpfer. Kafkas tragisches Resignieren jedoch ergab sich daraus, daß für ihn die Ziele selbst nicht mehr erkennbar waren, und alles Kämpfen infolgedessen sinnlos erschien. Handelt Kleist zwar von »unerhörten (äußeren und inneren) Begebenheiten«, so verbleibt er gleichwohl im rational erfaßbaren Raum der Wirklichkeit. Die irritierenden Begebenheiten Kafkas jedoch vollziehen sich, wie betont, in einer akausalen Dimension, die sich rationaler Erklärung, aber auch symbolischer und allegorischer Deutung letzthin entzieht.

Während in Kleists *Marquise von O ...* der rational unfaßbar erscheinende Vorgang unwissentlicher, unschuldiger Empfängnis nachträglich doch eine natürliche Erklärung findet, verbleiben in Kafkas Erzählungen die rätselhaften Begebenheiten im Dunkel schlechthinniger Unerklärbarkeit, akausal und absurd, mit unserer Logik, mit unseren Erwartungen und Erfahrungen unvereinbar. Indem Kleist die anfänglichen Rätsel vernunftgerecht auflöst, durch Aufdeckung konkreter Irrtümer und Fehlhandlungen die Absurdität behebt, erweist er sich, wie Sokel ausgeführt hat, noch »als Erbe des philosophischen Rationalismus«,[56] demzufolge es nichts in der Welt gibt, was nicht durch Vernunft aufgehellt und positiv gelöst werden könnte. Zur nahen typologischen Verwandtschaft zwischen Kleist und Kafka gesellt sich somit als trennendes Moment der Epochengegensatz zwischen dem achtzehnten und zwanzigsten Jahrhundert. Zum Glauben der Aufklärung an einen Sinn unseres Tuns, an die Möglichkeit fortschreitender Entwicklung, ja an unsere Welt als »die beste aller möglichen Welten« kontrastieren in der Moderne der radikale Selbstzweifel des Menschen, die Angst und der Ekel vor der Welt als einer ungastlichen Stätte, die Resignation vor der Undurchschaubarkeit unserer labyrinthischen Existenz. Nihilistisch getönter Pessimismus bestimmt weithin das moderne Lebensgefühl. Was Kleist in seiner sogenannten »Kantkrise« angefochten hat, nämlich die Einsicht in die bloße Scheinhaftigkeit unseres Wissens und damit die Konfrontation mit der Ungesichertheit unseres Seins ist im zwanzigsten Jahrhundert in weitem Umfang Gemeingut geworden: Denker und Dichter, Philosophen und Schriftsteller starren teils verzweifelt, teils fasziniert, immer aber resignierend ins Nichts. Kafka ist in diesem geistigen Klima aufgewachsen. Er sieht den Menschen verloren, ja geworfen, alltäglich und doch einmalig, vom Winde verweht und zugleich unauslotbar rätselhaft. Anders als in Kleist ist in Kafka jede Spur des vernunft- und fortschrittsgläubigen Optimismus der Aufklärung geschwunden. Während jener – zumindest als Dichter – das Positive des Aufklärungsgeistes in die Utopie hinüberrettet, ist Kafka diese Zuflucht versagt.

4.

Gewiß wird auch Kleist, wie Staiger betont, vor allem »als Dichter des Tödlich-Tragischen verehrt«.[57] Darüber werde aber vergessen, daß nur zwei seiner Dramen, – *Die Familie Schroffenstein* und *Penthesilea* – Tragödien sind, während »alle übrigen Dramen, nicht nur die Komödien, glücklich ausgehen und . . . zumal die letzte vollendete Dichtung, der *Prinz von Homburg*«, eine überzeugende positive Lösung bringt. Hier sei doch offensichtlich ein Künstler am Werk gewesen, der über das Tragische hinausdachte, dichtend über den Menschen hinauswuchs und sein Elend hinter sich ließ. In ähnlichem Sinn hebt Emrich hervor, daß nach Kleist die traurige Klarheit des sich selbst wissenden Menschen keine tragische oder gar weltflüchtige Existenz intendiere, »sondern im Gegenteil die volle Selbstverwirklichung des Menschen im irdischen Dasein«.[58] Er zitiert dazu das *Gebet des Zoroaster,* mit dem Kleist seine politische Kampfzeitung, die »Berliner Abendblätter« eröffnete:

> Gott, mein Vater im Himmel! Du hast dem Menschen ein so freies, herrliches und üppiges Leben bestimmt. Kräfte unendlicher Art, göttliche und tierische spielen in seiner Brust zusammen, um ihn zum König der Erde zu machen . . . Auch mich, o Herr, hast du in deiner Weisheit, mich wenig Würdigen, zu

diesem Geschäft erkoren; und ich schicke mich zu meinem Beruf an. Durchdringe mich ganz, vom Scheitel zur Sohle, mit dem Gefühl des Elends, in welchem dies Zeitalter darniederliegt, und mit der Einsicht in alle Erbärmlichkeiten, Halbheiten, Unwahrhaftigkeiten und Gleisnereien, von denen es die Folge ist. Stähle mich mit Kraft, den Bogen des Urteils rüstig zu spannen, und, in der Wahl der Geschosse, mit Besonnenheit und Klugheit, auf daß ich jedem, wie es ihm zukommt, begegne ...

In denselben Kontext gehört auch jener (gleichfalls von Emrich aufgeführter) Kernsatz Kleists, in dem er die kämpferisch positive Selbstgewißheit seines inneren Selbst lapidar ausgesprochen hat: »Ich trage eine innere Vorschrift in meiner Brust, gegen welche alle äußeren, und wenn sie ein König unterschrieben hätte, nichtswürdig sind.« Dieses innerste Gefühl ist für Kleist das einzig Verläßliche, an das der Mensch sich halten kann, ein Absolutum und zugleich ein Positivum, auf welches Friedrich von Trota im Zweikampf die verzweifelnde Littegarde als letzte untrügliche Instanz verweist: »Türme das Gefühl, das in deiner Brust lebt, wie einen Felsen empor: halte dich daran und wanke nicht, und wenn Erd' und Himmel unter dir und über dir zu Grunde gingen.«

In dieser Absolutsetzung des inneren Gefühls bekundet sich Kleists kämpferisches Wunschdenken, das sich der resignierenden Einsicht in die Tragik der Existenz widersetzt, das nicht aufgeben, das sich behaupten und siegen will. »Inmitten einer bedingten Wirklichkeit die Unbedingtheit der eigenen Existenz [zu] behaupten«, darin sah Kleist »die eigentliche religiöse Bestimmung des Menschen«.[59] Sogar der eigene Tod ist ihm – als ein Akt der Freiheit – »Herabstürzen und Emporheben zugleich«[60], ja ein Triumph der Selbstbehauptung. Anders als Kafka, will Kleist die Tragik nicht akzeptieren, sondern setzt ihr seinen utopischen Siegeswillen entgegen, um gegen die Wirklichkeit eine positive Lösung zu ertrotzen. Er sieht, daß das Recht in der Welt gebeugt wird, will aber nicht zulassen, daß es für immer gebeugt bleibt. Die *restitutio in integrum* ist ihm als Dichter ein unverzichtbares Ziel. So schmerzlich er die Tragödie des eigenen Lebens erlitt, »vergaß er doch nie, daß anderen Menschen andere Pfade bereitet sind und daß die Unbegreiflichkeit des Ineinanderwirkens von Sein und Schein, von Seele und Körper, Geist und Herz, Gesetz und Freiheit sich auch zum Guten wenden kann und dann als unbegreifliche Gnade auswirkt ... Mit welchem Anstand erhebt die Marquise von O ... sich aus der Schmach, gebären zu müssen, ohne den Gatten zu kennen und ohne von einer Umarmung zu wissen. ›Um der gebrechlichen Einrichtung der Welt willen‹ ... verzeiht sie dem Mann, der, hingerissen von ihrer Schönheit, ihre tiefe Ohnmacht mißbraucht hat. Verzeihen – das bedeutet: auf die tödliche Konsequenz verzichten. Und da der wahrhaft gottergebenen Seele die Kraft des Verzeihens gewährt ist, darf ein tragisches Ende nie als unvermeidlich aufgefaßt werden.«[61]

Für Kafka hingegen gab es diesen Ausweg nicht. Das Gericht, unter dem seine Protagonisten stehen, kennt keine Gnade. Er kennt keine

Alternative zur Tragik. Denn »die Schuld ist immer zweifellos«. In Kafkas Dichtung gibt es keinen Menschen, der so recht haben könnte wie Michael Kohlhaas oder ein solches Recht der Unschuld besäße, wie die Marquise von O . . . oder Frau Littegarde. Da das Recht als unerkennbar gilt, gibt es hier auch keine Gestalt, die für sich beanspruchen dürfte, für das Recht zu kämpfen. Für Menschen, die sich auf das Absolutum ihres innersten Gefühls berufen können und im Kampf für ihr Recht siegen, oder gar für »verklärte, dem Paradiesischen angenäherte Gestalten« (von Wiese) wie einige Frauengestalten Kleists ist im Werk Kafkas kein Raum. Eine Durchgöttlichung des Menschen, wie sie für Kleist paradoxerweise eben dort beginnt, »wo der Mensch in der Welt völlig schutz- und wehrlos ist, wo er nicht so sehr handelt, sondern eine Unschuld des Seins verkörpert«[62] (Alkmene, Käthchen, Littegarde, Marquise), findet bei Kafka nicht statt.

Der Tragiker Kleist jedoch »ist zugleich auch der Dichter der Utopie, das heißt einer Versöhnung, innerhalb derer das Tragische zum bloßen ›Spiel‹ geworden ist«.[63] Entsprechend »gelangen fast alle [seine] poetischen Gestalten zu einer Versöhnung mit dem Leben, die [er] selbst nicht zu finden vermochte«. Dieses Neben- und Gegeneinander des Tragischen und schwerelos Heiteren, des Katastrophalen und spielerisch Märchenhaften in der Weltsicht Kleists und damit sein dem Leben entgegengestelltes poetisierendes Wunschdenken trennen ihn von Kafka, der sich zu keinen utopischen Höhenflügen mehr erheben konnte. So sehr Kleist um den Verlust des Paradieses wußte, so ungebrochen war doch seine Sehnsucht auf die Wiedergewinnung des Paradieses gerichtet. Dieses utopische Wunschdenken läßt es nicht zu, daß das Gute endgültig zuschanden wird und der Held elend zugrunde geht. Von der tragisch scheiternden Penthesilea heißt es in den rühmenden Schlußversen: »Sie sank, weil sie zu stolz und kräftig blühte!« Von keinem Kafkaschen Protagonisten könnte solches gesagt werden. Dem in seinem Rechtsgefühl beleidigten Kohlhaas wird mit dem Sieg im Kampf um sein Recht zugleich »die volle Sättigung seiner Rache« (von Wiese) zuteil.

Kleist will und kann nicht verzichten. Er fordert Genugtuung. Da seine Gestalten von innen her ihrer selbst zweifelsfrei sicher sind, sich darum auch nicht brechen und zerbrechen lassen, sondern fest in sich geborgen bleiben, trägt auch ihr Scheitern die Gloriole des Sieges. Insofern ist Kleist ein Dichter der Utopie, als solcher aber auch Tragiker. Und von Wiese stellt mit Recht die Frage: »Jene unbedingte, absolute, freie Existenz, die der so gebrechlichen Welt abgetrotzt werden soll, . . . hat sie nicht etwas von der Zweideutigkeit des Utopischen, nie ganz realisierbar, ein gespieltes, künstlerisches Als-Ob der Freiheit in einer sonst von verhängnisvollen Wirkungsreihen erfüllten Welt?«[64] In den Siegen der Kleistschen Helden liegt etwas abgetrotzt Unwirkliches, fast Märchenhaftes. Utopisches Wunschdenken erzwingt die positiven Lösungen in seinen Dichtungen und bezeugt den kämpferischen Willen des Dichters, gegen alle Widrigkeiten das geschehen zu lassen, was nach seinem Rechtsgefühl sein sollte. Kleists Utopismus ist letzthin Erbe der Aufklärung, ein festgehaltener Rest ihres Optimismus, ein der tragischen Welterfahrung abgerungenes Dennoch, das darauf besteht, daß der moralischen Vernunft ihr Recht werde.

Daß Kleist und Kafka Kinder verschiedener Zeiten sind, daß der eine den Glauben an die Macht der menschlichen Vernunft, an die Möglichkeiten des Machbaren und damit zugleich an die humane Pflicht, aktiv an der Besserung der Welt mitzuwirken, gleichsam noch mit der Muttermilch eingesogen hatte, während der andere, in eine Krisenzeit der Umwertung (ja auch Entwertung) aller Werte hineingeboren, den Zweifel an einem positiven menschlichen Leistungsvermögen und an der Machbarkeit des Wünschenswerten als Lebensluft einatmete und in der Überzeugung von der Unverbesserlichkeit der Welt alle Bemühungen, die Übel zu beheben, als nutzlos und überflüssig erachtete, manifestiert sich besonders auffällig im gegensätzlichen politischen Verhalten beider Dichter, wobei freilich in dieser Hinsicht auch noch eine spezifische Verschiedenheit ihrer Naturen hinzukommt. Kleist war eine auf Aktivität gestellte Kämpfernatur, die sich ohne Selbstschonung rückhaltlos für die als notwendig geglaubten politischen Ziele einsetzte, Kafka hingegen ein scheuer, ja angstvoll sich in sich selbst zurückziehender, im Schutzbau einer rein literarischen Existenz sich bergender, müde resignierender Einzelgänger. Das Individuum, nicht die Gesellschaft war sein primäres Thema. Er war kein Mitläufer oder gar Fahnenschwinger. Im Gegenteil, er hegte starke Reservationen gegenüber jeder menschlichen Institution und Organisation. Dem entspricht, daß er während des Krieges die Einladung, sich einer »patriotischen« Künstlervereinigung anzuschließen, ablehnte.[65] Auch ist er nie ein Zionist im Vollsinn des Wortes geworden, obwohl er der zionistischen Bewegung zu verschiedenen Zeiten und vor allem in seiner letzten Lebensphase zuneigte. Wenn er jedoch in einem Verzweiflungsschritt sogar einmal den Militärdienst antreten wollte, so geschah das nicht aus einem Bedürfnis, mit dabei zu sein, sondern weil er einen Ausweg aus den Wirrnissen der Krise finden wollte, in die ihn das Verlöbnis mit Felice Bauer gestürzt hatte. Er wollte hier den Teufel mit Beelzebub austreiben.

Bei Kleist hingegen finden sich eindeutig patriotische Züge.[66] Er engagierte sich im politischen Geschehen der Zeit als politischer Dichter und Hasser Napoleons, den er als den »bösen Geist« ansah und ermorden wollte. In seinen *Berliner Abendblättern,* die ab Oktober 1810 erschienen, war »Beförderung der Nationalsache überhaupt« das erklärte Ziel. Seine politische Kampflyrik (*Germania an ihre Kinder*), die Aufrufe zum Widerstand gegen den französischen Unterdrücker, sein *Katechismus der Deutschen* und nicht zuletzt das Drama *Die Hermannsschlacht* mit den unüberhörbaren aktuellen Bezügen zur fatalen Zerrissenheit der deutschen Nation und zur beschämenden napoleonischen Fremdherrschaft, bekunden das emotionale Verhältnis des Dichters zu Politik und Geschichte und zum Zeitgeschehen im besonderen.[67] Man hat mit Recht von einem *furor teutonicus* gesprochen, der in Kleist aufbrach und seinem vulkanischen Temperament entsprang. Nach dem Sieg Napoleons bei Wagram, der Kleists Hoffnungen auf Befreiung begrub, schrieb er in einem Brief an Ulrike vom 17. Juli 1809: »Noch niemals, meine teuerste Ulrike, bin ich so erschüttert gewesen, wie jetzt. Nicht sowohl über die Zeit – denn das, was eingetreten ist, ließ sich, auf gewisse Weise, vorhersehen, als darüber, daß ich bestimmt war, es zu überleben.«

Ganz anders Kafka, an dem das historische Geschehen gleichsam vorbeigeht, »ohne ihn im geringsten zu fesseln; nur wenn es in das gewohnte tägliche Leben eingreift, wird es eines Blickes gewürdigt; sonst bleibt es im besten Falle Anlaß zu pikanten Anekdoten«.[68] Seine Tagebuchaufzeichnungen berühren das ereignisreich folgenschwere Weltkriegsgeschehen so gut wie nicht. Am 31. Juli 1914 notiert er lediglich: »Es ist allgemeine Mobilmachung« und am 2. August 1914: »Deutschland hat Rußland den Krieg erklärt.« Er fühlt sich durch die Kriegsereignisse nur gestört, nicht betroffen. Abweisend, ja allergisch spricht er von den »Umzügen«, die »eine der widerlichsten Erscheinungen des Krieges« seien (T 420 f.): »Ich stehe dabei mit meinem bösen Blick.« Im November 1914 teilt er mit, daß alte Wäsche und Kleidung an die galizischen Flüchtlinge verteilt würden. Danach fehlt bis zum Oktober 1917 jede Anspielung auf den Krieg. Am 4. Dezember 1917 vermerkt er kurz und bündig: »Waffenstillstand mit Rußland« und am 11. Februar 1918: »Friede Rußland«. Vom Kriegsgeschehen selbst berichtet er nichts. Den Tod Kaiser Franz Josephs, die Niederlage Österreichs, die Gründung der tschechoslowakischen Republik, alle diese einschneidenden Ereignisse läßt er unerwähnt. Im äußersten Gegensatz zu Kleist hat Kafka ganz unbeteiligt, rein privat neben dem erregenden Weltgeschehen der Zeit dahingelebt.

Zwar spielen seine Erzählungen scheinbar alle in der Gegenwart, in Wahrheit aber in einer Dimension der Zeitlosigkeit. Im Grunde könnten sie allezeit und überall spielen. Vor allem fehlt jede Beziehung zu einer »konkreten, historisch bestimmten Wirklichkeit«. Darum ist Geschichtliches bei Kafka nur in einem ganz weitgefaßt allgemeinen Sinn greifbar. Seine Protagonisten leiden an der Welt und scheitern an Hindernissen, wobei, wie David betont, sowohl die Leiden als auch die Hindernisse »von der historischen Situation nicht [ganz] zu trennen« sind. Wichtig ist Kafkas Kennzeichnung der eigenen Zeit als eine Zeit des Übergangs. So ist im *Amerika*-Roman und in der Erzählung *In der Strafkolonie* der Gegensatz von alt und neu, von Tradition und Progression thematisiert. Bezeichnenderweise vermag sich aber Kafka nicht zwischen beiden zu entscheiden und sich infolgedessen auch nicht zu engagieren. In seiner pessimistischen Geschichtsauffassung halten sich Gewinn und Verlust die Waage, so daß man nach ihm nicht sagen kann, welches von zwei Übeln das kleinere oder größere ist. Die neue Zeit, so erklärt er, sei zwar sachlicher und zweckmäßiger, aber die alte war kräftiger. Sogar in der Strafkolonie wird keine eindeutige Entscheidung getroffen. Der Forschungsreisende, der zwischen dem alten und neuen Strafsystem abwägen soll, »findet sich zwischen Grauen und Ekel eingeklemmt; weder die Foltermaschine noch die schmutzige Lässigkeit, die sie ersetzen soll, können ihm gefallen«.[69] Die Idee des Fortschritts wird also grundsätzlich in Zweifel gezogen, wie das in Kafkas *Forschungen eines Hundes* auch eindeutig ausgesprochen ist: »Gewiß gibt es einen Fortschritt der Wissenschaft: ›aber was ist daran zu rühmen? Es ist so, als wenn man jemanden deshalb rühmen wollte, weil er mit zunehmenden Jahren älter wird‹.« Wie der Malte Rilkes sieht Kafka den Fortgang der Geschichte im Zeichen des Verfalls und ohne Chance, bessernd eingreifen zu können. Politisches Engagement scheint daher sinnlos geworden.

Ein weiterer charakteristischer Gegensatz Kafkas zu Kleist zeigt sich in der Verschiedenheit der Rollen, die der Frau und dem Weiblichen überhaupt in ihren Werken zugewiesen sind. Bei Kafka ist die Mittelpunktsgestalt immer ein Mann, bei Kleist häufig auch eine Frau.[70] Mehr noch, bei Kafka erscheinen Frauen nicht nur immer als Nebenfiguren oder gar nur als bloße Statistinnen, sondern auch als Wesen minderen moralischen Ranges. Das geht so weit, daß in seinem gesamten Werk so gut wie keine ansprechende weibliche Gestalt, ja kaum eine einzige anständige Frau begegnet. Fast alle sind sie leicht verführbare Verführerinnen, seelenlos anmutende reine Geschlechtswesen, gefährliche »Fangeisen« für die tumben Männer, die sie, wie Kafka sagte, »in das Nur-Endliche reißen«. Hier gibt es kein den Mann erhöhendes »Ewig-Weibliches«, hier gibt es keine erlösende Maria, sondern nur eine verderbende Eva. Kleist kennt keinen solchen Evakomplex. Im Gegenteil, sein Bild der Frau ist durch verehrungsvolle Einfühlung, durch a priorische Hochschätzung, ja Höherschätzung des Weiblichen gekennzeichnet.

Gemeinsames im zugleich Unvereinbaren ergibt der Vergleich Kafkas mit Kleist auch insofern, als sie beide Ungewöhnliches, ja Ungeheuerliches in ihren Werken gestalten. Die Heldinnen und Helden Kleists und die Situationen, in die sie hineingestellt sind, die Charaktere sind stets außerordentlich und sprengen den Rahmen des Üblichen. Für Kleist gilt das Wort des Kleistverehrers Hebbel:

> Ich will, was aus der Tiefe dringt . . .
> Will Menschen, die wie Fackeln brennen.

Es geht ihm also stets um ausnahmehafte Personen und Vorgänge. Das heißt:

Kleists Figuren erhalten ihre menschliche Dimension erst in jenen Momenten, wo das Unbegreifbare in ihnen aufbricht, wo es zwischen Erwartung und Ereignis keine verbindende Brücke der Logik mehr gibt, wo das Abgründige – das, was der Mensch nicht wollen kann – Gewalt über ihn bekommt. So ist es bei Kohlhaas, dem über der eigenen Vorstellung von »Recht« alles Maß für die Umwelt verlorengeht; so ist es bei Penthesileas blind wütender Leidenschaft, die sich dem kontrollierbaren Wissen entzogen hat; so ist es auch bei dem Findling Nicolo, dessen stumpfe Niedertracht entgegen allen Wohltaten der Eltern durchbricht, und bei den Schroffensteinern, die dem Irrtum eines Hasses erliegen, der sich verselbständigt hat . . . Infolge eines inneren Widerspruchs gewinnen Alkmene und die Marquise von O . . . ihre menschliche Größe. Sie wagen es, das unbewußte Wissen zum Richter über das Geschehene zu erheben . . . Der Prinz von Homburg findet zum individuellen Ich erst in der Verwirklichung seines Widerspruchs zum herrschenden gesellschaftlichen Schema, in dem Todesfurcht eines Offiziers für undenkbar galt . . . Hier formt sich der Mensch zum Integral, dessen Aktion nicht allein mit der Ratio erklärt werden kann, da ihre Antriebsmomente einer von ihm selbst ungekannten Schicht entstammen, in der das Dämonische und Abgründige, in der alle schrecklichen und zugleich alle ihn rettenden Möglichkeiten hausen.[71]

Ungewöhnlich, ausnahmehaft, grotesk, ja unfaßlich absurd sind auch die Geschehnisse und Situationen in Kafkas Erzählungen und Romanen. Sie konfrontieren uns mit Vorgängen, die sich kausal-logischer Erklärung entziehen und mit der konkreten Wirklichkeit nicht vereinbaren lassen. Im Gegensatz zu Kleist sieht aber Kafka in den irritierenden Begebenheiten, die er darstellt, nichts Ungeheuerliches, sondern das ganz Normale und Natürliche, bzw. dieses Normale und Natürliche, ja überhaupt alles, ist für Kafka ungeheuerlich, weil nicht wirklich verstehbar. Mit anderen Worten, für Kafka ist das Irrationale und Akausale real, ja sogar das einzige Reale und Übliche. Daß wir das nicht erkennen, liegt nach Kafka an unserem Unvermögen, hinter die Dinge zu sehen und sie mit Mikroskopaugen zu durchschauen. Denn »das Gewöhnliche ist schon ein Wunder«; »die Wunder liegen auf der Straße«, wie auch Nietzsche gesagt hat. So ist es nur konsequent, wenn Kafka das Paradox als das Allernatürlichste vor Augen stellt und das Gewohnte als das Ungewöhnliche sichtbar macht. Entsprechend hält Kafka seine Figuren in einem Alltagsmilieu und auch im Idiom der Alltagsworte fest. Und es geht bei diesen Figuren nicht wie bei Kleist um einmalige und ungeheure Charaktere, auch nicht um einmalige und ungeheure Begebenheiten, sondern um Jedermannsexistenzen ohne markant auszeichnendes Profil und um entsprechend banales Geschehen, das jedoch schockiert, weil es im erschreckenden Röntgenbild vergegenwärtigt wird.

Gestalten wie Kleists Kohlhaas, Penthesilea oder die Marquise von O . . . gibt es in Kafkas Erzählungen und Romanen nicht. Hier gibt es – wie betont – nur Antihelden, keine Helden. Sie haben größtenteils noch nicht einmal einen Namen, der sie zumindest von außen her individualisieren könnte. Die Protagonisten seiner Romane *Der Prozeß* und *Das*

Schloß heißen Josef K. und K., und die meisten anderen Personen werden lediglich durch ihren Beruf oder Familienstand bezeichnet: Offizier, Kommandant, Forschungsreisender, Landarzt, Dorfschullehrer, Heizer, Schutzmann, Steuermann, Hausvater, Junggeselle, Ehepaar, Nachbar u. a. Ist Kleists Gegenstand das vom Gewöhnlichen sich abhebende Ungewöhnliche, so der Gegenstand Kafkas das Gewöhnliche als das nicht erkannte Ungewöhnliche. In dieser Hinsicht ist Kafka ein »Blutsverwandter« Picassos, den er bezeichnenderweise auch schon von Anfang an als ein Genie entdeckenden Schauens erkannte, »das die in der Tageswirklichkeit verborgenen makabren Möglichkeiten mit verzerrend einseitiger Konsequenz« sichtbar mache.[72] In der Tat können die bestürzenden Deformationen in Kafkas Erzählungen »als literarische Pendants zu den Deformationen der Wirklichkeit in der Kunst Pablo Picassos gelten«. Das rückt aber andererseits die Erzählungen Kafkas von Kleists Novellen ab.

5.

Sicher hätte Kafka in Kleist nicht so spontan einen »Blutsverwandten« erspürt, wenn ihm diese Verwandtschaft nicht auch im Schicksalhaft-Menschlichen erkennbar gewesen wäre. Wie Kleist hat auch er sich als einen »unaussprechlichen Menschen«, als einen Sonderling mit pathologischen Zügen empfunden. Eine kontroverse Mischung der Elemente, die ein gesichertes Gleichgewicht ausschloß, bestimmte ihre Persönlichkeiten und ließ beide »an den Grenzen der Menschheit« scheitern. So bewegte sich ihr Leben »von Katastrophe zu Katastrophe . . ., als ob es von einer unbekannten Macht selber wie eine Tragödie vorentworfen wäre«.[73] Doch waren es bei Kleist – im Unterschied zu Kafka – »gerade die Situationen des Abgrundes, aus denen [er] sich immer wieder, wie an seiner eigenen Hand, ›aus der ganzen Tiefe, in welche das Schicksal ihn herabgestürzt hatte‹ emporhob«. Kleist kämpfte eben noch, während Kafka sich resignierend in sich selbst zurückzog. Gemeinsam waren beiden exzessive Gefühlsregungen und krasse Gegensätze des Trieblebens, in dem knabenhaft Keusches, ja kindlich Weiches jählings mit Hartem, ja sadistisch Grausamem wechseln konnten. So stehen die Vorgänge in Kafkas Erzählungen *Ein Brudermord* und *In der Strafkolonie* der sadistischen Grausamkeit Thusneldas oder Hermanns in der *Hermannsschlacht* Kleists nicht nach; sie überbieten sie sogar:

> »Wese!«, schreit Schmar, auf den Fußspitzen stehend, den Arm aufgereckt, das Messer scharf gesenkt, »Wese! Vergebens wartet Julia!« Und rechts in den Hals und links in den Hals und drittens tief in den Bauch sticht Schmar. Wasserratten, aufgeschlitzt, geben einen ähnlichen Laut von sich wie Wese.

> »Getan«, sagt Schmar und wirft das Messer, den überflüssigen blutigen Ballast, gegen die nächste Hausfront. »Seligkeit des Mordes! Erleichterung, Be-

flügelung durch das Fließen des fremden Blutes! Wese, alter Nachtschatten, Freund, Bierbankgenosse, versickerst im dunklen Straßengrund. Warum bist du nicht einfach eine mit Blut gefüllte Blase, daß ich mich auf dich setzte und du verschwändest ganz und gar.

Solche sadistischen Schwelgereien sind bei Kafka und Kleist keineswegs selten. Sie dokumentieren bestürzende Dissonanzen im Innenleben der beiden andererseits so überaus sensitiven Dichter.

Gemeinsam ist ihnen ferner auch ein höchstgespannter literarischer Ehrgeiz. Wie Kleist sein erstes Drama *Die Familie Schroffenstein* als eine »elende Scharteke« verwarf, weil er eben »in der Kunst genauso absolut und maßlos zugriff wie in den Fragen des Lebens, weil er sich auch als Dichter nicht mit einem gewöhnlichen Schicksal begnügte, weil er der erste, der einzige sein wollte«,[74] so verurteilte Kafka sein »Gekritzel« als völlig unzureichend und klagte im Blick auf das langsame Fortschreiten seiner Arbeit am *Prozeß,* in was für schändlichen Niederungen er sich mit seinem Romanschreiben befinde.

Aber auch im persönlichen Lebensverhalten Kleists und Kafkas begegnen erstaunliche Ähnlichkeiten. Wenn Kleist seiner Braut bald bekenntnishaft stürmische, bald kalt belehrende, ja schulmeisterliche Briefe schrieb und sich nicht das geringste von seinen eigenen Zielsetzungen abhandeln ließ, so erinnert das an die spannungsreiche Beziehung Kafkas zu seiner Verlobten Felice Bauer, die er zunächst mit Briefen voll innigster Geständnisse überhäufte, dann aber kurz und kühl mitteilte, daß ihre Verbindung unverzüglich gelöst werden müsse, da er erkannt habe, daß er zum Zusammenleben mit einem anderen Menschen nicht fähig sei. Und dabei bestand er vor allem auf seiner Berufung zum Schreiben als dem Eigenen und Einzigen, das für ihn wesentlich sei und wovon er sich durch niemand und durch nichts abhalten lasse. Bei zwei so konsequent nur dem eigenen Selbst sich verpflichtet fühlenden Menschen wie Kleist und Kafka verwundert es nicht, daß sie ihre stürmisch und erwartungsvoll eingegangenen Verlobungen eines Tages mit kalter Entschiedenheit wieder auflösten. Beide waren eben »von der Natur zu unaussprechlicher Einsamkeit Verfluchte«.[75] Doch war es nicht nur ihr radikaler Künstleregoismus, sondern auch ihr Mangel an Hingabefähigkeit, der ihre Schwierigkeiten im menschlichen Miteinander bedingte. Kleists »Erröten vor Frauen, sein Entsetzen vor allen Annäherungsversuchen von seiten des schönen Geschlechts« fanden ebenfalls Entsprechungen bei Kafka. Und die eigentümliche Knabenhaftigkeit Kafkas, die ihm bis ins reife Mannesalter eigen war, hat ihr Analogon in Kleists schüchternem Knabengesicht. Entscheidend wichtig aber ist, daß auch im Kern ihrer Existenz verwandtschaftliche Übereinstimmung zwischen beiden besteht. Wenn Kleist die Sicherheit des inneren Gefühls, die Absolutheit des reinen Ich als letzte und höchste Instanz setzt, so entspricht dem die Konzentration Kafkas auf »den innersten Kreis«, der, wie er sagte, allein »rein und ohne Lüge« sei.

Kleists absolutes Ich und Kafkas traumhaftes inneres Leben, das ja nicht müßiges Träumen, sondern tieferes, umfassenderes Erkennen von Ich und Welt bedeutet, meinen somit dasselbe: die untrügliche Selbstgewißheit im Innersten des eigenen Seins.

Verbindendes, aber auch Trennendes zeigen sich in dem für Kleist und Kafka bezeichnenden Phänomen der »Lust zum Tode«. Tatsache ist, daß Kleist als ein nach Unbedingtheit begehrender Mensch »die grenzenlose Verwirklichung seines Ichs . . . nur im frei gewählten Tod« finden konnte, einem Tod, der zugleich »die entlarvende Anklage seiner Zeit« gewesen ist.[76] Mit Kafka teilte er das Leiden und Scheitern an der Unzulänglichkeit der Welt. Beide sprachen auch aus, daß ihnen »auf Erden nicht zu helfen war«, wie Kleist in seinem letzten Brief an Ulrike (21. November 1811) »am Morgen meines Todes« schrieb. Doch im Gegensatz zu Kleist wäre für Kafka der Freitod keine gemäße Entscheidung gewesen. Zwar hat auch Kafka wiederholt Lust zum Tod bekannt, aber, wie er in seinem Brief vom 5. Juli 1922 an Max Brod ausführte, ging es bei diesem Liebäugeln mit dem Tod um das eitle Spiel eines Schriftstellergenusses, nicht um die Entschlossenheit zur Härte des wirklichen Todes.[77] Im Gegenteil, seine ihn von Kind an bedrückende *Lebens*angst war, wie er hellsichtig erkannte, vorweggenommene *Todes*angst, eine Angst, die den Schriftsteller um so vernichtender treffe, weil er den Tod immer nur genießerisch vor sich selbst und den anderen gespielt, nicht aber real als seinen Tod vergegenwärtigt und akzeptiert hatte. Es war der Tod der von ihm selbst geschaffenen Gestalten, den er agierte und inszenierte, nicht aber sein eigener Tod. Und als es dann wirklich ans Sterben ging und der Tod nicht mehr nur eine verspielte Schriftstellerangelegenheit war, sondern ein unausweichliches Faktum, da wollte er wieder leben. Erhebender Selbstgenuß im Tod, wie ihn Kleist erlebte, war Kafka versagt. Er war auch hier ein Unentschiedener, nicht ein Unbedingter wie Kleist. Die Entscheidung Entweder/Oder, die dieser vollziehen konnte, ja mußte, konnte Kafka nicht treffen, so unerbittlich sie sich ihm auch stellte. Nie ganz sicher zu sein und darum immer angstvoll unentschieden bleiben zu müssen zwischen Ja und Nein, eben dies machte die unerlösbare Trauer seines Lebens aus.

So kämpferisch positiv Kleist trotz aller widerfahrenen Enttäuschungen und Niederlagen bis zuletzt und gerade auch in seiner euphorischen Entschiedenheit zum Freitod geblieben ist, hat doch auch er schon jene unerlösbare Trauer verspürt, die Kafka lebenslang niederdrückte. Mehr als einmal hat ihn Verzweiflung gepackt über die Ungewißheit und Fehlbarkeit, zu der man in dieser fragwürdigen Welt verdammt ist. Wiederholt hat ihn das Gefühl der Bodenlosigkeit der Existenz angerührt und sich in Sätzen voll pessimistischer Skepsis niedergeschlagen, wie sie Kafka wörtlich so geschrieben haben könnte:

Dies rätselhafte Ding, das wir besitzen, wir wissen nicht von wem, das uns fortführt, wir wissen nicht wohin, das unser Eigentum ist, wir wissen nicht, ob wir darüber schalten dürfen, eine Habe, die nichts wert ist, wenn sie uns etwas wert ist, ein Ding wie ein Widerspruch, flach und tief, öde und reich, würdig und verächtlich, vieldeutig und unergründlich, ein Ding, das jeder wegwerfen möchte wie ein unverständliches Buch ...

In der resignierenden Trauer dieser Worte vernehmen wir bereits einen Vorklang der krisenhaften Moderne – bis auf die Schlußfrage, die Kleist seinen so hoffnungslosen Äußerungen noch hinzugefügt hat und in welcher dann trotz allem eine Rückwende zum Positiven vollzogen ist:

Sind wir nicht durch ein Naturgesetz gezwungen, es – dieses rätselhafte Ding, das wir besitzen – zu lieben?

Diese Berufung auf »ein Naturgesetz« hat erhellende Bedeutung. Sie besagt, daß Kleist, obwohl in einem gebrochenen Verhältnis zu seiner Zeit stehend, sich noch in das Ganze der Natur eingebunden fühlte und noch nicht wie Kafka einer »akosmischen Isolation« verfallen war. Er gehörte noch zur Welt, unter deren unbefriedigendem Entwicklungsstand er litt.

Die Romantik

1.

Auf den ersten Blick könnte man glauben, Kafka stehe der Romantik besonders nah. Denn die Züge des Wunderlich-Irrealen, Skurrilen, Absurd-Verfremdenden und Grotesken, die diese kennzeichnen, scheinen auch sein Werk zu bestimmen.[1] In Wahrheit trennt ihn jedoch ein letzthin unüberbrückbarer Abstand von den romantischen Dichtern. Sein Credo, daß »das Gewöhnliche selbst schon ein Wunder« sei, widerspricht aufs äußerste dem Wunschbilddenken der Romantiker, ihrer Fernensehnsucht, die dem »eintönigen Treiben des Alltags«, ja dem Hier und Jetzt überhaupt entfliehen möchte.[2] Tiecks Verse:

Mondbeglänzte Zaubernacht,
Die den Sinn gefangen hält.
Wundervolle Märchenwelt,
Steig auf in der alten Pracht.

verkünden programmatisch die Absage an Nähe und Gegenwart, das Fortstreben von der banalen Helligkeit des Tages zum geheimnisvollen Zauber der Nacht, von der reizlosen Wirklichkeit zu den Wundern einer vergangenen Märchenwelt. Die Suche nach der blauen Blume und mit ihr die Hoffnung auf Wiedergewinnung der verlorenen »alten Pracht« stimulieren das romantische Dichten und Denken.[3]

Nichts von alledem findet sich bei Kafka. Ihm geht es nicht um Fiktion einer Wunsch- und Wunderwelt, nicht um Flucht »aus der Prosa Lasten und Müh« in ein Land der Poesie[4], sondern um Enthüllung der Wirklichkeit einer Jedermanns-Welt.[5] In solchem Sinn nennt ihn Friedrich Beißner mit Recht »radikal unromantisch«[6], und Erich Heller sieht in seinem Werk »the absolute reversal of German idealism«.[7] Aber gerade dadurch, daß Kafka nichts Abseitiges oder Fernabliegendes sucht, nichts lediglich Phantastisches hinzugestaltet, sondern das Nahe und Nächste, das ganz Normale und Alltägliche in den Blick nimmt, gewinnen seine Darstellungen den erregenden Reiz des Überraschenden und Wunderlichen, ja des Unglaublichen und Absurden. Was in seiner Dichtung überrascht und gefangennimmt, ist eben sein Betroffensein von der Magie des Einfachen und Einzelnen – ein Zug, wie er in der Literatur des Biedermeier und des Realismus, in den Dinggedichten und im Impressionismus zutage trat –, seine Offenheit für das Ungewohnte im Gewohnten, die eindringende Wahrnehmung des gemeinhin kaum Beachteten, ja die Neuentdeckung des Übersehenen. Aber freilich kennt Kafka kein harmonisches Einswerden mit den Dingen mehr, kein Ergötzen oder gar Behagen bei seinen »mikroskopischen« Wahrnehmungen.

In seinen »das Gewöhnliche« bis auf den Grund durchdringenden Enthüllungen erweist sich der Alltag vielmehr als eine Welt voller Wunder und Schrecken, die den Erfindungen der Romantiker an Intensität und grotesker Skurrilität nicht nachsteht. Eben dies ist Kafkas Entdeckung, daß auch das scheinbar ganz Einfache – ernstlich betrachtet – ein unauflösbar paradoxes Geschehen darstellt.

Auf verschiedenen Wegen und trotz gegensätzlicher Zielsetzung ergibt sich also bei Kafka und den Romantikern ein z. T. erstaunlich ähnlicher Effekt, der dazu verführen könnte, auch auf ähnliche Voraussetzungen, ja auf künstlerische Affinität zu schließen. Wie aber Kafka selbst erklärte, erfindet er nichts, sondern schreibt nur auf, was er wahrnimmt. Und auch sein »traumhaftes inneres Leben«, das die eigentliche Wirklichkeit hinter den Dingen enthüllt, hat mit den Träumen der Romantiker nichts gemein, die eine Welt neben und über, ja außerhalb der realen Welt vergegenwärtigen wollen. Doch heben sie andererseits die Welt des Realen nicht auf, sie bleibt vielmehr in ihrem Blick, aber streng geschieden von der Welt des Erdichteten. Dieses Nebenund Gegeneinander zweier kontrastierender Welten kennzeichnet einen grundsätzlichen Gegensatz der Romantiker zu Kafka. Auch Lilian Furst betont diesen charakteristischen Unterschied zu Kafka, daß nämlich »the Romantic poets always remain aware of the existence of both worlds: the world of reality stands, however shadowly, side with the realm of the imagination.«[8] Anders Kafka, dessen Erzählungen keine Unterscheidung zweier verschiedener Welten zugrunde liegt, für den vielmehr die Welt, die er in seinem »traumhaften inneren Leben« erschaut, die eigentliche und einzige Wirklichkeit ist. Darum springen uns seine Visionen so bedrängend unmittelbar an. Die Welt seiner Erzählungen »is worked out naturallistically, with an unrelenting logic and a wealth of exact detail that brings a frightening conviction . . . and there are no shockabsorbers«. Etwas überspitzt, weil den anders gerichteten Ansatz Kafkas übergehend, könnte man sagen:

> The Romantics saw the possibility of a world transformed by the imagination; Kafka confronts us with the reality of the transformation . . . He is a literalist of the imagination.[9]

Auch im Lebensgefühl und Selbstverständnis unterscheidet sich Kafka von den Romantikern; waren diese nach Anlage und Neigung weithin Genießende, dem Selbstgenuß der Persönlichkeit schwelgerisch Hingegebene, so war Kafka primär ein leidender Mensch, auch wenn er sich selbst schuldbewußt des eitlen Genießens seiner Schriftstellerexistenz bezichtigte.[10] Man muß nur einmal ein Bild des Dichters betrachtet haben, um zu erkennen, daß sein Leben Leiden war und den Genuß lustvoller Selbsterfüllung nicht kannte.

Indessen zeigt die Romantik – trotz der gekennzeichneten grundsätzlichen Unterschiede – auch Züge, die spezifische Assoziationen zu

Kafka wachrufen, vor allem dann, wenn man in ihr nicht eindeutig nur einen Kult von Schönheit und Harmonie sieht, sondern auch ihre dunkleren Seiten, insbesondere »the Satanic potential of the unconscious«, mit in Betracht zieht.[11] Kann doch die romantische Einbildungskraft die Welt in zweierlei Richtung umformen, »into the beautiful or the horrific«, »into the wish- or the fear-image; the two may even stand side by side . . .« »Images of fear [may] replace images of hope.«[12] Furst betont mit Recht, daß der abstoßende Hexensabbath ebenso sehr ein Produkt der romantischen Phantasie ist, wie das Elysium des Novalis. Im Blick auf diese Angst- und Schreckvisionen seien Romantiker wie Nerval, Coleridge, Tieck, E. T. A. Hoffmann »not so far removed from Kafka's *Das Urteil, Die Verwandlung, In der Strafkolonie, Der Prozeß*«. Doch sollte auch nicht übersehen werden, »that there are differences that must not be minimized«. Geht es doch bei diesen stimmungshaften Anklängen um vordergründige Ähnlichkeiten, also nicht eigentlich um Kafka, sondern um »Kafkaeskes«, um gewisse Übereinstimmungen in den Kunstmitteln der Gestaltung, die aber die Gegensätzlichkeit der Prämissen und der Zielsetzung nicht aufheben.

2.

Von besonderem Interesse für die Beurteilung des Verhältnisses Kafkas zur Romantik sind die Ergebnisse des Amherster Kolloquiums vom Mai 1968, das der Frage galt, ob und in welchem Sinne von einem »Nachleben der Romantik in der modernen deutschen Literatur« gesprochen werden kann, und bei dem auch der »Sonderfall« Kafka erörtert worden ist.[13] Theodore Ziolkowski hat »Methodologische Überlegungen« vorausgeschickt und dabei zur Diskussion gestellt, ob es als »Nachleben« gelten dürfe, »wenn wir entdecken, daß die Spaltung des Bewußtseins bei E. T. A. Hoffmann in hohem Maße der modernen Identitätskrise entspricht«.[14] Die Antwort darauf kann nur lauten: Soweit die Romantik eine *progressiv moderne* Bewegung gewesen ist, soweit also in ihr die Zukunft schon begonnen hatte, hat sie ihre historische Zeit überdauert, ist sie nicht Vergangenheit, sondern auch noch Gegenwart. Geschichtliches Leben verläuft nun einmal verwirrend anachronistisch. Ungleichzeitige Gleichzeitigkeit ist ihr paradoxes Kennzeichen. In jeder Gegenwart sind immer zugleich Früheres, ja selbst Archaisches und erst Kommendes nebeneinander da. Wenn wir uns aber mit der Romantik als Gesamterscheinung und nicht lediglich mit bestimmten Einzelzügen befassen, müssen wir, wie Ziolkowski betont, »eine historische und eine typologische Romantik unterscheiden: das heißt, eine zeitbedingte literarische Bewegung, die aus einzelnen Dichtern besteht, und eine Geistesverfassung, die weniger an bestimmte Dichter und eine bestimmte Zeit gebunden ist«. Selbstverständlich kann

»das Einzelne, Nie-wiederkehrende, das Besonderste« der *historischen* Romantik nicht nachleben. Nachleben kann es nur geben, wenn eine als »romantisch« empfundene Wirkung »aus dem Geist eines modernen Werkes von innen hervorgeht« und kein zeitlicher Abstand dieses romantischen Elementes empfunden wird. Ziolkowski faßt zusammen: »Nachleben kann nur das, was an keine bestimmte Zeit und keinen bestimmten Dichter gebunden ist: die Geisteshaltung der typologischen Romantik. Die historische Romantik hingegen kann nur nach*wirken*.«[15]

Feststeht, daß es bei Kafka kein solches Nachwirken der zeitbedingt geschichtlichen Romantik gibt, weder in Form von Umschreibungen noch gar direkten Übernahmen romantischer Elemente, auch nicht in Umgestaltungen ernsten oder parodistischen Charakters. Allenfalls könnte man fragen, ob Kafkas Neigung zur Illusionszerstörung nicht eine Affinität zur »romantischen Ironie« erkennen lasse. Aber auch von einem Nachleben der zeitlos typologischen Romantik kann bei Kafka nur bedingt die Rede sein. Wenn nämlich zu solchem Nachleben gehört, daß im Werk eines Dichters »– ob um 1800 oder um 1940 – die Haupteigenschaften [der typologischen Romantik] deutlich nachleben, dann ist [Kafka kein] Romantiker im vollen typologischen Sinn des Wortes«.[16] Symptomatisch dafür ist, daß das Amherster Symposium über das Nachleben der Romantik in der modernen deutschen Literatur »mit dem notorisch schwierigen Kafka . . . besondere unvorhergesehene Schwierigkeiten« hatte und der Leiter des Kolloquiums rückblickend die Frage stellte, »ob Kafka überhaupt in den Rahmen der gegebenen Problemstellung aufzunehmen war«. Auch habe der Kafka »gewidmete Nachmittag . . . diesen Rahmen sicher gesprengt«.[17]

Gleichwohl haben die von Jürgen Born, Heinz Politzer und Johannes Urzidil in Amherst vorgetragenen Referate[18] einige »romantische« Züge in Kafka nachweisen können, und zwar Zeugnisse genuiner Verwandtschaft, nicht Auswirkungen literarischer Beeinflussung. Direkter literarischer Zusammenhang liegt um so weniger vor, als Kafkas destruktiver Pessimismus keine Hingabe an romantische Träume erlaubte. Als ein gleichsam verhinderter Romantiker war er Antiromantiker. Aber in der für ihn charakteristischen Psychologie des dichterischen Gestaltungsvorgangs, in seinem Selbstverständnis als künstlerisch Schaffender ist »romantisches« Kunsterleben spürbar. Dazu gehört sein Wunsch, ja seine Forderung nach Spontaneität des schöpferischen Tuns, nach einem Schreiben im Zustand der vollen Ergriffenheit. Kafka hat »den Vorgang des Schaffens mit höchster Intensität in sich selbst . . . [und in seinen Aufzeichnungen] jede Nuance der Empfindung während des Schaffens vermerkt, jeden das Schreiben begleitenden Gedanken festgehalten«.[19] Wie er wiederholt geäußert hat, ging es ihm darum »im Feuer zusammenhängender Stunden« zu schreiben. Nachdem er die Erzählung *Das Urteil* in einer Nacht niedergeschrieben hatte, trug er beglückt ins Tagebuch ein:

...in einem Zug geschrieben... Freude, wie sich die Geschichte vor mir entwickelte... Wie alles gesagt werden kann, wie für alle, für die fremdesten Einfälle ein großes Feuer bereitet ist, in dem sie vergehn und auferstehn... Nur so kann geschrieben werden, nur in einem solchen Zusammenhang, mit solcher vollständigen Öffnung des Leibes und der Seele...« (T 293 f.)

Zu solchem Schreiben gehörte für Kafka die Stille der Nacht, ein Zustand der höchsten Konzentration, der die inneren Tiefen aufschließt und inspiriertes Schreiben ermöglicht. Darum seine Klage: »Es ist alles nutzlos. Kann ich die Geschichten nicht durch die Nächte jagen, brechen sie aus und verlaufen sich.« Und an Felice Bauer schrieb er: »Nur die Nächte mit Schreiben durchrasen, das will ich.« Oder in einem Brief vom Januar 1913 bekannte er:

> Schreiben heißt ja sich öffnen bis zum Übermaß... deshalb kann es nicht genug still um einen sein, wenn man schreibt, die Nacht ist noch zu wenig Nacht... die beste Lebensweise für mich wäre, mit Schreibtisch und einer Lampe im innersten Raum eines ausgedehnten, abgesperrten Kellers zu sein... Was ich dann schreiben würde! Aus welchen Tiefen ich es hervorrei-ßen würde!

Kafka ging es also *expressis verbis* um ein Schreiben aus der »Tiefe«, weil, wie er argumentierte, eine Erzählung, die den Leser innerlich erreichen soll, ihre Quelle in der Tiefe haben müsse und »innere Wahrheit« nur aus Tiefe kommen könne. Zugleich aber ist der dichterische Schaffensprozeß für Kafka mit der Vorstellung des Feuers und des Gebärens (eben einer »vollständigen Öffnung des Leibes und der Seele«) verbunden, das heißt: ein organischer Entfaltungsvorgang, wie er romantischem Lebens- und Schöpfergefühl entspricht. Vollends die Überzeugung Kafkas, daß zum schöpferischen Gelingen »Hilfe aus der Tiefe« nötig sei, deckt sich mit der romantischen Bejahung des Unbewußten bzw. des Unterbewußtseins als eines entscheidenden Stimulans künstlerischen Gestaltens.[20] Auch insofern stimmen Kafka und die Romantiker überein, als nach ihrer Auffassung zu kreativem Schaffen außer »dem ständigen Zugang zu den ›tieferen Quellen‹« des Unbewußten zugleich ein Höchstmaß an gestalterischer Bewußtheit und wachem Kunstverstand gefordert sei. Kafka selbst hat in einem Schreiben an Oskar Pollak die Feststellung getroffen: »Die Kunst hat das Handwerk nötiger als das Handwerk die Kunst.« Auch bei den Romantikern mußte zur Inspiration rationale Klarheit des Disponierens und zielstrebige Arbeitstechnik hinzukommen, damit ein Kunstgebilde entstehen kann. Das verfremdende Spiel der romantischen Ironie zeigt den inspirierten Dichter zugleich im Gegenüber zu seinem Werk, in der souveränen Objektivität dessen, der den adäquaten Einsatz seiner Kunstmittel kennt und das »Handwerkliche« des Kunstschaffens nicht verachtet, sondern zur gültigen Verwirklichung seiner Intentionen voll nützt. Schon zu allen Zeiten – nicht erst seit Gottfried Benn – haben die Dichter gewußt, daß »Gedichte gemacht werden«. Mit anderen Worten, wie bei den Romantikern geht es auch bei Kafka um ein produktives Zusammenwirken irrationaler und rationaler Elemente, um »Zauber *und* Logik«, wie Dieter Hasselblatt, bzw. um »Logik im Wunderbaren«, wie Oskar Walzel die Faszination der Kunst Kafkas kennzeichneten.[21] In der Tat ging es Kafka, wie betont, eben darum, mit hellem Bewußtsein »im Feuer zusammenhängender Stunden« zu schreiben. Und sicher ist, daß »die Romantik . . . Kafkas Art des dichterischen Schaffens mit größtem Verständnis begegnet« wäre.[22] Auch wenn sich Kafka – nach Ausweis seiner Briefe und Tagebücher – mit den Dichtern der Romantik, außer mit Kleist und Hoffmann, nicht engagiert befaßte, gibt es doch »im Verständnis der vom Wort ausgehenden Wirkung, in der Vorstellung des beschwörenden, das rechte Wort treffenden Schreibens . . . fraglos eine Berührung zwischen Kafka und der Romantik«.

Wie Max Brod berichtete, hat Kafka seine Art des Schreibens wiederholt mit den Worten charakterisiert: »Man muß ins Dunkel hinein schreiben wie in einen Tunnel.«[23] Und von seinem *Amerika*-Roman sagte Kafka, er sei »ins Endlose angelegt«. (F 86) Das sind Aspekte des dichterischen Schaffens, wie sie gerade auch der Romantik eigen waren, so die Überzeugung von der Plötzlichkeit und Unberechenbarkeit der künstlerischen Inspiration und die Abneigung, ein Werk im voraus zu planen und zu begrenzen. Es soll sich vielmehr im Verlauf des Schreibens aus sich selbst heraus entwickeln gemäß der »organischen« Auffassung der Romantiker von der Entstehung eines Kunstwerkes. In seiner Tagebuchnotiz vom Dezember 1914 nennt Kafka die Novelle einen »empfindlichen Organismus«, der sich »in der fertigen Organisation der Welt [als] lebensfähig« erweisen müsse. Es versteht sich, daß eine solche Schaffensweise sowohl bei Kafka wie bei den Romantikern vielfach nur zu Fragmenten führte, dann nämlich, wenn ein dichterischer Entwurf nicht die erforderliche Lebensfähigkeit besaß. Charakteristisch ist vor allem das Nebeneinander von Kleinformen und Großformen, begrenzten Gebilden also, in welchen der dichterische Einfall mit spontaner Prägnanz artikuliert ist, und weitgespannten Gestaltungen, die sich als unabschließbar erweisen und darum Torso bleiben müssen wie die »ins Endlose angelegten« Romane Kafkas und auch mehrere seiner unvollendet gebliebenen Erzählungen. Daß nach alledem »über die Art und Weise künstlerischen Schaffens, vor allem über den außerordentlichen geistig-seelischen Zustand des Autors während des Schreibens . . . zwischen vielen Dichtern der Romantik und Kafka Übereinstimmung« besteht, hat Born mit Recht betont. Auch wird man einräumen, daß Kafkas Äußerung: »Wie alles gesagt werden kann, wie für alle, die fremdesten Einfälle ein großes Feuer bereitet ist, in dem sie vergehn und auferstehn« (T 293) ähnlich so auch im Tagebuch eines Dichters der Romantik stehen könnte.

Nicht zuletzt verbindet »ein ausgeprägter religiöser Sinn« Kafka mit den Romantikern. »Er drückt sich bei Kafka nicht direkt aus, sondern indirekt, als eindringlicher Hinweis auf etwas Fehlendes, auf einen – offenbar als schmerzlich empfundenen – Mangel. Dieser Mangel und seine Folgen für das menschliche Leben werden in Erzählungen und Aphorismen immer wieder von neuem formuliert. Dichtungen dieser Art sind als Ausdruck spiritueller Sehnsucht oder gar als nicht ausgesprochene Klage über eine Gottferne gedeutet worden. Nicht ausgesprochen, nicht artikuliert, weil nur der Mangel spürbar ist und die Konturen des zu Bezeichnenden in der Ferne nicht mehr zu erkennen sind, sondern höchstens noch zu ahnen.«[24] Das bezeichnet jedoch einen wesentlichen Unterschied zur Religiosität der Romantiker. Für diese war Religion ein Ort der Zuflucht und Geborgenheit. Kafka hingegen ist auch im religiösen Bereich die Ankunft mißlungen. Seine Sehnsucht nach Geborgenheit war nicht zu stillen. Der Erlösung bedürftig, blieb er als ein Unbehauster dem Strafgericht eines unbekannten Gottes ausgeliefert.

Mit dem Hinweis auf Kafkas Tagebucheintrag vom Juni 1913, wo dieser von der »ungeheuren Welt« spricht, die er im Kopf habe, und fortfährt:

> Aber wie mich befreien und sie befreien, ohne zu zerreißen. Und tausendmal lieber zerreißen, als sie in mir zurückhalten oder begraben. Dazu bin ich ja hier, das ist mir ganz klar. (T 306)

verweist Politzer auf ein romantisches Element in Kafkas Menschen- und Künstlertum, nämlich auf den letztlich unlösbaren Konflikt zwischen Leben und Kunst, der, wie Politzer hinzufügt, »vermutlich so alt ist wie die Kunst«.[25] Als ein Dichter, der diesen Konflikt in seiner härtesten Form durchlitt, hatte Kafka kernhaft an der Romantik teil. Während in Goethes *Torquato Tasso* dieser Konflikt »seine klassische Bändigung« fand, haben ihn die Romantiker »völlig über die Schwelle des Unbewußten« gehoben und so »in seiner Unlösbarkeit« bewußt gemacht. Es geht dabei um die »Hypertrophie des poetischen Organs«, um den totalitären Anspruch der Literatur, den Kafka selbstzerstörerisch auf die Spitze getrieben hat. In seinen Briefen an Felice hat er wiederholt das Lebensbedrohende und zugleich schicksalhaft Unausweichliche seines absoluten Dichtertums betont:

> Es ist etwas vom Irrenhaus in meinem Leben. (F 195)

> Bin ich ein Cirkusreiter auf zwei Pferden? Leider bin ich kein Reiter, sondern liege am Boden. (Br 338)

> Nur die Nächte mit Schreiben durchrasen, das will ich. Und daran zugrundegehn oder irrsinnig werden, das will ich auch, weil es die notwendige längst vorausgefühlte Folge dessen ist. (F 427)

Auch Brentano nannte das Gefährdende der Kunst für das Leben: »Es ist auch wirklich ein verdächtiges Ding um einen Dichter von Profession, der es nicht nur nebenher ist.« Aus gleicher Gefühlshaltung brach Chamisso in den Mahnruf aus: »Nur kein Dichterprofessionist!«

Und Kafka selbst hat in einem späten Brief an Max Brod (vom 5. Juli 1922) den Schriftstellerberuf als lebensfeindlich angeprangert und damit die eigene Existenz als verfehlt widerrufen. »Das [auch für Thomas Mann charakteristische] romantische Motiv von der Kunst als Krankheit, der das Leben als . . . Gesundheit gegenübersteht [vgl. den Panther, der dem kläglich verschiedenen Hungerkünstler im Käfig nachfolgt], war eine leidvolle Realität in Kafkas Leben, eine Tragödie, aus der, wie er am 2. November 1913 an Felice schrieb, »vielleicht nur Kleist, als er sich im Gedränge äußerer und innerer Not am Wannsee erschoß, den richtigen Ausweg gefunden« habe. Zusammenfassend betont Politzer das typologisch Romantische und zugleich Unvereinbare in Kafka:

> Literatur als Fluch, Kunst als Kainszeichen des Wahnsinns, der Dichter als Fremder auf den gleichgültigen Landstraßen, dies ist die Chiffre, in die Kafkas Briefe an Felice zusammenschießen, eine im Grunde romantische Chiffre. Und doch, welch ein Unterschied zwischen den unermüdlichen Selbstverrätselungen [Kafkas] aus der ersten Hälfte des zwanzigsten Jahrhunderts und dem Selbstverständnis seiner Vorgänger aus dem neunzehnten.

Als romantiknah hat Johannes Urzidil den »eindeutig autobiographischen« Zug des Kafkaschen Dichtens, eben »die Hypertrophie des poetischen Organs«, hervorgehoben und durch Zitate authentisch erhärtet:

> Der Roman bin ich, meine Geschichten sind ich. Schreiben ist meine einzige innere Daseinsmöglichkeit. Ich habe kein literarisches Interesse, sondern ich bestehe aus Literatur, ich bin nichts anderes, ich kann nichts anderes sein.[26]

Wie unheilbar egozentrisch Kafka auch in seinen Liebesbeziehungen war, bekunden seine Briefe an Felice. Sie sind Dokumente der Selbstumkreisung und Selbstaussage, keine Zeugnisse der Zuwendung zu einem um seiner selbst willen geliebten Du, sondern Ausdrucksformen einer Fernliebe, die sich nicht schenken will, die risikolos ganz in sich selber bleibt. Zu seiner eigenen Befreiung und Erfüllung, zu seiner Selbsterlösung und seelischen Selbstbefriedigung schrieb er diese Briefe an Felice, »wählte er die Leere ihres leeren Gesichtes zur Bildfläche, die ihm seine ›ungeheure Welt‹ zurückwarf; erfand er sie als Adressatin seiner Briefe, als jene ferne Geliebte, an welche die *Hymnen an die Nacht* des Novalis [auch die Lieder Beethovens ›an die unsterbliche Geliebte‹] gerichtet sind, die Diotima-Elegien Hölderlins, die poetischen Ergüsse von Eichendorffs Taugenichts und noch die Wesendonk-Lieder des Spätromantikers Richard Wagner. So diente ihm Felice als die unerreichbare und eben darum unschätzbare Empfängerin, die seiner ungebundenen, keiner Bindung fähigen Libido immerhin eine Richtung wies.«[27] Etwas überspitzt oder, wie Politzer formulierte, »mit einiger historischer und poetischer Lizenz« nannte Erich Heller Kafkas Briefe an Felice »Minnelieder« und traf damit den existentiellen Kern dieser Fernliebe.[28] Sie erinnern in der Tat an die monologischen Preislieder des hohen Minners Reinmar an die unerreichbare und notwendig unerreichbar bleibende *herzen küneginne*. In solcher sich selbst genügenden, die Realität überfliegenden Fernliebe steckt ein Element überzeitlicher typologischer Romantik, der das Ideal mehr gilt als die Wirklichkeit. Das hat aber weder die Romantiker noch Kafka daran gehindert, die Wirklichkeit auch ungeschönt in den Blick zu nehmen.

Um das Verhältnis Kafkas zur Romantik adäquat zu erfassen, tut es aber not, die Romantik nicht nur »romantisch zu sehen, sondern auch ihren revolutionären, ja modernen Charakter zu erkennen und ihre manieristischen Züge und artistischen Experimente angemessen zu würdigen«. Dazu bedurfte es einer »Entromantisierung der Romantik mit Neonlicht«, wie sie Marianne Thalmann bewußt durchgeführt hat.[29] Was dabei an »Dissonanzen, Übertreibungen, Verkleinerungen und Verfremdungen« zutage tritt, ist nach ihrer Deutung »lediglich eine artistische Ausdruckswelle für den Abgrund in uns, die in allen unklassischen Zeiten neue Ordnungen hervorgebracht hat«. Der romantische Dichter arbeite »kühler und unabhängiger, weil er in einem Sich-Lösen von hergebrachten Perspektiven begriffen ist, von einem gestalthaften Sehen anderer Art erfaßt und daher auch nach einer anderen Sprachgestalt ausschaut ... Er sucht nach abstrakten Dimensionen [und zieht deshalb das Kunstmärchen dem Volksmärchen vor], nach dem Alogischen, Absurden und Grotesken ...«[30] Von hier aus führt ein fast direkter Weg zu Kafka. Und einige Romantiker waren schon auf diesem Weg zu einer akausalen Welt und Literatur.

3.

Der Blick zurück, die Versenkung in die groß gesehene Vergangenheit, die *laudatio temporis acti* und der Wunsch nach Wiedergewinnung der entschwundenen mittelalterlichen Herrlichkeit waren lange Zeit die meist hervorgehobenen Züge der Romantik. Dabei beachtete man aber nicht genug, daß die Romantik – in ihrer Frontstellung gegen die Aufklärung und die durch diese noch weithin mitbestimmte Klassik – in erster Linie eine avantgardistisch-revolutionäre Bewegung gewesen ist. Einzig diese zukunftsträchtigen Elemente sind es jedoch, die Kafka mit der Romantik verbinden. Darum soll abschließend der literatur- und geistesgeschichtliche Zusammenhang der Bewegung mit der Moderne in einem knappen Überblick vergegenwärtigt werden. Auch vergleichende Betrachtungen Kafkas und einzelner Dichter der Romantik sollen die Beziehung zwischen ihnen verdeutlichen helfen.

Ist die Krise der Moderne, wie sie um die Jahrhundertwende in allen Künsten, gerade auch in der Literatur und besonders eindringlich in der Dichtung Kafkas zutage trat, ein geschichtlich bedingtes Phänomen, das in der Eigenart seiner Erscheinungsformen nur zu diesem Zeitpunkt so möglich war, so hat sie gleichwohl eine weit zurückreichende »Vorgeschichte«, die paradoxerweise sogar ihren Antipoden Goethe miteinschließt.[31] Nicht nur charakteristische Symptome klingen schon bei Goethe an, sondern auch die Krise selbst ist – wie u. a. in *Faust* oder *Tasso* – bereits Gegenstand seiner Dichtung. In der Seelennot Fausts geht es ja um mehr, ja um anderes als um das sokratische Wissen des Nichtwissens, das im Grunde eine fundamentale Einsicht und damit etwas Positives ist, sondern um ein abgrundtiefes *Leiden* am Nichtwissen und Nichtwissenkönnen, um etwas Unheilbares, das ihm »schier das Herz verbrennen« will. Diese Unheilbarkeit des Leidens ist das »Moderne« in der Krise des Goetheschen Faust. Darüber hinaus begegnen in dieser Dichtung auch schon die für die moderne Literatur charakteristische Emanzipation von den traditionellen Formen der Gestaltung, die Loslösung von chronologisch geordneter Mimesis, die Verabschiedung monokausaler Vergegenwärtigung der Begebenheiten, ja die Aufhebung des raumzeitlichen Koordinatensystems überhaupt und damit die Akausalität absoluten Gestaltens. *Faust II* ist das erste und zugleich größte deutsche Beispiel akausaler Literatur. In der *Helena* sind räumliche Ordnung und zeitliches Nacheinander wie auch die konkrete Geschichtlichkeit des Geschehens aufgegeben. Antike, Mittelalter und Moderne sind durch Gleichzeitigkeit – oder richtiger: Zeitlosigkeit – in eins zusammengefaßt. Das altgriechische Sparta präsentiert sich ohne Übergang als ein ritterlich-höfischer Lebensraum des hohen Mittelalters, und der Absturz des Euphorion stellt die Katastrophe der Zukunft als gegenwärtiges Geschehen vor Augen. In der Überzeitlichkeit dieser Sicht werden nicht nur weit voneinander getrennte Epochen der Vergangenheit in ein Hier und Jetzt überführt, sondern auch erst Kommendes als schon vollzogen vorweggenommen.

Dieser »moderne« Goethe, der auch im Blick auf die Zukunft die Grenzen überschritt und in seinen wiederholten Krisen bereits moderne Existenzproblematik durchlitten hat, stand den von ihm so heftig befehdeten Romantikern innerlich näher, als er selber wußte und wollte. Auch er sah den Abgrund, der jene erschreckte; aber er wollte nicht scheitern, nicht sich verstricken und verlieren, sondern dichtend sich befreien und Distanz gewinnen. Werther, nicht Goethe, beging Selbstmord, wohl aber Kleist. Faust, nicht Goethe, wurde der Freitodgedanke zu einer ernsten Gefahr. »Lust zum Tode« war Goethe fremd, ja ein Greuel. »Das Lebendige will ich preisen« lautete sein Motto. Beim Anblick der heiteren, hellen Friedhöfe in Italien rief er aus: »Hier überwältigt die Fülle des Lebens den Tod, wo selbst die Asche in den Totenurnen sich des blühenden Lebens zu erfreuen scheint.« Der Mahnruf *Memento mori* fand in seinem Herzen keinen Widerhall. Seine Todesscheu, die sich als ein angstvolles Ausweichen vor dem Tod und allem Tödlichen, auch vor krassen tragischen Lösungen in seiner Dichtung äußerte, war ein Symptom positiver Lebensverbundenheit und seinsdankbarer Weltgeborgenheit, zugleich aber auch ein Zeichen dafür, daß er selber nicht ungefährdet war und sich daher durch Fernhalten schützen mußte. Daß es ihm jedoch gelang, sich trotz mancher krisenhaften Anwandlungen letztlich immer im Positiven zu halten, war seine eigentliche Lebensleistung. Vielsagend ist in diesem Zusammenhang seine Äußerung, daß das Klassische das Gesunde, das Romantische hingegen das Kranke sei. Goethe konnte der Romantik nicht voll gerecht werden, weil er sie um seines Selbstschutzes willen ablehnen mußte. Und das um so entschiedener, als er um die Gefahren im eigenen Innern wußte. Sein Kampf gegen die Romantiker war zu einem nicht geringen Teil ein Kampf in ihm selbst.

In ihrer Frontstellung gegen die vernünftelnde Aufklärung war aber die Romantik keineswegs eine »kranke« Geistesbewegung, sondern eine gesunde und notwendige Revolte gegen kurzschlüssigen Optimismus und simplifizierende Eindimensionalität des Sehens und Wertens, gegen leichtfertiges Hinwegargumentieren der existentiellen Probleme des Menschseins, gegen alles trügerische Harmonisieren und Glätten, gegen illusionäres Wegsehen von den Abgründen, die das Leben bedrohen. Unübersehbar ist jedoch, daß auch neurotische Züge, wie sie die Krise der Moderne kennzeichnen, schon in der Romantik und ihrem Umfeld in Erscheinung traten. Viele Romantiker und ihnen nahestehende Dichter fröntem dem Kult des Todes. Hölderlin sah im Tod die Gipfelung des Lebens und sprach von dem »wunderbaren Sehnen dem Abgrund zu«. Novalis versenkte sich in Nacht- und Todesmystik, Kleist gab sich schwelgerisch seiner Todesemphase hin. Für Matthias Claudius war der Tod »ein Freund, der uns sanft in die Arme schließt« – ein Wunschtraumgedanke, der in Büchners *Leonce und Lena* (Zweiter Akt, Vierte Szene) seine makabre Übersteigerung fand:

Lena: Der Tod ist der seligste Traum.

Leonce: So laß mich dein Todesengel sein! Laß meine Lippen sich gleich seinen Schwingen auf deine Augen senken. (Er küßt sie.) Schöne Leiche, du ruhst so lieblich auf dem Bahrtuch der Nacht, daß die Natur das Leben haßt und sich in den Tod verliebt.

Vgl. ferner *Dantons Tod* (Erster Akt, Erste Szene):

Danton (zu Julie): Die Leute sagen, im Grab sei Ruhe, und Grab und Ruhe seien eins. Wenn das ist, lieg ich in deinem Schoß schon unter der Erde. Du süßes Grab, deine Lippen sind Totenglocken, deine Stimme ist mein Grabgeläute, deine Brust mein Grabhügel und dein Herz mein Sarg.

Auch für Rilke besaß der Tod eine ähnlich tiefe Faszination. Er galt ihm als ein »traulicher Einfall der Erde« und war überhaupt ein immer wiederkehrendes zentrales Thema in seiner Dichtung: *Das Buch von der Armut und vom Tode* (1903), die Gedichte *Der Tod, Der Tod des Moses, Der Tod der Geliebten, Vom Tode Mariae, Requiem auf den Tod eines Knaben* und unter vielen anderen vor allem das Gedicht *Der Schwan,* das eine euphorisch gestimmte Feier des Todes ist, des Todes als eines Freiwerdens von der »Mühsal« des Lebens, »durch noch Ungetanes schwer und wie gebunden hinzugehen«. Das Sterben gleiche »dem ängstlichen Sichniederlassen« des Schwans, der sich auf dem Boden der Tageswirklichkeit nur mit noch »ungeschaffenem Gang« fortzubewegen vermöchte, »in die Wasser, die ihn sanft empfangen« und ihm, »Flut um Flut« zurückweichend, vollen Raum geben, so daß er

> ... unendlich still und sicher, immer mündiger und königlicher und gelassener zu ziehn geruht.

In solchem Sinn hat auch Kafka den Beginn seiner todbringenden Krankheit mit Freude begrüßt. Das Aufbrechen der Wunde, die er bezeichnenderweise als Signum einer »geistig-seelischen Krankheit« deutet, hat er als Befreiung, ja Erlösung empfunden. Es war das Leiden an der »Unmöglichkeit zu leben«, aus der diese Lebenstrauer erwuchs, für die es keine anderen Heilmittel zu geben scheint als eben die Lust zum Tod oder die Flucht in den Wahnsinn. Hölderlin und Nietzsche sind dafür erschütternde Beispiele, und auch Kafka bekannte, daß er »ganz nah an der immer angelehnten Tür zum Wahnsinn lebe« und daß er, wenn er nicht schriebe, »mit dem Wahnsinn enden müßte, [da] ein nicht schreibender Schriftsteller ... ein den Irrsinn herausforderndes Unding« sei. Es geht hier also um ein Leiden, das letzthin auf Selbstzerstörung hinausläuft. Denn wenn die aus Zweifeln und Selbstzweifeln sich nährende Krise einen Dichter zum Verstummen zwingt, ist seiner Existenz der Boden entzogen. Für einen Menschen des Wortes ist Verstummenmüssen Wahnsinn und Selbstmord zugleich. Aber eben dies, daß man Künstlertum und Krankheit, Genie und Irrsinn als zusammengehörig und wechselseitig sich bedingend zu sehen beliebt, ist ein Krisensymptom der Moderne.

Diese Krise zeigte sich schon in der Romantik, nachdem der Glaube an die Ideale der Aufklärung geschwunden und die optimistische Daseinssicherheit verloren gegangen waren. Sie bekundet sich in den *Fragmenten* des Novalis, in der aus Angst und Schuldkomplexen resultierenden Unrast Brentanos, der erst spät, durch Flucht in die Religion, Erlösung finden konnte, in der Gehemmtheit und Menschenscheu Grillparzers, die ihn zu einem an Kafka gemahnenden reduzierten Leben zwangen, in der Bedrohtheit Hoffmanns durch die eigenen Schreckvisionen, in dem emotional motivierten Pessimismus Schopenhauers, in der nicht zu bewältigenden Tristesse Mörikes, in den psychischen Verstörungen Conrad Ferdinand Meyers und im Scheitern Nietzsches im Wahnsinn. In den Klagen Hölderlins über die götterlos gewordene Welt, in seinem Bewußtsein der Nichtigkeit der eigenen Existenz, in seinem niederdrückenden Empfinden, blindwütenden dunklen Gewalten hilflos ausgeliefert zu sein, fand die Krise bereits kafkahaften Ausdruck:

Ich habe nichts, wovon ich sagen möchte, es sei mein eigen. Wenn ich hinsehe im Leben, was ist das Letzte von allem? Nichts. Wenn ich aufsteige im Geiste, was ist das Höchste von allem? Nichts ... ich sehe, wie das enden muß. Das Steuer ist in die Woge gefallen, und das Schiff wird, wie an den Füßen ein Kind, ergriffen und an die Felsen geschleudert ... es ist eine fremde Gewalt, die uns herumwirft und ins Grab legt, wie es ihr gefällt, und von der wir nicht wissen, von wannen sie kommt, noch wohin sie geht.[32]

Und manche Aphorismen des Novalis könnten sogar dem Wortlaut nach Äußerungen Kafkas sein:

Das Leben bestehe gerade darin, »daß es nicht begriffen werden kann«. Das Leben sei »eine Krankheit des Geistes«, und »Krankheit gehöre zu den menschlichen Vorzügen wie der Tod«. »Wer das Leben anders als eine sich selbst vernichtende Illusion ansieht, ist noch selber im Leben befangen.« »Leben ist der Anfang des Todes. Das Leben ist nur um des Todes willen.«

Mit ihrer Kafkanähe bezeugen diese Sätze zugleich den prinzipiellen Gegensatz zu Goethe, insofern hier der Tod die Fülle des Lebens überwältigt und nicht umgekehrt. Aber auch die konsequente Introversion Kafkas, seine Konzentration auf das »traumhafte innere Leben« als das einzig wahre Schauen, sein Rückzug auf den »begrenzten reinen Kreis« des innersten Selbst finden sich bei Novalis. Für ihn ist das Denken »nur ein Traum des Fühlens«; denn »nach innen geht der geheimnisvolle Weg«. »In uns oder nirgends ist die Ewigkeit mit ihren Welten ... Die Außenwelt ist nur die Schattenwelt, sie wirft ihren Schatten in das Lichtreich.« Wenn Novalis erklärte: »Je poetischer, je wahrer«, wenn er forderte, die Welt müsse »romantisiert werden«, dadurch daß »dem Gemeinen ein hoher Sinn, dem Gewöhnlichen ein hohes Ansehen, dem Bekannten die Würde des Unbekannten, dem Endlichen ein unendlicher Schein« gegeben werden, so berührt sich das auf eigene Weise mit der Auffassung Kafkas, daß es gelte, die gemeinhin nicht wahrgenommenen »Wunder« im Gewöhnlichen und Alltäglichen sichtbar zu machen, was de facto eine romantisierende Verfremdung der Welt bedeutet, wenn auch nicht im Novalisschen Sinn einer ästhetischen Erhöhung, sondern einer Enthüllung der makabren Hintergründe der Wirklichkeit.[33] Indem Novalis in den *Hymnen an die Nacht* die Oberflächenwirklichkeit des Tages verließ »zugunsten einer nur im Innern wahrnehmbaren anderen Wirklichkeit«, entschied er sich für einen vertieften Wirklichkeitsbegriff. Denn die hiermit verbundenen Verfremdungen der Realität wollen die Wirklichkeit nicht aufheben, sondern recht eigentlich erst entdecken. Das gleiche meint die These Friedrich Schlegels, »daß das dichterische Kunstwerk ›progressive Universalpoesie‹ sei und zur Transzendenz durchdringe«.[34] Auch der Exklusivitätsanspruch des Schriftstellers, wie ihn Kafka vertrat:

Alles, was nicht Literatur ist, langweilt mich und ich hasse es, denn es stört mich. (T 318) Mein Posten ist mir unerträglich, weil er meinem einzigen Verlangen und meinem einzigen Beruf, das ist die Literatur, widerspricht.

(Brief an Felices Vater)

entspricht dem Empfinden der Romantiker, das so tief in der Kunst verwurzelt ist, daß eine berufliche Existenz als Beamter oder Kaufmann unzumutbar, ja undenkbar erscheint. Aber auch dies verbindet Kafka mit dem Lebensgefühl der Romantiker, daß die künstlerische Existenz als eine gefährdete Existenz voll innerer Bedrohung und äußerer Unsicherheit erfahren wird.

Daß die Romantik sich nicht in restaurativen Träumen erschöpfte, bezeugt eindrucksvoll der Dichter der »mondbeglänzten Zaubernacht« Ludwig Tieck, der zugleich und vor allem ein gnadenlos enthüllender Seher der letzthin unbegreiflichen Wirklichkeit der Welt gewesen ist. Als solcher steht er dem über hundert Jahre später geborenen Kafka näher als Goethe, dessen jahrzehntelanger Zeitgenosse er war. Nichts könnte den Gegensatz zwischen beiden krasser verdeutlichen als ein Vergleich von Goethes *Novelle* mit Tiecks Erzählung *Der blonde Eckbert*. Jene endet versöhnlich, ja verklärend wie ein Märchen und vergegenwärtigt den (möglichen) Sieg des Guten auch in gefährlichster Situation, diese endet hoffnungslos und letal wie eine Geschichte Kafkas. Zwar *beginnt* auch *Der blonde Eckbert* wie ein Märchen, das eines glücklichen Ausgangs sicher zu sein scheint. »Aber Schritt für Schritt wird dem Leser der feste Boden unter den Füßen weggezogen . . . kunstvoll wird eine Atmosphäre zunehmender Unsicherheit verbreitet, und am Ende ist alles ungewiß geworden . . .«[35] Was als das eigentlich Wirkliche bleibt, ist der verzweifelte Aufschrei des aus lebenslanger Täuschung erwachenden Helden: »In welcher entsetzlichen Einsamkeit habe ich denn mein Leben hingebracht?« Was hier erfolgt, ist also die schrittweise Desillusionierung Eckberts, der zuletzt erkennen muß, daß alles ganz anders ist, als es ihm erschien, daß die Sicherheit seines Glücks auf Trug beruhte. Wie in den Erzählungen Kafkas geht es also auch hier um einen Vorgang der »Überrumpelung« des Protagonisten durch die bislang nicht wahrgenommene aggressive und destruktive Wirklichkeit, um die bestürzende Erfahrung, daß der Mensch verlassen und verloren ist, vor allem aber auch um eine Geschichte von Schuld, Gericht und Strafe, in der dem Helden – wie bei Kafka – die Einsicht in die Schuld erst ganz zuletzt, im Angesicht des Todes, zuteil wird. Und wie in Kafkas *Strafkolonie* sind es gleichsam die Nadeln des Hinrichtungsapparates, die dem Straffälligen den Schuldspruch in den Leib einritzen. So steht denn der letzte Satz der Tieckschen Erzählung

> Eckbert lag wahnsinnig in den letzten Zügen; dumpf und verworren hörte er die Alte sprechen, den Hund bellen und den Vogel sein Lied wiederholen.

in seiner Hoffnungslosigkeit dem Schluß von Kafkas *Prozeß*-Roman nicht nach. Auch von Eckbert könnte man sagen: Er »starb wie ein Hund. Es war, als sollte die Scham ihn überleben.« Der pessimistisch, ja nihilistisch getönte Aspekt, unter dem Tieck hier die Unbegreiflichkeit der Welt vergegenwärtigt, zeigt, in wie hohem Maße schon die Romantiker die Krise des beginnenden zwanzigsten Jahrhunderts präludiert haben.

Das Gefühl, ein Fremdling in der Welt zu sein, beherrscht auch Leben und Werk Brentanos. Und wie sein Gedicht *Rückblick* bezeugt, hat er sich wie Kafka seine Verlassenheit zugleich als Schuld angerechnet. Wie dieser fand er nirgends Ruhe und Halt, litt er an der komplizierten Bewußtheit seines Wesens, war er einem »unaufhaltsamen Zug nach abwärts« zugeneigt. Sein Gedicht *Frühlingsschrei eines Knechtes aus der Tiefe* ist lyrischer Ausdruck der Notsituation Kafkas, die dieser in seiner Erzählung *Der Bau* am Beispiel eines in der selbstgefertigten Falle gefangenen Tieres eindringlich vergegenwärtigt hat. Brentanos Bild vom Bergmann im Schacht, der vergebens gegen die Flut kämpft, die ihn mit Vernichtung bedroht, ist ein recht genaues Pendant zur allseitigen Einkreisung, der sich das Waldtier in Kafkas *Bau* ausgeliefert sieht. Beide, Brentanos Knecht im tief in die Erde geschlagenen Schacht und das im selbstgegrabenen unterirdischen Bau eingeschlossene Tier, leben das gleiche Leben der Angst vor der unaufhaltsam auf sie zukommenden Vernichtung. Beide fühlen sich schuldbeladen und verloren, falls ihnen keine Hilfe von oben zuteil wird. Beide müssen bekennen, daß ihr Werk nur Stückwerk war. So kann der *Frühlingsschrei eines Knechtes aus der Tiefe* als eine religiös artikulierte, lyrische Version der Kafkaschen Erzählung angesprochen werden:

> Meister ohne dein Erbarmen
> Muß ich ohne dich verzagen . . .
> Bin ich *ohne dich verloren* . . .
> Kommt die *Angstflut* angeronnen . . .
> Habe ich den Schacht geschlagen,
> Und er ist nur schwach verdämmet . . .
> Kann ich mit der bittern Spende
> Meine *Schuld* dir nimmer zahlen . . .
> (Hervorhebungen vom Vf.)

Bezeichnend aber ist zugleich der Unterschied zwischen den beiden Dichtungen, daß sich nämlich der Frühlingsschrei von Brentanos Knecht an einen erbarmenden Gott der Gnade, an den Erlöser Jesus wendet, während der Protagonist in Kafkas *Bau* keinen Erlöser kennt, sondern einzig dem »Verderber« ausgeliefert ist, der unausweichlich näher kommt und ihn am Ende vernichten wird. Konnte Brentano den ihm im Leben mangelnden Halt zuletzt in der Kirche finden, blieb Kafka in all seiner Gnadebedürftigkeit allein sich selbst, seiner schuldbelasteten Angst und Not überlassen. Im Leiden am Dasein an sich lag die Ausweglosigkeit seiner Katastrophe beschlossen. Für Kafka galt, was Büchner in *Leonce und Lena* (Zweiter Akt, Dritte Szene) ausgesprochen hat: »Es kommt mir ein entsetzlicher Gedanke: ich glaube, es gibt Menschen, die unglücklich sind, unheilbar, bloß weil sie *sind*.«

Ernst Theodor Amadeus Hoffmann und die Dichter des Grotesken und des Grauens

1.

»Von allen Dichtern des Grauens aus dem zweiten Jahrzehnt des zwanzigsten Jahrhunderts« ist Kafka der einzige, der Nachruhm erlangte und »heute weithin als der große Einsame« gilt.[1] Als ein Dichter eigenen Wuchses und Willens war Kafka aber auch in vielem von jenen grundsätzlich verschieden. So stammte die Fremdheit bei ihm »nicht aus dem Ich, sondern aus dem Wesen der Welt und der fehlenden Abstimmung zwischen beiden.« Kafka selbst sagte: »Die Welt und mein Ich zerreißen in unlösbarem Widerstreit meinen Körper.« Und am 16. Januar 1922 schrieb er ins Tagebuch:

> Zusammenbruch, Unmöglichkeit zu schlafen, Unmöglichkeit zu wachen, Unmöglichkeit, das Leben, genauer die Aufeinanderfolge des Lebens, zu ertragen. Die Uhren stimmen nicht überein, die innere jagt in einer teuflischen oder dämonischen oder jedenfalls unmenschlichen Art, die äußere geht stockend ihren gewöhnlichen Gang.

Lebenslang betonte Kafka immer wieder »die Unmöglichkeit zu leben«. Denn unaufhörlich und unabweisbar bedrängte ihn die als feindlich empfundene Welt, die sich in seinen Erzählungen und Romanen meist als eine Welt ohne Landschaft und oft in beklemmender räumlicher Geschlossenheit darstellt, zugleich aber immer undurchschaubar labyrinthisch und fremdartig erscheint, so daß seine Gestalten sich »im allerkleinsten Kreise drehn« bzw. auf der Stelle treten. Das katastrophenträchtige Geschehen wirkt traumhaft unausdeutbar, gleichzeitig aber alltäglich selbstverständlich, so wie entsprechend die Protagonisten höchst Ungewöhnliches erfahren, jedoch selber keine Ausnahmemenschen sind. Der Traumcharakter der Vorgänge zeigt sich in »dem steten Andringen genau gesehener Einzelheiten, das mit keinen Mitteln der Ratio zu deuten ist, über das man nicht verfügen und auf das man sich nicht einstellen kann, [an dem darum] aller Aufwand an Überlegung immer wieder zuschanden« wird.

Aber im Gegensatz zu den Dichtern und Künstlern des Grotesken und des Grauens[2], die das Abgründige, Geheimnisvolle und erschreckend Groteske jeweils durch besonders sorgfältige Darstellung hervorheben, wird bei Kafka das »Übernatürliche« nicht betont, sondern als das Übliche suggeriert. Mit den Worten Kaysers: »Es gibt keine eigentlichen Verfremdungen, weil [hier] die Welt von Beginn an fremd ist. Wir verlieren nicht den Boden, weil wir niemals fest auf ihm gestanden haben; wir haben es nur nicht gleich gemerkt. Kafkas Erzählungen sind *latente Grotesken.*«[3]

Mit Recht fügt Kayser hinzu, daß Kafkas Erzählungen zugleich *kalte Grotesken* sind und wir daher nie wissen, ob und wo uns ein Lächeln erlaubt ist, auch nicht, ob und wann wir Schauder empfinden sollen oder dürfen. Zwischen Erzähler und Leser habe sich eine Fremdheit gestellt, »wie es sie wohl noch niemals gegeben hat«. Ja, Kafka entwickle eine neue Art des Erzählens. Der Kafkasche Erzähler entfremde sich uns, »indem er emotional anders reagiert, als wir es erwarten«. Vor allem wird das Hintergründige nicht gebannt und auch nicht benannt. Indem uns Kafka mit einer solchermaßen entfremdeten, ja verwandelten Welt konfrontiert, zählt auch er – auf seine Weise zu den Dichtern des Grotesken und des Grauens. Und das Grauen ist um so stärker, als es die uns vertraute Welt ist, die sich hier auf unbegreifliche Weise jählings verwandelt. Die Protagonisten Kafkas werden durch das Ungeahnte und Unfaßbare geradezu »überrumpelt«.[4] Über Nacht ist für sie alles ganz anders geworden, fremd und unheimlich, was ihnen bislang vertraut und heimisch gewesen war. Mit Erschrecken müssen sie erkennen, daß die Welt *überhaupt anders* ist, als sie ihnen lebenslang erschien, ja, daß sie in dieser so andersartigen Welt nicht zu leben vermögen. Denn wie es zur Struktur des Grotesken gehört, versagen die gewohnten Kategorien unserer Weltorientierung, gelten die Gesetze der Logik und Kausalität nicht länger, verfallen selbst Raum und Zeit der Auflösung. Unvorbereitet stehen hier die Menschen vor dem genuin Kafkaschen Problem der »Unmöglichkeit zu leben«.

2.

Unter den deutschen Dichtern der Romantik ist es vor allem E. T. A. Hoffmann, der einen Vergleich mit Kafka nahelegt. Denn er hat in seinen akausal phantastischen Gestaltungen schon in hohem Maße »Kafkaeskes« vorweggenommen, die eigentümlich Kafkasche Thematik und Problematik hingegen noch nicht im existentiellen Sinn der Moderne im Blick gehabt. Das heißt, was die beiden verbindet, trennt sie zugleich. Dasselbe ist hier nicht dasselbe. Was sich bei Hoffmann als Spiel ausufernder Phantasie erweist und bewußt aller Empirie entzieht, stellt sich in Kafkas Dichtung als präzises Aufzeichnen bildhaft wahrgenommener Wirklichkeit dar. Das »deformierte« Wirklichkeitsbild des modernen Autors deckt sich zwar äußerlich in vielem mit den irrealen Ausgeburten romantischer Phantasie[5], aber das Instrumentarium der entfesselten Einbildungskraft ist bewußt in den Dienst einer schonungslosen Wirklichkeitsenthüllung gestellt. Das bedeutet zugleich, daß die Gestaltungsmittel im Blick auf diese grundsätzlich andere Zielsetzung erheblich modifiziert wurden. Bezeichnenderweise ist Hoffmann in Wagenbachs reichhaltiger Materialsammlung (»Selbstzeugnisse und Bilddokumente«) überhaupt nicht aufgeführt. Und sprachlich-stilistisch ist Kafkas strenge Diktion von Hoffmanns ungezügeltem Wortschwulst grundsätzlich geschieden.

Auch das Phantastisch-Grelle Hoffmannscher Gestaltungen kennt Kafka nicht. Es fehlen das Übersteigerte und Rauschhafte, die Lust an der Sensation, die exzentrisch romantische Unrast. Kafka erzählt keine Gespenstergeschichten, auch keine Ekstasen und Halluzinationen. Weinstubennächte als Stimulanzien der Poesie wären bei ihm undenkbar. Seine Welt ist eben nicht »kafkaesk«, während wir uns in Hoffmanns *Fantasie- und Nachtstücken* oder in den *Elixieren des Teufels* in »kafkaesken« Sphären bewegen. Das Sensationelle und Gruselige der Begebenheiten, der Schauereffekt seiner Erzählungen sind für Hoffmann ungleich wichtiger als für Kafka (falls sie für diesen überhaupt eine Funktion besitzen). Ja, sie erscheinen nicht selten als Selbstzweck, als Produkt einer stoffhungrig wuchernden Phantasie, die sich nicht genugtun kann. Auch Wilhelm Hauffs *Phantasien im Bremer Ratskeller* gehören hierher und nicht zuletzt die utopischen Eskapaden moderner Science fiction. So hat etwa der Franzose George Langelaan[6] mit seiner Geschichte *Die Fliege* Kafkas *Verwandlung* nicht lediglich überboten, sondern etwas grundsätzlich anderes, eben »Kafkaeskes«, an die Stelle von Kafka gesetzt. Infolgedessen steht er auch – trotz des größeren zeitlichen Abstandes – Hoffmann oder Poe näher als Kafka. Das zeigt die Kurzanalyse, die Hermann Pongs von seiner Erzählung gegeben hat:

> »Ein Atomphysiker vermag Dinge in ihre Atomteile zu zertrümmern und wieder zusammen zu setzen. Als er das bei einer Katze versucht, mißrät es. Als er es bei sich selbst versucht, kommt ihm eine Fliege dazwischen. Sie hat sich mit Atomteilen des Menschen verselbständigt, die ihm beim Aufbau fehlen. Dafür haben sich Atomteile der Katze ihm integriert. Der Anblick, der sich der zu Hilfe gerufenen Frau des Atomforschers bietet, ist das Urgrauen selbst:
> Niemals würde ich das Bild des Alptraumes aus der Erinnerung löschen können: dieses weißen behaarten Kopfes mit flachem Schädel, mit Katzenohren, mit Augen, die von zwei braunen Scheiben bedeckt waren, groß wie Teller und bis zu den spitzigen Ohren reichend. Rosig war die Schnauze, anstelle des Mundes ein senkrechter Schlitz, umgeben von langen roten Haaren, von dem eine Art schwarzen behaarten Rüssels herabhing, der sich trompetenartig weitete.
> Dieses Ungeheuer wird dann, auf Wunsch des Atomphysikers selbst, sofort vernichtet, unter einem Preßlufthammer zur Unkenntlichkeit zerquetscht.«[7]

Wenn Pongs hinzufügt, diese »Rache der im Experiment mißbrauchten Tierelemente am Menschen« sei ein Beispiel der »Ausartung der Imagination hinter Kafkas Schreckträume zurück ins Chaotisch-Ungeheuerliche«, so schwächt er den grundsätzlichen Gegensatz zwischen den beiden Schriftstellern zu einem bloßen Gradunterschied ab. Für

Kafka gilt jedoch, daß das Ungeheuerliche nicht erst erfunden oder künstlich konstruiert werden muß, sondern immer und überall und gerade auch im Alltagsgeschehen bedrohlich gegenwärtig ist. Darum ist seine epische Welt – wenn auch schockierend fremdartig und akausal – im Gegensatz zu Hoffmann und seinen Nachfolgern nicht phantastisch und überladen, nicht mit herbeigeholten aufwendigen Schrecknissen konfrontierend, sondern das Unheimliche des scheinbar Bekannten und Gewohnten aufzeigend. Führt uns Hoffmann aus der vertrauten Wirklichkeit heraus, so führt uns Kafka tiefer in sie hinein und läßt so das gemeinhin nicht bemerkte Hintergründige sichtbar werden. Ihm geht es um die geheimen Gefährdungen des als gesichert erachteten normalen Daseins, nicht um die Schauer und Greuel einer fingierten abseitigen Welt. Er zitiert keine Gespenster herbei, sondern enthüllt, daß die Wirklichkeit als solche von gespenstischer Undurchdringlichkeit ist.

Das »Geheimnisvolle« Kafkas ist – nach seinen eigenen Worten – nichts Außernatürliches oder »Ungewöhnliches«; es hat daher nichts mit Phantastik in der Art von E. T. A. Hoffmann, Wilhelm Hauff, Edgar Allan Poe, Paul Ernst oder gar mit moderner Gruselthematik zu tun. Wohl geschehen in seinen Erzählungen laufend die abwegigsten Dinge. Aber das Absurde erscheint niemals als Selbstzweck: »the irrational . . . the horrible . . . the grotesque are never induced for the sake of literary effect but to express a depth of reality.«[8] Das trifft genau den Punkt, der Kafka von den Dichtern des Grotesken und des Grauens trennt. Ihm geht es nicht um Grauenvolles außerhalb der alltäglichen Wirklichkeit, sondern um Vergegenwärtigung des Erschreckenden *mitten* im normal Üblichen. Ronald Gray betont mit Recht Kafkas »stark contrast to the hysterical horror – mongering of Poe's tales«.[9] Am entschiedensten hat Max Brod diesen Trennungsstrich gezogen:

Eine Novelle wie Kafkas *Strafkolonie* hat mit Poe [und Dichtern seiner Art] gar nichts zu tun, obwohl thematisch ähnliche Greuelszenen auftauchen. – Schon die Vergleichung des Sprachstils sollte darüber belehren, zumindest stutzig machen. Was hat die hellfarbige, wie von Ingres sicher liniierte Darstellung Kafkas gemeinsam mit der vibrierenden, manchmal auch geradezu gewaltsam in Vibration gesetzten Form der Gruselexperten? Jene sind Spezialisten der Höllentiefseeforschung mit mehr oder minder wissenschaftlichem Interesse . . . Bei Kafka ist es jedoch tiefer Ernst des religiösen Menschen, der die Szene füllt. Er zeigt keine Neugierde nach den Abgründen. Wider seinen Willen sieht er sie. Er ist nicht lüstern nach Zerfall. [Es geht ihm nicht um die] Durchstudierung und Durchschmarotzung von ein paar passablen Höllenabnormitäten, [nicht um] die Sensation jener interessant pathologischen Skizzenbücher des »unheimlichen Genres«.[10]

In der Tat, der »in ein ungeheures Ungeziefer« verwandelte Gregor Samsa wird kein Ungeheuer, sondern bleibt ein Mensch, bleibt Gregor Samsa, kein abartiges Wesen, sondern ein Leidender, dem ein Ungeheuerliches zugestoßen ist. Darum die Frage des Erzählers: »War er ein Tier, da ihn Musik so ergriff?« und die hinzugefügte Deutung: »Ihm war, als zeige sich ihm der Weg zu der ersehnten unbekannten Nahrung.« Es geht in Kafkas Erzählungen niemals um Hoffmannsche oder Poesche Monster, nicht um Unmenschen, überhaupt nicht um Wesen schlechthin anderer Art, sondern um erbarmungslos mißhandelte, rigoros zugrunde gerichtete menschliche Kreaturen. Sie erregen nicht kalten Schrecken, sondern »Mitleid und Furcht«. Sie sind nicht unheimlich, wohl aber in Unheimliches verstrickt, in ein Labyrinth geworfen, in einer Falle gefangen gesetzt.

Im Gegensatz zu Hoffmann und seinen Nachfolgern, die das Phantastische und Grauenerregende eigens erdichten und dabei die Grenzen der erfahrbaren Wirklichkeit überschreiten, geht die dichterische Absicht Kafkas dahin, das reale Leben bis auf den Grund durchsichtig werden zu lassen. Für ihn gibt es daher keinen Gegensatz zwischen dem Wirklichkeitsbereich normalen Lebens und einer Sphäre nicht verifizierbarer Halluzinationen: »Kafka's stories are wholly delires but these hallucinations are presented as the sole reality ... Therefore the shock effect ... is so much more intense with Kafka than with the Romantics.«[11]

Gleichwohl ist für Hoffmann die hinzugestaltete irreale Welt wesentlicher als die reale. Die Wirklichkeit natürlichen Daseins allein wäre ihm als Dichtungsgegenstand nicht interessant genug. Andererseits lassen aber die Wirklichkeiten, die Kafka sichtbar macht, die Phantasiegebilde des Romantikers weit hinter sich. Und dies eben deshalb, weil es Kafka – im Gegensatz zu Hoffmanns strikt unterscheidender Gegenüberstellung von Realem und Erdichtetem – stets um ein-und-dieselbe Welt zu tun ist. Das Irritierende, das er vor Augen stellt, ist konsequent durchschaute Wirklichkeit. Es muß nicht erst herbeigezaubert und kunstvoll künstlich arrangiert werden, es bedarf keiner »Elixiere des Teufels«, sondern ist – wenn auch oft nicht wahrgenommen – immer und überall da. In Kafkas Tiefensicht erscheint daher selbst der banalste Tagesablauf gespenstisch und atemberaubend. Die in seinem »traumhaften inneren Leben« geschaute Welt erweist sich als die eigentliche und einzige Realität, der man nicht entrinnen kann.

3.

Wie grotesk auch immer die Erzählungen Kafkas verlaufen mögen, und wenn auch, wie er noch in später Stunde bekannte, die innere Uhr »in einer teuflischen oder dämonischen oder jedenfalls unmenschlichen Art« in ihm »jagt«, so bleiben seine Gestaltungen doch menschlich nah. »Traumhaftes inneres Leben« bedeutete für ihn ja erklärtermaßen kein Sichverlieren in wirklichkeitsferne müßige Träume. Es ging bei ihm immer nur um *eine* Welt, die aber in ihrer Vielschichtigkeit nicht zu durchschauen ist und daher als eine unabsehbare Vielheit wirkt. Auch begegnet in seinen Gestaltungen das Groteske nicht um seiner selbst willen. Und eben das unterscheidet Kafka von den Dichtern des Grauens, auch von E. T. A. Hoffmann, mit dem ihn sonst manches Spezifische verbindet. In Hoffmanns Einleitung zu seinen *Fantasiestücken in Callots Manier* (1814/15), die seine Begeisterung für das Groteske in Jacques Callots Illustrationen zur Commedia dell'Arte emphatisch bekundet, kommt gleichermaßen Verbindendes und Trennendes zum Ausdruck:

> Warum kann ich mich an deinen sonderbaren phantastischen Blättern nicht satt sehen, du kecker Meister? . . . Seine Zeichnungen sind nur Reflexe aller der phantastischen wunderlichen Erscheinungen, die der Zauber seiner überregen Phantasie hervorrief . . . Die Ironie, welche, indem sie das Menschliche mit dem Tier in Konflikt setzt, den Menschen mit seinem ärmlichen Tun und Treiben verhöhnt, wohnt nur in einem tiefen Geiste, und so enthüllen Callots aus Tier und Mensch geschaffene groteske Gestalten dem ernsten, tiefer eindringenden Beschauer alle die geheimen Andeutungen, die unter dem Schleier der Skurrilität verborgen liegen . . . könnte ein Dichter oder Schriftsteller, dem die Gestalten seines gewöhnlichen Lebens in seinem inneren romantischen Geisterreiche erscheinen und der sie nun in dem Schimmer, von dem sie umflossen sind, wie in einem fremden, wunderlichen Putze darstellt, sich nicht wenigstens mit diesem Meister entschuldigen und sagen: er habe in Callots Manier arbeiten wollen.

Auf Kafka voraus weisen der hier genannte »ernste, tiefer eindringende Beschauer«, dem sich die »unter dem Schleier der Skurrilität verborgen« liegenden »geheimen Andeutungen« enthüllen, wohl auch der Blick auf das »ärmliche Tun und Treiben« des Menschen und bis zu einem gewissen Grad sogar »die Ironie, welche . . . das Menschliche mit dem Tier in Konflikt setzt«. Auch deutet sich schon die Kafkasche Auffassung an, daß »wirkliche Realität immer unrealistisch« sei, bzw. daß der Traum die (verborgene oder übersehene) Wirklichkeit enthüllt, hinter der die Tagesvorstellung zurückbleibt, und eben darin »das Schreckliche des Lebens – das Erschütternde der Kunst« liege.[12] Doch im Gegensatz zu Kafka kennzeichnet Hoffmann sein »inneres romantisches Geisterreich« als eine Eigenwelt und spricht von »phantastischen wunderlichen Erscheinungen«, die eine »überrege Phantasie« hervorrufe und die er »wie in einem fremden, wunderlichen Putze darstellt«. Aber Kafka geht es nicht um Phantastik solcher Art, nicht um ausschweifendes Hinzuerfinden und Ausgestalten von schlechthin Wunderhaftem, sondern lediglich um ein mikroskopisch genaues Vor-Augen-stellen des ganz Gewöhnlichen, da ja, wie er argumentierte, das Gewöhnliche selber schon ein Wunder sei. Was Walter Scott bei Hoffmann beklagte, daß dieser nämlich »das Übernatürliche mit dem Absurden verwechselt und sich von ›Geschmack und Temperament zu stark zum Grotesken und Phantastischen‹ [habe] drängen lassen«, ist mithin genau das, was ihn in der Darstellung des Grotesken von Kafka unterscheidet. Eine Ausnahme macht jedoch Kafkas früheste Dichtung *Beschrei-*

bung eines Kampfes, in welcher das Groteske ebenfalls eine eigenge-
wichtige Rolle spielt und der Einfluß Hoffmanns nicht zu übersehen ist.
In der Tat hat Kafka die *Nachtstücke* Hoffmanns (1816/17) als Quellen
benutzt, aber wie alle Vorlagen zugleich umgeformt, ja auch deformiert.
Ferner wird der Einfluß von Hoffmanns *Nachricht von den neuesten
Schicksalen des Hundes Berganza* und *Schreiben Milos, eines gebildeten
Affen, an seine Freundin Pipi, in Nordamerika* erwähnt. Auch Anna
Seghers sah Kafka in Hoffmann-Nähe, so in: *Die Reisebegegnung:
Kafka im Gespräch mit Nikolaj Gogol und E. T. A. Hoffmann.*[13] Haa-
kon Meyer kennzeichnete Kafka als einen »Romantiker der Richtung
Edgar Allan Poe und E. T. A. Hoffmann, Gustav Meyrink und Alfred
Kubin«.[14] Ebenso sprach Dimiter Statkow von der Verwurzelung Kaf-
kas in der deutschen Romantik, insbesondere in Hoffmann und im
romantischen Irrationalismus[15] – Zuordnungen, die freilich der Modifi-
zierung bedürfen. Nach H. Järv sind Kafkas *Forschungen eines Hundes*
und *Ein Bericht für eine Akademie* dem Vorbild Hoffmanns verpflichtet.
Und Kafkas Freund Ernst Weiß erklärte:

> . . . one can see in him a descendant of E. T. A. Hoffmann. Like Hoffmann he
> believes that justice and reason exist, but not in our grotesquely tragic world;
> hence there must be at work a counter-balance, a counter-God, as I call it; and
> Hoffmann's world is dominated by the more or less successful struggle of good
> archangels against evil demons . . .[16]

Den vielleicht interessantesten Hinweis auf einen literarischen Zusammenhang zwischen Kafka und Hoffmann gab Heinz Politzer. Die
Zirkusreiterin in Kafkas Skizze *Auf der Galerie* sei »eine seelenlose
›Automate‹, die der Phantasie E. T. A. Hoffmanns entsprungen sein
könnte. Auch die Zuschauer, deren Hände ›eigentlich Dampfhämmer‹
sind, stellen nichts anderes als Automaten dar und bestätigen den Ma-
rionettencharakter der Szene.«[17]

Auffällig sind vor allem auch die zahlreichen »biographischen« Fakten, die Kafka mit Hoffmann verbinden. Obwohl die beiden ihrer Anlage nach der Literatur, den »schönen Künsten« und – wie speziell Hoffmann – auch der Musik zuneigten, haben sie keine musischen Fächer,
sondern Jura studiert und auch einen juristischen Beruf ausgeübt, Hoffmann als Kammergerichtsrat in Berlin (1816–1822) und Kafka als ge-
schätzte »Konzeptskraft« in der Arbeiter-Unfall-Versicherungs-Anstalt in Prag (1908–1922). Was in diesem Kontext Marianne Thalmann
von Hoffmann gesagt hat, gilt in gleich fataler Weise für Kafka: »Beamter aus Wahl und Künstler von Natur, wo sollte das enden?«[18] Als
Studenten waren beide Einzelgänger gewesen, die weder ritten noch
fochten, wohl aber pflichteifrig ihr Studium absolvierten, doch trotz
allen Fleißes unter unüberwindlichen Prüfungsängsten litten. Elementares »Mensch-sein-wollen, einer sein wie alle anderen, es aber nie sein
können« – diese Not teilte Kafka mit Hoffmann, bei dem die Klage
bereits »hysterische Obertöne« annahm, um sich dann im Verlauf des

Jahrhunderts zu den Qualen eines Tonio Kröger und eines Doktor Faustus [zu] steigern«. Auch »der Kampf der Geschlechter, den Hebbel monumentalisierte und den Ibsen ins Kleinbürgerliche aufspaltete, ist bei [Hoffmann] schon als Künstlertragik vorhanden« und hat, wie die mehrfachen Verlobungen und Entlobungen und im besonderen die zermürbend problematische Beziehung zu Felice Bauer bezeugen, auf ganz eigene Weise auch Kafkas persönliches Leben mitbestimmt.

Jürgen Born hat weitere biographische Ähnlichkeiten von Gewicht aufgeführt, die hier in leicht variiertem Wortlaut mitgeteilt seien.[19] Beide Dichter, auch der musikalisch schöpferische Hoffmann waren vor allem Augenmenschen, und beiden eignete eine zeichnerische Begabung mit deutlicher Neigung zur Karikatur. Gemeinsam war ihnen überdies ein ausgeprägter Sinn für das Komische, ja auch für das Groteske und Phantastische, welch letzterer Zug jedoch im Fortgang von Kafkas literarischer Entwicklung mehr und mehr zurücktrat. Aus ihren autobiographischen Zeugnissen erhellt, daß sie zu Zeiten von der Gefahr der Ich-Spaltung bedroht waren, woraus sich ihre Neigung zur Ambivalenz erklärt. Hoffmann selbst sprach von seinem »chronischen Dualismus« und Kafka von der »Zweiteilung« oder von den zerreißenden Widersprüchen, in die er sich von allem Anfang an »gespannt« sah. Sowohl Hoffmann als auch Kafka litten zeitweilig im Schlaf oder Halbschlaf unter Schreckvisionen, die nicht selten in ihr erzählerisches Werk eingingen. Beide machten in ihren Tagebüchern ausführliche Aufzeichnungen über ihre Selbstbeobachtungen, besonders über ihre Phantasien und die wechselnden Zustände des Gemüts. Den Vorsatz Kafkas, von nun an am Tagebuch konsequent festzuhalten, faßte schon Hoffmann: »Von heute an wird regulär Buch gehalten über die Begebenheiten des Lebens [,] die bunte Welt innerhalb der Wände des Gehirnkastens mit ihren Ereignissen mit eingerechnet.« Diese Äußerung erinnert zugleich an Kafkas Tagebucheintrag vom Juni 1913, wo er von der »ungeheuren Welt« spricht, die er im Kopf habe, und fortfährt: »Aber wie mich befreien und sie befreien, ohne zu zerreißen.« (T 285)

Born verweist aber auch auf Ähnlichkeiten in den Dichtungen der beiden Autoren, die in den Darstellungen über Kafka immer schon zu Vergleichen mit E. T. A. Hoffmann angereizt haben. So hat als einer der frühesten Rezensenten Oskar Walzel schon 1916 in seiner Besprechung Kafkascher Erzählungen (»Logik im Wunderbaren«) auf Hoffmann hingewiesen. In dem 1958 in Hamburg erschienenen Buch »Wider den mißverstandenen Realismus« (S. 55 f.) verglich Georg Lukács den »Realisten« Hoffmann mit dem »Avantgardisten« Kafka. Und neuerdings ist Hartmut Binder mit besonderem Engagement den literarischen Einflüssen Hoffmanns auf Kafka nachgegangen. Auch Walter Müller-Seidel hat sich mit seinen Ausführungen über das »Wechselverhältnis von Autobiographie und Dichtung« (im Nachwort zu: E. T. A. Hoffmann, *Die Elixiere des Teufels/Lebensansichten des Katers Murr* (München 1961, 667 ff.) über die literarische Beziehung zwischen Kafka und Hoffmann geäußert. Von Wichtigkeit ist nicht zuletzt die Gegenstimme Max Brods, der mit Entrüstung jede Vergleichung der beiden Dichter zurückwies, da sich Kafka durch die *Richtung* seines Strebens grundsätzlich von den »genuinen Dekadenten wie Hoffmann, E. A. Poe und Baudelaire« unterscheide (Über Franz Kafka, Frankfurt a. M. 1966, 308). In der Tat sollte über dem Gemeinsamen, das sich nachweisen läßt, das letztlich Unvereinbare nicht übersehen werden.

Indessen sind die Übereinstimmungen Kafkas und Hoffmanns im dichterischen Bereich zahlreicher und gewichtiger, als Brod einräumen will. Wie in Kafkas Erzählungen geht es in Hoffmanns epischem Werk, soweit sich seine Schilderungen auf Begebenheiten in der realen Tageswelt beziehen, weithin um die »Darstellung des Gewöhnlichen und Mittelmäßigen«[20], um die »Tiefen und Untiefen der kleinen Welt«, ja auch um »die Armseligkeiten des täglichen Lebens«, eben um »Auseinandersetzung mit einer Durchschnittswelt, in der Erfahrung unwiderruflich mehr gilt als die Idee [und die daher] begreiflicherweise der Ironie nicht entraten« kann. Entsprechend scheint »das Abenteuerliche [bzw. das Groteske] mitten im Alltag auf. Ja, Hoffmann forderte, daß sich das Wundersame »direkt aus dem Alltag derer [erhebe], die mit uns die Straßen und Brücken wandern«. Denn der Romandichter müsse »seine Anregungen im Menschengewühl der großen Stadt suchen« und dürfe sich nicht in die Einsamkeit zurückziehen. In der Tat besteht auch »kein Zweifel, daß Hoffmann dem Ruf der Stadt folgte, daß seine Menschenkenntnis eine stadtsüchtige war, die der Einsamkeit mißtraute«.

Das verweist jedoch auf einen prinzipiellen Gegensatz zu Kafka, für den Einsamkeit, ja »besinnungslose Einsamkeit«, die unerläßliche Voraussetzung seiner dichterischen Produktivität gewesen ist. Übereinstimmung beider besteht hinwiederum in ihrem Zug zu realistischer Detailgenauigkeit der Beschreibungen und insbesondere in der Neigung, das Gestische und Mimische zur Charakterisierung der Personen einzusetzen. Gerade Hoffmann, der zeitweilig sogar den Bühnenberuf ausübte, besaß »ein scharfes Auge für das Bewegungsspiel seiner Figuren«. Als betonter Stadt- und Theatermensch, ja auch als »ein Welt- und Wirklichkeitsmensch«, dessen romantisch ausschweifendes Künstlertum »ohne diese Gegenseite nicht zu denken« ist[21], kontrastiert Hoffmann entschieden zu Kafkas Menschen- und Künstlertum. Buntschillernde Ausstattungslust, ja opernhafte Theatralik steht asketischer Nüchternheit der Darstellung gegenüber. Sogar durch die Gärten, die Hoffmann beschreibt, läßt er »ein Stück Opernwelt huschen«.[22] »Die unerschöpfliche Einbildungskraft der Barocktradition und der natürliche Witz der komischen Figur« wirkten noch ungebrochen in seiner Dichtung fort. Von solcher Üppigkeit des optischen und akustischen Darstellungsaufwandes war das Erzählen Kafkas wie durch Welten getrennt. Andererseits litten aber beide auf ähnlich schmerzende Weise an der als tief enttäuschend empfundenen Wirklichkeit. Doch die Konsequenzen, die sie als Schreibende zogen, waren radikal verschieden. Hegte Hoffmann besondere Liebe zur Gattung des Märchens (*Der goldne Topf,* 1814; *Nußknacker und Mausekönig,* 1816; *Klein Zaches,* 1819; *Die Königsbraut,* 1821; die Märchen der *Serapionsbrüder*), weil ihm dieses einen weiten Freiraum für das Spiel der Phantasie zur Verfügung stellte[23], so lehnte Kafka die Märchen gerade wegen ihres »glücklichen Ausgangs« kategorisch ab; ja er haßte sie fast und versprach sich nichts von einer Flucht in die Märchenutopie der Romantik. Dieser Gegensatz wirkt um so schroffer, weil an den »Wirklichkeitsmärchen« Hoffmanns gerade der Schluß das Märchenhafteste ist, insofern er jeweils eine Wendung zum Guten und Versöhnlichen und oft auch zum Gewöhnlichen und Banalen bringt. Indessen ist es nicht so, daß hier beim guten Ende die Poesie über den Alltag siegt und die Vereinigung der Liebenden sich als ein strahlender Triumph der Tugend präsentiert. Es ist vielmehr der nüchterne Alltag, der sich hier durchsetzt. Nicht himmelstürmender Jubel des Glücks, sondern »Bescheidung ohne Flucht in die Poesie« bestimmt das Ende dieser Geschichten.

4.

So notwendig es ist, den Abstand zu betonen, der Hoffmann von Kafka trennt, so notwendig ist es andererseits auch darauf hinzuweisen, daß Hoffmann nicht ausschließlich auf die Romantik festgelegt werden kann, daß er vielmehr – über seine Zeit hinaus – auch mit einigen Zügen bereits auf die Moderne vorauswies und durch dieses Zukünftige in seinem Dichten und Denken sich in manchem schon direkt mit Kafka berührt. Wie neuerdings Heinz Dietrich Kenter ausgeführt hat, entzog er sich nicht völlig dem »Bannkreis der Realität«, sondern war – obwohl ein Romantiker – »zugleich ein Dichter, der immer wieder darum kämpft[e], selbst die jähesten Ausbrüche seiner Phantasie in Kontakt zu halten mit der Realität . . .: ›Ich meine‹, so formulierte er, ›daß die Basis der Himmelsleiter, auf der man hinaufsteigen will in höhere Regionen, befestigt sein müsse im Leben . . .‹«. [24] Aber auch »mit seinen Gespenstern, mit seinen grotesken Phantasien, mit seiner Unruhe und Zerrissenheit [stand] Hoffmann als Dichter und als Person [schon] unmittelbar im Vorfeld der Erschütterungen, die den Anbruch des 20. Jahrhunderts signalisieren«. Kenter fügt hinzu, das Gespenstische der Hoffmann-Welt signalisiere, weit vor Strindberg . . . den Zerreißprozeß, dem sich der aus einer religiösen Gesellschaftsstruktur aufgebrochene Mensch in wachsendem Maße ausgesetzt sehe. Ja, Hoffmann sei, wie seine Novelle *Die Automate* zeige, »einer der ersten im beginnenden 19. Jahrhundert, der das bedrohlich Maschinenhafte hellsichtig als den ›erklärten Krieg gegen das geistige Prinzip‹ erkennt, der, in echter existentieller Angst, sich und seine Zeit dem Ansturm ›böser Prinzipien‹ ausgeliefert sieht und, ein Seismograph an Sensibilität, den kommenden Erdrutsch und mit ihm alle Zerreißproben wittert«. Und zweifellos habe Hoffmann auch als einer der ersten »eine Ahnung davon gehabt, daß [das] glückhaft-neue, beseligend Schweifende der Romantik zugleich ... der gefährliche Anfang ist für ein glückloses Ausschweifen ins Heimatlose und Abstrakte«. Einiges bei Hoffmann präludiert bereits die in Beckett kulminierende *Endspiel*-Dichtung.[25]

Eben dies, daß sich in dem Romantiker schon ein ganz unromantisch moderner Hoffmann ankündigt, rückt ihn in die Nähe Kafkas. Wie dieser war auch er ein Angstträumer, der um die drohende Not der Ungeborgenheit und des Ausgeliefertseins an eine feindliche Gegenwelt wußte, und »ein seltsamer Einzelgänger in einer Zeit regster geistiger Zirkel«.[26] Noch aber ist er nicht mit Kafkas vernichtender Hoffnungslosigkeit geschlagen.[27] Diese findet sich erst zwei Menschenalter später bei August Strindberg, der »als der Erbe von Hoffmanns Ängsten und Exaltationen in denselben Kämpfen steht, nur daß die Hoffmannschen Gespenster jetzt zu zwischenmenschlichen Verhaltensweisen umfiguriert sind, die erbarmungslos gegeneinander antreten.«[28] Strindbergs Verzweiflung über die heillos böse und boshafte Welt entlädt sich in dem ergreifenden Traumspiel-Ruf: »Es ist schade um den Menschen.« Bei Kafka und Beckett jedoch ist auch diese mitmenschliche Stimme verstummt. Wenn Becketts Krapp in seinen glücklichsten Augenblicken davon träumt, daß die Erde unbewohnt sein könnte, so träumt er den Wunschtraum des Waldtieres in Kafkas *Bau.* Indem das Miteinandersein keine Chance mehr hat, ist das Spiel hier definitiv zu Ende. Wer den Zerreißproben des Daseins nicht gewachsen ist, endet im Nichts.

Daß Hoffmann diese letzte Konsequenz nicht gezogen noch überhaupt an eine solche gedacht hat, spiegelt den geschichtlichen Abstand eines Jahrhunderts. So viel er auch vorausahnen mochte, seine Wurzeln gründen noch in der Welt des 18. Jahrhunderts. Die Musik Mozarts war seine Erfüllung. Obwohl Einzelgänger, bekannte er sich doch – im Gegensatz zu den Protagonisten Becketts – zur bewohnten Erde und ihren Menschen. Er zieht sich nicht in einen als Festung angelegten Bau zurück, oder versteinert wie Becketts Krapp kontaktlos in einem fensterlosen Irgendwo, sondern »öffnet das Fenster seines Zuhause ... und sieht hinunter auf den Markt (man lese seine Novelle *Des Vetters Eckfenster*) und auf das ganz alltägliche Leben, das da, wie immer, in Gemeinsamkeit abrollt, und das ihm, dem Gelähmten, Kraft gibt, als ein noch Lebender das Leben zu beobachten«. Gleichgültig, ob das Leben zu verwerfen oder zu bejahen ist, er gibt nicht auf, sondern hält aus. Diese Schicksalsergebenheit ist zugleich seine Geborgenheit, jene Geborgenheit, die Kafka und Beckett nicht mehr kennen.

5.

Daß Kafka gerade in seiner frühesten Arbeit, nämlich in der *Beschreibung eines Kampfes* (1904/05), die größte Nähe zu E. T. A. Hoffmann zeigt, dürfte kein Zufall sein. Es bezeugt die noch stärkere Beeinflußbarkeit des erst werdenden Dichters. Je reifer jedoch sein Schaffen wird, desto weiter rückt er von möglichen Vorbildern ab. Der Anfänger hingegen zeigt sich sogar im Sprachgebrauch fremden Einflüssen zugeneigt. Es begegnen Partien, welche die mit Schauerwörtern operierende Sprache Hoffmanns nachzuahmen scheinen:

> Von den Obstbäumen schlugen unreife Früchte *irrsinnig* auf den Boden. Hinter einem Berg kamen *häßliche* Wolken herauf. Die Flußwellen *knarrten* und wichen vor dem Wind zurück.

> Aus den Gebüschen traten *gewaltig* vier nackte Männer, die auf ihren Schultern eine hölzerne Tragbahre hielten. Auf dieser Tragbahre saß in *orientalischer Haltung* ein *ungeheuerlich* dicker Mann. *(Beschreibung eines Kampfes)*
> (Hervorhebungen vom Vf.)

Diese Beschreibung könnte wörtlich so bei Hoffmann stehen. Der Aufwand an emotionalem Vokabular ist für diesen bezeichnend, kontrastiert aber zu der für Kafka charakteristischen stilistischen Sparsamkeit und Präzision. Und noch ein weiteres erinnert an Hoffmann, die Tatsache nämlich, daß hier – im Gegensatz zu anderen Erzählungen Kafkas – die Bereiche des Wirklichen und Überwirklichen geschieden sind. Dem entspricht die Entfaltung einer sich selbst genügenden Phantastik Hoffmannscher Manier.[29] So heißt es in der *Beschreibung eines Kampfes*:

> . . . war ich mit einem Menschen beisammen, wie Du ihn ganz bestimmt noch nie gesehen hast. Er sieht aus . . . wie eine Stange in baumelnder Bewegung sieht er aus, mit einem schwarzbehaarten Schädel oben. Sein Körper ist mit vielen kleinen mattgelben Stoffstückchen behängt, die ihn vollständig bedeckten, denn bei der gestrigen Windstille lagen sie glatt an.

> Da er mir nicht mehr nützlich sein konnte, ließ ich ihn nicht ungern auf den Steinen und pfiff mir einige Geier aus der Höhe herab, die sich gehorsam mit ernstem Schnabel auf ihn setzten, um ihn zu bewachen.

Ja, die Schilderung schweift so ungehemmt ins Grotesk-Überwirkliche aus, wie dies in den reifen Werken Kafkas unvorstellbar wäre:

> Eine kleine Mücke flog durch seinen Bauch, ohne daß ihre Schnelligkeit vermindert wurde.

> . . . wie sehen Sie doch aus! Sie sind Ihrer ganzen Länge nach aus Seidenpapier herausgeschnitten, aus gelbem Seidenpapier, so silhouettenartig, und wenn Sie gehen, so muß man Sie knittern hören. Daher ist es auch unrecht, sich über Ihre Haltung oder Meinung zu ereifern, denn Sie müssen sich nach dem Luftzug biegen, der gerade im Zimmer ist.

Noch grotesker und Hoffmanns Phantastik geradezu überbietend ist folgende Stelle aus Kafkas Frühwerk:

meine Arme waren so groß, wie die Wolken eines Landregens, nur waren sie hastiger. Ich weiß nicht, warum sie meinen armen Kopf zerdrücken wollten. Der war doch so klein wie ein Ameisenei, nur war er ein wenig beschädigt, daher nicht mehr vollkommen rund . . . doch meine unmöglichen Beine lagen über den bewaldeten Bergen und beschatteten die dörflichen Täler. Sie wuchsen, sie wuchsen! Schon ragten sie in den Raum, der keine Landschaft mehr besaß, längst schon reichte ihre Länge aus der Sehschärfe meiner Augen. Aber nein, das ist es nicht – ich bin doch klein, vorläufig klein –, ich rolle – ich rolle – ich bin eine Lawine im Gebirge! Bitte, vorübergehende Leute, seid so gut, sagt mir, wie groß ich bin, messet nur diese Arme, diese Beine.

Indessen geht es bei dieser Absurdität nicht nur (ja überhaupt nicht) darum, daß sie über Hoffmanns Phantastik noch hinausgeht, sondern darum, daß Kafka hier bereits einen anderen Weg einschlägt, der aus der typisch Hoffmannschen Welt hinausführt. Das Überbieten ist recht eigentlich ein Zu-sich-selber-Kommen des Dichters. Die Kunstmittel überwirklicher Darstellung, die er einsetzt, dienen seiner Selbstfindung, nicht der Vergegenwärtigung einer abseitigen Phantasiewelt. Sie schweifen nicht aus, sondern loten die eigene innere Wirklichkeit, die Möglichkeiten seines »traumhaften inneren Lebens« aus.

Auch in seiner frühesten Erzählung ist also bereits erkennbar, wohin der Weg des Dichters gehen wird. Das Eigene wird sich durchsetzen und alles Aufgenommene in seinen Dienst stellen. So wundert es nicht, daß schon in der *Beschreibung eines Kampfes* das Motiv einer späteren Erzählung begegnet. Die Figur des fanatischen Beters in dieser Geschichte weist auf den Hungerkünstler voraus:

In der Kirche waren nur einige alte Weiber, die hie und da ihr eingewickeltes Köpfchen mit seitlicher Neigung drehten, um nach dem Betenden hinzusehen. Diese Aufmerksamkeit schien ihn glücklich zu machen, denn vor jedem seiner frommen Ausbrüche ließ er seine Augen umgehen, ob die zuschauenden Leute zahlreich wären.

Ach, mir macht es . . . Spaß, von den Leuten angeschaut zu werden, sozusagen von Zeit zu Zeit einen Schatten auf den Altar zu werfen.

Nicht Spaß, Bedürfnis ist es für mich. Bedürfnis von diesen Blicken mich für eine kleine Stunde festhämmern zu lassen . . .

Was für die Beziehungen Kafkas zu E. T. A. Hoffmann gilt, gilt für Kafkas literarische Beziehung insgesamt. Die Fülle des Gemeinsamen oder Übernommenen ist unverkennbar, hebt aber die Originalität des Dichters nicht auf. Doch sind im Blick auf Hoffmann die Ähnlichkeiten (und z. T. sogar die motivlichen Übereinstimmungen) besonders auffällig. Grotesk-spielerische Prosastücke wie *Der neue Advokat* oder »die grotesk-metaphorische Verbindung des . . . Gottes [Poseidon] mit einem modernen Verwaltungschef« erinnern an Hoffmanns Skurrilität.[30] Das erstaunlichste Beispiel solcher Übereinstimmung jedoch begegnet in *Ein Bericht für eine Akademie,* auf das Kassel hingewiesen hat: »Der groteske Vorgang, wie in Kafkas Erzählung ein Affe zu einem Pseudomenschen mit der ›Durchschnittsbildung‹ eines Europäers wird, ist ähnlich bereits von E. T. A. Hoffmann zum dichterischen Gegenstand gemacht worden.« Die sogenannte *Nachricht von einem gebildeten jungen Mann* enthält ein *Schreiben Milos, eines gebildeten Affen, an seine Freundin Pipi, in Nordamerika,* das in ganz analoger Weise zu Kafkas *Bericht* stilisiert ist. »Dieses *Schreiben* Hoffmanns weist außerdem große inhaltliche Ähnlichkeiten mit dem Affenbericht Kafkas auf ... man [könnte] daher das *Schreiben Milos* fast als literarische Vorlage für Kafkas *Affenbericht* ansehen ... [denn es] ist ebenfalls ein Bericht über den Werdegang eines Affen zum gebildeten Künstler.«

6.

Trotz vieler weitgehender Entsprechungen, die sich zwischen Hoffmann und Kafka aufzeigen lassen, überwiegen letzthin doch die Unterschiede. Mögen sich auch die Phantasiegebilde Hoffmanns und die Visionen Kafkas mitunter täuschend ähnlich sein, so gehören sie doch verschiedenen Welten an und meinen auch anderes. Kafkas »traumhaftes inneres Leben« läßt die Wirklichkeit des menschlichen Daseins bis auf den Grund durchsichtig werden, so daß ihr verborgenes Anderssein schockierend vor Augen tritt. Ihm geht es nicht um Außerwirkliches, sondern um Grundbefindliches, nicht um Entrücken und Verzaubern, sondern um Konfrontieren und Sichtbarmachen. Hoffmann hingegen stellt der wirklichen Welt eine Welt rein von Dichters Gnaden gegenüber. Er gestaltet eine neue außerwirkliche Dimension hinzu und läßt das Geschehen auf verschiedenen Ebenen spielen. Die Trennung des Realen und Irrealen ist Kunstprinzip. Dem Spiel der Phantasie sind darum keine Grenzen gesetzt. Es herrscht grundsätzliche Freiheit der Erfindung. Das heißt: im fiktiven phantastischen Raum hat die empirische Wirklichkeit keine Funktion, weder als Korrektiv, noch gar als Kompaß. Und dieser Spielraum der Freiheit wird ungehemmt ausgenützt. Hoffmanns *Elixiere des Teufels* demonstrieren beispielhaft das »Genug-ist-nicht-genug« phantasiebeschwingter Erfindungslust. All das kontrastiert zu Kafkas ökonomischer Präzision und Folgerichtigkeit in der erzählerischen Darbietung.

Da aber dennoch beide Dichter auffällige Parallelen aufweisen und auch ähnliche Wirkungen auslösen, könnte man versucht sein, die gekennzeichneten Unterschiede zu negieren und zu unterstellen, daß die Phantasiegebilde Hoffmanns und die Bildeingebungen von Kafkas »traumhaftem inneren Leben« letztlich dasselbe sind. Doch ihre Sprache ist verräterisch und schließt jeden Gedanken an Gleichsetzung aus. Der Gegensatz von freiwuchernder Phantasie und linearer Zielstrebigkeit der Handlungsführung, der die Epik der beiden Dichter unterscheidet, manifestiert sich zugleich als Gegensatz von stilistischem Prassen und sprachlicher Askese.

Auch in ihrem emotionalen Verhältnis zum Schreiben, in dem Stellenwert, den sie ihm in ihrem Leben einräumten, bekundet sich ein charakteristischer Unterschied. Den hochgespannten, kompromißlosen schriftstellerischen Ehrgeiz Kafkas hat Hoffmann nicht geteilt. Vielmehr hat er aus Geldnot, ja auch des leichten Verdienstes halber manches geschrieben, was dem unzulänglichen Geschmack vieler Leser entgegenkam, aber dem ästhetischen Anspruch des eigenen Talents nicht genügen konnte. »Damit durchsetzte sich Hoffmanns erzählerisches Werk mehr und mehr mit schriftstellerischen Produkten zweiten Ranges, die manchmal bis ins Außerkünstlerische hinabreichen, Zweck- und Tagesarbeiten, die den eigentlichen Aufgaben oft im Wege standen. Gerade sie aber haben durch ihren Erfolg [beim großen Publikum] das Bild Hoffmanns verzerrt und ihn zum Teufels- oder Gespenster-Hoffmann werden lassen.«[31] Tatsächlich hat er mit seinen populären Unterhaltungsnovellen ein beträchtliches Einkommen erworben. Im Gegensatz dazu war Kafka geradezu überkritisch im Blick auf seine literarische Tätigkeit und hätte niemals Zugeständnisse an das Niveau inkompetenter Leserschichten gemacht. Vollends für Gespensterspuk war in seinem Werk kein Raum. So sind denn auch Kafkas Romane und Novellen keine »Nachtstücke« in Hoffmannscher Manier, sondern sorgfältig komponierte und stilisierte Darstellungen von »gewöhnlichen« Begebenheiten alltäglicher Menschen.

Hinzu kommt folgender vielsagender Unterschied: Während bei Hoffmann der Träumer aus dem Schlaf aufschreckt und sich vor den Traumgespenstern der Nacht in den Tag hineinrettet[32], verläuft bei Kafka der Vorgang genau in entgegengesetzter Richtung, insofern hier der Protagonist zu der grotesken Skurrilität der Tageswirklichkeit *erwacht*. Hier bringt das Erwachen also nicht die Befreiung von einer alpdruckhaften Bedrohung, hier bedeutet es im Gegenteil den Eintritt in die Katastrophe.[33] Der Hauptunterschied zwischen beiden liegt jedoch darin, daß in Hoffmanns Erzählungen häufig der Teufel selbst den phantastischen Spuk inszeniert[34] und dadurch das Groteske eine einleuchtende Erklärung, zugleich aber auch eine Abschwächung erfährt; denn wo der Teufel seine Hand im Spiel hat, können die Dinge ja gar nicht anders als grotesk und schief laufen. Bei Kafka hingegen gibt es keine Erklärung, die das Absurde des Geschehens entschärfen oder ernüchtern könnte, keine »klare Deutung und Gliederung des ›geheimen Geisterreiches‹« wie bei Hoffmann, hier erfolgt harte Konfrontation mit der Akausalität der Welt. Andererseits ist aber auch zu beachten, wie sehr Hoffmann »die unheimliche Verfremdung der Welt darzustellen liebt und darzustellen vermag« und daß es ihm »viel zu sehr im Sinn [liegt], als daß er [das bestürzend Groteske] nicht auch an Stellen einsetzte, die außerhalb der Teufelssphäre stehen und von ihr, wenn wir zurückblicken, nicht aufgehellt werden«.[35] Auch Hoffmann konfrontiert uns also bereits mit Unerklärtem und Unerklärbarem. Anders verhält es sich dagegen mit seinen in der Manier Callots »aus Tier und Mensch geschaffenen grotesken Gestalten«, die mit den Tiermetaphern Kafkas nichts gemein haben. Bei den Tiergestalten Kafkas hat kein Callot, kein Hieronymus Bosch, kein »Höllenbrueghel« Pate gestanden. Seiner Tiermetaphorik liegt keine Höllenmythologie aus dem Repertoire dieser Maler des Grauens zugrunde.

7.

Indessen hat Kayser mit Recht betont, daß wir bei Hoffmanns Darstellungen des erschreckend Grotesken drei Entwicklungsstufen zu unterscheiden haben[36] und daß auf der dritten Stufe »dämonische« Gestalten von groteskem Äußeren und groteskem Benehmen begegnen, die nicht mehr als Erscheinungsformen des Teufels fungieren, sondern sich jedem Deutungsversuch versagen, die mithin »unerklärlich bleiben müssen«, wie Hoffmann selber eine seiner Figuren sagen läßt. Auf dieser letzten Stufe ist also wieder eine Nähe zwischen Kafka und Hoffmann erkennbar. Denn hier bewirkt das Groteske eine ähnliche Verunsicherung des Lesers, wie sie in Kafkas Erzählungen erfolgt. Der Leser durchschaut nicht mehr, wie es um die Wirklichkeit bestellt ist, und steht bestürzt vor dem schlechthin Grotesken, ja Akausalen. Doch nicht nur im Inhalt, sondern gerade auch in den Darstellungsformen ist hier ein Kafkascher Zug vorweggenommen. Das heißt: Der Erzähler

rückt ganz nah an das Geschehen heran, er verschmilzt gelegentlich mit den auftretenden Personen und spricht aus deren Perspektive, oder er wird zum ergriffenen Augenzeugen, der ganz im Bann des ablaufenden Geschehens steht: ein Beispiel jener neuen Erzählhaltung, deren Ausprägung eine der großen und weithin wirkenden Leistungen *Hoffmanns* darstellt.[37]

Von hier ist in der Tat nur noch ein Schritt zur einsinnigen Erzählperspektive, welche die Epik Kafkas weithin bestimmt und die mit dem Erzähler auch den Leser im Protagonisten aufgehen läßt. Der reife Hoffmann ergreift uns also ähnlich erregend und unmittelbar wie Kafka, so daß wir uns mit seinen Gestalten identifizieren und ihr Geschick »als eine Möglichkeit unseres Daseins« empfinden können. Bestehen bleibt jedoch der markante Unterschied, daß bei Hoffmann ein Mensch besonderen Ranges, eine Künstlerpersönlichkeit der Held seiner Werke ist[38], während in Kafkas Erzählungen ein Antiheld des Alltags im Mittelpunkt steht.

Wenn in den Dichtungen Hoffmanns und Kafkas mitten im Gewohnten und Gewöhnlichen plötzlich etwas schlechthin Ungewöhnliches eintritt, »entsteht die Groteske einer Welt ohne Gleichgewicht«, und man begreift, daß die Protagonisten mit ihrer absurd gewordenen Welt nicht mehr zurecht kommen. Geht es hier doch um unkorrigierbare Störungen der Existenz, durch die sie entmachtet und schließlich zur Kapitulation gezwungen werden. Daß, wie Hillmann im Blick auf Kafka festgestellt hat, der Einbruch des verstörend Grotesken »meist ganz abrupt« erfolgt und »den Helden wie den Leser gleich unvorbereitet« trifft[39], gilt auch für die Erzählungen Hoffmanns. Worum es jeweils geht, ist »der Kontrast zwischen der Normallage und dem Ungeheuerlichen« und der jähe »Umschlag von dem einen ins andere«. Was in perfekter Ordnung zu sein schien, erweist sich plötzlich als Trug. Die Menschen Kafkas werden dadurch so völlig aus der Bahn geworfen, daß keine Rückkehr in die gewohnte, nach den eigenen Bedürfnissen zurechtgemachte Ordnungswelt mehr möglich ist. Sie sind in ein Labyrinth geraten, aus dem kein Weg mehr herausführt, in das sie sich vielmehr immer tiefer hinein verirren. Indessen formte Kafka seine Erzählungen nach zwei verschiedenen Modellen. Die einen – wie z. B. *Die Verwandlung* und *Der Prozeß* – setzen unmittelbar mit dem kritischen Augenblick ein, bzw. die absurde Wendung liegt als ein *fait accompli* bereits voraus. So ist Josef K. schon beim Beginn des Romans in seinen Prozeß verwickelt, und auch die Verwandlung Gregor Samsas ist schon vor dem Anfang der Geschichte vollzogen. Aber Erzählungen wie *Das Urteil, Ein Landarzt* und *Blumfeld, ein älterer Junggeselle* beginnen relativ harmlos mit einem alltäglich anmutenden Geschehen, das aber dann unversehens in eine Katastrophe ausläuft. Als ein Beispiel solcher grotesken Absurdität sei Kafkas *Blumfeld* kurz erläutert.

Die Geschichte erinnert an Gogols Geschichte von der Nase, die plötzlich in einem Laib Brot gefunden wird und sich von ihrem darüber in Panik geratenden Finder nicht mehr trennen will. Sie erinnert aber auch an ähnlich groteske Begebenheiten im Werk Hoffmanns, dessen literarischer Einfluß auf Gogol unbestritten ist. Der »einsame, ernste und kaltherzige« Blumfeld, der sein gesamtes Leben aufs zweckmäßigste durchrationalisiert hat, sieht sich plötzlich dem »teuflischen Witz« absurder Mächte gegenübergestellt. Völlig widersinnige und unberechenbare Störungen durchbrechen seine gewohnte Ordnung. In Gestalt zweier kleiner Zelluloidbälle bricht die Störung in sein wohlbehütetes Junggesellendasein ein: ». . . zwei kleine, weiße, blaugestreifte Zelluloidbälle springen auf dem Parkett nebeneinander auf und ab, . . . unermüdlich führen sie ihr Spiel aus« und äffen ihn. Als etwas in seine Lebenswelt nicht Einfügbares kann der egozentrische Junggeselle dieses unsinnige Spiel nicht begreifen noch gar dulden. Da er nur Dinge brauchen kann, die ihm nicht lästig werden, nicht aber solche, die sich selbständig machen und einem eigenen Gesetz folgen, versucht er diese ihm fremde Spielwelt in sein Dasein einzuordnen oder aber unschädlich zu machen. Weder das eine noch das andere gelingt. Die immerfort hüpfenden Bälle lassen sich nicht stoppen. Glaubt er sie von einer Stelle des Zimmers glücklich verdrängt zu haben, tauchen sie an einer anderen Ecke wieder auf und setzen ihr boshaftes Spiel fort. Was immer er auch unternimmt, er kann dieser Plage nicht entkommen. Er scheitert an der destruktiven Macht solcher Lappalien, an der Tücke widriger Zufälle. Der Unfug der unaufhörlich hüpfenden Bälle konfrontiert ihn mit der Unzuverlässigkeit aller Sicherheiten und Ordnungen, mit der Aussichtslosigkeit des Daseins überhaupt. Wie alle Gestalten Kafkas muß auch Blumfeld zu der fatalen Einsicht *erwachen*, daß er sich nicht im Gleichschritt mit dem Gang der Welt befindet, daß er ihr nicht integriert, sondern heillos isoliert und an sich selbst verloren ist. Im unerwarteten Zusammenstoß mit dem nicht akzeptablen Anderssein der Welt wird er sich der Bodenlosigkeit der Existenz bewußt. Eine nur kleine unvorhergesehene Störung der etablierten Ordnung genügte, um den planvoll errichteten Bau seines Lebens wie ein Kartenhaus zusammenstürzen zu lassen.

Ähnlich bestürzende Irritationen, welche die Menschen unversehens mit der boshaft anmutenden Absurdität der Welt konfrontieren, begegnen auch in Hoffmanns Dichtungen in großer Zahl. Doch nicht alle loten mit Kafkascher Schwere in existentielle Tiefen hinab. Manches bleibt verspielte Zutat, phantastischer Einfall oder auch nur sensationeller Effekt. Da sie aber den erwarteten üblichen Gang der Dinge jeweils rigoros unterbrechen, stoßen sie die Betroffenen zum Nachdenken an, schrecken sie sie – zumindest für einen Augenblick – aus ihrer satten Sicherheit auf und lassen sie etwas erahnen von der nicht erkannten (oder verdrängten) Bedrohtheit ihres Lebens und der Gebrechlichkeit menschlicher Existenz überhaupt. In ihrer Studie über Hoffmanns »Wirklichkeitsmärchen« hat Marianne Thalmann einige solcher scheinbar zufälligen absurden Widrigkeiten aufgeführt:

> Aus der sonntäglichen Heiterkeit der Dresdner Vorstadt hebt sich die ärgerliche Maske des alten Apfelweibs. Auf das feenhafte Kleid für den Karneval kommt im letzten Moment noch ein Blutfleck. Ännchen findet im Mohrrübenbeet einen Topasring, der ihr in Eile an den Finger hüpft und unheimlich fest sitzt. Peregrinus ist beeinträchtigt durch eine leere Schachtel unter dem Christbaum. Die feinen städtischen Spielsachen zerbrechen den Brakelkindern boshaft unter der Hand. Inmitten harmloser Bürger bleibt der Held stehen, stolpert, hört und sieht, was für sie nicht sehenswert ist oder sich unter einem geläufigen Namen verbirgt.[40]

Daß nicht alles so ist, wie es uns scheint und wie wir planen, daß wir letzthin im Dunkeln tappen und »von unbekannten Gewalten am Draht gezogen« (Büchner) werden, etwas von dieser kafkahaften Angst vor unerkennbaren allseitigen Gefahren flößen diese verstörenden grotesken Vorgänge ein. Sie machen den Mangel an Geborgenheit bewußt und lassen die unentrinnbare Feindlichkeit der Welt erkennen, die keine Stellung außerhalb erlaubt, der wir vielmehr auf Gedeih und Verderb ausgeliefert sind. Infolgedessen sind auch die schockierenden Irritationen, welche die Gestalten Hoffmanns erleiden, nicht lediglich Spuk und Einbildung, sondern Symptome ihrer Unbehaustheit, Erscheinungsformen einer fehlgelaufenen menschheitlichen Entwicklung. Marianne

Thalmann sieht diese existentielle Problematik Hoffmanns historisch konkret als einen makabren Zustand der »Desintegration, die in dem Wesen dieser Gesellschaftssphäre begründet liegt«. Sie fügt hinzu: »Die Gesellschaft *ist,* und sie ist [als das Vorgegebene und Gültige] beglaubigt.« Der Held hingegen wie sein Dichter »ist im Werden«. Das aber heißt: er muß seine Zugehörigkeit erst noch erweisen und erwerben. Über ihm hängt wie ein Damoklesschwert die bedrohliche Frage: »Wird er eingebürgert oder ausgebürgert werden?« An eben dieser Schicksalsfrage scheitern Kafka und seine Protagonisten. Ihnen allen mißlingt die Integration. Aber auch am Scheitern Kafkas sind historisch konkrete Ursachen mitbeteiligt. In deutscher Sprache und Literatur verwurzelt, lebte und schrieb Kafka innerhalb der zu neunzig Prozent tschechischen Sprachwelt Prags. Innerhalb dieser deutschsprachigen Minderheit gehörte er als Jude zu der noch kleineren jüdischen Minorität. Aber als emanzipierter Jude war er auch innerhalb der jüdischen Gemeinschaft ein heimatloser Vereinzelter, wie er selber wiederholt ausgesprochen hat. Sogar innerhalb der eigenen Familie stand Kafka allein, da ihn hier ein übermächtiger Vaterkomplex niederdrückte. Sein *Brief an den Vater,* den er noch im reifen Mannesalter von 36 Jahren schrieb, ist ein erschütterndes Dokument dieser heillosen Ungeborgenheit. Nicht zuletzt hat auch die in ihm nistende Krankheit seine Vereinzelung mitbedingt. Hoffmann, der in den Strudel des Theater- und Gesellschaftslebens sich stürzende »Welt- und Wirklichkeitsmensch«, und Kafka, der ins konsequente Alleinsein begehrende Asket, sie beide litten letztlich an derselben Not der Isolation, so verschieden auch, von außen gesehen, ihr Leben ablief. Und sie haben dieser Not ergreifenden Ausdruck gegeben. Mit Recht nannte Heine die Werke Hoffmanns »einen entsetzlichen Angstschrei in 20 Bänden«. Auch für Kafka gilt, daß in allen seinen Werken ein entsetzlicher Angstschrei durchklingt.

Abschließend sei noch einmal ein zugleich Verbindendes und Trennendes im Werk der beiden Dichter hervorgehoben. Kafka handelt nicht von exzentrischen Künstlern, die durch ihr Künstlertum in Konflikt mit der Welt geraten. Er hat keine »dämonischen« Menschen geschaffen wie Hoffmann, keine Meistergestalten wie den Goldschmied Cardillac in *Das Fräulein von Scuderi.* Die Tragik der großen Einsamen war nicht sein Thema. Ihm ging es um die unaufhebbare Einsamkeit *jedes* Menschen, um die Verlorenheit der Kreatur im Labyrinth der Welt, um jenes letzte Alleinsein also, dem – bewußt oder unbewußt – der Größte wie der Kleinste verfallen ist. In Hoffmanns Werk hingegen sind es die »späten und gereiften Meistergestalten [ja: »Beethovengestalten«], in denen sich das Letzte zusammenrafft, was er zu geben hat«.[41] Dabei geht es in diesen aber nicht mehr um Märchenhaftes oder Phantastisch-Überwirkliches, sondern um die intensivsten Formen der *Vermenschlichung,* die Hoffmann gelungen sind, so daß gerade hier eine besondere Nähe zu Kafka spürbar ist. In der Zeichnung seiner Meistergestalten reicht Hoffmanns Kunst »in eine Sphäre des Menschlichsten, über die man das Wort setzen darf: Ecce homo. Das ist die höchste Heiligung für jene, die aus dem Dunkel ins Helle streben und die eine tiefe Not auch wieder aus dem Hellen ins Ungewisse zurücktreibt«. Nichts könnte das Menschen- und Künstlertum Kafkas treffender kennzeichnen als die Charakterisierung der reifen Kunst Hoffmanns durch Marianne Thalmann.

Kierkegaard

1.

Daß eine Affinität Kafkas zu Kierkegaard bestand, ist unbestritten[1] und auch von Kafka selbst wiederholt ausgesprochen worden. Seine erste einschlägige Äußerung – ein Tagebucheintrag vom 21. August 1913 – betrifft die Lektüre einer Auswahl der unter dem Titel *Buch des Richters* veröffentlichten Tagebücher Kierkegaards:

> Ich habe heute Kierkegaards *Buch des Richters* bekommen. Wie ich es ahnte, ist sein Fall trotz wesentlicher Unterschiede dem meinen sehr ähnlich, zumindest liegt er auf der gleichen Seite der Welt. Er bestätigt mich wie ein Freund.

Kafka lernte Kierkegaard also erst relativ spät kennen, zu einer Zeit, als er mit den Erzählungen *Das Urteil* und *Die Verwandlung* seinen eigenen Weg als Schriftsteller bereits beschritten hatte. Was ihn mit Kierkegaard verbindet, nämlich die »teleologische Suspension des Ethischen«[2], die er in jenen Erzählungen thematisiert hatte, war somit als etwas Gemeinsames in ihm *vorgegeben*. Infolgedessen war er Kierkegaard nicht in direkter Nachfolge verpflichtet. Die Vorläufer des modernen Krisenbewußtseins von der Art Kierkegaards, Nietzsches oder Strindbergs bedingten ihn nicht, sie »bestätigten« ihn. Indessen spricht Kafka nicht nur von der Ähnlichkeit seines »Falles«, sondern auch von »wesentlichen Unterschieden«. Und der Fall, den er als »sehr ähnlich« bezeichnet, meint etwas konkret Biographisches, nämlich das krisenreiche Verlobungsdesaster, das er und Kierkegaard erlitten haben.[3]

Eingehende Auseinandersetzung mit Kierkegaard erfolgte jedoch erst seit 1917/18. Ende Oktober 1917 schrieb Kafka an seinen Freund Oskar Baum: »Kierkegaard ist ein Stern, aber über einer mir fast unzugänglichen Gegend . . .«

Auch in dieser Äußerung kommt gleichzeitig Verbindendes und Trennendes zum Ausdruck, neben hoher Bewunderung (»Stern«) zunehmende Distanzierung, die eine volle Identifizierung ausschließt. Im Januar 1918 las er Kierkegaards *Entweder – Oder* und Schriften Martin Bubers, die seine religionsphilosophischen Studien stimulierten. Doch in einem Brief an Max Brod vom Ende Januar nannte er sie: »abscheuliche, widerwärtige Bücher, alle drei zusammen«, die »mit allerspitzigster Feder geschrieben . . . [und] zum Verzweifeln« seien. (Br 201) Die Auseinandersetzung mit Kierkegaard wird hier bereits zur Kritik, zu einem Sichwehren gegen die missionarisch fordernde Macht seines Beispiels.[4] Andererseits aber ist diese Kierkegaard-Revision zugleich »verborgene Kierkegaard-Rezeption«.[5] Anfang März 1918 schrieb er an Brod:

In Kierkegaard habe ich mich möglicherweise verirrt ... Das Problem seiner Eheverwirklichung ist seine Hauptsache, ... ich sah das in *Entweder – Oder,* in *Furcht und Zittern,* in *Wiederholung* ... Die körperliche Ähnlichkeit mit ihm, wie sie mir ... in jenem kleinen Buch *Kierkegaards Verhältnis zu ihr* erschien, ist jetzt ganz verschwunden, aus dem Zimmernachbarn ist irgendein Stern geworden, sowohl was meine Bewunderung, als eine gewisse Kälte des Mitgefühls betrifft ... Aber nur negativ kann man ihn gewiß [nicht] nennen, in *Furcht und Zittern* z. B. geht seine Positivität ins Ungeheuerliche ... wenn es nicht eben ein Einwand ... gegen die Positivität wäre, daß sie sich zu hoch versteigt; den gewöhnlichen Menschen sieht er nicht und malt den ungeheuren Abraham in die Wolken. (Br 235 f.)

Diese kritische Auseinandersetzung mit Kierkegaard ist zum Teil auch Selbstauseinandersetzung. Das heißt: Kafka will in ähnlicher Weise von Kierkegaard loskommen, wie er von sich selber loskommen will. Aber er kann weder das eine noch das andere. Er wünscht den »Zimmernachbarn« in die Ferne und kann sich doch dessen bedrängender Nähe nicht erwehren, weil genuin Gemeinsames ihn mit ihm verbindet. Daß sich Kafka auch in dieser Äußerung speziell auf Kierkegaards Auseinandersetzungen mit dem Heiratsproblem bezieht, kann insofern nicht verwundern, als der betreffende Brief 1918, dem Jahr nach Kafkas zweiter Verlobung mit Felice (und kurz nachfolgender zweiter Entlobung) geschrieben wurde, in einer Zeit also, in der sich gezeigt hatte, daß für Kafka – ähnlich wie für Kierkegaard – die Geschlechterbeziehung ein unlösbares Problem darstellte. Hier bestand fatale Wesensverwandtschaft. Andererseits ist aber auch spürbar, daß Kafka das Elitäre, den »Hochmut« Kierkegaards nicht teilte und insbesondere auch nicht dessen »zu hoch« verstiegene Positivität. Hatte er doch »den gewöhnlichen Menschen«, den hilflos verlorenen Jedermann, nicht »den ungeheuren Abraham« im Blick. Wohl wünschte er sich Kierkegaards rettenden Sprung in den absoluten Glauben, konnte ihn aber nicht vollziehen, weil er zweifelnder Verzweiflung ausgeliefert blieb.

Kurz danach, Ende März 1918, hat Kafka in einem Brief an Max Brod (Br 237) noch einmal und am ausführlichsten zu Kierkegaard Stellung genommen. Auch hier bringt er seine Bewunderung für den intellektuellen Dialektiker zum Ausdruck. Der »Macht seiner Terminologie, seiner Begriffsentdeckungen« und der »Durchreflektiertheit« seiner Gedankengänge könne man sich nicht entziehen. Ja, von Kierkegaards Begriff der »Bewegung« könne »man geradewegs ins Glück des Erkennens getragen werden und noch einen Flügelschlag weiter«. Das komme daher, »daß von Kierkegaard so viel Licht ausgeht, daß in alle Tiefen etwas davon kommt«. Doch ist diese Faszination zugleich mit Skepsis und Unbehagen gemischt. Kierkegaards Bücher seien »kompromittierende Bücher ... pseudonym bis an den Kern, ... trotz ihrer Geständnisfülle ... verwirrende Briefe des Verführers, geschrieben hinter Wolken«. Auch seien sie nicht eindeutig, und selbst wenn sich Kierkegaard später zu einer Art Eindeutigkeit entwickelt habe, sei »diese nur ein Teil seines *Chaos von Geist, Trauer und Glauben*«. Kafka spricht sogar von der »*Geschmacklosigkeit* der fast alljährlichen [kompromittierenden] Veröffentlichungen« Kierkegaards, die dessen frühere Braut zu ertragen hatte. Die wichtigste Äußerung Kafkas in diesem Brief bezieht sich auf Kierkegaards »religiöse Lage«, die sich ihm »nicht in der außerordentlichen, auch für [ihn] sehr verführerischen Klarheit zeige« wie seinem Freund Brod. Und im Vierten Oktavheft schrieb er, Kierkegaard habe für ihn »zu viel Geist« und »fährt mit seinem Geist wie auf einem Zauberwagen über die Erde, auch dort, wo keine Wege sind«. Kierkegaard war und blieb also für Kafka »ein Stern . . . über einer [ihm] fast unzugänglichen Gegend«.

Ein »wesentlicher Unterschied« zwischen beiden liegt darin, daß Glauben und Hoffen in Kafka nicht so fest gegründet waren wie in Kierkegaard. Während dieser im Abtöten aller irdischen Hoffnung eine Chance der Rettung durch die *wahre Hoffnung* sah, ist Kafka immer wieder resignierend in Hoffnungslosigkeit abgesunken, wie das auch aus Kafkas kritischem Selbstvergleich mit Kierkegaard und Flaubert erhellt, die – im Gegensatz zu ihm – genau gewußt hätten, wie es mit ihnen stand, da sie »den geraden Willen« hatten: »das war nicht Berechnung, sondern Tat.« Bei ihm hingegen sei es »eine ewige Folge von Berechnungen, ein ungeheuerlicher Wellengang von . . . Jahren«. Hellsichtig erkannte Kafka, daß es ihm an jener Entschiedenheit und ideologischen Sicherheit mangelte, die Kierkegaard besaß, daß er also im Gegensatz zu diesem nirgendwo festen Boden unter den Füßen hatte.

In diese Zeit der Auseinandersetzung mit Kierkegaard (auch mit Maimonides, Pascal, Tolstoj und dem Theologen Ernst Troeltsch) fallen auch die 109 *Aphorismen* Kafkas, die Max Brod unter dem Titel *Betrachtungen über Sünde, Leid, Hoffnung und den wahren Weg* herausgegeben hat und in denen »die Lektüre Pascals und Kierkegaards intensiv nachwirkt«. »Neben den Tagebüchern und anderen Passagen aus dem Nachlaß [können sie] als Dokument für Kafkas *theologia occulta* gelten«, die einerseits »die große Tradition jüdischer Mystik« fortsetzt, andererseits »aber auch ihren ›negativen Umschlag‹« markiert.[6] Es ist erstaunlich, wie weit sich hier »Kafkas häretisches Denken in Richtung auf den Atheismus« vorwagt, dann aber abbricht aus Furcht und Ehrfurcht zugleich.

2.

Unübersehbar sind die Parallelen in der Lebensgeschichte beider Autoren. Wenn sich Kierkegaard und Kafka aus individuellen Gründen außerstande sahen zu heiraten, sondern die eingegangenen Verlöbnisse jeweils wieder auflösten, so stand das paradoxerweise in striktem Gegensatz zu ihren moralischen Überzeugungen. So rühmte Kafka Ehe und Vaterschaft als höchste Formen der Lebenserfüllung. Es ist ein tragisches Paradox, daß für den unerlösbaren Junggesellen Kafka die Ehe »der Repräsentant des Lebens« (HL 118), ein Wunschtraum, ja ein »kategorischer Imperativ« (Politzer) gewesen ist. Und der von Kierkegaard erdichtete *Ehemann* erklärte: »Wer sich mit der Geliebten verheiratet, tut ein gutes Werk und führt gut hinaus, was er angefangen hat.« Das war gewiß nicht der einzige Punkt, wo er dem eigenen sittlichen Anspruch selbst nicht genügte, »aber es war die Wunde, die zeit seines Lebens nicht heilen konnte und durch die er bei dem Bewußtsein seiner Aberration vom Normalen als Problem und Aufgabe seines Lebens unerbittlich festgehalten wurde«.[7]

Gleiches oder Ähnliches galt für Kafka, wie dessen wiederholte und wiederholt scheiternde Bemühungen um eine Lebensgemeinschaft zeigen. Ebenso haben beide ihre Verlöbniskatastrophen literarisch festgehalten und dadurch in gesteigerter Form durchgestanden: Kierkegaard in dem Kapitel »Schuldig? Nicht schuldig? Eine Leidensgeschichte« in dem 1845 erschienenen Buch »Stadien auf dem Weg des Lebens« und Kafka in seinen Tagebüchern und Briefen an Felice. Infolgedessen standen ihre Geschlechtsbeziehungen im Zeichen unbewältigter Ambivalenz. Übereinstimmend spielte dabei die Angst im Blick auf die Sexualität die entscheidende Rolle. In der Tat ist »Angst . . . bei Kierkegaard und Kafka eine Grundvokabel, welche zunächst und zuerst in der Grammatik der Geschlechterbeziehung durchdekliniert wird. Die enge Verbindung von Angst und Sexualität thematisiert sich an der von Kierkegaard im *Begriff der Angst* und dann fünf Jahre später in der *Krankheit zum Tode* herausgearbeiteten Theorie des Selbst als einer gebrochenen Synthese von Körper und Geist.«[8] Darin lebt gnostisches Erbe fort: »der Lichtsturz des Geistes in den Kerker der Materie«, der von Kierkegaard als »Pfahl im Fleisch«, von Kafka als »Verirrt-Sein« empfunden und verurteilt wurde. Im Sexualakt – so bekannten sie – werde diese Angst als »Scham« bewußt.

Kafkas gestörtes »Verhältnis zum Geschlechtlichen war eine lebenslang akute Erscheinungsform seines allgemeinen Weltkomplexes, demzufolge ihm die Welt immer in bedrohlicher Gestalt erschien«.[9] Wie er an Milena schrieb, hing für ihn »das Abscheuliche und Schmutzige«, »innerlich notwendig« mit dem Sexualakt zusammen. Ja, er erklärte, »daß der Geschlechtsverkehr mit einem geliebten Menschen das Verlieren der Liebe bedeuten müsse«. (M 181–182 und 149)

Die Zwangsvorstellung, daß das Sexuelle etwas Gemeines und Niedriges sei, spiegelte sich zugleich in seinem dichterischen Werk, und zwar in der befremdlich einseitigen, fast ausschließlich negativen Zeichnung der Frau, in der grundsätzlichen Verwerfung des Weiblichen als minderwertig. Gewiß beruht das fragwürdige Verhältnis Kafkas und Kierkegaards zum Geschlechtlichen auf persönlicher Veranlagung, gründet aber zugleich »in weit zurückreichenden (moraltheologischen und philosophischen) Traditionen«. Es reflektiert die problematische Entwicklung, die das Phänomen der Sexualität in der abendländischen Geschichte genommen hat.[10] Die gekennzeichnete ambivalent pessimistische Haltung ist als extreme Konsequenz der weithin widernatürlich verlaufenen Kulturentwicklung zu begreifen. Der Geist-Körper-Dualismus als das philosophische Fundament gesellschaftlich moralischen Handelns wirkte im Sinne der Tabuisierung und Diffamierung des Geschlechtlichen. Das Gesetz tötete die Freude am Trieb, ja es verteufelte ihn zu etwas Unreinem, Sündhaftem. Kafka [und Kierkegaard] sind darum nicht nur Individuen absonderlicher Art, sondern auch Erben einer alten kontroversen Mitgift. Mit Recht betont Klaus-Peter Philippi, daß in dem geistigen Zusammenhang zwischen Kafka und Kierkegaard »ein objektives Element« liege, »das solchen Zusammenhang auch als geschichtliche Entwicklung anzusehen rechtfertigt«.[11]

Was die beiden am stärksten verbindet, ist das ihnen gemeinsame Grundgefühl der Angst. In Kafkas Tagebüchern und Briefen begegnet immer wieder das Wort Angst, und zwar im Sinn der Kierkegardschen Definition des Begriffs. Nach Wagenbach sei »eine genauere Beschreibung der Situation Kafkas . . . kaum denkbar«, als sie eben in Kierkegaards *Begriff der Angst* gegeben wird. Wie bei Kierkegaard ist bei Kafka die Angst ein Akzidens der Schuld und besitzt als Signal des unausweichlich kommenden Gerichts zentrale Bedeutung. Speziell in Kafka ist es die Angst des religiös nicht sicher Geborgenen, welche die Konfrontation mit dem Tod so schrecklich macht. In seiner Erzählung *Der Bau* hat Kafka diese Angst des Ungeborgenen als Todesangst vergegenwärtigt. Und auch im *Prozeß*-Roman ist es die Angst, welche Josef K. schließlich umbringt. Nicht zuletzt ging es bei dem Lebensgefühl der Angst, das Kafka mit Kierkegaard teilte, um »Angst vor dem Einbruch der Außenwelt in die eigene Wirklichkeit«.[12] Eine Analyse der Existenzverfassung beider läßt »diese als den Vollzug jener Angst erscheinen, als dessen reinster Ausdruck [ihre] literarischen und philosophisch-theologischen Lebenszeugnisse zu gelten haben«. *Expressis verbis* definieren sie ihr Selbst als Angst: Kafka: »Angst – ich bestehe aus ihr«, Kierkegard: »eine unsägliche Angst preßt meine Seele zusammen.« Letzthin ist es Angst im Blick auf das Transzendente, wie auch aus Kafkas Äußerung erhellt: »Angst, die Götter auf mich aufmerksam zu machen«.

Diese Angst belastete indessen auch den Kampf, den beide mit dem übermächtigen Schatten ihrer Väter zu führen hatten. Nicht nur die zermürbenden Auseinandersetzungen mit ihren Bräuten, auch die ohnmächtigen Kämpfe mit ihren Vätern teilten Kafka und Kierkegaard, Kämpfe mit der traditionsgeheiligten Autorität des Vater-Gottes, vor der sie kapitulierten, obwohl die Väter selber sich nicht an die Gebote hielten, die sie den Söhnen auferlegten.[13] »Kierkegaards ›Suspension des Ethischen‹ vollendet sich in der Tyrannis väterlicher ›Oberherrschaft‹, die nirgends furchtbarer ist, als wo sie sich aus der tiefsten Verkommenheit zu ihrer ganzen Machtfülle erhebt und den Sohn in den Abgrund stößt.« Diese Ohnmachtserfahrung des Sohnes vor der Übermacht des als Richter fungierenden Vaters resultiert aus der Angst, die aber ihrerseits aus der Freiheit erwächst. Denn wie Kierkegaard ausgeführt hat, ist es die Angst, in der sich der Sohn der Möglichkeit seiner Freiheit bewußt wird, nämlich der ihn »ängstigenden Möglichkeit, [den Vater vom Thron seiner Gewaltherrschaft stoßen] zu können«.[14] In solchem Sinn definierte Kierkegaard Angst als einen »Schwindel der Freiheit, der entsteht, indem . . . die Freiheit nun hinabschaut in ihre eigene Möglichkeit . . . In diesem Schwindel sinkt die Freiheit ohnmächtig um.« Eben diesem angstbeladenen »Schwindel der Freiheit« erliegt Georg Bendemann in Kafkas Erzählung *Das Urteil*, so daß er widerstandlos und wie in Trance das väterliche Strafurteil »zum Tode des Ertrinkens« selber vollzieht.

Im Ablauf ihrer Vita, in den Themen und Problemen, mit denen sie sich auseinandersetzten, in ihrem Lebensgefühl und in ihrer Moral und nicht zuletzt in den auf das Transzendente zielenden Bedürfnissen ihres Denkens stimmen Kafka und Kierkegaard – trotz »wesentlicher Unterschiede« – weithin überein. Die Titel der Werke Kierkegaards: *Entweder – Oder, Furcht und Zittern* (Austin Warren, a. a. O. 71 nennt Kafkas Welt »a world of mystery and uncertainty, of fear and trembling«), *Der Begriff der Angst, Stadien auf dem Lebensweg, Die Krankheit zum Tode* treffen ins Zentrum von Kafkas Existenz und Werk, kennzeichnen die sein Leben und Dichten bestimmenden Momente. Gemeinsam ist beiden das Ernstnehmen des Absurden, ihr Gespür für die moraltheologische Relevanz des erschreckend Unfaßlichen. Ja, es war gerade die Absurdität der menschlichen Existenz, die sie einer transzendenten Wirklichkeit versicherte. Wie Kierkegaard ging es auch Kafka darum, das falsche Wissen zu zerstören und einen Blick hinter die Dinge zu erschließen.[15]

Wenn Kierkegaard sich nicht an die Masse, sondern ausschließlich an den Einzelnen wendet, sich selber und die Menschen jeweils *in das eigene Existieren* rufen will, so entspricht dem, daß Kafka durchaus der Dichter des Individuums ist und die Begebenheiten in seinen Romanen und Erzählungen mit Vorzug in der Sicht der Protagonisten, ja fast monologisch und zum Teil auch in der Ichform vergegenwärtigt. Und wenn man von Kierkegaard gesagt hat, es gebe »kaum ein schriftstellerisches Werk, das in solchem Maße die eigene Lebensgeschichte des Verfassers verarbeiten würde«[16], so gilt das nicht weniger von der Dichtung Kafkas. Der Gegenstand ihres Schreibens ist immer die eigene Existenz. Vollends das vielzitierte Wort Kafkas, ein Buch müsse »die Axt« sein »für das gefrorene Meer in uns« deckt sich mit Kierkegaards Aphorismus: »Das Genie ist wie das Donnerwetter: es geht gegen den Wind, schreckt die Menschen auf und reinigt die Luft.«

Spezifische Übereinstimmung im menschlichen Typus liegt darin, daß beide, Kierkegaard und Kafka, schwermütige Skrupulanten waren, die sich mit der Frage quälten, wie man mit der Schuld, auch der ererbten Schuld, fertig werden könne und wie überhaupt Vergebung der Sünden möglich sei, wo doch die Unentschuldbarkeit des ganzen Menschen Vergebung auch für den ganzen Menschen fordere. Hinzu kam die Vorstellung, daß der Mensch in der Geschichte seines eigenen Daseins die Geschichte des ganzen Menschengeschlechts seit dem Fall Adams wiederhole und damit unlösbar in sie verflochten sei. Ein moralisch-religiöses Analogon zum »biogenetischen Grundgesetz« Ernst Haeckels! Hieraus ergab sich die Überzeugung von der Vorgegebenheit der Schuld und der dadurch bedingten Verurteilung des Menschen. Das Ultimatum, das uns nach Kierkegaard gestellt ist, hat darum davon auszugehen, »daß wir gegen Gott allezeit unrecht haben«. Das Absolutum des transzendenten ethischen Anspruchs bestimmt infolgedessen auch die Rangordnung der Werte und fordert den Vorrang der Ethik vor der Ästhetik, eine Forderung, die aber für den künstlerisch gestaltenden Menschen nicht ohne weiteres selbstverständlich ist und für den ausschließlich auf das Schriftstellersein eingestellten Kafka in der Tat eine Gewissensbelastung darstellte. Seine scharfe Verurteilung der im Selbstgenuß schwelgenden Schriftstellereitelkeit in seinem Brief vom Juli 1922 an Max Brod ist ein eindringliches Zeugnis dieser Gewissensnot.

Die Vorstellung der »immer zweifellosen«, weil vorgegebenen und letzthin verborgenen Schuld des Menschen liegt Kierkegaards *Furcht und Zittern* zugrunde. Sie schließt ein, daß es keinen gemeinverbindlichen Maßstab zwischen der Gerechtigkeit Gottes und der Gerechtigkeit der Menschen gibt. Gott kann infolgedessen Dinge fordern, die in menschlicher Sicht als ungerecht und schuldhaft erscheinen, wie zum Beispiel sein Befehl an Abraham, den Sohn zu opfern. Die Menschen müssen aber die Forderungen der göttlichen Gerechtigkeit willig erfüllen, auch wenn sie sie nicht verstehen, ja als unmenschlich empfinden. Das irritierend Unbegreifliche des Wirkens Gottes erregte das Denken Kafkas, war ein zentraler Gegenstand seines Leidens an der Welt. Und das um so mehr, als ihm, wie schon betont, Kierkegaards rettender Sprung in den absoluten Glauben nicht voll gelang. Dieser Abstand von Kierkegaard wird noch dadurch erweitert, ja unüberbrückbar, als Kafka weder Theologe noch Philosoph noch Psychologe war, sondern Erzähler und man ihn daher verfehlen würde, wenn man ihn abstrakt philosophisch, theologisch oder fachpsychologisch deuten wollte. Claude-Edmonde Magny hat eben darauf eindringlich hingewiesen:

If instead of telling us the story of *The Judgement*, he would say simply: »The understanding of God is incommensurable with our own«, we would believe ourselves falling into one of those truths made trite by Christianity, such as »The designs of Providence are inscrutable«, and we would cease to pay him any attention. The message of Kafka would have been lost. To recur to

Kierkegaard or the theory of the Eternal Verities for commentary is to deaden the impact of Kafka's tale, to try to escape the brutality of the real by explaining it away. And this is precisely what we must not do.[17]

Dieses Zitat ist ein eingehender Kommentar zu Kafkas knapper Selbstcharakteristik, daß er »nichts als Literatur« sei. Eine solche grundsätzliche Feststellung ist notwendig, um das Eigene Kafkas vor auflösender Vereinnahmung durch fachfremde Disziplinen bzw. vor leichtfertigen pauschalen Zuordnungen zu bewahren. Wenn Hermann Hesse Kafka »einen jüdischen Kierkegaard« nannte, so mag das – für eine bestimmte Entwicklungsphase – auf den *Denker* Kafka zutreffen; dem *Dichter* wird diese Kennzeichnung nicht gerecht. Dichtung erwächst aus anderen Antrieben und entfaltet sich auch auf anderer Ebene als Philosophie. Und wenn Sigurd Hoel wie ähnlich auch Willy Haas das literarische Werk Kafkas auf den Kernsatz Kierkegaards, daß der Mensch gegenüber Gott immer im Unrecht sei, zu reduzieren suchen[18], so ist dieser Simplifikation entgegenzuhalten, was Goethe im Blick auf seinen *Faust* betonte, daß nämlich die Vielfalt dichterisch gestalteten Lebens nicht auf die magere Schnur eines einzigen durchgehenden Gedankens gereiht werden kann, vielmehr als eine Eigenwelt von Dichters Gnaden erkannt und respektiert werden sollte. Eben dies, daß Kafka nicht lehrhaft dokumentiert, sondern innerlich Geschautes vor Augen stellt, ist im Blick zu behalten, wenn man ihn mit Kierkegaard vergleicht. Als Menschen, die in und an der Welt litten, standen sie einander nah, haben aber dieses Gemeinsame auf verschiedene Weise verarbeitet, Kierkegaard als philosophierender Dialektiker, Kafka als kreativer Dichter, der eine lehrend und mahnend, der andere in Bildern sprechend. Aber gerade weil Kafka keine Lehren erteilt, sondern in Bildern spricht, überwältigt sein *Prozeß*-Roman den Leser und nicht deshalb, weil er »als Prosakommentar zu Kierkegaards Lyrik des Grauens in dem Buch *Furcht und Zittern* gelesen werden« könnte.[19] Das gleiche gilt, wenn Ludwig Winder, ein Prager Schriftsteller und Bekannter Kafkas, den *Prozeß*-Roman – unter Anspielung auf Kierkegaard – ein aus »Furcht und Zittern« entstandenes Werk nennt.[20] Ähnliche Erfahrungen und Krisen im Zusammenstoß mit der Welt waren die Gegenstände ihres geistigen Ringens, aber die Wege, die sie beschritten, waren verschieden und führten auch nicht zu den gleichen Ergebnissen. Infolgedessen hat man mit Grund eine direkte literarische Beeinflussung Kafkas durch Kierkegaard bestritten[21] und auch auf die Unterschiede ihrer Lebenshaltung hingewiesen.[22]

3.

Im Gegensatz zu Max Brod, Albert Camus und John Kelly, welche – theologisch motiviert – die größtmögliche Nähe Kafkas zu Kierkegaard betonen, ja ihn mit diesem weithin identifizieren, ist Sokel um eine differenzierte Deutung dieser ambivalenten Beziehung bemüht. Kierkegaards Buch *Entweder – Oder,* so stellte er fest, habe Kafka zwar intensiv studiert und gut gekannt, aber nicht geliebt.[23] Und besonders bemerkenswert ist, daß er in einer Zeit, in der er Kierkegaard noch gar nicht kannte, diesem am nächsten gestanden hat, wie seine Erzählungen *Das Urteil* und *Die Verwandlung* bezeugen. Kierkegaard habe ihn insofern »wie ein Freund bestätigt«[24], als er durch sein Beispiel in ihm den Willen bestärkte, die ihn ängstigende Verlobung nicht einzugehen. Tatsächlich hat Kafka nach seiner ersten Kierkegaard-Lektüre *(Buch des Richters)* »einen Brief an den Vater seiner Freundin und künftigen Braut, Felice Bauer, [entworfen], in dem er den Gedanken der Verlobung verwarf und diese Verwerfung sorgfältig begründete«.

Aber diese relativ frühe Kierkegaard-Phase Kafkas war von kurzer Dauer. Der Bewunderung und Zustimmung folgte bald kritische Distanzierung. Das zeigt sich nach Sokel auch in der Amalia-Episode des *Schloß*-Romans, jener Episode, in der viele Interpreten mit Vorzug Kierkegaardsches Ideengut vermuten, ja einen direkten Einfluß von Kierkegaards *Furcht und Zittern* unterstellen.[25] Das setzt jedoch voraus, daß das Kafkasche Schloß – im Sinn Max Brods – als göttliche Instanz gesehen wird, deren Forderungen absolute Geltung besitzen, auch wenn sie menschlicher Moral widersprechen. Eben dies ist ja der Kerngedanke Kierkegaards, daß religiöse Existenz zu einem Verhalten verpflichten kann, das menschlichem Urteil als sittliches Versagen gilt. Wenn z. B. Abraham seinen Sohn Isaak opfern würde, so wäre das, moralisch gewertet, Mord, in religiöser Sicht hingegen ein heiliger Akt, weil diese Opferung durch Gott befohlen worden war. Religiöse Tat kann also in einem bestürzenden Paradox als ein Verbrechen erscheinen. Indessen fragt sich, ob die Geschichte Amalias im *Schloß* mit der Geschichte Abrahams überhaupt verglichen werden kann. Nach der biblischen Überlieferung hat Gott selbst Abraham zur Opferung des Sohnes aufgerufen, diesen Befehl aber auch selber wieder aufgehoben, nachdem sich Abraham in gottesfürchtigem Gehorsam zu der Opfertat bereit erwiesen hatte. In Kafkas Roman wird Amalia nicht durch die Stimme Gottes gerufen, sondern irgendein Beamter der Schloßverwaltung, Sortini, läßt ihr die Aufforderung zum Beischlaf übermitteln, ein Ansinnen, dem alle anderen weiblichen Wesen willig entsprechen würden, weil solche sexuelle Botmäßigkeit gegenüber den Oberen in der Welt des Schlosses als moralisch korrektes Verhalten gilt, das aber Amalia aus individuellem Reinheitsbedürfnis zurückweist. Indem sie »nur der einsamen Stimme ihres Ichs folgt«, erhebt sie sich »über das Gesetz und die geltende Moral, um dem Gebot ihrer Innerlichkeit, ihrer Existenz zu genügen«.[26] Ist Amalias Ungehorsam gegenüber einem Beamten des Schlosses gottwidersetzliche Hybris, der als verdiente Strafe die Ächtung ihrer ganzen Familie folgt? Oder ist umgekehrt das Schloß zu verdammen, das durch die Perversion seiner Repräsentanten den Anspruch auf unbedingte Autorität verwirkt hat? Anders gefragt: Ist Amalias Weigerung gegenüber Sortini als sündige Irrung zu verurteilen oder als heldenhafter Widerstand gegen Machtmißbrauch zu rühmen?

Solche an den religiösen Paradoxen Kierkegaards orientierten Fragen mögen zwar noch zwischenzeilig nachklingen, zentral ging es aber Kafka am Beginn seiner Spätperiode »um etwas anderes als Kierkegaard«. Als er 1918 *Furcht und Zittern* las, empfand er Kierkegaard nicht länger als »Zimmernachbarn« oder bestätigenden »Freund«. Im Gegenteil, er fand ihn auf seine persönlichen Probleme »nicht mehr anwendbar«. Die Betonung des reinen Ichs als entscheidender Instanz wich einer entschiedenen Ironisierung, die im *Hungerkünstler* als einer Parodie Kierkegaards gipfeln sollte.[27] Kierkegaard erschien ihm jetzt als zu hoch verstiegen, »heroisch irrelevant«, »dem gewöhnlichen Leben entfremdet«, als einer jener »unentwegten Vertreter des reinen Ichs«, die »wie der Hungerkünstler, Amalia und Josefine . . . alles auf die Spitze treiben und sich selbst ›in die Wolken malen‹.« Aber trotz solcher Ironisierung hat er Kierkegaard gleichwohl auch bewundert, hat ihn als sich selbst hoch überlegen erachtet, als tapferer, reiner, konsequenter und auch einfacher, als einen, der »glücklich« in seinem Unglück ist und in großen Höhen sein »Luftschiff wunderbar dirigieren« kann.

Aber Kafka selbst ging es nicht um hochfliegende Spekulationen, sondern um die Bewältigung des Alltags. Daß dies ihn von Kierkegaard trennt, hat er in seinem Brief vom Juni 1921 an den ihm befreundeten jungen Arzt Dr. Robert Klopstock deutlich ausgesprochen. Er sehe nicht wie Kierkegaard eine besondere Berufung, die in seinen Alltag einbricht, sondern der Alltag als solcher sei für ihn das eigentliche Existenzproblem. Mehr noch: seine Auseinandersetzung mit Kierkegaards Abrahamdeutung nimmt fast blasphemische Züge an. So spricht er »von der Gefahr, . . . daß Abraham seinen bloßen Eigensinn mit göttlicher Berufung verwechseln und die subjektive Schrulle eines Lebensuntüchtigen zu einem Ruf und Gebot aufbauschen könnte«. Ja, er stellt sogar die Frage, was Abraham davor bewahre, »Don Quichotte zu werden«, und ob es denn überhaupt möglich sei, »Abraham, den ›Berufenen‹, von Don Quichotte, dem ›Eingebildeten‹ [zweifelsfrei] zu unterscheiden«.[28]

Sokel kommt zu dem Schluß, daß die Amalia – Episode in Kafkas *Schloß* mit der Abraham-Episode in Kierkegaards *Furcht und Zittern* nicht zu vergleichen ist, insofern Kafka dort »nicht das Kierkegaardsche Problem . . . gestaltet [hat], sondern sein eigenstes – die Unfähigkeit, über gewisse Dinge hinwegzukommen«.[29] Mit Recht weist Sokel darauf hin, daß die Verfemung der Familie Amalias nicht als Bestrafung für deren Rebellion erfolgte, sondern sich aus dem Schuldgefühl ergab, mit dem die Familie auf Amalias Ungehorsam reagierte. Daß die Familie geächtet wurde, war eine Folge ihrer Selbstverwünschung. Sie hatte sich ungewollt selbst isoliert. Jeder begann sie nun zu meiden. Die Verachtung, die sie traf, war – wie bei Gregor Samsa in der *Verwandlung* – »nach außen projizierte Selbstverachtung«. Amalia aber steht »wie Kierkegaards Abraham stolz zu ihrer Tat . . ., die ihr Wesen ist . . . Sie fühlt weder Angst noch Scham und bleibt frei von kompromittierenden Gewissensbissen . . . Deshalb nennt Olga Amalia ›heldenhaft‹ . . . Sie entspricht dem, was Kierkegaard für Kafka ist und was Kafka sich selbst nicht ist«, nämlich entschieden und eindeutig und damit fähig, seine »Entscheidung zum festen Kern seiner Existenz zu machen«. Aber »gerade das war Kafka nicht gegeben«. »Denn was er benötigte, war nicht die Durchsetzung seines inneren Wesens, die Formung und Bewahrung seines reinen und außergewöhnlichen Ichs, sondern die Versöhnung mit dem mächtigen Gegner, die zugleich Rückkehr ins Leben und Heimkehr zum Ursprung sein würde.« Sein lebenslanger Kampf mit dem Vater, an dessen Übermacht er zerbrochen war, wollte letzthin nichts anderes als Versöhnung, endete aber immer wieder mit einer Niederlage. Symptomatisch für dieses gleichsam vorprogrammierte Scheitern war, daß der Angriff, den er 1919 in seinem *Brief an den Vater* unternahm, das Ziel überhaupt nicht erreichte, weil er nicht gewagt hatte, ihn dem Vater direkt zuzustellen, sondern die Mutter mit der Überreichung beauftragt hatte. Diese wagte aber ebenfalls nicht, den Brief zu übergeben, sondern sandte ihn an Kafka zurück.

Das Ganze ist also eine Parallele zum Verhalten und Scheitern seiner Protagonisten in den Romanen und Erzählungen, die sich ebenfalls durch untaugliche Mittelspersonen oder Zwischeninstanzen den Weg zum Ziel jeweils verstellen lassen. Lapidar formuliert Walter Sokel: »K.s Unfähigkeit, das Schloß zu erreichen und ein Gespräch mit Klamm in die Wege zu leiten, spiegelt Kafkas Versagen wider, den Vater zu erreichen.« Kafka wußte auch, daß er selbst es war, »der sich aus Angst und Scheu den Weg zum Vater verstellte«. »Denn hätte er den Brief unbedingt an den Vater gelangen lassen wollen, hätte sich ein anderer Weg als der über die Mutter gefunden.« Das gleiche Versagen, das Kafkas Ringen um einen befreienden Kontakt mit dem Vater scheitern ließ, zeigt sich bei K. im *Schloß*, Josef K. im *Prozeß*, beim Hungerkünstler und beim hungernden Hund, auch beim Trapezkünstler im *Ersten Leid*, beim Erzähler in der *Kleinen Frau*, bei Josefine, ja *cum grano salis* bei allen seinen Gestalten. Ihrer aller Schuld besteht letzthin darin, daß sie sich schuldig fühlen und mit diesem Schuldgefühl nicht fertig werden.[30] Infolgedessen hatten sie auch nicht den (an Flaubert und Kierkegaard gerühmten) »geraden Willen«, der die rettende Tat ermöglicht, sondern mußten in einer ewigen Folge ängstlicher Berechnungen frustrieren. Was ihnen die zum konsequenten Handeln notwendige Entschiedenheit versagt, mag man Unsicherheit, Schwäche und Angst oder – mit Hamlet – auch »Gewissen«, ja Klugheit nennen, die »zu genau bedenkt den Ausgang«, die lieber nichts als das vielleicht Gefährliche und Falsche tut, da man ja das Richtige nie sicher weiß, und deshalb – in aussichtsloser Geschäftigkeit sich verbrauchend – auf halbem Wege stehen bleibt und resigniert.

Hat sich Kafka von Kierkegaard, der ihm während seiner Verlobungskrise »wie ein (bestätigender) Freund« nahestand, später zunehmend kritischer distanziert, so daß die »wesentlichen Unterschiede«, die er schon von Anfang an empfunden hatte, nun zu voller Geltung kamen und eine Beurteilung und Verurteilung Amalias im Sinn Kierkegaards sich verboten, so schloß gleichwohl die Revision Kierkegaards die Rezeption nicht völlig aus. Durch die Macht der religiösen Frage blieb Kafka mit Kierkegaard verbunden. Wie Hans Joachim Schoeps betont, hat er Kierkegaards Buch *Furcht und Zittern* nicht nur gelesen, sondern auch in mehreren Briefen tiefsinnig kommentiert.[31] Im Blick auf Nietzsche, der gleichfalls in diesen Zusammenhang gehört, nennt Eugen Biser

> »die Reihe jener Denker, denen die Philosophie als Deutung der eigenen Existenz und das persönliche Schicksal als Schlüssel zur Wahrheit gilt und die auf Grund dieses Wechselbezugs den eigentlichen Gegentypus zum Systematiker bilden, der nach einem Aperçu Kierkegaards neben dem ›ungeheuren Schloß‹ seiner Systemgedanken in einer Scheune haust . . . Mit Sokrates beginnend, . . . führt diese Reihe über Augustinus und Boethius hin zu Pascal, . . . um schließlich in Kierkegaard ihren Höhepunkt, zumindest die Gipfelhöhe der Bewußtheit zu erreichen . . .«

Das gilt weithin auch für Kafka, nur daß er nicht Philosoph, sondern Schriftsteller war. Weil er aber Schriftsteller war, ist Kafka nicht auf *einen* Nenner zu bringen. Wer ihm gerecht werden will, muß ihn in der kontroversen Vielfalt der Kontexte sehen, in denen er stand. So war er kein Nihilist, wie man aus seinen hoffnungslos anmutenden Dichtungen und Aussprüchen schließen könnte, wohl aber ein unerlösbarer Skeptiker und in dieser Unerlösbarkeit auf weite Strecken ein katastrophenträchtiger Pessimist, der das auf ihm lastende Dunkel der Schwermut nie ganz zu bannen vermochte. Andererseits *wollte er aber kein Pessimist sein.* Die Sehnsucht nach Erlösung erlahmte nie; sie war das tägliche Brot seiner Seele. Und wenn er mit bestürzend makabren, grotesken, akausalen Gestalten alles *ad absurdum* zu führen schien, wollte er damit nicht die Sinnlosigkeit der Welt demonstrieren, wohl aber ihre hintergründige Unbegreiflichkeit bewußt machen, die Kurzsichtigkeit unserer Augen, die Kurzschlüssigkeit unseres Denkens enthüllen.

Nun ist aber der Anspruch, den Philosophen, Theologen und Psychologen an Kafkas Werk und Persönlichkeit stellen, insofern nicht ganz unbegründet, als das, was der Mensch ist, am deutlichsten in den Grenzsituationen, in welchen Kafka seine Protagonisten vor Augen stellt, erkennbar wird. Sicher gehört auch die religiöse Frage unablösbar mit der in Kafkas Dichtung sich stellenden Frage nach der Existenz des Menschen zusammen. Nach Allemann sind Kafkas Notizen in den Oktavheften »offensichtlich von Kierkegaards Gedanken über Zeit und

Ewigkeit angeregt«.[33] Und Jean-Paul Sartre bekannte, zutiefst von Kafka beeinflußt zu sein. Ja, er hat ihn restlos für die Philosophie vereinnahmt und damit – gegen Kafkas eigenste Selbstbestimmung – der Literatur entrückt.

Auch Ingeborg Henel sieht in Kafka einen Kierkegaard nahe stehenden Denker, der nicht lediglich in Bildern gedacht habe, sondern das Problem seiner geistigen Lebensmöglichkeit bis an die Grenze der Vernunft durchreflektierte, aber eben deshalb keine widerspruchsfreien, eindeutigen Schlüsse ziehen konnte.[34] Außerdem spricht sie von Kafkas Verwandtschaft »mit dem biblischen Prophetentum, mit dem Kant der *Praktischen Vernunft* . . . dem Existentialismus und der Theologie der Krise«. Mit Kierkegaard verbinde »ihn hauptsächlich die absolute Trennung von Subjekt und Objekt, Mensch und Gott, die Karl Barth später als Diastase bezeichnete und gegen die herrschende Vermittlungstheologie verkündete«. Dieses Bewußtsein der unüberbrückbaren Entfernung war bei Kafka und Kierkegaard schlechthin zentral. Doch hat Kafka diesen Gegensatz, »schon bevor er Kierkegaard kannte, . . . ebenso radikal wie dieser gesehen und ihn in seinen Parabeln auf eine Art ausgedrückt, daß sie eine Dimension des Religiösen annehmen«.

In gleichem Sinn verweist Edwin Muir auf »the dogma of the incommensurability of divine and human law«, auf »the incompatibility between the ways of Providence and the ways of man« in Kafkas Dichtung und nennt dabei Kierkegaard als Ahnherrn.[35] Allen seinen Erzählungen und Romanen liege das Problem zugrunde, »how man stationed in one dimension, can direct his life in accordance with a law belonging to another world, a law whose workings he can never interpret truly, though they were always manifest to him«. Auch Camus sah in diesem Neben- und Gegeneinander zweier Welten die grundlegende Thematik des Dichters: »In Kafka these two worlds are that of every day life on the one hand, and, on the other, that of supernatural anxiety.«[36] Infolge dieses prinzipiellen Unterschiedes vermag der Mensch das göttliche Gesetz nicht zu erfassen, und der göttliche Wille kann ihm daher als widersinnig, ja unmoralisch erscheinen. Während aber Kierkegaard die Kluft zwischen Mensch und Gott durch den Sprung in den Glauben zu überwinden suchte, konnte ihm Kafka, wie er selber sagte, dabei nicht folgen. Auch seine Protagonisten versagen vor der ihnen auferlegten Entscheidung »Entweder – Oder«, indem sie den rettenden Sprung nicht wagen, sondern am aussichtslosen Status quo festhalten und in ermüdenden Auseinandersetzungen mit inkompetenten Instanzen sich verbrauchen. Wenn aber Camus eine volle Übereinstimmung Kafkas mit Kierkegaard unterstellt, wenn er ihm die gleiche Zuversicht auf Rettung durch die »wahre Hoffnung« (nach Zerstörung aller irdischen Hoffnung) zuschrieb, so übersah er, daß Kafka letzthin immer ein Skeptiker blieb und eben darin seine Tragik lag.[37] Jean Wahl hingegen sah das Verhältnis zwischen Kafka und Kierkegaard zutreffender und differenzierter. Er unterschied zwei Positionen Kafkas gegenüber Kierkegaard: einmal ein Verhältnis naher Affinität, zum andern ein Verhältnis der Opposition. Beide waren Ausnahmemenschen und darum sehr allein. Auch ihre Probleme und ihre Naturen waren sehr ähnlich, aber in ihren Lösungen »probably quite different«.[38]

4.

Die Frage nach dem Sinn der eigenen Existenz, die Kierkegaard und Kafka bedrängte, weist auf Blaise Pascal zurück. Im Blick auf die schweigende Gleichgültigkeit der Natur hat Pascal diese Frage eindringlich gestellt und bereits die existenzphilosophische Vorstellung des Geworfenseins anklingen lassen:

> Bedenke ich die kurze Zeit meines Lebens, aufgezehrt von der Ewigkeit vorher und nachher; bedenke ich das bißchen Raum, den ich einnehme, und selbst den, den ich sehe, verschlungen von der unendlichen Weite der Räume, von denen ich nichts weiß und die von mir nichts wissen, dann erschaudere ich und staune, daß ich hier und nicht dort bin; keinen Grund gibt es, weshalb ich gerade hier und nicht dort bin, weshalb jetzt und nicht dann. Wer hat mich hier eingesetzt? Durch wessen Anordnung und Verfügung ist mir dieser Ort und diese Stunde bestimmt worden?[39]

Dieselbe Frage begegnet auch bei Kierkegaard, und zwar im *Brief des jungen Menschen* vom 11. Oktober in *Die Wiederholung:* »Wo bin ich? Was heißt denn das: die Welt? Was bedeutet dies Wort? Wer hat mich in das Ganze hineinbetrogen, und läßt mich nun dastehen?« Und Kafka fühlte sich nach seinen eigenen Worten »in den kalten Raum der Welt geworfen«. Sein Landvermesser K. im *Schloß*-Roman fragt zu Beginn: »Ist denn hier ein Schloß?«, womit er die Frage nach dem schlechthin Verborgenen stellt und damit gegen die Grenze anstürmt, hinter der sich vielleicht nichts verbirgt, so daß alles Suchen sich am Ende als eine »metaphysische Grille« und der Protagonist sich nicht nur als ein Sisyphus, sondern auch als ein Don Quichotte erweisen könnte. Tatsächlich hat auch Kafka selbst sich intensiv mit Pascal auseinandergesetzt und, wie Kate Flores unterstellt, seine Aphorismen *Sünde, Leid, Hoffnung und den wahren Weg* (1917–1919) und *Er* (1920) zweifellos nach dem Vorbild von Pascals *Pensées* geformt.[40] Wie Kafka die *condition humaine* sieht, hat schon Pascal ausgesprochen:

> Wir treiben im Ungewissen dahin . . . Glauben wir, an einem Punkt festen Halt zu gewinnen, so schwankt er und entschwindet für immer. Und folgen wir ihm, so entzieht er sich unserem Griff . . . Nichts hat Bestand für uns. Dies ist unsere natürliche Situation und doch unserer Neigung aufs äußerste entgegengesetzt; wir brennen vor Begierde, eine letzte sichere Grundlage zu finden, um einen Turm darauf zu errichten, der hinauf zum Unendlichen reicht. Aber unser Fundament bricht auseinander, und die Erde öffnet sich zu Abgründen.

Aber im Gegensatz zu Pascal verwarf Kafka den Begriff eines christlichen Mittlers. Wie Kierkegaard nahm er die Absurdität der Welt nicht lächerlich, sondern ernst. Er akzeptierte die theologische Relevanz von Kierkegaards Konzept des Absurden. Ja, das Absurde galt auch ihm als das Charakteristikum der Wege Gottes hin zum Menschen. Infolgedessen erscheint das Verhältnis zwischen Gott und Mensch paradox, wenn es mit dem Maßstab der menschlichen Vernunft gemessen wird: »a relationship of a finite person to an infinite God«.[41] Das heißt:

> »The evil is essentially a ›Misunderstanding‹ of a law which cannot be grasped by human understanding, or reinterpreted in the interests of humanitarianism . . . The only way left is the way taken by Abraham – the noncommittal acceptance of a decree which from all standards but those ascribed to a wrathful and incomprehensible God is bewildering and absurd . . . The act of faith culminates in the recognition of God's ways as incomprehensible, absurd, capricious, but just. The attitude which precedes this final acceptance, and which explains much that is mysterious in Kafka's writing, is summed up in the words of Max Brod: ›Er hadert nicht mit Gott, nur mit sich selbst.‹«[42]

Der Vergleich mit Kierkegaard, insbesondere die weitgehende Übereinstimmung in der Gottesvorstellung erhellt die Wichtigkeit des theologischen Elementes in Kafkas Werk, beschwört aber gleichzeitig die Gefahr einer totalen Theologisierung des Dichters, vor der schon Walter Benjamin gewarnt hatte, indem er sich »gegen den unerträglichen Gestus des theologischen professional« wandte und – gegen Brod gerichtet – die Forderung stellte, der »leichtfertigen theologischen Interpretation aus Prag« eine religionskritische entgegenzusetzen. An Benjamin und Adorno anknüpfend, betont Ries in seiner religionsphilosophischen Studie neuerdings wieder die »breite – freilich beschattete – theologische Seite« (Benjamin) des Kafkaproblems, die in der gegenwärtigen Kafka-Philologie allzu sehr vernachlässigt worden sei.[43] Wie Hartmut Binder festgestellt hat, zeigt diese Interpretation »den gewandelten Stand der religiösen Auslegung Kafkas, der inzwischen erreicht worden ist«.[44]

Hat Sokel mit überzeugenden Argumenten der Auffassung widersprochen, daß in der Amalia-Episode des *Schloß*-Romans der Schlüssel zu Kafkas Beziehung zu Kierkegaard zu sehen sei, insofern sich diese Episode mit der Abraham-Episode in Kierkegaards *Furcht und Zittern* nicht vergleichen lasse, so sieht er hingegen einen Zusammenhang zwischen diesem Werk und Kafkas Parabel *Vor dem Gesetz*.[45] Hier wie dort geht es darum, daß die Beziehung zum Absoluten nur individuell sein kann. Entsprechend gibt es für den Mann vom Lande, der in das Gesetz eintreten will, nur einen allein für ihn bestimmten Eingang, und auch der richtige Zeitpunkt für den Eintritt kann nur von ihm selbst wahrgenommen werden. »Hinge der Eintritt von der Genehmigung des Türhüters ab, dann wäre es *nicht* der Eingang *dieses Mannes*.« Infolgedessen »kann der Eintritt nur als individuelle Entscheidung, als seine Ichsetzung, erfolgen«. Weil aber der Mann übersieht, daß der Eintritt in das

Gesetz ganz *seine* individuelle Angelegenheit ist, »verliert er die [ihm vorbehaltene] Eintrittsgelegenheit in dem Augenblick, da er sich nicht dafür entscheidet«, sondern aus Angst seine Chance verwartet. Der Schrecken, den ihm der Türhüter einflößt, ist keine Entschuldigung für sein Versagen. Denn die Angst ist notwendig, »um den Eintritt zu einer echten Entscheidung zu machen«. Sie fordert von ihm den Mut, die hier gebotene persönliche Wahl zu treffen und dadurch zu offenbaren, was er ist. Es geht somit – ganz im Sinn Kierkegaards – um seine Entscheidung zum eigenen Handeln.

Dieser Hinweis auf fundamentale Übereinstimmung Kafkas mit Kierkegaard an zentraler Stelle seines dichterischen Werkes ist um so mehr geboten, um andererseits die von ihm selbst betonten »wesentlichen Unterschiede« desto schärfer hervortreten zu lassen und den Prozeß seiner fortschreitenden Distanzierung von Kierkegaard zu verdeutlichen. Im Gegensatz zu diesem gab es für Kafka keinen Ausweg aus dem Ungenügen an sich selbst und an der Welt, konnte er nicht wie Kierkegaard im »credo, quia absurdum est« einen Ruhepunkt finden. Indem er sich selbst als schwach, die Welt als Bedrohung und *Transzendenz als Terror* erfuhr, blieb er lebenslang ein Ungeborgener und Unbehauster. Auch Daniel Rops, der Kafka zu den Jüngern Kierkegaards zählt (»This man dominated by a passion for the absolute is really a spiritual son of Kierkegaard . . .«), hat das gesehen und ausgesprochen.[46]

Ob der *Mensch* Kierkegaard, der in Furcht und Zittern dem Transzendenten gegenüberstand, das »credo, quia absurdum est«, voll akzeptieren konnte, mag man in Zweifel ziehen; sicher ist jedoch, daß er als religiöser *Denker* diesen irritierenden Widerspruch bewältigt hat. Eben dies aber ist Kafka nicht gelungen. Nicht einmal theoretisch kam er jemals zu einer klaren Entscheidung. Er blieb heillos gespalten.[47] Verzweifelt zweifelndes Sich-Auflehnen und angstvoll nachgebendes Sich-Beugen standen einander gegenüber. Jedem Angriff folgte die Kapitulation, die aber wiederum nicht sein letztes Wort blieb. Auf den angreifend kritischen, skeptischen Kafka hat Elias Canetti nachdrücklich hingewiesen.[48] In der Amalia-Sortini-Episode [im *Schloß*-Roman] schlage die Geste »absoluter Pflicht« – das Ertragen der Demütigung durch Herrschaft« – um in die Gebärde der Verweigerung. Amalias Weigerung, Sortini zu Willen zu sein, sei der verzweifelte Zweifel an der Legitimität einer Forderung, deren einzige Legitimation sich auf das Vorhandensein jener Macht stützt, deren Wirksamkeit auf der Quäldämonie der Grausamkeit des Religiösen beruht, von der Nietzsche im 55. Aphorismus der drei Hauptstücke seines *Jenseits von Gut und Böse* gesagt hat, sie sei eine »große Leiter mit vielen Sprossen«. Indem Amalia den Machtanspruch des Schlosses zurückweist, enthüllt sie dessen Zwangscharakter, entlarvt sie ihn »als nackte Gewalttat des infernalisch *Oberen* gegen ein Subjekt, das sich buchstäblich als ein solches erfährt, [nämlich] als *subjectum,* [und damit] als Stätte des objektiven

Vollzugs von Gewalt«. Canetti fügt hinzu: »Ein klarerer Angriff gegen die Unterwerfung unter das Obere, ob man nun unter diesem eine höhere oder eine bloß irdische Macht zu erkennen meint, ist nie geschrieben worden.«

Die hier vernehmbare anklagend klagende Frage nach der Redlichkeit Gottes bezeugt den Zusammenhang zwischen Kafka und Hiob, auf den bereits Margarete Susman hingewiesen hat: »Im Herzen dieses unheimlichen und qualvollen Traumgespinstes, das unser Leben ist, [stehe] das Hiobproblem des Leides und der Schuld«. »Aber der Zusammenhang zwischen Leid und Schuld« sei in Kafkas Werk »vollkommen unbegreiflich geworden«, und Gott scheine »noch ferner gerückt als selbst in Freuds atheistischem Bekenntnis – und doch [sei] Er es allein, von dem jedes Buch, . . . jede Zeile redet . . . Das Hadern und Rechten mit Gott um Leid und Schuld [trete] bei ihm mit voller Wucht in den Vordergrund. In jedem seiner Worte [führe] er den einen einzigen großen Prozeß mit Gott, der nur unheimlicher und verwirrter ist dadurch, daß Gott und sein Gesetz nirgends mehr, weder in der Schöpfung noch über ihr, zu finden, zu erkennen« sei.[49] In ähnlicher Weise betont Günther Anders eine Beziehung Kafkas zu Hiob und reiht ihn sogar »in die Geschichte des verschämten Atheismus« ein. »Die Parallele zum Buche Hiob, das Kafka sein Leben lang begleitete«, zeige sich darin, daß Kafka »hiob-artig . . . die Identität des ›Guten‹ und dessen, was von der höchsten Instanz kommt, nicht ohne weiteres anerkennt: daß er sich untersteht zu rechten . . .«[50]

In diesem Zusammenhang eines klagenden In-Frage-Stellens transmundanen Rechts- und Machtanspruchs gehört Ries' Versuch, »Kafkas . . . Dichtungen als Ausdruck des Verfallsprozesses theologisch-metaphysischer Tradition zu interpretieren, an dessen Ende Transzendenz als Terror erfahren wird.«[51] Der Weltlauf erscheine hier »als fortwährender, unter Wiederholungszwang sich reproduzierender Schrecken«. Ja, die »oberste Instanz« stelle sich als das selber Anzuklagende heraus, insofern sie den Anspruch ihrer »Unzerstörbarkeit« nurmehr im »Zeremoniell der Gewalt« einlöst. Das Gleiche meint Adorno, wenn er sagt, Kafka habe »das Gericht über den Menschen beschrieben, um das Recht zu überführen«.[52] Dementsprechend ist es Ries' erklärte Absicht, Kafkas Gesamtwerk als »die strengste Ausdrucksform [jenes] Prozesses erkennbar werden zu lassen, den Camus vor Jahren schon mit dem Terminus ›metaphysische Revolte‹ näher zu bestimmen gesucht hat«.[53] Alle diese Stellungnahmen sind gewiß überscharf formuliert, treffen aber einen Kernpunkt Kafkas. Doch sollte über seiner gewiß zentralen religiös-metaphysischen Motivation die gleichfalls elementare künstlerische Motivation seines Schreibenmüssens, sein »Nichts-als-Literatursein« nicht aus dem Blick verloren werden.

Zur »Quäldämonie der Grausamkeit des Religiösen« (Canetti), in der sich Transzendenz als Terror bekundet, gehört nicht zuletzt auch die von

Kierkegaard, Nietzsche und Kafka auf je eigene Weise durchlittene Sisyphusmarter des existentiell religiösen Denkens. So stellt sich Kierkegaard in den *Philosophischen Brocken* die frustierende Frage:

> Aber was ist denn dieses Unbekannte, gegen das der Verstand in seiner paradoxen Leidenschaft anstößt und das sogar die Selbsterkenntnis des Menschen stört? Es ist das Unbekannte. So laßt uns also dies Unbekannte *den Gott* nennen. Das ist bloß ein Name, den wir dafür setzen . . . Die paradoxe Leidenschaft des Verstandes stößt . . . ständig an dieses Unbekannte, das wohl da ist, aber auch unbekannt und insofern nicht da ist.

Und in *Entweder – Oder* klagt er, daß ein Mensch nicht weiter kommen könne »als bis zu der gleichen Unwissenheit, mit der er angefangen«.

Das deckt sich genau mit der Feststellung Kafkas im achten Kapitel des *Schloß*-Romans: ». . . je länger er hinsah, desto weniger erkannte er, desto tiefer sank alles in Dämmerung.« In der für ihn charakteristischen Labyrinthmetapher hat Kafka diese Sisyphusmarter verbildlicht. Es gibt keinen Ausweg, es gibt nur ein immer tieferes Sich-Verirren und Verwirren.

Das gesuchte Unbekannte wird »bei Kafka für das *tränenblinde Auge* zur endlosen Flucht verborgener Kanzleien fremder Säle, unbetretener Korridore«.[54] Der *Ansturm gegen die Grenze* ist zum Scheitern verdammt. Von den Prämissen aus kann das erstrebte Ziel nicht erreicht werden, muß die Ankunft mißlingen. »Die Ewigkeit ihres Unterwegs-Seins durch die zu Hindernisräumen sich konkretisierende Zeit« wie z. B. in *Eine kaiserliche Botschaft* kennzeichnet den frustrierenden Lebensablauf der Kafkaschen Protagonisten. Der Quäldämonie existentiell religiösen Denkens hat auch Nietzsche in *Also sprach Zarathustra* bewegenden Ausdruck gegeben: »Gott ist eine Mutmaßung, aber wer tränke alle Qual dieser Mutmaßung, ohne zu sterben?« Der Kafkasche »Gott der Selbstquälerei« hat auch Nietzsche heimgesucht. Zu seiner laut verkündeten These »Gott ist tot« gehört als unerläßliche Ergänzung die Nachlaßnotiz über »die Widerlegung Gottes«, daß nämlich »nur der moralische Gott widerlegt«, sein drohender Schatten aber geblieben sei, insofern das ihm errichtete Standbild auf den Altären des Volkes noch immer unabweislich und Ehrfurcht heischend seine Macht ausübt. Eine Macht, die letzthin auf seiner Unerreichbarkeit beruht. Im Blick darauf ist auch ein Vergleich mit Kafkas Schloß möglich, dessen Macht ebenfalls auf seiner Unzugänglichkeit gründet und infolgedessen in Form einer unbestimmten und daher tief ängstigenden Drohung erlebt wird.

Im Kampf mit dem unbesiegbaren Schatten seines Vaters, mit der provozierenden Übermacht traditionsgeheiligter Institutionen überhaupt, hat Kafka den amoralischen Terror des Unbekannten und letzthin Transzendenten erlitten. Er könnte – ja, er sollte vielleicht sogar – diesen angemaßten Terror der Gewalt brechen, aber er kann es nicht, weil ein nicht zu überwindendes Schuldgefühl ihn niederhält und es ihm unmöglich macht, die von Kierkegaard spekulativ gewonnene Positivität des Glaubens zu erringen. So ist, wie Erich Heller ausgeführt hat, »die Überzeugung der [eigenen] Verdammnis alles, was [ihm] vom Glauben übriggeblieben ist«.[55]

Wenn in Kafkas Erzählung *Das Urteil* der Sohn die vom Vater über ihn verhängte Todesstrafe unterwürfig selber vollzieht, so wird damit der Anspruch der väterlichen Macht als absolute Sohnespflicht vor Augen gestellt. Das schockierende Paradox dieses Geschehens liegt darin, daß der Vater nicht nur unbegreiflich hart und grausam ist, sondern auch in keiner Weise zu solchem Gewaltakt moralisch befugt erscheint, vielmehr eine makabre Mischung von göttlichem Absolutheitsanspruch und menschlicher Unzulänglichkeit darstellt. Daß der Sohn sich dem Vater gegenüber schuldig fühlt und deshalb das Selbstgericht folgsam an sich vollstreckt, ist ja nur die *eine* Seite des Falles. Das eigentlich Ungeheuerliche aber ist, daß hier ein Unwürdiger die Macht eines strafenden Richtergottes usurpiert. Auf Grund dieser »Suspension des Ethischen« »wird der *horror religiosus* – Grundton der Lyrik des Grauens in Kierkegaards *Furcht und Zittern* – zur Krätze, welche den jahrtausende alten Goldgrund des Heiligen zerfrißt«.[56] Andererseits entspricht es der tendenziell einsinnigen Perspektive des Kafkaschen Erzählens, daß der Vater-Sohn-Konflikt ganz in der Sicht des einen der beiden Kontrahenten, nämlich in der des Sohnes, vergegenwärtigt wird. Allein dessen Schuldinnewerdung ist Gegenstand dieser Geschichte. Recht oder Unrecht des Vaters stehen nicht zur Diskussion. Nur das Faktum seiner Machtausübung wird herausgestellt. Letzthin geht es hier um die Herrschaft eines Glaubens, der den Mißbrauch der Macht ermöglicht und das vereinzelte Subjekt terrorisiert.

Kafka selbst hat solche Kritik auch ausgesprochen. Über die Verweigerung Amalias gegenüber dem Machtabsolutismus Sortinis im *Schloß*-Roman sagte er: »Sortini hat nicht Amalia bloßgestellt, sondern sich selbst. Vor Sortini also schrecke ich zurück, vor der Möglichkeit, daß es einen solchen Mißbrauch der Macht gibt.« Daraus folgt, daß eine religiöse Deutung des Schlosses als Reich der Gnade, wie sie vor allem von Brod im Sinne Kierkegaards vorgetragen, aber von Heller, Sokel u. a. ebenso entschieden zurückgewiesen wurde, nicht zu halten ist. Was hier vorliegt, ist vielmehr – mit den Worten von Ries – eine »verborgene Kierkegaard-Revision als Kritik der Gewalt des ›Oberen‹«. Als »verborgen« kann diese Revision deshalb angesprochen werden, weil Kafka – anders als Kierkegaard und Nietzsche – keine letztgültigen Entscheidungen wagte.

Noch krasser als im *Urteil* erscheint dieser Gegensatz zwischen geheiligtem Machtabsolutismus und moralischer Anfechtbarkeit in der *Strafkolonie,* in welcher das inhumane alte Strafverfahren »als eine Art Gottesdienst der höchsten Gerechtigkeit« gefeiert wurde, »an dem alle Bewohner der Insel mit freudiger Andacht teilnahmen«.[57] Hier geht es in der Tat um eine »absurde Vermischung des religiös Transzendenten mit dem fragwürdig Diesseitigen, um eine Ineinssetzung des göttlich Erhabenen mit dem menschlich Gemeinen«.[58] Die technische Perfektion eines selbsterfundenen Strafautomaten, der ausschließlich nur die Todesstrafe vollstreckt, ist zum Absolutum göttlicher Gerechtigkeit erhoben. Eine Maschine ist an die Stelle Gottes getreten. »Ihre ingeniöse Vollkommenheit läßt sie als eine absolute (und damit transzendente) Instanz erscheinen . . . Der Fehlbarkeit des Menschen steht . . . respektgebietend die . . . (scheinbare) Unfehlbarkeit eines kunstvoll konstruierten Apparates gegenüber, dem Fragwürdig-Vieldeutigen das mathematisch Eindeutige, das zur Vergötzung herausfordert . . . Was aber das Ganze zu makaber tragischer Groteske werden läßt, ist das Mißverhältnis echter und unechter Größen in diesem Gegeneinander von Bedingtem und Unbedingtem.« »Statt göttlichen Gerichtes begegnet . . . Folterterror, hybrider Macht- und Rechtsmißbrauch, der sich absolut gesetzt hat . . . die richtenden Henker sind schuldiger und schlimmer als die Gehenkten.« Die in der religiösen Ethik des Judentums fundamentale Absolutheit und Göttlichkeit des Gesetzes ist zum Götzen pervertiert.

Daß hier etwas Bestürzendes, Unbegreifliches in die Literatur gekommen ist, daß Kafkas Dichtung eine neue Stufe des Absurden repräsentiert, ist nicht zu übersehen und zugleich der Grund für die weltweite Wirkung, die sie ausgelöst hat. Von Kafka aus gesehen, erscheint dieses Neue als eine ganz persönliche Tat, als schöpferische Leistung eines einsamen Einzelnen. Mag man ihn auch in den Motiven und sogar in den stofflichen Details seiner Werke als einen Erben vieler Ahnen erweisen, so gilt doch andererseits, daß alle Vorläufer, die man ihm zuschreiben kann, ihn nicht erst auf den Weg gebracht, sondern lediglich – wie Freunde oder »Blutsverwandte« – *bestätigt* haben. In seinem Dichtertum fallen Vielfalt literarischer Bezugsmöglichkeiten und Originalität zusammen.

Kafka schockiert und fesselt die Leser dadurch, daß er sie mit Vorgängen konfrontiert, die sich jeder rationalen Erklärung entziehen. Seine Protagonisten geraten in Situationen, die unglaublich erscheinen und doch geglaubt werden müssen, weil sie auf eine Wirklichkeit hinter den Dingen hinweisen. Unglaubliches, erschreckend Groteskes begegnet indessen auch schon in früherer Erzähldichtung, so z. B. in den »Fantasie- und Nachtstücken« E. T. A. Hoffmanns, die sich aber als Halluzinationen erklären lassen. Unfaßlich Absurdes findet sich ferner in Kleists Erzählungen *Die Marquise von O., Der Zweikampf* u. a. wie auch in seinem ernsten Lustspiel *Amphitryon*. Wie sich aber nachträglich zeigt, geht es bei den hier vorliegenden unmöglich anmutenden Begebenheiten um ganz reale, aber nicht gewußte Vorgänge, die lediglich aufgedeckt werden müssen, um die (vermeintliche) Absurdität zu beheben und Vernunft und Glauben wieder in Einklang zu bringen.

Im Gegensatz dazu bleiben in der akausalen Dichtung Kafkas die erregenden Fragen offen, bestehen die schockierenden Rätsel jeweils ungelöst fort, erweist sich das Absurde als schlechthin unerklärbar. Aber auch in Kierkegaards *Abraham* und *Johannes de Silentio* gibt es für das im Wortsinn Außerordentliche keine rationale, natürliche Erklärung. Im Gegensatz zur zweifelsfreien inneren Unschuldsgewißheit der Marquise Kleists, kann der Abraham Kierkegaards seiner selbst niemals gewiß sein, muß er vielmehr mit der Möglichkeit des Irrtums und der Selbsttäuschung rechnen. »Er könnte ja Gottes Ruf mißdeutet oder sich ihn bloß eingebildet haben... So ist... [sein] Glaube eine höchst gefährdete allerletzte Schranke vor dem totalen Grauen und der Leere des Absurden«. Wie Abraham bleibt aber auch Maria in Kierkegaards *Johannes de Silentio* allein auf sich selbst verwiesen und damit gegenüber den plausiblen Zweifeln der Umwelt am Wunder ihrer unschuldigen Schwangerschaft »zur Stummheit verurteilt«. Dennoch sind beide, Abraham und Maria, nicht verloren, weil sie zuletzt durch Gott selbst gerechtfertigt werden.

Anders verhält es sich in den Romanen und Erzählungen Kafkas, wo ein solcher Bezug auf die absolute Instanz Gottes entfällt, wo Gott vielmehr beharrlich schweigt und das Absurde keine Begründung findet. Hier kann die Akausalität der Vorgänge nicht mehr harmonisiert und die Existenz der Gestalten nicht ins Mythische erhöht werden. In allen Fabeln Kafkas, im *Urteil*, in der *Verwandlung*, im *Landarzt*, im *Blumfeld*, im *Prozeß*, im *Schloß* etc. begegnet vielmehr immer die gleiche, nicht mythisierbare, absurde Rätselhaftigkeit. Für die schmählich verendenden Protagonisten Kafkas gibt es keine höchsten Rechtfertigungen oder gar mythischen Erhöhungen, wie sie Kierkegaards Abraham und Maria zuteil werden; sie sind lediglich Opfer, deren Opferung als Gewaltakt erscheint und die Frage nach dem Sinn gegenstandslos macht. Aber diese durch keinen Kommentar zu behebende Unentscheidbarkeit der sich stellenden Fragen, dieses Offenbleiben der Lösungen trennen Kafka von Kierkegaard, der seinerseits, wie Sokel dargelegt hat, mit der gottbezogenen Realität des rational nicht erfaßbaren Wunders eine Übergangsstufe darstellt von der letztlich doch noch erklärbar bleibenden Absurdität der Vorgänge in älterer Novellistik zur Akausalität des Geschehens in Kafkas Dichtungen.

Nietzsche

1.

Daß eine »ganz tiefe geistige Verwandtschaft« (Sokel) Kafka mit Nietzsche verbindet, ist schon früh erkannt und ausgesprochen worden.[1] Eine Ausnahme machte jedoch Max Brod, der Kafka und Nietzsche als schlechthin unvereinbar erachtete und die »Instinktlosigkeit mancher Kafka-Erklärer« verwarf, die »sich nicht scheuen, Kafka und Nietzsche auf *einer* Ebene zusammenzubringen, – als ob es hier irgendwelche noch so vage Bindungen, Vergleichsmöglichkeiten und nicht den puren Gegensatz gäbe«.[2] Günther Anders hingegen sah in dem von Nietzsche geschichtsphilosophisch bestimmten Ereignis »Gott ist tot« den eigentlichen Ausgangspunkt von Kafkas Schreiben.[3] Verbindend Gemeinsames erkannte Heinz Politzer in den Parabeln Kafkas und Nietzsches, die ihm als Zeugnisse verwandter Geisteshaltung, als Standortbestimmungen »des Menschen in einer entgotteten Zeit« galten.[4] Für Erich Heller ist Nietzsche »in many respects a legitimate ancestor of Kafka«.[5] Klaus-Peter Philippi sieht die Verwandtschaft beider in einer »verblüffenden Nähe von Gedankenwelten, einzelnen Bildern und Formulierungen bestimmter Texte«.[6] Vor allem haben auch Sokel, Wagenbach, Emrich und Pasley die enge Beziehung zwischen Kafka und Nietzsche betont und durch konkrete Details erhärtet. Die eingehendste Darstellung des Kafka-Nietzsche-Verhältnisses gab Patrick Bridgwater, ist aber in seinem Eifer, Parallelen zwischen beiden aufzufinden, übers Ziel hinausgeschossen. Seine erklärte Absicht war, »to consider the whole question of the relationship between Kafka's work and that of the most influential philosopher of the earlier twentieth century«.[7] »Particularly close links [bestünden] between *Also sprach Zarathustra* and Kafka's two K-novels.« Ganz allgemein könne man sagen, »that . . . it was Schopenhauer's and Nietzsche's writing on ethics that most interested the ›absolute moralist‹ Kafka«. Kafkas Hochschätzung von Nietzsches *Geburt der Tragödie,* auf die vor allem Sokel hingewiesen hatte[8], sei insbesondere in Kafkas letzter Erzählung *Josefine, die Sängerin* spürbar. Aber auch *Das Schloß* und die *Forschungen eines Hundes* enthielten bemerkenswerte Anspielungen. Insgesamt gelte: »Nietzsche's writings, like Schopenhauer's, concern all Kafka's central interests.« (Bridgwater) Ohne auf die Untersuchungen Bridgwaters und die Beiträge Pasleys einzugehen, hat zuletzt (1977) Wiebrecht Ries – unter religionsphilosophischem Aspekt – noch einmal das stimulierende Thema der Verwandtschaft zwischen Kafka und Nietzsche erörtert.

Auch die Vita Kafkas bestätigt die Wirkung, die Nietzsche auf ihn ausgeübt hat. Hinzu kommt, daß Nietzsche geradezu der »Modeautor« jener Generation gewesen ist, die aber nicht das komplexe Ganze seines philosophischen Werkes aufnahm, sondern in erster Linie durch seine provozierenden Thesen angezogen wurde. Was Kafka an Nietzsche als verwandt ansprach, war dessen radikales In-Frage-Stellen alles bislang Geglaubten. Wie Nietzsche im *Willen zur Macht* hätte auch er den Skeptizismus Descartes' als unzureichend zurückgewiesen und der Forderung zugestimmt, daß man »gründlicher zweifeln« müsse. Unter diesem Aspekt kann man den jungen Kafka sogar einen Nietzscheaner nennen. Hier besteht in der Tat ein genuiner, zugleich rationaler und emotionaler Zusammenhang zwischen dem Philosophen und dem Dichter. Andererseits gilt jedoch, daß man mit »der Ausgrenzung einzelner Grundgedanken« Nietzsche nicht gerecht werden kann. Wie Eugen Biser in seiner Studie »Das Desiderat einer Nietzsche-Hermeneutik« ausgeführt hat, läßt sich Nietzsche nicht »auf den Nenner eines monosemantischen Begriffs ... bringen«, ist er vielmehr, »wie die Widersprüchlichkeit seiner eigenen Aussagen vermuten läßt, ... stets eine schwer zu fassende Einheit von Position und Gegenposition ... [also] immer ... beides zugleich: Philosoph und Antiphilosoph, Politiker und Verneiner der politischen Lebensform, Bewunderer des Judentums und Antisemit, heimlicher Verehrer Jesu und wütender Antichrist«[9], enragierter Totsager Gottes und zugleich »Gottsucher wider Willen« (Heidegger). Diese kontroverse Vielstimmigkeit seines Denkens mußte in Kafkas ambivalenter Natur spontanen Widerhall finden. Doch war Kafka selber kein Philosoph noch auch ein kompetenter Kenner Nietzsches, wohl aber ein nicht zu sättigender »Hungerleider nach dem Unerreichlichen« wie dieser, dessen »Darstellung der Askese und Erfüllung des Seelenhungers manches zu Kafkas Formulierungen im *Hungerkünstler* beigetragen habe«.[10] Weil aber Kafka nicht den ganzen Nietzsche kannte, wird dieser hier auch nicht in der differenzierten Fülle seiner Gedankenwelt dargestellt, sondern konzentriert auf seine Bedeutung für Kafka in den Blick gerückt.

Wenn Günther Anders unterstellt, daß von der Situation »Gott ist tot«, wie sie Nietzsche im 125. Aphorismus der *Fröhlichen Wissenschaft* gekennzeichnet hat, alles ausgehe, was Kafka schreibt, so trifft er damit nur *eine* Seite des Dichters. Zu wenig beachtet er dabei »jene eigentümliche Dialektik, daß bei Kafka der begrifflose ›Schatten‹ des toten Gottes als horror vacui noch immer die Macht besitzt, menschliche Wirklichkeit zu paralysieren«[11], daß also der tote Gott als verborgener Gott auch weiterhin seine absolute Souveränität ausübt und infolge seiner Verborgenheit als permanente Bedrohung wirkt, Transzendenz also zum Terror wird und »Entmythologisierung als Dämonologie sich enthüllt«. Für Kafka bleibt eben – im Gegensatz zu Nietzsche – die historische Bindung an die einmal erfahrbar gewesene Transzendenz »auch noch im Bewußtsein ihres Verlustes unaufhebbar anwesend«. Ja, sie ist »in dieser negativen Erfahrung immer noch das Grunderlebnis Kafkas, das seine eigene Existenz durch und durch bestimmt. Erhalten bleibt, als letztes Sagbares, das Wissen um den Verlust«.[12]

Aber das Nietzsche-Engagement des jungen Kafka, in Verbindung mit seiner entschiedenen Hinneigung zum Darwinismus, bleibt als Tatsache bestehn.[13] Faszination und Rezeption hatten schon in der Schulzeit begonnen, nachdem durch Oskar Pollak der Anstoß zur Nietzsche-Lektüre gegeben worden war. Auf Pollaks Anregung abonnierte Kafka auch die noch von Nietzsche mitbegründete Halbmonatsschrift *Der Kunstwart,* die seine freigeistige Jugendphase stimulierte und seinen Enthusiasmus für Nietzsche nährte. Wie seine Jugendfreundin Selma Robitschek (geb. Kohn) mitteilte, hat ihr Kafka im Jahre 1900, also noch als Schüler, unter einer alten Eiche oft aus Nietzsche vorgelesen.[14] Sicher las er damals schon den *Zarathustra* und wohl auch die *Geburt der Tragödie,* ein Werk, das er lebenslang hochgeschätzt hat. Nietzsches Verurteilung der verlogenen Kultur, seine Um- und Abwertung aller Werte entsprachen Kafkas pessimistischem Skeptizismus. Daß er jedoch »die ganze Problematik von Nietzsches Ästhetizismus übernommen« habe, hat Binder mit Recht als Übertreibung zurückgewiesen.[15] Aber »ein Arsenal von Bildformen, von zur Umformung tauglichen Leerbegriffen« war Kafka durch seine Nietzsche-Lektüre verfügbar geworden, was »sein späteres Erzählen aus Bildkernen und Assoziationen zum Bereich alltäglicher Konkreta gefördert haben« dürfte. Nietzsches »Widerwille gegen Abstraktionen und [sein] Bilderdenken kamen Kafka genauso entgegen wie seine kunst- und religionsgeschichtlichen Themen sowie sein existentieller Bezug: Denn die in Kafkas Bibliothek vorhandenen philosophischen Autoren wie Fichte, Schleiermacher, Schopenhauer, Kierkegaard, Nietzsche und Plato zeigen, daß er an Werken mit ethischer und religiöser Problemstellung und lebenspraktischer Ausrichtung interessiert war.« In die Geschichte seiner Nietzsche-Rezeption gehört ferner, daß er in der Prager »Lese- und Redehalle«, einem von Nietzsche mitgeprägten Kreis deutscher Studenten, Vorträge über Nietzsche hörte und mit seinem Freund Max Brod lebhaft darüber diskutierte. Und während seiner Studentenzeit – bis zum Jahr 1906 – verkehrte er in dem geistig anspruchsvollen Zirkel des Hauses Fanta, wo nach der Mitteilung Max Brods »exakte Philosophie betrieben« wurde und Kafka weiterhin mit Nietzsche in lebendigem Kontakt geblieben ist.

Wie der radikale Skeptizismus Nietzsches hat auch der Pessimismus Schopenhauers Kafka angesprochen.[16] Alles Verneinende fand Widerhall in seiner leidenssüchtigen Seele. Nach Bridgwater waren die Schriften dieser beiden Philosophen für Kafka eine geistige Fundgrube ersten Ranges, »his favourite quarry«[17], obwohl er keines solchen Anstoßes zum selbstquälerisch Destruktiven bedurfte. Man denke an seinen Tagebucheintrag T 462, der auf keine literarische Anregung zurückging, sondern – wie noch viele ähnlich negative Äußerungen – reines Selbstbekenntnis war, eine genuin Kafkasche Version der Schopenhauerschen These von der Welt als »der schlechtesten aller möglichen Welten«: »Bei einem gewissen Stande der Selbsterkenntnis« werde man erkennen, »daß man nichts anderes ist als ein Rattenloch elender Hintergedanken«, und fühle sich noch wohl in diesem Schmutz.

Auch Bridgwater räumt ein: die Dichtungen Kafkas hätten »invariably a personal, emotional origin«, verweist zugleich auf seinen häufigen Gebrauch von »metaphors (and the concomitant ideas) he found in other writers«, und das vor allem bei Nietzsche und Schopenhauer. Kafkas Originalität bestehe nicht zuletzt in seiner Kunst »at weaving a wide range of ideas and meanings into his narrative pattern, so that his works, and even individual images, are multidimensional to an unparalleled degree«, was viele Kafka-Interpreten verführt habe, nicht innerhalb der eigenen Gedanken- und Erfahrungswelt Kafkas zu bleiben, eine Gefahr, die Kafka selbst vorausgesehen und im Gespräch mit Janouch beklagt hat: »Viele sogenannte Wissenschaftler transponieren die Welt des Dichters auf eine andere wissenschaftliche Ebene«. (J 43) Gleichwohl lasse sich zeigen, »that the world of Nietzschean ideas is very much a part of Kafka's world«. So sei Nietzsches *Zur Genealogie der Moral* für Kafka ein wahres Quellenwerk (a source-book) gewesen. Und Malcolm Pasley habe die literarischen Beziehungen Kafkas zu Nietzsches Schriften in vielen konkreten Details nachgewiesen. Andererseits gebiete es aber der Respekt vor der Originalität des Dichters, diesen nicht als einen Schüler Nietzsches einzustufen. Auch sollte man nicht von »Einflüssen« sprechen; denn Kafka transzendiere seine Quellen, »so that even the most Nietzschean motifs are transformed into a part of *his* myth«.

Dieses Zugeständnis ist um so nötiger, als Bridgwater seine Suche nach Entsprechungen übertreibt und manches allzu sorglos assoziiert. Hatte Brod mit gleicher Einseitigkeit, aber im Gegensinn, jede Gemeinsamkeit Kafkas mit Nietzsche verworfen, weil eine solche mit seinem zionistisch motivierten Wunschbild von Kafka nicht zu vereinbaren war, so suchte Bridgwater mit einer schier erdrückenden Menge von Hinweisen Kafka in engsten Zusammenhang mit Nietzsche zu bringen. Sicher ist Brods Unterstellung eines radikalen Gegensatzes zwischen Kafka und Nietzsche nicht zu halten; denn Kafka hat Nietzsche gekannt und mit Interesse gelesen. Den *Zarathustra* hat er verschlungen. Andererseits hat aber Bridgwater den »Nietzscheaner« Kafka allzu hemmungslos vergrößert. Infolgedessen hat Reinhold Grimm mit Recht festgestellt: ». . . if Brod is wrong, Bridgwater isn't right, either.«[18] Grundsätzlich gilt für alle, auch die auffälligsten Parallelen, die sich zwischen den Werken Kafkas und denen anderer Autoren finden lassen, daß Kafka nie etwas übernahm, was er nicht schon besaß, was ihn nicht in seinem Eigenen bestätigte. Mit Nietzsche verband ihn von vornherein »a very similar view of the degenerate ›civilization‹ of their time«.[19] Nietzsches

Kennzeichnung der modernen *décadence* entsprach Kafkas Klage über »das rohe Zugreifen der Zivilisation«:

> Zur grauen, formlosen und darum namenlosen Masse wird die Menschheit nur durch den Abfall von dem formgebenden Gesetz. Dann gibt es aber kein Oben und Unten mehr; das Leben verflacht zur bloßen Existenz; es gibt kein Drama, keinen Kampf, sondern nur die Abnützung des Stoffes, Verfall. (J 116)

Dieses »concept of ›Verflachung‹« findet sich ähnlich bei Nietzsche, aber auch bei vielen dichtenden Zeitgenossen Kafkas, insbesondere bei Rilke, so in der pessimistischen Zukunftsvision Maltes. »Mit Malte teilte Kafka die Erkenntnis von der ›Existenz des Entsetzlichen in jedem Bestandteil der Luft‹, von der Unausweichlichkeit der Katastrophe«[20]:

> Die Zeit der anderen Auslegung wird anbrechen, und es wird kein Wort auf dem anderen bleiben, und jeder Sinn wird wie Wolken sich auflösen und wie Wasser niedergehn . . .

Am entschiedensten bekundet Kafka seine Verwandtschaft mit Nietzsche in dem bekenntnishaften Ausspruch vom Februar 1918:

> Ich bin nicht von der allerdings schon schwer sinkenden Hand des Christentums ins Leben geführt worden wie Kierkegaard und habe nicht den letzten Zipfel des davonfliegenden jüdischen Gebetsmantels noch gefangen wie die Zionisten. Ich bin Ende oder Anfang.

Aufschlußreich ist, daß in dieser Äußerung Nietzsche nicht genannt wird und auch nicht an ihn gedacht ist. Vielmehr geht es hier um eine ganz eigene Stellungnahme Kafkas. Das aber macht die Übereinstimmung beider in ihrem Selbstverständnis nur um so zwingender. Zeigt es doch, daß – unabhängig voneinander – Kafka und Nietzsche ihre Situation und Bestimmung auffallend ähnlich gesehen haben. Für sie beide ist nach dem Stand ihres Bewußtseins alles Bisherige abgeschlossen, sind sie »Ende«. Zugleich aber erhellt aus der *alternativen* Formulierung Kafkas ein Gegensatz, der sie trennt: Zieht Nietzsche mit Entschiedenheit die Konsequenz, »Anfang« zu sein, verharrt Kafka in der für ihn charakteristischen Unentschiedenheit: »Ende *oder* Anfang«.

In diesem Sich-nicht-Entscheiden-Können bezeugt sich die unüberwindliche Gespaltenheit seiner Person, der marternde Zwiespalt zwischen Intellekt und Gefühl, Wissen und Glauben. Im *Denken* hat Kafka das Vergangene hinter sich gelassen, steht er im Hier und Heute moderner wissenschaftlicher Welterkenntnis, zeigt er sich interessiert an den Neuerungen in Naturwissenschaft und Technik[21], mit seinem *Empfinden* und *Bedürfen* jedoch lebt er noch weithin in vorzeitlichen Traditionen, kann er sich von seinen Ursprüngen nicht lösen und bleibt für die Bestrebungen des Zionismus, von dem er sich erklärtermaßen emanzipiert hatte, zu verschiedenen Zeiten und gerade am Ende seines Lebens empfänglich. Nicht zuletzt beruht die Wirkung Kafkas darauf, daß er als moderner Dichter ganz Anfang, ganz Heute und Morgen, gleichzeitig aber noch ganz archaische Vergangenheit ist, daß er Weltalter in seinem

Werk bewegt. Für den *Denker* Nietzsche war eine eindeutig progressive Entscheidung möglich. Für ihn galt es, das Vergangene als Ballast abzuwerfen, um neu zu beginnen. Sein aggressiver Intellekt stieß sich nicht an dem Kafkaschen Problem letzter Unentscheidbarkeit der Probleme. Ob aber auch der *Mensch* Nietzsche mit dieser absoluten Freiheit des Denkens Schritt halten konnte, muß eine offene Frage bleiben. Manches spricht dafür, daß sein radikaler Zweifel auch vor dem eigenen Denken nicht immer haltmachte und er eine ähnliche Qual der Zerrissenheit durchleiden mußte wie Kafka. War der Antichrist Nietzsche nach Heidegger letzthin ein »Gottsucher wider Willen«, so stand er Kafka als einem lebenslangen »Knecht Gottes«[22] menschlich ganz nah. Wie Nietzsche vom totgesagten Gott, so ist Kafka vom freigeistigen Skeptizismus nie ganz losgekommen. In diesem Nicht-frei-Werden-Können von dem, was sie verbindet, bezeugt sich ihre Verwandtschaft. Nietzsche kam mit seinem Denken, Kafka mit seinem Glauben nie ganz ins reine.

2.

Erstaunlich ist, wie vieles, was Biser in seiner weitgespannten Studie zur Nietzsche-Hermeneutik über Nietzsche ausführt, nahezu unverändert auf Kafka übertragen werden kann.[23] Beide nehmen eine Sonderstellung ein, derzufolge sie eine ungewöhnlich »bewegte Wirkungsgeschichte« aufweisen. Wie »das Phänomen Nietzsche« entzieht sich auch das Phänomen Kafka »dem Zugriff einer eindeutigen Bestimmung, indem es in ihr Gegenteil zurücktritt«. Und bei beiden »reagierte die Interpretation auf die Ambivalenz [ihrer Persönlichkeiten] mit wiederholtem Perspektivenwechsel«. Philosophen[24], Psychologen, Theologen, Moralisten, Philologen, Literaten, Literaturkritiker, auch Soziologen und Politiker nahmen im Für und Wider sowohl Nietzsche wie Kafka für sich in Anspruch.[25] Bei dieser »Reklamierung ihres Gedankengutes« durch verschiedene Fachrichtungen ging und geht es nicht ohne Einseitigkeiten und Umdeutungen ab. Der »Zug einer terrible simplification« scheint unvermeidbar. Biographische Ähnlichkeiten verlocken bei beiden zu »Gegenüberstellungen mit einer ganzen Reihe von [typologisch verwandten] Vergleichsgestalten« wie Hölderlin, Kleist, Kierkegaard, Dostojewski, Strindberg u. a. Ein weiteres Gemeinsames ist, daß beide »herausfordernd und überwältigend« wirken, daß also kein Weg an ihnen vorbeiführt, daß man sich ihnen stellen muß, »wenn man in Übereinkunft mit dem Zeitgeist denken und sich keines erkenntnis-geschichtlichen Versäumnisses schuldig machen will«. Hinzu kommt, daß die von ihnen »ausgehende Herausforderung . . . gleichzeitig als Faszination und Horror empfunden wird«. Was Biser über die Rezeption Nietzsches durch die Expressionisten bemerkt, »daß sich [nämlich] die Kenntnis der meisten Literaten . . . auf den übermächtigen Eindruck des

Zarathustra beschränkte« und eine gründlichere Rezeption seiner Werke nicht stattfand, gilt bis zu einem gewissen Grad für die Beziehung Kafkas zu Nietzsche. Wie alle nicht fachphilosophisch fundierten Nietzscheaner hat auch Kafka Nietzsche nicht umfassend auf seine philosophische Funktion hin betrachtet, sah in ihm vielmehr in erster Linie den kompromißlos konsequenten Kritiker und Skeptiker. Doch war er vermöge seines kongenialen Gespürs gegen fundamentale Mißverständnisse gefeit. Und sicher ist ihm auch nicht entgangen, »daß Nietzsche mit den von ihm ›exoterisch‹ vorgetragenen Thesen nicht selten einen ›esoterischen‹ Hintersinn verbindet«.

Da aber die Nietzsche-Rezeption Kafkas eine nur partielle, ja auch zufallsbedingte war und sich daher auf bestimmte Grundgedanken konzentrierte, bleibt zur Kennzeichnung der geistigen Verwandtschaft beider keine andere authentisch legitime Möglichkeit, als sich ebenfalls auf charakteristische Einzelparallelen welt- und lebensanschaulicher Art zu beziehen, welche die typologische Zusammengehörigkeit bezeugen. Was Nietzsche und Kafka kernhaft verbindet, ist die sie bestimmende Thematik und Problematik der Existenz. Als existentielle Denker und Dichter gehören sie zusammen und stehen als solche zugleich in einer weit zurückreichenden Tradition, nämlich in der

> »Reihe jener Denker, denen die Philosophie als Deutung der eigenen Existenz und das persönliche Schicksal als Schlüssel zur Wahrheit gilt und die auf Grund dieses Wechselbezugs den eigentlichen Gegentypus zum Systematiker bilden, der nach einem Aperçu Kierkegaards neben dem ›ungeheuren Schloß‹ seiner Systemgedanken in einer Scheune haust. Mit Sokrates beginnend . . . führt diese Reihe über Augustinus und Boethius hin zu Pascal, . . . um schließlich in Kierkegaard ihren Höhepunkt, zumindest die Gipfelhöhe der Bewußtheit, zu erreichen. [Dies] trifft . . . kaum weniger auf einen zweiten Zeitgenossen desselben Typs zu, obwohl er im Unterschied zu dem dänischen Existenzdenker noch nicht einmal dem Namen nach in Nietzsches Blickfeld tritt: Wladimir Solowjew. Mit einem jeden der Genannten aber teilt er den Willen, die persönliche Existenz zum Zentralthema seiner Reflexionen zu erheben . . .«[26]

Das Existenzdenken führte beide zu penibler Selbstumkreisung und bei Kafka noch weiter zu tiefem Selbstzweifel und heillosem Ungenügen, das sich in gnadenloser Selbstverurteilung entlud. In seinem Brief an Max Brod vom 5. Juli 1922 rechnete Kafka mit seiner Existenz als Schreibender und mit der Schriftstellerexistenz überhaupt schonungslos ab:

> Das Schreiben ist ein süßer wunderbarer Lohn . . . für Teufelsdienst. Und das Teuflische daran scheint mir sehr klar. Es ist die Eitelkeit und Genußsucht, die immerfort um die eigene oder auch um eine fremde Gestalt . . . schwirrt und sie genießt . . . Dagegen könnte man sagen, daß das Schicksal ist und in niemandes Hand gegeben. Aber warum hat man dann Reue, warum hört die Reue nicht auf? . . . warum bleibt . . . das Schlußwort in solchen Nächten immer: Ich könnte leben [nämlich: ein richtiges Leben] und ich lebe nicht. (Br 384 f.)

Es ist bemerkenswert, daß dieselbe destruktive Schriftstellerkritik auch schon bei Nietzsche begegnet:

> Der beste Autor wird der sein, welcher sich schämt, Schriftsteller zu sein.

> Man sollte einen Schriftsteller als einen Missetäter ansehen, der nur in den seltensten Fällen Freisprechung und Begnadigung verdient.[27]

Die Härte dieses Aburteils ist bestürzend: in jedem Fall ist demnach der Schriftsteller unter Anklage zu stellen und allenfalls nur zu »begnadigen«, aber niemals zu rechtfertigen. Und das im Mund zweier zum Schreiben Geborenen!

Wie Sokel und Anders verdeutlicht haben, ist auch das Element der Macht und des Machtkampfes, also der Wille zur Macht und das Kreisen um die Frage von Macht und Ohnmacht, von zentraler Bedeutung für das Denken Nietzsches und das Denken Kafkas.[28] Sogar Tiermetaphorik, im Kafkaschen Sinn einer Degradierung des Menschen, ist schon von Nietzsche angesprochen worden, und zwar im Aphorismus 519 in *Menschliches, Allzumenschliches,* Erster Band:

> Der Irrtum hat aus Tieren Menschen gemacht, sollte die Wahrheit imstande sein, aus dem Menschen wieder ein Tier zu machen?

Offenbar ist hier Ähnliches, ja das Gleiche gemeint wie in den für Kafka charakteristischen Gestaltungen der Tierheit der Menschen und der Menschlichkeit der Tiere.[29] Hat doch in Kafkas bekanntester Erzählung die Verwandlung des Protagonisten »in ein ungeheures Ungeziefer« die Wahrheit über Gregor Samsa ans Licht gebracht! Nietzsches Ausspruch erhellt blitzartig den Sinn der Kafkaschen Tiermetaphorik. Bezeichnend ist ferner, wie sehr die Selbstzerfleischung Nietzsches – bis in die Bildvorstellungen hinein – mit dem Sadomasochismus in Kafkas degradierenden Tiermetaphern zusammenstimmt.[30] In seinem Gedicht *Zwischen Raubvögeln* präludiert Nietzsche Kafkas Situation der Geworfenheit und Verlorenheit an sich selbst »so genau, daß diese Verse fast als eine poetische Paraphrase von dessen Erzählung *Der Bau* angesprochen« werden können; denn auch das Waldtier Kafkas ist »im eigenen Schachte« gefangen, »in sich selber eingehöhlt« und »lauernd, kauernd« dem eigenen Grab verwachsen. Wie Nietzsche »zerstörte, erwürgte, verkrüppelte [auch Kafka] sich selber«.[31] Und wie Nietzsche war auch Kafka dazu verdammt, sich an Erkenntnis Grausameres zuzumuten, als sein Gemüt ertragen konnte. Was jenen ins Unwegsame trieb, hat auch diesen gegeißelt. Hinzu kommt, daß beide, Nietzsche und Kafka, das Leiden in gleichem Maße hochwerteten, ja als das einzige Positive im Leben des Menschen erachteten. Sie waren überzeugt, daß es die Rangordnung bestimmt, wie tief einer leiden kann. Aus diesem Ethos bekannte Nietzsche: »Ich will es so schwer haben, wie nur irgend ein Mensch es hat.« Dieser asketisch selbstquälerische Zug zum heroischen Lebenslauf eines Heiligen hat seine Entsprechung im ethischen Rigorismus Kafkas, in seiner Forderung nach unbedingter Reinheit.

Auch mit seinem radikalen Pessimismus hat Nietzsche Kafka als verwandt angesprochen. Als unheilbar Einsamen erschien ihnen beiden das Leben als eine ausweglose Tragödie ohne erkennbaren Sinn, die Welt als eine elende Welt, ja als die schlechteste aller möglichen Welten, als eine Stätte der Tantalusqualen und Sisyphusmartern. Zwar war Kafka kein entschiedener Nihilist, aber infolge seines unbezwingbaren Verneinungszwangs doch auch nicht ganz frei von einem nihilistischen Infekt. Wo das Ziel nicht mehr erkennbar ist und keine Antwort auf das »Warum« mehr gegeben werden kann, findet der Nihilismus Ansatzpunkte und Angriffsflächen. So hat Nietzsche »in seinen Auseinandersetzungen mit dem Nihilismus die Ursache dieses Phänomens darin gesehen, ›daß die oberen Werte‹ – der Glaube an Gott, an die Unsterblichkeit, an ethische Prinzipien – ›sich entwerten‹«.[32] Orientierungslos geworden, irrt der Mensch fortan in einem Labyrinth, kennt er, wie schon Kleist klagte, »nicht einmal die Himmelsgegend, nach welcher [er] steuern soll«, verfällt er permanenter Frustration oder bleibt, um ein Kafkasches Bild zu gebrauchen, ohne Hilfe verunglückt mitten in einem unabsehbar langen Tunnel liegen. Lauter Situationen, in denen es keine Illusionen und auch keine Tabus für das Denken mehr gibt, wo alles mißlingt und Gott schweigt.

Aus solchem Tief der Verlassenheit rufen Nietzsche und Kafka ihre Klagen und Fragen in den echolosen Raum:

»Wie? ist der Mensch nur ein Fehlgriff Gottes? Oder Gott nur ein Fehlgriff des Menschen?« (*Götzendämmerung*. Sprüche und Pfeile, Nr. 7)

»Gott ist eine Mutmaßung, aber wer tränke alle Qual dieser Mutmaßung, ohne zu sterben?« (*Also sprach Zarathustra*)

»Wir sind nihilistische Gedanken. Selbstmordgedanken, die in Gottes Kopf aufsteigen.« »Unsere Welt ist nur eine schlechte Laune Gottes, ein schlechter Tag.« (Von Max Brod überliefertes Gesprächsfragment Kafkas)

»Es ist furchtbar, im Meere vor Durst zu sterben. Müßt ihr denn eure Wahrheit so salzen, daß sie nicht einmal mehr – den Durst löscht?« (*Jenseits von Gut und Böse*. Sprüche und Zwischenspiele, Nr. 81)

»Immer bin ich in Bewegung. Nehme ich aber den größten Schwung und leuchtet mir schon oben das Tor, erwache ich auf meinem alten, in irgend einem irdischen Gewässer öde steckenden Kahn.« (*Der Jäger Gracchus*)

Infolgedessen mündet alles Denken in fundamentale Skepsis, wie sie gerade Nietzsche wiederholt radikal ausgesprochen hat:

»Ich mißtraue allen Systematikern und gehe ihnen aus dem Weg. Der Wille zum System ist ein Mangel an Rechtschaffenheit.« (*Götzendämmerung*, Nr. 26)

Auch darin stimmen Nietzsche und Kafka überein, daß sie die Mißstände in der menschlichen Lebenswelt weithin als spezifische Übel der Moderne sehen, als die tristen Ergebnisse einer fehlgelaufenen Entwicklung, als ein fatales Versagen des »homo sapiens«, wobei in der Sicht Kafkas[33] diese Fehlentwicklung bereits und gerade mit dem Akt der Menschwerdung begann. Im Epilog zu Nietzsches *Der Fall Wagner* heißt es:

> Diese *Unschuld* zwischen Gegensätzen, dies »gute Gewissen« in der Lüge ist . . . *modern par excellence,* man definiert damit die Modernität. Der moderne Mensch stellt, biologisch, einen *Widerspruch der Werte* dar, sitzt zwischen zwei Stühlen . . . wir alle haben wider Wissen, wider Willen, Werte, Worte, Formeln, Moralen *entgegengesetzter* Abkunft im Leibe – wir sind, physiologisch betrachtet, *falsch* . . . Eine *Diagnostik der modernen Seele* – womit begänne sie? Mit einem resoluten Einschnitt in diese Instinkt-Widernatürlichkeit, mit der Herauslösung ihrer Gegensatz-Werte, mit der Vivisektion . . .

Das ist nach Sinn und Zielsetzung die Nietzschesche Version und Vorwegnahme der Kafkaschen Diagnose und Therapie:

> Ich glaube, man sollte überhaupt nur Bücher lesen, die einen beißen und stechen. Wenn das Buch, das wir lesen, uns nicht mit einem Faustschlag auf den Schädel weckt, wozu lesen wir dann das Buch? . . . Wir brauchen Bücher, die auf uns wirken wie ein Unglück, das uns schmerzt wie der Tod eines, den wir lieber hatten als uns, wie wenn wir in Wälder verstoßen würden, von allen Menschen weg, wie ein Selbstmord, ein Buch muß die Axt sein für das gefrorene Meer in uns. (Br 27 f.)

Die Gleichsinnigkeit beider Äußerungen ist bis in die einander nahestehenden Bildvorstellungen – »resoluter Einschnitt« bzw. »Vivisektion« einerseits und »Axt«hieb andrerseits – deutlich. Doch liegt insofern ein Unterschied vor, als Nietzsche das Problem philosophisch abstrakt, Kafka jedoch psychologisch konkret erörtert. Gleichzeitig tritt aber hier noch ein anderes Gemeinsames in den Blick, etwas Überraschendes, ja missionarisch Hoffnungsvolles. Gegen den tiefsitzenden Selbstzweifel, gegen die negative Einschätzung des Schreibens und der menschlichen Wirkungsmöglichkeit überhaupt bekunden beide in ihren Stellungnahmen den positiven Glauben, daß man helfen könnte, und auch zu wissen, wie man helfen könnte. Kafka, der das Schreiben äußerst kritisch wertete, ja als »Teufelsdienst«, als ein Spiel der Schriftstellereitelkeit verwarf, unterstellt hier, daß es auch Bücher gebe, die »beißen und stechen«, die Schmerz zufügen und dadurch Heilkraft für die krankende Menschheit besitzen. Dem Zug zu harter Selbstverurteilung steht also bei beiden, aber bei Nietzsche in ungleich stärkerem Grad, ein persönliches Sendungsbewußtsein entgegen. Doch auch der zu krasser Selbsterniedrigung neigende Kafka spricht im Tagebuch einmal von einem vielleicht möglichen Glück beim Schreiben, »falls ich die Welt ins Reine, Wahre, Unveränderliche heben kann«. (T 534)

3.

Wenn Nietzsche zuletzt doch zum System tendierte, so begehrte er etwas nach seinen Prämissen kaum Mögliches, nämlich eine Synthese von Systematik und Rechtschaffenheit. Denn Rechtschaffenheit, in seinem Sinn verstanden, fordert, alles und jedes immer von neuem in Frage zu stellen, immer noch »gründlicher zu zweifeln«. Auch in *Menschliches, Allzumenschliches* hat Nietzsche die Notwendigkeit solcher grundsätzlichen Skepsis betont:

> Wer tiefer denkt, weiß, daß er immer unrecht hat, er mag handeln und urteilen, wie er will. (Erster Band, Nr. 518)

> Wenn wir die Wahrheit auf den Kopf stellen, bemerken wir gewöhnlich nicht, daß auch unser Kopf nicht dort steht, wo er stehen sollte. (Zweiter Band, Nr. 218)

Beide, Nietzsche und Kafka, scheitern, weil sie die fundamentalen Fragen stellen, auf die es keine Antwort gibt, weil sie erkennen müssen, daß die primären Probleme unlösbar, ja unerfaßbar sind und sie daher in sekundärem Scheinwissen frustrieren müssen. Diese quälende Problematik, daß sich nur sekundäre Fragen, nicht aber die einzig entscheidenden primären Fragen beantworten lassen, kennzeichnet Ries mit der radikalen Formel: »Die Zerstörung der Wahrheit bei Kafka und Nietzsche: Wahrheit als Labyrinth«.[34] Kafka teilte Nietzsches »Verdacht, daß die Dinge und das Denken miteinander nicht adäquat sind« und die Welt infolgedessen unendlich, ja beliebig ausdeutbar ist, ja daß Wahrheit und Lüge als ununterscheidbar gelten müssen, »wenn es Gott als den Grund von Wahrheit und Sein nicht mehr gibt«. Was schon David Hume, der Kant aus seinem dogmatischen Schlummer aufgerüttelt hatte, feststellte, daß nämlich Sein und Begriff sich nicht decken, ja daß auch »die synthetische Einheit des Ich«[35] »die Identität des Selbstbewußtseins nurmehr ein Trugbild« sei, erfuhr und erlitt Kafka in konkreten Lebenssituationen, die ihn immer wieder aufs neue bestürzten. In einem Brief vom 28. August 1904 an Max Brod bekennt er sein Erstaunen über die naive Selbstsicherheit, mit der die Menschen »die unüberbrückbare Fremdheit zwischen Dingwelt und Sprachwelt« ignorieren: Als einmal seine Mutter eine Frau im Garten fragte, was sie mache, und diese antwortete: »Ich jause im Grünen«, habe er über die Festigkeit gestaunt, »mit der die Menschen das Leben zu tragen wissen«. (Br 29)

Daß es nur vermeintliches Wissen gibt, alles Wissen also auf Illusion beruht – diese Unsicherheit der Sicherheit des Menschen hat Kafka im Dom-Kapitel seines *Prozeß*-Romans vor Augen gestellt. In dem irritierenden Satz: »Richtiges Auffassen einer Sache und Mißverstehen der gleichen Sache schließen einander nicht völlig aus« erscheint Wahrheit in der Tat als Labyrinth. Das aber deckt sich mit Nietzsches These vom

»Ideologiecharakter aller Wahrheitsaussagen«, demzufolge »alle vermeintlich absoluten Aussagen über Gott, Dasein und Welt ... nur jeweilige Auslegungen des sich in ihnen verstehenden Menschen, ›perspektivische Schätzungen‹«[36] sind, die Wahrheit als solche jedoch uns grundsätzlich entzogen ist. Das gleiche besagt, wenn in der Auseinandersetzung Josef K.s mit dem Geistlichem im Dom, dieser ihn belehrt: »... man muß nicht alles für wahr halten, man muß es nur für notwendig halten« und Josef K. protestierend darauf erwidert: „Trübselige Meinung ... Die Lüge wird zur Weltordnung gemacht«, Kafka selbst jedoch kommentierend hinzufügt: »K. sagte das abschließend, aber sein Endurteil war es nicht.«

Was hier demonstriert wird, ist die Nietzschesche Auflösung von Wahrheit und Sein. Dem entspricht, daß das Licht als »das traditionelle abendländische Symbol für die Evidenz der Wahrheit« bei Kafka diese erhellende Funktion eingebüßt hat, daß es nur blendet und dadurch das Dunkel noch dunkler macht:

> Als sich K. zufällig umdrehte, sah er nicht weit hinter sich eine hohe, starke, an einer Säule befestigte Kerze gleichfalls brennen. So schön das war ... war das gänzlich unzureichend, es vermehrte vielmehr die Finsternis.
>
> (*Der Prozeß*, Neuntes Kapitel: *Im Dom*)

Nach Kafka ist es also nur durch die Tatsache des Geblendetseins von der Wahrheit, daß wir von ihr wissen, da sie sich – in einem tragischen Paradox – uns gleichzeitig aufdrängt und entzieht. Dieses Bildelement der Aufhebung altüberlieferter Lichtsymbolik fügt sich ein in die für Nietzsche und Kafka fundamentale Metaphorik des Labyrinths:

> Repräsentiert die Zerstörung des Lichts den Entzug der Wahrheit, so schreiben Nietzsche und Kafka ihrem Werk die Hieroglyphe des *Labyrinths* als »Sprachbild einer Denkform« (Hugo Friedrich) für die versiegelte Baustruktur der Wahrheit ein. In den verborgenen, mit Vexierspiegeln versehenen Gängen des Labyrinths bleibt menschliche Existenz auf der Suche nach dem verlorenen Licht der Wahrheit für immer gefangen. Nietzsches Schriften zitieren den mythischen Raum des Labyrinthischen – Theseus, Ariadne, den Minotaurus, Dionysos –, wenn sie auf der Suche nach dem Goldenen Vlies den Einstieg in den Innenraum von Existenz beschreiben. Der im Labyrinth verirrte Mensch, der den leuchtenden Faden der Ariadne verloren hat, ist auch ein Grundthema [ja das Grundthema] im Werk von Franz Kafka ... Die Metaphorik des Labyrinths ist exemplarisch in dem folgenden Aphorismus aus Kafkas drittem Oktavheft vom Oktober 1917 verdichtet, auf den schon früh Gustav René Hocke, der Kafkas Romane als »Epen des Labyrinthischen« versteht, aufmerksam gemacht hat:

> »Wir sind, mit irdisch beflecktem Auge gesehen, in der Situation von Eisenbahnreisenden, die in einem langen Tunnel verunglückt sind, und zwar an einer Stelle, wo man das Licht des Anfangs nicht mehr sieht, das Licht des Endes aber nur so winzig, daß der Blick es immerfort suchen muß und immerfort verliert, wobei Anfang und Ende nicht einmal sicher sind.«[37]

Wie Heinz Politzer festgestellt hat, läßt sich das Labyrinthische der Kafkaschen Romane insofern auch konkret nachweisen, als die Bauform des Schlosses und die Architektur der Gerichtskanzleien an historische Labyrinthmodelle erinnern und »das literarische Kompositionsprinzip des *Schloß*-Romans [sich] als labyrinthisch angelegte Kreisform« darstellt.[38] Indem der Protagonist K. stets an der Peripherie des Kreises agiert, kann er »seinem Ziel, ›in den Mittelpunkt des Kreises vorzustoßen‹, nicht um die Länge eines Schrittes näher . . . kommen«, vollzieht vielmehr und erleidet »die verewigte Sinnlosigkeit der ewigen Wiederkehr«. Als ein »in den Ausläufern des Labyrinths« Verirrter bestätigt er zugleich »Nietzsches Einsicht in den tödlichen Ausgang eines Einstiegs in das Labyrinth der Innenwelt, in deren endlosen Spiegelgängen sich der Mensch immer tiefer verliert, bis er – seiner Identität verlustig gegangen – von den Zerrbildern seines paralysierten Bewußtseins, die sich zum Schreckbild des Minotaurus zusammenfügen, ›stückweise zerrissen wird‹«.

Diese Tragödie des Labyrinthgängers K. scheint in der Tat von Nietzsche in *Jenseits von Gut und Böse* (Nr. 29) vorweggenommen, wo es heißt:

> Er begibt sich in ein Labyrinth, er vertausendfältigt die Gefahren, welche das Leben an sich schon mit sich bringt; von denen es nicht die kleinste ist, daß keiner mit Augen sieht, wie und wo er sich verirrt, vereinsamt und stückweise von irgendeinem Höhlen-Minotaurus des Gewissens zerrissen wird.

Indessen stimmt diese von Ries unterstellte Übereinstimmung zwischen dem Kafkaschen und dem Nietzscheschen Labyrinthgänger nicht oder doch nur zum geringsten Teil. Der Protagonist Kafkas erleidet zwar äußerlich dasselbe Schicksal wie der Mann in Nietzsches Aphorismus; er ist aber kein Held wie dieser, keiner jener »Wenigsten«, deren Sache es ist, »unabhängig zu sein«; er ist wohl eigengeprägt, aber nicht »stark« und »bis zur Ausgelassenheit verwegen«, wie ihn Nietzsche beschreibt, sondern im Gegenteil angstvoll und gehemmt, zwar auf vielfältige Weise sich mühend, aber nicht kraftvoll auf sich selbst bauend, sondern von anderen Hilfe erwartend und immer auf der falschen Seite, vor allem bei den Frauen, Förderung seiner Sache suchend, damit aber recht eigentlich der Gegentypus zu dem von Nietzsche angesprochenen innerlich unabhängigen, wagemutigen, in einsamer Größe scheiternden Menschen. Der Einsame Nietzsches ist immer ein großer Einsamer, ein Märtyrer, ja ein »Übermensch«, der das, »was uns alle bändigt, das Gemeine« hinter sich gelassen hat. Eben das gilt aber für die Kafkaschen Antihelden nicht. Sie sind nicht Ausnahme, sondern Durchschnitt, »Menschen wie du und ich«, jedoch ohne die Schutzhülle vermeintlicher Sicherheit, nicht geborgen in den Formen satter Gewohnheit, sondern jählings konfrontiert mit dem unbegreiflichen Dunkel der Existenz und mit ihrer Unfähigkeit, diesem hintergründigen feindlichen Chaos standzuhalten, Menschen, denen über der Unerkennbarkeit eines Lebens-

sinns *alles* sinnlos geworden ist, die sich nicht mehr zurechtfinden können, weil sie in schreckhaftem Erwachen die bloße Scheinsicherheit
ihrer wohlgeregelten Lebensordnung durchschaut haben. Mit diesem
Erwachen zur bedrohlichen Absurdität ihrer Existenz sind die Jeder-
mannsgestalten Kafkas mit einem Mal Einsame geworden, aber nicht
Einsame heroischer Selbstbehauptung im Sinn Nietzsches, sondern re-
signierende oder gar in Schwäche verkommene Einsame, bedrückende
Spiegelbilder gemeinmenschlichen Versagens. Auf diesem entlarvenden
Schock seiner Gestaltungen beruhen die Faszination und der Schrecken
Kafkas für den heutigen Menschen, in dessen krisenhaft erschüttertem
Selbstbewußtsein der *homo sapiens* zu einer Illusion geworden ist.

4.

Gemeinsames zwischen Nietzsche und Kafka ergibt sich auch daraus,
daß der Denker Nietzsche zugleich ein *dichterischer* Gestalter seiner
Gedanken war. Im Blick darauf hat Ries eine wichtige Beobachtung
gemacht. Beide, so führt er aus, setzen zeitliche Abläufe in räumliche
Gegenständlichkeiten um, wie z. B. in der für sie charakteristischen
Labyrinth-Symbolik. Damit bestätigen sie »das von Walter Benjamin in
bezug auf einen Grundzug allegorischer Gestaltung entdeckte Phänomen, daß ›der zeitliche Bewegungsvorgang‹ in einem ›Raumbild‹ eingefangen und analysiert wird«.[39] Das gilt in der Tat gleichermaßen für
Nietzsches Kennzeichnung der kämpferischen Existenzform des »freien
Menschen« und Kafkas Darstellung der Bemühungen K.s im *Schloß*-
Roman: »das heißt im Falle des Landvermessers [K.], daß die Geschichte seiner vergeblichen Suche nach der verborgenen Wahrheit des *Schlosses* in jenen ›Schauplatz‹ sich verzogen hat, dessen änigmatisches
Emblem das Labyrinth sein dürfte«.

Typologische Verwandtschaft zwischen Kafka und Nietzsche erweist
sich am überzeugendsten darin, daß sie gerade auch in spezifischen
Zügen übereinstimmen. Ein solches Spezifikum ist das ihnen gemeinsame negative Frauenbild, das ihr insgesamt negatives Weltverhältnis spiegelt. Beiden eignet eine zugleich verklemmte und aggressive Beziehung
zum Weiblichen und zur Sexualität überhaupt, der zufolge eine natürliche Wertung des Geschlechtlichen, eine positive Integration des Sexuellen in das Leben oder gar eine Sublimierung nicht gelingt. Dem Frauenhasser Schopenhauer verwandt, abreagierte Nietzsche seinen Frauen-
komplex mit gehässiger Verachtung, ja Beschimpfung des Frauentums
insgesamt, wobei das böse Wort im *Zarathustra:* »Du gehst zu Frauen?
Vergiß die Peitsche nicht!« noch keineswegs die schlimmste seiner Ent-
gleisungen ist. In der *Götzendämmerung* (Sprüche und Pfeile, Nr. 27)
spottet er: »Man hält das Weib für tief – warum? weil man nie bei ihm
auf den Grund kommt. Das Weib ist noch nicht einmal flach.« Und in

Jenseits von Gut und Böse (Sprüche und Zwischenspiele, Nr. 405) giftet er: »Es gibt Frauen, die, wo man bei ihnen auch nachsucht, kein Inneres haben, sondern reine Masken sind.« Die Gegenfrage, ob es nicht auch Männer solcher Art in großer Zahl gebe, hat sich Nietzsche offenbar nicht gestellt. Aber auch Kafka zeigt diese emotional negative Einstellung zum Weiblichen.[40] In seinen Romanen und Erzählungen erscheinen die »Frauen zu bloßen Lustwesen entwürdigt, auf eine seelenlose Sexualrolle reduziert«. Die Frau ist die Herabziehende, die »in das Nur-Endliche Reißende«.

Wichtig im Blick auf das Verhältnis Kafkas zu Nietzsche ist die Frage, ob Kafka als ein Nihilist in Nietzsches Sinn anzusprechen sei und sein immer wieder durchschlagender Pessimismus als eine Ausdrucksform des Nihilismus zu gelten habe. Dagegen spricht, daß seine Freunde und gerade diejenigen, die ihm am nächsten standen, dem entschieden widersprochen haben. Und sicher ist auch, daß Kafka kein Nihilist sein *wollte,* vielmehr vor dieser letzten Konsequenz pessimistischen Denkens zurückschreckte und nach einer Glaubensgewißheit dürstete, die ihm einen sicheren Halt zu geben vermöchte. Zwar scheint, wie Margarete Susman betonte, in seiner Dichtung

Gott noch ferner gerückt als selbst in Freuds atheistischem Bekenntnis – und doch ist Er es allein, von dem jedes Buch, von dem jede Zeile Kafkas redet, um den es in allen seinen Gedanken und Gestalten geht.[41]

Daß Kafka diese letzte religiöse Bindung nie verloren, daß sie ihn auch über Phasen eines »verschämten Atheismus« (Anders) hinweg lebenslang festgehalten hat, erhellt aus vielen Selbstzeugnissen. Wenn er Ende September 1917 ins Tagebuch schrieb: »Dem Tod . . . würde ich mich anvertrauen. Rest eines Glaubens. Rückkehr zum Vater. Großer Versöhnungstag«, so ist, wie Ries betont, der hier festgehaltene Rest eines Glaubens »das religiöse Rudimentgestein jüdischer Mystik«.[42]

Andererseits konnte sich Kafka auch seinem masochistischen Verneinungszwang nicht entziehen, der ihn, den nach Erlösung Verlangenden, hoffnungslos machte. Wie die Gestalten seiner Dichtung zeigen, sah er den Menschen zu heillosem Irren in labyrinthischem Dunkel verdammt, zu dauerndem Schuldigwerden, ohne einen Ausweg aus der Schuld, ja zu gnadenloser Vernichtung. Wie in Nietzsches rigoroser Skepsis Wahrheit zerstört, zu einer »Summe von menschlichen Relationen« entwertet wird[43], so erweisen sich die Ziele der Kafkaschen Romanhelden – »Gesetz« und »Schloß« – als unerreichbar. Jeder Versuch einer Annäherung mißlingt. Immer wieder müssen sie das resignierende Fazit ziehen:

Ich bin nicht um ein Haarbreit höher,
Bin dem Unendlichen nicht näher.
(*Faust* I, 1814–15)

Die Schicksale der Protagonisten Kafkas demonstrieren also den Nietzscheschen Pessimismus, »daß es auf alle jene Fragen, die zu stellen unsere Vernunft nicht unterlassen kann, keine hic et nunc verstehbare Antwort gibt«.[44] Von der Verborgenheit Gottes und dem dadurch bedingten Verlust des »idealen Wertzentrums« (Ries) ist aber nur ein kleiner Schritt zu Nietzsches Toterklärung Gottes. Doch auch der totgesagte Gott ist wirklich, weil er wirkt, insbesondere in der Wirklichkeit des Schmerzes[45] sowie als immerwährende Bedrohung, die sich bei Nietzsche als *Machtsystem,* bei Kafka als *Strafsystem* konkretisiert. Diesem System »wird von Nietzsche wie von Kafka das . . . Opfer der Individuation gebracht, gleichsam als Rekapitulation jener ›ungeheuren Grunderfahrung von den mythischen Mächten, daß Versöhnung von ihnen nicht zu erwarten ist, es sei denn durch die Stetigkeit des Opfers‹«.[46]

Von diesem religionskritischen Ansatz aus versucht Ries, »Kafkas hermetische Dichtungen als Ausdruck des Verfallsprozesses theologisch-metaphysischer Tradition zu interpretieren, an deren Ende Transzendenz als Terror erfahren wird«.[47] Er konzentriert sich infolgedessen auf die in der gegenwärtigen Kafka-Philologie verdrängte »breite – freilich beschattete – theologische Seite« des Kafka-Problems[48] und verfolgt – an die Kafka-Exegese Benjamins, Adornos und Werner Krafts anknüpfend – die religionskritischen Intentionen Gerd-Günther Graus. In der Reprise der Hiob-Frage nach der Redlichkeit Gottes habe Kafka die Selbstauflösung des »Gesetzes« selber noch einmal nachvollzogen. In solchem Sinn spricht Adorno von »antinomistischer Theologie«[49], Gershom Scholem von »säkularisierter Darstellung des kabbalistischen Weltgefühls«[50], Werner Kraft von einem »schattenhaft sich abzeichnenden Aspekt des Heiligen« (neben dem Atheismus als »Folge eines historischen Prozesses«)[51] und Erich Heller von einer »Theologie nach dem Muster der Gnosis und des Manichäertums« in Kafkas Werk.[52] Nach Elias Canetti durchwirkt das Religiöse als »unstillbare und unbegreifliche Sehnsucht nach oben« Kafkas gesamte Dichtung.[53] In der Tat ist an der Legitimität einer theologischen Interpretation Kafkas nicht zu zweifeln[54], nur an ihrem totalitären Anspruch; sie erschließt einen wichtigen, ja notwendigen, aber nicht den einzigen Zugang zu seinem Werk. Nach Adorno und Kraft ist es die Frage nach der Gerechtigkeit, von der aus Kafkas angstvolle Kritik am Mythos erfolgt. Wenn der *Prozeß*-Roman »die Projektion des jüngsten Gerichts in den Weltlauf«, wie Ries (mit Berufung auf Kafkas *Betrachtungen,* Nr. 40 in *Hochzeitsvorbereitungen*) erklärt, »im Sinne eines ›Standrechts‹ abhandelt«, so wurde damit deutlich, daß Kafka das Gericht über den Menschen beschrieben hat, »um das Recht zu überführen«. (Theodor Adorno) »Wenn der verborgene Richter den Prozeß des Menschen so entscheidet, daß er den Angeklagten ermorden läßt, und wenn sich die Diener der Gerechtigkeit in Mörder verwandeln, die über den Gerichtstisch hinweg einem Frauenrock nachjagen, dann ist das Ende des ›Gesetzes‹ angebrochen«[55], dann drängen sich die Fragen auf, die Benjamin stellte: »Macht diese Projektion [des jüngsten Gerichts] den Richter zum Angeklagten? Aus dem Verfahren die Strafe? Ist es der Hebung oder dem Verscharren des Gesetzes gewidmet?«[56] De facto schlägt hier die Revision des Mythos in dessen Sabotage um.

Bezeichnend aber ist, daß diese Fragen bei Kafka offen bleiben, daß er keine Antwort zu geben wagt. Obwohl seine Werke insgesamt »Strafphantasien« sind, welche Transzendenz als Terror vergegenwärtigen, revoltiert er nicht wie Nietzsche gegen diesen Terror, sondern erleidet und akzeptiert er ihn als Akzidens eines unüberwindlichen Schuldgefühls. Nietzsche hingegen schilt und bekämpft mit feindseliger Entschiedenheit diesen Terror der Transzendenz, indem er »mit dem Hammer« philosophierend zu einem nihilistischen Kahlschlag ausholt und die Begriffe von Schuld und Strafe restlos auszutilgen sucht:

Heute, wo wir . . . den Schuldbegriff und den Strafbegriff aus der Welt wieder herausnehmen und Psychologie, Geschichte, Natur, die gesellschaftlichen Institutionen und Sanktionen von ihnen zu reinigen suchen, gibt es in unseren Augen keine radikalere Gegnerschaft als die der Theologen, welche fortfahren, mit dem Begriff der »sittlichen Weltordnung« die Unschuld des Werdens durch »Strafe« und »Schuld« zu durchseuchen. Das Christentum [und das gleichfalls auf Gericht und Strafe gestellte Judentum] ist eine Metaphysik des Henkers. _(Götzendämmerung:_ Die vier großen Irrtümer, Abschnitt 7)

Ebd., Abschnitt 8:

Was kann allein _unsere_ Lehre sein? – Daß niemand dem Menschen seine Eigenschaften gibt, weder Gott, noch die Gesellschaft, noch seine Eltern und Vorfahren, noch _er selbst_ . . . _Niemand_ ist dafür verantwortlich, daß er überhaupt da ist, daß er so und so beschaffen ist, daß er unter diesen Umständen, in dieser Umgebung ist. Die Fatalität seines Wesens ist nicht herauszulösen aus der Fatalität alles dessen, was war und sein wird. Er ist _nicht_ die Folge seiner eignen Absicht, eines Willens, eines Zwecks, mit ihm wird _nicht_ der Versuch gemacht, ein »Ideal von Mensch« oder ein »Ideal von Glück« oder ein »Ideal von Moralität« zu erreichen – es ist absurd, sein Wesen in irgendeinen Zweck abwälzen zu wollen. _Wir_ haben den Begriff »Zweck« erfunden: in der Realität fehlt der Zweck . . . Man ist notwendig, man ist ein Stück Verhängnis, man gehört zum Ganzen, man ist im Ganzen – es gibt nichts, was unser Sein richten, messen, vergleichen, verurteilen könnte, denn das hieße das Ganze richten, messen, vergleichen, verurteilen . . . Aber _es gibt nichts außer dem Ganzen!_ – Daß niemand mehr verantwortlich gemacht wird, daß die Art des Seins nicht auf eine _causa prima_ zurückgeführt werden darf, daß die Welt weder als Sensorium noch als »Geist« eine Einheit ist, _dies erst ist die große Befreiung_ – damit erst ist die _Unschuld_ des Werdens wieder hergestellt . . . Der Begriff »Gott« war bisher der größte _Einwand_ gegen das Dasein . . . Wir leugnen Gott, wir leugnen die Verantwortlichkeit in Gott: _damit_ erst erlösen wir die Welt.

So sehr die enragierte Areligiosität Nietzsches und der aggressive Ton, in welchem sie verlautbart ist, zu Kafkas fatalistischer Demut kontrastiert, kommt doch auch hier etwas zum Ausdruck, was eine tiefgründende Verwandtschaft zwischen beiden erkennen läßt. Auch

Kafka hegte ein spontanes Gefühl für die von Nietzsche gepriesene und zurückgeforderte »Unschuld« des unreflektiert natürlichen Daseins, welche »die große Befreiung« des Menschen aus seiner selbstverschuldeten Knebelung bedeuten würde. Wiederholt hat Kafka seine sehnsüchtige Bewunderung für die Gesunden und Starken, ja für das Recht des Stärkeren, für den Vorrang der vitalen Kraft vor der gedankenschweren Not der Meditierenden ausgesprochen. Mit Selbstverständlichkeit aus der eigenen Mitte zu leben und im vollen Einklang mit dem Ganzen sein Selbst zu verwirklichen, war ihm das eigentliche Ziel. Und er bewegte sich ganz in Nietzsches Gedankenbahnen, wenn er das Versagen der Schwachen und Kranken als Schuld verurteilte. An zwei Stellen seines Werkes kommt diese Parteinahme für die Lebenstüchtigen gegenüber den Versagern zu konzentriert bildhaftem Ausdruck, am Schluß seiner Erzählungen *Die Verwandlung* und *Ein Hungerkünstler.*[57] Nach dem elenden Tod des Ungeziefers, in das Gregor verwandelt worden war, unternimmt die Familie Samsa eine vergnügte Fahrt ins Grüne und genießt, ohne noch einen einzigen Blick zurückzuwerfen, mit vollen Zügen die Befreiung von den Belästigungen durch den unheilbar kranken Sohn und Bruder. Der Beschreibung dieses Familienausfluges fehlt jeder negative Akzent. »Das Ganze wird vielmehr mit Sympathie geschildert, wie um zu demonstrieren, daß hier die Welt im Lot – wieder im Lot – ist.« Nichts könnte die Berechtigung der Gesunden und Lebenstüchtigen zwingender verdeutlichen als diese wie von selbst sich ergebende Sicherheit ihres Überlebens. Von Schuldgefühlen oder auch nur schwächsten Gewissensbissen wurden sie nicht behelligt. Der Richtspruch der Natur bestätigte ja ihre Unschuld und stellte klar, daß Moral eine Sache der Stärke ist.

Noch eindrucksvoller bezeugt der Schluß der Erzählung *Ein Hungerkünstler* das selbstverständliche Recht des überlebenden bzw. nachrückenden Stärkeren. Kurzerhand wird hier zur Tagesordnung übergegangen und die durch einen Außenseiter gestörte natürliche Ordnung wieder hergestellt:

»Nun macht aber *Ordnung!*« sagte der Aufseher, und man begrub den Hungerkünstler samt dem Stroh. In den Käfig gab man aber einen jungen Panther. Es war *eine selbst dem stumpfsten Sinn fühlbare Erholung,* in dem so lange öden Käfig dieses wilde Tier sich herumwerfen zu sehen. *Ihm fehlte nichts.* Die Nahrung, die ihm schmeckte, brachten ihm ohne langes Nachdenken die Wächter, nicht einmal die Freiheit schien er zu vermissen; *dieser edle, mit allem Nötigen bis knapp zum Zerreißen ausgestattete Körper schien auch die Freiheit* mit sich herumzutragen; irgendwo im Gebiß schien sie zu stecken; und *die Freude am Leben* kam mit derart starker Glut aus seinem Rachen, daß es für die Zuschauer nicht leicht war, ihr standzuhalten. (Hervorhebungen vom Vf.)

Die Bejahung des Gesunden und Starken und die Verneinung des Kranken und Schwachen als etwas Verächtlichem und Schuldhaftem ist unüberhörbar. Doch ist das emphatische »Preisen des Lebendigen«

nicht Ausdruck der eigenen Zugehörigkeit, sondern sehnsüchtiger Ruf nach Unerreichbarem. Hier spricht ein Bewunderer, der zwar darum weiß, was einzig richtig wäre, dessen pessimistisches Lebensgefühl ihn aber zu den Angstvollen, Kranken und Schwachen gesellt und ihm den fatalen Schluß aufnötigt: »Ich könnte leben [nämlich: ein erfülltes, natürliches Leben] und ich lebe nicht.«

5.

Kehren wir zurück zu Nietzsches Ablehnung des Christentums [und Judentums] als einer »Metaphysik des Henkers«, der zufolge Transzendenz als Terror erfahren wird und die Menschen zu Angstvollen, Schwachen und Kranken degenerieren. Kafka selbst kann als exemplarischer Fall dieses Prozesses angesprochen werden. Wie Ries betont,

> bindet Kafka die Sphäre der Transzendenz an das Zeremoniell der *Gewalt*. In einer schon ununterscheidbaren Relation stehen bei Kafka – wie sonst nur noch im »Hiob« – Transzendenz und Terror zueinander. Nicht nur umgibt »ein Geruch von Unanständigkeit, ja von Obszönität« (Erich Heller) das Schloß, es geht auch eine unbestimmte und daher tief ängstigende *Drohung* von ihm aus . . . eine Aura von Transzendenz, deren immanente Einlösung der Terror in seiner konkretesten Gestalt, der des Todes, ist.[58]

Wenn Kafka die »göttliche« Abstammung des Kaisers leugnen läßt[59], wenn er sogar den Himmel entgöttlicht und »ihn als das zur reinen Macht verschlossene ›Obere‹ dämonisiert«, wagt sich sein häretisches Denken »bis zur letzten Grenze . . . in Richtung auf den Atheismus vor«, bricht aber dann im Gegensatz zu Nietzsche ab – »aus Furcht vor möglichen ›Konsequenzen‹?«, wie Ries fragend hinzufügt.[60] Daß seine Dichtungen allesamt »Strafphantasien« sind, zeigt, wie bedrohlich ernst er die möglichen Konsequenzen empfunden, wie sehr er Transzendenz als Terror erlitten hat.

Auch wenn man einer ausschließlichen Theologisierung des Kafkaschen Werkes nicht zustimmen kann, ist doch andererseits nicht zu übersehen, daß das Erzählen Kafkas mit seinem Heraustreten aus Zeit und Raum und überhaupt allen empirischen Ordnungskategorien zum Transzendenten hin offen ist. Wenn aber hierbei Transzendenz als permanente Drohung, ja als Terror sich erweist, so steht – zumindest indirekt – die göttliche Weltordnung selbst unter Anklage, wird also im Strafgericht über den Menschen das Recht als solches fragwürdig. Doch ist dem mythischen Dunkel, aus dem die Macht des Absoluten wirkt, mit menschlicher Vernunft nicht beizukommen. Es gibt keine Erlösung vom »Grauen der Nacht«, von der Nietzsche geträumt hat.[61] Vor dem Absolutheitsanspruch jenseitiger Gewalt stehen die Menschen Kafkas auf verlorenem Posten und werden vernichtet. Angesichts solcher Gewalttat – bei schweigender Abwesenheit Gottes – bleibt kein Raum für Theodizee. Im Gegenteil, was hier vor Augen gestellt wird, ist Mißbrauch der Macht, »Unmoralität in dem deus absconditus« (Nietzsche).

Die Hiob-Frage nach der Redlichkeit Gottes wird also de facto negativ beantwortet.[62] Weder ein gerechter Richter noch ein gütiger Vatergott ist in Kafkas Werk sichtbar. Es gibt hier nur noch einen negativen Gottesbeweis. Das heißt: Nur an dem strafenden Haß, mit dem Gott den Menschen verfolgt, kann dieser Gottes Dasein erkennen. Wenn in Kafkas Parabel *Vor dem Gesetz* »die transzendente Indikatur dem Mann vom Lande das notwendige Wissen vorenthält«, ihm aber andererseits das Nichtwissen dann als Schuld anrechnet, wenn sie ihn zusätzlich noch durch einen Schrecken erregenden Türhüter in Furcht hält und aufgrund irreführender Auskünfte lebenslang frustrieren läßt, so bezeugt sich in dieser »indifferenten Verhärtung mythischer Macht« eine besonders hinterhältige Spielart transzendenten Terrors. Hier ist – nach Ries – »die Selbstauflösung der gesamten Heilstradition einschließlich des Gesetzes nicht mehr zu leugnen«. Hier sind die als Helfer bestimmten Diener des Gesetzes und Boten Gottes zu schadenfrohen grausamen Quälern geworden und die Dichtung Kafkas insgesamt ein Dokument stummer Klage und Anklage.

Kein Zweifel, diese von Ries vorgetragene und an der Türhüterlegende *Vor dem Gesetz* exemplifizierte religionskritische Interpretation des Kafkaschen Werkes ist in sich schlüssig und sowohl durch die Dichtungsinhalte wie auch den Wortlaut der Texte »beweisbar«. *Sie* ist es auch, die durch den »Nachweis« einer negativen Theologie in Kafkas Denken und Dichten seine Verwandtschaft mit Nietzsche erkennen läßt. Die Protagonisten Kafkas erleiden eben jene angemaßte, entmündigende Gewaltherrschaft einer verborgenen höheren Macht, von der – als einer nichtexistenten Instanz – Nietzsche die gequälte, im Aberglauben befangene Menschheit befreien möchte. Aber Kafka ist den Weg Nietzsches nicht zu Ende gegangen. Er hat die Totsagung Gottes nicht mitvollzogen und das über den Menschen verhängte Gericht nicht angefochten, sondern im Gegenteil als ein »Standrecht« akzeptiert. Weder den Schuldbegriff noch den Strafbegriff hat er – im Sinn Nietzsches – als gegenstandslos abzutun vermocht. Gerade das Schuldgefühl und die daraus resultierende Angst waren und blieben lebenslang die für ihn existenzbestimmenden Realitäten. Dieses nicht abzuwälzende Schuldgefühl lastete um so schwerer, als die Schuld selber gar nicht zu erkennen ist. Es ließ nicht zu, das Scheitern des Menschen der Arglist höherer Mächte zuzuschieben und in dem Scheiternden ein schuldloses Opfer böswilliger Tyrannis zu sehen; es gebot vielmehr, alles Scheitern primär als schuldhaftes Versagen zu deuten, das mit Recht seine, wenn auch menschlich nicht zu begreifende, Strafe findet.

Der Nietzscheaner in Kafka ist also eine nicht voll ausgeschöpfte Möglichkeit Kafkas. Infolgedessen erschließt eine antitheologisch »Nietzschesche« Deutung seiner Parabel *Vor dem Gesetz* auch nicht ihren vollen Sinn. Im Gegenteil, indem sie ein Einzelelement seiner kontroversen Gefühls- und Gedankenwelt absolut setzt, verdeckt sie den Hintersinn des Ganzen. Von dem Menschen Kafka aus, der das Leben als schuldbehaftetes Sein erlitt, ist eine andere Deutung der Türhüterlegende, ja eine Gegeninterpretation gefordert, wie sie u. a. Ingeborg Henel[63], Walter Sokel[64], Wilhelm Emrich[65] und ich selber[66] vorgetragen haben. Eben dies, daß hier zwei gegensätzliche Interpretationen möglich, ja geboten sind, ist symptomatisch für den nicht ausgetragenen Widerspruch in Kafkas Werk. Insofern auch ein aggressives Nietzschesches Element in Kafka spürbar ist, darf es nicht übergangen werden und ist gerade hier ins Licht zu rücken, wo die Beziehung Kafkas zu Nietzsche zur Erörterung steht. Insofern es aber die Sicht Kafkas nicht letztgültig bestimmt, dieser vielmehr existentiell im Bann des (von Nietzsche als fatales Menschenwerk verworfenen) »göttlichen Gesetzes« blieb, muß zur Ergänzung, ja Berichtigung um so nachdrücklicher auf die genannten »Gegeninterpretationen« hingewiesen werden. Denn der Mann vom Lande, der in das Gesetz eintreten will, diesen Eintritt aber nicht wagt, weil er sich von dem inkompetenten untersten Türhüter beirren läßt, ist ja nicht als ein Opfer listiger Täuschung zu sehen, sondern als ein kläglicher Versager, der das gesteckte Ziel nicht ernst genug nimmt, den hier gestellten *absoluten* Anspruch verkennt und *darum* scheitern muß. Wie bei allen anderen Protagonisten Kafkas sind es auch bei dem Mann vom Lande der Mangel an Einsicht, das nur Vordergründige, Umwegige und Kurzschlüssige seiner Bemühungen, die Neigung, zu Surrogaten zu greifen, statt beherzt den entscheidenden Schritt zu tun, die ihn elend verkommen lassen. Diskrepanz zwischen Zielsetzung und Methode, Ungeklärtheit des eigenen Wollens, moralische Schwäche also und damit die Pervertierung des Konzepts lassen die Gestalten Kafkas das Ziel verfehlen. Sie »scheitern nicht daran, daß sie zu wenig zu ihrer Rettung tun, sondern daran, daß sie nicht das Richtige tun und ihre Kräfte in [unzuständigen] Instanzen verbrauchen . . . Eben darin liegt ihre moralische Schuld, daß sie um das Ziel wissen, sich aber dennoch lebenslang gegen die diesem Ziel einzig adäquate Entscheidung wehren und die ihnen präsentierte Lebensrechnung mit falscher Münze zu begleichen suchen.«

Weil in Kafkas Dichtung der Mensch als ein versagendes schwaches Wesen dem transzendenten Terror eines permanenten Strafgerichts unterliegt, ist er ein heillos nach Erlösung Dürstender, ein Hungerleider nach einer Nahrung, die ihn sättigen könnte. Der Hungerkünstler Kafkas hungert ja nur deshalb, weil es die Nahrung nicht gibt, deren er zu seiner Erfüllung bedürfte. Eine der auffälligsten Übereinstimmungen zwischen Kafka und Nietzsche liegt darin, daß, wie Sokel ausführlich dargelegt hat[67], bei beiden die *Musik* diese Erlösungsfunktion besitzt. »Vom allerersten bis zum allerletzten Werk Kafkas« sei der dionysische Geist der Musik im Sinne Nietzsches bestimmend.[68] Am schlagendsten zeigt sich das an dem in einen Käfer verwandelten Gregor Samsa, der sich andachtsvoll dem Zauber des Geigenspiels seiner Schwester hingibt: »War er ein Tier, da ihn Musik so ergriff? Ihm war, als zeige sich ihm der Weg zu der ersehnten unbekannten Nahrung.« Nach Sokel hat Kafka besonders im *Schloß* die dionysische Wirkung der Musik beschrieben:

> Aus der Hörmuschel kam ein Summen, wie K. es sonst beim Telephonieren nie gehört hatte. Es war, wie wenn sich aus dem Summen zahlloser kindlicher Stimmen ... in einer geradezu unmöglichen Weise eine einzige hohe, aber starke Stimme bilde, die an das Ohr schlug, so, wie wenn sie fordere, tiefer einzudringen als nur in das armselige Gehör. K. horchte ohne zu telephonieren, den linken Arm hatte er auf das Telephonpult gestützt und horchte so.

Sokel erläutert diesen Vorgang mit folgenden Worten:

> Was die Mäuse aus dem Pfeifen [Josefines], hört K. aus dem Summen des Schlosses heraus. Beide, das Pfeifen und das Summen, führen in die Kindheit zurück und werden dabei Gesang ... In beiden Fällen wird scheinbar gewöhnlicher Lärm zur herrlichen und überirdisch klingenden Musik dadurch, daß er Kindheit aus weitester Entfernung nahebringt. Das Suggerieren der Kindheit führt auch aus der Vereinzelung in die Einheit. Die zahllosen Kinderstimmen werden *eine* Stimme. Die zahllosen Einzelerinnerungen der Mäuse werden eine einzige, lebendige und glückselige Vereinigung aller, im gemeinsamen Atmen und Rhythmus ihrer Leiber, die zu *einem* Leib geworden. Hier hat Kafka das beschrieben, was Nietzsche den dionysischen Geist der Musik genannt.

Zum Vergleich verweist Sokel auf die von Nietzsche gekennzeichnete Funktion der dithyrambischen Musik des Chors »als Wiederbeschwörung der ursprünglichen Einheit in die zerklüftete Welt«, der zufolge sich »der von der Not der Endlichkeit bedrängte Einzelne zum unendlichen Leben der Gesamtheit zurück« fühle. Auch in Kafkas Werk unternehme die Musik diese dionysische Aufgabe, das Individuum mit der Allgemeinheit und dem Ursprung zu versöhnen, und wirke so als »ein metaphysischer Trost ... in eben demselben Sinn ... wie ... die dithyrambische Musik bei Nietzsche«. Als Zwillingsaspekt der Nahrung sei die Musik »dem Asketischen ... diametral entgegengesetzt«, nämlich »Trägerin des vollen, potenten, universellen Lebensstroms«.

Mit dieser starken Betonung des Dionysischen bei Kafka wird gewiß ein zu wenig beachteter Punkt berührt. Und sicher besitzen Sokels eindringliche Darlegungen für Nietzsche volle Gültigkeit. Ob sie jedoch in gleichem Maße auch auf Kafka zutreffen, mag man bezweifeln. Im Blick auf ihn, dem Musik keine spontan zugehörige Kunst war, scheint hier eine Überinterpretation vorzuliegen.

Eine ganz nahe Verwandtschaft Kafkas mit Nietzsche betont Sokel im Blick auf die *Todesmystik* Kafkas, die »mit Nietzsches Begriff der dionysischen Tragödie, wie [dieser] ihn in der *Geburt der Tragödie* entwickelt hat«, zusammenstimme.[69] Wie der Musik kommt auch der Todesmystik eine erlösende Funktion für die erlösungsbedürftigen Menschen

Kafkas und Nietzsches zu. Kafka empfand den Tod als »Rückkehr und Versöhnung, [als] ein Wiedergutmachen des ›verrannten‹ Lebens«.[70] Einen eindeutigen Beweis der Todesmystik Kafkas und der Mythisierung seines Lebens sieht Sokel in der Äußerung Kafkas zu Max Brod, daß er auf dem Sterbebett, falls die Schmerzen nicht zu groß seien, »sehr zufrieden sein werde«. (T 448/49, Dezember 1914) Nietzsche erkannte einen Zusammenhang solcher Todesmystik, die sich zur Todeseuphorie steigern kann, mit dem »Paradox des tragischen Vergnügens«, jener ambivalenten Lust am erschütternden Untergang tragischer Helden, jener Fähigkeit, die Katastrophen tödlichen Scheiterns zugleich mitzuleiden und genießen zu können. Das sei nach Nietzsche deshalb möglich, weil der Zuschauer empfinde, daß mit dem Tod des Helden, der das Prinzip der Individualität am potentesten verkörpert, »die verlorene Einheit von Ich und All, Individuum und Gemeinschaft, Mensch und Welt symbolisch wiederhergestellt wird«.[71] Im Tod des Helden werde »die Geste der Versöhnung mit dem All« gefeiert, die Ewigkeit des alle Vernichtung überdauernden Lebens vergegenwärtigt; »eine höhere, viel übermächtigere Lust« überwirke die Erschütterung durch die tragische Katastrophe.[72]

Auch Kafka kannte dieses »Vergnügen an tragischen Gegenständen« und genoß es mit vollen Zügen. In solchem Sinn nannte er jene Stellen in seinen Werken, wo der Protagonist stirbt, die besten und überzeugendsten, die er geschrieben habe, und bekannte, daß er sich freue, »in den Sterbenden zu sterben«, ihren Tod als einen Akt der Erlösung auszukosten. Als einem intensiv mitlebenden Zuschauer seiner erdichteten Gestalten war ihm deren Tod »eine Quelle der Lust«, der Lust, in ihnen mitzusterben, mit oder vielmehr über ihnen den Versöhnungstag, die Heimkehr zum Vater feiern zu können. Nicht zuletzt deshalb hat er, wie Sokel hervorhebt, seine Erzählung *Das Urteil* bis zuletzt besonders geschätzt, weil hier im Freitod des Protagonisten ein versöhntes Sterben durch Wiedervereinigung mit den Eltern erfolgte: Georg Bendemann ergibt sich in den Tod mit den Worten: »Liebe Eltern, ich habe euch doch immer so geliebt.« Die Hybris der Individuation erlöst sich in der Lust zum Tod. Der Freitod durch Ertrinken im Fluß ist Eintauchen in den Lebensstrom, Selbstauflösung des Ichs, Rückkehr in den Ursprung. Er bestätigt in euphorischer Form den Ausspruch Nietzsches: »Der Gedanke an den Selbstmord ist ein starkes Trostmittel!«[73]

Zu den Übereinstimmungen, die Kafka und Nietzsche verbinden, gesellen sich auch markante Gegensätze. Selbst Bridgwater, der mit Übereifer nach Parallelen zwischen ihnen suchte, kommt zum Ende seiner stoffreichen Studie zu diesem Punkt:

> Any study of the affinities between two writers must face the fact that when all is said and done it is the differences between the writers concerned that are of far greater significance; indeed, it could be said that the only ultimate justification for examining the parallels between two writers is to discover at what

points they diverge. This ist all the more true in the case of a writer as original as Kafka.[74]

Zuletzt stellt Bridgwater sogar die Frage, ob Kafkas Freund Max Brod nicht mit Recht darauf bestand, daß es zwischen Kafka und Nietzsche überhaupt keinen gemeinsamen Nenner gäbe, da sie in der Auseinandersetzung mit den gleichen Problemen »ultimately came down on different sides«. Indessen hält Bridgwater daran fest, »that the parallels between Kafka's work and Nietzsche's are many and striking«, und nennt die Nietzsche-Lektüre Kafkas »evidently extensive and presumably repeated«. Indessen sind folgende Gegensätze unübersehbar und unüberbrückbar: Dem »Knecht Gottes« Kafka steht der aggressive Gottesleugner Nietzsche gegenüber. Zu Kafkas Zug zur Selbsterniedrigung kontrastiert Nietzsches lautstarke Verkündigung einer rigorosen Herrenmoral, zur sozialen Mitleidensethik des einen die Verherrlichung des Übermenschen und die Verachtung der Masse durch den andern. Sieht Kafka in Prometheus den an den Felsen geketteten und den Geiern preisgegebenen Elenden, so Nietzsche – wie Goethe – den aufbegehrenden Titanen, der das göttliche Feuer geraubt hat. Vertritt Nietzsche seine Position stets mit letzter Entschiedenheit, nimmt er jeweils eindeutig und einseitig Partei, so wagt Kafka niemals eine endgültige Stellungnahme, kapituliert vielmehr vor der grundsätzlichen Unentscheidbarkeit der Probleme und frustriert daher unerlösbar zwischen den Fronten. Nicht zuletzt ist es der Gegensatz zwischen dem Dichter und dem Denker, zwischen dem konkret vergegenwärtigenden Geschichtenerzähler und dem abstrahierenden Philosophen, der die beiden trennt, mit den Worten Bridgwaters: der Kontrast zwischen »inability to generalize at all« und der »tendency to overgeneralize«.

Endlich sei noch auf ein Gemeinsames besonderer Art hingewiesen, das Sokel eingehend gekennzeichnet hat[75], nämlich die für Kafka und Nietzsche charakteristische Erscheinungsform der *Ironie*. Nach Sokel ist die Kafkasche Ironie »tiefste Selbstironie«[76] und führe in eine Richtung, die auch die Richtung Nietzsches ist. Das Religiöse als Transzendierung des Tierischen werde bei beiden auf das Tierische zurückgeführt und durch das Tierische ausgedrückt: »Der homo religiosus, höchster Typ des Menschlichen, erscheint – als Hund.« Diese Ironie zeigt sich besonders auffällig bei Kafkas Hungerkünstler. Einerseits beweist er mit seinem Rekordhungern, daß er den tierischen Trieb überwunden hat, andererseits gebärdet er sich paradoxerweise »wie ein Tier« und rüttelt »zum Schrecken aller an dem Gitter« seines Käfigs, wenn man seine übermenschlichen Leistungen nicht gebührend anerkennt. »Er führt auch die Lebensweise eines Tieres, verbringt sein Leben im Käfig und endet schließlich als bloßes ›Verkehrshindernis‹ der Menschen auf ihrem Weg zu den Zirkustieren. Auch hier also wird der Asket, der das Tierische transzendiert, gerade dadurch zum Tier erniedrigt.« Ein kafkahaft makabres Spiel der Ironie! Und kein Zweifel kann darüber bestehen, daß es von Kafka selbst als ein solches gedacht war und er mit seinen degradierenden Tiermetaphern – ironisch spielend – zugleich einen positiven Hintersinn verband.

6.

Wenn wir nun abschließend die Position Kafkas im Blick auf Nietzsche zu bestimmen suchen, so gilt es, gleichermaßen das sie Verbindende und Trennende vor Augen zu stellen, aber – über das Individuelle hinaus – auch das Epochale, also den Gegensatz der Zeiten sowie den Unterschied der Bewußtseinsstufen, zu erhellen. Kafka selbst kam ja aus frühgeschichtlichen Anfängen her. Archaische Bilder und Vorstellungen lebten noch ungeschwächt in ihm fort. Der Herrschaftsanspruch der alten Väterwelt war für ihn eine durchaus gegenwärtige, leidvoll verspürte Realität. Zugleich war er jedoch ein Mensch der Moderne, religiös emanzipiert und freidenkerisch kritisch, auch aufgeschlossen für den naturwissenschaftlich technischen Trend der Zeit, vor allem aber empfänglich für den pessimistischen Skeptizismus der krisenhaft verstörten Generation um 1900, der er angehörte und die sich durch Nietzsches destruktive Philosophie unmittelbar angesprochen fühlte. Dessen revoltierender Nihilismus traf den neuralgischen Punkt ihres Lebensgefühls. Nietzsche war der wortgewaltige Verkünder ihrer inneren Nöte, ihrer Zweifel und Verzweiflungen, ihrer Enttäuschungen an der Welt und ihrer todessüchtigen Lebenstrauer. Dieser Philosoph des 19. Jahrhunderts hatte bereits vorweggenommen, was die Menschen des 20. Jahrhunderts heimsuchen sollte, und ihre aggressivsten Gedanken schon im voraus kompromißlos zu Ende gedacht. Wie Gottfried Benn feststellte, war durch Nietzsche schon alles Wesentliche gültig ausgesprochen worden, war alles Weitere nur noch Exegese.

Benn selber ist konsequenter Nietzscheaner, der dem Nihilismus Nietzsches leidvoll zynischen Ausdruck gegeben hat[77]:

> Dies ist das Gesetz: Nichts ist, wenn je etwas war, nichts wird sein. Der schönste und der tiefste Gott geht vorüber ... je größer die Erkenntnis, um so unendlicher das Leid. Ein Tag ist ausgegangen, ein Urtag sinkt.[78]

Hiernach ist Gott, ganz in Nietzsches Sinn, nicht nur ein sich entziehender, verborgener und unendlich ferner Gott, sondern er ist überhaupt nicht, das heißt: lediglich ein Geschöpf unseres Wunschdenkens oder ein Schreckgebilde unserer Angst, ein gütiger Vater oder ein gnadenlos strafender Richter, ein Erlöser oder ein Henker. Aus diesem Bewußtsein des desillusionierten modernen Ich, in einer Welt ohne Sinn leben zu müssen, folgt, daß es für das Leiden des Menschen nur Betäubung, aber keine Heilung geben kann, weil kein Sinn in die sinnlose Welt zu bringen ist. Darum bleibt für Benn als einziger Sinn des Daseins die Kunst. Wie Nietzsche entschied sich also auch Benn – statt für die moralistische – für die ästhetische Gesinnung und Haltung, wonach das Leben nur als ästhetisches Phänomen zu rechtfertigen sei. »Nach Thomas Mann war Nietzsche sogar ›der vollkommenste und rettungsloseste Ästhet, den die Geschichte des Geistes kennt‹ und sein Leben ›ein lyrisch-tragisches Schauspiel von höchster Faszination‹.«[79]

Auch für Kafka, der »nichts als Literatur« war und »nichts als Literatur« sein wollte, hätte diese äußerste ästhetische Konsequenz naheliegen können. Doch tritt gerade hier sein fundamentaler Gegensatz zu Nietzsche und Benn, zu George und Rilke zutage. Obwohl Kafka dem Schreiben – als dem erklärten einzigen Sinn seiner Existenz – das volle Opfer seines Lebens brachte, war er seiner letztgültigen Zielsetzung nach ein religiös-moralisch motivierter Dichter, der als solcher nicht mit Benn, George und Rilke, sondern mit Pascal, Kierkegaard, Dostojewski und Tolstoj zusammengehört. Es war ihm nicht möglich, das Schreiben zu einer Art Ersatzreligion aufzuwerten, wie die Ästheten reinsten Wassers das vermögen. »Vollends der totalitäre Kult der Kunst eines Benn war mit Kafkas Lebensgefühl der Angst und seinem nie aussetzenden Gewissensdruck der Schuld unvereinbar.«[80] Vielleicht liegt die tiefste Tragik seiner Existenz eben darin, daß der Moralist in ihm den Ästheten letztlich als einen Falschspieler verwarf und das Schreiben insgesamt als ein genußsüchtiges Spiel der Schriftstellereitelkeit verurteilte.[81]

Was aber Kafka mit Nietzsche (und Kierkegaard) elementar verbindet, ist, daß für ihn wie für diese die menschliche Existenz der eigentliche Gegenstand seines Denkens und Dichtens war, und zwar Existenz im Vollsinn des Wortes, nicht nur im *hic et nunc* des vordergründigen Geschehens, sondern die Dimensionen des Außen und Innen, des Realen und Irrealen, des Physischen und Metaphysischen, des Moralischen und Religiösen, aber auch die geschichtlichen und gesellschaftlichen Bedingtheiten des menschlichen Existierens – diese jedoch mit Vorzug im Blick auf das Individuum – mit umfassend. Mit anderen Worten, Kafka, Nietzsche und Kierkegaard waren auf die fundamentalen Fragen der Existenz gerichtet, jene Fragen also, die leiden machen, weil sie nicht beantwortbar sind, die auch den Faust Goethes in die Verzweiflung trieben und ihn den Freitod wünschen ließen.[82] Speziell mit Nietzsche teilte Kafka den frustrierenden Pessimismus der Weltschau und Lebenswertung, ja auch den pathologischen Sadomasochismus der Selbstzerfleischung. Kafkas These von der »Unmöglichkeit zu leben« war auch schon Nietzsches These. Und beide haben diese Tragödie schonungslos gegen sich selbst durchlitten.

Was beide hingegen trennt, ist Nietzsches scharf artikulierter Atheismus, sein trotziges Dekret »Gott ist tot« und die mit dieser Stellungnahme demonstrierte Entschiedenheit und Stärke, überhaupt die kämpferische Heftigkeit, mit der Nietzsche seine provozierenden Thesen vertritt. Auch seine Verkündung des Übermenschen ist ein solcher philosophischer Kraftakt, der zu Kafkas Menschenbild und geistiger Dynamik aufs äußerste kontrastiert. Kafka sieht den Menschen klein und gebrechlich, seine Unzulänglichkeit unaufhebbar und ohne Chance einer Höher-Entwicklung. Auch der Geist der Revolte, der Nietzsche zu immer heftigeren Angriffen antreibt, ist Kafka fremd, ganz zu schweigen von den emotionalen Exzessen boshafter Gehässigkeit, zu der sich der Polemiker Nietzsche nicht selten hinreißen läßt. Aber nicht nur die oft grelle Lautheit des Tons, auch der sich selber hochjagende Mut zu eigenwilligen Setzungen fehlen Kafka durchaus. Worauf er vertraut, verrät der Satz aus seiner Erzählung *Elf Söhne:* »Unschuld dringt vielleicht doch noch am leichtesten durch das Toben der Elemente in dieser Welt.«

Dies führt zu der Frage, wie die Entschiedenheit und Stärke des Nietzscheschen Kämpfertums gegenüber der schwächlich wirkenden Unentschiedenheit Kafkas zu werten sind, eine Frage, die sich auch im Blick auf das Verhältnis Kafkas zu Kierkegaard stellt. Denn auch dieser unterscheidet sich von Kafka durch die positive Eindeutigkeit seiner Lebensentscheidung. Er hat die Position des absoluten Glaubens bezogen, die ihm Sicherheit und Stärke suggeriert. Wie verhält es sich aber nun mit dem Kräfteverhältnis zwischen den beiden Entschiedenen Nietzsche und Kierkegaard einerseits und dem nicht festgelegten und nicht festzulegenden Kafka andererseits? Sind die Positionen *demonstrierter* Stärke und Sicherheit wirklich so stark und sicher, wie sie scheinen? Und ist ihnen gegenüber der eines festen Fundamentes entratende Kafka der heillos Schwache? Oder ist das Urteil Brods ernstzunehmen, der Kafka »eine stahlstarke Seele« zugesprochen hat?

Blicken wir zuerst auf Kierkegaard! Vom Nihilismus pessimistischen Denkens bedroht, rettete er sich durch einen Sprung in den absoluten Glauben. Das war ein Akt der Flucht, ja der Angst, die eines festen Haltes bedurfte und diesen Halt durch willentliche Setzung einer Glaubenswahrheit zu gewinnen suchte. Ist dieser nun aber willentlich gesetzte Glaube, der den kritischen Intellekt als unzuständig und unzureichend unterordnet und nur als ein Hilfsinstrument im Dienst einer als zweifelsfrei vorausgesetzten Wahrheit gelten läßt, ein sicherer Hort der Geborgenheit und Stärke? Oder beruht seine Festigkeit nur darauf, daß die rationalen Qualitäten untergeordnet bzw. ausgeschaltet sind? Ist der solchermaßen gewonnene Glaube ein Glaube aus der gesammelten Kraft des ganzen Menschentums oder nur das forcierte Produkt eines einseitigen Willensaktes, also nicht wirkliche Stärke, sondern nur geborgte Stärke zur Tarnung der Schwäche? Ob und wieweit die von Kierkegaard eingenommene Position rundum gesichert war, ob sich alle Widersprüche und Zweifel, alle pessimistischen und nihilistischen Anfechtungen des kritischen Denkens in der Einheit des übergeordneten Glaubens aufzulösen vermochten, ob also durch den Willensentschluß zum bedingungslosen Glauben die volle Summe dieser vielschichtigen Existenz gezogen wurde, ist eine Frage, die von der Literatur- und

Geisteswissenschaft allein nicht beantwortet werden kann, ein kompliziertes, ja wohl auch ambivalentes Persönlichkeitsproblem, das zu seiner Lösung subtil analysierender Individualpsychologie bedürfte.

Blicken wir auf Nietzsches stark klingende Entschiedenheit seiner Gottesfeindschaft, so bezeugt sich gerade in der Lautheit seiner Worte das Forcierte und Suggerierte der Totsagung Gottes. Tatsache ist, daß Nietzsche von dem *unbekannten Gott,* den er »in der Frevler Rotte« so heftig leugnete, nicht loskam.[83] Weder Heidegger noch Thomas Mann glaubten Nietzsches heftig proklamiertem Atheismus. Und auch Jaspers kennzeichnete Nietzsches Philosophieren in solchem Sinn als ein Denken, »das ganz und gar nicht abschließt, sondern nur ein unbekanntes Zukünftiges ermöglicht«.[84] Wie der entschiedenen Positivität Kierkegaards lag auch der entschiedenen Negativität Nietzsches das Bedürfnis nach einer Halt gebenden Selbstsicherheit zugrunde. Das wortreiche Vielschreiben beider ist ein Symptom, daß sie in ihrem Denken die ersehnte Geborgenheit nicht ganz errungen, daß sie immer neu ansetzen mußten, um sich der Festigkeit ihrer Positionen zu versichern. Nietzsche wollte sich von Gott lösen, konnte es aber nicht, blieb ihm vielmehr in erbitterter Feindschaft verbunden und zerbrach letztlich an seiner Gottesfeindschaft. Kierkegaard *wollte* sich durch bedingungslosen Glauben erlösen. Ob er sich aber wirklich damit erlöste oder ob er die Erlösung durch den Glauben nur dekretierte und sich suggerierte, muß offen bleiben. Auch Strindberg (*Nach Damaskus*) gehörte zu diesen Unerlösbar-Unerlösten, in denen das Wollen und das Können nicht voll zusammenstimmten.

Kehren wir von diesen innerlich tief Gefährdeten, die eines sicheren Haltes entbehrten, es sich aber schuldig glaubten, stark zu sein und durch radikale Entschiedenheit des Denkens und Urteilens sich die fehlende Festigkeit zu geben, zu Kafka zurück! Seine Situation wird am besten umschrieben durch einen Satz aus dem *Prozeß*-Roman, mit dem dort das Verhalten des Protagonisten gegenüber der Unentscheidbarkeit des ihm gestellten Problems gekennzeichnet ist: »er sagte das abschließend, aber sein Endurteil war es nicht.« Auch für Kafka gibt es nie und nirgends ein Endurteil. Das besagt jedoch, daß er sich der Unentscheidbarkeit der Probleme stellt und nicht Stärke vorgibt, wo er passen muß, daß er aber stark genug ist, um in der zermürbenden Unentschiedenheit, zu der er sich verurteilt sieht, durchzuhalten. Aus der Wahrhaftigkeit sich selbst gegenüber kommt ihm die Kraft, die Last des Nichtwissenkönnens zu tragen und auf künstliche Krücken zur Stützung eines trügerischen Selbstbewußtseins zu verzichten. Paradox formuliert: es ist innere Stärke, die ihm erlaubt, ohne Wenn und Aber zu seiner Schwäche zu stehn, so wie die forcierte Stärke der anderen die Kehrseite einer Schwäche ist, die ohne solche künstliche Stützung verloren wäre. Zwischen dem lautstarken Gottesleugner Nietzsche und dem als entschiedenen Christen sich artikulierenden Kierkegaard stehend, durchlitt Kafka die

Not der Unentschiedenheit und hielt ihr als ein stiller »Knecht Gottes« stand. So verschiedene Positionen sie eingenommen haben, sind doch alle drei durch die religiöse Frage miteinander verbunden, zugleich aber auch »verwandte Naturen in ihrer Sensitivität und Sehnsucht, in ihrem Leiden und Enttäuschtsein, Aufbegehren, Leugnen und letzthin willigen Sichunterwerfen«.[85]

Russische Erzähler

Starke Affinität verbindet Kafka mit russischen Dichtern. Dabei geht es nicht so sehr um Übereinstimmungen in der Thematik als um typologische Gemeinsamkeiten. Vergleichende Studien werfen Licht auf diese Zusammenhänge und lassen erkennen, daß in diesem Bereich lockende Forschungsaufgaben der Bearbeitung harren.[1] Auch die Kafka gewidmete literaturwissenschaftliche Konferenz vom 27. und 28. Mai 1963 auf Schloß Liblice bei Prag und der am 6. Juni 1963 folgende Internationale Literatur-Kongreß in Leningrad verdeutlichen die Wichtigkeit dieser komparatistischen Aufgabe.[2]

Parry betont die nahe Verwandtschaft Kafkas mit *Gogol*:» ... he stresses the close parallel which both Gogol's and Kafka's imaginative representation of obsession reveal.«[3] Er nennt es beruhigend, entdecken zu können, daß ein so moderner Schriftsteller wie Kafka in Wirklichkeit ganz alt sei, und zwar sowohl in seinen Inhalten, als auch in seiner gestalterischen Technik. Andererseits ist es ihm eine erregende Entdeckung, daß umgekehrt ein Dichter früherer Zeiten wie Gogol sich als höchst modern erweist. Infolgedessen fragt Parry, ob denn Kafka seinerseits so modern sei, wie man vielfach glaubt. »We speak of the Kafka influence as though it were unique. And by Kafka influence we usually mean something extraordinary, grotesque, nightmarish, symbolic of frustration.« Indessen sieht Parry nicht ein, wieso man Frustration als modern bezeichnet, als ob es sie – unter wechselnden Namen – nicht schon immer gegeben habe. Das Gemeinsame Kafkas mit Gogol liege im detailgerecht präzisen Realismus der Darstellung, der jedoch bei beiden trügerisch sei: »a deceptive surface ... pitted with holes, through which we may fall into another apparently unreal world«.[4] Wenn Kafkas Werk ein Ausdruck der Angst sei, so gelte ähnliches für die Dichtung Gogols. Vor allem aber vollziehe sich hier wie dort derselbe bestürzende Vorgang: »impossibilities become possibilities, then probabilities, and wind up as inevitabilities«.

In der Tat erscheint schon bei Gogol dieser vermeintlich genuin Kafkasche Zug voll entfaltet. Was Kafka und Gogol vergegenwärtigen, ist – von außen betrachtet – oft »nonsense, utterly unlike life«, aber sie könnten dagegen halten: »so is life«. Das Leben, wie wir es gemeinhin erfahren, sei »incomplete«, sie aber ließen in ihren Bildern das Ganze des Lebens sichtbar werden, »including that other realm of consciousness which lies behind appearance«, und eben darauf komme es an, daß der Mensch »can experience the whole of this reality«.[5] Infolgedessen hätten wir keinen Grund, Gogol und Kafka vorzuwerfen, daß sie in die dunklen Regionen hinabtauchen und unsere scheinbar festgegründete rationale Welt verlassen.[6] Auch Guy de Mallac verweist auf fundamentale Übereinstimmungen zwischen den beiden Dichtern.[7] Kafkas arme, erniedrigte Helden nennt er »varieties of Gogol's Akakaij Akakjewitsch«. Wie dieser scheinen auch sie einer gnadenlosen Bürokratie ausgeliefert und dazu verdammt »to waste away all their lives trying to explain their case to an inaccessible hierarchy«.

Nicht weniger bedeutungsvoll sind die Beziehungen Kafkas zu *Dostojewski*. Auf dem Kafka-Symposium von Libliče (1963) erklärte Knipovich, daß von allen Einflüssen, die Kafka erfahren hat, derjenige Dostojewskis der stärkste gewesen sei. Auch bei diesem, der nach eigenem Bekenntnis von Gogols *Mantel* herkam, begegnen wir den *Erniedrigten und Beleidigten*, den Verängstigten und Geopferten. Der in Angst lebende Protagonist im *Mantel* und der vor der eigenen Identität zitternde Doppelgänger in Dostojewskis Roman dieses Titels sind der gleichen Herkunft und mit den Gestalten Kafkas nahe verwandt. Spilka sieht im *Doppelgänger* eine Vorlage von Kafkas *Verwandlung*.[8] Auch den *Brüdern Karamasow* liegt ein Kafka-Motiv zugrunde: das problematische Verhältnis zu einem entarteten Vater. Die Söhne leiden – jeder auf seine Weise – unter den Eigenarten des Alten. Wie im Gehirn Georg Bendemanns in Kafkas Erzählung *Das Urteil* spukt auch in ihren Köpfen der Gedanke an den Tod des als bedrückend empfundenen Vaters.

Kafka selbst war sich seiner Nähe zu Dostojewski bewußt und zählte ihn zu seinen »eigentlichen Blutsverwandten«. Schon früh hatte er die Briefe und die Lebensgeschichte des russischen Dichters gelesen. Der Roman *Arme Leute* beeindruckte ihn tief, und er sprach wiederholt von seiner »Entdeckung« Dostojewskis. Zur Rechtfertigung seines (fragwürdigen) Verhaltens gegenüber Felice Bauer berief er sich auf Autoren, die er zeitlebens hochschätzte, wie Grillparzer, Kleist, Flaubert und gerade auch Dostojewski. Seine Freundin Milena Jesenská war eine eifrige Dostojewski-Leserin, und Robert Klopstock, sein ihm befreundeter Arzt, verehrte in Dostojewski den geistigen Führer. Seiner Schwester Ottla hat Kafka außer Schopenhauer und Kleist vor allem Dostojewski vorgelesen.

Die typologische Zusammengehörigkeit beider Dichter bezeugt sich auffällig auch in ihrer Lebensgeschichte. Für Dostojewski und Kafka bedeutete Leben zugleich Schreiben. Mit einem Gefühl der Befreiung nahm Dostojewski Abschied vom Offiziersberuf, um die Laufbahn des Schriftstellers als die ihm einzig gemäße zu beschreiten. Und auch für Kafka war das Freiwerden von den Pflichten seines Berufes ersehntes Ziel. Zum Schreiben geboren, standen beide uninteressiert, ja auch untüchtig den lebenspraktischen Belangen gegenüber. Vor allem aber – und das ist die erschütterndste Parallele – trugen Dostojewski und Kafka von Jugend an den Keim einer schweren Krankheit in sich – Epilepsie und Tuberkulose – und hatten lebenslang unter häufigen heftigen Anfällen zu leiden. Gemeinsam war ihnen auch ein allezeit lastendes Schuldgefühl. Bei Dostojewski äußerte sich das in so krasser Form, daß er sich geradezu »als Verbrecher« fühlte, und wie dem Waldtier in Kafkas Erzählung *Der Bau* schien es ihm, als ob eine *unbekannte Schuld* auf ihm lastete. War für Dostojewski das Furchtbarste in seiner sibirischen Strafgefangenschaft die Qual, nicht schreiben zu dürfen, nie allein sein zu können und immer fremden Blicken in die eigene Seele ausgesetzt zu sein, so entspricht das genau der inneren Not Kafkas, die dieser wiederholt beklagt hat.

Dem Hauptthema Dostojewskis: der Erniedrigung des Menschen durch den Mitmenschen (wie er es insbesondere in den *Erniedrigten und Beleidigten* gestaltete) entspricht bei Kafka und seinen Protagonisten das Leben in der Angst, in der Flucht, in der (vergeblichen) Schutzsuche. Eine auffällige Ähnlichkeit liegt ferner darin, daß beide zutiefst einer bestimmten Stadt verbunden waren. Wie Dostojewski der Dichter Petersburgs, so ist Kafka der Dichter Prags (und Dickens der Dichter Londons wie Balzac der Dichter Paris'). Sogar zum pathologischen Haß des russischen Dichters gegen die westliche Zivilisation und zu seiner missionarisch engagierten Heilssuche im echten alten Russentum gibt es bei Kafka eine Entsprechung, nämlich seine Hinneigung zu dem religiös noch intakten Ostjudentum und seine Ablehnung des als pervertiert erachteten emanzipierten Westjudentums. Dazu stimmt, daß bei beiden in der letzten Lebensphase eine entschiedene Hinwendung zum Religiösen erfolgte. Vor allem aber sind sich die beiden Dichter im Kern ihres Wesens, nach Anlage und Neigung verwandt: Dostojewskis dichterische Welt ist die menschliche Seele in ihrer ganzen Weite und Tiefe. Kafkas Welt ist die nach allen Seiten auszuschreitende Seelenwirklichkeit seines »traumhaften inneren Lebens«.

Besonderer Art sind die Beziehungen Kafkas zu *Tolstoj*. Er stand ihm nah und fern zugleich. War Dostojewski ein Visionär der Seele, so Tolstoj ein Visionär des Leibes, ein geborener Sinnenmensch und – bis zur Lebensmitte – den Freuden des Geschlechts hingegeben, nicht introvertiert, sondern weltoffen und die Fülle und Vielfalt der Erscheinungen begierig in sich aufnehmend. Dann aber erfolgte die jähe Wende zum asketischen Moralisten, zum erklärten Feind der sinnlichen Begierden, zum fanatischen Kämpfer gegen die eigene Natur. Er verfiel der Paranoia des religiösen Eiferers und damit einem nicht zu bewältigenden Zwiespalt mit sich selbst. Der Sinnenmensch sollte zum Heiligen werden. Diesem forcierten Heiligen, der absolute Reinheit forderte, stand Kafka nah. Dem ursprünglichen heidnisch sinnenfrohen Tolstoj, der sich seines leiblichen Lebens erfreute und für alle Außenreize aufgeschlossen war, stand er fern. Kafkas Zentrum war ja von allem Anfang an die eigene Innenwelt, die er bewußt gegen die als »nebensächlich« erachtete Welt abschirmte, ohne aber gegen ihre Einwirkungen ganz unempfänglich werden zu können. In diesem ambivalenten Zwischenbereich, in dem der Sinnenmensch und der Seelenmensch, der Ästhet und der

Moralist gegeneinander standen, liegt das Gemeinsame, das die beiden in ihrem Naturell kaum vereinbaren Dichter eng verbindet.

Typologische Verwandtschaft zwischen Kafka und Tolstoj bezeugt sich indessen auch im Künstlerischen, im Stil ihrer Gestaltungen. Tolstojs genau beschreibendes Erzählen *realen* Geschehens findet sein Analogon in Kafkas distanzierter exakter Darstellung seiner *inneren* Gesichte. Hier wie dort waltet detailbeflissene Objektivität der epischen Darbietung. Und in manchen Erzählungen Tolstojs besteht eine Tendenz zu *einsinniger Perspektive* im Sinne Kafkas. Vorgänge und Gegebenheiten werden kommentarlos vor Augen gestellt. Es geht um Daten und Fakten, nicht um Deutungen. Der Erzähler gibt sich bewußt als Chronist und vertraut darauf, daß sich das Berichtete vollgültig selbst interpretiert.

Berührungen zwischen beiden Autoren gibt es aber vor allem in ihrer moralischen Existenz. So verwundert es nicht, daß sich Kafka intensiv mit Tolstoj beschäftigte und dessen Anschauungen mit seinem Freund Oskar Baum eingehend diskutierte. Neben den Erzählungen haben insbesondere die Tagebücher Tolstojs (1847–1852 und 1895–1899) Kafka beeindruckt. Denn in ihnen äußerte sich ein in die Krise geratener Mensch, dessen Situation in vielem der seinen glich. Tolstoj gab jenen Schuldgefühlen Ausdruck, die Kafka bedrängten. In ähnlichem Sinn wirkte Tolstojs Erzählung *Der Tod des Iwan Iljitsch*, die Kafka erstmals 1912 las und dann auch später noch mehrmals gelesen hat. Was ihn persönlich anrührte, war der moralische Rigorismus Tolstojs, der unbedingte Erfüllung der sittlich religiösen Gebote forderte, zugleich aber sein eigenes vielfaches Versagen gegenüber diesen Forderungen eingestehen mußte. So klagten sich beide des Mangels an wahrer Menschenliebe an, bezichtigten sich sündhafter Schriftstellereitelkeit und kamen letzthin zu einer Verurteilung ihres Künstlertums insgesamt.

In der bohrenden Art des Nachgrübelns über sich selbst standen sich Kafka und Tolstoj ebenfalls nah. Wenn dieser einmal an den Schriftsteller Botkin schrieb: »Unter meinem Schädeldach verfolgen schon seit einem Monat die Jagdhunde einen Gedanken«, so könnte dieser Satz nach Inhalt und Form ein Aphorismus Kafkas sein.[9] Und wenn er als (etwa) Fünfzigjähriger in seiner Lebensbeichte erklärte: »Die Wahrheit war, daß das Leben eine Tollheit ist«, so deckt sich das mit Kafkas fatalistischer These von der »Unmöglichkeit zu leben«. Endlich der trostlose Rückblick Tolstojs:

> Und das Schlimmste war: ich konnte nicht zu mir selbst finden. Ich glich einem Menschen, der sich im Wald verirrt hat und nach allen Seiten rennt und nicht stillstehen kann, obwohl er weiß, daß er sich bei jedem Schritt noch mehr verirrt.[10]

trifft genau die Situation Kafkas (und seiner Protagonisten). Der Unterschied ist nur der, daß bei Kafka die Katastrophe schon von Anfang an bestand, während bei Tolstoj dieser plötzliche »Blick ins

Nichts« (Stefan Zweig) erst um die Lebensmitte erfolgte, nach fünfzig Jahren weltfrohen Daseins und im Genuß höchten Schriftstellerruhms.

Als religiös motivierte Moralisten sahen sich Tolstoj und Kafka vor ein Entweder – Oder gestellt und entschieden sich für das Ideal absoluter Reinheit. Das war aber zugleich eine Entscheidung gegen jede Art von Sinnenlust, auch gegen den ästhetisch legitimierten Kunstgenuß, vor allem aber gegen das Geschlechtliche, das sie insgesamt als unrein, erniedrigend und tierisch verwarfen. Im eigenen Körper sahen sie ihren gefährlichsten Widersacher, dessen Begierden sie endgültig überwinden wollten. Die Verachtung des Leibes war die Essenz ihrer Reinheitsmoral. Nicht nur Kafka, auch der reife Tolstoj, der sich als Mann sexuell ausgelebt hatte, empfand nun Angst und Grauen vor der Dämonie der Sinne, und das um so mehr, als er niemals ganz frei von ihr werden konnte.[11] Reinheitsfanatismus und Sinnenhörigkeit standen bei Tolstoj und auch bei Kafka in unlösbarem Widerstreit. Beide haben sie den Geschlechtstrieb moralisch verurteilt, aber physisch nicht bewältigt. Eben deshalb sahen sie im Sexuellen die eigentliche Gefährdung, ja den Sündenfall des Menschen, eben die Verführung zur Unreinheit. Und um ihrer Verführbarkeit willen haßten sie sich selbst.[12]

Krasseste Verdammung des Sexuellen als der Hauptsünde begegnet bei Tolstoj. In der *Kreutzersonate* beschimpft er den Geschlechtsakt als »scheußlich, beschämend und schmerzhaft« und die Ehe als häusliche Prostitution. Er rechnet ab mit der Theorie, nach der »die Liebe etwas Ideales, Erhabenes« sei, in der Praxis sei sie »etwas Gemeines, Schweinisches«; Scham und Ekel fasse einen, wenn man davon rede oder daran denke. Aber statt dessen gäben sich »die Leute den Anschein, als wäre das Ekelhafte und Unschickliche schön und erhaben«. Daß aber Tolstoj andererseits auch einen der großen Liebesromane der Weltliteratur – *Anna Karenina* – und eine der schönsten Liebesgeschichten – *Eheglück* – geschrieben hat, läßt erkennen, wie zerreißend und unüberbrückbar der Zwiespalt zwischen dem Sinnenmenschen und dem Asketen gewirkt haben muß. Das letzte Wort jedoch behielt der Moralist, der die Geschlechtsliebe als das Böse verdammte und das Motiv der »Seelensäuberung« als die unerläßliche und einzige Rechtfertigung künstlerischen Schaffens gelten ließ.

Wie beschämend und erniedrigend er den Sündenfall in die Sinnlichkeit sah, hat Tolstoj in der Geschichte von *Vater Sergius* und die daraus sich ergebenden kriminellen Folgen in den makabren Erzählungen *Der Teufel* und *Die Kreutzersonate* bedrückend vor Augen gestellt. Und wie qualvoll – trotz entschiedener Verneinung des Sexuellen – der Zustand unbewältigten Geschlechtsverlangens auch für Kafka gewesen ist, hat dieser der Freundin Milena bekannt:

Mein Körper, oft jahrelang still, wurde dann wieder geschüttelt bis zum Nichtertragen-Können von dieser Sehnsucht nach einer kleinen, nach einer ganz bestimmten Abscheulichkeit, nach etwas Widerlichem, Peinlichem, Schmutzigem... Dieser Trieb hatte etwas vom ewigen Juden, sinnlos gezogen, sinnlos wandernd durch eine sinnlos schmutzige Welt.

Immer wieder hat der Sinnenmensch Tolstoj diese Überwältigung durch die fleischliche Begierde dargestellt; so vor allem in der Erzählung *Der Teufel*:

> Als sein Blick unverwandt an der wohlbekannten schönen Gestalt des jungen Weibes [hing], ...ward ihm bewußt, daß er verloren war, rettungslos, für immer verloren...

> Ich hatte geglaubt, ich könnte ohne weiteres abbrechen, und dann wäre alles zu Ende ... Dann plötzlich, ich weiß nicht warum... kam sie mir wieder in den Weg, und nun schlich sich der Wurm in mein Herz hinein und nagte an ihm. Ich mache mir Vorwürfe, ich begreife, wie entsetzlich mein Tun ist, das heißt das, was ich jeden Augenblick tun möchte, und doch verlange ich danach, und wenn ich es bisher nicht getan habe, so hat nur Gott mich gerettet...

Auch Vater Sergius, der mit Fasten und Beten gegen die Fleischeslust ankämpfte, erlag ihr zuletzt:

> Als das Mädchen an ihm vorbeiging, und vor ihm stehen blieb..., entsetzte er sich über sich selbst, wie er ihren Körper ansah. Sie ging vorüber, und er fühlte sich wie vergiftet... Sie faßte seine Hand und drückte sie an ihre Brust. »Hierher.« Er hatte ihr seine rechte Hand überlassen. »Wie heißt du?«, fragte er, am ganzen Leibe zitternd, und fühlte, daß er besiegt war, daß er nicht mehr Herr über seine Begierde war... Entsetzen, Ekel vor sich selbst packte ihn. »Du Tier, du Tier! Und du willst heilig sein!« schalt er sich selbst. »Kein großer Mann bin ich, sondern ein elendes, lächerliches Menschlein.«

Vielleicht am eindringlichsten wird in der *Kreutzersonate* diese Not des moralisch gequälten Sinnenmenschen ausgesprochen:

> Die Weiber haben sich zu einem so feinen Instrument der sinnlichen Erregung ausgebildet, daß ein Mann überhaupt nicht mehr ruhig mit ihnen verkehren kann. Kaum hat der Mann sich der Frau genähert, so ist er schon von ihr berauscht und hat den Verstand verloren. Auch früher schon hatte ich immer ein peinliches, unheimliches Gefühl, wenn ich eine geputzte Dame im Ballkleide sah; jetzt aber empfinde ich geradezu ein Grauen, ich sehe etwas die Menschen Gefährdendes... und möchte nach der Polizei rufen, Schutz gegen die Gefahr fordern, verlangen, daß der gefährliche Gegenstand weggeschafft werde. ...der Brauch, den Körper in einer die Sinnlichkeit herausfordernden Weise zu schmücken ... heißt ja nichts anderes, als auf öffentlichen Spaziergängen Fußangeln[13] auslegen – nein, es ist noch viel schlimmer – tausendmal gefährlicher!

Der alternde, eifernde Tolstoj und Kafka, Schopenhauer und Nietzsche, Strindberg und Weininger, alle diese sexuell verklemmten Frauenhasser verwarfen das Geschlechtliche, weil sie es als moralisch erniedrigend empfanden, und fürchteten es, weil sie seine Übermacht spürten. Indem sie den Liebestrieb als eine Verlockung zum Bösen verurteilten, vertraten sie die Antithese zu den Lehren der Minnesänger. Wohl verkündeten auch diese, daß die Liebe eine Macht, ja Übermacht sei. Aber sie verkündeten das mit jubelnder Freude. Sie priesen diese Macht als gut, ja als das Beste und Höchste überhaupt. Liebe, so bekannten sie, erhöht und veredelt, führt den Mann über sich selbst hinaus, erzieht ihn zum Optimum seiner Möglichkeiten. Und die Frau, die all dies bewirkt, gilt ihnen als ein Wesen höherer Art, als die Quelle alles Guten: *omnium bonorum origo mulier.*

Tolstoj und Kafka jedoch galt die Geschlechtsliebe als schmutzig und gemein. Und ihrer Verdammung des Sexuellen, das Tolstoj auch innerhalb der Ehe als »schweinisch« verwarf, entspricht ihre Verurteilung der Frau als Feindin des Mannes, als Haupthindernis für dessen moralische Entwicklung (wie das in *Krieg und Frieden* in den vertraulichen Mitteilungen des Fürsten Andrej über die Ehe dargelegt ist), als Quelle aller Übel: *omnium malorum origo mulier.* In solchem Sinn hat auch Kafka das Weib als Versucherin, als Puppe des Teufels, als bloßes Geschlechtstier dargestellt. Zu Janouch sagte er, die Frauen seien Fallen, die den Mann von allen Seiten belauern, um ihn in das Nur-Endliche zu reißen. (J 109) Aus dieser negativen Wertung der Frauen als »Fangeisen« ergab sich, daß Kafka keine einzige weibliche Gestalt geschaffen hat, die als vollmenschliche Persönlichkeit angesprochen werden könnte. In seinem Werk erscheint die Frau stets »unter rein sexuellem Aspekt«, als Geschöpf mit bloßen Gattungsinstinkten, als seelenloses Weibchen, als »eine Sache, die von einem ... zum andern gleitet«. Wie eine Puppe zum Spielen hat sie auch ein »puppenförmig gerundetes Gesicht und ihre Bewegungen zeigen die morbide Leblosigkeit einer an Drähten hängenden Marionette«.[14] Wie selbstverständlich wird hier das Weib als leicht erwerbbare Ware gewertet und – mit den Worten der Bibel – »gewogen und zu leicht befunden«.

Nicht einmal die Mütter besitzen bei Kafka auszeichnende Würde. All das spiegelt seine eigene sexuelle Problematik, his »unbalanced sexuality«. Eine natürliche Wertung des Geschlechtlichen, eine positive Integration des Sexuellen in das Leben oder gar eine Sublimierung sind ihm nicht geglückt. Das zeigt sich noch in seiner späten Erzählung *Der Bau* (in der das Sexuelle an sich keine Rolle mehr spielt), und zwar insofern, als das einzige weibliche Geschöpf, von dem in dieser Geschichte einmal die Rede ist, ganz verächtlich als »ein widerliches kleines Wesen« bzw. als »eine beliebige kleine Unschuld« bezeichnet wird. Wie für den eifernden Moralisten Tolstoj, ist auch für Kafka die Frau nicht die Verführte, sondern die Verführerin.[15] Sie sahen in der Frau nur Eva, nicht auch Maria. Schlimmer noch: für Tolstoj galt das Weib *expressis verbis* als der Teufel selbst. Sein Frauenhaß ist im Unterschied zur Frauenfeindschaft Schopenhauers, Nietzsches oder Strindbergs letzthin religiös begründet. Seine Erzählung *Der Teufel* dokumentiert auch im Wortlaut die moralisch religiöse Verteufelung der Frau. »Nein, es gibt keinen Gott!« ruft der Held dieser Geschichte verzweifelt aus. »Es gibt nur einen Teufel, und das ist sie.« Und er wiederholt diese Schelte: »Sie ist ein Teufel. Ein wirklicher Teufel. Denn sie hat gegen meinen Willen

Gewalt über mich gewonnen.« Im gleichen Sinn klagt Vater Sergius: »Mein Gott! Ist es denn wirklich wahr, was ich in den Vitae der Heiligen gelesen habe, daß der Teufel Weibesgestalt annimmt?« Und als das schwachsinnige Mädchen, das man zum Zweck der Heilung zu ihm bringt, den Arm um seinen Körper legt und ihn an sich drückt, da bricht sein moralischer Widerstand zusammen, und im schmerzlichen Bewußtsein seines hier erfolgenden Sündenfalls ruft er aus: »Maria! Du bist der Teufel.« Dasselbe meint Andriuschka in *Eine ländliche Idylle*, wenn er Malanja seine Not klagt: »Ich hänge mich auf. Meine Seele hast du zugrunde gerichtet, eine böse Hexe bist du. Ich bringe dich noch um und lege dann Hand an mich selbst.«

Bei allen Frauenhassern dieser Art ist offenkundig, daß ihre Verteufelung des Weibes aus ihrer heillosen Verfallenheit an das Weib, aus ihrer nicht bewältigten Geschlechtlichkeit resultiert und infolgedessen durch ingrimmigen Selbsthaß genährt und gesteigert wird. Auch »der ewige, mythische Todeshaß der Geschlechter« (Thomas Mann) wirkt darin mit. Hinzu kommt ihr oft unberechenbar widersprüchliches Lebensverhalten, das auf eine kontroverse Mischung der Elemente in ihren Naturen verweist. Dem entspricht bei Kafka und Strindberg das Neben- und Gegeneinander von »heilig monogamer Verehrung der Ehe und völligem Unvermögen, es darin auszuhalten.«[16]

Die grundsätzliche Verdammung des Sexuellen (und mit ihm des Weiblichen überhaupt) begründet zugleich das mitunter sadistisch anmutende Verhalten dieser Frauenhasser, wie das in dem bösen Wort in Nietzsches Zarathustra: »Du gehst zu Frauen? Vergiß die Peitsche nicht!« bildhaften Ausdruck gefunden hat. In ihrem selbstquälerischen Reinheitsfanatismus glauben sich die fragwürdigen Heiligen befugt, die sie liebenden Frauen seelisch zu martern und ihnen als den Verführerinnen die Schuld für ihr eigenes Versagen anzulasten. Das gilt nicht nur für Tolstoj, der als tyrannischer Quälgeist das Leben seiner Frau zu einer Marter gemacht hat, sondern auch für Kafka, dessen schuldhaftes Verhalten gegenüber den ihm ergebenen Frauen als ein grausam egoistisches Spiel angesprochen werden muß. Was dabei befremdet, ja erschüttert, ist die unselige Verbindung von Heiligenhochmut und kleinherziger Feigheit, die nichts auf sich nehmen will, sondern sich brüsk zurückzieht, das Zusammenspiel also von ungerechter Selbstgerechtigkeit und bedenkenloser Überheblichkeit.

Indessen haben sie in ihrem Fanatismus auch gegen sich selbst gewütet. Im Blick auf ihre sexuell bedingte Unreinheit, forderten sie um so entschiedener die (unerreichbare) absolute Reinheit und verurteilten, ja kasteiten sich, kämpften gegen ihren Körper wie etwas Feindliches. Aber es half ihnen nichts; denn in einem fatalen Sinn galt für sie das zynische Bonmot Byrons: »Es ist das Schreckliche an den Frauen, daß man weder mit ihnen noch ohne sie leben kann.« Beide, Tolstoj und Kafka, traten in die Fußstapfen des Apostels Paulus, der in der sexuellen

Liebe das Böse sah und auch nach Damaskus ein fanatischer Saulus blieb. Dem aus leidvollem Ungenügen entspringenden pessimistischen Selbsthaß hat gerade Kafka scharfen Ausdruck gegeben und mit abstoßenden Tiermetaphern die Selbsterniedrigung des Menschen verbildlicht. Der Mensch sei »nichts anderes als ein Rattenloch elender Hintergedanken« und fühle sich im Schmutz seiner Hintergedanken so wohl wie ein Schwein beim »Schaukeln in der Jauche!«

Dieser krasse Pessimismus, der Tolstoj und Kafka verbindet, war gewiß individuell bedingt, gründete aber »zugleich in weit zurückreichenden (moraltheologischen und philosophischen) Traditionen und reflektiert ... die problematische Entwicklung, welche die Sexualität in der abendländischen Geschichte genommen hat.«[17] Im Blick darauf erscheint die moralisch argumentierende Frauenfeindschaft der beiden Dichter »als extreme Konsequenz der weithin widernatürlich verlaufenen Kulturentwicklung«. Sie ist die Frucht einer zweitausendjährigen religiösen Erziehung, die den Leib als Kerker der Seele verwarf und eine natur- und sexualfeindliche Einstellung forderte. In der Tabuisierung und Diffamierung des Geschlechtlichen wirkt dieser feindlich gespannte Geist-Körper-Dualismus bis in die Gegenwart nach und bekundet sich in vielfältigen Formen sexueller Verschrobenheit. Die Sinnenfreude der Hellenen, die dem Körper gaben, was des Körpers ist, war durch die Paulinische Verketzerung des Leibes als des Sitzes der Sünde weithin verdrängt worden. Auch das Judentum hat seine ursprünglich positive Einstellung zur Sexualität (»Seid fruchtbar und mehret euch!«) aufgegeben. Das Wort des Paulus: »Heiraten ist gut. Nicht heiraten ist besser« zeigte Wirkung, nicht zuletzt in der Forderung des Zölibats für die Diener der Kirche. Wenn Paulus das »Weib schweigen hieß in der Gemeinde«, so lag in diesem Redeverbot eine totale moralische Entwürdigung der Frau. Diese grundsätzliche Abwertung des Weiblichen entsprach im übrigen auch dem patriarchalischen Gepräge der griechisch-römischen wie der christlich-jüdischen Kultur. Die prinzipielle Frauenfeindschaft war das Produkt einer Männerwelt, die auch den Geist der Kirche bestimmte und wie diese das Weib als Lockspeise des Satans, als *Pforte zur Hölle* verwarf. In einer solchen durch Sündenbewußtsein getrübten Sicht konnte sinnliche Liebeserfüllung nichts Beglückendes sein, sondern nur eine gemeine Not, die gleichermaßen zu Frauenhaß und Selbstverachtung trieb. Die Sexualfeindschaft der Religionen und die individuelle geschlechtliche Problematik der Frauenhasser tolstoisch-kafkaischer Prägung koinzidieren in der fatalen Feststellung, daß der Mensch zum Koitieren *verdammt* sei.

Nach alledem kann es nicht überraschen, daß Frauenhaß und Selbsthaß sich auch in sadomasochistischen Zügen äußern. In ihrer selbstsüchtigen Grausamkeit gegenüber den ihnen verbundenen Frauen stimmten der forcierte Heilige Tolstoj und der sensitive Kafka durchaus überein. Mit Recht betont Cassou, daß bei der Betrachtung der Ehe Tolstojs unsere ganze Sympathie sich der Frau des Dichters Sofia Andrejewna zuwende, die sich unaufhörlich im Dienst des Genies aufopferte, während Tolstoj in der Ehe die Gefahr sah, sich selbst zu verlieren.[18] Das gleiche gilt für die erotischen Beziehungen Kafkas, der die Frauen zunächst mit Briefen überschüttete, sie aber dann auf einmal wieder brutal zurückstieß, und zwar mit derselben Begründung, mit der sich Tolstoj von seiner Gattin abwandte, daß er nämlich durch eine solche Beziehung sein Selbst verliere, nicht länger seiner wahren Bestimmung genügen könne und so verhindert werde, der zu sein, der er sein sollte. Ein Freund Kafkas, Ernst Weiß, hat diesen rigorosen Schriftstelleregoismus scharf verurteilt. Kafka habe sich niemals ganz hingegeben, weder dem Freund noch seiner »schönen, guten und reinen Braut, der er das Leben zur Hölle gemacht hat«.[19] In der Tat war das Verhältnis Kafkas zu den Frauen – und zu den Menschen überhaupt – nicht intakt, so daß er sich mit Grund des mitmenschlichen Versagens beschuldigte. »Auch das gehört zu den Ungerechtigkeiten der Welt, daß solche [intimen] Katastrophen immer nur im Blick auf die kostbare Künstlerseele gedeutet werden und die Leiden der enttäuschten und mißbrauchten Opfer wie selbstverständlich außer Betracht bleiben.«[20]

Dem Totalanspruch der Literatur an sein Leben hat Kafka Frauen und Freunde, alle und alles geopfert. Da er sich aber der Unmöglichkeit eines Zusammenlebens mit anderen sehr wohl bewußt war, weil dadurch nämlich das ihm zum Schreiben unentbehrliche Alleinsein aufgehoben würde, so machte er sich aufs schwerste schuldig, wenn er trotzdem immer wieder Frauen an sich zog, um sie dann schon bald wieder mit dem Hinweis auf die Forderungen seiner schriftstellerischen Berufung brüsk zu verlassen. Das Hin und Her in seiner Beziehung zu Felice Bauer, das Verloben, Entloben, Wiederverloben und Wiederentloben waren eine Orgie brutaler Selbstsucht. Während er im Blick auf sich selbst Wertherische Empfindsamkeit übte und sein »Herzchen hielt wie ein krankes Kind«, hat er sich von den (anfangs intensiv umworbenen) Partnerinnen rücksichtslos rasch wieder zurückgezogen, sobald sie ihm als Schriftsteller nichts mehr bedeuteten. Die Briefe, mit denen er seine stürmisch eingegangenen erotischen Bindungen abbrach, sind Zeugnisse sadomasochistischer Grausamkeit.[21] Nicht minder grausam war, wenn Tolstoj in einem Akt selbsterniedrigender Enthüllung seiner jungen Braut sein Tagebuch mit den detaillierten Schilderungen seiner sexuellen Ausschweifungen zur Lektüre überreichte. Diese Geste, die Dimitrij Mereschkovskij geschmacklos schalt, war in Wahrheit noch weit schlimmer als das, sie war recht eigentlich ein Zeugnis mangelnder Liebe, ja einer abscheulichen Selbstbesessenheit, insofern sich hinter der vermeintlichen Selbsterniedrigung ein gefährlicher Hochmut verbarg.

Gleichwohl besteht kein Zweifel, daß Tolstoj und Kafka ihre sittlich religiösen Ideale, den Wunsch nach »Seelensäuberung«, die Forderung »absoluter Reinheit« ernstgenommen haben. In einem Brief an die

Heilige Synode schrieb Tolstoj: »Ich glaube, daß für jeden von uns der Sinn des Lebens nur darin besteht, die Liebe in uns zu vergrößern.« Aber wie Kafka mußte er das eigene Herz anklagen, »daß es der Liebe nicht habe«, und lebenslang um die Liebe ringen wie einer, der von der Liebe ausgeschlossen ist. Infolgedessen mußten sich die beiden immer wieder der Nichtliebe bezichtigen. Denn es gelang ihnen nicht, aus der Selbstumkreisung auszubrechen und den Weg vom Ich zum Du zu gehen. Die moralische Verurteilung, der sie sich in wiederholter Gewissenserforschung unterzogen, befreite sie nicht von sich selbst. Sie blieben eingeriegelt in die Hölle ihres Ungenügens. Die Ehe Tolstojs ist ein erschütterndes Zeugnis seines Versagens im Miteinander. Und Kafka verharrte in seiner entschiedenen Ablehnung jeglicher Gemeinschaft mit anderen. Alle Versuche, die er in dieser Richtung unternahm, schlugen fehl.[22]

Auf das (unerreichbare) Ideal sittlicher Vollkommenheit fixiert, verhärteten Tolstoj und Kafka zu strikten Moralisten, denen es mehr um die abstrakte Idee als um den Menschen ging. Ihr esoterischer Moralismus stand tätiger Menschenliebe entgegen und erstickte Herzlichkeit und Güte. Ja, er erwies sich als tyrannisch unansprechbar und ließ Gerechtigkeit zu Selbstgerechtigkeit erstarren. So nahmen sie nicht mehr wahr, daß »Gutsein« besser und hilfreicher ist als eiferndes »Rechthaben«. Ihr Reinheitsfanatismus war eine Überforderung, an der sie scheitern *mußten* und um deren willen sie vieles Mögliche und Wünschbare versäumten. Was sie scheitern ließ, war letzthin Hybris, eben ein (unbewußter) moralischer Hochmut, der nach dem Höchsten greifen wollte und darüber das notwendige Nächste aus dem Blick verlor. Die kleinen Schritte, auf die es in erster Linie ankommt, weil sie allein weiterhelfen, waren ihnen nicht bedeutend genug, erfüllten ihren Absolutheitsanspruch nicht. So blieb es bei einem unüberbrückbaren Gegensatz von hochgespannten moralischen Zielsetzungen und unbefriedigendem praktischem Lebensverhalten. Bei all ihrer harten Selbstkritik ermangelten sie der Demut. Auch ihre quälerischste Selbsterniedrigung war nicht frei von Überheblichkeit.

Die vielleicht stärkste Gemeinsamkeit zwischen Kafka und Tolstoj liegt in der für beide kennzeichnenden Ambivalenz ihrer Anlagen und Neigungen. Lebenslang belastete sie der Zwiespalt zwischen religiös motiviertem Moralismus und ästhetisch motiviertem Künstlertum. Ihr Moralismus forderte den Vorrang, ja die Alleingeltung des Sittlich-Religiösen. Im Blick auf dieses Einzig-Wichtige verurteilten sie jede Form der Sinnlichkeit als eine Beschmutzung der Seele. Und gerade der sublimierte Sinnenreiz in den Werken der Kunst, in Dichtung und Musik galt ihnen als die schlimmste Gefährdung des Menschen, als »eitel und lasterhaft« (Tolstoj), als sündiger Selbstgenuß, als »Teufelsdienst« (Kafka). Ein kompromißlos kunstverdammender Moralismus stand ihrem Dichtertum entgegen. Es war ein leidvoller Prozeß, den sie durchlitten, ein unerbittlicher Kampf gegen das eigene Selbst, ein Kampf, der nicht mit einem eindeutigen Sieg, der nur mit Resignation enden konnte. Obwohl Tolstoj geborener Epiker[23] und Kafka nach eigenem Bekenntnis »nichts als Literatur« war[24], siegte in ihnen zuletzt der Moralist und verwarf den Künstler als einen eitel spielenden, genußsüchtigen Ästheten. Aus der Lebensbeichte Tolstojs erhellt, wie radikal sich in ihm der Fanatiker der »Seelensäuberung« durchgesetzt hat. Die Dienstbarmachung der Kunst unter der Herrschaft der religiösen Moral erklärte er zur *conditio sine qua non*. Dabei versteht sich, daß gerade in ihm der Konflikt zwischen Ästhetizismus und Moralismus einen krasseren Umbruch forderte als in dem *a priori* zur Askese tendierenden Kafka.

Aber das Erstaunliche geschah: der weltberühmte Schriftsteller »bedauerte« öffentlich, was er geschrieben hatte. Er verwarf es als »literarisch« und »sündhaft« – zwei Ausdrücke, die ihm fortan als Synonyme galten –, verurteilte in Bausch und Bogen »all das künstlerische Geschwätz, mit dem die zwölf Bände seiner Werke gefüllt seien« und denen die Menschen unserer Zeit »eine unverdiente Bedeutung« beimäßen. In Konsequenz seines ausschließlichen Moralanspruches an die Literatur hat Tolstoj gerade auch die eigene (nicht sittlich legitimierte) Schriftstellerei schonungslos abgeurteilt. Über seine vielleicht schönste Erzählung *Eheglück* (1859), die Romain Rolland als ein »Wunderwerk der Liebe« rühmte, in dessen harmonischer Übereinstimmung von Form und Inhalt »...die Vollkommenheit eines Racineschen Werkes« erreicht sei[25], schrieb er schon kurz nach der Veröffentlichung an den Schriftsteller Wassilij Petrovič Botkin:

> »Was habe ich mit meinem *Eheglück* angerichtet! ...ich bin zur Besinnung gekommen und habe erkannt, was für ein Schund, was für ein Dreck das ist: ein dunkler Fleck, der auf mir nicht nur als Autor, sondern auch als Mensch lastet! Ist das ein Greuel von einer Dichtung... Eine häßliche Sprache, die häßlichen Gedanken entspricht...«

In dieser haßvollen Herabwürdigung eines seiner künstlerisch gelungensten Werke bezeugt sich ein Masochismus, wie er auch Kafka in hohem Maße eigen war.[26] Vor allem aber erhellt daraus, wie unwiderruflich und ausnahmslos Tolstoj am Ende alle Kunst verdammte, die nicht eindeutig der moralisch religiösen Erziehung des Menschen diente. Das erklärt auch seinen Haß auf Shakespeare, in dessen dichterischen Gestaltungen »das Widerstreben... des moralisch Gequälten gegen die universelle und allbejahende Natur, [gegen] das Weltglück und die humorvoll versöhnende Ironie krassen Ausdruck fand.[27] »Tolstoj haßte sich selbst in Shakespeare, seine eigene vitale Bärenkraft, die ursprünglich ebenfalls naturhaft und künstlerisch amoralisch war...« Vor dem »ehrwürdig-fragwürdigen Propheten- und Bußpredigertum« des alternden Tolstoj fand die Kunst als solche keine Gnade mehr. Er urteilte und verurteilte nun im Namen »einer Moral, die jeder rein ästhetischen Weltanschauung den Stempel der Frivolität aufdrückte«.

In dem ungleich kürzeren Leben Kafkas vollzog sich eine ähnliche Entwicklung, und sein Brief an Max Brod vom 5. Juli 1922 erweist, daß er zu denselben Schlußfolgerungen kam wie Tolstoj. Seine hier ausgesprochene Verurteilung der Schriftstellerexistenz steht der moralischen Kunstverdammung Tolstojs an Schärfe nicht nach. Das Schreiben, so erklärt er, sei »ein süßer wunderbarer Lohn... für Teufelsdienst«. Und das Teuflische daran sei »die Eitelkeit und die Genußsucht, die immerfort um die eigene oder auch um eine fremde Gestalt... schwirrt und sie genießt«. Der Schriftsteller lebe also ein moralisch verwerfliches Leben im künstlichen Paradies seiner Eitelkeit. Sein Schreiben sei ein überheblicher »Selbstgenuß«, der sich an den Forderungen des Lebens vorbeimogelt, indem er es in ein Spiel verwandelt und in solcher künstlerischen Umsetzung auch zu bewältigen glaubt, während er sich in Wahrheit doch nicht loskaufen kann, vielmehr infolge seines Nicht-Lebens am Ende doppelter Reue und Todesangst anheimfallen werde.

Was beide Dichter in zunehmendem Maße verstörte, war der Zweifel an Sinn und Wert ihres Tuns, das moralische Problem der Rangordnung der Werte. In rhetorischen Fragen erwog Tolstoj, ob es, anstatt Romane zu schreiben, nicht besser wäre, Griechisch zu lernen, um die Lehren des Neuen Testamentes richtig zu verstehen, oder ob die Schulen für Bauernkinder... nicht weit mehr Anspruch an unsere Zeit und unsere Gedanken hätten als die Werke der Literatur, ob nicht überhaupt die ganze Belletristik eine Albernheit sei, und ob es nicht unsere Pflicht wäre, uns in theologisch-philosophische Bücher zu vertiefen, um etwas vom Sinn des Lebens zu ergründen. Auf seine eigene, tief introvertierte Weise teilte Kafka die Gewissensnot Tolstojs, dessen Grübeln über die Aufgabe des Menschen und den fundamentalen Zweifel an der Kultur. Und nicht zuletzt war es der Gedanke an den Tod, der beide erschütterte und ihnen das Schreiben fragwürdig machte.[28]

Daß auch die Musik als die sinnlichste aller Künste dem Verdammungsurteil der beiden Asketen verfiel, lag in der Konsequenz ihres moralischen Rigorismus. Verwunderlich aber ist, daß gerade der musikalisch sensitive Tolstoj sie am schonungslosesten verworfen hat, so in der *Kreutzersonate* (1890), in der er sogar die Musik Beethovens, die er liebte, als unzüchtig, ja als gemeine Kupplerin verdammte. Kein Zweifel, sein Wüten gegen die Musik war zugleich ein Wüten gegen sich selbst. Und dasselbe, wenn auch in milderer Form, gilt für Kafka. Auch für ihn war – nach eigenem Bekenntnis – die Entsagung gegenüber der Musik kein leichtes Opfer.[29] Doch war er primär auf Sprache als das klärende und ordnende Moment eingestellt und hegte darum ein gewisses Mißtrauen im Blick auf die Musik als eine Kunst verwirrender Reize. So sagte er zu Janouch: »Musik ist eine Multiplikation des sinnlichen Lebens. Die Dichtung dagegen ist seine Bändigung und Höherführung.« In dieser Kennzeichnung der Musik als eines rein sinnlichen Phänomens klingt Tolstojs Ablehnung der Musik als einer Verführerin zur Sinnlichkeit an. Hierher gehört ferner die antiwestliche Einstellung beider Schriftsteller, ihre Verurteilung der amoralischen, dem eigentlichen Lebenssinn entfremdeten, genußsüchtigen westlichen Welt, ihrer rein ästhetisch orientierten Kunst und Kultur. Ähnlich wie Dostojewski hat Tolstoj alles, was je vom Westen kam, als pervertiert und pervertierend verworfen. Auch dieser antiwestliche Zug findet sich bei Kafka, so in seiner entschiedenen Ablehnung des emanzipierten westlichen Judentums und seiner engagierten Hinneigung zu dem noch unverfälschten religiös fundierten Ostjudentum.[30]

So nah sich Kafka und Tolstoj in ihrer moralisch-menschlichen Problematik berühren, so fern scheinen sie sich als Schriftsteller, in der Eigenart ihres Gestaltens zu stehen. Blicken wir auf ihre Romane und Erzählungen, so lassen sich kaum Parallelen oder auffällige Vergleichbarkeiten entdecken. Sie differieren sowohl in den Themen als auch im Stil des Erzählens. Es ist geradezu unvorstellbar, daß Kafka einen Liebesroman wie *Anna Karenina* oder ein Geschichtsepos wie *Krieg und Frieden* geschrieben haben könnte. Ebenso wenig könnte man sich Tolstoj als Verfasser der Kafkaschen Romane *Der Verschollene, Der Prozeß* oder *Das Schloß* vorstellen. Welten liegen zwischen der ausgebreiteten Epik Tolstojs und der konzentriert linearen Erzählkunst Kafkas. Dessen Erzählen ist durch einsinnige Perspektive bestimmt. Infolgedessen handelt es sich letzthin immer um einen inneren Monolog, der aber ins Epische transponiert ist und sich daher als eine Geschichte, ja als ein eben jetzt sich ereignendes Geschehen vortragen läßt.

Mit dieser Beschränkung auf einsinniges Erzählen verbindet sich jedoch eine nuancenreiche Genauigkeit der Beschreibung, die den Eindruck der Vollständigkeit suggeriert und dadurch an den umfassenden und detailbezogenen Realismus Tolstojs erinnern könnte. Aber der Unterschied der epischen Darbietung ist unüberbrückbar. Mit seiner »epischen Bärenkraft« ist Tolstoj das vielleicht größte Beispiel des *allwissenden Erzählers,* ein alles aufnehmender Beobachter und genauer Menschenschilderer, der von der Vielfalt der Außeneindrücke her das Innenleben der Personen enthüllt, ihr Temperament, ihr Wesen, ihren Charakter sichtbar werden läßt, sich aber mit keinem identifiziert, sondern als souveräner Epiker jedem seine volle Identität gibt. Weltzugewandte Empirie steht gegen weltflüchtige Introversion, vielstimmig bunte Daseinsfülle gegen die Monodie »traumhaften inneren Lebens«. Zu keiner Zeit, auch nicht in seiner pessimistisch getönten Spätphase hat der Erzähler Tolstoj jemals den empfänglichen Sinnenmenschen zu verleugnen vermocht. Und ebenso blieb Kafka in allen seinen Werken auf den ihm eigenen Ton monologischer Einsamkeit gestimmt.

Aber es gibt zumindest *eine* Erzählung, die auch literarische Verwandtschaft beider Dichter bezeugt, nämlich Tolstojs Erzählung *Der Tod des Iwan Iljitsch* (1886). In ihr erscheint in mehr als einer Hinsicht eigentümlich Kafkaisches vorweggenommen. Kafka selbst kannte diese

Novelle und hat sie wiederholt gelesen. In einem Brief an Johannes Urzidil bekannte er, wie tief ihn die Lektüre bewegt hatte. Vor allem aber lassen drei seiner aussagestärksten Werke: *Die Verwandlung, Der Bau* und *Der Prozeß*[31] so frappante Übereinstimmungen mit Tolstojs *Tod des Iwan Iljitsch* erkennen, daß an unmittelbarem künstlerischen Einfluß nicht zu zweifeln ist.

Der Zusammenhang der genannten Erzählungen ist schon durch den Gegenstand bedingt. Der Tod ist das durchlaufende Thema der Dichtung Kafkas. »Letaler Ausgang« ist ein Kennzeichen seiner Werke. Sie handeln alle von einer Schuld, die nur mit dem Tod gesühnt werden kann. »Der Tod steht prinzipiell am Ende des Prozesses, der das Leben bedeutet.«[32] Zugleich gehört es zu diesem Konzept, daß die Protagonisten die ihnen lebenslang verborgene Schuld zuletzt begreifen und den herannahenden Tod als Strafe akzeptieren. Auch die gnadenlose Fatalität des Ablaufs »im Bild einer langsam, aber gleichmäßig und unaufhaltsam sich zuziehenden Schlinge ist in Kafkas Vorstellung allezeit gegenwärtig«[33].

In eine solche Situation gerät der Iwan Iljitsch Tolstojs und durchleidet sie wie eine Kafkasche Gestalt bis zum bitteren Ende. In die Isolation des Allein-mit-sich-Seins geworfen, ist er seinem Leiden schutzlos preisgegeben, konfrontiert mit der nicht zu fassenden, feindlich drohenden eigentlichen und letzten Wirklichkeit. Und aus diesem kafkahaften Geschehen, demzufolge der Protagonist jäh und unerwartet einer rätselhaften Krankheit verfällt, ergibt sich wie von selbst eine einsinnige Perspektive des Erzählens. Schritt für Schritt verengt sich der Blickwinkel. Schließlich wird alles nur noch mit den Augen des leidenden Iljitsch gesehen. So erweist sich diese Erzählung in der Tat als ein Beispiel konsequenter Introversion. Wie Kafka hat sich Tolstoj hier ganz in die weitgedehnte innere Welt seines Helden begeben und sie nach allen Seiten ausgeschritten. Hinzu kommt eine auffällige Übereinstimmung in der Beschreibung des langgedehnten Sterbeprozesses, den Iwan Iljitsch in der Geschichte Tolstojs und Gregor Samsa in Kafkas Erzählung *Die Verwandlung* erleiden: das Immer-elender-Werden, die zunehmende Isolierung infolge der Krankheit, die Entfremdung von den Menschen und sogar innerhalb der eigenen Familie, der Verlust der Kommunikationsmöglichkeiten und – schlimmer noch – das kontaktlose Aneinandervorbeireden, das Nichtmehrverstandenwerden, das Aufgegebenwerden, das endgültige Alleinsein in Hilflosigkeit ohne Aussicht auf Hilfe, das Erkennen, daß man allen zu einer Last geworden ist und selbst die Nächsten kaum mehr einen Hehl daraus machen, daß sie einen so schnell wie möglich loswerden wollen. Aber für beide, Iwan Iljitsch und Gregor Samsa, gilt, daß je hinfälliger sie äußerlich werden, desto hellsichtiger ihr inneres Auge das Spiel der Welt durchschaut und die Selbsttäuschung wahrnimmt, in der sie gelebt haben. Wie in einem Spiegel erblicken sie, wie sehr alle Menschenbeziehungen in Lügen eingehüllt sind, daß Mitgefühl geheuchelt ist und ein Todkranker nur als eine unangenehme Störung des normalen Lebensablaufs empfunden wird. Und beide wollen auch sterben, um ihre Nächsten, die sie belasten, von sich zu befreien. Sie wünschen ihren Tod als einen letzten Liebesdienst gegenüber ihren Angehörigen. »Ja, ich quäle sie«, dachte Iwan Iljitsch. »Ich tue ihnen leid, aber ihnen wird besser sein, wenn ich gestorben bin«. Und im gleichen Sinn heißt es von dem sterbenden Gregor: »Seine Meinung darüber, daß er verschwinden müsse, war womöglich noch entschiedener als die seiner Schwester, die gesagt hatte: wir müssen versuchen, es loszuwerden.« Kein Zweifel kann darüber bestehen, daß Tolstojs erschütternde Darstellung des allmählichen, unausweichlichen und unverstandenen Sterbens eines Menschen Kafka tief bewegt und auf seine Beschreibung von Gregors Tod in der *Verwandlung* eingewirkt hat.

Wohl den stärksten Einfluß übte der *Tod des Iwan Iljitsch* auf Kafkas Erzählung *Der Bau*. Diese endete nicht nur tödlich, sondern ist auch – streng wörtlich genommen – eine Geschichte vom Tod.[34] Wie Iwan Iljitsch peinlich prüfend immer wieder auf die leise signalisierenden Schmerzsymptome des mit der fortschreitenden Krankheit stetig näherkommenden Todes achtet, registriert auch das Tier in seinem (von dem mächtigen Verderber schon eingekreisten) Bau alle Bewegungen und Geräusche in seiner Umgebung als Anzeichen der kommenden Katastrophe. Beide, Iwan Iljitsch in seiner tödlichen Krankheit und das Waldtier in seiner zur Falle gewordenen Festung, sind bereits Gefangene des Todes. Und das mächtige feindliche Tier, das den Bau in immer enger werdenden Kreisen umzingelt, ist nichts anderes als der Tod, also nicht lediglich ein Alp- oder Angsttraum des Protagonisten, sondern das Realste, das es überhaupt gibt, ein Gegner, der sich nicht negieren, nicht verharmlosen noch gar manipulieren läßt, gegen den keine Abwehrmaßnahmen schützen, an dem vielmehr alle Organisationskünste zuschanden werden und der immer das letzte Wort behält. In solcher Weise erscheint in beiden Erzählungen der Tod als vernichtungswilliger, hinterhältiger Feind, vor dem man wehrlos ist, dessen bedrohliche Gegenwärtigkeit man lebenslang übersehen hat, der sich nicht zum Kampf stellen läßt, sondern selbst die Stunde des Kampfes bestimmt und gegen den es nur Niederlage geben kann.

Iwan Iljitsch erinnert aber nicht nur an Gregor Samsa in der *Verwandlung*, an Josef K. im *Prozeß* und das Waldtier im *Bau*, sondern auch an Kafka selbst und seine übrigen Gestalten, die alle an der gleichen tödlichen Krankheit leiden wie der unglückliche Held der Tolstojschen Erzählung. Auch dessen »rätselhafte Krankheit ist ja Ausdruck eines verfehlten, unwahren Lebens, dessen Rechtfertigung ihn nicht sterben läßt, weil es zur Folge hat, daß alles, was ihn gequält, womit er sich nicht auseinandergesetzt, was er also nicht durchlebt hat, in der Stunde des Todes als Schmerz und Todesfurcht über ihn kommt«.[35] Für Kafka, so unterstellt Binder wohl zurecht, war diese Krankheit identisch mit der unbewältigten moralischen Problematik der Schriftstellerexistenz. Denn bald nach der Lektüre des *Iwan Iljitsch* schrieb er:

> Der Schriftsteller nimmt sein Haus, seine im greifbaren Lebensvollzug sich verwirklichende Persönlichkeit, nicht in Besitz. Er lebt also nicht, sondern genießt, indem er es erzählt, bloß das Leben. Wenn er schreibt, hat er sogar sein Haus verlassen, das dadurch geschwächt und lügenhaft wird. Diese dauernde Verdrängung des Lebens und die Erkenntnis, daß man sich durch das Schreiben nicht vom Tod hat loskaufen können, führen zur Todesangst.

Gerade weil er noch nicht gelebt hat, habe der Schriftsteller »schreckliche Angst zu sterben«. Sein Leben war süßer als das der anderen, aber eben deshalb werde sein Tod um so schrecklicher sein. Wiederholt kritisierte Kafka »das Glück des Schriftstellers... als schuldhaftes Verfehlen, als Verschuldung gegen das Leben«.[36].

In ihrer Verurteilung der Kunst, zu der sie doch nach Anlage und Neigung berufen waren, stimmen Kafka und Tolstoj zusammen. Sie verwarfen das Schreiben, das ihr ein und alles war, weil es eine Verdrängung des Lebens bedeutete und mitmenschliches Versagen bedingte, konnten es aber doch nicht lassen. Daß sie den Zwiespalt zwischen dem Moralisten und dem Ästheten in sich nicht zu überwinden vermochten, macht sie zu tragischen Gestalten und Schicksalsverwandten.

Schicksalhafte Affinität verbindet Kafka auch mit *Anton Tschechov* (1860–1904).[37] Diese Übereinstimmungen sind um so gewichtiger, als sie auf Gemeinsamem im Ingenium beider Dichter beruhen und nicht erst sekundär durch literarischen Einfluß bedingt sind. Kafka scheint Tschechov nicht einmal gekannt zu haben. Zumindest hat er sich nie über ihn geäußert. Auch befand sich kein Werk des russischen Schriftstellers in seiner Handbibliothek. Wie sich Tschechov in der Komödie *Die Möwe* mit den Worten des Schriftstellers Trigorin gekennzeichnet hat, so könnte auch Kafka selbst sich charakterisiert haben:

> Tag und Nacht [verfolge ihn] immer derselbe Gedanke: ich muß schreiben, schreiben... Ich habe kaum eine Erzählung beendet, und schon müßte ich eine zweite, dritte und dann eine vierte schreiben... Jetzt müßte ich mich doch eigentlich vergessen können, aber nein, schon ballt sich in meinem Kopf wieder etwas zusammen: ein neues Thema... Und wieder zieht mich mein Schreibtisch an,[38] und ich muß hastig schreiben, schreiben. So geht es Tag für Tag. Ich habe keine Ruhe, und ich fühle, daß ich meine Kraft verzehre... Solange ich schreibe, bin ich zufrieden... Aber kaum hat das Werk die Presse verlassen, kann ich nicht mehr vertragen, was ich geschrieben habe. Ich sehe, daß es das nicht ist. was es sein sollte, daß es eine Halbheit ist.

Hier äußert sich die gleiche Unrast des permanenten Schreibenwollens und die gleiche Unzufriedenheit gegenüber dem Geschriebenen wie bei Kafka. Auch für Tschechov wollte sich das Leben ausschließlich als »Schreiben« erfüllen. Auch er wollte letzthin »nichts als Literatur« sein. Verwandt waren sich die beiden Dichter auch in der Kompromißlosigkeit ihrer künstlerischen Zielsetzung. Tschechov erklärte: »Nur Wesentliches und Zeitloses soll man darstellen« – ein Gedanke, den auch Kafka wiederholt ausgesprochen hat. Entsprechend lag ihnen das Geschäft der (Tages)politik fern, und die Welt erschien ihnen nichts weniger als eindeutig und durchschaubar. »Schriftsteller, erst recht wenn sie Künstler sind, müssen schließlich bekennen, daß alles in der Welt unbegreiflich ist.«[39] Der Mensch galt ihnen als ein vielschichtiges, multivalentes Wesen. Infolgedessen stellte Tschechov die Frage:

> Warum soll der Held einer Geschichte oder eines Dramas durchaus auf eine einzige Leidenschaft, auf ein einziges Gefühl ausgerichtet sein und nicht einfach ein intelligentes Wesen darstellen, das alle Empfindungen und alle Gefühle mit verschiedener Intensität erlebt?[40]

Wenn in der *Möwe* Treplev Selbstmord begeht und Ivanov den Freitod wählt, wenn Vanja auf Professor Serebrjakov schießt und Tusenbach den Tod im Duell findet, so sind das keineswegs »Lösungen des dramatischen Knotens«, sondern – in einem Kafka verwandten Sinn – Enthüllungen der Ausweglosigkeit alles Tuns. Sophie Laffitte betont im Blick auf Tschechovs Darstellungen das »langsame Dahinfließen des Lebens«; sie verweist auf »die Szenen, die sich auf der Untüchtigkeit der Helden aufbauen, jede Schicksalswendung vermissen lassen und nur von der Bewegung der Gefühle und der Folge ›seelischer Zustände‹ getragen werden«, was alles »so einfach und doch so verwickelt [sei] wie die Wirklichkeit selbst«. Diese Charakteristika gelten weithin auch für die Erzählungen und Romane Kafkas, in denen sich ebenfalls »komplizierte, mehrdeutige Helden... in einer seltsamen, fast realen Atmosphäre bewegen, die aber durch eine kaum merkliche Verfremdung jenen unnachahmlichen Tschechovschen bzw. Kafkaschen Ton erhalten hat.« Und auch darin liegt eine Parallele zu Kafka, daß in Tschechovs Epik und Dramatik der Sinn für »das Tragische der kleinen Dinge... mit zarter, doch eindringlicher Poesie« abwechselt. Endlich die bedrückende Einsicht Kafkas, daß das Glück der Geborgenheit, dessen sich die Menschen erfreuen, auf bloßem Schein beruht, bestimmte auch die Lebenssicht Tschechovs. In *Stachelbeeren* (1898) sagt er:

> ...wir sehen und hören nicht die Leidenden. Was im Leben schrecklich ist, spielt sich irgendwo hinter den Kulissen ab. Alles ist still und friedlich, und nur die stumme Statistik protestiert... Anscheinend fühlt sich der glückliche Mensch nur deshalb wohl, weil die Unglücklichen ihre Last schweigend tragen und ohne dieses Schweigen das Glück unmöglich wäre. Das ist eine allgemeine Verblendung. Es müßte hinter der Tür jedes Zufriedenen und Glücklichen ein Mann mit einem Hammer stehen, der ihn ständig klopfend daran erinnerte, daß es auch Unglückliche gibt, daß ihm das Leben, so glücklich es im Augenblick sei, früher oder später die Krallen zeigen wird.

Unverkennbar sind in diesen Sätzen Thematik und Problematik des Kafkaschen Werkes angesprochen: der Blick hinter die trügerische Sicherheit des unreflektierten Daseins, die Enthüllung dessen, was man nicht sieht oder übersieht und was uns doch – als die eigentliche Wirklichkeit – aus dem Hinterhalt bedroht und jeden Augenblick überfallen kann. Auch das gespenstische Bild eines hinter jeder Tür stehenden und ständig mit einem Hammer klopfenden Mannes wirkt wie eine genuin Kafkasche Vorstellung. Lebensangst, Lebensmüdigkeit, Verlassenheit und Leiden an der Lieblosigkeit der Mitmenschen sind die Themen, die Tschechov und Kafka in ihren Dichtungen umkreisen, hinzu kommen vielsagende Ähnlichkeiten in ihrer Lebensgeschichte. Beide erkrankten an Tuberkulose, litten schwer an dieser zehrenden Krankheit und sind ihr im besten Mannesalter – Kafka mit 41 und Tschechov mit 44 Jahren – erlegen. Auch in ihren literarischen Neigungen stimmten sie zusammen: Flaubert und Tolstoj waren die Schriftsteller, die sie besonders schätzten.

Die künstlerische Affinität und typologische Zusammengehörigkeit beider bezeugt sich auch in einer spezifischen Übereinstimmung, die zwei ihrer charakteristischsten Werke verbindet: *Die Insel Sachalin* Tschechovs (1893) und Kafkas *In der Strafkolonie* (1914) weisen – über äußere Ähnlichkeiten hinaus – prinzipielle Vergleichbarkeiten auf. So besteht eine Parallele zwischen dem Forschungsreisenden Tschechov, der 1890 die Zuchtanstalten auf der Insel Sachalin aufsucht, um dort den *Strafvollzug* zu studieren, und dem anonymen Forschungsreisenden, der in ähnlicher Funktion die Kafkasche Strafkolonie besichtigt.[41] Übereinstimmung besteht aber auch insofern, als hier wie dort das gleiche Ergebnis, nämlich die Reform einer alten, barbarisch strengen Strafjustiz, erzielt wird. Tschechovs Veröffentlichung lenkte die Aufmerksamkeit der Behörden auf die Greuel der Insel Sachalin: »das System der von... [ihm] gebrandmarkten körperlichen Züchtigungen wurde abgeschafft.«[42] Wie sich aus seinen Briefen an Suworin (vom März, September und Dezember 1890) ergibt, erlebte Tschechov die Strafinsel Sachalin in gleichem Geiste wie Kafka die Strafkolonie in seiner Erzählung, nämlich »als eine Stätte unerträglicher Leiden, [zu der] wir wallfahren müßten wie die Türken nach Mekka«.

Im übrigen bedauerte Tschechov, daß nur er dort hinfuhr und kein anderer, der es besser verstünde, die öffentliche Meinung aufzurütteln. Er sah Menschen, die in Ketten über 10 000 Werst durch die Kälte gejagt wurden, sprach mit Menschen, die an Schubkarren gekettet waren, wohnte einer Auspeitschung bei, »wonach [er] drei oder vier Nächte von Henkern und schrecklichen Folterbänken träumte«. In Nordsachalin, wo er zwei Monate gelebt und alles studiert hat, ist er zu jedem Sträfling oder Verbannten in persönlichen Kontakt getreten und hat so die Leiden der Gefangenen selber mitleidend durchgestanden, denen sich der Forschungsreisende in Kafkas *Strafkolonie* weitgehend entzog.

Überhaupt ist zu betonen, daß Tschechov und auch Tolstoj aktivere Naturen waren als der fast nur im Schreiben sich erfüllende Kafka. Aber als Resümee ergab sich für beide Dichter, was Tschechov am 9. Dezember 1890 an Suworin schrieb: »Gottes Welt ist sehr schön. Nur eines ist nicht schön! Wir selbst.« Kafkas (die eigene Person miteinschließende) Anklage der Gleichgültigkeit und Lieblosigkeit der Menschen kommt hier zu lapidarem Ausdruck. Die schnöde Vergeßlichkeit, das gleichermaßen feige und selbstsüchtige Wegschauen von den Leiden der andern werden schonungslos enthüllt: »Die Aufmerksamkeit unserer Gesellschaft« – so klagte Tschechov – »gilt einem Verbrecher nur bis zu dem Augenblick, in dem das Urteil gefällt wird. Nach der Strafverschickung aber ist er von allen vergessen.« Mitmenschliches Versagen ist bei Kafka und Tschechov ein Hauptpunkt ihrer Weltkritik.

Aber nicht nur in ihren Themen und Problemen standen sich Kafka und Tschechov nah, auch im Stil ihrer Darstellung begegnen prinzipielle Ähnlichkeiten. Die Maxime Tschechovs, daß »größte Einfachheit und gut gewählte Details... die Regel für jede Beschreibung« seien, gilt auch für Kafkas epische Kunst. *Die Insel Sachalin* ist zum Teil Reportage, zum Teil eine exakte soziologische, psychologische, geographische und ethnographische Abhandlung über die Welt der Konzentrationslager, also eine auf Daten und Fakten gestellte Bestandsaufnahme. Die *Strafkolonie* Kafkas zeigt gleichfalls diesen Zug zu nüchtern aufzählender, detailbeflissener Darstellung. Es gibt keine Stimmungsmache, nur objektive Tatsachenausbreitung. Aber es ist eben diese »Trockenheit eines Protokolls«, die hier wie dort den Leser erschüttert.

Ausblick:

Ahnherr vieler Erben

»Kafka und die Folgen« ist ein unabsehbar weites Feld. Denn Kafkas eigenwillig neues Schreiben hat Schleusen geöffnet und einen breiten Strom angestauter dichterischer Kreativität freigesetzt. So gibt es fast keinen modernen Schriftsteller, der nicht – zumindest spurenhaft – den Einfluß Kafkas erfahren hätte und daher anders schreibt als die Erzähler der vergangenen Jahrhunderte. Besonders auffällig ist diese Folgewirkung in der österreichischen Literatur.[1] Die Autoren, die geboren wurden, als Kafka starb und diesen nach dem Zweiten Weltkrieg für sich entdeckten und zu ihrem Vorbild machten, zeigen Kafkas Einfluß so eindeutig, daß sie als direkte (wenn auch meist nicht glückliche) Nachahmer angesprochen werden können: »Kafkas Visionen wurden variiert und perfektioniert. Vielfältige Kombinationen der drohenden, geheimnisvollen Gewalten, wie sie die Romane *Prozeß* und *Schloß* beherrschen, wurden möglich.« Urbach nennt *Ilse Aichinger* die »bedeutendste Vertreterin dieser Generation«, räumt aber ein, daß sie keine Epigonin ist und in der noch ungeschriebenen Wirkungsgeschichte Kafkas den wichtigsten Platz einnehme. Ihr Werk ist in der Tat ein Beispiel *kongenialer* Nachfolge. Wie Kafka geht es auch ihr primär um »die Darstellung ihres traumhaften inneren Lebens«, wobei aber die Verbindung mit der Realität in ihren Erzählungen und in ihrem Roman (*Die größere Hoffnung,* 1948) nicht abgebrochen wird. Überhaupt artikuliert sie die Hoffnung stärker als Kafka, so alptraumhaft auch die erlittenen Ängste und Nöte in ihren Dichtungen vergegenwärtigt werden.

Daß ein geborener Erzähler wie *Elias Canetti* durch Kafka stark beeindruckt wurde, verwundert nicht. Wenn er aber in seinem Buch *Der andere Prozeß* die dem Kafkaschen *Prozeß*-Roman parallellaufende Liebesgeschichte zwischen Kafka und Felice Bauer dargestellt hat, so erhellt daraus, daß sein Hauptinteresse der *Person* des Dichters galt. Ähnliches gilt für den in Canettis Nachfolge stehenden *Peter Handke*, der ebenfalls in erster Linie über den Menschen Kafka schreibt und von seiner Identifizierung mit diesem spricht. »Das Werk wird nicht absolut genommen, sondern mit seinem Autor in Beziehung gesetzt. Die Betroffenheit durch das Werk wird ersetzt durch die Betroffenheit durch die Person Franz Kafkas. Es ist kein biographisches Interesse, sondern das Interesse an den Bedingungen einer schöpferischen Existenz und eines aufregenden Werkes.« Gewiß fühlt sich Handke auch durch das Werk Kafkas überwältigt:

... wenn ich an den letzten Satz aus *Der Prozeß* denke: »Es war, als sollte die Scham ihn überleben« kommt mir vor, als ob das nicht nur ein Satz wäre, sondern eine *Handlung*, gewaltiger als alle Handlungen, von denen ich bis jetzt gehört habe.[2]

Gleichwohl geht es ihm in seiner Auseinandersetzung mit Kafka primär um eine Klärung über die eigene Möglichkeit des Schreibens, und er spricht das auch offen aus.

Wie habe ich mich in der Scham Kafkas wiedergefunden – nein, nicht wiedergefunden, sondern überhaupt erst einmal entdeckt... und dann wieder entdeckt. Und wie zaghaft, wie ängstlich, ja wie narzistisch erscheint mir diese Scham heute – wie unnötig, wie hochmütig, wie vergangen.

Wenn Handke im Prozeß dieser Loslösung von Kafka sich darüber klar wurde, daß »es möglich wäre, ohne ihn auszukommen, anders zu sein als er und damit natürlich auch, anders zu schreiben«, so wird er doch die Spuren dieser traumatischen Auseinandersetzung nie ganz tilgen können.

In welcher Richtung die Abkehr Handkes von Kafka erfolgt, erhellt aus seiner *Begrüßung des Aufsichtsrats* (1967), worin er Kafkas Roman *Der Prozeß* auf achtzehn Seiten nacherzählt. Während Kafka lediglich feststellt: »Jemand mußte Josef K. verleumdet haben, denn ohne daß er etwas Böses getan hätte, wurde er eines Morgens verhaftet«, stellt Handke sogleich die Frage: »Wer hat Josef K. verleumdet?« Mit der Frage nach dem Verleumder wird aus dem existentiellen Roman Kafkas, in dem sich der Prozeß als ein schrittweise sich entfaltendes Selbstgericht des Protagonisten vollzieht, ein Detektivroman. Schon darin deutet sich die spätere Rückwende Handkes zur realistischen Erzähltradition des 19. Jahrhunderts an. Auch in *Peter Roseis* Roman *Bei schwebendem Verfahren* (1973) wird nicht nur der Verfolgte, sondern auch der Verleumder dargestellt. In dieser Dichtung geht es um das Gesetz, das herauskommen soll, um das unfaßbar große Neue Gesetz. Der Gegensatz zu Kafka ist also grundsätzlicher Art. Für Kafka *besteht* das Gesetz und ist intakt. Wenn auch unbekannt, ist es doch mächtig und fordert unabdingbare Unterwerfung. »In Roseis Roman hingegen ist das Gesetz ein hilfloses, ohnmächtiges Monstrum.«[3] Dem entspricht, daß sowohl die Zeitgenossen als auch die Nachfahren Kafkas das akute Thema des Kampfes der Söhne gegen die Väter in anderer Perspektive darstellen als dieser. Gilt Kafka die Macht der Väter als eine fatale Notwendigkeit, gegen die es daher keine erfolgreiche Auflehnung geben kann, so geht es jenen um Verneinung und »Abwehr falscher, erzwungener Autorität«. Wieder anders verhält sich *Thomas Bernhard* zu Kafka. Er kontrastiert nicht eigentlich zu ihm, hat vielmehr den gleichen Weg beschritten, ist ihn aber – über Kafka hinaus – zu Ende gegangen bis zu Beckett, zum »Endspiel« der restlosen Isolation des Menschen.

Trotz ideologischer Barrieren konnten sich auch Schriftsteller der DDR der Faszination durch Kafka nicht entziehen.[4] Sogar der entschiedene Marxist *Bertolt Brecht* hat »einige Verfremdungstechniken von Kafka übernommen«. Und »*Anna Seghers* sprach in einem Interview von der Bedeutung, die das Werk Kafkas für ihr eigenes Schaffen gehabt habe« – ein Einfluß, der, wie Langenbuch mit Recht betont, in ihrem Roman *Transit* »besonders deutlich spürbar« sei. Nach der Rückkehr aus ihrem mexikanischen Exil hat sie sich jedoch von Kafka abgewandt. Aber in den *Sonderbaren Begegnungen* (Darmstadt 1973) ließ sie ihn sogar persönlich auftreten, und zwar in einem langen Gespräch mit Gogol und E. T. A. Hoffmann. Dabei wird Kafka von diesen kritisiert, und auch er übt Selbstkritik, was freilich Kafkas eigener Natur entsprach. Alles in allem ein Zeugnis dafür, daß für Anna Seghers letzthin doch kein Weg an Kafka vorbei führte. *Stephan Hermlins* Erzählung *Reise eines Malers nach Paris* läßt gleichfalls den literarischen Einfluß Kafkas erkennen. Vielleicht am stärksten bekundet er sich bei (dem nicht mehr in der DDR lebenden) *Horst Bienek*, in dessen Werk nicht nur die beklemmende Kafkasche Atmosphäre eingefangen ist, sondern auch »zentrale Motive aus Kafkas *Prozeß* und *Schloß* übernommen und weiterentwickelt worden sind, so insbesondere in dem Roman *Die Zelle*, der schon mit seinem Titel Kafkasche Thematik ankündigt.

Daß aber auch in der Lyrik der DDR eine Einwirkung Kafkas nachzuweisen ist, hat John Flores im Blick auf die Dichtung *Günter Kunerts* (ebenfalls nicht mehr in der DDR) festgestellt.[5] Er nennt Kafka den zweiten großen Lehrer Kunerts neben (ja noch vor) Brecht. Kafka erscheint dabei als »necessary complement to the Brechtian ethic of political engagement«. Kunerts *Sprüche* suggerieren Kafkasche Angst vor der Anonymität und Entfremdung in einer restlos verwalteten Welt:

In den Herzkammern des Echos
sitzen Beamte. Jeder
Hilferuf hallt
Gestempelt zurück.

In den sechziger Jahren, so Flores, habe der Einfluß Kafkas auf Kunert laufend zugenommen und der Eindruck von Desillusionierung und Resignation sich stetig verstärkt.

Langenbuch verweist auf das Gedicht *Interfragmentarium*, in welchem Kunert die Atmosphäre der *Verwandlung* beschwöre, indem er »einen von Kafkas typischen leeren und doch fürchterlich erschöpfenden Tagesläufen« beschreibt und dabei verschiedene Motive aus Kafkas Werk einarbeitet.[6] Sogar das Motiv der Tierverwandlung des Menschen begegnet in Kunerts Werk, so in dem Gedicht *Wie ich ein Fisch wurde* und in der Kurzgeschichte *Der Schwimmer*, worin dieser ebenfalls in einen Fisch verwandelt wird bzw. »die ersten Stadien dieser Metamorphose« erlebt und erleidet. Schließlich ist noch Kunerts Prosastück *Der Traum des Sisyphus* zu nennen, der an Kafkas eigenwillige Neuformungen antiker Mythen erinnert. Hier träumt Sisyphus, daß sein Stein in ihn selbst verwandelt wurde und er dieses Selbst nun den Berghang hinunterwerfe.[7] Das ganze eine Vorstellung, die in der Tat von Kafka stammen könnte.

Zu den kongenialen Bewunderern und Nachfolgern Kafkas zählen *Albert Camus,*[8] *Jean-Paul Sartre* und *Eugène Ionesco*. In einem »Kommentar zu mir selbst« schrieb Camus:

> Als ich den Begriff des Absurden im Mythos des Sisyphus untersuchte, war ich auf der Suche nach einer Methode, nicht nach einer Philosophie. Ich wandte den methodischen Zweifel an. Ich wollte tabula rasa machen, um von da aus wieder neu aufzubauen. Man kann nicht bei der Überzeugung bleiben, daß die Welt eine absurde Einrichtung sei.[9]

Beides, daß er nämlich nicht philosophieren, sondern auf eine ganz neue, ehrlich eigene Weise schreiben wolle, was ihm auf den Nägeln brennt, und – trotz allem Gegenschein des absurd anmutenden Weltgeschehens – an »ein Unzerstörbares« als eigentliche Bedingung des Lebens glaube, hat auch Kafka angesprochen. Thematischer Zusammenhang besteht zwischen Camus' *Caligula* und Kafkas *Bau*. Wenn Caligula nach Drusillas Tod und seiner in dreitägiger Abwesenheit durchlittenen symbolischen Höllenfahrt als ein verwandelter Mensch zurückkommt, der mit dem Sinn des Todes gekämpft hat und keinen Sinn hat finden können, so befindet er sich in der gleichen Situation wie das Waldtier in Kafkas Erzählung. Im Blick auf den unausweichlich näherrückenden Tod bricht die Sicherheit zusammen, deren sie sich mit gedankenlosem Selbstbehagen erfreut hatten. Beide erkennen mit Schrecken, »daß der Tod alles verneint ... und den Menschen einem blinden, unpersönlichen, mechanischen Schicksal überantwortet«. Restlose Desillusionierung ist das Thema beider Dichtungen. Camus' *Caligula* und Kafkas *Der Bau* sind moderne Versionen des mittelalterlichen Memento-mori-Motivs. Indem Tod und Schuld des Menschen verknüpft erscheinen, betrifft die thematische Parallele des *Caligula* auch Kafkas Dichtung insgesamt und die *Strafkolonie* im besonderen. Hier wie dort gelten alle Menschen *a priori* als des Todes schuldig. »Dies ist das erste Axiom, nach dem Caligula handelt« und der Offizier in der Strafkolonie richtet. Daraus folgt, daß es keines Gerichtsverfahrens bedarf, daß es vielmehr nur *eine* Strafe geben kann: die Todesstrafe.

Die fundamentale Bedeutung, die Kafka für *Sartre* besaß, erhellt aus dessen engagierter Auseinandersetzung mit Kafka:

> La vrai compétition culturelle, en un mot, c'est de supprimer toutes les douanes et les barrières de la culture et de jeter ensuite ce défi pacifique: A qui, de nous ou de vous, appartient Kafka – c'est à dire qui le comprend mieux? A qui profite-t-il le mieux?

Im Werk dieses Dichters sah Sartre seine eigene Philosophie modellhaft verkörpert.[10] So verwundert es auch nicht, daß »neben Gide und Proust... Kafka der von Sartre am häufigsten erwähnte Autor« ist. Hinzu kommt ein in mancher Hinsicht ähnliches Welt- und Lebensverhalten beider, eine verwandte Art, wie sie die Dinge ihrer Umgebung aufnahmen. Die größte, fast zum Verwechseln ähnliche, literarische Verwandtschaft zeigt Sartre in seinem Werk *La Nausée;*

Le mieux serait d'écrire les événements au jour le jour. Tenir un journal pour y voir clair. Ne pas échapper les nuances, les petits faits, même s'ils n'ont l'air de rien, et surtout les classer. Il faut dire comment je vois cette table, la rue, les gens, mon paquet de tabac, puisque c'est cela qui a changé. Il faut déterminer exactement l'étendue et la nature de ce changement.   (Feuillet sans date)

Je crois que c'est moi qui ai changé: c'est la solution la plus simple. La plus désagréable aussi. Mais enfin je dois reconnaître que je suis sujet à ces transformations soudaines.   (ebd.)

Die gleichen Überlegungen hatten auch Kafka bestimmt, Tagebuch zu führen und konsequent daran festzuhalten. Zu seinem »traumhaften inneren Leben« gehörten ferner ähnliche Meditationen, wie sie Sartre über das für selbstverständlich gehaltene und doch unauslotbar geheimnisvolle Existieren der Dinge seiner Umgebung angestellt hat:

J'appuie ma main sur la banquette, mais je la retire précipitamment: ça existe. Cette chose sur quoi je suis assis, sur quoi j'appuyais ma main s'appelle une banquette. Ils l'ont faite tout exprès pourqu'on puisse s'asseoir, ils ont pris du cuir, des ressorts, de l'étoffe, ils se sont mis au travail, avec l'idée de faire un siège et quand ils ont eu fini, c'était ça qu'ils avaient fait. Ils ont porté ça ici, dans cette boîte, et la boîte roule et cahote à présent, avec ses vitres tremblantes, et elle porte dans ses flancs cette chose rouge. Je murmure: c'est une banquette, un peu comme un exorcisme. Elle reste ce qu'elle est, avec sa peluche rouge, milliers de petites pattes rouges, en l'air, toutes raides, de petites pattes mortes. Cet énorme ventre tourné en l'air, sanglant, balloné – boursouflé avec toutes ses pattes mortes, ventre qui flotte dans cette boîte, dans ce ciel gris, ce n'est pas une banquette. Ça pourrait tout aussi bien être un âne mort, par example, ballonné par l'eau et qui flotte à la dérive, le ventre en l'air dans un grand fleuve gris, un fleuve d'inondation; et moi je serais assis sur le ventre de l'âne et mes pieds tremperaient dans l'eau claire. Les choses se sont délivrées de leurs noms. Elles sont là, grotesques, têtues, géantes et ça paraît imbécile de les appeler des banquettes et de dire quoi que ce soit sur elles: je suis au milieu des choses, les innommables. Seul, sans mots, sans défenses, elles m'environnent, moi, derrière moi, au-dessus de moi.

                                      (*La Nausée:* Mercredi)

In solchem Sinn ging es Kafka beim Schreiben um ein Überwinden der Kurzschlüssigkeit unserer sinnlichen Wahrnehmung, um ein Sichöffnen für das unsichtbar Wirkliche und Wirkende.

Auch *Eugène Ionesco* verrät den Einfluß Kafkas, besonders auffällig in *Mörder ohne Bezahlung*, aber auch in literaturkritischen Äußerungen wie u. a. in »Ganz einfache Gedanken über das Theater«:

Ich habe nie den Unterschied zwischen tragisch und komisch begriffen. Das Komische, unmittelbarer Eindruck des Absurden, enthält für mich mehr Verzweiflung als das Tragische. Das Komische ist ausweglos.[11]

In der Tat ist das Paradox der tragischen Ausweglosigkeit des Komischen ein Kennzeichen Kafkascher Dichtungen und zugleich ein Kernthema Friedrich Dürrenmatts. Wie Vellinghausen betont, nimmt Ionesco »seine Figuren unmittelbar aus unserem Alltag«;[12] sie sind wie die Protagonisten Kafkas Jedermannsgestalten: »Wir selber könnten es sein, die agieren.« Mit Kafka steht Ionesco (und Dürrenmatt) in der »Tradition der harten Humoristen«: Swift, Wilhelm Busch und die Surrealisten, die Entdecker des Banalen für die Literatur.

Kafkanähe bezeugt Ionesco auch darin, daß es bei ihm das traditionelle psychologische Entwicklungsdrama nicht mehr gibt, vielmehr – wie bei Beckett, Adamov, Audiberti u. a. – nur die kontrastreich bewegte Abfolge von Veränderungen, Sprüngen und Wiederholungen. Was hier stattgefunden hat, ist Rückkehr zu reiner Ereignisdichtung, freilich einer Ereignisdichtung irritierend neuen Gepräges. Auf der Suche nach ihrer Identität irren die Figuren wie im Traum umher, verloren in Wünschen, Ängsten, Irrtümern und wie bei Pirandello nie ganz sicher wissend, wer sie sind. Ja, noch über Kafka hinaus erscheinen sie als austauschbar und wiederholbar. Und im Einklang mit Kafka ist jedes Ereignis unabsehbar im Blick auf die Folgen, die Welt insgesamt ein Labyrinth.

Auf originelle Weise gehört auch *René de Obaldia* zu den »Erben« Kafkas.[13] Aber anders als dieser will er das An-sich der Wirklichkeit nicht resignierend hinnehmen, sondern dem Wunschdenken eine Chance der Verwirklichung geben. Wie Kafka hält er die nur rationale Betrachtungsweise der Wissenhaft für nicht ausreichend zu einer vollen Erfassung der Welt. Der »kollektiv gesetzte Aspekt der Welt und des Lebens« biete nur eine kümmerliche Auswahl, klammere Wesentliches, ja Notwendiges aus und ersticke die Logik unseres Wünschens schon im Keim. Mit anderen Worten: sie lasse uns darben, ja sie degradiere uns zu Zuchthäuslern. Im Gegensatz dazu läßt Obaldia auf der Bühne eine Welt entstehen, in welcher die Logik des Wunsches verwirklicht ist, »ein Spiel dessen, was sein könnte« und sein sollte. Und es ist eben dieser voll ausgespielte Moment des Möglichen, »der uns die Wirklichkeit im alltäglichen Sinn, das Sichtbare, das Handfeste, das Normale erst verstehen läßt«. Nach Obaldia wäre es eine Simplifizierung, wollte man den Wirklichkeitsgehalt des Denkmöglichen aus dem Geschehen in der Welt ausklammern und das Wirkliche lediglich auf das Ausgewählte reduzieren. Konsequent führt er daher ein Universum vor, in dem sich das unterdrückte Wirkliche als wirklicher erweist als das gemeinhin für wirklich Geltende, in dem also – gegen die Norm des Üblichen – das Potential der Wirklichkeit nach der Logik des Wunschdenkens voll ausgeschöpft wird.

Woran Obaldias Kritik einsetzt, ist somit die auch von Kafka beklagte Reduziertheit und Unwahrheit der menschlichen Existenz, die Gefangenschaft des Menschen im selbstgeschaffenen Gefängnis, sein Vorbeileben am Leben durch Versäumen des Möglichen. Aber anders als Kafka, der an die wirkende Wirklichkeit des Wünschbaren nicht glaubte, sondern sich hilflos dem beklagten Elend ausgeliefert wußte, stand Obaldia als ein Abhilfe fordernder Diagnostiker der Misere des Menschen gegenüber.

Im Bereich der slawischen Literaturen sind u. a. der Tscheche *Vaclav Havel* sowie die Polen *Tadeusz Rozewicz, Slawomir Mrozek* und *Witold Gombrowicz* zu nennen, in deren Werken der Einfluß Kafkas erkennbar ist. In Havels tragikomischen Satiren (*Das Gartenfest, Die Mitteilung* u. a.) erscheint das Miteinander der Menschen nur noch als gedankenlose Koexistenz. Das Sprechen ist zu einem Aneinander-vorbei-Reden geworden, läuft aber gleichwohl so routiniert und selbstverständlich ab, daß der Ausfall der Kommunikation überhaupt nicht wahrgenommen wird. In diesem Nicht-mehr-Erkennen der Sinnlosigkeit allen Tuns ist die Absurdität menschlichen Existierens unheilbar geworden. Bei hellem Tageslicht und überschaubar scheinender Szene herrscht in Wahrheit labyrinthisches Dunkel. Wir bewegen uns hier in der trügerischen Welt der Kafkaschen Protagonisten, in der nichts von dem zutrifft, was man zu sehen und zu hören glaubt, und nichts den gesetzten Zweck erfüllt. Die Menschen eilen in großer Hast, ohne vom Fleck zu kommen. Sie erkennen nicht, daß sie immer nur auf der Stelle treten. Die Sicherheit, in der sie sich behaglich eingerichtet wähnen, beruht auf Täuschung, die Festigkeit des Grundes, auf dem sie stehen, erweist sich als Illusion. Die Antworten, die sie erhalten, haben mit ihren Fragen nichts zu tun, die Ziele, die sie erreichen oder ansteuern, sind nur scheinbar die Ziele, die sie sich gesetzt haben; *die Ankunft mißlingt immer.* Die Dinge treiben tollen Schabernack mit ihnen. Aber sie merken es nicht, weil ihre eigenen Sinne sie trügen. Ja, sie leben nicht eigentlich, sondern werden gelebt. Der Mensch erscheint nur als ein manipuliertes Etwas: ein bloßes Es, kein Ich, nur Funktion, nicht Person.

Aber anders als Kafka, der seine grotesken Visionen *erleidet*, schreibt Havel aus der Distanz des Parodisten; er ist harter Humorist, der gezielt zum Lachen reizt, indem er das Lächerliche der geschilderten grotesken Begebenheiten grell vor Augen stellt. Gleichwohl ist es kein Lachen, das befreit, sondern ein galgenhumoriges Lachen, hinter dem der ausweglos tragisch gestimmte Ernst Kafkas spürbar bleibt. Denn keine Parodie kann die Fatalität aus der Welt schaffen, daß das Absurde real ist. Wie das Werk Kafkas demonstriert auch die Dichtung Havels, daß der so oft geäußerte Satz: »Ich glaube nur, was ich mit meinen eigenen Augen sehe«, der trügerischste aller Glaubenssätze ist. De facto sehen wir ja nach den optischen Bedingungen unserer Sehorgane alle Dinge umgekehrt, drehen aber in einer eigenwillig spontanen Reaktion die auf dem Kopf stehenden Bilder um, so daß sie auf die Füße zu stehen kommen. Wir sehen also gar nicht, was wir wirklich sehen. Wir verfälschen vielmehr das empfangene Bild, indem wir es »korrigieren«. Dieses automatisch erfolgende »Zurechtrücken«, das in Wahrheit ein umdrehendes Verfälschen der empfangenen Eindrücke ist, erhellt beispielhaft, wie wenig wir uns auf unsere Wahrnehmungen verlassen können. Das

Ganze ein symbolkräftiges Zeugnis der fatalen Scheinverfallenheit des Menschen. Das jähe Bewußtwerden dieser irreparablen Unzulänglichkeit löst in Kafkas Protagonisten die tödliche Krise aus, der sie nicht gewachsen sind, die sie vielmehr in einem qualvollen Zermürbungsprozeß zur Strecke bringt.

Der polnische Lyriker und Dramatiker *Tadeusz Rozewicz* erinnert insofern an Havel, als auch er die Sinnentleertheit der Umgangssprache geißelt, und zwar in einer Weise, daß die Sprachkritik zugleich Gesellschaftskritik ist. Was ihn speziell mit Kafka verbindet, ist die auf Gestik gestellte Art seiner Personendarstellung.[14] »Rozewicz legt großen Wert auf jene Geste, welche die ganze Gestalt durchdringt und sie gewissermaßen als Archetyp bestimmt.« Diese Geste der »Gattungsunterschiede« kann sich z. B. auf die Gangart der jeweiligen Personen konzentrieren. So hören wir: der Gang des Großvaters habe etwas Klassisches, der des Vaters etwas Pseudoklassisches; die Bewegungen der Mutter seien exaltiert, die des Sohnes betont persönlich, ein wenig zynisch, dabei von einer gewissen »biologischen« Selbstverständlichkeit. Diese Personencharakteristik von der Haltung, Bewegung und Gehweise her begegnet auffällig ähnlich bei Kafka, insbesondere in seiner Erzählung *Elf Söhne*. Das Charakteristisch-Unnachahmliche seines zweiten Sohnes sieht hier der Vater in dessen »vielfach sich überschlagendem und doch geradezu wild beherrschtem Kunstsprung ins Wasser«. Am dritten Sohn sind es »die leicht auffahrenden und viel zu leicht sinkenden Hände; die Beine, die sich zieren, weil sie nicht tragen können«, die seine Person kennzeichnen. Der vierte Sohn »ist wie einer, der bewundernswert abspringt, schwalbengleich die Luft teilt, dann aber doch trostlos im öden Staube endet, ein Nichts«. Wer den zehnten Sohn »in der weit über sein Alter hinausgehenden Feierlichkeit herankommen sieht, im immer festgeschlossenen Gehrock, im alten, aber sorgfältig geputzten schwarzen Hut, mit dem unbewegten Gesicht, dem etwas vorragenden Kinn, den schwer über den Augen sich wölbenden Lidern, den manchmal an den Mund geführten zwei Fingern — wer ihn so sieht, denkt »das ist ein grenzenloser Heuchler«.

Ähnlich wie Havel ist auch *Slawomir Mrozek* politisch engagierter Satiriker und Karikaturist und als solcher ein Repräsentant der modernen polnischen Groteskliteratur, die — wie die tschechische — »genetisch ohne Zweifel mit Kafka« zusammenhängt.[15] Umgekehrt fehlt in Kafkas Dichtungen jeder direkte politische Aktivismus. Zwischen Kafkas *Strafkolonie*, die von allen seinen Werken einer Groteskkarikatur vielleicht am nächsten kommt, und Mrozeks Drama *Die Polizei* (1958) lassen sich sowohl in der Thematik als auch in der formalen Durchführung erstaunliche prinzipielle Übereinstimmungen feststellen. Hier wie dort ist das Schockierende, das geschieht, zugleich das Normale. Der Fall, der abgehandelt wird, erscheint als Routinefall. Das Unglaubliche ist nicht Ausnahme, sondern Regel; es vollzieht sich laufend und selbstverständlich jeden Tag. Weil aber das Groteske immer und überall gegenwärtig ist, nimmt man es nicht weiter wahr, blickt vielmehr daran vorbei, ohne es sich in seiner Eigenart bewußt zu machen.

In diesen Übereinstimmungen tritt jedoch auch ein Gegensatz zutage. Kafka ist nicht Satiriker oder Karikaturist im Sinn der Groteskliteratur, sondern Tragiker, der, den Schein der Dinge durchdringend, das Erschreckende voll wahrnimmt und in seinen grotesken Deformationen vor Augen stellt. Was ihn und Samuel Beckett wie auch den Maler Picasso von den nur karikierenden Groteskkünstlern unterscheidet, ist die Wahrhaftigkeit ihrer Gestaltungen. Das heißt, sie schockieren nicht, weil sie die Wirklichkeit verzerren, sondern im Gegenteil zur Gänze enthüllen. Ihr tragischer Realismus erlaubt keine Distanzierung, wie sie sich gegenüber den phantastischen Groteskerzählungen E. T. A. Hoffmanns und E. A. Poes, den Gruselgeschichten Gustav Meyrinks oder den okkultistischen Novellen Paul Ernsts fast selbstverständlich einstellt. Kafka, Beckett und Picasso konfrontieren mit dem unausweichlich Wirklichen der Existenz, dem man sich stellen muß, vor dem es keine Flucht zurück in den gewohnten Schein mehr geben kann. Hier geht es um eine Kunst, die uns, wie Kafka formulierte, »mit einem Faustschlag auf den Schädel weckt«. Dieser ethische Rigorismus trennt Kafkas Dichtung – trotz einiger parodistisch-humoristischer Spurenelemente – von der satirisch karikierenden Groteskliteratur, deren Absurdität aus einem ästhetisch begründeten Spieltrieb entspringt. Gleichwohl haben die bedrückend ernsten Gestaltungen des Moralisten Kafka den Satirikern, Parodisten und Karikaturisten der Folgezeit vielfältigen Anstoß und Auftrieb gegeben. Wohl die meisten seiner »Erben« haben den Weg in dieser Richtung eingeschlagen.

Zu den Gemeinsamkeiten zwischen Kafkas *Strafkolonie* und Mrozeks *Die Polizei* gehört die Zeitlosigkeit der Thematik. Weder geht es um Vergangenes noch um Zukünftiges, auch nicht um spezifisch Gegenwärtiges noch auch um national bedingte Eigentümlichkeiten. Was hier exemplarisch vergegenwärtigt wird, ist das raum- und zeitunabhängige Phänomen des Totalitarismus: das um seiner selbst willen geltende, absolute Ordnungs- und Herrschaftsprinzip, das in beiden Dichtungen »als schockierende Groteske« erscheint, »weil durch sie erschreckend sichtbar wird, daß diese grotesk entfremdete Welt nicht lediglich ein bedrohlicher Alptraum, sondern die allenthalben gegenwärtige eigentliche Wirklichkeit ist«. Übereinstimmung besteht auch darin, daß beide Werke »realistisch« sind, insofern sie wirkliche Gefahren des Menschen aufweisen.

Auffällige Kafkanähe zeigt auch *Witold Gombrowicz,* insofern er die Sprache und ihren Bildgehalt auf irritierende Weise wörtlich nimmt und metaphorische Aussage und Realität in eins setzt. Wie Gregor Samsa in Kafkas *Verwandlung*, beim morgendlichen Erwachen durch die Vorstellung der Ungeziefermetapher überrumpelt, de facto zum Ungeziefer wird, so geschieht es ähnlich in Gombrowiczs Roman *Ferdydurke* einem dreißigjährigen Mann, der – ebenfalls beim morgendlichen Erwachen – einem bedrückenden Gefühl kindlicher Unsicherheit und Unreife verfällt und dadurch wieder zum ängstlichen Pennäler wird, den dann auch alle anderen als einen solchen ansehen und den sein ehemaliger Professor konsequenterweise sogar wieder in die Schule steckt, ohne sich an das Widerstreben des solchermaßen Verwandelten zu kehren. Ganz im Sinn Kafkas schließt auch hier die Wirklichkeit das Absurde nicht aus. Im Gegenteil, das Absurde *ist* die Wirklichkeit. Das Mögliche *ist* zugleich das Wahrscheinliche, das Verrückte das Normale. Der in Ichform schreibende Protagonist des Gombrowiczschen Romans betont: »Wieviel heimlichen Wahnsinn birgt die gewohnte Ordnung!«

Zu den literarischen »Blutsverwandten« Kafkas in deutscher Literatur zählt vor allem die Lyrikerin *Gertrud Kolmar* (1894 – 1943), deren »Gedichte... in Ton und Bildwahl« eine »unverkennbar eigene Welt« dokumentieren und – ähnlich wie die Dichtung Kafkas – ihren »Reichtum... aus Alltag und Ohnmacht« gewonnen haben.[16] Auch ihr Lebensverhalten, ihre »strenge, selbstgewählte Einsamkeit« bezeugen diese Verwandtschaft: »Wie die mittelalterliche Einsiedlerin sich auf Lebenszeit in ihre Zelle einmauern ließ, so lebte Gertrud Kolmar unkenntlich, zeitabgewandt, allein mit ihrem Gram und ihren Freuden Welt in Wort und Bild ertrotzend einzig aus der Inständigkeit ihres unstillbaren Begehrens. An einer solchen Rekluse haftet für die Mitlebenden leicht etwas Wunderliches, ja Schrulliges«, wie das gewiß auch für Kafka und Trakl galt. Wie diesen schien auch ihr »alles zu fehlen, was das Leben lebenswert macht: Daseinsbestätigung... und Glück«. Mit Recht betont Friedhelm Kemp, »daß eine solche Entäußerung nur die Hohlform einer großen Bereitschaft ist und ... daß alle Zauberkraft in unseren Tagen dieses Tarngewandes der Unansehnlichkeit bedarf«. Ja, er spricht vom »Zeugnischarakter« solcher stellvertretend Leidenden. »Eingemauert gleichsam in die Grundfesten der Welt«, lebe das Entrechtete und Unscheinbare »wie die Kröte unter der Schwelle, die doch, der Sage nach, in ihrem Kopf den Karfunkel trägt: ein schmerzliches Licht«. Der ungeheure Anspruch des Innern, den Gertrud Kolmar – im Gegensatz zu ihrem entsagenden Rückzug in häusliche Enge – mit ihrem Dichten verbindet, vergleicht sich der hybriden Demut des gleichfalls in asketische Notdurft retirierenden Kafka. Und wie sie rückhaltlos ihren Tag- und Tierträumen nachhängt, ist ein Pendant zu Kafkas »traumhaftem inneren Leben« als dem produktiven Kern seines Dichtens.

Im letzten erhaltenen Brief an ihre Schwester, vom 21. Februar 1943, hat Gertrud Kolmar selber ihre typologische Zusammengehörigkeit mit Kafka bezeugt:

Ich bin eigentlich in der richtigen Stimmung, niedergeschlagen, bedrückt, daß ich als Dichterin im Augenblick gar nichts kann. Denn ich schaffe ja nie aus einem Hoch- und Kraftgefühl heraus, sondern immer aus einem Gefühl der

Ohnmacht. Lasse ich mich dazu verleiten, einer plötzlichen Eingebung, einem schöpferischen Impuls folgend an den Schreibtisch zu gehen, so halt' ich gewöhnlich nicht durch: das Feuer brennt nieder, der Quell versiegt, und die Dichtung bleibt Bruchstück. Wenn ich jedoch umgekehrt aus einem Ohnmachts-, einem Verzweiflungszustande heraus das neue Werk beginne, so bin ich wie einer, der von unten, aus der Tiefe heraus, zur Gipfelwanderung sich anschickt...

Kafka verwandt erscheint auch *Renate Rasp* mit ihrem Roman *Ein ungeratener Sohn,* auf den Ingo Seidlers Kennzeichnung der metaphorischen Darstellungskunst Kafkas direkt übertragen werden kann: »In unendlich ökonomischer Verkürzung« erfinde Kafka »eine Situation, die seine universale Einsicht und seine ambivalente persönliche Einsicht in ein Bild zu bannen vermag«.[17] Eben dies gilt für Renate Rasps Roman als ein geglücktes modernes Beispiel abstrahierend metaphorischer Darstellung, das in seiner allegorisierenden Realistik und in der Koinzidenz von Bild und Idee mit Kafkaschen Gestaltungen vergleichbar ist. Als auffälligste Übereinstimmung kommt hinzu, daß – wie bei Kafka – auch hier ein nicht bewältigter Vaterkomplex die Thematik bestimmt.

Thematische Parallelen zu Kafka finden sich auch bei *Gabriele Wohmann.* Nach Walter Jens hat sie in ihrem Fernsehspiel *Entziehung* »das Problem der Isolation« – also das Kernproblem Kafkas – »kalt und intelligent« dargestellt.[18] An Kafka erinnert »das Nichtverhältnis der Protagonistin zu anderen Personen. Das betrifft sowohl den Liebhaber als auch den eigenen Mann, der nicht einmal einen Namen hat, also ähnlich wie Kafkasche Gestalten anonymisiert erscheint. Als Egoistin und Masochistin leidet sie unter dem Mangel an Kontakt zu Welt und Menschen. Ein solches Nebeneinander von Egoismus und Masochismus kennzeichnet in der Tat auch die Helden Kafkas. Doch sind im Blick auf den künstlerischen Rang der Gestaltung die Unterschiede nicht zu übersehen. Gabriele Wohmann ist wortreich bis zur Geschwätzigkeit, ohne an die dem Problem innewohnende »universelle Thematik« zu rühren, die Kafka in psychologiescheuer Wortkargheit eindringlich bewußt macht. Ihr psychologisierender Exhibitionismus verhindert eine bildkräftige Vergegenwärtigung der in Frage stehenden Krise »eines Menschen auf der Flucht«.

Bei bemerkenswerter schriftstellerischer Eigenständigkeit gehört auch *Reinhard Lettau* zu den Erben Kafkas. Ja, sein Werk scheint ohne Kafka kaum denkbar. Daß neben Kafka vor allem Kleist sein literarisches Vorbild ist[19] und er eine persönliche Zuneigung zu E. T. A. Hoffmann hegt, verweist in die gleiche Richtung. Das Thema Kafkas, die meist nicht wahrgenommene Absurdität der Welt, ist weithin sein Thema, das er u. a. in seinem Buch *Schwierigkeiten beim Häuserbauen* in originellen Variationen gestaltet hat. Diese höchst amüsanten Geschichten enthüllen aber zugleich den Unterschied zu Kafka. Daß die Wirklichkeit so irritierend anders ist, als sie auf den ersten Blick erscheint, läßt ihn nicht in tragischen Pessimismus verfallen, sondern stimuliert seinen ins Groteske spielenden Humor. Das hat auch damit zu tun, daß er im Gegensatz zu Kafka auf Aktivität gestellt ist und den Widersinn der Gegebenheiten nicht fatalistisch hinnehmen, sondern ändern will.

Literarische Verwandtschaft verbindet *Wolfgang Koeppens* Dichtung *Angst*[20] mit Kafkas Erzählung *Der Bau*. In beiden Werken ist das »Leben in der Angst« Gegenstand der Darstellung. Der Zusammenhang ist deutlich spürbar, auch wenn die Autoren jeweils mit anderem Material gebaut und ihre Vorstellungen in anderen Bildern vergegenwärtigt haben. Der Vergleich drängt sich um so stärker auf, wenn man die Novelle *Angst* von Stefan Zweig danebenstellt, die etwas grundsätzlich anderes zum Inhalt hat. Geht es in dieser lediglich um nervenzerrende Furcht vor einer bestimmten Gefahr, die aber sofort entfällt, wenn die Ursache beseitigt ist, so handelt es sich in den Dichtungen Kafkas und Koeppens um existentielle Angst, um eine Angst, deren Ursachen unbekannt und unerkennbar sind, obwohl die die Angst erregenden äußeren Momente in aller Konkretheit vor Augen gestellt werden.

Die Protagonisten in *Hans Günter Michelsens* Dramen (*Strienz, Lappschiess, Feierabend* 1 und 2) erinnern ebenfalls an Kafkasche Gestalten.[21] Wie diese haben auch sie »sich im Labyrinth der eigenen Existenz verirrt und bleiben dessen Gefangene« (Krapp). Und ebenso wie bei Kafka kommen auch bei Michelsen »psychologische und moralische Motivierungen nicht vor«. »Das Vergangene ist unentrinnbar, es vergeht nicht, es bleibt reale Gegenwart.« Hellmuth Karasek spricht von »Identitätsverlust und einer übermächtigen Vergangenheit, die die Gegenwart verschlingt«. In der Ungesichertheit ihrer Identität gleichen die Gestalten Michelsens den anonymen Figuren Kafkas, mit denen unberechenbare Zufälle ihr Spiel treiben. Sie sind nichtintegrierbare Unbehauste, die mit ihrem »destruktiven Lebensgefühl der Angst und Frustration« den Kafkaschen Typus des Verlorenen repräsentieren.

In diesen Zusammenhang gehört auch *Tennessee Williams*, der außer O'Neill vor allem Ibsen und Strindberg als Vorbildern folgte und wie diese – anders als Kafka – mit Vorzug Frauen in den Mittelpunkt des Geschehens stellte. Aber auch der Kafkasche Typus des Verlorenen, Nichthiesigen begegnet bei ihm, so zum Beispiel in seiner Erzählung *Das Wesentliche*:

> Ja, das war der wesentliche Zug ihres Charakters, sie gehörte nirgendwo hin, sie paßte im Grunde nirgendwo dazu, sie hatte keine Heimat, kein Fleckchen Erde, keinen Ort, wo sie sich verstecken und Schutz finden konnte, sie war ein Flüchtling ohne Ziel...

Ebenso hat er in den Eingangssätzen seiner Erzählung *Der Fluch*, die – nicht zufällig – an den Beginn von Kafkas *Schloß*-Roman erinnern, die für Kafka und seine Helden bezeichnende Lebenssituation der Angst eindringlich beschrieben:

Wenn ein *ängstlicher* kleiner Mann in einer *fremden* Stadt nach einer Bleibe sucht, verläßt ihn plötzlich alles vom menschlichen Geist gegen die Magie entwickelte Wissen. Dämonische Geister, welche eine primitive Welt jagten, scheinen aus dem Exil zurückgerufen zu sein. Verschlagen, triumphierend kriechen sie wieder durch die geheimen Poren der Steine und durch die Adern des Holzes, aus denen eine Wissenschaft sie ausgetrieben hatte. Der *einsame* Fremde, den sein eigener Schatten erschreckt und den der Lauf seiner Schritte ängstigt, durcheilt ganze Reihen wachsamer niederer Geister, die *böse Absichten* haben. Nicht er betrachtet die Häuser, sondern diese ihn. Die Straßen sind ihm *feindlich gesonnen*. Schilder, Fenster, Toreinfahrten, sie alle haben Augen und Münder, die ihn anstarren und über ihn wispern. Seine innere Spannung wächst und wächst. (Hervorhebungen vom Vf.)

Hier erscheint – ganz im Kafkaschen Sinn – die uns umgebende Welt als eine uns bedrohende Gegenwelt. Zugleich ist – analog zum Jedermannstypus des Kafkaschen Helden – »der Mensch auf den elementaren Status der reinen Kreatürlichkeit zurückgeführt,« ohne die Scheinsicherheiten der Zivilisation. Worum es hier geht, ist die ungesicherte Grundsituation, der der Mensch allein und ungerüstet begegnen muß. Damit trifft Williams mitten in die Thematik Kafkas. Er rührt an das dem Menschen innewohnende Gefühl einer unbekannten tödlichen Schuld, die diesen »der Angst ausliefert und... nicht mehr frei gibt, bis sie ihn zur Strecke gebracht hat«.

In wie hohem Maße das »Absurde Theater« der Moderne vom Kafkaschen Erbe zehrt, erhellt *Wolfgang Hildesheimers* Erlanger Rede.[22] Das absurde Theater, so heißt es hier, sei »weniger eine Rebellion gegen eine hergebrachte Form des Theaters als gegen eine hergebrachte Form der Weltsicht«. Und wie Kafkas Dichtung dient auch die absurde Dramatik »der Konfrontation des Publikums mit dem Absurden, indem es ihm seine eigene Absurdität vorhält.« Ebenso stimmt Hildesheimers Feststellung: »Jedes absurde Theaterstück ist eine Parabel« so genau mit der Neigung Kafkas zum parabolischen Erzählen überein, daß man den zitierten Satz *cum grano salis* auf jede Geschichte Kafkas anwenden könnte. Während aber die altüberlieferten Parabeln – z. B. die Geschichte vom verlorenen Sohn – »bewußt auf ihre indirekte Aussage – das heißt auf die Möglichkeit ihres Analogieschlusses – hin konzipiert« sind, ist »das absurde Theaterstück«, genau wie die Kafkaschen Erzählungen, »durch das Fehlen jeglicher Aussage« gekennzeichnet und erscheint so als »eine Parabel des Lebens«, die wie das Leben selbst nichts aussagt. Kafkas Werk ist insofern absurde Dichtung, als es keine Lösungen bietet, sondern im Gegenteil die Unverständlichkeit des Lebens und der Welt bewußt macht. Hier geht es nicht darum, dem Leser »eine Eselsbrücke von der Wirklichkeit hinüber ins Unwirkliche, Surreale, Groteske zu bauen, sondern ihn von Anbeginn im Bereich des Absurden anzusiedeln und ... heimisch werden zu lassen... Er soll sich so heimisch fühlen, daß, hat er einmal die Ausgangssituation akzeptiert, ihn auch das absurdeste Element nicht mehr aus dem Gleichgewicht bringen kann, da ja auch dieses nur eine logische Folgerung der Ausgangssituation ist.« Nichts könnte die Dichtung Kafkas treffender kennzeichnen als Hildesheimers zusammenfassende Charakteristik des »absurden Theaters«: »Das absurde Theater ist eine Parabel über die Fremdheit des Menschen in der Welt. Sein Spiel dient daher der Verfremdung. Es ist ihre letzte und radikale Konsequenz.«

Die Reihe der »Erben« Kafkas könnte schier endlos fortgesetzt werden. Und es ist bis zu einem Grad zufallsbedingt, welche Autoren man heranzieht oder übergeht. Die hier Genannten beanspruchen auch nicht, für die Folgewirkung Kafkas zeugniskräftiger zu sein als die nicht Genannten und die nicht (oder noch nicht) Gekannten. Wohl aber haben sie als Teilhaber am literarischen Erbe Kafkas stellvertretende Bedeutung: sie stehen für noch viele andere. Unter diesen anderen seien abschließend drei Schriftsteller herausgegriffen, die in besonders charakteristischer Weise das literarische Nachleben Kafkas bezeugen: *Jorge Luis Borges*[23], *Samuel Beckett* und *Friedrich Dürrenmatt*.

Die bewußte, ja gesuchte Kafkanähe von Borges ist unübersehbar. Er hat Kafka bewundert, intensiv studiert, übersetzt und einfühlsam interpretiert: *Preface to la Metamorfosis* (Buenos Aires: Losoda 1938) und *Kafka y sus percursores* (La Nation, 19. 8. 1951). Borges' eigenes Werk reflektiert den direkten literarischen Einfluß Kafkas. Als Dichter der »Labyrinthe« ist Borges direkter Nachfolger Kafkas. Seine Parabel vom Palast ist eine Umerzählung von Kafkas *Eine kaiserliche Botschaft*. Und in seiner *Bibliothek von Babel* (1941) werden wir in ein typisch Kafkasches Labyrinth versetzt: eine Welt, die mit detailbeflissener Genauigkeit beschrieben wird und doch unfaßbar rätselhaft erscheint:

Das Universum (von anderen die Bibliothek genannt) setzt sich aus einer unbestimmten, womöglich unendlichen Anzahl sechseckiger Galerien zusammen, mit weiten Entlüftungsschächten in der Mitte und sehr niedrigen Geländereinfassungen. Von jedem Sechseck kann man die unteren und oberen Stockwerke sehen, in nicht endender Folge. Die Anordnung der Galerien ist unwandelbar dieselbe. Zwanzig Büchergestelle, auf jeder Seite fünf, nehmen die Seitenflächen ein, von denen zwei freibleiben; ihre Höhe, die sich mit der Höhe eines Stockwerks deckt, übersteigt kaum die Größe eines normalen Bibliothekars. Eine der freien Flächen öffnet sich auf einen schmalen Gang, der in eine andere Galerie mündet; diese gleicht in allen Stücken der ersten und allen insgesamt. Links und rechts des Ganges befinden sich zwei winzig kleine Kabinette. In dem einen kann man stehend schlafen, in dem anderen seine Leibesnotdurft verrichten. Hier geht die spiralförmige Treppe vorbei, die sich tief senkt und in ferne Höhen steigt. In dem Gang ist ein Spiegel, der den äußeren Schein getreulich verzwiefacht. Die Menschen pflegen aus diesem Spiegel zu schließen, daß die Bibliothek nicht unendlich ist (wäre sie es in der Tat, wozu dann diese scheinhafte Verdoppelung?); ich hänge an der Vorstellung, daß die blanken Oberflächen das Unendliche darstellen und verheißen
. . .

Wie in Kafkas Romanen und Erzählungen spiegelt auch in Borges' Dichtungen die Welt der Protagonisten jeweils deren innere Situation.

Das Labyrinth, in dem sie sich bewegen, ist eine Ausgeburt des Labyrinths in ihrem eigenen Innern, eine konkrete Veranschaulichung ihrer Situation in der Statik einer labyrinthischen Architektur. Wie Borges selbst erklärt, sei es der Minotaurus, der die Existenz des Labyrinths vollgültig rechtfertigt. Es bestehe ein fundamentaler Zusammenhang zwischen der »monströsen« Anlage des irrgängigen Baues und der »monströsen« Gestalt seines Bewohners. In dem Erzählungsband *El Aleph* nennt Borges das Labyrinth ein Haus, das dazu bestimmt ist, die Menschen zu verwirren, und das mit seiner an irreführenden Symmetrien überreichen Architektur auch einzig diesem Zweck dient. Er verweist auf die Vielzahl der Korridore ohne Ausgang, die unerreichbar hohen Fenster, die reichverzierten Türen, die aber nur zu einer Zelle oder einem Luftschacht führen, die unglaublich verkehrten Treppenhäuser mit auf den Kopf gestellten Stufen und Geländern, etc. Zutreffend betont Ana Maria Barrenechea:

> Borges... makes profuse use of labyrinths in his work and often stirs an inevitable uneasiness merely by making a simple reference to corridors, stairways or interminable streets, to doors, saloons, or patios that are repeated, or simply to the doubt of returning to the same place; besides, it is constantly suggested by symmetries, reflections, divisions, and cyclical or tangled paths... The exitless labyrinth where man wanders erringly finally becomes the double symbol of the infinite and chaos... Not only do houses and palaces become labyrinths – with their corridors, galleries, patios, circular chambers, wells, basements, winding staircases – but also streets, plazas, cities... as well as the infinite desert, waterways, and vast geographic areas... symbolize Man's aimless wandering through the world without understanding the meaning of his life...[24]

Wenn Borges, dessen unbedingte Bindung an die Stadt Buenos Aires an die Bindung Kafkas an die Stadt Prag erinnert, von sich sagt, er sei in einem Garten, hinter einer langen, hohen Mauer und in einer Bibliothek mit unzähligen Büchern aufgewachsen, und daß er glaube, jene Bibliothek oder jenen abgeschiedenen Garten niemals verlassen zu haben, ja, daß er seitdem nichts getan habe und auch in Zukunft nichts tun werde als seine aus dieser Situation abgeleiteten inneren Vorstellungen zu »weben«, so kennzeichnet er damit sehr genau die auch für Kafka zutreffende geistig-seelische Verfassung. Diese konsequente Introversion bedingt zugleich den für beide charakteristischen autobiographischen Zug ihres Schreibens, den Borges in *El tamaño de mi esperanza* programmatisch ausgesprochen hat: Letzthin sei alle Literatur autobiographisch. Alles sei poetisch, insofern es seine Bestimmung für uns enthülle.

Von der Autobiographik her erklärt sich ferner die Übereinstimmung in der Thematik. Beide sahen sich in die Welt geworfen und in einem Gefängnis-Labyrinth eingeschlossen, was sie dazu verdammte, ohne Ende literarische Labyrinthe zu gestalten und die Verlorenheit des Menschen im chaotischen Universum zu vergegenwärtigen. Einer von

Borges' Helden hielt sich für den Herrn seines Schicksals und mußte schließlich erkennen, daß er nur ein Spielzeug eines Gottes war, der ihn schon von Ewigkeit her zum Scheitern verurteilt hatte. Ein anderer glaubte, er sei ein wirklicher Mensch und mußte zu seiner Erniedrigung entdecken, daß er nichts als der Traum eines anderen Menschen war. Kafkas fatale Einsicht, daß in Wirklichkeit alles anders ist, als wir annehmen, ist auch Borges' Überzeugung. Entsprechend hebt Borges alle jene fundamentalen Glaubensvoraussetzungen auf, welche die Sicherheiten des Menschen zu gewährleisten scheinen. In seiner Sicht ist der Mensch dem blinden Zufall ausgeliefert, einem Chaos ohne (erkennbaren) Sinn, einer Welt, die von unmenschlichen Göttern beherrscht wird, so daß er – wie weithin auch Kafka und seine Helden – »Transzendenz als Terror« erleidet. In *Discusion* betont Borges: Ich glaube, daß in unserem unbekannten Schicksal, in dem Widerwärtigkeiten wie körperliche Leiden vorherrschen, jedes nur denkbare Übel möglich ist, sogar die ewige Dauer einer Hölle. Unordnung, Widersinn, Schrecken, Wahnwitz, Verlassenheit und Hilflosigkeit seien die vorherrschenden Kennzeichen des menschlichen Lebens. Infolgedessen sei es nicht möglich, die schlechthin chaotische Welt mit irgendeinem menschlichen Gesetz in Einklang zu bringen. Aber indem Borges so lebhaft die »Verrücktheit« des Universums erfährt, erkennt er zugleich, daß er als ein menschliches Wesen gleichwohl nicht anders kann, als nach irgendeinem Sinn im Unsinn zu suchen.

Das aber besagt, daß – trotz allem schmerzlich erlittenen Terror der Transzendenz – Borges wie Kafka dem Religiösen verbunden bleibt und an Gott als letzter und höchster Instanz festhält. Unser Ende – so schreibt er in *Religio Medici* – liege wie unser Anfang im Dunkeln. Die Linie unserer Lebenstage werde bei Nacht aufgezeichnet, mit einem Bleistift, der unsichtbar ist. Aber wenn wir auch unser Nichtwissen voll eingestehen, irren wir doch sicher nicht, wenn wir sagen: es ist die Hand Gottes, die diesen Bleistift führt. Den transzendenten Bezug seines Schreibens hat Borges wiederholt betont: Metaphysik – so heißt es in *El linguaje de los Argentinos* – sei die einzige Rechtfertigung und der eigentliche letzte Sinn aller Themen. Ja, jede beliebige Situation, gleichgültig wie trivial sie auch erscheinen mag, eröffne einen Einblick in das Geheimnis des Universums. Und wie er in *Die Inschrift des Gottes* ausführt, sieht er auch das für ihn und Kafka fundamentale Thema des unendlichen Weges in einem metaphysischen Zusammenhang:

Jemand sagte zu mir: »Nicht zum Wachen bist du erwacht, sondern zu einem früheren Traum. Dieser Traum ist in einem anderen Traum, und so bis ins Unendliche, welches die Zahl der Sandkörner ist. Der Weg, den du zurücklegen mußt, ist ohne Ende, und du wirst sterben, ehe du wahrhaft aufgewacht bist.

Nicht zuletzt teilte Borges mit Kafka (und Goethe) die Überzeugung von der »Inkommensurabilität« der Welt der Menschen und der Welt Gottes.

Indessen gibt es auch Gegensätze zwischen Borges und Kafka, auf die Barrenechea[25] hingewiesen hat: Die bedeutungsvollste Abweichung zeige sich in ihrem verschiedenen Verhalten zur Wirklichkeit: »Kafka's anguish derives from being excluded from participation in an order in which he exists; Borges is indifferent because he does not believe in that order. Besides, Borges is completely divorced from the idea of guilt and from the biblically-related sense which are always present in Kafka.«

Das sind prinzipielle Gegensätze, die Borges (und Beckett) von Kafka trennen. Für diesen sind Schuld, Gericht und Strafe fundamental, für jene ist der Mensch als ein »Geworfener« hilflos und schuldlos in ein chaotisches Universum ausgesetzt und damit moralischer Wertung letzthin enthoben. Andererseits sieht aber auch Kafka jeden Versuch, das Universum zu verstehen, zum Scheitern verurteilt und erkennt um so mehr die Problematik des Schreibens. Was dem Schriftsteller nottut, wäre eine *universale* Sprache, in der »alles gesagt werden kann«, eine vollgültige adäquate Sprache also, wie sie Hofmannsthals Chandos schmerzlich vermißte, ein Idiom, um das Rilke gerungen hat und in welchem, wie Borges wünschte, »the name of each being would indicate all the particulars of his destiny, past and future«[26]. Borges' Wunschtraum galt einer »angelic ability for direct communication«, in welcher das Unaussagbare sagbar wird. In solchem Sinn spricht Borges von der kreativen Freude des Dichters am Gelingen imaginativer Gestaltungen, kraft deren ein Autor die Grenzen seiner menschlichen Bedingtheit überfliegt, eine Freude, wie sie auch Kafka enthusiastisch bekundete, als er im Verlauf einer einzigen Nacht seine erste voll gelungene Erzählung niederzuschreiben vermochte.

Von diesen genuinen Gemeinsamkeiten aus versteht es sich, daß Borges in seiner Selbstauffassung als Schriftsteller, in seinem Verhältnis zum Schreiben und auch in einzelnen Zügen des Gestaltens weithin mit Kafka übereinstimmt und ihm als seinem dichterischen Vorbild folgt. In bemerkenswert ähnlicher Weise wie in Kafkas Romanen *Der Prozeß* und *Das Schloß* ist in Borges' Erzählungen *La loteria en Babilonia, La biblioteca de Babel, La casa de Asterion* und anderen die Welt als Labyrinth vergegenwärtigt und die erzählerische Darbietung als solche durch strikte Organisation gekennzeichnet. Auch darin liegt eine Parallele zu dem strengen Stilisten Kafka, wenn, wie Karl August Horst[27] ausführt, Borges' Stil »bis zu derartiger Objektivität durchgearbeitet ist, daß er geradezu als Antipode des persönlichen Stils gelten kann«. »Das erklärt unter anderem, warum Borges und Kafka ohne Paßschwierigkeiten über die Grenzen verschiedener Literaturen gelangt sind und sich in Frankreich ebenso einbürgern lassen wie in England, Deutschland...« und noch vielen anderen Ländern.

Eine direkte Parallele zu Kafkas *Strafkolonie* findet sich in Borges' *Das geheime Wunder*:

Das Pikett formierte sich, richtete sich aus. Hladik erwartete, aufrecht gegen die Wand, die Salve. Jemand äußerte Besorgnis, die Wand könne mit Blut bespritzt werden; man befahl also dem Delinquenten, ein paar Schritte vorzutreten.

In beiden Erzählungen geht es um die Hinrichtung eines Menschen. Aber die einzige Besorgnis gilt der Sauberkeit des Ortes. Der Exekutionsvorgang ist gleichsam sakralisiert. Der Sträfling wird zwar auf brutale Weise ums Leben gebracht, aber die Stätte dieser Vernichtung wird wie eine Opferstätte rein gehalten, die Einrichtung insgesamt fetischisiert. Wie in der Strafkolonie die Exekution des Verurteilten ohne Beschmutzung der Hinrichtungsmaschine erfolgen muß, dürfen von der Füsilierung in Borges' Erzählung keine Blutspuren zurückbleiben und den Ort des Gerichts entweihen.

Am deutlichsten bekundet sich Borges' literarische Verwandtschaft mit Kafka in seinen eigenen einschlägigen Äußerungen. Darin heißt es: nicht nur mit dem isolierten Verstand schreibe man ein Buch, sondern mit seinem Körper und seiner Seele – also »mit vollständiger Öffnung des Leibes und der Seele«, wie Kafka formulierte – und mit seiner ganzen persönlichen Vergangenheit wie auch der seiner Vorfahren... Worauf es einzig ankomme, sei der zum Ausdruck drängende Impuls hinter den Symbolen, welche voll zu verstehen, nicht des Autors, sondern des Kritikers Aufgabe sei. Im übrigen habe ein Geschichtenerzähler nur wenige Geschichten zu erzählen; darum müsse er diese immer wieder von neuem erzählen, in allen ihren möglichen Varianten. Auch dies trifft für Kafka zu, in dessen Werken dieselben Themen in vielfältigen Variationen gestaltet werden. Von seinen besten Erzählungen sagt Borges, sie seien nicht bloße Allegorien, bei denen der Gedanke vor dem Zeichen kommt. Sie sind wie die Dichtungen Kafkas »jenseits von Allegorie und Symbol« (Emrich).

Besonders aufschlußreich und seine Kafkanähe erhellend sind Borges' Äußerungen über sein Schreiben in einem Interview mit Lehrern vom 21. Mai 1960 in Buenos Aires, die Robert Lima, der Übersetzer der Labyrinth-Geschichten Borges' ins Englische, in seinen Anmerkungen (S. 148–153) mitgeteilt hat:

> Ich denke nicht an mich, wenn ich schreibe, sondern über das Thema; vor allem beschäftigt mich die Frage, wie ich den vorliegenden Gegenstand am wirkungsvollsten behandeln kann. Auch denke ich dann nicht nur an mich selbst, sondern halte mir im Bewußtsein, daß die Geschichte mich forttrug. Doch ist das leider nicht immer geschehen... nur wenige Male habe ich diese Befriedigung erfahren...

Das erinnert an Kafkas wiederholte Klagen über die Seltenheit erfüllter schöpferischer Stunden. Auch die weiteren Ausführungen Borges' bei diesem Interview stimmen mit Kafkas Selbstauffassung als Schriftsteller weithin überein: Wenn er eine Erzählung schreibe, denke er nicht zu sehr über die metaphysische Bedeutung nach, die sie haben mag, weil, wenn er sich so verhielte, es ihn vielleicht nicht dazu kommen ließe, den Entwurf des Ganzen zu »träumen« und er dann das kreativ Wichtigste versäume. Auch habe er beim Schreiben keinen schon fertig ausgedachten Plan. Im übrigen habe er gelernt, daß es für einen Schriftsteller das beste sei, sich so wenig wie möglich in sein Werk einzumischen, vielmehr sich mit Unschuld und Spontaneität ganz der dichterischen Aufgabe hinzugeben und sie nicht mit hinzugebrachten »Intentionen« zu überladen. Er erlaube den Dingen, sich aus sich selbst zu entwickeln; später, wenn die Zeit kommt, sie niederzuschreiben, suche er nach den einfachsten Worten und den eingängigsten Formen des Satzbaus. Bevor er sich für ein Wort entscheide, müsse er jeweils viele Synonyme prüfen und seine Bilder aus einer Vielzahl von Metaphern auswählen. Auch in dieser syntaktisch stilistischen Sorgfalt ist Borges ein treuer Jünger Kafkas, der im Interesse zweifelsfreier Verständlichkeit eifrigst um grammatische Richtigkeit und semantische Genauigkeit seiner Sprache bemüht war.

Noch einen entscheidenden Schritt weiter als Borges ist *Samuel Beckett* über Kafka hinausgegangen.[22] Er setzte dort ein, wo Kafka innegehalten hatte, weil er – von seinen Voraussetzungen aus – den eingeschlagenen Weg nicht zu Ende gehen konnte. So kennt zwar auch schon Borges den für Kafka zentralen Begriff der Schuld nicht mehr, sieht aber in Gott noch immer die letzte und höchste Realität. Bei Beckett hingegen ist die Welt restlos entmythologisiert. Hier besteht nur noch eindimensionale Säkularität. In seinen Visionen ist kein Platz für Gott und göttliche Dinge. Das Absolute ist ihm identisch mit dem Nichts. Weil es aber für ihn kein Transzendentes mehr gibt, kann es auch keinen »Terror der Transzendenz« mehr geben, wie ihn Kafka unter der drückenden Last seiner Schuldgefühle lebenslang erlitten hat. Wenn im Blick auf diesen fundamentalen Gegensatz von einem direkten Einfluß Kafkas auf Beckett oder gar von einer Jüngerschaft Becketts (wie bei Borges' bewußter Kafka-Nachfolge) nicht gesprochen werden kann, so besteht doch insofern ein literatur- und geistesgeschichtlicher Zusammenhang zwischen beiden, als Beckett de facto die letzte Konsequenz aus dem in Kafkas Werk vergegenwärtigten existentiellen Dilemma des Menschen gezogen hat – freilich in voller Selbständigkeit und ohne auch nur den geringsten Versuch einer Anlehnung.[29]

In der Freiheit seines Denkens hat Beckett auch alle Bindungen der Tradition, die den Jahrtausende in sich bewegenden Kafka nicht freigaben, hinter sich gelassen. Zum Verlust der Transzendenz gesellt sich somit auch die Lösung von der Tradition. Und Beckett, der Kafkas Dichtungen mit Interesse gelesen hat, betonte selber den Unterschied, der ihn von Kafka trennt. Wie er in einer Mitteilung an eine amerikanische Zeitschrift erklärte, sei Kafka formal noch weithin ein Klassiker. In der Haltung seiner Protagonisten bestehe noch viel Kohärenz; sie seien zwar verloren, aber geistig nicht ohne einen gewissen Halt. Im Gegensatz dazu fielen seine eigenen Gestalten vollkommen auseinander. »Beckett unterscheidet hier deutlich eine Welt, die noch Zusammenhang zeigt, nämlich die Welt Kafkas, von einer Welt ohne Zusammenhalt, seine eigene Welt, deren Teile auseinanderfallen. Dieser Zerfall hat jedoch Logik. In einem Zerstörungsprozeß treibt Beckett Kafkas Tragik bis an die Grenze, wo sie in dieser Form nicht fortbestehen kann und sich ins Groteske verwandelt.«

Indessen findet sich der Umschlag ins Groteske auch bei Kafka, und das Phänomen Odradek wird von keiner Groteskgestaltung Becketts überboten. Was aber die Kafkaschen Grotesken von denen Becketts unterscheidet, ist die jeweils miteinbezogene transzendente Dimension und – daraus folgend – ein weniger ausgeprägter Zug zur Parodie. Äußert sich bei Beckett das Groteske als »ein Prozeß allmählicher Verdünnung und Verringerung bis zum totalen Verschwinden«, als eine »fortschreitende Reduktion«, die »mit dem Körper beginnt..., sich aber bald auf alle Lebensbereiche« erstreckt, so daß »das Leben... in einem unbestimmten Unterschlupf, in einem Loch, einer Höhle, einem Schiffswrack oder gar im Mülleimer« endet, so findet sich ähnlich Anmutendes auch bei Kafka, z. B. in seinem eindringlich geäußerten Wunsch, sich für dauernd in eine Hundehütte zu verkriechen, vor allem aber in seinem Schwelgen in Tiermetaphern und Tierverwandlungen.

Im Grund ist es dieselbe Thematik, mit der sich Kafka und Beckett auseinandersetzen. Auch ihre Gestaltungsweise erscheint in manchem vergleichbar. Was sie trennt, erhellt daraus, daß sie an weit auseinander liegenden Punkten eines gemeinsamen Weges stehen und so aus verschiedenen Perspektiven Welt und Menschen in den Blick nehmen. Sind Kafka und seine Gestalten immer noch auf der Suche nach einem Sinn, den sie unmittelbar nicht erfassen können, so verzichtet Beckett auf richtungsweisenden Sinn oder hebt ihn parodierend auf. Dieser Verzicht auf Sinn und Bewußtsein wird aber von seinen Protagonisten nicht als negativ empfunden. Im Gegenteil, sie genießen »das Glück der Unbestimmtheit..., zu dem Becketts arme Strolche am Ende ihres reduzierten Daseins manchmal gelangen«. Sie suchen nicht mehr [wie die Kafkaschen Helden], sie haben nichts mehr zu erwarten. Durch Verzicht auf jede Deutung findet der Beckettsche Protagonist »seine Heiterkeit« wieder. Er stirbt nicht »wie ein Hund«. Im Gegensatz zu dem Affen in Kafkas *Bericht für eine Akademie*, für den das Menschsein, mit dem er sich abgefunden hat, nur ein Ersatz und die vorgespielte Heiterkeit nur ein Kompromiß ist, glaubt sich Becketts Malone ans Ziel gekommen, insofern für ihn »der Verlust der Identität den Zugang zur echten Identität« bedeutet. So vertieft er sich mit Wonne »in seine wie ein Trog ausgehöhlte Matratze« und bekennt: »Ich suche mich nicht mehr, bin in der Welt vergraben, ich wußte, daß ich einst in ihr meinen Platz finden würde, die alte sieghafte Welt schützt mich.«[30] Glück der Unbestimmtheit bedeutet also: auf keiner Seite stehen, nicht gespannt sein zwischen zwei Polen, sondern gesichert in der tragenden Mitte ruhen.

Indessen kennt Beckett noch eine andere, ihn mit Kafka verbindende, tragische Form der Unbestimmtheit, die er im *Namenlosen* (L'Innomable, Paris 1965) gestaltet hat und auf die sich seine desillusionierende Selbstanalyse bezieht:

> Diese Geschichte einer Aufgabe, die ich verrichten muß, um aufhören zu können... einer auferlegten, erkannten, versäumten, vergessenen Aufgabe, die ich nun erfüllen müßte, um nicht mehr reden, nicht mehr hören zu müssen, ich habe sie erfunden, in der Hoffnung, mich zu trösten, mich zum Weitermachen anzuspornen, mich irgendwo zu glauben, auf dem Wege zu einem Aufgang und zu einem Ende, bald vorwärts, bald rückwärts, bald seitwärts gehend, aber letzten Endes immer an Boden gewinnend. Weg damit!

Wie in der pessimistischen Selbstauseinandersetzung des Waldtiers in Kafkas Erzählung *Der Bau* geht es auch in diesem Schriftstellerbekenntnis Becketts um Künstlertum als tragische Existenz, um das Scheitern der schöpferischen Bemühungen des Geistes, »einen endgültigen Zufluchtsort [zu] finden« (Iehl), um die Sisyphustragödie »ewigen Grabens und Suchens nach einem immer zurückweichenden Ziel«. Das verweist auf fundamentale Parallelen in Themen und Motiven, insbesondere auf die von beiden Dichtern wiederholt gestaltete »archtetypische Situation« des Strebens nach einem Ziel, an dem der Held nie ankommt, bzw. des Wartens auf die Endabwicklung wichtig genommener Anliegen, die stets mißlingen. Im Blick auf die Prosaskizze *Eine alltägliche Verwirrung* nennt David Bronsen Kafka mit Recht »einen Vorläufer Becketts im Bereich der absurden Literatur«.[31] Und daß die von Kafka darin beschriebenen absurden Vorgänge als »alltäglich« angesprochen werden, daß ihnen also alle Menschen, auch wir, ausgesetzt sind, unterstreicht den Zusammenhang mit Beckett. Es besagt, daß die rationale Ordnung der menschlichen Lebenswelt nur scheinbar ist und »aus völlig unerklärlichen Gründen in jedem Augenblick zusammenbrechen« kann, daß es also letzthin kein Wissen und keine Erfahrung gibt, keine guten Ratschläge, die in dieser inkalkulablen Welt als Richtmaß dienen könnten.

In diesen Zusammenhang gehört nicht zuletzt die für Kafka und Beckett bezeichnende Figur des Auf-der-Stelle-Tretens, des »stehenden Sturmlaufs« der »ausweglosen Wiederholung«, der »zwecklosen Anstrengung des Protagonisten um Rechtfertigung«, wie sie – nach Allemann (a. a. O. 260, 279 und 286) – insbesondere die Struktur des Kafkaschen Prozeß-Romans bestimmt. Zum Motiv der mißlingenden Ankunft gesellt sich als ein weiteres beiden Dichtern Gemeinsames das Motiv der nicht gelingenden Kommunikation: in radikalster Form geschieht das in Kafkas *Verwandlung*, wo Gregor Samsa sogar die Fähigkeit des Sprechens verliert. Im übrigen gilt für die Gestalten Kafkas weithin, daß sie zwar miteinander reden, z. T. sogar ausgiebig, aber nicht kommunizieren. Und die Romane Becketts bezeichnet Dominique Jehl zutreffend als »Kommunikationsparodien«.[32]

Daß alles ganz anders ist, daß der Mensch weder die Welt noch sich selbst wirklich erkennt, ja daß es ihn zermalmen müßte, wenn er aus dem schützenden Schlaf seiner Unwissenheit erwachte – dieses Thema Kafkas ist auch das Thema Becketts. Weil beide diese Aufgabe ernstnehmen, leugnen sie die Realität des sogenannten Realen, enthüllen sie die Hintergründigkeit des scheinbar Oberflächlichen, zeigen sie, daß unser »gesunder Menschenverstand« nichts wirklich greift, daß wir vielmehr immer nur die Gefangenen unserer wechselnden Illusionen sind, und konfrontieren uns mit ihren Visionen dessen, was wirklich ist, Visionen, die aber den aufgeschreckten Leser wie groteske Verzeichnungen der Wirklichkeit anmuten. Und das Wunschdenken sträubt sich gegen einen solchen irritierenden Blick in die Tiefe; es möchte die zentrale Tatsache unserer durch nichts aufzuhebenden Einsamkeit nicht akzeptieren. Einzig das Leiden – so die Überzeugung Kafkas wie Becketts – vermöchte ein Fenster zur eigentlichen Wirklichkeit zu öffnen und sei darum auch die Hauptbedingung künstlerischer Erfahrung.

Auch literarische Parallelen bezeugen einen Zusammenhang beider. So verhält sich Kafkas *Verwandlung* zu seiner Erzählung *Der Bau* ähnlich wie Becketts erstes Bühnenstück *Warten auf Godot* zu seinem zweiten Bühnenstück *Endspiel*. Während Gregor Samsa – wenn auch vergeblich – den Kontakt zur Lebenswelt seiner Familie wieder gewinnen will, strebt der Protagonist in *Der Bau* nicht mehr zur Welt der andern zurück. Im Gegenteil, er setzt alles daran, einer solchen Begegnung zu entgehen. Er ist auf Flucht und Abwehr, auf totale Isolation, auf Schutzmaßnahmen vor der Außenwelt eingestellt.

In Becketts *Warten auf Godot* warten zwei Landstreicher – ebenso unrealistisch aussichtslos wie Gregor Samsa – auf etwas, das sie erlösen soll. Aber das Erwartete trifft nicht ein und kann auch gar nicht eintreffen. Doch trotz der fatalistisch hingenommenen Vergeblichkeit des Wartens warten sie. Wie der Protagonist Kafkas geben sie nicht auf, obwohl sie lange schon aufgegeben haben. Im *Endspiel* jedoch, das eine wüste, verlassene Welt vergegenwärtigt, wartet niemand mehr. Hier ist jeder Kontakt und auch jeder Kontaktwunsch aufgegeben. Wie in *Der Bau* geht es um konsequente Isolation, um das Alleinsein mit sich selbst, letzthin also um die Konfrontation mit dem Absoluten, das – in der Sicht Becketts – mit dem Nichts identisch ist.[33]

Aus der gemeinsamen Thematik Kafkas und Becketts folgt auch eine auffällige Ähnlichkeit in der Zeichnung ihrer Protagonisten, die keine Helden, sondern Menschen normalen Maßes sind. Was Erich Franzen zur Kennzeichnung der Personen in Becketts Stücken und Hörspielen gesagt hat, läßt sich infolgedessen fast direkt auf die Gestalten Kafkas übertragen:

> Sie sind weder Individuen noch Typen; am ehesten könnte man sie als austauschbare Sinnfiguren der Menschheit und ihrer unvollkommenen Kräfte bezeichnen. Sie leben am Rande eines unsichtbaren Abgrundes, aus dem Rufe

und Stimmen zu ihnen dringen, die sie nicht verstehen. Die Leere, die sie umgibt, suchen sie mit den Trugbildern ihrer sehnsüchtigen Phantasie auszufüllen, aber ihr endloses, zwanghaftes Gerede enthüllt nur die Sinnlosigkeit aller Worte.[34]

Bei dem religiös motivierten Moralisten Kafka erscheint der »unsichtbare Abgrund« mit Vorzug als ein Strafprozeß, in den der Protagonist, ohne es zu wissen, schon von allem Anfang an verwickelt ist. Als religiös motivierter Moralist kann aber Kafka kein Nihilist sein, und er selbst bekannte, daß der Glaube an etwas Unzerstörbares die unerläßliche Bedingung des menschlichen Lebens sei. In seinen Romanen und Erzählungen jedoch konfrontiert auch er seine Figuren – zu seiner eigenen Qual – weithin mit dem Nichts. In Josef K.'s Sterben »wie ein Hund«, im schmählichen Verenden Gregor Samsas, des Mannes vom Lande, des Hungerkünstlers, K.'s im *Schloß* scheint die nihilistische Lösung Bekketts vorweggenommen. Auch in seiner Erzählung *Der Bau* war nach dem glaubwürdigen Zeugnis Dora Dymants die gnadenlose Vernichtung des Protagonisten vorgesehen, ja auch schon geschrieben. Daß er aber dieses Ende wieder getilgt hat, ist in besonderem Maße aufschlußreich. Handelt es sich doch hier um Kafkas persönlichste Dichtung und härteste Selbstverurteilung, um die vernichtende Lebensbilanz: »totaler Einsatz für totales Mißlingen«.[35] Zugrunde liegt dieser autobiographischen Erzählung »Kafkas im konkretesten Wortsinn ›letztes‹ und ernstestes Thema: *Der Schriftsteller und der Tod* und damit das noch unbewältigte Problem seines eigenen Todes«. Der Tod, der hier nach ihm greift, erscheint als »Verderber« und Vernichter, nicht als »Erlöser«. Der »ungeheure emotionale Anspruch..., im tödlichen Untergang des Tieres im Bau die eigene Vernichtung darzustellen«, war eine Überforderung an den schon vom Tod gezeichneten Dichter. Man versteht, daß er eines solchen Sadomasochismus nicht mehr fähig war und das bereits geschriebene Ende der Geschichte wieder gestrichen hat. Vor allem aber erhellt daraus, daß Kafka, wie alle seine Freunde wußten und ausgesprochen haben, »ein Knecht Gottes« war, dessen letztes Wort darum auch nicht der Nihilismus sein konnte. Für diesen so inbrünstig nach Erlösung Dürstenden mußte es einen Erlöser geben.

Anders Beckett, bei dem es nur noch ein »Warten auf nichts« gibt. Bereits mit dem ersten Satz seines Romans *Murphy* hat Beckett den nihilistischen Grundzug seines gesamten dichterischen Werkes ausgesprochen: »Die Sonne schien, weil sie nicht anders konnte, auf das Nichts des Neuen.« Für ihn war, wie er nachdrücklich bekannte »das Theater keine moralische Anstalt im Schillerschen Sinne«: »Ich will weder belehren noch verbessern noch den Leuten die Langeweile vertreiben. Ich will Poesie in das Drama bringen, eine Poesie, die das Nichts durchschritten hat und in einem neuen Raum einen neuen Anfang findet...« Sein Grundmotiv ist die Vergänglichkeit, die durch keine Anstrengung des Geistes überwunden werden kann, die ein *Zustand* sei und nicht etwa als rein zeitlicher Ablauf aufgefaßt werden sollte; denn »das Ende ist schon im Anfang«.[36] Becketts *Endspiel*-Monologe und *Warten auf Godot* vergegenwärtigen die Gefängniskatastrophe der menschlichen Existenz in zweierlei Richtung, einmal als *unnützes Erinnern*, zum andern als gegenstandsloses Erwarten. »Der Blick zurück und der Blick in die Zukunft konfrontieren gleichermaßen mit dem Nichts. Es gibt keinen neuen Tag, der zu neuen Ufern lockt, keine Erinnerung, die bestätigt und zum Weitermachen ermutigt, keinen Sinn in der Welt, kein Zuhause in sich selbst.« Zwar wird die Gefängnissituation des Menschen nicht wie in Sartres *Bei geschlossenen Türen*, in Musils *Das Fliegenpapier* oder in Becketts späterer Dichtung *Le Dépeupleur* (1970) – *Der Verwaiser* – durch Eingeschlossensein oder Festkleben konkret verdeutlicht, aber das An-der-Kette-Liegen der Personen wirkt um so beklemmender, als keine Ketten zu sehen sind. Ihre Gefangenschaft ist total, weil die Zelle restlos nach innen verlegt ist und die verbliebene äußere Bewegungsfreiheit nur die Freiheit zu einem *circulus vitiosus* gewährt.

Etwas davon hat indessen auch schon Kafka vorweggenommen: Josef K. im *Prozeß*-Roman ist zwar »verhaftet«, wie es wörtlich heißt, darf aber frei herumlaufen und ungehindert sein normales privates und berufliches Leben weiterführen. Gleichwohl läuft jedoch ein Prozeß gegen ihn, der ihn schuldig sprechen und vernichten wird. Eben dies, daß eine moralisch verurteilende und letztlich transzendente Gerichtsinstanz über das Schicksal des Protagonisten befindet, bezeichnet den entscheidenden Gegensatz Kafkas zu Becketts radikalem *Endspiel*-Nihilismus. Ihr entscheidend Gemeinsames liegt darin, daß sie auf abstrakte Weise Dichter des Individuums sind, denen es bei dieser Beschränkung gleichwohl ums Ganze geht. Sie wollen menschliche Existenz als solche erhellen. Nichts – so argumentiert Beckett in seinem Roman *Murphy* – war je im äußeren Universum, was nicht im inneren Universum des Menschen bereits vorhanden war. Weil die historische Welt von Menschen gemacht ist, sei es möglich, ihre Prinzipien in den Modifikationen unseres eigenen menschlichen Geistes zu entdecken. Mit den Worten Becketts: »Die Individualität ist die Konkretisierung der Universalität«.

Wie Beckett teilt auch *Friedrich Dürrenmatt* einen Teil des Weges mit Kafka. Obwohl eigenwüchsig und eigenwillig in seinem gestalterischen Temperament, hat er doch direkten und nachhaltigen Einfluß Kafkas erfahren.[37] Er betonte auch selber diesen literarischen Zusammenhang, indem er eine Szene in seinem Frühwerk *Komödie* dem Gedenken an Kafkas Parabel *Vor dem Gesetz* widmete. Und wenn sich Dürrenmatt als »Liebhaber grausamer Fabeln und nichtsnutziger Lustspiele«, als »zähschreibenden Protestanten und verlorenen Phantasten« bezeichnete, so erhellt auch aus dieser Selbstcharakteristik die typologische Verwandtschaft, die ihn mit Kafka verbindet.Ohne Frage war ja auch Kafka ein »Liebhaber grausamer Fabeln«. Und die groteske Komik der Begebenheiten in seinen Romanen und Erzählungen, die ihn selber zum Lachen reizten, impliziert ebenfalls etwas »nichtsnutzig Lustspielhaftes« im Dürrenmattschen Sinn. Als ein restlos seinem »traumhaften inneren Leben« Hingegebener war und ist er für die wachen Tagmenschen »ein verlorener Phantast«. Dem »zähschreibenden Protestanten« Dürrenmatt, dem Sohn eines protestantischen Pastors, der diese Herkunft nicht verleugnen kann, entspricht Kafka als der Dichter des Judentums, der – trotz aller freigeistigen Emanzipation – lebenslang durch sein religiöses Erbe bestimmt blieb und in seinem Werk in einer Vielzahl von Variationen das leidvolle jüdische Schicksal gestaltet hat.

»Further evidence for the close kinship between Dürrenmatt and Kafka comes from a truly astounding parallel beween a Kafka fragment, found as a diary entry for July 22, 1916 and Dürrenmatts radio drama *Nächtliches Gespräch mit einem verachteten Menschen*.« Nach Renate Usmiani ist die Übereinstimmung beider Texte so eng, daß Kafkas Beschreibung des Verurteilten, der in der Todesnacht vom Scharfrichter in der Zelle aufgesucht und hingerichtet wird, unverändert als eine bis in die Einzelheiten stimmige Zusammenfassung von Dürrenmatts Hörspiel angesprochen werden kann. Noch gewichtiger aber als solche fast wörtlichen Parallelen ist das Engagement beider Dichter in den fundamentalen Fragen von Recht und Gerechtigkeit. Die Rechtsproblematik bestimmt als ein zentrales Motiv Dürrenmatts dichterisches Werk insgesamt. Immer wieder wird hier die Szene zum Tribunal und erscheinen die Personen als Richter oder Rächer. Das gilt nicht nur für seine Detektivgeschichten wie *Der Richter und sein Henker* (1950) und *Der Verdacht* (1951), sondern gerade auch für seine herausragenden Dramen und Hörspiele: *Die Ehe des Herrn Mississippi* (1952), *Der Besuch der alten Dame* (1956) und *Die Panne* (1956) sowie seinen *Monstervortrag über Gerechtigkeit und Recht* (1969). Und wie bei Kafka ist auch bei Dürrenmatt die Rechtsproblematik mit dem Religionsproblem als einem weiteren Zentralthema seines Dichtens verbunden, so in dem Job-Drama *Der Blinde* (1948), in *Es steht geschrieben* (1947), *Ein Engel kommt nach Babylon* (1953), *Grieche sucht Griechin* (1955), *Die Physiker* (1961), *Der Meteor* (1966), *Die Wiedertäufer* (1967). Wie Kafka, für den das Jüngste Gericht in Wirklichkeit ein Standrecht ist, sieht Dürrenmatt das Leben des Menschen als einen stetig laufenden Gerichtsprozeß für eine Schuld, deren sich der Einzelne oft nicht bewußt ist, die aber existiert. Wie Josef K. in Kafkas Prozeß empfindet sich auch der Protagonist in Dürrenmatts Hörspiel *Die Panne* als unschuldig und ist auch nach dem Buchstaben des Gesetzes normaler Gerichte schuldlos, wird aber dennoch durch *ein höheres Gericht* schuldig gesprochen. Eben dies ist ein Kernthema Kafkas wie Dürrenmatts, daß der Mensch immer schuldig ist, »guilty through his very being« (Usmiani) und nur durch eine höhere Form der Gerichtsbarkeit zur Einsicht in seine Schuld gebracht werden kann.

Wenn in Kafkas *Strafkolonie* der Gerichtsoffizier erklärt: »Die Schuld ist immer zweifellos« und außerdem für alle Vergehen hier die Todesstrafe vorgesehen ist, so findet das seine genaue Entsprechung in Dürrenmatts Spiel *Der Doppelgänger*, worin der Protest des zum Tod Verurteilten mit der lapidaren Feststellung zurückgewiesen wird: »Wir sind alle des Todes schuldig.« Zugrunde liegt hier wie dort der unaufhebbare Gegensatz zwischen der Unzulänglichkeit einer nur menschlichen Justiz und der absoluten Gültigkeit höherer Gerechtigkeit. Damit verbunden ist zugleich der Wunsch nach adäquater Strafe für die immer gegebene Schuld, das Bedürfnis nach Verwirklichung jener höheren Gerechtigkeit. Daraus folgt, daß die ihrer Schuld inne gewordenen Angeklagten das über sie verhängte Urteil zuletzt willig annehmen, ja daß sie selber begierig nach dem höheren Gericht suchen, das ihren Fall verhandelt, und nach der gebührenden Bestrafung verlangen. Dennoch geht die Rechnung nicht auf. Alle Bemühungen scheitern an dem tragischen Paradox, daß der Mensch gerecht sein sollte, die Gerechtigkeit selbst aber unerreichbar ist. Das Los, das den Menschen ereilt, ist daher die kalte Vernichtung des *immer* Schuldigen, die Verweigerung der Gnade. Aus diesem moralischen Dilemma zieht Renate Usmiani den Schluß: »The picture of modern man which emerges from the trial dramas of Kafka, Betti and Dürrenmatt is a disturbing one indeed – a picture of alienation, guilt and despair.«

Wie weit Dürrenmatt in seiner Sicht der Welt und des Menschen mit Kafka übereinstimmt, erhellt aus zahlreichen Äußerungen, in denen er seinen Standort gekennzeichnet und seine Selbstauffassung als Dichter zum Ausdruck gebracht hat. Zugleich dokumentieren sie in authentischer Form, inwieweit er andere Folgerungen gezogen hat. Doch im Ansatz seines Denkens steht er Kafka auffällig nah, wie die folgenden Aussagen dokumentieren[38]:

Unsere Welt hat ebenso zur Groteske geführt wie zur Atombombe, wie ja die apokalyptischen Bilder des Hieronymus Bosch auch grotesk sind. Doch das Groteske ist nur ein sinnlicher Ausdruck, ein sinnliches Paradox, die Gestalt einer Ungestalt, das Gesicht einer gesichtslosen Welt.

...wer das Sinnlose, das Hoffnungslose dieser Welt sieht, kann verzweifeln, doch ist diese Verzweiflung nicht eine Folge der Welt, sondern eine Antwort, die er auf diese Welt gibt, und eine *andere Antwort* wäre sein Nichtverzweifeln, sein Entschluß etwa, die Welt zu bestehen, in der wir oft leben wie Gulliver unter den Riesen. Auch der nimmt Distanz, auch der tritt einen Schritt zurück, der seinen Gegner einschätzen will, der sich bereit macht, mit ihm zu kämpfen oder ihm zu entgehen... Ich lehne es ab, das Allgemeine in einer Doktrin zu finden, *ich nehme es als Chaos hin*. Die Welt steht für mich als ein Ungeheures da, als ein Rätsel an Unheil, das hingenommen werden muß, vor dem es jedoch *kein Kapitulieren* geben darf. Die Welt ist größer denn der Mensch, zwangsläufig nimmt sie so *bedrohliche Züge* an, die von einem Punkt außerhalb nicht bedrohlich wären, doch habe ich kein Recht und keine Fähigkeit, mich außerhalb zu stellen.   (Hervorhebungen vom Vf.)

Dürrenmatt betont hier zwar das Hoffnungslose, Rätselhafte, ja Ungeheuerliche der Welt, bleibt aber bei Kafkas pessimistischer Folgerung des Verzweifelns nicht stehen, entscheidet sich vielmehr für das *Nichtverzweifeln* und *Nichtkapitulieren* als Antwort auf die bedrohlich chaotische Welt, die es zu bestehen gelte. Später jedoch hat sich Dürrenmatt dem Pessimismus Kafkas stärker angenähert. In einer Rede von 1970 stellt er resignierend fest: »Die moderne Welt ist ein Ungeheuer, das mit ideologischen Formeln nicht mehr zu bewältigen ist.« Die Welt gilt ihm als unkorrigierbar. Der menschliche Geist könne sie wohl zerstören, aber nicht ändern. Indessen ist offenkundig, daß diese kafkahafte Resignation sich aus einem anderen Blickwinkel als dem Kafkas ergibt und insofern darin zugleich ein Unterschied zwischen beiden zutage tritt. Dürrenmatts Hoffnungslosigkeit resultiert aus einer im Wortsinn universalen Sicht, nämlich aus seinem Blick auf das Ganze der Welt, auf das akut gewordene und unabänderlich scheinende katastrophale Gesamtschicksal der Menschheit: *Die Physiker, Der Meteor*. Kafka dachte noch nicht in kosmischen Perspektiven; er hatte das Schicksal des Einzelnen, dessen unausweichliches Scheitern und persönliches Verlorensein im Chaos der Welt im Blick.

Andererseits war aber Dürrenmatt im Blick auf den Menschen nicht weniger desillusioniert als Kafka. Das zeigt sich nicht zuletzt darin, daß auch er die für Kafka so charakteristische Tiermetapher auffällig häufig gebraucht, und zwar wie dieser als Degradationsmetapher. In *Die Ehe des Herrn Mississippi* wird der demoralisierende Mensch/Tier-Vergleich nahezu auf alle Personen angewandt. In einem entscheidenden Augenblick sagt der Minister zu Anastasia, während er sie umarmt: »Du bist ein Tier, aber ich liebe Tiere.« Anastasia selbst fühlt sich »gefangen wie ein Tier« und betont ihren Willen, sich »wie ein Tier« zu verteidigen. Über den Tod zweier Menschen, die vergiftet worden sind, frohlockt sie mit den Worten: »Sie sind verendet wie zwei Tiere, sie sind krepiert wie Vieh.« Der Staatsanwalt, der möglichst viele Angeklagte ans Messer liefert, sagt über sich selbst: »Ich bin eine Bestie geworden, die der Menschheit an die Gurgel springt.« Von der Masse der Menschen, die er mühelos nach seinem Willen manipulieren kann, spricht der Minister verächtlich als von dem »Biest«: »Setzen wir auf das Biest, und wir werden ewig oben sitzen.« Selbst Graf Bodo von Übelohe, der Idealist und einzige anständige Mensch in diesem makabren Spiel, gebraucht die Tiermetapher, und sogar in gesteigerter Form. Bitter enttäuscht, ja entsetzt über die moralische Niedertracht des Ehepaars Mississippi und Anastasia ruft er aus: »Tiere! Ihr seid Tiere!... Tiere! Tiere!... Ihr seid Tiere!«

Über solche Einzelzüge der Gestaltung hinaus bezeugt sich die literarische Verwandtschaft Dürrenmatts mit Kafka auch in ihren künstlerischen Grundsätzen und in den Formen ihres dichterischen Konzipierens. Sogar die programmatische Erklärung Dürrenmatts, daß für den heutigen Dichter einzig die Absurdität der Welt (und der Weltgeschichte) relevant sei und uns daher »nur noch die Komödie« beikomme, gilt in gewisser Weise auch für Kafka. Hat er doch an dem grotesk-komischen Charakter seiner tragischen Visionen – man denke u. a. nur an den Hungerkünstler – selber keinen Zweifel gelassen. Vollends die schriftstellerischen Prinzipien, die Dürrenmatt in einigen seiner »21 Punkte zu den Physikern« formulierte, decken sich mit Kafkas gestalterischen Intentionen:

1. Ich gehe nicht von einer These, sondern von einer Geschichte aus.

2. Geht man von einer Geschichte aus, muß sie zu Ende gedacht werden.

3. Eine Geschichte ist dann zu Ende gedacht, wenn sie ihre schlimmst-mögliche Wendung genommen hat.

19. Im Paradoxen erscheint uns die Wirklichkeit.

20. Wer dem Paradoxen gegenübersteht, setzt sich der Wirklichkeit aus.[39]

Sicher ist, daß Kafka jeden dieser Sätze unterstrichen hätte.

Abschließend sei an einer erstaunlich direkten Parallele zwischen Kafkas Erzählung *In der Strafkolonie* und Dürrenmatts Komödie *Die Ehe des Herrn Mississippi* das literarische Verwandtschaftsverhältnis beider Dichter exemplarisch verdeutlicht. Wenn Dürrenmatt dieses makabre Spiel mit seinem tragisch ausweglosen Geschehen bewußt eine Komödie nennt, dann könnte man – unter solchem Blickwinkel – auch die Romane Kafkas *Amerika, Prozeß* und *Schloß* mit ihren grotesk komischen Irrungen und Wirrungen ebenfalls als (makabre) Komödien ansprechen.

Die Parallele zwischen Dürrenmatts *Ehe des Herrn Mississippi* und Kafkas *In der Strafkolonie* ergibt sich daraus, daß es sich in beiden Dichtungen um die Thematik und Problematik von Schuld, Gericht und Strafe handelt, und zwar bezogen auf extreme Formen totalitärer Justiz. Der Exekutionsoffizier in der Strafkolonie und der Staatsanwalt Mississippi repräsentieren den gleichen Typus des unansprechbaren Rechtsfanatikers. Der eine kämpft verbissen um die Erhaltung eines archaisch harten Strafvollzugs, der andere ebenso entschieden für die Wiedereinführung eines solchen. Über der Vergötzung des als gottgewollt erachteten alten Gesetzes nehmen sie die Unmenschlichkeit der von ihnen vertretenen Gerichts-und Strafpraktiken überhaupt nicht wahr. Im Gegenteil, ihre Rechtsbarbarei ist ihnen heilig, und sie stellen sie sogar mit höchster Befriedigung zur Schau. Nichts kann ihren Glauben anfechten, im Recht zu sein und das einzig Richtige zu tun.

Auch das ist beiden Werken gemeinsam, daß die darin dargestellten »unerhörten Begebenheiten« nicht wie ein Vorzeitgeschehen anmuten, vielmehr als bedrückend nah, ja aktuell empfunden werden. Die Handlung hat jeweils »Modellcharakter als vollkommenes Bild des Absolutismus«.[40] Es geht um keine Schreckensvision, sondern um etwas jetzt und immer Mögliches. Was den Menschen und die Menschlichkeit überhaupt bedroht, ist hier nicht etwas hinter den Dingen Verborgenes, das auf einmal unerwartet hervorbrechen kann, sondern etwas selbstverständlich Gegebenes und Permanentes, das Übliche mitten unter uns, das gedankenlos Hingenommene und routinehaft Praktizierte. Die Faszination der rigorosen Gerichtsbarkeit beruht auf Terror, nämlich auf der totalitären Geltung des Rechtsprinzips und dem perfekten Funktionieren der Gerichts- und Strafprozeduren. Zur Faszination des Terrors gehört ferner, daß hier nur ein einziges Gesetz nötig und möglich ist und entsprechend auch nur eine einzige Strafe, nämlich die Todesstrafe. Die Frage, ob dem Angeklagten eine adäquate Möglichkeit der Verteidigung gegeben ist, stellt sich nicht; es geht überhaupt nicht um das Schicksal des Verurteilten, sondern um die exakte Betätigung des Justizapparates, der – als ein Instrument absoluter Gerechtigkeit – niemals irren kann und in der vollautomatisch arbeitenden Hinrichtungsmaschine in Kafkas *Strafkolonie* versinnbildlicht ist. Die Promptheit und Präzision der Arbeitsweise des »Apparates« verbürgen zweifelsfreie Gerechtigkeit und machen höhere Berufungsinstanzen überflüssig und Begnadigungsdekrete hinfällig. Eben darin liegt seine Idealität, daß er selbsttätig alles einkalkuliert und vorprogrammiert und damit die Bediener jeglichen Nachdenkens, aber auch jeder Art von Gewissensskrupeln entzieht. Fast scheint es, als habe Kafka in diesem Bild vom totalitären Terror des Apparates schon die unbehagliche Vorstellung vom elektronischen Ersatz der sittlich freien Denkarbeit des Menschen vorweggenommen.

Was für den Gerichtsoffizier der Strafkolonie der Wunderapparat des alten Kommandanten, das bedeutet für den Staatsanwalt Mississippi das altbiblische »Gesetz Mosis«, um dessen volle Wiedereinführung er mit missionarischem Eifer kämpft und wofür er – wie der Offizier für seinen Apparat – sogar zu sterben bereit ist. Woher, so fragt sich, nehmen die beiden die Gewißheit, einer guten Sache zu dienen, so daß sie ihr grauenvolles Amt voll Begeisterung ausüben können und in seinem Vollzug das Ideal der Gerechtigkeit zu sehen vermögen. Was sie unmenschlich macht, ist ihr emotionales Verfallensein an eine unmenschliche Ideologie, ihre Selbstaufgabe durch fanatisches Mitläufertum. Weil aber alles, was sie an Entsetzlichem tun, im Dienst einer absolut gesetzten Ideologie geschieht, gibt es hier – zumindest subjektiv – keine Schuld. Sowohl der Exekutionsoffizier wie der zum Generalstaatsanwalt aufgestiegene Mississippi leben im Zustand »moralischer Anästhesie«, sind »Täter mit gutem Gewissen«. Als Gesetzesfanatiker und Justizperfektionisten sehen sie sich in der Lage, »das unbedingt Humane« ihres Wirkens zu betonen und daran zu glauben. So kann Mississippi, durch das alte Gesetz gedeckt, moralisch selbstsicher zwischen seinem eigenen »rechtsmäßigen« Giftmord und dem aus niedriger Eifersucht begangenen Giftmord Anastasias juristisch delikat unterscheiden:

377

Mississippi:	Nein, gnädige Frau. Ich bin kein Mörder. Zwischen Ihrer Tat und der meinen ist ein unendlicher Unterschied. Was *Sie* aus einem grauenvollen Trieb getan haben, tat *ich* aus sittlicher Einsicht. Sie haben Ihren Mann hingeschlachtet und ich habe mein Weib hingerichtet...
	Ich habe meine Frau vergiftet, weil sie durch Ehebruch des Todes schuldig geworden war.
Anastasia:	In keinem Gesetzbuch der Welt steht auf Ehebruch Todesstrafe.
Mississippi:	Im Gesetz Mosis.
Anastasia:	Das sind einige tausend Jahre her.
Mississippi	Deshalb bin ich auch felsenfest entschlossen, es wieder einzuführen.
Anastasia:	Sie sind wahnsinnig.
Mississippi:	Ich bin nur ein vollkommen sittlicher Mensch, gnädige Frau. Unsere Gesetze sind im Verlauf der Jahrtausende jämmerlich heruntergekommen... Unser Zivilgesetzbuch ist, verglichen mit dem Gesetz des Alten Testaments, das für den Ehebruch den Tod *beider* Schuldigen vorschreibt, ein purer Hohn. Aus diesem heiligen Grunde war die Ermordung meiner Frau eine absolute Notwendigkeit...
	Wir müssen radikale Mittel anwenden, wenn wir uns sittlich heben wollen... Ich habe in meiner fünfundzwanzigjährigen Tätigkeit als Staatsanwalt über zweihundert Todesurteile durchgesetzt, eine Zahl, die sonst in der bürgerlichen Welt noch nie auch nur entfernt erreicht worden ist.

Der tiefen Befriedigung Mississippis über die große Zahl der durchgesetzten Todesurteile entspricht dem Stolz des Gerichtsoffiziers der Strafkolonie auf die große Zahl der durchgeführten Exekutionen. Beide sind des Glaubens, daß, wo immer der totalitäre Justizapparat läuft, Gerechtigkeit geschieht und er daher gar nicht oft genug in Tätigkeit gesetzt werden kann. Je mehr Straffällige der Offizier exekutiert, desto mehr erhöht sich sein moralisches Verdienst. Und daß es Mississippi gelingt, die Zahl seiner Todesurteile von zweihundert auf dreihundertfünfzig zu steigern, gilt ihm als Triumph seiner Laufbahn. Wenn er sagt: »Jeder Schuldige, den ich an den Galgen bringe, ist ein größerer Fortschritt als sämtliche Gesetze der letzten hundert Jahre zusammengenommen«, so würde der Exekutionsoffizier im Blick auf jeden Sträfling, den er hinrichtete, ohne Frage dieselbe Folgerung ziehen. Beide, der Offizier und der Staatsanwalt, glauben an das unbedingt Humane und Erzieherische ihrer barbarischen Justiz und sind überzeugt, daß auch den Exekutierten etwas Gutes geschieht, insofern sie durch den Strafakt zugleich »die Gnade der Verklärung« empfangen. Deshalb legen sie größten Wert auf die Öffentlichkeit der Hinrichtungen. Im Interesse der sittlichen Hebung des Volkes sollten möglichst viele Menschen und gerade auch Kinder daran teilnehmen, damit sie den strikten Vollzug der Gerechtigkeit als ein erhebendes Schauspiel genießen könnten. Beide sind dem Wahn verfallen, daß die perfekte Anwendung der Strafmittel zugleich die sittliche Legitimation des Zwecks bedeute. Das heißt: das natürliche Verhältnis zwischen Mensch und Apparat ist ins Gegenteil verkehrt. Und daraus resultiert die Anomalie ihres Handelns. Aller Wahnwitz, der hier zutage tritt, folgt aus ihrem fanatischen Verfallensein an die Macht des Apparates, der für sie entscheidet, sie in seinen Dienst stellt und somit zu reinen Ausführungsorganen funktionalisiert. Das aber besagt, daß ihre Unmenschlichkeit eine Roboter-Unmenschlichkeit ist: die makabre Ausgeburt ihres Selbstverlustes. In der grellen Beleuchtung dieser Perversion liegt gewiß auch eine Moral, nämlich die Moral, daß Menschlichkeit und Freiheit untrennbar sind und daß das Freibleiben von der Herrschaft welchen Apparates auch immer als eine Existenzforderung des Menschseins zu gelten hat.

Nicht nur als reaktionäre Absolutisten, die am alten harten Gesetz festhalten bzw. die Rückkehr zu den archaischen Gesittungen und Gesinnungen als Voraussetzung für den Fortschritt der Menschheit erachten, sind Dürrenmatts Mississippi und Kafkas Exekutionsoffizier typusgleich, eine auffällige Übereinstimmung liegt auch darin, daß beide Unmenschen und Kulturmenschen in einem sind. So ist Mississippi außerhalb seines Berufes als Strafverfolger »tief religiös und beschäftigt sich mit dem Sammeln alter Stiche, meist idyllische Landschaften, die ... den ursprünglichen schuldlosen Zustand der Natur widerzuspiegeln scheinen«. In den gepflegten Formen seines gesellschaftlichen Verhaltens repräsentiert er kultivierte Bürgerlichkeit und »darf eine für seinen Stand vollkommen ausreichende Pension erwarten«. Ebenso erweist sich der Offizier der Strafkolonie außerberuflich keineswegs als ein abgestumpfter Rohling, ist vielmehr taktvoll höflich und nicht ohne Charme im Gespräch mit seinem Gegenüber. Er trägt feine Seidentüchlein im Kragenausschnitt und zeigt Züge einer fast weiblich weichen Sensibilität. Für den alten Kommandanten, den geistigen Vater des alten Strafverfahrens, hegt er eine überschwengliche Liebe und vergießt Tränen im Gedenken an den vergötterten Führer. Dieser gnadenlose »Scharfrichter« ist also andererseits echter und starker Gefühle fähig.

Ferner stehen sich beide Reaktionäre auch darin nah, daß sie angesichts des Scheiterns ihrer Bemühungen spontan zu märtyrerhaftem Sterben bereit sind und dadurch etwas wie tragische Größe zu gewinnen scheinen. Aber genauer betrachtet, geht es dabei nicht um einen Heroismus, der durch ein hohes Ziel geadelt wird. Vielmehr erweist sich auch diese Entschlossenheit zum Selbstopfer als engstirniger Fanatismus, der, weil er nicht zu überzeugen vermag, zur »übersprachlichen Geste« der »drastischen Demonstration« greift.[41] Daß beide Fanatiker zuletzt scheitern, erhellt zugleich den inhaltlichen Gleichlauf beider Dichtungen, in denen die absolutistische Reaktion jeweils vor einem neuen liberaleren Kurs weichen muß. Die Parallele zwischen Kafkas *In der Strafkolonie* und Dürrenmatts *Die Ehe des Herrn Mississippi* geht aber insofern noch weiter, als ein Staatswesen, in dem ein rabiater Strafverfolger wie Mississippi sein totalitäres Unwesen treiben kann, im Grund nichts anderes als eine »Strafkolonie« ist.

Trotz vieler solcher Übereinstimmungen mag es verwundern, Dürrenmatt und Kafka hier in so engen Zusammenhang gestellt zu sehen. Der schwerblütige Ernst des Kafkaschen Schreibens scheint mit der komödiantisch anmutenden Leichtigkeit des Dürrenmattschen Gestaltens kaum vereinbar. Der in Pointen brillierende Stil des einen, der keiner sich aufdrängenden Assoziation ausweicht und auch auf »Gags« nicht verzichtet, kontrastiert aufs äußerste zur stilistischen Ökonomie des anderen, dessen Stärke im Untersprechen, ja auch im Verschweigen liegt. Bei näherer Betrachtung stellt sich jedoch die Frage, ob Dürrenmatts scheinbar wollüstig schwelgendes Ironisieren und Parodieren der absurden Miseren des Menschen und die bedrückend stumme Lebenstrauer in Kafkas grotesken Tragödien wirklich unvereinbare Gegensätze sind. Darf man denn übersehen, daß Dürrenmatts Denken und Dichten immer um die moralischen Probleme von Recht und Gerechtigkeit kreisen und damit *implicite* auch an die religiöse Frage rühren? Vor allem aber: Ist es nicht so, daß Dürrenmatt, *weil* er die Menschentragödie ernstnimmt, sie nicht länger in verbrauchten Klischees vorführen, sondern nur noch in Form makabrer »Komödien« vor Augen stellen kann? Liegt nicht für den heutigen Menschen in der ätzenden Satire seines Galgenhumors mehr teilnehmender Ernst als in der unglaubwürdig gewordenen Sprache epigonaler Tragödiendichtung musealen Stils? Und ist nicht auch Kafkas Dichtung selbst eine Absage an heroisierende Feierlichkeit, ja ein gesteigertes Ernstnehmen des menschlichen Leidens und Scheiterns durch Enthüllung seiner zugleich absurden Banalität? Bei aller Verschiedenheit der Ausdrucksformen und Temperamente scheinen beide Dichter durch ähnliche Zielsetzungen bestimmt zu sein. Und die nächste Verwandtschaft Dürrenmatts mit Kafka, liegt sie nicht eben darin, daß auch er ein – wenn auch verkappter – Moralist und Gottsucher Nietzschescher Prägung ist?

ANHANG

Franz Kafka: Werktitel und Siglen

A   Amerika (Der Verschollene), Frankfurt a. M. 1953

Br   Briefe 1902–1904, Frankfurt a. M. 1958

BK   Beschreibung eines Kampfes, Frankfurt a. M. 1954

E   Erzählungen, Frankfurt a. M. 1946

F   Briefe an Felice und andere Korrespondenz aus der Verlobungszeit, Frankfurt a. M.1967

HL   Hochzeitsvorbereitungen auf dem Lande, Frankfurt a. M. 1953

M   Briefe an Milena, Frankfurt a. M. 1952

O   Briefe an Ottla und die Familie, Frankfurt a. M. 1974

P   Der Prozeß, Roman, Frankfurt a. M. 1953

S   Das Schloß, Roman, Frankfurt a. M. 1955

T   Tagebücher 1910–1923, Frankfurt a. M. 1954

Abkürzungen

Caputo-Mayr   Franz Kafka. Eine Aufsatzsammlung nach einem Symposium in Philadelphia, hg. und eingeleitet von Maria Luise Caputo-Mayr, Berlin/Darmstadt 1978.

David   Franz Kafka. Themen und Probleme, hg. von Claude David, Göttingen 1980.

dtv   Deutscher Taschenbuch Verlag, München

DVjs   Deutsche Vierteljahresschrift für Literaturwissenschaft und Geistesgeschichte

Euph   Euphorion

FAZ   Frankfurter Allgemeine Zeitung

Flores   Angel Flores (Hg.), The Kafka Problem, New York [2]1975

Flores/Swander Angel Flores und Homer Swander (Hg.), Franz Kafka Today, Madison: The University of Wisconsin Press 1958

GRM   Germanisch-Romanische Monatsschrift

J   Gustav Janouch, Gespräche mit Kafka. Aufzeichnungen und Erinnerungen, Frankfurt a. M.[2] 1968

K.H. I und II   Kafka-Handbuch, Bd. 1 und 2, hg. von Hartmut Binder, Stuttgart 1979

MAL	Modern Austrian Literature
MLN	Modern Language Notes
Mosaic	Mosaic. A Journal for the Comparative Study of Literature and Ideas, University of Manitoba Press
PMLA	Publications of the Modern Language Association of America
WW	Wirkendes Wort
ZfdPh	Zeitschrift für deutsche Philologie

Anmerkungen

Vorwort

1. Dieter Jakob, Die Aufnahme Kafkas in England, in: K.H. II, 674.
2. Vgl. Vernon Hall, Kafka, Lessing und Vigny, in: Comparative Literature, Winter 1949, Vol. I, Nr. 1, 73–77.
3. Wolfgang Kayser, Das Groteske i. Malerei u. Dichtung, Reinbek 1960, 60.
4. Ludwig Hardt, Recollections, in: Flores (Hg.), a. a. O. 36
   Ebd. 17: Kate Flores, Biographical Note: »He liked the poets of childhood and youth in contemporary German literature: Hesse, Carossa, Emil Strauß . . .«
5. Bert Nagel, Kafka und Goethe. Stufen der Wandlung von der Klassik zur Moderne, Berlin 1977, 10.
6. Nach Werfel sei Kafka die Gabe zuteil geworden, »sein jenseitiges Wissen und seine unaussprechlichen Erfahrungen in dichterische Gleichnisse zu gießen«.
7. Vgl. Hartmut Binder, Lyrik, in: K.H. II, 500 ff., wo über die wenigen Versversuche Kafkas berichtet wird.
8. Vgl. Nagel, Kafka und Trakl, in: Kafka und Goethe, a. a. O. 49–63.
9. Nagel, Kafka-Rezeption in der Bundesrepublik Deutschland, in: K.H. II, 638.
10. Louis Wiesmann, Das moderne Gedicht. Versuch einer Genealogie, Basel 1973, 8.
11. Clemens Heselhaus, Kafkas Erzählformen, DVjs 26, 1952, 246–266.
12. Nagel, Franz Kafka. Aspekte zur Interpretation und Wertung, Berlin 1974, 303.
13. Peter U. Beicken, »Berechnung« und »Kunstaufwand«, in: Caputo-Mayr (Hg.), a. a. O. 219 f.
14. Marthe Robert, Das Alte im Neuen. Von Don Quichotte bis Franz Kafka. München 1968.
15. Nagel, Kafka und Goethe, a. a. O. 24. Ebd. folgendes Zitat.
16. Max Lerner, The Human Voyage, in: Flores (Hg.), a. a. O. 45.
17. Wystan Hugh Auden, Kafka's Quest, ebd. 55.
18. Hans Mayer, Zur deutschen Literatur der Zeit. Zusammenhänge, Schriftsteller, Bücher, Reinbek 1967, 274.
19. Hartmut Binder, Motiv und Gestaltung bei Kafka, Bonn 1966, 393; Paul Raabe, Franz Kafka und der Expressionismus, ZfdPh 86, 1967, 161–175; Hans Mayer, Kafka oder „Zum letztenmal Psychologie", a. a. O. 271.
20. Vgl. Claude-Edmonde Magny, The objective Depiction of Absurdity, in: Flores (Hg.), a. a. O. 87: »To derive from his work a philosophy (even one which embraces turmoil und paradox, like that of Kierkegaard), is to render it too rational and, therefore to falsify it . . . One can, certainly, discover a posteriori a philosophical significance, but it is not primary and results more or less arbitrarily.« Kafka wollte nicht philosophieren, sondern »Geschichten erzählen«.

21. Das Modewort »kafkaesk« impliziert recht eigentlich ein Mißverständnis
    Kafkas. Meint es doch Phantastisch-Unwirkliches, wohl auch Gruseliges in
    der Manier E. T. A. Hoffmanns oder E. A. Poes oder gar schockierend
    Abartiges und künstlich inszenierte Greuel in der Art moderner Science
    Fiction. All das steht jedoch im Gegensatz zu Kafka, der gerade nicht das
    Ungewöhnliche suchte und, wie er selber sagte, auch nichts erfand, sondern
    nur aufschrieb, weil schon das Gewöhnliche an sich ein Wunder sei. Was ihn
    kennzeichnet, ist daher das »unmittelbare Staunen über die Magie des
    Einfachen«. (Wagenbach, Franz Kafka, Reinbek 1972) »Alles, was effekt-
    voll und intellektuell, künstlich erdacht anmutete, verwarf er«. (Max Brod:
    Franz Kafka. Eine Biographie, Frankfurt a. M.[3] 1954, 59) Als einen extre-
    men Vertreter des zu Kafka schroff kontrastierenden »Kafkaesken« nennt
    Hermann Pongs (Ambivalenz in moderner Dichtung. Festschrift für Herbert
    Seidler, Salzburg-München 1966, 209) den Franzosen George Langelaan,
    dessen abstoßend sensationslüsterne Geschichte *Die Fliege* demonstriere,
    »was der ›Wüstling des Möglichen‹ heute ausrichten kann«.
22. Vgl. Lawrence Ryan, »Zum letztenmal Psychologie!« Zur psychologischen
    Deutbarkeit der Werke Franz Kafkas, in: Psychologie in der Literaturwis-
    senschaft, hg. von Wolfgang Paulsen, Heidelberg 1971, 171: »Kafka hat
    nämlich keine Theorie der Gesellschaft entwickelt; er kannte nur das Indivi-
    duum.« Das trifft – wenn auch überscharf formuliert – den Kern der Sache.
23. Gustav Janouch, Gespräche mit Kafka. Erinnerungen und Aufzeichnungen,
    Ffm.[2] 1968. Vgl. dazu Eduard Goldstücker, Kafkas Eckermann? Zu Gustav
    Janouchs Gesprächen mit Kafka, in: David (Hg.), a. a. O. 238–255.

Einführung

1. Wie er im Berliner Kafka-Symposium von 1965 betonte, konzentriere er
   sich auf das Sammeln von »Realitätspartikeln« und warne vor »bloß speku-
   lativ-metaphysischen Interpretationen«.
2. Franz Kafka. Eine Biographie seiner Jugend. 1883–1912, Bern 1958, 185.
3. Marcel Reich-Ranicki (Thomas Mann im Alltag. In: Die Zeit Nr. 27, 29.
   Juni 1973) betont, daß »man aus Kafka ein Mysterium gemacht« habe,
   während »aus Thomas Mann ein Monument« geworden sei. »Das dring-
   lichste Gebot scheint daher in dem einen Fall die Entmystifizierung und in
   dem anderen die Entmonumentalisierung.«
4. Zur deutschen Literatur der Zeit. Zusammenhänge, Schriftsteller, Bücher,
   Reinbek 1967, 274. Ebd. 270 nächstes Zitat.
5. Vgl. Wagenbach, a. a. O. 185.
6. Auch für Kafka gilt, was Robert Musil festgestellt hat, daß nämlich »auch
   der unabhängigste Schriftsteller nichts hervor[bringt], was sich nicht fast
   restlos als abhängig von Überlieferungen der Form und des Inhalts nachweisen ließe, die er in sich aufgenommen hat . . .« (Hans Mayer: Deutsche
   Literaturkritik im zwanzigsten Jahrhundert, Stuttgart 1965, 743)
7. Bert Nagel, Die Sprachkrise eines Dichters. Zum Chandos-Brief Hugo von
   Hofmannsthals. In: Autiquitates Indogermanicae. Gedenkschrift für Hermann Güntert zur 25. Wiederkehr seines Todestages. Hg. von Manfred
   Mayrhofer, Wolfgang Meid, Bernfried Schlerath, Rüdiger Schmitt. Innsbrucker Beiträge zur Sprachwissenschaft, Bd. 12, Innsbruck 1973, 487–503.

8. Frank Wood, The Role of »Wortschuld« in Werfel's Poetry, in: Franz Werfel 1890–1945. Edited by Lore F. Foltin, University of Pittsburgh Press 1961, 39–49.

9. Das entsprach der damals stark wirkenden Philosophie des Physikers Ernst Mach (1838–1916), der alle Erkenntnis auf die Empfindungen als die letzten Elemente des Gegebenen gründete und mit dieser Auflösung des Ich gleichsam eine theoretische Begründung des Impressionismus gab.

10. Vor allem Johannes Urzidil (Da geht Kafka, Zürich und Stuttgart 1965, 11 und 13) betonte die Identität Kafkas mit Prag, dieser »Stadt der Raconteure, der magischen Realisten, der Erzähler mit exakter Phantasie«. In »jeder Gestalt, jeder Situation, jeder Milieuschilderung Kafkas lasse sich das Pragerische nachweisen«. »Zwischen Dichtung und Lebenssprache bestand für die Deutschprager niemals eine Kluft ... Diese völlige Koinzidenz der Sprache des Lebens mit der des Dichters ist wahrscheinlich das stärkste Form- und Wirkungsgeheimnis der Prager und besonders gerade Kafkas. Wer ihn als Menschen sprechen hörte, der hört ihn auch bis in die kleinste Nuance aus jeder seiner Zeilen. Dies ist das Geheimnis einer inneren Identiät ...« Auch Willy Haas, der Herausgeber der Liebesbriefe Kafkas an Milena Jesenská, unterstellt, daß, wer Kafka verstehen will, vor allem das alte goldene Prag der Jahrhundertwende gekannt haben muß.

11. Das Alte im Neuen. Von Don Quichotte bis Franz Kafka, München 1968.

12. Franz Kafka. In Selbstzeugnissen und Bilddokumenten. Dargestellt von Klaus Wagenbach, Reinbek 1972, 50.

13. Wagenbach, a. a. O. 32. Ebd. 35: »*Der einsame Mittelpunkt im einsamen Kreis* (ein Wort Kleists, in seinen *Empfindungen vor Caspar David Friedrichs Seelandschaft*) – dies war die Stellung des jungen Kafka in seiner Umwelt ...« Ebd. 63 und 61 ff. weitere Zitate.

14. T 318 f. »Da ich nichts anderes bin als Literatur und nichts anderes sein kann und will«, langweilt mich »alles, was nicht Literatur ist, ... und ich hasse es ...«

15. T 420. In diesen Zusammenhang gehört auch der Tagebucheintrag von 1913: »In mir selbst gibt es ohne menschliche Beziehung keine sichtbaren Lügen. Der begrenzte Raum ist rein.« (T 320)

16. Wagenbach, a. a. O. 58.

17. T 514: »mir den Blick zerstreut« bedeutet: »mein traumhaftes inneres Leben stört«.

18. Wagenbach, a. a. O. 9.

19. Bemerkenswert ist seine Bewunderung für Thomas Mann.

20. Ebd. Auch das Leben Kants, der Königsberg so gut wie nie verlassen hat, war äußerlich ein »provinzielles Dasein«, aber reich im Sinne des Wortes: »Omnia mea mecum porto.«

21. Vortrag über Franz Kafkas *Der Heizer* an der University of California in Los Angeles im Mai 1971.

22. Wagenbach, a. a. O. 92: »Die Lebensmuster dieser Schriftsteller zog ... Kafka zur Interpretation und Bestätigung des eigenen Verhaltens öfters heran ...« Ebd. 40 nächstes Zitat.

23. Lawrence Ryan, »Zum letztenmal Psychologie!« a. a. O. 171.

24. Motiv und Gestaltung bei Kafka, Bonn 1966. Ferner: Kafkas literarische Urteile. Ein Beitrag zu seiner Typologie und Ästhetik. ZfdPh, 86, 1967, 211–249.

25. Kafka's Sources of the *Metamorphosis*, Comparative Literature XI, 1959, 289.
    Binder, a. a. O. 154 betont, daß Kafka »die Umsetzung der darzustellenden Gegebenheiten (selbst im Falle eigener Erlebnisse) nur vermittels vorgeprägter sprachlicher Einheiten leisten« konnte, da »sein Verhältnis zur Wirklichkeit . . . gebrochen, literarisch« gewesen sei.
26. Kafkas Dichtungen. Die Travestien des Mythos, Bern 1963.
27. Kafka and the Yiddish Theater. Its Impact on his Work, University of Wisconsin Press 1971.
28. Sogar die Erzählung *In der Strafkolonie*, die in Stoff und Motiv eine typisch Kafkasche Erfindung zu sein scheint, hat ein detailliert ausgeführtes Vorbild: *Le Jardin des Supplices* von Octave Mirbeau.
29. Franz Kafka. Pro und contra, München 1951.
30. Wagenbach, a. a. O. 33: »Die innere Welt wird eingerichtet, die äußere nur als Materialhaufen angesehen.«
31. Binder, a. a. O. 123. Ebd. 124, 27, 37 und (Vorwort) V weitere Zitate.
32. Franz Kafka, a. a. O. 185.
33. Wie in Träumen wird auch in Kafkas Werken gleichzeitig Verschiedenes angesprochen. Und gleichfalls wie in Träumen kann Beiläufiges als Hauptsächliches fungieren und umgekehrt. Ja, wie in Träumen lassen sich Haupt- und Nebensächliches nicht zuverlässig unterscheiden.

Erbe vieler Ahnen

1. Klaus Wagenbach, Franz Kafka. Eine Biographie seiner Jugend 1883–1912, Bern 1958, 251–263.
2. Die zahlreichen Märchensammlungen bezeugen die (ambivalente) Affinität Kafkas zu dieser Erzählgattung. Er verwarf, ja haßte die Märchen, weil sie so selbstverständlich auf ein gutes Ende hinauslaufen, also das Recht siegen und das Unrecht verlieren lassen. Andrerseits zogen sie ihn auch an, da sie seinem Grunderlebnis, daß »alles ganz anders« ist, entsprechen und Vorgänge als real vor Augen führen, die mit der vordergründig wahrgenommenen Tageswirklichkeit nicht zu vereinbaren sind. Wie Kafkas »Antimärchen« – *Die Verwandlung* gilt Clemens Heselhaus als Exemplum dieser Gegengattung – suggerieren auch die Märchen die absurd anmutende Vorstellung, daß das sogenannte Wirkliche nicht das eigentliche Wirkliche sei. Märchen und Antimärchen entlarven das Seiende als Schein, indem sie eine Wirklichkeit hinter bzw. über der Wirklichkeit sichtbar machen, die sich – positiv oder negativ – als Deformation des empirisch Erfahrbaren darstellt.
3. Evelyn Torton Beck, Kafka and the Yiddisch Theater. Its Impact on his Work, Madison: University of Wisconsin Press 1971.
4. Kafka selbst nannte u. a. Dostojewski, Flaubert, Grillparzer und Kleist seine »Blutsverwandten«.
5. Vgl. Nagel, Kafka und Goethe. Stufen der Wandlung von der Klassik zur Moderne, Berlin 1977.
6. Wolfgang Jahn, Kafkas Roman *Der Verschollene (Amerika)*, Stuttgart 1975; ders.: *Der Verschollene*, in: K.H. II, 407–420; Max Lerner, The Human Voyage, in: Angel Flores and Homer Swander (Hg.), Franz Kafka Today, Madison 1964, 45–53; Roy Pascal, Dickens and Kafka, The Listener,

London, April 1956, 504–506; Mark Spilka, Dickens and Kafka, Bloomington 1963; ders.: Amerika: Its Genesis, in: Flores (Hg.) 95–116; E. W. Tedlock, Kafka's Imitation of David Copperfield, Comparative Literature VII, Winter 1955, 52–62; Rudolf Vašata, *Amerika* and Charles Dickens, in: Flores (Hg.), a. a. O. 141–146; Austin Warren, Kosmos Kafka, in: Flores (Hg.), a. a. O. 69–83.

7. Ingeborg Henel, Kafkas *In der Strafkolonie*, in: Untersuchungen zur Literatur als Geschichte, Festschrift für Benno von Wiese, Berlin 1973, 498.
8. Warren, Kosmos Kafka, in: Flores (Hg.), a. a. O. 69.
9. Vašata, *America* and Charles Dickens, in: Flores (Hg.), a. a. O. 141.
10. H. Binder, Bauformen, in: K. H. II, 67: »So heißt es etwa im *Schloß* über Pepi: ›sie begann selbst gleich zu erzählen, als könne sie, selbst wenn sie sich mit ihrem Leid beschäftigte, sich ihm nicht ganz hingeben, denn das ginge über ihre Kräfte.‹«
11. Gerhard Kurz, Rede und Gedanken, in: K. H. II, 125.
12. Kohn, Prager Dichter, in: Selbstwehr 7, Nr. 23, 6. Juni 1913, 1–3.
13. Jahn, Die Romane. Quellen, K.H. II, 417.
14. Zu diesem Tadel einer »rohen Charakterisierung« der Figuren bei Dickens stimmt, daß die Protagonisten und auch die Nebenfiguren Kafkas keine psychologisch ausgestalteten Charaktere sind, sondern weithin undurchschaubare unausgeschöpfte Möglichkeiten, fast Menschen ohne Eigenschaften, »Hohlformen«, wie Beda Allemann (Kafka: *Der Prozeß*, in: Der deutsche Roman, hg. von Benno von Wiese, Bd. 2, Düsseldorf 1963, 238) überscharf formulierte. Dieser Anonymisierung der Personen entspricht, daß »nichts über ein Inneres ausgesagt« wird, daß vielmehr »alles Innere . . . ins Äußere und in Äußerungen gewendet« erscheint.
15. Helmut Heuer, Die Amerikavision bei William Blake und Franz Kafka, (Diss.) München 1960.
16. Albert S. Cook, Romance as Allegory: Melville and Kafka, in: The Meaning of Fiction, Wayne State University Press 1960, 242–259; Peter Demetz, Franz Kafka a Herman Melville, in: Casopis pro Moderni Filologii, Prague XXXI, 1947/48, 183–185 und 267–271; Leonhard R. Hoffmann, Melville and Kafka, Stanford University Thesis 1951.
17. Lee van Dovski, Poe, in: Genie und Eros, Frankfurt a. M. 1959, 175–203. Laura Hofrichter, From Poe to Kafka, University of Toronto Quarterly XXXIX 1960, 405–417; Raimund Pissin, Edgar Allan Poe, in: Berliner Hefte für geistiges Leben, 4. Jg., 1949, 453–467.
18. Zitiert nach van Dovski, a. a. O. 175.
19. Zitiert nach Pissin, a. a. O. 457.
20. Robert M. Adams, Swift und Kafka, in: Strains of Discord, Cornell University Press, 1958, 146–179; Rudolf Kassner, Stil und Gesicht: Swift-Kafka, Merkur, 8. Jg., 1954, H. 8, Nr. 78, 737–752 und 834–835.
21. Felix Weltsch, Religion und Humor im Leben und Werk Franz Kafkas, Berlin 1957.
22. Gegen die Laudatio des Fortinbras auf den toten Hamlet richtete Kafka die pessimistische Zweifelsfrage: »Wie konnte Fortinbras sagen, Hamlet hätte sich höchst königlich bewährt?« (T 481: 29. September 1915).
23. Vgl. zum Folgenden: Bert Nagel, Das neue Krisenerlebnis der Moderne, in: Kafka und Goethe, Berlin 1977, 174 ff. Ebd. 176 und 173 die folgenden Zitate. Vgl. ferner Peter Dow Webster, Arrested Individuation or The

Problem of Josef K. and Hamlet, in: American Imago V, 1948, 225–245.

24. Motiv und Gestaltung bei Franz Kafka, Bonn 1966, 191. Ebd. die beiden Zitate.

25. Sheppard, Die Romane, in: K.H. II, 442; Livermore, K. and Stendhal's *De l'Amour*, in: Revue de Littérature Comparée 43, 1969, 173–195.

26. Schoeps, Theologische Motive in der Dichtung Kafkas, in: Die neue Rundschau, 62.Jg., 1951, 21.

27. Hesse, Schriften zur Literatur 2, Eine Literaturgeschichte in Rezensionen und Aufsätzen, Frankfurt a.M. 1970, 477 f.

28. Ries, Transzendenz als Terror. Eine religionsphilosophische Studie über Franz Kafka, Heidelberg 1977, 41 f.

29. Klaus Wagenbach, Franz Kafka in Selbstzeugnissen und Bilddokumenten, Reinbek 1964, 114. Kafkas Auseinandersetzungen mit Pascals *Pensées sur la religion*, auf welche ihn Willy Haas (Die literarische Welt, Erinnerungen, München 1957) hingewiesen hatte, begann bereits 1913/14: T 350, 522 und F 136. Vgl. auch Max Brods Kafka-Biographie.

30. Ries, a. a. O. 111.

31. Vgl. die Ausführungen Eugen Bisers über »Die Unmöglichkeit des Menschseins heute« in: »Menschsein in Anfechtung und Widerspruch«, Düsseldorf 1980, 13 ff., insbesondere den Eingangssatz: »Der Mensch ist das Wesen, das gegen seine eigene Unmöglichkeit existiert.«

32. Lee van Dovski, Baudelaire, in: Genie und Eros, Fischer Bücherei, Frankfurt a.M. 1959, 131.

33. Aus Baudelaires Briefen an seine Mutter: Lettres inédites à sa mère. Préface et notes de Jacques Crépet, Paris 1918. Ebd. das nächste Zitat.

34. James Rolleston. Die Erzählungen. Das Frühwerk, in: K.H. II, 243. Von Gustave Flaubert hatte Kafka *L'Éducation sentimentale, Madame Bovary,* die *Lettres à sa nièce Caroline* und – vor allem auch – die *Briefe über seine Werke* in persönlichem Besitz. Vgl. Klaus Wagenbach, Franz Kafka. Eine Biographie seiner Jugend, Bern 1958, 254.

35. Karl-Heinz Fingerhut, Die Erzählungen. Die Phase des Durchbruchs (1912–1915), ebd. 266.

36. Johannes Urzidil, Epilog zu Kafkas Felice-Briefen, in: Das Nachleben der Romantik in der modernen deutschen Literatur, Heidelberg 1969, 218.

37. Ingeborg Henel, Periodisierung und Entwicklung, in: K.H. II, 226.

38. Binder, Motiv und Gestaltung bei Franz Kafka, a. a. O. 191 f. Vgl. ebd. 253 ff. und ders.: Kafkas literarische Urteile, ZfdPh 86, 1967, 226 ff.

39. Binder, Nichtepische Arbeiten und Lebenszeugnisse, in: K.H. II, 543.

40. Hans Christoph Buch, »Ut pictura poesis«. Die Beschreibungsliteratur und ihre Kritiker von Lessing bis Lukács, München 1972, 225.

41. Kate Flores, The Judgement, in: Flores/Swander (Hg.), a. a. O. 17. *Bouvard et Pécuchet* war Flauberts letzter Roman.

42. F. J. Hoffmann, Escape from Father, in: Flores (Hg.), a. a. O. 246.

43. Gerhard Kurz, Figuren, in: K.H. II, 109 f.

44. W. Burns, *In a Penal Colony*: Variations on a theme by Octave Mirbeau, Accent 17, 1957, H.2, 45 ff.

45. Binder, Motiv und Gestaltung, a. a. O. 169, 260 und 395; I. Henel, Kafkas *In der Strafkolonie*, a. a. O. 480–504; Nagel, Franz Kafka (1974), a. a. O. 238–442; Fingerhut, Erzählungen, in: K.H. II, 278.

46. Fingerhut, ebd. 278 betr. Wagenbach, Franz Kafka, *In der Strafkolonie*. Eine Geschichte aus dem Jahr 1914, Berlin 1975.
47. Binder, Motiv und Gestaltung, a. a. O. 169.
48. Ingeborg Henel, a. a. O. 500 f.
49. Nagel, *Jud Süß* und *Strafkolonie*. Das Exekutionsmotiv bei Lion Feuchtwanger und Franz Kafka, in: Festschrift für Hans Eggers, Tübingen 1972, 616.
50. Gleichwohl stellte Wystan Hugh Auden Kafka mit Dante, Shakespeare und Goethe in eine Reihe mit der Begründung, daß Kafka in ähnlicher Weise die Moderne repräsentiere, wie jene als Repräsentanten ihrer Zeitalter anzusprechen seien. D. Pearce (*The Castle*. Kafka's *Divine Comedy*, in: Flores/ Swander (Hg.), a. a. O. 165 ff.) hat sogar einen direkten Vergleich, ja eine Gleichsetzung von Kafkas *Schloß*-Roman mit Dantes Weltgedicht versucht.
51. Vgl. Giuditta Podestá, Kafka e Pirandello, in: Humanitas (Brescia) XI, 1956, 230–244; Guiseppe Zoppi. Monographisches Geleitwort zu *Einer, Keiner, Hunderttausend*, Bd. 1 der deutschen Gesamtausgabe der Romane von Luigi Pirandello, hg. und übertragen von Hans Feist, Zürich und Leipzig 1928. Vgl. ferner F.V. Nardelli, *L'uomo segreto* (1932).
52. Nagel, Kafka und Goethe, 204.
53. Jacobsen starb mit 38, Kafka mit 41 Jahren.
54. Motiv und Gestaltung bei Franz Kafka, Bonn 1966, 132. Auch Hans Siegbert Reiß nannte Kafka »greatly influenced by Strindberg«. Vgl. ferner Friedrich Tramer, August Strindberg und Franz Kafka, DVjs. 1960, 249–256.
55. Peter Weiss (Gegen die Gesetze der Normalität. Zur Strindberg-Feier des Berliner Schiller-Theaters, am 27. Mai 1962, in: Spectaculum 10, Frankfurt a. M. 1967, 321) spricht mit Recht von »nietzscheanischen Tönen«, die es bei Strindberg gebe: »Die patriarchalische Welt hatte er ja selbst im Blut. Hier lagen die Konflikte, die ihn oft so widerspruchsvoll machen.«
56. Erich Heller, Die Welt Franz Kafkas, in: Studien zur modernen Literatur, Frankfurt a. M. 1963, 39.
57. W. Baumgartner, Kafka und Strindberg, in: Nerthus 2, 1969, 9 ff.
58. A. Rendi, Influssi letterari nel *Castello* di Kafka, in: Annali Istituto Universitario Orientale, Sezione 4, 1961, 75 ff.
59. H. von Hentig, Franz Kafka, *Der Prozeß*, in: Monatsschrift für Kriminalpsychologie und Strafrechtsreform 18, 1927, 224.
60. Walter Sokel, Das Programm von Kafkas Gericht: ödipaler und existentieller Sinn des *Prozeß*-Romans, in: Caputo-Mayr (Hg.), a. a. O. 103.
61. A. Storch, Das archaisch-primitive Erleben und Denken der Schizophrenen. Entwicklungspsychologisch-klinische Untersuchungen zum Schizophrenieproblem, Berlin 1922, 46.
62. Vgl. D.L. Burnham, August Strindberg's Need – Fear Dilemma, as seen in his Relationship with Harriet Bosse, in: Psychiatry and the Humanities 1, ed. by J.H. Smith, New Haven, London 1976, 73 ff.
63. Hartmut Binder, K.H. I 467; ferner Storch, a. a. O. 43 f., 45, 14, 18; Burnham, a. a. O. 81 und M. Spann, Franz Kafka, Boston 1976, 54 ff., 63 f., 72 f. und 89 ff.
64. Peter Weiss, a.a.O. 324. Ebd. 322 nächstes Zitatstück.
65. Ebd. 323.
66. Peter Weiss, a. a. O. 324. Ebd. das nächste Zitatbruchstück und das Strind-

bergzitat. Ebd. 320 das spätere Weiss-Zitat und 323 das spätere Strindberg-Zitat.

67. Zu nennen ist hier vor allem der polnische Dichter und Maler Stanislav Ignacy Witkiewicz (1885–1939), ein Zeitgenosse Kafkas, der mit diesem das radikal veränderte und verunsicherte Welt- und Selbstverständnis teilt. Als »wichtigster Sprecher des Katastrophismus«, als den ihn Heinrich Kunstmann (Moderne polnische Dramatik, Köln/Graz 1966) bezeichnet, steht Witkiewicz ebenfalls in einer Reihe mit Kafka.

68. Louis Wiesmann, Das moderne Gedicht. Versuch einer Genealogie, Basel 1973, 28.

69. Hans Gottschalk, Das Mythische in der Dichtung Hölderlins, Stuttgart 1943, 18 f.

70. Karl-Heinz Fingerhut, Die Erzählungen, in: K.H. II, 277.

71. Otto Pick in der Einleitung der von ihm herausgegebenen Sammlung: Deutsche Erzähler aus der Tschechoslowakei, Reichenberg 1922, XI.

72. Bert Nagel, Die Tragik Hebbels. Zum Verständnis der Tragödie *Gyges und sein Ring*, in: Hebbel-Jahrbuch 1962, 16. Vgl. ebd. 16 ff. die weiteren Ausführungen.

73. Rainer Gruenter, Herodes und Mariamne, in: Das Drama, hg. von Benno von Wiese, Düsseldorf 1960, 139. Ebd. 126 das nächste Zitatbruchstück.

74. Altersbrief Burckhardts vom 19. November 1881. Nächstes Zitat aus einem Brief von 1876.

75. Bernhard Blume, German Literature, Texts and Contexts, New York o.J., 282.

76. Reinhod Schneider (Hg.): Annette Freiin von Droste-Hülshoff, Gesammelte Werke, Vaduz 1948, Bd. 2: Gedichte, Nachwort, 359 ff.

77. Fritz Usinger, Der Dichter und die Dinge, in: Geist und Gestalt, Darmstadt 1948, 115 f.

78. Ludwig Langenfeld, Rainer Maria Rilke, in: Deutsche Literatur im 20. Jahrhundert, hg. von Hermann Friedmann und Otto Mann, Heidelberg [4]1961, 32.

79. Nagel, Kafka und Goethe, 45 f. Ebd. 47 das nächste Zitat.

80. Vgl. Nagel, Kafka und Trakl, in: Kafka und Goethe, a. a. O. 49–63.

81. Bernhard Blume, a. a. O. 455.

82. Wiesmann, a. a. O. 19.

83. Nagel, Kafka und Goethe, a. a. O. 186.

84. Friedrich Beißner, Kafka der Dichter, Stuttgart 1958, 30.

85. Nagel, Kafka und Goethe, 55. Ebd. 56 ff. die nächsten Zitate.

86. Heinz Hillmann, Franz Kafka. Dichtungstheorie und Dichtungsgestalt, Bonn [2]1973, 40.

87. Nagel, Kafka und Goethe, 194 f.

88. Vgl. zum folgenden Walter Sokel, Zur Sprachauffassung und Poetik Franz Kafkas, in: David (Hg.), a. a. O. 26–47; Nagel, Zum Chandos-Brief Hugo von Hofmannsthals, Innsbrucker Beiträge zur Sprachwissenschaft, Bd. 12, 1974, 487–503.

89. Frank Wood, The Role of »Wortschuld« in Werfel's Poetry, in: Franz Werfel 1890–1945. Edited by Lore F. Foltin, University of Pittsburgh Press 1961, 39–49.

90. Walter Sokel, Der Expressionismus in der deutschen Literatur, München 1970. Sokel spricht sogar vom »klassischen Expressionismus« Kafkas.

91. Paul Raabe, Franz Kafka und der Expressionismus, ZfdPh 86, 1967, 175. Ebd. 170 und 175 die nächsten Zitate.
92. Roger Bauer, Kafka und das Ungeheuer: Franz Kafka über Franz Werfel, in: David, (Hg.), a. a. O. 189. Ebd. 197 das nächste Zitat.
93. Paul Stöcklein, Franz Werfel, in: Deutsche Literatur im 20. Jahrhundert, 2. Bd., Heidelberg ⁴1961, 237.
94. Raabe, a. a. O. 175.
95. Bernhard Rang, Die deutsche Epik im 20 Jahrhundert, in: Deutsche Literatur im 20. Jahrhundert, 81.
96. Hartmut Binder, Motiv und Gestaltung . . ., a. a. O. 393.
97. Hans Mayer, Kafka oder »Zum letztenmal Psychologie«, in: Zur deutschen Literatur der Zeit. Zusammenhänge, Schriftsteller, Bücher, Reinbek 1967, 271.
98. Nagel, *Jud Süß* und *Strafkolonie*, in: Festschrift für Hans Eggers, Tübingen 1972, 597–629.
99. Hans Schwerte, Der Weg ins 20. Jahrhundert, in: Annalen der deutschen Literatur, hg. von H. O. Burger, Stuttgart 1952, 805.
100. G. Engels, Der Stil expressionistischer Prosa im Frühwerk Kasimir Edschmids, (Diss.) Bonn 1952; W. Falk, Leid und Verwandlung. Rilke, Kafka, Trakl und der Epochenstil des Impressionismus und Expressionismus, Salzburg 1967; Inge Jens, Studien zur expressionistischen Novelle, (Diss.) Tübingen 1954.
101. Fritz Martini, Der Expressionismus, in: Deutsche Literatur im 20. Jahrhundert, 2. Bd., 259.
102. Walter Sokel, Der literarische Expressionismus, a. a. O.; Herbert Kraft, Kafka. Wirklichkeit und Perspektive, Bebenhausen 1972.
103. Kraft, a. a. O. 10.
104. Sokel, a. a. O. 55.
105. Hillmann, von Wiese zitiert nach Kraft.
106. Kraft, a. a. O. 6. Ebd. 6 f. die folgenden Ausführungen und Zitate.
107. Nagel, Franz Kafka, a. a. O. 313. Ebd. 100 nächstes Zitat.
108. Hans Mayer, a. a. O. 270.
109. Ingeborg Henel, Kafka als Denker, in: David (Hg.), a. a. O. 48–65. Ebd. die weiteren Zitate.
110. Walter Sokel, Language and Truth in Kafka, The German Quarterly, Vol. LII, Nr. 3, 1979, 374. Ebd. 377: »The process of making untruth evident is the only light that language can shed on truth.«
111. Johannes Urzidil, Recollections, in: Flores (Hg.), a. a. O. 23 und 27. Ohne Philosophie zu sein noch es auch nur wollen, ist Kafkas Werk offenbar ein Faszinosum eigener Art für Philosophen.
112. Roger Garaudy, Kafka und die Entfremdung, in: Caputo-Mayr (Hg.), a. a. O. 176.
113. Claudine Raboin, Die Gestalten an der Grenze. Zu den Erzählungen und Fragmenten 1916–1918, in: David (Hg.), a. a. O. 121. Ebd. 122 und 127 weitere Zitate.
114. Hans Schwerte, a. a. O. 805.
115. Vgl. u. a. Ingo Seidler, Das Urteil: »Freud natürlich«? Zum Problem der Multivalenz bei Kafka, in: Psychologie in der Literaturwissenschaft, hg. von Wolfgang Paulsen, Heidelberg 1971, 174–190; ferner Lawrence Ryan, »Zum letztenmal Psychologie!«, ebd. 157–173.

116. Psychologen wie Charles Meider und P. Goodman »treat of Kafka's writings as if they were a code that could bee deciphered with a Freudian key«. Vgl. ferner Hellmuth Kaiser, Franz Kafkas Inferno. Eine psychologische Deutung seiner Strafphantasie, in: Imago, Februar 1931, 41–193; Henry Loeblowitz, Some Leitmotifs in Franz Kafka's works psychoanalytically explored, University of Kansas City Review, Winter 1946, Vol. 13, Nr. 2, 115–118.

117. Hermann Hesse, Notizen zum Thema Dichtung und Kritik, in: Hans Mayer (Hg.), Deutsche Literaturkritik im zwanzigsten Jahrhundert, Stuttgart 1965, 635.

118. Walter Sokel, Franz Kafka – Tragik und Ironie. Zur Struktur seiner Kunst, 1964, 24. Ebd. 75 f. die weiteren Zitate.

119. Hans Mayer, Kafka oder »Zum letztenmal Psychologie«, a. a. O. 270–275. Ebd. 271, 272 und 274 die nächsten Zitate. Nicht übersehen sollte man jedoch, daß in den Elendsgestalten Kafkas stets auch Autobiographisches steckt, was unvermeidlich, wenn auch unausgesprochen, inneres Mitleben und Mitleiden des Dichters mit seinen Personen einschließt.

120. Ingo Seidler, a. a. O. 185.

121. Heinz Politzer, Franz Kafka. Parable and Paradox, Ithaca, N. Y. 1962.

122. Ingeborg Henel, Die Deutbarkeit von Kafkas Werken, ZfdPh 86, 1967, 250–266.

123. Frederick Hoffmann, Escape from Father, in: Flores (Hg.), a. a. O. 238. Ebd. 241 das nächste Zitat.

124. Vgl. Frederick Hoffmann, Freudianism and the literary mind, Louisiana State University, 1945, 181–192; Guy-Fernand, Étude Psychopathologique sur l'écrivain Kafka, (Diss.) Bordeaux 1951; Peter Demetz, Kafka, Freud, Husserl: Probleme einer Generation, Zeitschrift für Religions- und Geistesgeschichte (Leyden), VII, 1955, 59–69; Alexander Kuhr, Neurotische Aspekte bei Heidegger und Kafka, Zeitschrift für Psychosomatische Medizin (Göttingen) I, 1953, Nr. 3, 217–227; Walter Sokel, Das Programm von Kafkas Gericht: Ödipaler Komplex und existentieller Sinn des *Prozeß*-Romans, in: Caputo-Mayr (Hg.), a. a. O. 81–107. Ebd. 82: »In seinem am klarsten gegliederten Versuch einer Autobiographie, seinem Brief an den Vater, stellt Kafka sein eigenes Leben aus einer Sehweise dar, die stark an den Freudschen Ödipuskonflikt erinnert.« Für Kafkas Erzählung *Das Urteil,* aber auch für die *Verwandlung* hat dieser »ödipale Komplex« modellhafte Bedeutung.

125. Wilhelm Emrich, Franz Kafka und der literarische Nihilismus, in: Caputo-Mayr (Hg.), a. a. O. 110.

126. Ebd. 117. Ebd. 111, 112, 113, 116, 118 und 119 weitere Zitate.

127. Vgl. Heinrich Henel, Kafka meistert den Roman, in: David (Hg.), a. a. O. 118: »Kafkas Welt ist nicht sinnlos, aber der Verstand des Menschen reicht nicht dazu aus, sie zu begreifen.«

128. Flores (Hg.), a. a. O. foreword XIII: »Most of the present-day exegists and translators of Kafka in France – Jean Carrive, Pierre Klossowski, Jean Starobinski, Marcel Lecomte – are seeing in Kafka's works a dramatization of their own Existentialism.« Vgl. Max Brod, Kierkegaard, Heidegger, Kafka, L'Arche, Paris, November 1946, Nr. 21, 44–54; Stanley Corngold, Angst und Schreiben in einer frühen Aufzeichnung Kafkas, in: Caputo-Mayr (Hg.), a. a. O. 59–70; Paul de Man, Blindness and Insight, New York:

Oxford University Press 1971; Walter Sokel, Kafka und Sartres Existenzphilosophie, in: *arcadia*. Zeitschrift für vergleichende Literaturwissenschaft 5, 1970, 262–277. Vgl. ferner das Interesse, das Camus und Sartre an Kafkas Dichtung nahmen, sowie die Äußerung Richard Morris' in seiner Besprechung von J. P. Sterns (Hg.): The World of Kafka (vom 3. Dezember 1980): »There is indeed a strong temptation to read Kafka in the light of Karl Jaspers. Here we have true descriptions of limit-situations whose very desperation generates faith in transcendent value.«

129. Stanley Corngold, a. a. O. 59. Das Zitat von Paul de Man, a. a. O. 27.
130. Ingeborg Henel, Kafka als Denker, a. a. O. 62 f. Ebd. die folgenden Zitate.
131. Vgl. Edwin Kuntz, Karl Jaspers' Appell an den Menschen, in: Heidelberger Rhein-Neckar-Zeitung vom 21. Januar 1948.
132. Walter Sokel: Kafka und Sartres Existenzphilosophie, a. a. O. 264. Ebd. 265 weitere Zitate.
133. Klaus Wagenbach, Franz Kafka in Selbstzeugnissen und Bilddokumenten, Reinbek 1964, 51.
134. Vgl. Oskar Baum, Recollections, in: Flores (Hg.), a. a. O. 28–34. Vgl. ferner Margaret Church, Kafka and Proust. A Contrast in Time, Bucknell Review, 1957, 107–112.
135. Bernhard Rang, Exkurs über Robert Walser, in: Deutsche Literatur im 20. Jahrhundert, 1. Bd., a. a. O. 108 f.
136. Rang, a. a. O. 100.
137/138. Nagel, Kafka und Goethe, a. a. O. 200 u. 201 f.
139. Vgl. Anna Maier, Franz Kafka und Robert Musil als Vertreter der ethischen Richtung des modernen Romans, (Diss.) Wien 1949; Joseph Strelka, Kafka, Musil, Broch und die Entwicklung des modernen Romans, Wien-Hannover-Basel 1959; Walter Sokel, Kleists *Marquise von O.*, Kierkegaards *Abraham* und Musils *Tonka:* Drei Stufen des Absurden in seiner Beziehung zum Glauben, in: Festschrift für Bernhard Blume, Göttingen 1967, 323–333; Heinz J. Halm, Satirische Parabeln. Robert Musils Tiergeschichten im »Nachlaß zu Lebzeiten«: *Das Fliegenpapier, Die Affeninsel, Hasenkatastrophe,* in: Sprachkunst, Jg. VII, Wien 1975, 75–86; Claudio Magris, Der Zeichen Rost. Hofmannsthal und Ein Brief, ebd. 53–74; Theo Buck, Reaktionen auf Kafka bei den Schriftstellerkollegen, in: David (Hg.), a. a. O. 210–228.
140. Ludwig Dietz, Franz Kafka, Stuttgart 1975, 95; Robert Musil, Tagebücher, Aphorismen, Essays und Reden, hg. von Adolf Frisé, Reinbek 1955, 684–688.
141. Wilhelm Emrich, Formen und Gehalte des zeitgenössischen Romans, in: Protest und Verheißung, Frankfurt a. M. [2]1963, 169 f. Vgl. auch Nagel, Franz Kafka, a. a. O. 117 f.
142. Nagel, Kafka und Goethe, a. a. O. 28.
143. Sokel, Kleists *Marquise von O.*, Kierkegaards *Abraham* und Musils *Tonka,* a. a. O. 323.
144. Claudio Margris, a. a. O. 64.
145. Nagel, Kafka und Goethe, a. a. O. 204. Vgl. ebd. die nächstfolgenden Ausführungen.
146. Günther Blöcker, Eine Daseinssekunde als Treffpunkt der Jahrtausende. Besprechung von Ernst Jüngers *Siebzig verweht,* Bd. II, in: FAZ (24. Dezember 1981).

147. Wilhelm Emrich, Franz Kafka, Bonn ³1964, 36.
148. Ingeborg Henel, Die Deutbarkeit von Kafkas Werken, ZfdPh 86, 1967, 254.
149. Emrich, a. a. O. 22.

Jüdisches Erbe

1. Motiv und Gestaltung bei Kafka, Bonn 1966, 27.
2. Das gilt auch für die Erzählung *In der Strafkolonie,* die in Stoff und Motiv keine Erfindung Kafkas ist, sondern in Octave Mirbeaus *Le Jardin des Supplices* ihr detailliert ausgeführtes und (zumindest äußerlich) genau befolgtes Vorbild besitzt. Und doch sind beide Erzählungen trotz aller Übereinstimmungen letzthin unvereinbar.
3. Früheste Deutung Franz Kafkas, in: Gestalten u. Kreise, Zürich 1954, 355.
4. Kafka. Pro und contra, München 1967, 61.
5. Transzendenz als Terror. Eine religionsphilosophische Studie über Franz Kafka, Heidelberg 1977, 129 f.
6. Vgl. Nagel, *Der Bau,* in: Franz Kafka. Aspekte zur Interpretation und Wertung, Berlin 1977, 275–317.
7. Binder, a. a. O. 76. Kafka selbst sprach von den »an ihrem letzten Ende angelangten religiösen Formen« des Judentums, die nur noch einen »bloß historischen Charakter« hätten. (Tagebucheintrag, zitiert nach Binder, a. a. O. 3) Andrerseits hat er eine zionistische Phase durchgemacht. Hinzu kommt, daß in den verschiedenen Zeiten seines Lebens das religiöse Element verschieden stark zur Wirkung kam.
8. Vgl. außer den einschlägigen Veröffentlichungen Max Brods vor allem Hartmut Binder, Judentum, in: K.H. I, 570–584, ferner: Hannah Arendt, The Jews as Pariah: A Hidden Tradition, Jewish Social Studies (New York), April 1944, 99–122; dies.: Franz Kafka. A Revaluation, Partisan Review, Fall 1944, 412–422; Wystan Hugh Auden, The Wandering Jew, in: New Republic, February 10, 1941, 185–186; ders.: Kafka's Quest, in: Flores (Hg.), a. a. O. 47–52; Roger Bauer, Kafka à la lumière de la religion juive, Dieu vivant, Paris IX, 1947, 105–120; Lienhard Bergel, »The Burrow«, in: Flores (Hg.), a. a. O. 199–206; Samuel Bergmann, Erinnerungen an Franz Kafka, Universitas, 1972, 739–760; Evelyn Torton Beck, Kafka and the Yiddish Theater. Its impact on his work, Madison: University of Wisconsin Press, 1965; Martin Buber, Kafka and Judaism, in: Ronald Gray (Hg.): Kafka. A collection of critical Studies, Englewood Cliffs 1962; ders.: Ein Wort über Franz Kafka, in: Kampf um Israel, Berlin 1933, 233 ff.; Klara Carmely, Noch einmal: War Kafka Zionist?, The German Quarterly, 52, May 1979, 351–363; Bluma Goldstein, Franz Kafka's *Ein Landarzt*: A Study in Failure, DVjs 42, 1968, 745–759; dies.: A Study of the Wound in Stories by Franz Kafka, Germanic Review 41, 1966, 202–217; Clement Greenberg, The Jewishness of Franz Kafka, Commentary (New York), April 1955, 320–324; Werner Hoffmann, Kafka und die jüdische Mystik, in: Stimmen der Zeit 190, 1972, 230–248; ders.: Nichtepische Arbeiten und Lebenszeugnisse, in: K.H. II, 474–493; Gustav Janouch, Gespräche mit Kafka. Erinnerungen und Aufzeichnungen, Frankfurt a. M. 1968; Donald Kartiganer, Job and Josef K.: Myth in Kafka's *The Trial*, Modern Fiction

Studies VIII, 1962, 31–43; Werner Kraft, Franz Kafka. Durchdringung und Geheimnis, Frankfurt a. M. 1968; François Léger, De Job à Kafka, Cahiers du Sud (Marseille), April 1945, 161–165; Theodor Lessing, Jüdischer Selbsthaß, Berlin 1930; Charles Neider, Kafka and the Cabalists, Quarterly Review of Literature, 1945, 250–262; André Nemeth, Kafka ou le mystère juif, Paris 1947; Heinz Politzer, Parable and Paradox, Cornell University Press 1962; W. Rabi, Kafka et la néokabbale, in: Terre retrouvée, 24, 1955, 116–128; Marthe Robert, Zu Franz Kafkas Fragment: In Our Synagogue, Merkur, 2. Jg., 1948, 113 ff.; Hans Joachim Schoeps, Das verlorene Gesetz. Zur religiösen Existenz Franz Kafkas, in: Der Morgen (Berlin), 10. Jg., 1934, 71–75; ders.: Franz Kafka oder der Glaube in der tragischen Position, in: Gestalten an der Zeitenwende, Berlin 1936, 54–77; ders.: Theologische Motive in der Dichtung Franz Kafkas, Neue Rundschau, 62. Jg., Januar/ März 1951, 21–37; Walter Sokel, Language and Truth in Kafka, The German Quarterly, 52, 1979, 368 ff.; Erwin Steinberg, Die zwei Kommandanten in Kafkas *In der Strafkolonie*, in: Caputo-Mayr (Hg.), a. a. O. 144–153; Fritz Strich, Franz Kafka und das Judentum, in: Festschrift des Schweizerischen Israelitischen Gemeindebundes, Basel 1954, 273–289; Margarete Susman, Das Hiob-Problem bei Franz Kafka, in: Der Morgen, 5. Jg., 1929, 31–49; Johannes Urzidil, Da geht Kafka, Zürich und Stuttgart 1965; ders.: Epilog zu Kafkas Felice-Briefen, in: Das Nachleben der Romantik in der modernen deutschen Literatur, Heidelberg 1969, 212–219; Kurt Weinberg, Kafkas Dichtungen. Die Travestien des Mythos, Bern 1963; Otto Weininger, Geschlecht und Charakter, (Diss.) Wien 1917; H. Walther, Franz Kafka. Die Forderung der Transzendenz, Bonn 1977; Felix Weltsch, Religion und Humor im Leben Franz Kafkas, Berlin 1957; ders.: Deutsches Judentum: Aufstieg und Krise, Stuttgart 1963; E. Zolla, Kafka y los Cabbalistas, in: La Nación 93, Buenos Aires, 15. April 1962.

9. Kafka and Judaism, a. a. O. 157; ebd. 159 betont Buber, Kafkas »elaborations« seien paulinisch »only with salvation removed«; die Welt, die er schildert, sei »a Pauline world, except that God is removed into the impenetrable darkness and there is no place for a mediator«.

10. Franz Kafka, Parable and Paradox, a. a. O. 177. Ders.: Franz Kafka, der Künstler, Frankfurt a. M. 1965, 7–9.

11. Franz Kafka's *Ein Landarzt,* a. a. O. 745 ff. Vgl. dazu Martin Bubers Schriften zum Chassidismus im dritten Band seiner Werke, Heidelberg und München 1963; ferner Maurice Friedman: Hasidism and the Contemporary Jew, Judaism, Vl. 9, Nr. 3, (Summer) 1960.

12. Goldstein, a. a. O. 747.

13. Franz Kafka. Eine Biographie seiner Jugend, Bern 1958, 251–263.

14. Healing Symbols in Kafka, The Month XIX, June 1958, 334 f.

15. Kafka and the Yiddish Theater, a. a. O. IX: Die Begegnung mit dem Jiddischen Theater bewirkte bei Kafka »a radical shift in feeling« und vor allem seinen entscheidenden literarischen Durchbruch. Unter dem Eindruck dieses Theater-Erlebnisses schrieb er im September 1912 *Das Urteil*, die erste Erzählung, die seinen charakteristischen »dramatischen Stil« aufweist. Ebd. 122: ». . . in the choice of theme, character, structure, and technique the story *The Judgement* reveals the direct impact of the Yiddish plays.« Am 11. März 1912 hatte er begeistert an seine Verlobte Felice Bauer geschrieben: »Das ganze jiddische Theater ist schön, ich war voriges Jahr wohl

zwanzigmal bei diesen Vorstellungen und im deutschen Theater vielleicht gar nicht.«

16. Ebd. 210: »In some cases entire scenes from the Yiddish plays correspond to parts of Kafka's work.« Ja, in fast allen Erzählungen und Romanen Kafkas seien direkte Einflüsse jiddischer Dramatik nachzuweisen, besonders in *Die Verwandlung*, die in charakteristischen Zügen mit Gordin's *The Savage One* übereinstimmt, *In der Strafkolonie*, worin es ähnlich wie in Gordin's *The Slaughtering* um die Frage der Autorität und des blinden Gehorsams und damit um den Konflikt zwischen Tradition und Aufklärung geht, in *Ein Bericht für eine Akademie*, worin der zum Menschen gewordene Affe als »an ironic counterpart of a converted Jew« erscheine, und in *Ein Landarzt*. Daß auch Kafka selbst seine *Strafkolonie* mit altjüdischen Traditionen assoziierte, bezeugt seine Äußerung: »Aus der alten Geschichte unseres Volkes werden schreckliche Strafen berichtet. Damit ist allerdings nichts zur Verteidigung des gegenwärtigen Strafsystems gesagt. *(Hochzeitsvorbereitungen auf dem Lande)* Im Amerika-Roman *Der Verschollene*, der nach Kafkas eigenen Worten ein Dickens-Roman hätte werden sollen und auch in manchem an *David Copperfield* erinnert, sieht Beck (a. a. O. 129) vor allem eine Gestaltung des jüdischen Schicksals: »Karl's journey parallels the wandering of Jews through the desert.« Er erleide dieselben Schwierigkeiten mit den Identifikationsausweisen wie einst die Juden in Europa, die – ohne »Legal entrance permit« – »den Übermut der Ämter«, ja auch Haß und Verfolgung ertragen mußten. Auch die in Kafkas Werk zentralen Themen von Schuld, Gericht und Strafe sowie der fatale Vater-Sohn-Konflikt seien »specifically Jewish problems raised by the Yiddish plays«. (Ebd. 210).

17. Franz Kafka and Austria: National Background and Ethnic Identity, MAL, Special Kafka Issue 11, Nr. 3/4, 1978, 301 ff.

18. Vgl. Theodor Lessing, Jüdischer Selbsthaß, Berlin 1930.

19. Durchdringung und Geheimnis, Frankfurt a. M. 1972, 206.

20. Das Kafka-Buch. Eine innere Biographie, Frankfurt a. M. 1965, 53.

21. Zur Sozialgeschichte eines Prager Juden, München 1975, 108.

22. Peter U. Beicken, Franz Kafka. Eine kritische Einführung in die Forschung, Frankfurt a. M. 1974, 177.

23. The Jews as Pariah, a. a. O. 8.

24. The Rise and Fall of the Jewish – German Symbiosis: The Case of Franz Kafka, Yearbook I of the Leo Baeck Institute, London 1946, 275.

25. Franz Kafka, in: Der Jude 8, 1924, 482.

26. Gustav Janouch Kafkas Eckermann?, in: David (Hg.) a. a. O. 238–255.

27. Gespräche mit Kafka, Frankfurt a. M. 1961, 68.

28. Motiv und Gestaltung bei Franz Kafka, Bonn 1966, 15.

29. Erinnerungen an Franz Kafka, Universitas 27, 1972, 741 ff.

30. Noch einmal: War Kafka Zionist?, a. a. O. 351–363.

31. Ebd. 352: Daten und Fakten, die hier mit Dank verwertet werden.

32. Walter Sokel, Language and Truth in Kafka, a. a. O. 368 f. Ebd. 370 weiteres Zitat.

33. Kafka wäre nicht imstande gewesen, auch nur eine seiner Erzählungen in dem von ihm für einzig angemessen gehaltenen jüdischen Idiom zu schreiben, da er es nicht beherrschte.

34. Hartmut Binder, Kafkas Hebräischstudien, in: Schiller-Jahrbuch 11, 1967, 527–556; Johannes Urzidil, Da geht Kafka, München 1966, 53–64.

35. Ders. (Binder): Franz Kafka and the Weekly Paper *Selbstwehr*, Yearbook XII of the Leo Baeck Institute, London 1967.
36. Mitgeteilt von Klara Carmely, a. a. O. 358 ff.
37. Die zwei Kommandanten in Kafkas *In der Strafkolonie*, in: Caputo-Mayr (Hg.): Franz Kafka, 144–153. Vgl. auch Steinberg, The Judgement in Kafka's *In der Strafkolonie*, Journal of Modern Literature 1976. Vgl. ders.: The Judgement in Kafka's *The Judgement*, Modern Fiction Studies 8, Spring 1962, 22–30.
38. Ebd. 146. Ebd. weitere Zitate.
39. Kafka. Pro und contra, München 1951, 94.
40. Steinberg, a. a. O. 150. Auch Evelyn Torton Beck, a. a. O. 118 sucht in ihrem Vergleich von Kafkas *Strafkolonie* mit Yakov Gordin's Schauspiel *Elishe Ben Avuya* nachzuweisen, daß der alte Kommandant der Gott des Alten Testamentes ist.
41. Steinberg, a. a. O. 152.
42. Urzidil, The Oak and the Rock, in: Flores (Hg.), a. a. O. 300.
43. The Homeless Stranger, ebd. 180.
44. Kafka and Rex Warner, ebd. 120 f. Vgl. dazu Auden (The Wandering Jew, 185 ff.), der in seine religiöse Deutung des Kafkaschen Werkes ebenfalls das Motiv der Lebensreise – im Blick auf die Theologie Kierkegaards und Reinhold Niebuhrs – aufgenommen hat. Vgl. ferner Edwin Muirs Vergleich der Romane Kafkas mit John Bunyan's *The Pilgrim's Progress* und deren Deutung als religiöse Allegorien, denen das Lebensreisemotiv zugrunde gelegt wird. Muir stützt seine theologische Interpretation auf die aus jüdischer Mystik (und Pascals *Pensées*) gespeisten Aphorismen Kafkas.
45. Urzidil, a. a. O. 299.
46. Kafkas Erzählungen *Schakale und Araber* und *Ein Bericht für eine Akademie* erschienen in Bubers *Der Jude*, 2. Jg. 1917/18, Oktober und November, Berlin und Wien 1917.
47. Gespräche mit Kafka, a. a. O. 103 f. Trotz Bedenken gegen die stilistische Authentizität dieses Janouchschen Kafkazitates wird es hier mitgeteilt, weil es inhaltlich mit anderen Äußerungen Kafkas übereinstimmt.
48. Ingeborg Henel, Die Deutbarkeit von Kafkas Werken, ZfdPh 86, 1967, 263–304.
49. The Three Novels, in: Flores (Hg.), a. a. O. 204. Ebd. das folgende Zitat.
50. Urzidil, a. a. O. 299. Ebd. das folgende Zitat.
51. »The Burrow«, in: Flores (Hg.), a. a. O. 415. Ebd. 417 das folgende Kurzzitat.
52/53. Evelyn Torton Beck, a. a. O. 139. Vgl. zum Folgenden ebd. 141 u. 209.
54. Berliner Börsenzeitung 69, Nr. 275, 14. Juni 1924, 3.
55. The Cabalists, in: Flores (Hg.), a. a. O. 440. Vgl. Neider, The Frozen Sea. A Study of Franz Kafka, New York 1948. Vgl. ders.: Kafka and the Cabalists, Quarterly Review of Literature 1945, Vol. II, 250–262.
56. Werner Hoffmann, Nichtepische Arbeiten und Lebenszeugnisse, in: K.H. II, 474–493. Ders.: Kafkas Aphorismen, Bern 1975. Ders.: Kafka und die jüdische Mystik, in: Stimmen der Zeit 190, 1972, 230–248. Vgl. ferner W. Rabi, Kafka et la néokabbale, in: La Terre retrouvée 24, 1955, 116–128; E. Zolla, Kafka y los Cabbalistas, in: La Nacion 93, Buenos Aires, 15. April 1962; H. Walther, Franz Kafka. Die Forderung der Transzendenz, Bonn 1977.

57. Hoffmann, a. a. O. 484f.
58. Janouch, Gespräche mit Kafka, 153f.
59. Klaus Wagenbach, Franz Kafka in Selbstzeugnissen und Bilddokumenten, Reinbek 1972, 71. Ebd. 73 das folgende Zitat.
60. Vgl. zum Folgenden Urzidil: Da geht Kafka, 218.
61. Br 173 (Briefe 1902–1924, Frankfurt a. M. 1958)
62. Das Verhältnis der Erzählperspektive zu Erzählgeschehen und Sinngehalt in *Vor dem Gesetz, Schakale und Araber* und *Der Prozeß*, ZfdPh 86, 1967, 286f.
63. Zehn unhistorische Sätze über Kabbala, in: Judaica 3, Frankfurt a. M. 1973, 271.
64. Franz Kafka, der Künstler, Frankfurt a. M. 1965, 259. Vgl. Wiebrecht Ries, a. a. O. 140.
65. Da geht Kafka, München 1966, 25.
66. Ries, a. a. O. 138.
67. Heinrich von Kleist und Franz Kafka, in: Berliner Hefte für geistiges Leben, 4. Jg., 1949, 443.
68. Vgl. Nagel, Kafka und Goethe. Stufen der Wandlung von der Klassik zur Moderne, Berlin 1977, 197, Fußnote 53.
69. Gespräche mit Kafka. Erinnerungen und Aufzeichnungen, Frankfurt a. M. 1951 (²1968), 42.
70. Ries, a. a. O. 84.
71. Max Brod, Der Prager Kreis. Zeitschrift für die Geschichte der Juden, 1966, 79; Albert Ehrenstein, Ausgewählte Aufsätze, hg. von M.Y. Ben-gavril, Heidelberg/Darmstadt 1961, 77; Willy Haas Die literarische Welt, München 1958, 10; Julius Herz, a. a. O. 306f.; Marthe Robert, »Citoyen de l'utopie«, in: Les critiques de notre temps et Kafka, hg. von Claudine Raboin, Paris 1973, 48.
72. Aus Kafkas Briefen und Tagebüchern und aus Binders Beitrag »Judentum« (K. H. I, a. a. O. 570–584) geht hervor, daß Kafkas »zionistisches Interesse in den letzten Jahren seines Lebens ständig wuchs«. Im Dezember 1921 schrieb er an den befreundeten Arzt Dr. Robert Klopstock, er freue sich zu sehen, daß Palästina mehr und mehr in sein Gesichtsfeld rücke. Auch bat er um Zusendung einer einschlägigen Aufsatzsammlung des Zionisten und Freundes Samuel Hugo Bergmann.
73. Bergmann, Erinnerungen an Franz Kafka, Universitas 1972, 748.
74. Ebd. 747. Ebd. das nächste Zitat.
75. Kafkas Auffassung des Menschen als eines moralisch schwachen, existentiell sündhaften Wesens entspricht dem Menschenbild der jüdischen (und christlichen) Theologie. Vgl. seinen Aphorismus: »Sündig ist der Stand, in dem wir uns befinden, unabhängig von Schuld.«
76. Wagenbach, a. a. O. 98.
77. Theologische Motive in der Dichtung Franz Kafkas, a. a. O. 21. Ebd. 22, 23, 24 und 25 die nächsten Zitate.
78. Ebd. 26. Ebd. 27 das nächste Zitat.
79. Ebd. 28. Erst am Ende des Romans, als Josef K. jeden Widerstand gegen das Gericht und damit zugleich seine Bemühungen um Rechtfertigung bzw. Freispruch aufgibt, wird er sich seiner bislang unerkannten (oder verdrängten) Schuld bewußt und akzeptiert nun – wie Georg Bendemann in *Das Urteil* – willig das über ihn verhängte Urteil.

80. Man kann in der Tat von »Travestien des Mythos« in der Dichtung Kafkas sprechen. In seinem 1963 erschienenen Buch dieses Titels ist Kurt Weinberg nach Ingo Seidler (*Das Urteil*: »Freud natürlich«? Zum Problem der Multivalenz bei Kafka. In: Psychologie in der Literaturwissenschaft, Heidelberg 1971, 184) »geradezu unerschöpflich im Auffinden von verborgenen Bibel- und Talmudstellen«. Auch Walter Sokel (Das Verhältnis der Erzählperspektive zu Erzählgeschehen und Sinngehalt in *Vor dem Gesetz, Schakale und Araber* und *Der Prozeß*, ZfdPh86, 1967, 286 f.) verweist auf »Analogien, die sich von Kafkas Parabel [*Schakale und Araber*] zu Grundvorstellungen der jüdischen und christlichen Religion ziehen lassen [und] zu offensichtlich [seien], um übersehen werden zu können«.

81. Daß die Gegenwelt des Helden – trotz des Machtanspruchs, den sie erhebt, etwas Hinfälliges, »Irrsinniges« an sich hat, insofern sie »eine Mischung von Autorität, Macht und Würde einerseits und Senilität, Schwäche und Lächerlichkeit andrerseits« darstellt – dieser zweideutige Charakter könne »nicht auf irgendeine Realität bezogen werden«, sondern sei »nur als Spiegelung der zweideutigen Haltung des Helden« verständlich, »als Projektion einer Mischung aus Schuldgefühl und Selbstsicherheit«. (Ingeborg Henel: Die Deutbarkeit von Kafkas Werken, ZfdPh86, 1967, 260) Auch Sokel (a. a. O. 290 f.) kommt im Blick auf Josef K. im *Prozeß* zu dem Schluß, daß »K.'s eigene Handlungen und Rechtfertigungen sich die Bedingungen [schaffen], die ihm ... scheinbar von außen entgegenstehen«. Indessen sollte man diesen Aspekt nicht überanstrengen, zumal in der Welt Kafkas Licht und Schatten nicht so eindeutig verteilt sind. Auch wenn die Gegenwelt der Protagonisten weithin unter deren negativem Aspekt erscheint, ist sie doch selber auch nicht der Ambivalenz enthoben. Vielmehr gehört es zum Sinn der Kafkaschen Weltsicht, daß auch die Gegenwelt, an der die Helden scheitern, fragwürdig ist. Das ergibt sich aus dem *Brief an den Vater*, der persönlichen Auseinandersetzung Kafkas mit der im Vater repräsentierten Gegenwelt. Dort heißt es, daß dieser Vater, der gegenüber allen Familienangehörigen »immerfort Richter zu sein [beanspruchte], wenigstens zum größten Teil ... ebenso schwache und verblendete Partei [sei] wie wir«.

82. Schoeps: Theologische Motive, a. a. O. 35. Ebd. 34, 32 und 31 die folgenden Zitate. U. a. sahen auch Rainer Gruenter (Beitrag zur Kafka-Deutung, Merkur 4, 1950, 278–287), Werner Rehfeld (Das Motiv des Gerichtes im Werke Franz Kafkas. Zur Deutung des *Urteils*, der *Strafkolonie*, des *Prozesses*, Diss. Frankfurt a. M. 1960), Herbert Tauber (Franz Kafka. Eine Deutung seiner Werke, Zürich 1941) und Hermann Hesse in Kafka vor allem den religiösen Menschen, dessen Werk darum auch in erster Linie religiös theologisch zu deuten sei.

Antike

1. Vgl. Nagel, Kafka und Goethe. Stufen der Wandlung von der Klassik zur Moderne, Berlin 1977, 15.
2. Vgl. Paul Böckmann, Hölderlin und seine Götter, München 1935. Vgl. ferner Hans Gottschalk, Das Mythische in der Dichtung Hölderlins, Stuttgart 1943.
3. Die Epen Homers (Auswahl), Dialoge Platos, Sophokles' *Antigone* (nicht

Ödipus), Xenophons *Anabasis*, Ovids *Metamorphosen*, Cornelius Nepos' *De viris illustribus* (Auswahl).

4. In *Hochzeitsvorbereitungen auf dem Lande* nennt Kafka u. a. Alexander den Großen, Odysseus, Prometheus, die Styx, den archimedischen Punkt, die sieben Weltwunder; in den Briefen: Chronos, Helena, Hekuba, Hesiods Kosmogonie, die Homerischen Helden, die Moira, das Orakel von Delphi; in den Briefen an Milena: Diogenes, Herakles, Paris; in *Beschreibung eines Kampfes*: Poseidon; in den Tagebüchern: Zeno, Sisyphus.

5. Da geht Kafka, München 1966, 42.

6. *Poseidon, Prometheus, Das Schweigen der Sirenen, Der neue Advokat* (mit Buzephalus) und *Ein Bericht für eine Akademie* (Achilles).

7. Plato war wohl der antike Autor, mit dem sich Kafka am eingehendsten befaßt hat. Wie Max Brod (Franz Kafka. Eine Biographie, Frankfurt a. M. 1954, 69) mitteilte, hat Kafka als Student mit ihm zusammen Platos *Protagoras* gelesen. Auch befanden sich mehrere Werke Platos in der Handbücherei Kafkas.

8. Recollections on Kafka, in: Mosaic. A Journal for the Comparative Study of Literature and Ideas III/4, 1970, 37: New Views on Franz Kafka: »The insoluble mysteries of existence, the futility of society, the paranoid sense of victimization – a realization of all this existed and was articulated, at least as far back as the Pre-Socratic philosophers . . . It was implicit or explicit in many earlier novelists' works, in Dostoevskij, in Zola, in Dickens even . . . With Kafka it is the articulation, not the articulate that fundamentally matters.«

9. Vgl. die Schilderung der Bemühungen des Mannes, die kaiserliche Botschaft zu übermitteln, ferner die Anstrengungen der beiden K.s in den Romanen, zum obersten Gericht bzw. zur Zentrale der Schloßverwaltung vorzudringen. Auch die Erzählungen *Blumfeld, Ein Landarzt, Der Jäger Gracchus, Der Bau der chinesischen Mauer* sind Bildvarianten dieses durchlaufenden Themas der Frustration.

10. Wilhelm Emrich, Franz Kafka, Bonn 1958 (Kapitelüberschrift).

11. Other Inquisitions (*Otras Inquisiziones*), ins Englische übersetzt von Ruth L.C. Simms, Austin University of Texas Press 1964.

12. Menschsein in Anfechtung und Widerspruch, Düsseldorf 1980, 122 f.

13. Ebd.: »Die allgemeine Verbreitung dieses Wortes, dem erst Epikur widersprach, bezeugt Euripides« (Fragment 285).

14. Vgl. die Klage Kassandras:
    Weh mir, schon wieder kommt die Qual, furchtbar durchzuckt die Zukunftsahnung mich . . . und die kommentierenden Bemerkungen des Chors zu dieser Qual der Sehergabe:
    Ein arger Dämon gibt
    mit Übergewalt dir den gellenden Ruf,
    den Todesruf dir ein.

15. *Das Problem des Sokrates*. Vgl. dazu die Altersklage in Sophokles' *Ödipus auf Kolonos*:
    . . . Dann ist unser Los noch
    Schließlich das Alter,
    Allverhaßt, kraftlos und freudlos und ohne
    Zuspruch. Denn mit ihm hausen ja alle
    Übel und Übel zusammen.

Es scheint in dieser Weltsicht und Lebenswertung keinen Ausweg aus dem menschlichen Elend zu geben.

16. Biser, a. a. O., 122 f.
17. Vgl. Kafkas Parabel *Vor dem Gesetz.*
18. Franz Kafka – Tragik und Ironie. Zur Struktur seiner Kunst, München/ Wien 1964, 18.
19. Vgl. Ingeborg Henel, Periodisierung und Entwicklung, in: K. H. II, 235: »Kafka hat seine Parabeln nicht immer selbst erfunden, oft hat er seinen Stoff aus der literarischen Tradition genommen. In Fällen wie *Die Wahrheit über Sancho Pansa, Das Schweigen der Sirenen, Prometheus* und *Poseidon* [und *Der neue Advokat*] weist die Veränderung des Übernommenen, die bis zu völliger Umkehrung der ursprünglichen Fabel gehen kann, auf den neuen Sinn hin, den ihm Kafka verleiht.«
20. Das gleiche persönliche Assoziieren bezeugt sich auch in Kafkas Äußerung über den Schluß von Shakespeares *Hamlet,* wenn er seinen Kommentar über die dort erfolgende Laudatio auf den toten Helden in die Zweifelsfrage kleidet, wie denn Fortinbras von Hamlet rühmend habe voraussagen können, daß sich dieser, falls ihm nur Raum zur Entfaltung vergönnt gewesen wäre, ohne Frage »höchst königlich bewährt« hätte.
21. Diese Skepsis gegenüber der Überlieferung bekundet sich u. a. in dem Titel »Die Wahrheit über Sancho Pansa«, den Max Brod einer Kurzgeschichte Kafkas gegeben hat. Wird hier doch »das präformierte Erzählmaterial deformiert in der Distanz des reduzierenden Erzählers« (Dietrich Krusche, Kafka und Kafka-Deutung. Die problematische Interaktion, München 1974, 20). De facto geht es um eine Verdrehung des vorgegebenen Verhältnisses: Sancho Pansa ist nicht mehr Anhängsel, sondern Mittelpunktsgestalt. Vgl. folgende Anmerkung: Thieberger, a. a. O. 357.
22. Thieberger, Die Erzählungen . . . Das Schaffen in den ersten Jahren der Krankheit (1917–1920), in K. H. II, 352.
23. Krusche, a. a. O. 96.
24. Peter Beicken, Erzählweise, b) Humor, in: K. H. II, 46.
25. Vgl. Jürgen Born, Kafkas unermüdlicher Rechner, in: Euphorion 64, 1970, 404–413. Aus dem Wortlaut von Kafkas späterem Tagebucheintrag (Anfang 1922): »In meiner Kanzlei wird immer noch gerechnet, als finge mein Leben erst an, indessen bin ich am Ende« (T 574) kann man schließen, daß in der Parodierung des Gottes Poseidon zugleich Selbstparodie vorlag.
26. Vgl. Werner Hoffmann, Nichtepische Arbeiten und Lebenszeugnisse, in: K. H. II, 495: »Mythos und Schrift versuchen zu erklären, was als ewige Wahrheit für den Menschenverstand unerklärlich bleibt.« Nach Kafkas eigenen Worten muß die Sage, »da sie aus einem Wahrheitsgrund kommt, . . . wieder im Unerklärlichen enden«.
27. Thieberger, a. a. O. 360. Im Blick darauf, daß Kafka *vier* mögliche Versionen der Prometheussage erörterte, betont Frederick Hoffmann (Escape from Father, in: Flores (Hg.): The Kafka Problem , a. a. O. 251): Kafka »whimsically played with the Prometheus-theme«.
28. »Wir haben einen neuen Advokaten, den Dr. Bucephalus. In seinem Äußeren erinnert wenig an die Zeit, da er noch Streitroß Alexanders von Macedonien war. Wer allerdings mit den Umständen vertraut ist, bemerkt einiges. Doch sah ich letzthin auf der Freitreppe . . . einen ganz einfältigen Gerichtsdiener mit dem Fachblick des kleinen Stammgastes der Wettrennen

den Advokaten bestaunen, als dieser, hoch die Schenkel hebend, mit auf dem Marmor aufklingendem Schritt von Stufe zu Stufe stieg.«

29. Vgl. Jost Schillemeit, Welt im Werk Kafkas, DVjs 38, 1964, 172. Vgl. ebd. 171 das folgende Zitat.

30. Ingeborg Henel, a. a. O. 235. Vgl. Kafkas Ausspruch, daß Selbstzufriedenheit und Hochmut »große Teufel« seien, während Demut »die wahre Gebetssprache ist, gleichzeitig Anbetung und festeste Verbindung« (Aphorismus 106, HL 53). Vgl. ferner die unheilsträchtige Überschläue des Ödipus, der den im Orakel verlautbarten Spruch der Götter zu umgehen glaubt und eben dadurch der verhängten Katastrophe verfällt.

31. Umkehrung und Ablenkung. Franz Kafkas gleitendes Paradox, DVjs 42, 1968, 702 ff.

32. Gustav Schwab, Die schönsten Sagen des klassischen Altertums, Wien/Heidelberg 1958, 699. In ähnlicher Weise wurde auch Ixeon, der König des sagenhaften Volkes der Lapithen, bestraft.

33. *Ein Bericht für eine Akademie* (1917): »Ihr Affentum, meine Herren, soferne Sie etwa Derartiges hinter sich haben, kann Ihnen nicht ferner sein als mir das meine. An der Ferse aber kitzelt es *jeden, der hier auf Erden geht:* den kleinen Schimpansen wie den großen Achilles.« (Hervorhebung vom Verfasser.)

34. Roman S. Struc (»Negative Capability« and Kafka's Protagonists, MAL 11, Nos. 3/4, 1978, 94) zielt in diese Richtung: »If K. [in *Der Prozeß*] is seen as a type of man at odds with himself, then he epitomizes the Kafka protagonist: beginning with the narrator of *Beschreibung eines Kampfes* through Georg Bendemann, Gregor Samsa, down to K. of *Das Schloß* and the animal in *Der Bau,* the psychic pattern is the same« [und der Archetypus ist Sisyphus]. Vgl. ebd. 87: ». . . in general, his protagonists are known to be doomed to failure.«

35. Vgl. u. a. Jean Anouilh *(Antigone, Eurydice, Médée),* Jean Giraudoux (La Guerre de Troie n'aura pas lieu), Gerhart Hauptmann *(Atriden-Tetralogie),* Hugo von Hofmannsthal *(Ariadne auf Naxos, Elektra),* Hans Henny Jahnn *(Medea),* Robinson Jeffers *(Medea),* Eugene O'Neill *(Mourning becomes Elektra),* Jean-Paul Sartre *(Les Mouches).*

36. Bert Nagel, Franz Kafka, Aspekte zur Interpretation und Wertung, Berlin 1974, 74.

37. Austin Warren, Kosmos Kafka, in: Flores (Hg.), a. a. O. 60 ff.

38. Hope and Absurdity, ebd. 268, ebd. 270 nächstes Zitat. Vgl. auch Camus, der Mythos von Sisyphus. Ein Versuch über das Absurde, Hamburg 1959.

39. The Objective Depiction of Absurdity, in: Flores (Hg.), a. a. O. 87 f.

40. Max Lerner, The Human Voyage, ebd. 50.

41. Vgl. zum Folgenden Ralf R. Nicolai, Wahrheit als Gift. Zu *Forschungen eines Hundes,* MAL 11, 1978, 179–197.

42. Ebd. 193. Vgl. ebd. 183: »Der im 13. Aphorismus ausgedrückte Gedanke, ›ein erstes Zeichen beginnender Erkenntnis [sei der] Wunsch zu sterben‹, da dieses Leben ›unerträglich [und] ein anderes unerreichbar‹ sei, dürfte in der Einsicht wurzeln, daß die Rückkehr ins Paradies auch über den unendlichen Umweg nicht möglich sei.«

43. »Freilich, die Freiheit, wie sie heute möglich ist, ist ein kümmerliches Gewächs.«

44. Nicolai, a. a. O. 193. Ebd. 197 nächstes Zitat.

45. Roman S. Struc, a. a. O. 94. Ebd. weiteres Zitat.
46. Ebd. 2.
47. Vgl. Robert Powell, Zen and Reality, Penguin Books. Reprinted 1978, 27: »Where the word *sin* is used in Eastern writings, it never has the same connotation as in Christian terminology.«
48. Vgl. die Äußerung des Waldtiers in *Der Bau:* »Freilich manche List ist so fein, daß sie sich selbst umbringt, das weiß ich besser als irgendwer sonst . . .«
49. Vgl. Martin Buber, Werke, Erster Band: Schriften zur Philosophie, München/Heidelberg 1962, 775: ». . . jeder Mensch habe seine Tür, sie sei für ihn offen, er wisse es aber nicht und sei anscheinend auch nicht imstande, es zu wissen.«
50. Der Vergleich mit Parzival liegt nah, insofern auch er durch Unterlassung der Mitleidsfrage − nichtwissend und scheinbar schuldlos − schuldig wird, indem er das Leiden des Gralskönigs nicht heilt, sondern ins Unerträgliche steigert. Der grundsätzliche Unterschied liegt aber darin, daß Parzival die Chance zur Wiedergutmachung erhält, die Ödipus und den Protagonisten Kafkas versagt ist.
51. Iokaste: ». . . es gibt nichts Sterbliches, das Seherkunst besäße. . . . Drum kehre dich nicht dran!«
52. Heinrich Weinstock, zitiert nach Siegfried Müller (Hg.): Sophokles: Tragödien, Wiesbaden/Berlin o. J., 387.
53. G. Thomas, zitiert nach Müller, ebd. 387.
54. Müller (Hg.), ebd. 387 (Nachwort).
55. Schwab, a. a. O., 161. Ebd. 164, 165, 153, 157 die nächsten Zitate.
56. In der Sicht Kafkas gilt für diese ungetrübte Heldenherrlichkeit Herakles' seine fast zynisch harte Tagebuchbemerkung vom 22. Juli 1916: »Das ist ein Märchen, hier ist aber kein Märchen.« Vgl. Nagel, Kafka und Goethe, a. a. O. 238.
57. Vgl. hierzu Nagel, Assoziationen zu Kafka, MAL 11, Nos. 3/4, 1978, 79–83.
58. Vgl. Äschylos, *Agamemnon* (Griechische Tragödien, übersetzt von Ulrich von Wilamowitz-Moellendorff, Bd. 11, Berlin 1913, 87 ff.) den *wiederholten* Klageruf Kassandras:

> Oh, oh, wehe
> Apollon, Apollon

ferner:

> Weh mir, schon wieder kommt die Qual, furchtbar durchzuckt
> die Zukunftsahnung mich . . .

Vgl. dazu die kommentierenden Aussagen des Chors:

> Hat denn auch je
> ein Seher Gutes offenbart?
> Woher befiel dich
> die bittere Qual
> der göttlichen Gabe?
> Du weißt zu singen,
> was Schauder weckt.

Ein arger Dämon gibt
mit Übergewalt dir den gellenden Ruf,
den Todesruf dir ein.
Viel tausend Sprüche gibt's,
und es enthüllt in allen uns die Seherkunst
nur Leid und Graus.

Vgl. dazu Schiller: *Kassandra:*
Wer erfreute sich des Lebens,
der in seine Tiefen blickt!

Don Quijote

1. Hartmut Binder, Die Wahrheit über Sancho Pansa, in: Kafka Kommentar zu sämtlichen Erzählungen, München 1975, 236.
2. Vgl. Karl-Heinz Fingerhut, Die Erzählungen. Stoffe und Motive, in: K. H. II, 276.
3. Motiv und Gestaltung bei Franz Kafka, Bonn 1966, 28–40.
4. Dietrich Krusche, Kafka und Kafka-Deutung. Die problematisierte Interaktion, München 1974, 109. Vgl. ebd. 20 sowie Robert Thieberger, Die Wahrheit über Sancho Pansa, in: K. H. II, 357: »Nicht zu Unrecht hat Max Brod diesem Text einen Titel gegeben, der den Gegensatz zur Überlieferung programmatisch ankündigt, wird doch hier das präformierte Erzählmaterial deformiert in der Distanz des reproduzierenden Erzählers.«
5. Binder, Die Wahrheit über Sancho Pansa, a. a. O. 236.
6. François Bondy, Don Quijote in Kafkas Schloß. Marthe Roberts anthropologische Literaturanalyse, in: Die Zeit (Literaturbeilage) vom 6. März 1970.
7. T 420.
8. Bondy, a. a. O. Nach dem von Wagenbach (Franz Kafka. Eine Biographie seiner Jugend, Bern 1958, 251 ff.) mitgeteilten Verzeichnis der Handbibliothek Kafkas besaß dieser ein Exemplar des *Don Quijote* und war mithin mit Inhalt und Form dieses Romans vertraut.
9. Marthe Robert, Das Alte im Neuen. Von Don Quichotte bis Franz Kafka. Aus dem Französischen übertragen von K. A. Horst, München 1968, 7. Ebd. 9: Don Quijote und Kafka, »beide weisen auf die seltsamen Dinge hin, die geschehen, wenn die fiktive Wahrheit der Bücher rücksichtslos auf die Literatur angewandt wird«. Ebd. 10 und 25 weitere Zitate.
10. Das schließt nicht aus, daß auch Ironie und sogar Satire in Kafkas Werk begegnen können.
11. Diese existentielle Krisenhaftigkeit der Moderne lag gewiß noch außerhalb der Denk- und Vorstellungsmöglichkeiten des spanischen Dichters um 1600.
12. Marthe Robert, a. a. O. 168. Ebd.: »Tatsache ist, daß die drei Romane und die hauptsächlichen Erzählungen Kafkas von der schwierigen Erforschung eines Gegenstandes handeln, der, wie immer bei einer echten Suche, nicht recht bekannt und dadurch ungemein fesselnd ist.« Ebd. 158 nächstes Zitat.
13. Ernst Robert Curtius würde diesen Deutungsversuch als ein Beispiel »leichtfertig konstruierender Geistesgeschichte« ablehnen.
14. Eben darin liegt das Ärgernis, das Kafka der marxistischen Literaturkritik

bereitet, die ihm vorwirft, daß er am aktuellen politischen Leben kaum teilnahm und der russischen Revolution voll Skepsis gegenüberstand, vielmehr auch dort das terroristische Regiment der »neuen Sultane« bzw. Parteisekretäre kommen sah.

15. Vgl. die durch Brod (Biographie, S. 102) mitgeteilte Äußerung Kafkas über die bei der Berufsausübung verletzten Arbeiter: »Wie bescheiden diese Menschen sind. Sie kommen zu uns bitten. Statt die Anstalt zu stürmen und alles kurz und klein zu schlagen, kommen sie bitten.«

16. J 19. In seiner politischen Skepsis stand Kafka Goethe (Faust II, Vierter Akt, 10405/6: »Den entrollten Lügenfahnen folgen alle. – Schafsnatur!«) und Thomas Mann nah: *An einen jungen Japaner* (1951): »Der totale Staat und seine Praktiken sind mir in tiefster Seele fremd und unheimlich, und mit Grauen sehe ich dem Heraufkommen einer Massenwelt entgegen, in der die Menschen, unter starre Dogmen gebeugt, auf ärmlichstem geistigen Niveau ein der Freiheit völlig entfremdetes Leben führen.« Vgl. Katharina Mommsen, Gesellschaftskritik bei Fontane und Thomas Mann, Heidelberg 1973, 87.

17. Bondy, a. a. O. die nächsten vier Zitate.

18. Ebd.: »Schlägt Marthe Robert die Reihe Homer-Cervantes-Kafka vor, so bildet Girard die Serie: Stendhal-Dostojewski-Proust. Der Amerikaner Shattuck hat seinerseits eine Serie ›der skeptischen Clowns‹ gebildet (Flaubert-Joyce-Beckett)«, und der Italiener Manganelli hat »ebenfalls eine Reihe von Autoren unter einem literarischen Archetyp vereint«.

19. Ebenso gehört Walter Muschgs Lehre von den Dichtertypen (vgl. Tragische Literaturgeschichte, Bern [2]1953) in diesen Zusammenhang. Doch sind ihre Methoden fundierter, vorsichtiger und subtiler. Aber die Gefahr, das Individuum im Typus aufgehen zu lassen, droht auch hier.

20. Gerade von Kafka könnte man *cum grano salis* sagen, daß seine Dichtungen im Grunde nur ein einziges variationenreich ausgestaltetes Werk darstellen. Aber für die Literatur insgesamt gilt das sicher nicht. Hier dominieren die Vielzahl der Farben und Klänge, der Kontrast der Charaktere und Temperamente, der Wechsel der Tonalitäten.

21. Der Satz von Alexander Pope: »The proper study of mankind is man«, den auch Goethe *expressis verbis* akzeptierte, verweist auf einen solchen Hauptgegenstand des Denkens und Dichtens.

22. Bondy, a. a. O.

23. Ein Beispiel dafür ist Hebbels Nibelungentrilogie, die nach dessen eigenen Worten nichts anderes wollte, als das mittelhochdeutsche Nibelungenepos in eine kongeniale dramatische Form überführen. Aber trotz dieser Absicht ist bei dieser Dramatisierung etwas entschieden anderes, eben ein »typischer Hebbel« entstanden, in dem – seinem Konzept entsprechend – die Tragödie aus dem Zusammenstoß verschiedener Zeitalter resultiert.

24. Diese »Entstehung der Persönlichkeit aus der Nachahmung großer Vorbilder« (Bondy) unterstellt eine Situation, wie sie für das literarische Leben im höfisch-ritterlichen Mittelalter galt, das unter dem Motto stand: Die Romane schildern nicht das Leben ab, sondern das Leben soll sich nach den Romanen richten. Es blieb dem Spätling Don Quijote vorbehalten, hieraus die letzte Konsequenz zu ziehen. Ebd. (Bondy) die nächsten Zitate.

25. Vgl. Nagel, Zum Chandos-Brief Hugo von Hofmannsthals, in: Gedenkschrift für Hermann Güntert, Innsbruck 1974, 487–503.

26. Vgl. Frank Wood, The Role of »Wortschuld« in Werfel's Poetry, in: Franz Werfel 1890–1945. Edited by Lore Foltin. University of Pittsburgh Press 1961, 39 ff.

27. Diese Feststellung betrifft die Grundhaltung des Dichters und das Konzept seines Romans. Es macht jedoch Cervantes' Größe aus, daß seine Parodie mehr als nur Parodistisches einschließt, daß sie vielmehr zugleich welthaltig ist und unter dem verkürzenden Blickwinkel der Satire etwas von der Vielfalt des Menschlichen sichtbar werden läßt.

Goethe

Zur Ergänzung verweise ich auf meine Untersuchung »Kafka und Goethe. Stufen der Wandlung von der Klassik zur Moderne« (Berlin 1977), im besonderen auf die Kapitel »Gegensätzliche Dominanten« (a. a. O. 166 ff.) und »Das Unvereinbare« (ebd. 213 ff.).

1. Kafkas literarische Urteile. Ein Beitrag zur Typologie und Ästhetik, ZfdPh 86, 1967, 216 f. Ebd. 214, 215 und 218.

2. Fragment über die Natur (1787).

3. Bert Nagel, Kafka und Goethe, a. a. O. 145–165.

4. Vgl. ebd. 107 ff.: Typologische Ähnlichkeiten und Gegensätze.

5. »Goethes Menschlichkeit«. Basler Universitätsreden 1949.

6. Im Gegensatz zu Rilkes Panther, der die Gebrochenheit der gefangenen Kreatur vor Augen stellt, demonstriert Kafkas Panther die nicht zu brechende Lebenskraft der Natur.

7. Br. 27 f. An Oskar Pollak (1904).

8. Br. 384. An Max Brod (5. Juli 1922).

9. Erst im hohen Greisenalter trat Vereinsamung in Goethes Leben ein. Aber er litt unter der Isolation, weil sie – anders als bei Kafka – nicht seinem natürlichen Wollen und Bedürfen entsprach. Wenn er jedoch, um seine Alterseinsamkeit zu kennzeichnen, von einer »Dachshöhle« sprach, so erinnert das an Kafkas späte Erzählung *Der Bau*, in der diese Situation der Zurückgezogenheit im selbstgegrabenen unterirdischen Bau detailliert beschrieben ist.

10. Willi Fehse, Der Angstträumer. Franz Kafka zum 90. Geburtstag am 3. Juli, in: Heidelberger Rhein-Neckar-Zeitung vom 30. Juni/1. Juli 1973. Ebd.: »In der Dämmerung des großen Zuchthauses Welt lauschte der Gefangene Franz Kafka auf die Klopfzeichen von außen, bis es Nacht wurde.« Wie seine Helden lebte auch Kafka selbst ein Leben der Angst, und insofern ist *Der Bau* seine am stärksten autobiographische Dichtung. Vgl. ferner seinen Brief vom 5. Juli 1922 an Max Brod.

11. »Besinnung«. Goethe-Vortrag in Frankfurt a. M. 1946.

12. Zutreffend betont Walter Kaufmann (»From Shakespeare to Existentialism«, Anchor Books Edition, New York 1960, 75): »Surely, Goethe was more like Lynkeus than he was like Faust when, near the end, he still scorns the here and now, exclaiming ›The accursed here!‹« (Faust II, 11 233). Nor was Goethe »dissatisfied at every moment as Faust . . .«

13. Kafkas Tiergeschichten, die nicht nur Parabeln sind, vielmehr z. T. den Akt der Verwandlung einschließen, thematisieren die Schwierigkeit (oder gar

Unlösbarkeit) dieser Aufgabe des Menschen, Mensch zu bleiben in einer fortschreitend unmenschlicher werdenden Welt.

14. Das Zitat stammt aus Kandinskys autobiographischer Schrift: Rückblick (1901–1913), Verlag: Der Sturm, Berlin 1913. Neudruck: Baden-Baden 1955, 29.
15. Kafka: *Die Verwandlung* (geschrieben 1912, erschienen 1916); Musil: *Das Fliegenpapier* (1913); Kandinsky: *Rückblick* (1913).
16. Bei dieser Heraushebung des Unvereinbaren, das den Klassiker von dem modernen Dichter trennt, sollte nicht aus dem Blick verloren werden, daß Kafka in mancher Hinsicht um vieles älter ist als Goethe, insofern seine Wurzeln noch in früheste Vorzeiten zurückreichen, während der »Klassiker« Goethe schon viel an moderner Problematik vorwegnahm und zu keiner Zeit existentiell ungefährdet war. Und um eben diesen »in Gegensätzen gespannten« *ganzen* Goethe geht es bei einem Vergleich mit Kafka, nicht um den bürgerlich verharmlosten, restlos harmonisierten und equilibrierten, thesenhaft eindeutigen und durch Kurzzitate »zweifelsfrei« definierbaren Goethe des 19. Jahrhunderts noch gar um den zum »Olympier« hochstilisierten Dichterfürsten.
17. Vgl. hierzu und zu den nächsten Zitaten Josef Paul Hodin, Kafka und Goethe. Zur Problematik unseres Zeitalters, Odysseus Verlag, London. Hamburg o. J., 56 f.
18. Ernst von Schenk, Versuch zu Goethes Humanität. Berliner Hefte für geistiges Leben 4, 1949, 112.
19. Die Zahl der Zeugnisse dieses die eigene Kraft steigernden Allgefühls in Goethes Dichtung ist Legion. Die Welt, der er sich vertrauensvoll hingibt, ist eine freie, nährende, mütterlich hegende Welt, nicht die aggressive Gegenwelt Kafkas.
20. Eduard Spranger, Goethes Weltanschauung. Reden und Aufsätze, Leipzig 1911, 18.
21. Ebd. 218. Vgl. ebd. 84: Goethes Weltanschauung und Lebensgefühl entsprächen der »uralten Lehre von der universalen Sympathie und Harmonie der Dinge, von der Analogie von allem zu allem«.
22. Ebd. 251. Vgl. ebd. 192: Das »erdgebundene Bemühen [Fausts] wird . . . von vornherein auf einen überirdischen Sinn bezogen: himmlische Mächte nehmen an Faustens Irren und Streben teil«. Der Herr selbst nennt ihn »meinen Knecht«.
23. Richard Friedenthal: Goethe. Sein Leben und seine Zeit, München 1963, 606.
24. Zu Eckermann am 4. Januar 1924. Wie sehr der humane Fortschrittsglaube der Aufklärung, die idealistische Zuversicht, daß Vernunft und guter Wille auch die schwierigsten Probleme zu lösen vermögen, das 18. Jahrhundert bestimmten, bezeugen u. a. Lessings *Nathan*, Goethes »verteufelt humane« *Iphigenie*, Schillers *Lied an die Freude* im Schlußchor von Beethovens Neunter Symphonie sowie Mozarts *Entführung* und *Zauberflöte*.
25. Ernst Beutler, Faustdichtungen. Goethe-Gedenkausgabe, Bd. 5, Zürich und Stuttgart 1949, 770.
26. Klaus Wagenbach, Franz Kafka. In Selbstzeugnissen und Bilddokumenten, Reinbek 1974, 35.
27. Heinz Günther Oliass, Franz Kafka, in: Welt und Wort, 4. Jg., 1949, 56.
28. Auch H.M. Waidson (Kafka: Biography and Interpretation, in: German

Life and Letters, Vol. XIV, 1960/61, 28) berührt – in Auseinandersetzung mit Emrichs Kafkadeutung – den Unterschied zwischen Goethes und Kafkas Realismus:

> In Goethe's work images of a concrete character reveal a latent inner meaning of universal significance, that is, symbols; for Kafka there was no such confidence that perception would reveal symbolic truth, and as a result of the background of naturalism and late nineteenth-century scientific materialism he was painfully conscious of discrepancy between image and meaning, between concrete appearance and the »law«.

29. Spranger, a. a. O. 196. Kafka hingegen suchte die Welt von sich fernzuhalten. Sie galt ihm nur als Störung nicht als Chance, »allerlei Gutes und Nützliches« zu entdecken. Ebd. 74 die nächsten Zitate.
30. Vgl. auch Goethes Ausspruch: »Mit rechten Leuten wird man was.«
31. Zu Eckermann am 10. April 1829. Ebd. das folgende Zitat.
32. Zitiert bei Hodin, a. a. O. 17.
33. Zitiert bei Hodin, a. a. O. 16 und 17.
34. Vgl. Hermann und Dorothea (Urania/Aussicht 304):
    Aber wer fest auf dem Sinne beharrt, der bildet die Welt sich.
35. T 539 (9. Dezember 1919) und T 32 (21. Dezember 1910). Vgl. auch T 310 (15. März 1914): »Nichts als . . . ewige Hilflosigkeit.«
36. T 556 (20. Januar 1922): »Als bekäme ich das wahre Gefühl meiner selbst nur, wenn ich unerträglich unglücklich bin. Das ist wohl auch richtig.« Vgl. auch T 557: »M. [Milena] hat hinsichtlich meiner recht: ›Alles herrlich, nur nicht für mich.‹« Ferner T 558 (21. Januar 1922): »Für alles gibt es künstlichen, jämmerlichen Ersatz: für Vorfahren, Ehe und Nachkommen. In Krämpfen schafft man ihn und geht, wenn man nicht schon an den Krämpfen zugrundegegangen ist, an der Trostlosigkeit des Ersatzes zugrunde.«
37. T 551 (6. Dezember 1921). Vgl. auch die Kurzerzählung Gibs auf!
38. Hier artikuliert Goethe in gleichsam authentischem Wortlaut den Typengegensatz zu Kafka, der sich mit einem »Hund in der Hundehütte« identifizierte.
39. Eckermann (15. Oktober 1825).
40. Vgl. Kafkas Definition seiner Dichtungen als »Expedition nach der Wahrheit«, d. h. nach dem Absoluten.
41. T 550 (2. Dezember 1921). Dora Dymant bemerkte dazu: »Ein Teil seines Gesamtkomplexes war, daß er den Vater haßte und sich dafür schuldig fühlte. Ich nehme an, daß er ihn oft in seinen Träumen umgebracht hat.« (Zitiert bei Hodin, a. a. O. 31)
42. Hodin, a. a. O. 12. Ebd. 8 und 13 die folgenden Zitate.
43. Effi Biedrzynski in: Mit Goethe durch das Jahr, Artemis Verlag, Zürich und München, 1975, 55 (Anmerkung). Ebd. 93 das nächste Zitat.
44. Heinz Friedrich, Heinrich von Kleist und Franz Kafka, in: Berliner Hefte für geistiges Leben, 4. Jg., 1949, 442.
45. Spranger, a. a. O. 38 und 141.
46. Eckermann hat dieser Tendenz Vorschub geleistet. Vgl. Ernst Beutler, Einführung zu Eckermanns Gespräche mit Goethe, in: Gedenkausgabe, a. a. O. 781 ff. Aus dem »befriedeten und befriedigenden Charakter« dieser Wiedergabe der Gespräche ergebe sich, »daß wir nichts mehr von den reizbaren und angreifenden Stimmungen des Dichters verspüren, sondern nur noch den Weisen von Weimar vor Augen haben.«

47. Doch muß man Eckermann zugute halten, daß es ihm um den eigentlichen Goethe ging, um jenen Goethe nämlich, wie dieser im Letzten sich selber sah und gesehen wissen wollte.
48. Beutler, Einführung zu Eckermann, a. a. O. 797 und 782. Vgl. ebd. 790: »Eckermann hat solche verzweiflungsnahen Stimmungen nicht überliefert. – Und sie waren nicht selten.« Ebd. das nächste Zitat.
49. Eckermann (27. Januar 1824). Ebd. die nächste Äußerung vom 15. 2. 1824.
50. Spranger, a. a. O. 142. Ebd. das nächste Zitat.
51. In seinen Aphorismen (Nr. 13) schrieb Kafka: »Ein erstes Zeichen beginnender Erkenntnis ist der Wunsch zu sterben.«
52. Spranger, a. a. O. 149.
53. Zu Eckermann Anfang März 1832.
54. Kafka zu Gustav Janouch (J 54).
55. Romano Guardini, Der Tod und die Erlösung. Karfreitagsgedanken, in: Heidelberger Rhein-Neckar-Zeitung vom 15. April 1976. Der Protest gegen den Tod bedeute auch nicht, daß der Mensch sich Illusionen über die bestehenden biologischen oder sonstigen Notwendigkeiten mache, sondern daß er empfindet, der ganze Stand der Dinge, wonach der Tod eintreten muß, sei nicht in Ordnung.
56. Henriette Vogel über Kleist. Auch die unaufhebbare Trauer Georg Trakls war von solcher Art: »since another form of love seems impossible, only death, quietly endured as Christ endured his, can end the protagonists' frustrated quest for love and harmony in a world of conflict and contradiction ... consequently, resignation in death is mankind's only hope for peace.« (Theodore Fiedler, Georg Trakl's *Abendland*: Life as Tragedy, in: Wahrheit und Sprache. Festschrift für Bert Nagel, Göppingen 1972, 208). Todessehnsucht prägt auch Hofmannsthals frühe Versdramen *Der Thor und der Tod* (1893) und *Der Tod des Tizian* (1892).

Kleist

1. Walter Müller-Seidel, Geleitwort zu Heinrich von Kleist. Vier Reden zu seinem Gedächtnis, Berlin 1962, 7.
2. Ebd. 65: Benno von Wiese, Heinrich von Kleist. Tragik und Utopie.
3. Ebd. 45: Emil Staiger, Heinrich von Kleist. Vgl. ebd. 22: Wilhelm Emrich, Kleist und die moderne Literatur: »Franz Kafka . . ., der . . . ebenso einsam in seiner Welt steht und . . . Kleist als den ihm ebenbürtigen Ahnherrn erkannt, verehrt und geliebt hat.«
4. Fred G. Peters, Kafka and Kleist: A Literary Relationship, in: Oxford German Studies 1, 1966, 144–162.
5. Beda Allemann, Kleist und Kafka. Ein Strukturvergleich, in: David (Hg.), a. a. O. 152–172.
   Hartmut Binder, Kafka in neuer Sicht. Mimik, Gestik und Personengefüge als Darstellungsformen des Autobiographischen, Stuttgart 1976, 73 f., 138 ff., 143, 164, 558.
   Max Brod, Franz Kafka. Eine Biographie, Frankfurt a. M. 1966.
   Ders., Kleist und Kafka, Welt und Wort, Februar 1949, 52–56.
   Jean Cassou, Kleist et le somnambulism tragique, Cahiers du Sud, Marseille, Juin 1937.

Jörg Dittkrist, Vergleichende Untersuchungen zu Heinrich von Kleist und Franz Kafka, Mainz/Aachen 1971 (Diss. Köln 1971).

Wilhelm Emrich, Kleist und die moderne Literatur, in: Heinrich von Kleist. Vier Reden zu seinem Gedächtnis, Berlin 1962, 9–25.

Manfred Frank und Gerhard Kurz, Ordo inversus. In einer Reflexionsfigur bei Novalis, Hölderlin, Kleist und Kafka, Festschrift für Arthur Henkel, hg. von Herbert Anton u.a., Heidelberg 1977, 75–97.

Heinz Friedrich, Heinrich von Kleist und Franz Kafka, Berliner Hefte für geistiges Leben 4, Nr. 11, 1949, 440–448.

Rainer Gruenter, Beitrag zur Kafka-Deutung, Merkur 25, H.3, 1950, 278–287.

Curt Grützmacher, Nachwort zu: Heinrich von Kleist. Sämtliche Werke, München 1967, 1013–1048.

Franz Hebel, Kafka: Zur Frage der Gesetze und Kleist: Michael Kohlhaas, Pädagogische Provinz 12, 1956. 632–638.

Wolfgang Jahn, Kafkas Roman *Der Verschollene*, Stuttgart 1965.

Jörg Kobs, Kafka. Untersuchungen zu Bewußtsein und Sprache seiner Gestalten, hg. von Ursula Brech, Bad Homburg v.d.H. 1970, 116–123.

Helmut Lamprecht, Mühe und Kunst des Anfangs. Ein Versuch über Kafka und Kleist, in: Neue deutsche Hefte 6, 1959/60, 935–940.

J.M. Lindsay, Kohlhaas and K. Two Men in Search for Justice, in: German Life and Letters 13, 1959/60, 190–194.

Erich L. Marson, Justice and the Obsessed Character in *Michael Kohlhaas*, *Der Prozeß* and *L'Etranger*, in: Seminar 2, 1966, 21–33.

Ralf R. Nicolai, Kafkas Stellung zu Kleist und der Romantik, in: Studia Neophilologica 45, 1973, 80–103.

Hermann Pongs, Kleist und Kafka, in: Im Umbruch der Zeit. Das Romanschaffen der Gegenwart, Göttingen 1952, 81–85.

David Edward Smith, Gesture as a Stylistic Device in Kleist's *Michael Kohlhaas* and Kafka's *Der Prozeß*, Frankfurt a.M. 1976 (Stanford Studies 11).

Oskar Walzel, Logik im Wunderbaren, in: Berliner Tageblatt vom 6. Juli 1916 (Besprechung von Kafkas *Der Heizer* und *Die Verwandlung*).

6. Walzel, a. a. O. zielt auf typologische Verwandtschaft beider Dichter, auf charakteristische Übereinstimmungen im Welt- und Selbstverständnis, in den moralischen Überzeugungen, im Rechtsgefühl, in den Wunschträumen, im Stilempfinden, in ihrer Emotionalität und in der durch diese bedingten Sensibilität und Sensitivität – auf konstitutive Faktoren also, deren prägende Kraft sowohl in Ähnlichkeiten der Lebensläufe und des Lebensverhaltens als auch in kongenialen Zügen im dichterischen Gestalten erkennbar ist.

7. Wilfried Thürmer, Figuren, in: K.H. II, 126 f.

8. Emil Staiger, Heinrich von Kleist, in: Heinrich von Kleist. Vier Reden zu seinem Gedächtnis, Berlin 1962, 49.

9. Curt Grützmacher, a. a. O. 1016.

10. Bert Nagel, Kafka-Rezeption in der Bundesrepublik Deutschland, in: K.H. II, 638.

11. Kafkas Unterstellung einer »Blutsverwandtschaft« mit Kleist meint »prästabilierte Übereinstimmungen« (Allemann, a. a. O. 154), was einerseits keine »wörtlichen Übereinstimmungen« fordert, andererseits aber auch nicht ausschließt, daß sich Kafka an der Epik Kleists geschult hat.

12. Kate Flores, The Judgement, in: Flores/Swander (Hg.), a. a. O. 17.
13. Werner Hoffmann, Nichtepische Arbeiten und Lebenszeugnisse, in: K.H. II, 474.
14. Louis Wiesmann, Das moderne Gedicht. Versuch einer Genealogie, Basel 1973, 29.
15. An Ulrike von Kleist (5. Februar 1801).
16. Grützmacher, a. a. O. 1030. Ebd. 1021 das nächste Zitat.
17. Binder, Bauformen, in: K.H. II, 81. Ebd. 82 nächstes Zitat.
18. Doch ist, von Amphitryon abgesehen, das verwirrend Absurde und unglaublich Scheinende in der Dichtung Kleists von der transrealen Akausalität der Schreckgesichte Kafkas insofern verschieden, als es, wenn auch auf weite Strecken unbegreiflich, im geschichtlich konkreten Raum sich ereignet und zum Schluß eine kausale Erklärung findet.
19. Peters, a. a. O. 121: »Both fathers oppose the son's union with a woman . . . The scenes in which Nicolo and Georg are accused and condemned, and the nature of the charges against them are similar . . . Their physical reactions are similar . . .“
20. Evelyn Torton Beck, Kafka and the Yiddish Theater. Its impact on his work, University of Wisconsin Press 1971.
21. So sind z. B. Zurückweisung, Austreibung, Verstoßung, ja Verdammung mehrfach wiederkehrende Themen sowohl bei Kafka (*Amerika, Das Urteil, Die Verwandlung, Der Prozeß, In der Strafkolonie* u. a.) wie auch bei Kleist (*Michael Kohlhaas, Die Marquise von O . . . , Das Erdbeben in Chili, Der Findling, Der Zweikampf*). Vgl. Peters, a. a. O. 148: »The rejection of the protagonist by family and state is a constantly recurring theme in the works of Kleist and Kafka.«
22. Peters, a. a. O. 139. Ebd. 142 und 134 die beiden nächsten Zitate.
23. Ebd. 124–133.
24. Daß Kafka 1911 stark unter dem Einfluß Kleists (auch Flauberts und Goethes) stand, erhellt aus den Tagebucheinträgen dieses Jahres, in welchem sich sein künstlerischer Durchbruch vorbereitet.
25. Paul L. Landsberg, The Metamorphosis, in: Flores (Hg.), a. a. O. 130.
26. Nagel, Franz Kafka, a. a. O. 94.
27. Landsberg, a. a. O. 129.
28. Grützmacher, a. a. O. 1041. Ebd. nächstes Zitat.
29. Ebd. 1041 nennt Grützmacher als Charakteristikum der Kleistschen Sprache: »eine unheilschwangere, mit Konfliktstoff geladene Atmosphäre, die in der eiskalten Sachlichkeit des reportageähnlichen Stils wie in einem Kristall eingefangen« ist, eine Kennzeichnung, die auch auf das Kafkasche Erzählen zutrifft.
30. Karl Ludwig Schneider, Heinrich von Kleist. Über ein Ausdrucksprinzip seines Stils, in: Heinrich von Kleist. Vier Reden zu seinem Gedächtnis, a. a. O. 27–43. Aus dieser Charakterisierung des Kleistschen Ausdrucksstils sind hier die auf Kafkas Sprachgestaltung übertragbaren Kennzeichnungen in verkürzter Zitatform übernommen.
31. Staiger, a. a. O. 50 betont mit Recht das »Staunen« darüber, »daß es gelingt, in abenteuerlichster Verflechtung von Konjunktionen und Inversionen, in Unterordnungen und Einschachtelungen, an denen jeder andere Erzähler ersticken würde, so viel scharf erfaßtes Leben heraufzubeschwören.«
32. Heinrich von Kleists Werke, hg. von Erich Schmidt, Leipzig ²1936, Bd. 6,

XIII. Die Ähnlichkeit des Stils verwundert nicht, da Kleist ein beflissener Kantleser war. Andererseits ist aber auch der Unterschied zwischen der abstrakt definierenden Sprache des Philosophen und der konkreten Ausdruckssprache des Dichters nicht zu übersehen.

33. Friedrich Beißner, Unvorgreifliche Gedanken über den Satzrhythmus, in: Festschrift für Paul Kluckhohn und Hermann Schneider, Tübingen 1948, 427 ff.

34. Herder lobte den Gebrauch der Wortumstellungen in den Sprachen ursprünglicher Völker. Deren Sprache müsse noch unregelmäßig und voller Veränderungen sein. Wie die Gegenstände ins Auge fallen, so sage sie dieselben aus; eine grammatikalische Konstruktion sei noch nicht eingeführt.

35. In *Laokoon*, hg. von H. Blümner, DNL, I., 215 betonte Lessing, die Poesie bediene sich nicht bloß einzelner Wörter, sondern dieser Wörter in einer bestimmten Folge. »Wenn also auch schon nicht die Wörter natürliche Zeichen sind, so kann doch ihre Folge die Kraft eines natürlichen Zeichens haben. Wenn nämlich alle die Wörter vollkommen so aufeinander folgen, als die Dinge selbst welche sie ausdrücken.«

36. Nach Klopstocks Aufsatz *Von der Wortfolge* (1779), in: Klopstocks sämtliche sprachwissenschaftliche und ästhetische Schriften, hg. von A.L. Back und A.R.C. Spindler, Leipzig 1830, Bd. 4, 24 müsse »man diejenigen Gegenstände, die in einer Vorstellung am meisten rühren, auch zuerst zeigen, das heißt, aus der normalen Konstruktion herausstellen«.

37. Benno von Wiese, a. a. O. 66.

38. Wilhelm Emrich, a. a. O. 10 f.

39. Grützmacher, a. a. O. 1044.

40. Binder, Motiv und Gestaltung bei Franz Kafka, Bonn 1966, 284.

41. Nagel, Franz Kafka, a. a. O. 155.

42. Binder, a. a. O. 285. Ebd. die beiden nächsten Zitate.

43. Binder, Bauformen, K.H. II, 72.

44. Josef Mühlberger, Franz Kafka, in: Witiko, 1928, 105–108.

45. Pavel Eisner, Notizen über Franz Kafka, in: Prager Presse 11, Nr. 190 (16. 7. 1931).

46. Beda Allemann, a. a. O. 169.

47. Hans Mayer, Kafka und kein Ende? Zur heutigen Lage der Kafka-Forschung, in: Ansichten. Zur Literatur der Zeit, Reinbek 1962, 54 ff.

48. Wilhelm Emrich, a. a. O. 9. Die neuen Züge der modernen Literatur und Kunst seien im Grunde gar nicht neu, und die übliche Kontrastierung von Klassik und Moderne müsse als ein »verhängnisvoller Irrtum" zurückgewiesen werden. Denn auch die klassische Ästhetik habe »die Kunst entschieden von allen empirischen Ordnungskategorien distanziert, denen gegenüber sie frei ist«. Gelte die Kunst hier doch als »Richterin über Zeit und Geschichte« (Schiller) und damit als Forderung an den Menschen nach »sittlicher Selbstbestimmung im Widerstreit mit den Bedingungen und Forderungen der ihn umgebenden Welt«. Im Gegensatz aber zur Moderne, die weithin aus Raum und Zeit heraustritt und die Kantschen Kategorien der Vernunft außer Kraft setzt, hat die Klassik mit ihrer Forderung der »Behauptung und Durchsetzung des Intelligiblen in der erscheinenden Welt« keinen Bruch mit den Gesetzen kausal-logischen Denkens vollzogen, vielmehr am rationalistischen Erbe der Aufklärung festgehalten. Auch Emrich muß einräu-

men, daß die im empirisch-geschichtlichen Bereich *inzwischen* eingetretenen Wandlungen der Kunst nicht länger erlauben, mit den empirischen Ordnungskategorien zu paktieren, daß die Dichter der Moderne ihre dichterische Freiheit und Selbstbestimmung vielmehr nur noch im Kampf, Protest und schließlich in der unüberbrückbaren Distanz gegen das sog. normale empirische Bewußtsein »behaupten« könnten. »In diesem historischen Prozeß, der von der klassischen zur modernen Dichtung führt, steht der Dichter Heinrich von Kleist in einer extremen, einsamen Position.« Ebd. 18: In Kleists Kunst sei die Autonomie des Menschen zum vollen Durchbruch gelangt und darum von der klassischen Kunst Goethes und auch der Kunst seiner romantischen Zeitgenossen zu trennen und der modernen Dichtung zuzuordnen, »die sich in ihren extremen Vertretern mit Recht eine absolute Kunst nennt, weil in ihr die dargestellten Gegenstände ihre objektive Eigengesetzlichkeit verloren haben«. Über alledem sollte aber die revolutionäre Modernität Goethes in Faust II nicht übersehen werden.

49. Staiger, a. a. O. 53. Ebd. 47 die zwei nächsten Zitate. Vgl. ferner ebd. 46: »Auch er – wie Goethe und Schiller – ein Erbe der Aufklärung sowohl wie jenes Kults des leidenschaftlichen Herzens, den Rousseau eröffnet hatte.«

50. Angesichts dieses Versagens seines zeitanalytischen Strukturvergleichs verwundert es um so mehr, wenn Allemann (a. a. O. 155) behauptet, daß es »eigentlich nichts« besage, wenn »es zwischen Kleist und Kafka eine auffallende Affinität in der erzählerischen Hervorhebung des gestischen Details gibt«. Kann es doch im Gegenteil keine direktere Begründung eines Verwandtschaftsverhältnisses zwischen beiden Dichtern geben als solche nicht ableitbaren, rein auf Affinität beruhenden Übereinstimmungen im gestalterischen Vorgang.

51. Allemann, a. a. O. 158. Ebd. 166 das nächste Zitat.

52. Grützmacher, a. a. O. 1048. Ebd. das nächste Zitatstück.

53. Staiger, a. a. O. 62.

54. Peters, a. a. O. 161 f. Wenn jedoch manche Deuter Kafkas und gerade ihm nahestehende Freunde wie Brod und Urzidil betonen, daß er kein destruktiver Nihilist, sondern im Gegenteil durchaus positiv gerichtet gewesen sei, so mag das bis zu einem gewissen Grad auf den Menschen Kafka zutreffen, der, wenn auch durch Angst und Zweifel angefochten, sich nach Geborgenheit sehnte und hoffen und glauben *wollte*. Aber als Dichter war er unerbittlicher Tragiker, den ein sadomasochistisch anmutender Zug zu grausam tödlichen Lösungen drängte.

55. Hermann Pongs, Kleist und Kafka, in: Welt und Wort 7, 1952, 380 und 379. Ebd. die nächsten Zitate. Vgl. Benno von Wiese, a. a. O. 70: »Werden nicht alle sinnlichen und übersinnlichen Mächte aufgerufen und körperhaft versammelt, um das Sterben des Kohlhaas zu einem triumphierenden Akt der durch ihn selbst freiwillig versöhnten Gerechtigkeit zu machen? Und stehen nicht die Rappen, die leitmotivisch durch das ganze Geschehen hindurchgehen, am Ende nicht kläglich, sondern stattlich und wohlgenährt vor uns? Werden nicht die Söhne des Kohlhaas zu Rittern geschlagen, so daß die zum Tribunal gewordene Szene zugleich höchste Ehrung, ja Feier für den Roßhändler bedeutet? Die wiederhergestellte Gerechtigkeit inmitten einer bisher stärker in Unordnung geratenen Welt ist hier thematisch, und das ist nicht Katastrophe, sondern ihr Gegenteil: die Stunde des gerechten Gerichtes von den niedrigen bis zu den höchsten Rängen hinauf.«

56. Walter Sokel, Kleists Marquise von O . . ., Kierkegaards Abraham und Musils Tonka: Drei Stufen des Absurden in seiner Beziehung zum Glauben, in: Festschrift für Bernhard Blume, hg. von Egon Schwarz, Hunter Hannum und Edgar Lohner, Göttingen 1967, 69. Musil vertritt hier die irrationale Position Kafkas, insofern auch er die Absurdität des dargestellten Geschehens nicht harmonisiert: Tonka stirbt an ihrer Krankheit, bevor sie das Kind gebären kann und ohne daß das Rätsel, das sie aufgibt, gelöst wird.

57. Staiger, a. a. O. 53. Ebd. 46 das nächste Zitatstück.

58. Emrich, a. a. O. 14. Ebd. 12 das nächste Zitat.

59. von Wiese, a. a. O. 73.

60. Ebd. 64. Vgl. Staiger, a. a. O. 62: »Die letzten Tage beglänzte eine geisterhafte Heiterkeit. Er begrüßte den Tod als Panazee.«

61. Staiger, a. a. O. 53. Als Dichter weiß Kleist um solches Überwinden des tragischen Endes »und träumt davon in seinen wunderbarsten Gestalten, während er selber in dem dämonischen Zirkel des Fluchs befangen bleibt«. So lebt, wie von Wiese, a. a. O. 69 ausführt, die Marquise von O . . ., sowohl »durch das Sonderbare und Peinliche ihres Falls bis an die Grenze der Verzweiflung getrieben, . . . dennoch aus eigener Kraft und freiem Entschluß weiter«, ja sie taucht aus dem Schmutz der Erniedrigung wieder rein empor, »eine verklärte, dem Paradiesischen angenäherte Gestalt«.

62. von Wiese, a. a. O. 68. Die »ebenso unheimliche wie schöne Nähe von tragischer Katastrophe und utopisch-seliger Freiheit, wie sie Kleists Dichtung kennzeichnet, ist Kafka fremd – bis auf den bei ihm überraschenden Satz in der Erzählung *Elf Söhne:* ›Unschuld dringt vielleicht doch noch am leichtesten durch das Toben der Elemente in dieser Welt.‹«

63. Ebd. 69. Vgl. ebd. 70: »Auch noch der Schluß des *Prinzen von Homburg,* der Erschießung und Begnadigung in einen einzigen paradoxen Vorgang zusammenzieht, damit der Umschlag einer nunmehr nur noch *gespielten* Katstrophe in den Zustand eines utopischen und dennoch hier ganz wirklichen Glückes der Gnade so suggestiv wie möglich ins Szenische übersetzt werden kann, gehört – wie manches andere noch – in die nur schwer zu beschreibende Heiterkeit hinein, mit der Kleist seine Gestalten sogar über Abgründe ›tanzen‹ läßt.« Vgl. ferner ebd. 68 das nächste Zitat.

64. von Wiese, a. a. O. 71.

65. Wagenbach, Franz Kafka in Selbstzeugnissen und Bilddokumenten, Reinbek 1964, 36: »Zum Patrioten eignete sich Kafka ohnehin schlecht . . .« Er sprach höchst abfällig von »patriotischen Umzügen« (T 301, 6. August 1914).

66. Vgl. zum Folgenden Grützmacher, a. a. O. 1035 ff.

67. Den *Katechismus der Deutschen,* das *Lehrbuch der französischen Journalistik* und die *Hermannsschlacht* nennt Staiger (a. a. O. 55): »Dokumente eines geradezu bestialischen Hasses« und verweist auf das von Haß »verzerrte Gesicht, das uns aus dem entsetzlichen Rechner Hermann, der teuflischen Grausamkeit Thusneldas und dem eisigen Lehrer des *Katechismus der Deutschen* entgegenstarrt«.

68. Claude David, Kafka und die Geschichte, in: Franz Kafka. Themen und Probleme, a. a. O. 66. Ebd. 66–80 die nächsten einschlägigen Zitate. Vgl. Wagenbach, Franz Kafka in Selbstzeugnissen, a. a. O. 94 f.: »Über den Weltkrieg . . . finden sich in den Briefen und im Tagebuch noch keine fünfzig Zeilen.«

69. Ebd. 72. Ebd. 70: »Im Gesetz, wie hart auch immer, war eine sichernde Ordnung.«
70. Bei Kleist: Die Marquise von O . . ., Frau Littegarde, Alkmene, Penthesilea, Käthchen von Heilbronn, auch Nathalie im *Prinzen von Homburg,* die in drei Gedichtfassungen gefeierte Königin Louise von Preußen.
71. Grützmacher, a. a. O. 1014.
72. Nagel, Kafka und Goethe, a. a. O. 144. Ebd. 59 das nächste Zitat. Vgl. ferner Kafkas Bemerkung zu Gustav Janouch, an Picassos Gestaltungen sei das »Vorausgehen« der Uhr des Künstlers erkennbar; denn die Deformationen, die dieser vor Augen stellt, lägen in Wirklichkeit längst vor, seien aber nur noch nicht ins allgemeine Bewußtsein gedrungen.
73. von Wiese, a. a. O. 63 f. über Kleist. Ebd. das folgende Zitat.
74. Staiger, a. a. O. 49.
75. Ebd. 48. Ebd. 47 das nächste Zitatstück.
76. Grützmacher, a. a. O. 1048.
77. In diesem späten Brief rechnet Kafka schonungslos mit dem Schriftstellersein ab. Das Schreiben sei »ein süßer wunderbarer Lohn«, aber »für Teufelsdienst«. »Und das Teuflische daran scheint mir sehr klar. Es ist die Eitelkeit und die Genußsucht, die immerfort um die eigene oder auch um eine fremde Gestalt . . . schwirrt und sie genießt. Was der naive Mensch sich manchmal wünscht: ›Ich wollte sterben und sehen, wie man mich beweint‹, das verwirklicht ein solcher Schriftsteller fortwährend, er stirbt (oder er lebt nicht) und beweint sich fortwährend. Daher kommt eine schreckliche Todesangst . . . Erstens hat er schreckliche Angst zu sterben, weil er noch nicht gelebt hat . . . das Schlußwort in solchen Nächten ist immer: ›Ich könnte leben und ich lebe nicht.‹ Der zweite Hauptgrund [dieser Todesangst des Schriftstellers] ist die Überlegung: ›Was ich gespielt habe, wird wirklich geschehen. Ich habe mich durch das Schreiben nicht losgekauft . . .‹«

Die Romantik

1. Vgl. Lilian Furst, Kafka and the Romantic Imagination. in: Mosaic. A Journal for the Comparative Study of Literature and Ideas III/4, New Views on Franz Kafka. Published by the University of Manitoba Press, 1970, 81–89. Ebd. 82 konstatiert Furst »affinitives between Kafka and the Romantics« und verweist auf Jürgen Born, »who has analysed Kafka's statements about the processes of his writing in relation to pronouncements of the Romantics« sowie auf Heinz Politzer, »who has considered Kafka's Letters to Felice Bauer as archetypal documents of a romantic attitude«. Vgl. dazu: Wolfgang Paulsen (Hg.): Das Nachleben der Romantik in der modernen deutschen Literatur, Heidelberg 1969, 175–219 (Kafka-Kapitel).
2. Oskar Walzel, Deutsche Romantik I, Leipzig und Berlin [4]1918, 1: ». . . alles, was Sehnsucht weckt, das eintönige Treiben des Alltags zu fliehen, ist romantisch.« Fernensehnsucht und Wunschbild sind gewiß Grundzüge der Romantik. Aber sie sind nicht die einzigen und vor allem auch nicht die entscheidend fortwirkenden Elemente. Auch den Romantikern fehlte nicht der kritisch nüchterne Blick auf die Wirklichkeit. Das verfremdende Spiel der romantischen Ironie verweist auf eine bewußte Distanzhaltung, ja auch auf eine gewisse Illusionsferne der Dichter. Novalis betonte die Notwendig-

keit der Besonnenheit beim künstlerischen Schaffen und erklärte: »Begeisterung ohne Verstand ist unnütz und gefährlich.« »Die Poesie will vorzüglich als strenge Kunst getrieben werden.«

3. Daß hiermit der Kern romantischen Wesens berührt wird, duldet keinen Zweifel. Zugleich aber steht fest, daß die Welt der Romantik viel zu kontrastreich und vielschichtig ist, als daß sie zur Gänze in solche Formeln gefaßt werden könnte. Vgl. Paul Kluckhohn, Das Ideengut der deutschen Romantik, Halle/Saale [2]1942.

4. Franz Grillparzer: *Italien:* »Fort aus der Prosa Lasten und Müh'/Zieh ich zum Lande der Poesie.«

5. Furst, a. a. O. 87: »Kafka's stories . . . belong very much to the present . . . Kafka's heroes are such very ordinary people, caught up in petty little problems, worrying and dithering about details . . .«

6. Kafka, der Dichter, Stuttgart 1958, 25. Ebenso urteilte Kate Flores (The Judgement, in: Angel Flores and Homer Swander (Hg.): Franz Kafka Today, Madison 1958, 16 f.): »Kafka's taste in modern literature was predominantly antiromantic.« »He disliked the sentimental, the vague, the pompous, the picturesque and the fantastic as ends in themselves, the irresponsible playfulness of romanticism, and art for art's sake.« Auch in seiner Ablehnung von Goethes *Werther* bekundet sich dieser antiromantisch antisentimentale Zug. Aber er liebte Kleist, der freilich nicht eindeutig als Romantiker angesprochen werden kann.

7. The Disinherited Mind, Cambridge 1952, 192.

8. Furst, a. a. O. 85. Ebd. 88, 89 und 87 die nächsten Zitate. In ähnlichem Sinn hat Yeats Blake einen »literalist of the imagination« genannt.

9. Ebd. 87 verweist Furst auf Ortega y Gasset, der diesen revolutionären Vorgang als »Inversion in modern art« bezeichnet habe: »as he points out in *The Dehumanization of Art,* before, reality was overlaid with metaphors by way of ornament; now the tendency is to eliminate the extrapoetical, or real, prop and to ›realize‹ the metaphor, to make it the ›respectica‹ . . . Kafka does just this what makes his writings so disconcerting.«

10. Brief an Max Brod vom 5. Juli 1922.

11. Furst, a. a. O. 83.

12. Ebd. 84 und 85. Die Schreckbilder der Angst in romantischer Dichtung, insbesondere bei E. T. A. Hoffmann, können an Kafka denken lassen oder doch »kafkaeske« Eindrücke hervorrufen. Ebd. die folgenden Zitate.

13. Das Nachleben der Romantik in der modernen Literatur, hg. von Wolfgang Paulsen, Heidelberg 1969.

14. Ebd. 15. Ebd. 17 die folgenden Zitate.

15. Ebd. 28 nennt Ziolkowski als ein Beispiel solchen Nachwirkens der Romantik auf den jungen Hesse, der »in absoluter Hingabe an die geliebte historische Romantik« gedichtet habe.

16. Ziolkowski, a. a. O. 26. Ebd. 27: »In dem Dichter Broch hingegen erblicken wir . . . den deutlichen Fall eines Nach*lebens* der typologischen Romantik, obwohl sämtliche Zeichen des Nach*wirkens* fehlen . . . Dieses Nachleben ist also völlig unbewußt und stammt ausschließlich aus der Geisteshaltung einer zeitlos dauernden typologischen Romantik . . .« Hier handle es sich um »das genaue Gegenteil des Nach*wirkens* ohne Nach*leben*«, wie das zum Beispiel bei dem Parodisten Peter Rühmkorf festgestellt werden kann.

17. Wolfgang Paulsen (Hg.), Vorbemerkung, a. a. O. 11.

18. Jürgen Born, »Das Feuer zusammenhängender Stunden«. Zu Kafkas Metaphorik des dichterischen Schaffens (a. a. O. 177–191); Heinz Politzer, Franz Kafkas vollendeter Roman. Zur Typologie seiner Briefe an Felice Bauer (a. a. O. 192–211); Johannes Urzidil, Epilog zu Kafkas Felice-Briefen (a. a. O. 212–219).

19. Born, a. a. O. 177.

20. Ebd. 190: »Mit den Dichtern der Romantik verbindet Kafka eine besondere Aufmerksamkeit gegenüber dem Unbewußten und der Welt des Traumes . . . ein Sinn für die Immanenz des Geistigen in der physischen Welt oder, moderner ausgedrückt, ein Sinn für die Realität des Geistig-Seelischen gegenüber einer rein empirischen Wirklichkeit. Daher das Vorherrschen des Unheimlichen oder gar Phantastischen in der Dichtung: die empirische Wirklichkeit wird in Frage gestellt, das mögliche Vertrauen des Lesers auf eine vordergründige Scheinwirklichkeit erschüttert. Klären aber die Romantiker ihren Lesern, häufig am Ende der Erzählung, das Unheimliche auf . . ., so läßt Kafka es über den Schluß hinaus in seiner Unfaßlichkeit bestehen [weil es in seiner Sicht ja keine Erklärung gibt]. Der Leser soll sich nach der Lektüre nicht ›ruhig umdrehn und weiterleben‹ können (T 339).«

21. Dieter Hasselblatt (Zauber und Logik. Eine Kafka-Studie, Köln 1964, 115 ff.) befaßte sich mit der Frage nach einem Verwandtschaftsverhältnis zwischen Kafka und der Romantik. Oskar Walzel (Logik im Wunderbaren, in: Berliner Tageblatt 45, Nr. 342, 6. 7. 1916, 2) betonte »das Kleistische« in Kafkas Erzählkunst und verwies auch auf E. T. A. Hoffmann. Ebenso betonte Hugo von Hofmannsthal (Aufzeichnungen, Frankfurt a. M. 1959, 209), daß sich im Kunstwerk »der Enthusiasmus und die ratio vermählen« müssen.

22. Born, a. a. O. 187. Ebd. 188 das nächste Zitat.

23. Über Franz Kafka, Frankfurt a. M. 1966, 349.

24. Born, a. a. O. 190 f.

25. Politzer, a. a. O. 196 und 202. Ebd. 203 und 207 die folgenden Zitate.

26. Epilog zu Kafkas Felice-Briefen, a. a. O. 216.

27. Politzer, a. a. O. 196. In seinem Tagebucheintrag vom 12. August 1912 sprach Kafka von Felicens *leerem* Gesicht, daß es »seine *Leere* offen trug«.

28. Briefe an Felice und andere Korrespondenz aus der Verlobungszeit, hg. von Erich Heller und Jürgen Born, Frankfurt a. M. 1967, 9. Wie Politzer (a. a. O. 196) dazu bemerkt, wünschte Heller die Felice-Briefe Kafkas als »das Werk eines unbekannten Minnesängers aus der ersten Hälfte des zwanzigsten Jahrhunderts« bezeichnen zu können.

29. Vgl. Jack Zipes' Geleitwort zu: Marianne Thalmann, Romantik in kritischer Perspektive, Heidelberg 1976, 9.

30. Das Zitat Marianne Thalmanns aus: Das Märchen und die Moderne (1961) ist mitgeteilt von Zipes, a. a. O. 11.

31. Vgl. zum Folgenden das Kapitel »Zerstörung der klassischen Harmonie« in: Nagel, Kafka und Goethe. Stufen der Wandlung von der Klassik zur Moderne, Berlin 1977, 184–199.

32. Ausnahmen sind Eichendorff, der, fest in seinem katholischen Glauben gründend, vor krisenhaften Anfechtungen bewahrt blieb, und auch Jean Paul, der die *Rede des toten Christus vom Weltgebäude herab, daß kein Gott sei* in die Form eines apokalyptischen Angsttraums kleidet, diesem Schrekkenstraum aber ein alle Angst wieder vertreibendes Erwachen folgen ließ.

33. Die Forderung des Novalis, »einen Gegenstand fremd zu machen und doch bekannt und anziehend«, berührt sich sogar mit der Poetik Brechts, dessen »Verfremdungseffekt« erklärtermaßen auf »lustvolles Lernen« durch Verfremden abzielt.
34. Transzendente Zielsetzung bestimmte aber auch Kafka. Wie er 1917 ins Tagebuch eintrug, vermöchte er Glück nur dann zu empfinden, falls er mit seinem Schreiben »die Welt ins Reine, Wahre, Unveränderliche heben kann«.
35. Blume, a. a. O. 193. Ebd. 227 das Zitatfragment betr. Brentano.

E. T. A. Hoffmann

Eine Kurzfassung dieses Essays erschien unter dem Titel »Kafka und E. T. A. Hoffmann« in MAL, Volume 14, Nr. 1/2, 1981, 1–11.

1. Wolfgang Kayser, Das Groteske in Malerei und Dichtung, rowohlts deutsche enzyklopädie, Nr. 107, 1960, 105. Ebd. 106 die zwei nächsten Zitate. Wichtig ist in diesem Kontext auch: Norbert Kassel, Das Groteske bei Franz Kafka, München 1969, 55 definierte die groteske Spielart des Absurden als »unauflösliche Diskrepanz zwischen der scheinbaren festen Wirklichkeit der Dinge und ihrem schwankenden Sein im menschlichen Bewußtsein«. Vgl. ferner die einschlägigen Ausführungen in: Heinz Hillmann, Franz Kafka. Dichtungstheorie und Dichtungsgestalt, Bonn 1964.
2. Vgl. u. a. Baudelaire, Bonaventura, Hieronymus Bosch, Frédéric Boutet, Brueghel, Jacques Callot, Paul Ernst, H. H. Ewers, Goya, Victor Hugo, Kubin, George Langelaan, Meyrink, Octave Mirbeau, Jean Paul, Pirandello, E. A. Poe, Auguste Comte Villiers de l'Isle-Adam.
3. Kayser, a. a. O. 107. Vgl. ebd. das Folgende.
4. Vgl. u. a. die Anfänge von Kafkas *Verwandlung* und *Prozeß*-Roman.
5. Bezeichnenderweise war Kafka einer der ersten, der die realitätsgetreue Wahrhaftigkeit der Kunst Picassos erkannte und dessen »Deformationen« der Wirklichkeit als Ergebnisse eindringlicheren Sehens, ja prophetischen Voraussehens würdigte.
6. Nouvelles de l'Antimonde, 1963. Deutsch von Karl Rauch, Bern/Stuttgart 1963, 45 ff.
7. Hermann Pongs, Ambivalenz in moderner Dichtung, in: Sprachkunst als Weltgestaltung. Festschrift für Herbert Seidler, Salzburg/München 1966, 209.
8. Claude-Edmonde Magny, The objective Depiction of Absurdity, in: Angel Flores (Hg.): The Kafka Problem, New York 1946, 76.
9. Kafka the Writer, in: Kafka. A collection of critical essays, Englewood Cliffs 1962, 61 ff.
10. Der Dichter Franz Kafka, in: Hans Mayer (Hg.): Deutsche Literaturkritik im zwanzigsten Jahrhundert, Stuttgart 1965, 355. Vgl. auch Nagel, Franz Kafka. Aspekte zur Interpretation und Wertung, Berlin 1974, 151 f.
11. Lilian Furst, Kafka and the Romantic Imagination, in: New Views on Franz Kafka, in: Mosaic. A Journal for the Comparative Study of Literature and Ideas III, 4, 1970, 86. Vgl. Nagel, a. a. O. 112: »Das bruchlose Ineinander realistisch faßbarer Vorgänge und ›unterbewußt assoziativer Abläufe‹

traumhaften Charakters unterscheidet Kafkas Gestaltungen von denen E. T. A. Hoffmanns und seiner Nachfolger.« Vgl. ebd. 136: »E. T. A. Hoffmann trennt z. B. im *Goldnen Topf* die halluzinatorische Welt ganz deutlich von der normalen Tageswelt ab. Anders und Kafka näher ist es aber schon in Erzählungen Gogols, in denen sich Traum- und Tagessphäre nicht mehr trennen lassen.«

12. Gustav Janouch, Gespräche mit Kafka, Frankfurt a. M. 1951, (²1968), 27.
13. Sonderbare Begegnungen. Erzählungen, Darmstadt/Neuwied 1973. Vgl. auch K. H. II, 895.
14. Mot Dag 2 (24. Juni 1922), 188 f. Vgl. K. H. II, 745.
15. Poetischnjat swjat na Franz Kafka, in: Literaturen front 21, Nr. 49, 1965, 2.
16. The Diaries and Letters, in: Angel Flores (Hg.): The Kafka Problem, New York: New Directions 1946, 207 ff.
17. Franz Kafka, der Künstler, Frankfurt a. M. 1965, 147.
18. Marianne Thalmann, Meisterschaft. Eine Studie zu E. T. A. Hoffmanns Genieproblem (1956), in: Romantik in kritischer Perspektive, Heidelberg 1976, 117. Ebd. 129 und 131 die nächsten Zitate.
19. In: »Das Feuer zusammenhängender Stunden«, a. a. O. 189 f. Das eingeführte Hoffmann-Zitat stammt aus: E. T. A. Hoffmanns Tagebücher und literarische Entwürfe, hg. von Hans von Müller, Bd. I, Berlin 1915, 19.
20. Thalmann, a. a. O. 118; ebd. 121 das nächste Zitat sowie in: E. T. A. Hoffmanns Wirklichkeitsmärchen, ebd. 49 und 50 ff. die weiteren Zitate.
21. Wolfgang Baumgart, Romantische Steigerungen, in: H. O. Burger (Hg.), Annalen der deutschen Literatur, Stuttgart 1952, 593.
22. Thalmann, Der romantische Garten, a. a. O. 38. Ebd. 44 (E. T. A. Hoffmanns Wirklichkeitsmärchen) das folgende Zitat.
23. Vgl. Baumgart, a. a. O. 594.
24. Heinz Dietrich Kenter, Im Bannkreis der Realität. E. T. A. Hoffmann nach 150 Jahren, in: Rhein-Neckar-Zeitung Heidelberg vom 14. Juni 1972 (Literatur-Beilage). Ebd. die drei nächsten Zitate.
25. Beckett setzt seinerseits die Linie Kafkas fort. Seine *Endspiel*-Dichtungen ziehen die letzten Konsequenzen aus Kafkas Ansätzen.
26. Kenter, a. a. O.
27. Der Spruch, den der gelähmte kranke Dichter am Wandschirm seines Bettes befestigt hat, bestätigt seine – wenn auch skeptische – Lebensgläubigkeit: Et si male nunc, non olim sic erit: Und wenn es heute auch schlecht geht, es wird nicht immer so sein.
28. Kenter, a. a. O. Ebd. das nächste Zitat.
29. Vgl. die Traum-Groteske in Hoffmanns *Abenteuer der Silvester-Nacht:* ». . . die Bäume und Pflanzen geraten aus ihren Proportionen, der ›Kleine‹ wird zum Eichhörnchen, die anderen Menschen verwandeln sich in Zuckerfiguren, die aber auf eine unheimliche Art zu leben und zu krabbeln beginnen – bis der Träumer mit einem Schrei aus dem Schlaf fährt.« Vgl. dazu Kayser, a. a. O. 53.
30. Vgl. zum Folgenden Hartmut Binder (Motiv und Gestaltung bei Kafka) und Norbert Kassel (Das Groteske bei Franz Kafka).
31. Baumgart, a. a. O. 595.
32. Kayser, a. a. O. 56: »Hoffmann liebt es, groteske Szenen als Traumerlebnis darzustellen. Mit einem Schrei wacht dann der Träumer auf; indem er aus dem Bett steigt, betritt er eine andere Ebene.«

33. Vgl. die Anfänge der *Verwandlung* und des *Prozeß*-Romans.
34. Kayser, a. a. O. 56: ».. . die einbrechenden feindlichen und die Welt verfremdenden Mächte werden meist als teuflische Versuchungen gedeutet; nicht aus dem Bodenlosen, sondern aus der Hölle stiegen die grotesken Hoffmannschen Gestalten.«
35. Ebd. 55. Ebd. das folgende Zitatbruchstück.
36. Ebd. 83: »Überschauen wir ... E. T. A. Hoffmanns groteske Gestalten, so lassen sie sich in drei Typen gliedern. Da ist erstens die äußerlich (in Erscheinungsbild und Bewegung) groteske Gestalt ... Den zweiten Typ bilden die exzentrischen Künstlergestalten ... meist von skurrilem Äußeren ... vom Wahnsinn bedroht ... drittens die ›dämonischen‹ Gestalten« (wie z. B. Coppelius im *Sandmann*), die unauflösbar rätselhaft bleiben.
37. Ebd. 59. Ebd. das nächste Zitatfragment.
38. Ebd. 58: »Immer wieder ist es bei E.T.A. Hoffmann der Künstler, der die Kontaktstelle für den Einbruch der unheimlichen Gewalten bildet und der die sichere Verbindung zur Welt verliert, weil er durch die Oberfläche der Dinge zu dringen vermag.« Ebd. 59 das nächste Kurzzitat.
39. Hillmann, a. a. O. 172. Vgl. ebd.: Nach einem zunächst ganz »normalen« Verlauf erfolge auf einmal – völlig unerwartet und übergangslos – eine Wendung ins »Absurde« und trete eine andere, bislang nicht erkannte (oder übersehene) Welt vor Augen. Ebd. 121 das nächste Zitat.
40. E.T.A. Hoffmanns Wirklichkeitsmärchen (1952), in: Romantik in kritischer Perspektive, a. a. O. 53. Ebd. 54 die nächsten Zitate.
41. Thalmann, Das Fräulein von Scuderi, a. a. O. 28. Ebd. das letzte Zitat.

Kierkegaard

1. Zitierte einschlägige Literatur:
Theodor Adorno, Aufzeichnungen zu Kafka, in: Prismen. Kulturkritik und Gesellschaft, Frankfurt a. M. 1976.
Günther Anders, Kafka. Pro und contra, München 1963.
W. Baumgartner, Kafka und Strindberg, in: Nerthus 2, 1969, 9–51.
Walter Benjamin, Schriften II, hg. von Theodor und Gretel Adorno, Frankfurt a. M. 1969.
Eugen Biser, »Gott ist tot.« Nietzsches Destruktion des christlichen Bewußtseins, München 1962.
Max Brod, Franz Kafka. Eine Biographie, Frankfurt a. M. 1954.
Albert Camus I, Der Mensch in der Revolte, Hamburg 1953.
Ders. II, Hope and the Absurd in the work of Franz Kafka, in: Ronald Gray (Hg.): Kafka. A collection of critical essays, Englewood Cliffs 1962, 147–155.
Ders. III, Hope and Absurdity, in Flores (Hg.), a. a. O. 265–275.
Elias Canetti, »Der andere Prozeß«. Kafkas Briefe an Felice, München 1969.
Hermann Diem, Kierkegaard, Fischer Bücherei 109, Frankfurt a. M. 1965.
Kate Flores, The Judgement, in: Flores/Swander (Hg.), a. a. O. 5–24.
Willy Haas, Über Franz Kafka, in: Gestalten. Essays zu Literatur und Gesellschaft, Berlin 1962, 202–228.
Erich Heller, Studien zur modernen Literatur, Frankfurt a. M. 1963.

Ingeborg Henel I, Kafka als Denker, in: David (Hg.), a. a. O. 48–65.

Dies. II, Die Türhüterlegende und ihre Bedeutung für Kafkas *Prozeß*, DVjs 37, 1963, 56–70.

Sigurd Hoel, Vorwort zur norwegischen *Prozeß*-Ausgabe von 1933.

Frederick Hoffmann, Escape from Father, in: Flores (Hg.), 214–246.

John Kelly, »The Trial« and the Theology of Crisis, in: Flores, 151–171.

Claude-Edmonde Magny, The Objective Depiction of Absurdity, in: Flores (Hg.), 75–96.

Edwin Muir, Franz Kafka, in: Ronald Gray (Hg.), 33–44.

Bert Nagel, Franz Kafka. Aspekte zur Interpretation und Wertung, Berlin 1974.

Klaus-Peter Philippi, Parabolisches Erzählen, DVjs 43, 1969, 297–332.

Heinz Politzer, Franz Kafka, der Künstler, Frankfurt a. M. 1965.

Wiebrecht Ries, Transzendenz als Terror. Eine religionsphilosophische Studie über Franz Kafka, Heidelberg 1977.

Daniel Rops, The Castle of Despair, in: Flores (Hg.), 195–202.

Demosthenes Savramis, Religion und Sexualität, München 1972.

Hans Joachim Schoeps, Was ist der Mensch? Philosophische Anthropologie, Göttingen 1960 (Kafka-Kapitel).

V. Sörensen, Kafkas Digtning, Kopenhagen 1968.

Walter Sokel I, Franz Kafka – Tragik und Ironie, München/Wien 1964.

Ders. II, Kleists *Marquise von O.*, Kierkegaards *Abraham* und Musils *Tonka:* Drei Stufen des Absurden in seiner Beziehung zum Glauben, in: Festschrift für Bernhard Blume, Göttingen 1967, 323–333.

Ders. III, Das Programm von Kafkas Gericht: ödipaler und existentieller Sinn des *Prozeß*-Romans, in: Caputo-Mayr (Hg.), 81–107.

Margarete Susman, Das Hiob-Problem bei Franz Kafka, in: Der Morgen 1929, 31–49.

Jean Wahl, Kierkegaard and Kafka, in: Flores (Hg.), 277–290.

Austin Warren, The Penal Colony, in: Flores (Hg.), 140–142.

Ludwig Winder, Neue Bücher. Hinweise, in: Bohemia 98, Nr. 290, 13. Dezember 1925, 14 ff.

2. Ries, a. a. O. 62: »Die von Kierkegaard . . . entwickelte Frage einer ›teleologischen Suspension des Ethischen‹ hatte Kafka bereits lange vor jedweder Kierkegaard-Lektüre in seiner 1912 geschriebenen Erzählung *Das Urteil* thematisiert: der Vater, der den Sohn zum Tode des Ertrinkens verurteilt.«

3. Als Siebenundzwanzigjähriger verlobte sich Kierkegaard mit der siebzehnjährigen Regine Olsen und löste nach einem Jahr ohne ersichtlichen Grund die Verlobung wieder auf. Dieser leichtfertig scheinende Bruch war ein Skandal in Kopenhagen. Vorausgegangen war jedoch »ein innerer Kampf . . ., der ihn bis in die Hölle und an die Grenze des Wahnsinns führte«. (Diem, a. a. O. 9) Als Neunundzwanzigjähriger verlobte sich Kafka im Juni 1914 mit Felice Bauer und entlobte sich schon wieder im Juli. Im Juli 1917 verlobte er sich mit ihr zum zweiten Mal, worauf im Dezember die zweite Entlobung erfolgte. 1919 verlobte sich Kafka mit Julie Wohryzek und entlobte sich 1920. Das Unvermögen zu einer intimen Lebensgemeinschaft, eine Hemmschwelle gegenüber dem anderen Geschlecht war Kierkegaard und Kafka gemeinsam. Doch war Kafka in seinem Verhalten schwankender als Kierkegaard.

4. Im Vierten Oktavheft stößt sich Kafka an Kierkegaards allzu selbstsicherem

Sendungsbewußtsein: »Er hat zu viel Geist, er fährt mit seinem Geist wie auf einem Zauberwagen über die Erde, auch dort, wo keine Wege sind. Und kann es von sich selbst nicht erfahren, daß dort keine Wege sind. Dadurch wird seine demütige Bitte um Nachfolge zur Tyrannei und sein ehrlicher Glaube ›auf dem Wege‹ zu sein, zum Hochmut.«

5. Ries, a. a. O. 26.
6. Ebd. 111. Ebd. 117 nächstes Zitatstück.
7. Diem, a. a. O. 15.
8. Ries, a. a. O. 34. Ebd. das nächste Zitatstück. Ebd. 37: »Hatte Kierkegaard im *Begriff der Angst* die Verbindung von Angst, Sexualität und Sündenfall in tiefsinnigen Spekulationen umkreist, so deutet Kafka mit seiner Bemerkung: ›Manchmal glaube ich, ich verstehe den Sündenfall wie kein Mensch sonst‹ gleichfalls eine solche Verbindung an.
9. Vgl. zum Folgenden: Nagel I, a. a. O. 58 ff.
10. Vgl. Demosthenes Savramis, Religion und Sexualität, München 1972.
11. Philippi II, a. a. O. 321.
12. Klaus Wagenbach, Franz Kafka in Selbstzeugnissen und Bilddokumenten, Reinbek bei Hamburg 1972, 77 f.
13. Ries, a. a. O. 28 f.: »Es ist die Übermächtigkeit des Vaters, an der sich sowohl Kafka wie Kierkegaard ›verheben‹. Beider Kindheit leidet unter der Verdunkelung durch den erdrückenden lastenden Schatten des Vaters. Dessen ins Riesenhaft-Groteske verzerrte Dimension liegt über fast allen Seiten der Kafkaschen Dichtungen und ist Teil jenes ›unerträglichen‹ Dunkels, das sich in ihnen ausbreitet und das auf alten vergessenen Dachböden, Stätten des Gerichts, ebenso haust wie in der Labyrinthwelt der Kanzleien und Registraturen. Dieser Dunkelheit entspricht bei Kierkegaard die Düsternis jener ›stillen Verzweiflung‹, welche als väterliches Erbe aus jeder Zeile seines monströsen Werkes spricht. Kafkas wie Kierkegaards Existenz zeigt sich in der literarischen Fixierung, die sie ihr gegeben haben, als ebenso verzweifelter wie ohnmächtiger Kampf mit dem Schatten ihres Vaters.« Vgl. ebd. 62: »Wenn irgendwo, dann ist Kafka in der Erzählung *Das Urteil* nicht nur Kritiker, sondern auch Erbe Kierkegaards, indem der Anspruch der Macht – noch durch ihren verkommensten Vertreter – zur *absoluten Pflicht* für den Sohn wird, der Selbsthinrichtung entgegenzustürzen.«
14. Sören Kierkegard, Der Begriff der Angst, Kapitel 1, § 5. Ebd. Kapitel 2, § 2 das nächste Zitat.
15. Das ging zusammen mit der Absolutheit des transzendenten religiösen Anspruchs, vor den sich Kafka gestellt sah, und spiegelt sich in Kierkegaards Verurteilung der totalen Religionslosigkeit derer, die nach außen Religiosität vortäuschen.
16. Diem, a. a. O. 14.
17. Claude-Edmonde Magny, a. a. O. 75 ff.
18. Sigurd Hoel, a. a. O. Willy Haas, a. a. O. 202 ff. Vgl. ferner Daniel Rops, a. a. O. 197: Wie Kierkegaard erkenne Kafka »the complete incompatibility of suprahuman justice and human morality«.
19. Ries, a. a. O. 34.
20. Winder, a. a. O. 14.
21. W. Baumgartner, Kafka und Strindberg, in: Nerthus 2, 1969, 9–51.
22. Sörensen, a. a. O. (Kapitel über Kafka und Kierkegaard).
23. Sokel I, a. a. O. 445.

24. Ebd. 61. Wie in Kafkas *Urteil* der *Freund* dem Verlöbnis Georg Bende-manns entgegensteht, so hat Kierkegaard durch das Beispiel seiner Entlo-bung Kafkas Abneigung gegen eine Verlobung »wie ein *Freund* bestätigt«.

25. Nach Brod ist die Amalia-Sortini-Episode »literally a parallel to Kierke-gaard's book [*Furcht und Zittern*], which starts from the fact that God required from Abraham what was really a crime, the sacrifice of his child; and which uses this paradox to establish triumphantly the conclusion that the categories of morality and religion are by no means identical«. Eben darum ist blinder Gehorsam geboten, auch dann, wenn ein göttlicher Befehl wider-sinnig, ja unsittlich erscheint.

26. Sokel I, a. a. O. 467. Ebd. das nächste Zitat.

27. Ebd. 467 f.: »Der Hungerkünstler, der das Wesen seiner Kunst niemand mitteilen kann, ist eine Parodie des Kierkegaardschen Abraham, der seine Wahrheit keinem Mitmenschen begreiflich machen kann. Denn seine Wahr-heit ist ganz innerlich, ganz spezifisch, ganz individuell.« Ebd. 468 das nächste Zitat.

28. Ebd. 472, Anmerkung 5. Ähnlich hat auch Jean Wahl, Kafka et Kierke-gaard, a. a. O. 93 ff. die Unterschiede zwischen Kafka und Kierkegaard betont.

29. Ebd. (Sokel) 468 f. Ebd. 469–471 die nächsten Zitate.

30. Vgl. ebd. 473.

31. Hans Joachim Schoeps, a. a. O. 11.

32. Eugen Biser, a. a. O. 93 f.

33. Beda Allemann, Kleist und Kafka, in: David (Hg.), 152 ff.

34. Vgl. Ingeborg Henel I, a. a. O. 63 und 64, ferner dies. II, a. a. O. 63, Anmerkung 11. Ebd. die anschließenden Zitate.

35. Vgl. Edwin Muir, a. a. O. Ebd. 36 und 42 die beiden zugehörigen Zitate.

36. Albert Camus II, a. a. O. 148 f.

37. Vgl. Camus III, a. a. O. 272. Auch John Kelly, a. a. O. 151 ff. vereinnahmt Kafka zu ausschließlich für die Theologie mit totalitärer Betonung des Kierkegaard-Einflusses. Kafka gilt ihm geradezu als Theologe: »a fellow of Calvin, Kierkegaard, Karl Barth and other adventurers in the hard dogmas of a ›crucial‹ theology« (ebd. 160). Ebenso sieht Daniel Rops, a. a. O. 199 Kafka deeply influenced by the philosophy of the famous Dane, Sören Kierkegaard«.

38. Jean Wahl, a. a. O. 283.

39. Blaise Pascal, Über die Religion und über einige andere Gegenstände (Pen-sées). Übertragen und hg. von Ewald Wasmuth, Heidelberg 1972, Fragment 205, 114 f.

40. Kate Flores, a. a. O. 18.

41. Vgl. Frederick Hoffman, a. a. O. 253. Ebd. 256, 257 und 259 die nächsten Zitate.

42. Max Brod III, a. a. O. 165.

43. Wiebrecht Ries, a. a. O. 11 f.

44. Religiöse Deutungen, in: K. H. II, 801.

45. Vgl. zum Folgenden Sokel III, a. a. O. 98 und 102.

46. Daniel Rops, a. a. O. 197.

47. Weiter als bis zur Verzweiflung sei Kafka nie gekommen, erklärte Dora Dymant, die Gefährtin seiner letzten Lebensphase. Die gleiche Zwiespältig-keit kennzeichnet auch die Protagonisten Kafkas. Hermann Pongs (Franz

Kafka. Dichter des Labyrinths, Heidelberg 1960, 37) spricht von »Tragik der Gespaltenheit . . ., die, ausweglos, unheilbar in den Untergang der Selbstzerstörung führt«.

48. Vgl. »Der andere Prozeß«. Kafkas Briefe an Felice, München 1969, 89 sowie die zugehörigen Ausführungen bei Ries, a. a. O. 62 ff.
49. Früheste Deutung Franz Kafkas, in: Gestalten und Kreise, Zürich 1954, 355.
50. Kafka. Pro und contra, München 1967, 91.
51. Ries, a. a. O. 11 und 17.
52. Adorno, a. a. O. 338.
53. Die metaphysische Revolte, in: Camus I, a. a. O.
54. Ries, a. a. O. 47. Ebd. 60 das nächste Zitat.
55. Studien zur modernen Literatur, Frankfurt a. M. 1963, 19.
56. Ries, a. a. O. 62.
57. Helmut Richter, Franz Kafka. Werk und Entwurf, Berlin 1962, 120.
58. Nagel, a. a. O. 259 ff. Ebd. die nächsten Zitate und Zitatfragmente.

Nietzsche

1. Zitierte einschlägige Literatur:
   Theodor Adorno, s. unter »Kierkegaard«.
   Günther Anders, Kafka. Pro und contra, München 1963.
   Walter Benjamin, s. unter »Kierkegaard«.
   Hartmut Binder, Leben und Persönlichkeit Franz Kafkas, in: K.H. I, 103–584.
   Eugen Biser I, »Gott ist tot.« Nietzsches Destruktion des christlichen Bewußtseins, München 1962.
   Ders. II, Das Desiderat einer Nietzsche-Hermeneutik, in: Nietzsche-Studien, Bd. 9, Berlin 1980, 1–37.
   Ders. III, Nietzsche und Dante. Ein werkbiographischer Strukturvergleich, ebd. Bd. 5, 1976, 146–177.
   Patrick Bridgwater, Kafka and Nietzsche, Bonn 1974.
   Max Brod, Franz Kafka. Eine Biographie, Frankfurt a. M. 1954.
   Wilhelm Emrich, Franz Kafka und der literarische Nihilismus, in: Caputo-Mayr (Hg.), 108–125.
   Gerd-Günther Grau, Christlicher Glaube und intellektuelle Redlichkeit. Eine religionsphilosophische Studie über Nietzsche, Frankfurt a. M. 1958.
   Reinhold Grimm, Comparing Kafka and Nietzsche, The German Quarterly 1979, 339–350.
   Martin Heidegger, Nietzsche, Pfullendorf [2]1961.
   Erich Heller I, The Disinherited Mind, Cambridge 1952.
   Ders. II, Studien zur modernen Literatur, Frankfurt a. M. 1963.
   Karl Jaspers, Nietzsche und das Christentum, Hameln 1976.
   Werner Kraft, Franz Kafka. Durchdringung und Geheimnis, Ffm. 1968.
   Thomas Mann, Nietzsches Philosophie im Lichte unserer Erfahrung, in: Dichter und Herrscher, hg. von Rolf Hochhuth, Gütersloh, o.J., 287–315.
   Bert Nagel, Nietzsche, in: Kafka und Goethe, Berlin 1977, 29–32.
   J. M. S. Malcolm Pasley, Asceticism and Cannibalism, Oxford German Studies I, 1966.

Klaus-Peter Philippi, Reflexion und Wirklichkeit. Untersuchungen zu Kafkas Roman *Das Schloß*, Tübingen 1966.

Heinz Politzer, Franz Kafka, der Künstler, Frankfurt a. M. 1965.

T. J. Reed, Kafka und Schopenhauer, Euphorion 59, 1965, 160–172.

Wiebrecht Ries, s. unter »Kierkegaard«.

Walter Sokel, Franz Kafka – Tragik und Ironie, München/Wien 1964.

2. Brod, a. a. O. 259. Während Brod in einem Vortrag über Schopenhauer im Oktober 1902, Nietzsche als »Schwindler« bezeichnete, war Kafka ein engagierter Nietzsche-Leser.

3. Kafka. Pro und contra, a. a. O. 84: »Von der Situation ›Gott ist tot‹ geht nun alles, was Kafka schreibt, aus.« Vgl. dazu Ries, a. a. O. 70. Wie Anders betonte auch Bridgwater »that Nietzsche's proclamation of the ›death of God‹ is the background against which Kafka's work has to be considered«. Doch im Gegensatz zu Nietzsches Totsagung Gottes lautet das Credo Kafkas: Gott ist fern, aber er ist.

4. Franz Kafka, der Künstler, a. a. O. 139.

5. Erich Heller I, a. a. O. 163.

6. Reflexion und Wirklichkeit, a. a. O. 122.

7. Kafka and Nietzsche, a. a. O. 9. Ebd. 11 und 13 die nächsten Zitate.

8. Als erster betonte Sokel den verwandtschaftlichen Zusammenhang der Kunst Kafkas »mit Nietzsches Begriff der dionysischen Tragödie, wie er ihn in der *Geburt der Tragödie* entwickelt hat«. (Franz Kafka – Tragik und Ironie, 69) Ebd. 545 gab Sokel den für die Nietzsche-Rezeption Kafkas wichtigen Hinweis auf dessen »besondere Wertschätzung von Nietzsches Artistenmetaphysik«.

9. Nietzsche-Studien, Band 9, 1980, 1 f.

10. Pasley I, a. a. O. 102–113, zitiert nach Hartmut Binder, a. a. O. 251.

11. Ries, a. a. O. 79. Ebd. das folgende Zitat aus Adorno I, a. a. O. 338.

12. Philippi, a. a. O. 218.

13. Vgl. Sokel, a. a. O. 29.

14. Franz Kafka, Briefe, 495.

15. Binder, a. a. O. 252. Ebd. die nächsten Zitate. Vgl. Bridgwater, a. a. O. 13.

16. T. J. Reed, a. a. O. 168

17. Bridgwater, a. a. O. 7 f. Ebd. die nächsten englischen Zitate.

18. Comparing Kafka and Nietzsche, The German Quarterly, Vol. L II, May 1979, Nr. 3, 339–350, 341. Ebd. kritisiert Grimm Bridgwaters »lust for sweeping, all-too-sweeping generalizations, philosophical flights of fancy, and linguistic no less than geographical, indeed theatrical excursions and expeditions«.

19. Erich Heller I, a. a. O. 14.

20. Nagel, a. a. O. 44.

21. Vgl. Kafkas Bericht über *Die Aeroplane in Brescia* in der Deutschen Zeitung Bohemia, 82 Jg., Nr. 269, 28. September 1909, 1–3.

22. Johannes Urzidil bemerkte zu Kafkas Tod am 3. Juni 1924: »Der Knecht Gottes war gegangen«, und als einen solchen haben ihn alle nahestehenden Freunde erkannt.

23. Die folgenden eingeformten Zitate und Zitatfragmente aus Biser II, a. a. O. 1, 2, 3, 5, 6, 7, 8, 10, 18, 21, 31 und 32.

24. Heidegger und Satre sind die entschiedensten Verfechter der Nietzsche-*Philosophie*.

25. Es gibt »in der Tat kaum eine Position, auf die Nietzsche [und Kafka] nicht festgelegt worden wären, aber auch kaum eine weltanschauliche Strömung, die nicht wenigstens vorübergehend mit dem Gedanken gespielt hätte, ihn [sie] für sich in Anspruch zu nehmen«. (Biser II, a. a. O. 18).

26. Eugen Biser I, a. a. O. 93 f.

27. *Menschliches, Allzumenschliches*, Erster Band, Nr. 192 und 193.

28. Sokel, a. a. O. 29 und Anders, a. a. O. 84.

29. Vgl. Kafkas Erzählungen *Ein Bericht für eine Akademie* und *Forschungen eines Hundes*, in denen Menschwerdung pessimistisch als ein folgenschwerer Verlustvorgang gesehen wird.

30. Vgl. zum Folgenden Nagel, a. a. O. 29 f.

31. Louis Wiesmann, Das moderne Gedicht. Versuch einer Genealogie, Basel 1973, 62.

32. Wilhelm Emrich, a. a. O.

33. Bridgwater, a. a. O. 37: »What is Truth?«: »the Biblical questions express the most fundamental preoccupation of Nietzsche and Kafka.« Ebd. 151: »Both men's work is constructed of questions; Their concern is to indicate the complexity of the questions – ours is to answer them, if we can.«

34. Ries, a. a. O. 72. Ebd. die nächsten Zitatbruchstücke.

35. Nächst dem Nihilismus Nietzsches und dem Pessimismus Schopenhauers hat die die Existenz des Ichs leugnende Philosophie Ernst Machs das Denken und Fühlen der Dichtergeneration um und nach 1900 am stärksten beeinflußt. Auch Kafka ist in diesem Krisenklima der Ichbedrohtheit aufgewachsen.

36. Ries, a. a. O. 72 f. Ebd. 74 nächstes Zitatstück.

37. Ebd. 75 f. Vgl. dazu Hocke, Manierismus in der Literatur. Sprachalchimie und esoterische Kombinationskunst, Reinbek 1959, 272 f.

38. Vgl. ebd. 76.

39. Ries, a. a. O. 77, mit einbezogenen Zitatstücken aus Walter Benjamin, Ursprung des deutschen Trauerspiels, Frankfurt a. M. 1963, 90 und 197.

40. Vgl. Nagel, Franz Kafka, Berlin 1974, 58 ff.

41. Früheste Deutung Franz Kafkas, in: Gestalten und Kreise, Zürich 1954, 355.

42. Ries, a. a. O. 84. Wenn Kafka zuletzt die Übersiedlung nach Israel und damit die »Heimkehr« zu seinen Ursprüngen ernsthaft erwog, so zeigt sich darin, wie unauflösbar die religiöse Bindung ihn festgehalten hat, daß sie in der Tat eine durchlaufende Konstante seines Lebens gewesen ist.

43. Nietzsche, Über Wahrheit und Lüge im außermoralischen Sinne, I.

44. Gerd-Günther Grau, a. a. O. 284.

45. Vgl. Kafkas Tagebucheintrag vom 1. Februar 1922.

46. Ries, a. a. O. 83 mit Zitat aus Walter Benjamin, Goethes *Wahlverwandtschaften*, in: Illuminationen, Frankfurt a. M. 1969, 110.

47. Ebd. 11 (Vorwort).

48. Walter Benjamin, Briefe, II, Frankfurt a. M. 1966, 613. Kafkas Schaffen gilt Benjamin als von »vorweltlichen Gewalten« bestimmt.

49. Aufzeichnungen zu Kafka, in: Prismen, Frankfurt a. M. 1955, 337.

50. Zehn unhistorische Sätze über Kabbala, in: Judaica 3, Ffm. 1973, 271.

51. Kraft, a. a. O. 209 (Anmerkung 14) und 69.

52. Erich Heller II, a. a. O. 41 f. (Die Welt Franz Kafkas).

53. Der andere Prozeß. Kafkas Briefe an Felice, München 1969, 89.

54. Adorno (Noten zur Literatur II, Frankfurt a. M. 1961, 7 f.) betont Recht und Notwendigkeit theologischer Interpretation mit folgender Begründung: »Profane Texte wie heilige anschauen, das ist die Antwort darauf, daß alle Transzendenz in die Profanität einwanderte und nirgends überwintert als dort, wo sie sich verbirgt.«
55. Ries, a. a. O. 98.
56. Briefe II, Frankfurt a. M. 1966, 613.
57. Vgl. zum Folgenden Nagel, a. a. O. 166 ff. Das erste der beiden von hier übernommenen Kafkazitate ist erweitert. Die (gekürzten, z. T. auch spezifizierten) Eigenzitate sind nicht als solche markiert.
58. Ries, a. a. O. 113.
59. Kafka, *Hochzeitsvorbereitungen*, 325.
60. Ries, a. a. O. 117 und 118.
61. Nietzsche, Die Geburt der Tragädie, § 19.
62. Ries, a. a. O. 130. Ebd. 143 ff. die folgenden Zitatteile. Im Gegensatz zu Ries hebt Hans Joachim Schoeps (Theologische Motive in der Dichtung Franz Kafkas, in: Die Neue Rundschau, Jg. 62, 1951, 37) das positiv Religiöse in Kafka hervor. Obwohl dieser bis zum Ende »in der tragischen Position der potenzierten Verzweiflung verblieben« sei, sei doch »die Hoffnung in Kafkas persönlichem Leben trotz aller Not und Leiden eine reale Macht von geradezu messianischer Gewalt« gewesen.
63. Die Türhüterlegende und ihre Bedeutung für Kafkas *Prozeß*, DVjs 37, 1963, 50–70.
64. Das Verhältnis der Erzählperspektive zu Erzählgeschehen und Sinngehalt in *Vor dem Gesetz, Schakale und Araber* und *Der Prozeß*, ZfdPh 86, 1967, 267–300.
65. Die Erzählkunst des 20. Jahrhunderts.
66. *Vor dem Gesetz*, in: Franz Kafka, a. a. O. 213–237. Ebd. 220 f. das nächste Zitat.
67. Sokel, a. a. O. 514 ff. Ebd. die folgenden Zitate.
68. Daß für den der Musik fernstehenden Kafka Musik die gleiche Bedeutung haben sollte wie für den musiksensiblen Nietzsche mag verwundern. Doch gibt es Äußerungen Kafkas, die auf eine besondere Ansprechbarkeit durch Musik hinweisen. Im Tagebuch sprach er sogar von dem Opfer, das die Entsagung gegenüber der Musik ihm auferlegt habe.
69. Sokel, a. a. O. 68 f.
70. T 534: »Dem Tod also würde ich mich anvertrauen. Rest eines Glaubens. Rückkehr zum Vater. Großer Versöhnungstag.« Hiermit identifiziert sich Kafka »mit dem großen heiligen Tag des Judentums, dem Versöhnungstag, Yom Kippur, wo alle Sünden vergeben werden dem, der ehrlich heimkehren will«.
71. Sokel, a. a. O. 69. Vgl. dazu Goethes Äußerung im *Fragment über die Natur* (1787), daß die Natur zwar auf Individuation gestellt sei, sich aber nichts aus Individuen mache, bzw. daß die Natur immer recht habe, daß sich schwächere Naturen an diesem Tatbestand stoßen, starke hingegen ihn willig akzeptieren.
72. Nietzsche, *Die Geburt der Tragödie,* 138, 174.
73. Nietzsche, *Jenseits von Gut und Böse. Sprüche und Zwischenspiele* Nr. 157.
74. Bridgwater, a. a. O. 154.
75. Sokel, a. a. O. 211 ff.

76. Ebd. 212: »Sein Vegetarismus, eine Form seiner Reinheit, war ihm immer eine Zielscheibe bittersten Spottes, doch konnte er nicht davon lassen. . . .«
77. Vgl. Nagel, Benn, in: Kafka und Goethe, 32–35.
78. *Weinhaus Wolf* (1937), in: Deutsche Erzähler des 20. Jahrhunderts. Ausgewählt von Rolf Hochhuth, Bertelsmann Lesering, Bd. II, 89.
79. Nagel, a. a. O. 33. Das Thomas-Mann-Zitat: a. a. O. 312.
80. Nagel, a. a. O. 34.
81. Brief an Max Brod vom 5. Juli 1922.
82. Faust I, 1570–71:
Und so ist mir das Dasein eine Last,
Der Tod erwünscht, das Leben mir verhaßt.
83. Vgl. auch Bridgwater, a. a. O. 156: »That Nietzsche was unable to shake off the Christianity which he so virulently attacked, has long been accepted.
84. Nietzsche und das Christentum, a. a. O. 182.
85. Nagel, a. a. O. 32.

Russische Erzähler

1. Vgl. u. a. M. Church, Dostoievsky's *Crime and Punishment* and Kafka's *The Trial.* In: Literature and Psychology 19, 1968/70, 47–56; William Hubben, Four Prophets of our Destiny: Kierkegaard. Dostoievsky. Nietzsche. Kafka, New York 1952; Rudolf Kassner, Stil und Gesicht. Swift, Gogol und Kafka. In: Merkur 8, 1954, 737–752; Sophie Laffitte, Anton Tschechov in Selbstzeugnissen und Bilddokumenten, Reinbek bei Hamburg 1960; Idris Parry, Kafka, Gogol and Nathanael West. In: Ronald Gray (Hg.), Kafka, a. a. O.; Rendo Poggiolo, Kafka and Dostojewski. In: Flores (Hg.), 107–117; Philipp Rahv, Death of Iwan Ilych and Josef K., Southern Review, Summer 1939, 174–185; Nathalie Sarraute, De Dostoievski à Kafka. In: Les Temps Modernes 25, 1947, 664–685; Mark Spilka, Kafka's Sources for The Metamorphosis. In: Comparative Literature II, 1959, 289–307; Jean Starobinski, Kafka et Dostoïevski, In: Les Cahiers du Sud (Marseille) 37, 1950, 466–475.
2. Vgl. Guy de Mallacs Referate über diese Konferenzen: »Kafka in Russia«, The Russian Review, January 1972 (Vol. 31, No. 1), 64–73 und »La Tchécoslovaquie exhibe Kafka«, Le Monde, chronique littéraire, 4 juillet 1964.
3. Vgl. Hans Siegbert Reiß, Franz Kafka. Eine Betrachtung seines Werkes, Heidelberg ²1956, 170. Nach dem Verzeichnis seiner Handbibliothek (s. Wagenbach, a. a. O. 256) besaß Kafka den siebten Band der Gesamtausgabe Gogols sowie dessen Briefwechsel mit den Freunden. Seine eingehende Lektüre Gogols wird durch Briefe und Tagebuchnotizen bestätigt; vgl. u. a. Br 282, T 463 und 467.
4. Parry, a. a. O. 86. Ebd. 89 das nächste Zitat.
5. Ebd. 90: ». . . and this (Rilke holds) is the task of the poet – to extend the boundaries of the individual senses until they meet and coalesce, and the writer is enabled to grasp the whole of the real world with one five-fingered hand of the senses.«
6. Ebd. 90 fragt Parry: ». . . are we justified in thinking them absurd because

irrational? Or should we not recognize that they deliberately abandon the rational world because it is inadequate for them, and they for it?

7. a. a. O. 8.
8. Auch der *Oblomov* Gontscharovs und der Gregor Samsa Kafkas haben einiges miteinander gemein. Das Absinken und Erlöschen von Gregors menschlicher Existenz ist in gewisser Weise in Oblomov vorgeformt.
9. Vgl. Kafkas Tagebucheintrag vom 21. Juni 1913: »Die ungeheure Welt, die ich im Kopfe habe. Aber wie mich befreien, ohne zu zerreißen.«
10. Vgl. T 561: »Als ich zufrieden war, wollte ich unzufrieden sein und stieß mich mit allen Mitteln der Zeit und der Tradition . . . in die Unzufriedenheit. Ich war also immer unzufrieden, auch mit der Zufriedenheit.«
11. Thomas Mann, a. a. O. 384, sprach mit einem gewissen Recht von Tolstojs »gewaltig ungeschickten, nie gelungenen Versuchen zur moralischen Vergeistigung seiner heidnischen Leiblichkeit«. Zusammenfassend sprach er sogar von der »Riesentölpelei von Tolstojs Moralismus«.
12. M 181: »Schmutzig bin ich, Milena, endlos schmutzig, darum mache ich ein solches Geschrei mit der Reinheit.« Und im Gespräch mit Janouch äußerte er: »Der Weg zur Liebe führt immer durch Schmutz und Elend.« (J 112)
13. Vgl. J 109, wo Kafka von »weiblichen Fangeisen« spricht, die den Mann bedrohen.
14. Heinz Politzer, Franz Kafka, der Künstler, Frankfurt a. M. 1965, 283.
15. Jewgenij (in: *Der Teufel*) erklärt: »Ich glaubte, ich hätte sie genommen, in Wahrheit aber hat sie mich genommen und hält mich fest. Ich hielt mich für frei und war doch nicht frei. Ich betrog mich selbst.«
16. Thomas Mann, August Strindberg. In: Dichter und Herrscher, a. a. O. 412 f.
17. Vgl. zum Folgenden: Nagel, Kafka und Goethe, Berlin 1977, 62 f. Vgl. ferner Demosthenes Savramis, Religion und Sexualität, München 1972.
18. Jean Cassou, Grandeur et Infamie de Tolstoj, Paris 1932, 106.
19. Franz Kafka, die Tragödie eines Lebens. Zu Max Brods Biographie des Dichters. In: Pariser Tageszeitung vom 29. 10. 1937.
20. Nagel, Franz Kafka, a. a. O. 53 f. (Fußnote 5).
21. Auch außerhalb des erotischen Bereiches finden sich bei Tolstoj und Kafka Züge sadomasochistischer Grausamkeit. Man denke an Kafkas *Strafkolonie* und seinen *Prozeß*-Roman, an die Folterszenen in Tolstojs *Dekabristen* und den makabren Schluß von *Anna Karenina,* wo sich der bärtige Muschik vom Trittbrett des Wagens auf die Schienen hinunterbeugt, »um in einem Sack die Überreste von etwas zu begraben, das Leben gewesen war, Leben mit seinen Qualen, seinen Täuschungen und seinen Schmerzen«. Auch Kafka hätte das so scheinbar kalt und hart berichten können, wie unter anderem seine Kurzerzählung *Ein Brudermord* bezeugt.
22. Ob die letzte, euphorisch beschwingte Liebesverbindung und Lebensgemeinschaft Kafkas mit Dora Dymant von Dauer gewesen wäre, wenn nicht sein Tod ein rasches Ende gesetzt hätte, ist freilich eine offene Frage. Doch spricht alle Wahrscheinlichkeit dafür, daß bei gesundem Weiterleben des Dichters sein Bedürfnis nach schöpferischem Alleinsein zur Auflösung auch dieser Bindung geführt hätte. T 311: »Ich muß viel allein sein; denn alles, was ich geleistet habe, ist nur ein Erfolg des Alleinseins.«
23. Thomas Mann sprach mit Ehrfurcht von der »epischen Bärenkraft des großen Dichters des Russenlandes«.
24. Im Entwurf seines nicht abgesandten Briefes vom August 1913 an den Vater

von Felice Bauer schrieb Kafka: »Mein Posten ist mir unerträglich, weil er meinem einzigen Verlangen und meinem einzigen Beruf, das ist die Literatur, widerspricht. Da ich nichts anderes bin als Literatur und nichts anderes sein kann und will, so kann mich mein Posten niemals zu sich reißen, wohl aber kann er mich gänzlich zerrütten. Alles, was nicht Literatur ist, langweilt mich und ich hasse es . . .«

25. Das Leben Tolstojs, Frankfurt a. M. 1930.
26. Zu Janouch bemerkte Kafka: »Die Veröffentlichung eines Gekritzels von mir beunruhigt mich immer.« (J 22)
27. Thomas Mann, a. a. O. 402 f. Ebd. das nächste Zitat.
28. »Der Schriftsteller und der Tod« ist das große Thema Kafkas, das in seinem Werk vielfältig variierende Gestaltung gefunden hat. In seiner späten autobiographischen Erzählung *Der Bau* (1923) hat er es noch einmal unter dem Aspekt seines »Lebens in der Angst« vergegenwärtigt. Vgl. Nagel, Franz Kafka (Schlußkapitel), a. a. O. 1974, 275–317.
29. T 229: »Als es in meinem Organismus klar geworden war, daß das Schreiben die ergiebigste Richtung meines Wesens sei, drängte sich alles hin und ließ alle Fähigkeiten leer stehen, die sich auf die Freuden des Geschlechts, des Essens und Trinkens, des philosophischen Nachdenkens, *der Musik zu allererst* richteten. Ich magerte nach allen diesen Richtungen ab.« (Hervorhebung vom Verfasser)
30. Die chassidischen Geschichten, so schrieb er 1917 an Brod, seien »das einzige Jüdische, in welchem ich mich, unabhängig von meiner Verfassung, gleich und immer zuhause fühle«. (Br 173)
31. Rahv, a. a. O. 174–185.
32. Heinz Hillmann, Dichtungstheorie und Dichtungsgestalt, Bonn 1964, 159, Anm. 98.
33. Nagel, Franz Kafka, a. a. O. 293 f. In der Erzählung *Der Bau* ist dieser Prozeß durch »die systematische Einkreisung des Protagonisten durch ein unbekanntes mächtiges Tier« verbildlicht.
34. Malcolm Pasley (Franz Kafka MSS: Description and Select Inedita, The Modern Language Review LVII, 1962, 29 f.) hat das richtig gesehen und den mächtigen Gegner des Waldtieres mit dem unaufhaltsam nahenden Tod identifiziert. Die Erzählung breche kurz vor dem Augenblick ab, in dem dieser in den Bau einbricht und das Tier vernichtet. Vgl. auch Nagel, Franz Kafka, a. a. O. 293 ff. und insbesondere 306.
35. Hartmut Binder, Kafkas literarische Urteile. Ein Beitrag zu seiner Typologie und Ästhetik, ZfdPh 86, 1967, 241. Ebd. nächstes Zitat.
36. Hillmann, Dichtungstheorie, a. a. O. 30.
37. Anton Tschechov in Selbstzeugnissen und Bilddokumenten. Dargestellt von Sophie Laffitte, rowohlts monographien 38, Reinbek bei Hamburg 1960.
38. Vgl. Kafkas Äußerung: mit den Zähnen müßte man sich am Schreibtisch festhalten.
39. Tschechov 1888 an den Verleger Suworin. Mit diesem Satz formulierte Tschechov die bestürzende Einsicht Kafkas, daß im Grunde »alles ganz anders« ist.
40. Zitiert nach Sophie Laffitte, a. a. O. 85. Ebd. 85 f., 86 und 89 die folgenden vier Zitate.
41. Die Unterschiede zwischen Tschechov und dem Forschungsreisenden in Kafkas Erzählung sollen freilich nicht übersehen werden. Während jener

engagiert zielstrebig, mit dem vollen Einsatz der Person seine humanitäre Mission verfolgt, verhält sich dieser mehr abwartend passiv und handelt erst, nachdem er die Situation als günstig erkannt hat. Er will nicht von sich aus ändernd in die bestehende Ordnung eingreifen, sondern nur nachhelfen und das auch erst dann, als ein förderlicher Trend bereits erkennbar ist. Anders Tschechov. Er will Wandel schaffen – auch gegen die Widerstände der gegebenen Verhältnisse.

42. Sophie Laffitte, a. a. O. 68.

Ahnherr vieler Erben

1. Vgl. Reinhard Urbach, Die Rezeption Franz Kafkas durch die jüngste österreichische Literatur, in: Caputo-Mayr (Hg.), a. a. O. 183–193. Ebd. 185 nächstes Zitat.

2. Peter Handke, Gewaltiger als alle Handlungen, in: FAZ, 1. Juni 1974. Ebd. die beiden nächsten Handke-Zitate.

3. Urbach, a. a. O. 189. Ebd. 186 nächstes Zitat.

4. Theodor Langenbuch, Eine Odyssee ohne Ende: Aufnahme und Ablehnung Kafkas in der DDR, in: Caputo-Mayr (Hg.), a. a. O. 157–169. Ebd. 163 die folgenden Zitate.

5. John Flores, Poetry in East Germany, Newhaven and London: Yale University Press 1971.

6. Langenbuch, a. a. O. 164. Vgl. ebd. die folgenden Ausführungen.

7. Günter Kunert, Tagträume, München 1954, 42. '

8. Vgl. Richard Thieberger, Kafka et Camus, Comparative Literature Studies.

9. In: Spectaculum 6, Frankfurt a. M. 1963, 336 f. Ebd. 333 und 334 weitere Zitate.

10. Vgl. Walter Sokel, Kafka und Sartres Existenzphilosophie, a. a. O. 252–277.

11. Abgedruckt in: Spectaculum 5, 1962, 287. Vgl. H. Binder, Kafkas literarische Urteile, ZfdPh 86, 1967, 242.

12. Albert Schulze-Vellinghausen, ebd. (Spectaculum 5) 289.

13. Vgl. Otto Staininger, Obaldia und die Hygiene der Ideale, in: Spectaculum 10, 1967, 317–319. Ebd. 318 f. die folgenden Zitate.

14. Vgl. Andrzej Wirt, Unsere kleine Stabilisierung, in: Spectaculum 7, 1964, 366–368.

15. Vgl. Heinrich Kunstmann, Polens »schielende Literatur«, in: Spectaculum 4, 1961, 354 f. Ebd. 355: Zitat.

16. Friedhelm Kemp, Nachwort zu: Gertrud Kolmar, Tag- und Tierträume. Gedichte, Sonderreihe dtv 13, München 1963.

17. Ingo Seidler, *Zauberberg* und *Strafkolonie*. Zum Selbstmord zweier reaktionärer Absolutisten, GRM 19, 1969, 101.

18. Walter Jens (Momos), Spiel auf drei Zeitebenen. Besprechung von Gabriele Wohmanns Fernsehspiel *Entziehung*, in: Die Zeit Nr. 15, 15. Juni 1973.

19. Vgl. Philipp Mikriammos, Lettau retrouvé. Une excursion dans le récit, in: Le Monde, Vendredi 15 Mai 1981, 25.

20. Wolfgang Koeppen, *Angst* in: Tintenfisch 8, Jahrbuch für Literatur, hg. von Michael Krüger und Klaus Wagenbach, Berlin 1975, 31–35.

21. Vgl. Helmut Krapp, Michelsens Debut, in: Spectaculum 5, 1963, 349–353; H. Karasek, Hans Günter Michelsen: *Feierabend* 1 und 2, ebd. 353 ff.
22. Wolfgang Hildesheimer, Erlanger Rede über das Absurde Theater, in: Spectaculum 6, 1963, 337–347. Ebd. die folgenden Zitate.
23. Jorge Luis Borges (Erzählungen): *Labyrinthe.* Übersetzungen von Karl August Horst und Liselotte Reger. Sonderreihe dtv, München 1962 (Nachwort von K. A. Horst, 165 ff.); Ana Maria Barrenechea, Borges. The Labyrinth Maker, edited and translated by Robert Lima, New York University Press 1965.
24. Barrenechea: a. a. O. 60 ff.
25. Ebd. 52.
26. Ebd. 81.
27. K. A. Horst: a. a. O., 165.
28. Beda Allemann, Kafka. *Der Prozeß,* in: Der deutsche Roman, hg. von Benno von Wiese, Düsseldorf 1963, 234 ff.; David Bronsen, *Eine alltägliche Verwirrung:* Ein kafkaeskes Paradigma, in: Caputo-Mayr (Hg.), a. a. O., 71–78; Erich Franzen, Der Mythos der *Glücklichen Tage,* in: Spectaculum 5, 1962, 269 f.; Wolfgang Hildesheimer, Becketts Spiel, in: Spectaculum 6, 1963, 321 f.; Dominique Iehl, Die bestimmte Unbestimmtheit bei Kafka und Beckett, in: David (Hg.), a. a. O. 173–188; Hellmuth Karasek, Beckett oder die Ehrung Godots, in: Spectaculum 13, 1970, 269 ff.
29. Dominique Iehl, a. a. O. 173: »Wenige Künstler sind so leidenschaftlich unabhängig und so entschieden in ihre Welt eingeschlossen wie Kafka und Beckett.« Ebd. 179, 180, 181 und 182 die nächsten Zitate.
30. Samuel Beckett, *Malone meurt,* Paris 1951, 69.
31. David Bronsen, a. a. O. 72. Ebd. 76: Zitat. Ebd. 77: Es existiere »kein ideales Weltmodell . . ., noch irgendeine Richtung, die die richtige ist«.
32. Iehl, a. a. O. 178: »Aus dem Versagen der Kommunikation des Herzens, der Sinne, des Geistes ergibt sich für beide [Beckett und Kafka] das Bild einer zugleich tragischen und grotesken Einsamkeit. Sie wird in Gestalten vergegenwärtigt, die sich in ihren Körper wie in ein Grab verkriechen, allmählich erlahmen und erstarren, wie Gregor Samsa in seinem Tierpanzer, oder nur noch als menschlicher Abfall weiterleben im *Endspiel.*
33. Beckett hat dem Nichts den höchsten Grad der Realität zuerkannt. Er sagte: »Ich konnte nicht die Antworten geben, die man erhofft hatte. Es gibt keine Patentlösungen.«
34. Erich Franzen, in: Spectaculum 6, 1963, 319.
35. Bert Nagel, Der Bau, in: Franz Kafka, a. a. O. 275–317. Ebd. 311 Zitate.
36. Vgl. Erich Franzen, a. a. O. 269.
37. Renate Usmiani, Twentieth-Century Man, the Guilt-Ridden Animal, in: Mosaic III/4, 163–178. Ebd. 166 und 178: Zitate.
38. Friedrich Dürrenmatt, Uns kommt nur noch die Komödie bei, in: Spectaculum 4, 1961, 342. Ebd. 343 nächstes Dürrenmatt-Zitat.
39. Dürrenmatt, 21 Punkte zu den *Physikern,* in: Spectaculum 7, 1964, 359.
40. Ingo Seidler, *Zauberberg* und *Strafkolonie.* Zum Selbstmord zweier reaktionärer Absolutisten, a. a. O. 101.
41. Ebd. 94.

Zeittafel

Über die Einzelheiten der Biographie und Werkchronologie unterrichten: Hartmut Binder: Kafka-Kommentar zu sämtlichen Erzählungen, Romanen, Rezensionen, Aphorismen und zum *Brief an den Vater,* 2 Bände, Winkler Verlag, München 1975 und 1976; ders. (Hg.): Kafka-Handbuch. 2 Bände, Kröner Verlag, Stuttgart 1979; die Kafka-Biographien Max Brods und Klaus Wagenbachs (Frankfurt a. M. 1966 und Bern 1958); Ludwig Dietz: Franz Kafka. Die Veröffentlichungen zu seinen Lebzeiten, Lothar Stiehm Verlag, Heidelberg 1982.

1883   Franz Kafka wurde am 3. Juli 1883 in Prag geboren. Sein Vater, der Kaufmann Herrmann Kafka, stammte aus dem tschechisch-jüdischen Provinzproletariat, seine Mutter Julie (geb. Löwy) aus dem vermögenden und gebildeten deutsch-jüdischen Bürgertum Prags – ein kontrastreiches Erbe, das Kafka lebenslang belastet hat.

1889–   Besuch der Volksschule und ab 1893 des Altstädter Deutschen Gymna-
1901   siums. Von seinen Lehrern als überdurchschnittlich geschätzt, erschien Kafka seinen Mitschülern zwar als liebenswürdig, zugleich aber als ein ängstlicher Einzelgänger: »immer irgendwie entfernt und fremd«. Die als erdrückende Übermacht empfundene robuste Lebenstüchtigkeit des Vaters drängte schon den Knaben zum Rückzug auf sein »traumhaftes inneres Leben«.

1901–   Studium der Rechte an der Deutschen Universität in Prag (vorüberge-
1906   hend auch der Germanistik und Kunstgeschichte). Nach acht Semestern Promotion zum Dr. jur. Seit 1902 Freundschaft mit Max Brod und seit 1904 auch mit dem Schriftsteller Oskar Baum und dem Philosophen und Zionisten Felix Weltsch.

1904–   *Beschreibung eines Kampfes* sowie einige kurze Stücke der späteren
1905   Sammlung: *Betrachtung,* die im Dezember 1912 veröffentlicht wurde.

1906   Tätigkeit in einer Prager Advokatur und ab Oktober einjähriges gerichtliches Praktikum.

1907   *Hochzeitsvorbereitungen auf dem Lande.* Im Oktober Eintritt in die »Assicurazioni Generali«.

1908   Juli: Dienstantritt bei der »Arbeiter-Unfall-Versicherungs-Anstalt«, in der Kafka als »Aushilfsbeamter« begann und über die Positionen eines »Concipisten« (1910), »Vizesekretärs« (1913), »Amtssekretärs« (1920) bis zum »Obersekretär« (1922) aufstieg und im gleichen Jahr pensioniert wurde.

1909   Kontakt mit tschechischen Avantgardisten, Teilnahme an Veranstaltungen des sozialistisch motivierten Klubs mladych.

1910   Beginn des *Tagebuchs.* Begegnung mit der noch ungebrochenen Glaubenswelt des orthodoxen Ostjudentums durch engagierte Teilnahme an den Aufführungen der in Prag gastierenden jüdischen Schauspieltruppe. Auseinandersetzung mit religiösen Problemen und systematische Befassung mit der jüdischen Geschichte. Gleichzeitig regelmäßiger Besuch der Vortragsabende im Haus von Frau Berta Fanta, wo die intellektuelle Elite Prags – u. a. der Mathematiker Kowalewski, der Physiker Frank, der Philosoph Ehrenfels und der junge Einstein – verkehrte; »er lernte also, kurz vor der Niederschrift seiner Hauptwerke, die bedeutendsten Fragestellungen des neuen Zeitalters kennen.« (Wagenbach)

1912 Begegnung mit Felice Bauer. Versuch einer Lebensbindung mit anfänglich überreicher Korrespondenz (bis zu drei Briefen täglich), der aber am verfochtenen Vorrang der Literatur vor dem Leben scheitern mußte. Im gleichen Jahr der literarische Durchbruch: es entstanden die ersten Hauptwerke: Kapitel 1–7 des *Verschollenen* (Abschluß im Oktober 1914 und Erstveröffentlichung im Kurt Wolff Verlag, München 1927), *Das Urteil* (Dezember: erste öffentliche Lesung in Prag. Erstdruck: November 1916), *Die Verwandlung* (November/Dezember 1912, Erstdruck: November 1915).

1913 Im Frühling zwei Besuche bei Felice in Berlin. Im September: Reisen nach Wien, Venedig und Riva, wo ihm durch die Begegnung mit einer ungenannt gebliebenen jungen Schweizerin das Glück einer »süßen Betäubung« zuteil wurde. Erstdruck der Erzählung *Der Heizer.*

1914 Ostern: Besuch bei Felice in Berlin. Juni: Verlobung mit Felice in Prag. Juli: Entlobung in Berlin und Fahrt an die Ostsee. August: Eigenes Zimmer und damit »die ersehnt-gefürchtete Einsamkeit«. Unbeeindruckt durch den Kriegsausbruch, konzentriert er sich auf das Schreiben, beendet den *Verschollenen* und beginnt den *Prozeß*-Roman. Oktober: *In der Strafkolonie* (September: öffentliche Lesung in München. Erstdruck: Mai 1919). Erneute Kontaktaufnahme mit Felice über deren Freundin Grete Bloch, mit der Kafka ein intimes Verhältnis einging.

1915 Januar: Wiedersehen mit Felice. Reise nach Ungarn. Fragment: *Blumfeld, ein älterer Junggeselle.* Carl Sternheim gibt den ihm verliehenen Fontane-Preis an Kafka weiter.

1916 Juli: mit Felice in Marienbad. Beginn der *Landarzt*-Erzählungen und der beiden Oktavhefte (*Die Brücke, Der Jäger Gracchus, Der Kübelreiter, Schakale und Araber, Der neue Advokat*).

1917 Fortsetzung der *Landarzt*-Erzählungen. Juli: zweite Verlobung mit Felice. September: Feststellung der Erkrankung an Tuberkulose. Übersiedlung zu der Lieblingsschwester Ottla in Zürau. Dezember: zweite Entlobung. Herbst 1917 bis Frühjahr 1918: *Aphorismen* (Erörterung weltanschaulicher Probleme), Lektüre Kierkegaards und Augustins *(Bekenntnisse),* Diskussionen mit Oskar Baum über Tolstoi, Studium des Hebräischen.

1918 Aufenthalte in Zürau, Prag (Sommer), Rumburg, Turnau (September) und ab November in Schelesen bei Prag. Begegnung mit Julie Wohryzek.

1919 Ab Frühjahr wieder in Prag. Verlobung mit Julie mit der Absicht einer »Verstandesheirat im besten Sinn«. November: *Brief an den Vater.*

1920 Ab April drei Monate in Meran. Erste Briefe an Milena Jesenská, die er als »ein lebendes Feuer« empfand, der er sich zugehörig fühlte, aber zugleich wußte, daß es für diese Liebe zu spät war. Freundschaftliche Verbindung mit Gustav Janouch. Auflösung des Verlöbnisses mit Julie. *Er-Aphorismen.* Erstdruck: *Ein Landarzt.* Gesteigerte Produktivität: zahlreiche Erzählungen des Nachlasses. Ab Dezember im Lungensanatorium Matliary in der Hohen Tatra. Freundschaft mit dem Medizinstudenten und späteren Arzt Robert Klopstock.

1921   In Matliary. Ab Herbst wieder in Prag. *Erstes Leid.*

1922   Spindelmühle (Februar), Prag, Plana bei Ottla (Juni bis September). »Hauptgeschäft« dieses Jahres (Januar bis September): *Das Schloß.* Außerdem: *Ein Hungerkünstler* (Frühjahr. Erstdruck posthum zusammen mit *Erstes Leid, Eine kleine Frau* und *Josefine, die Sängerin* (im Sommer 1924) sowie *Forschungen eines Hundes* (Juli 1922).

1923   Juli: mit Schwester Elli an der Ostsee. Hier Begegnung mit Dora Dymant, einer Helferin in der Ferienkolonie des Berliner Jüdischen Volksheimes, deren chassidische Erziehung Kafka als »das einzige ihm unmittelbar vertraute Jüdische« anzog. Darum kehrte er nur kurz nach Prag und zu Ottla in Schelesen zurück und fuhr Ende September zu Dora Dymant nach Berlin. Euphorisch beschwingte Liebesverbindung und Lebensgemeinschaft. Es entstanden *Eine kleine Frau* (Oktober) und *Der Bau* (Winter).

1924   Berlin (bis März), dann Prag. Letzte Erzählung: *Josefine, die Sängerin.* April: mit Dora Dymant und Robert Klopstock ins Sanatorium in Kierling. Hier ist Kafka am 3. Juni gestorben und am 11. Juni in Prag begraben worden.

Namenregister

Adamov, Arthur 354
Adams, Robert M. 32
Adorno, Theodor W. 292, 294, 314
Äschylos 139 f.
Äsop 135
Aichinger, Ilse 349
Alexander der Große 141
Allemann, Beda 226, 228 f., 289
Amiel, Henri Frédéric 14, 23
Anders, Günther 24, 108, 118, 294, 299 f., 306, 313
Arendt, Hannah 109, 111
Auden, Wystan Hugh 8, 15
Audiberti, Jacques 354
Augustinus 289, 305
Austen, Jane 30

Baalschem 39, 130
Bach, Carl Philipp Emanuel 189
Balzac, Honoré de 27, 330
Barrenechea, Ana Maria 363, 365
Barth, Karl 290
Baudelaire, Charles 32, 38, 40 f., 266
Bauer, Felice 14, 20, 42, 52, 54 f., 61, 77, 83 ff., 115, 125, 127, 153, 201, 221, 235, 240, 247, 249 f., 255, 265, 279, 281, 286, 329, 337, 349
Baum, Oskar 23, 44, 94, 111, 278, 331
Baumgartner, W. 55
Becher, Johannes R. 78
Beck, Evelyn Torton 24, 107, 110, 123, 216
Beckett, Samuel 91, 268, 350, 354, 357, 362, 365, 367–372
Beethoven, Ludwig van 189, 212, 250, 340
Beißner, Friedrich 72, 219, 243
Benjamin, Walter 292, 312, 314
Benn, Gottfried 15, 64, 73–76, 78, 247, 323 f.
Bergel, Lienhard 123
Bergmann, Samuel Hugo 112, 129
Bernhard, Thomas 350
Betti, Ugo 374
Beutler, Ernst 181

Bienek, Horst 351
Binder, Hartmut 7, 16, 24, 29, 39, 46, 51, 79, 107, 112, 162, 171, 215, 222, 265, 292, 301, 344
Biser, Eugen 138, 289, 300, 304
Blake, William 31
Blei, Franz 197
Blöcker, Günther 101
Boethius 289, 305
Bondy, François 165
Borges, Jorge Luis 8, 134 f., 138, 362–367
Born, Jürgen 246, 248, 265
Bosch, Hieronymus 273, 374
Botkin, Wassilij Petrovič 331, 339
Brecht, Bertolt 8, 351
Brentano, Clemens 249, 254, 257
Bridgwater, Patrick 299, 301 f., 321 f.
Broch, Hermann 98
Brod, Max 11 f., 19, 22, 27, 32, 39, 51, 61 f., 77, 84 f., 94, 103, 107 f., 111, 120, 122 f., 125, 129, 135, 162, 170, 202, 210 f., 227, 241, 248, 250, 261, 266, 278 ff., 284 ff., 292, 296, 299, 301 f., 305, 307, 309, 321 f., 325, 340
Bronsen, David 369
Brueghel, Pieter d. J. 273
Buber, Martin 109, 112, 121, 278
Buch, Hans Christoph 45
Büchner, Georg 65, 73 f., 91, 214, 253, 257, 275
Burckhardt, Jacob 64, 75
Burns, W. 46
Busch, Wilhelm 100, 354
Buschbeck, E. 69
Byron, George Gordon Lord 14, 23, 27, 54, 335

Callot, Jacques 263, 273
Camus, Albert 13, 75, 85, 102, 146, 202, 285, 290, 294, 352
Canetti, Elias 293 f., 314, 349
Carlyle, Thomas 197
Carmely, Klara 112, 115

Carossa, Hans 8
Cassou, Jean 336
Catull 27
Cervantes Saavedra, Miguel de 21, 27, 162–169
Chamisso, Adelbert von 27, 249
Claudius, Matthias 8, 208, 253
Cocteau, Jean 73
Coleridge, Samuel Taylor 245
Colet, Louise 45
Corneille, Pierre 38
Corngold, Stanley 92

d'Annunzio, Gabriele 75
Dante Alighieri 8, 27, 38, 48, 128, 167
Darwin, Charles Robert 51
David, Claude 236
Demetz, Peter 109
Descartes, René 49, 300
Dickens, Charles 13, 25, 28–31, 58, 211, 330
Döblin, Alfred 82, 103
Dostojewski, Fjodor M. 8, 13 f., 23, 27, 39, 42, 52, 59, 61, 130, 210, 304, 324, 329 f., 341
Droste-Hülshoff, Annette von 65 ff., 73
Du Barry, Madame (Marie Jeanne Bécu) 23
Dürer, Albrecht 38
Dürrenmatt, Friedrich 354, 362, 372–380
Dymant (Diamant) Dora 90, 112, 129, 201 f., 211, 371

Eckermann Johann Peter 23, 173, 186, 191 f., 194 f., 203 ff., 207
Edschmid, Kasimir 58, 78
Ehrenstein, Albert 78, 129
Eichendorff, Joseph Freiherr von 8, 250
Eisner, Pavel 107, 222
Eliasberg, Alexander 109
Eliot, Thomas Stearns 8
Emrich, Wilhelm 19, 90, 98, 103, 227, 232 f., 299, 319, 366
Engel, Siegfried 155
Ernst, Paul 261, 357

Falke, Rita 107
Feigl, Fritz 196 f.

Feuchtwanger, Lion 11, 79, 82 f.
Feuerbach, Paul Johann Anselm Ritter von 218
Fichte, Johann Gottlieb 301
Fingerhut, Karl-Heinz 46
Flaubert, Gustave 8, 14, 23, 27, 30, 38, 42–45, 61, 167, 210 f., 215, 280, 288, 329, 346
Flores, John 351
Flores, Kate 107, 211, 291
Fontane, Theodor 27, 30
Fowles, John 134
Frank, Leonhard 78
Franz Joseph, Kaiser 236
Franzen, Erich 370
Freud, Sigmund 16, 88, 90, 101, 107, 119, 294, 313
Friedrich, Heinz 128
Friedrich, Hugo 310
Fröhlich, Kathi 61
Furst, Lilian 244 f.

Garaudy, Roger 86
Genet, Jean 59
Gellert, Christian Fürchtegott 189
George, Stefan 66, 75 f., 324
Gerhardt, Paul 101
Gide, André 19, 75, 352
Girard, René 166
Goethe, Johann Wolfgang von 8, 10, 14 f., 23, 25, 27, 37, 60, 73, 92, 96 f., 102, 118, 128, 133, 137, 170–208, 222, 249, 252 f., 255 f., 285, 322, 324, 364
Gogh, Vincent van 38
Gogol, Nikolai 21, 27, 59, 211, 274, 328 f., 351
Goldstein, Bluma 107, 109 f.
Goldstücker, Eduard 17, 23, 112
Gombrowicz, Witold 355, 357 f.
Gordin, Yakov 110, 123
Gorion, Micha Josef bin 110
Gottschalk, Hans 60
Grabbe, Christian Dietrich 14, 23, 91
Grau, Gerd-Günther 314
Gray, Ronald 32, 261
Green, Julien 39
Grillparzer, Franz 8, 14, 23, 42, 60 f., 79, 211, 254, 329
Grimm, Jacob 74

Grimm, Reinhold 302
Grützmacher, Curt 222
Gryphius, Andreas 101
Günther, Johann Christian 101

Haas, Willy 129, 285
Hadwiger, Viktor 22, 94
Haeckel, Ernst 284
Hamsun, Knut 8, 27, 51, 75
Handke, Peter 349f.
Hansson, Ola 52
Hardekopf, Ferdinand 78
Hardt, Ludwig 8f., 210
Hasenclever, Walter 78
Hasselblatt, Dieter 248
Hauff, Wilhelm 260f.
Hauschner, Auguste 129
Havel, Vaclav 355f.
Hebbel, Friedrich 14, 23, 27, 60, 62ff., 150, 237, 265
Hebel, Johann Peter 8, 58, 211
Heidegger, Martin 13, 75, 92f., 300, 304, 326
Heine, Heinrich 276
Heller, Erich 53, 243, 250, 296, 299, 314, 317
Henel, Ingeborg 29, 46f., 85f., 89, 92f., 103, 142, 290, 319
Hentig, Hartmut von 55
Herder, Johann Gottfried 187, 200f., 220
Hermlin, Stephan 351
Herz, Julius 111, 129
Hesse, Hermann 10f., 19, 39, 75, 94, 96, 103, 285
Hildesheimer, Wolfgang 361f.
Hillmann, Heinz 102, 274
Hocke, Gustav René 310
Hodin, Joseph Paul 200
Hoel, Sigurd 285
Hölderlin, Friedrich 37, 60, 73, 133, 208, 212, 250, 253f., 304
Hölty, Ludwig Christoph Heinrich 8
Hoffmann, E.T.A. 13, 15, 21, 211f., 245, 248, 254, 258–277, 297, 351, 357, 359
Hoffmann, Werner 124
Hofmannsthal, Hugo von 13, 20, 23, 37, 66ff., 73, 76f., 100, 183, 220, 365

Homer 38, 141, 144, 167
Horst, Karl August 365
Humboldt, Wilhelm von 203
Hume, David 309
Huysmans, Joris-Karl 13

Ibsen, Henrik 52, 265, 360
Iehl, Dominique 369
Ingres, Jean Auguste Dominique 261
Ionesco, Eugène 91, 352ff.

Jacobsen, Jens Peter 50f.
Järv, Harry 264
Jahn, Wolfgang 28, 30
Janouch, Gustav 12, 17, 29, 42, 45, 57f., 107, 109, 111, 121, 128, 153, 173, 302, 334, 340
Jaspers, Karl 75, 92f., 176, 326
Jean Paul 91
Jens, Walter 99, 359
Jesenská, Milena 114, 281, 329, 332
Joyce, James 38, 59
Jünger, Ernst 75, 101f.

Kafka, Eltern 61, 145
Kafka, Hermann 32, 40, 50f., 89, 282, 288, 295
Kafka, Julie 288
Kafka, Ottla 71, 77, 115, 211, 329
Kandinsky, Wassily 101, 184
Kant, Immanuel 219, 290, 309
Karasek, Hellmuth 360
Karl August, Großherzog von Sachsen-Weimar 199f.
Kassner, Rudolf 32
Kayser, Rudolf 175
Kayser, Wolfgang 8, 259, 273
Keller, Gottfried 19
Kelly, John 285
Kemp, Friedhelm 358
Kenter, Heinz Dietrich 267
Kierkegaard, Søren 8, 13ff., 27, 39f., 42, 60f., 74, 85, 93, 99, 108, 130, 134, 140, 200, 211, 278–298, 301, 303ff., 324ff.
Kisch, Egon Erwin 22, 94
Klee, Paul 73
Kleist, Heinrich von 8, 13ff., 22f., 27, 32, 42, 45, 60ff., 64, 73, 91, 99, 129, 140, 182, 191, 208–242, 248,

250, 252 f., 297 f., 304, 307, 329, 359

Kleist, Ulrike von 220, 236, 241
Klopstock, Friedrich Gottlieb 220
Klopstock, Robert 287, 329
Knipovich, E. 329
Koeppen, Wolfgang 360
Kohn, Hans 30
Kolmar, Gertrud 358
Kornfeld, Paul 80
Kotzebue, August von 192
Kraft, Herbert 80, 82, 111
Kraft, Werner 314
Krapp, Helmut 360
Krusche, Dietrich 140
Kubin, Alfred 264
Küchler, Kurt 62
Kunert, Günter 351
Kurz, Gerhard 30

Laffitte, Sophie 345
La Fontaine, Jean de 38
Lampedusa, Giuseppe Tomasi di 191
Langelaan, George 260
Landsberg, Paul L. 218
Langenbuch, Theodor 351
Lasker-Schüler, Else 78
Lawrence, D. H. 75
Leavis, F. R. 8
Lenz, Jakob Michael Reinhold 193
Leppin, Paul 22, 94
Lerner, Max 15, 28
Lessing, Gotthold Ephraim 8, 208, 220
Lettau, Reinhard 359
Lima, Robert 366
Livermore, A. L. 39
Löns, Hermann 183
Löwy, Jizchak 121
Lorraine, Claude 195
Luise, Großherzogin von Sachsen-Weimar 207
Lukács, Georg 32, 265
Luther, Martin 205

Mach, Ernst 49, 100
Maeterlinck, Maurice 52, 77
Magny, Claude-Edmonde 146, 284
Maimonides, Moses 280
Mallac, Guy de 329

Malraux, André 75
Manganelli, Giorgio 166
Mann, Thomas 10 f., 13, 19, 75, 94, 96 ff., 103, 250, 324, 326, 335
Marinetti, E. F. Tommaso 80
Martini, Fritz 79
Marx, Karl 27
Mayer, Hans 9, 16, 19, 32, 79, 89
Melville, Herman 31
Merck, Johann Heinrich 193
Mereschkovskij, Dimitrij 337
Meyer, Conrad Ferdinand 27, 67, 73, 254
Meyer, Haakon 264
Meyrink, Gustav 22, 94, 264
Michelsen, Hans Günter 360
Minze 115
Mirbeau, Octave 27, 38, 46 ff.
Mörike, Eduard 27, 73, 254
Molière 38, 213
Montherlant, Henry de 75
Mozart, Wolfgang Amadeus 268
Mrozek, Slawomir 355 ff.
Mühlberger, Josef 222
Müller-Seidel, Walter 265
Muir, Edwin 290
Muschg, Walter 19
Musil, Robert 23, 31, 37, 67, 78, 94 f., 97–101, 184, 197, 372
Musurillo, Herbert 110

Napoleon 235 f.
Neider, Charles 124
Nemeth, André 109
Nerval, Gérard de 245
Neumann, Gerhard 142
Nietzsche, Friedrich 15, 27, 31, 49, 51 f., 60, 64, 73–76, 85, 96 f., 108, 139, 211 f., 238, 254, 278, 289, 293, 295 f., 299–327, 333 ff.
Noth 109
Novalis 22, 133, 245, 250, 253 ff.

Obaldia, René de 354 f.
O'Neill, Eugene 360

Parmenides 135
Parry, Idris 328
Pascal, Blaise 38 ff., 130, 280, 289, 291 f., 305, 324

Pascal, Roy 28
Pasley, Malcolm 299, 302
Peters, F. G. 209, 215 ff., 230
Philippi, Klaus-Peter 282, 299
Picasso, Pablo 72, 102, 239, 357
Pick, Otto 62
Pirandello, Luigi 49 f., 99, 169, 354
Pissin, Raimund 31
Plato 27, 134, 301
Poe, Edgar Allan 31 f., 260 ff., 264, 266, 357
Politzer, Heinz 25, 55, 61, 89, 107, 109, 111, 127, 246, 249 f., 264, 281, 299, 311
Pollak, Oskar 24, 63, 76, 84, 247, 301
Pongs, Hermann 231, 260
Pope, Alexander 34
Proust, Marcel 38, 94 f., 98, 352

Raabe, Paul 16, 78
Raabe, Wilhelm 19
Rabi, W. 109
Raboin, Claudine 87
Racine, Jean 38
Rang, Bernhard 79
Rasp, Renate 359
Reich-Ranicki, Marcel 71
Reinmar (von Hagenau) 251
Rendi, Aloisio 55
Ries, Wiebrecht 39, 108, 292, 294, 296, 299, 309, 311–314, 317 f.
Rilke, Rainer Maria 11 ff., 19 f., 22 ff., 67 ff., 71, 73, 75 ff., 79, 82, 94, 100, 183, 208, 237, 253, 303, 324, 365
Rimbaud, Arthur 27, 57
Robert, Marthe 15, 21, 129, 163, 165
Robitschek, Selma (geb. Kohn) 301
Rolland, Romain 339
Rops, Daniel 293
Rosei, Peter 350
Rousseau, Henri 38
Rousseau, Jean-Jacques 183, 210
Rozewicz, Tadeusz 355 f.
Rühle von Lilienstern, Otto August 210
Ryan, Lawrence 88

Saint-Exupéry, Antoine de 75
Sartre, Jean-Paul 13, 49, 59, 75, 85, 92 f., 290, 352 f., 372

Schickele, René 78
Schilller, Friedrich 102, 133, 138, 188
Schlegel, Friedrich 255
Schleiermacher, Friedrich 27, 301
Schmidt, Erich 219
Schneider, Karl Ludwig 219 f.
Schneider, Reinhold 65
Schnitzler, Arthur 27, 52, 100
Schoeps, Hans Joachim 39, 109, 130 ff., 289
Scholem, Gershom 127, 314
Schoppenhauer, Arthur 14, 23, 51, 64 f., 74, 254, 299, 301 f., 312, 329, 333 f.
Schulze-Vellinghausen, Albert 354
Schwerte, Hans 79
Scott, Walter 263
Seghers, Anna 264, 351
Seidler, Ingo 89, 359
Shakespeare, William 8, 10, 27, 34–37, 128, 339
Sharkanski, Avraham 110
Shattuck, Roger 166
Sheppard, Richard 39
Sokel, Walter 55, 76, 78, 80, 86, 88, 93, 127, 140, 231, 286 ff., 292, 296, 298 f., 306, 319–322
Sokrates 139, 289, 305
Solowjew, Wladimir 305
Sophokles 10 f., 133, 138 f., 146, 149–152, 155
Spilka, Mark 24, 28, 329
Spinoza, Baruch de 187
Spranger, Eduard 206 f.
Staiger, Emil 209, 225, 230, 232
Statkow, Dimiter 264
Stein, Charlotte von 201
Steinberg, Erwin 116–119
Stendhal 27, 39
Sternheim, Carl 78
Stifter, Adalbert 23, 27, 45, 62, 129
Stölzl, Christoph 111
Storm, Theodor 27
Strindberg, August 8, 13, 27, 50–59, 211, 267 f., 278, 304, 326, 333 ff., 360
Strindberg, Harriet (geb. Bosse) 54
Stroh, Heinz 124
Struc, Roman S. 148 f., 404 f.
Susman, Margarete 107, 109, 294, 313

Suworin, Alexej Sergejewitsch 346 f.
Svevo, Italo 13
Swift, Jonathan 32 f., 354

Tedlock, E. W. 28
Thalmann, Marianne 251, 264, 275 ff.
Thieberger, Richard 140
Tieck, Ludwig 91, 243, 245, 256
Tolstoj, Leo N. 13, 23, 27, 52, 59, 68, 74, 211, 280, 324, 330–344, 346
Tolstoj, Sofia Andrejewna 337
Trakl, Georg 11 f., 23, 68–74, 78, 100, 205, 212
Troeltsch, Ernst 280
Tschechov, Anton 59, 344–347
Tucholsky, Kurt 19, 97, 210
Tyutschev, Fedor 77

Urbach, Reinhard 349
Urzidil, Johannes 9, 42, 86, 121 ff., 127, 133, 246, 250, 342
Usinger, Fritz 66
Usmiani, Renate 373 f.

Valéry, Paul 75
Vašata, Rudolf 28 f.
Vellinghausen, s. Schulze-V.
Vergil 167
Verlaine, Paul 27
Vigny, Alfred Comte de 38
Vogel, Henriette 208, 214
Vulpius, Christiane 178

Wagenbach, Klaus 19, 25, 27, 46, 94, 107, 109, 126, 282, 299

Wagner, Richard 8, 38, 250
Wahl, Jean 290
Walser, Robert 95
Walzel, Oskar 97, 210, 248, 265
Warren, Austin 28 f., 283
Weinberg, Kurt 24, 107, 110
Weininger, Otto 333
Weiß, Ernst 264, 337
Weiss, Peter 56–59
Weisstein, Ulrich 14
Weltsch, Felix 107, 111
Werfel, Franz 19 f., 22, 27, 76, 78, 81, 83, 94, 103
Wiegler, Paul 62
Wieland, Christoph Martin 27
Wiener, Oskar 22, 94
Wiese, Benno von 209, 234
Wihan, Josef 170
Wilde, Oscar 13
Williams, Tennessee 360 f.
Winder, Ludwig 285
Winkler, R. O. C. 122
Wohmann, Gabriele 359
Wohryzek, Julie 115
Wolff, Kurt 78
Woodcock, George 120

Yeats, William Butler 23, 75

Zenge, Wilhelmine von 214
Zenon der Ältere 135–138, 142, 159
Ziolkowski, Theodore 245 f.
Zola, Emile 38
Zweig, Arnold 78
Zweig, Stefan 332, 360

Werkregister

A rebours 13
Abraham 298
Agamemnon 139
Eine alltägliche Verwirrung 227, 369
Also sprach Zarathustra 295, 299,
  301 f., 305, 307, 312
Altes Testament 10, 13, 110, 118 f., 124
Am offenen Meer 52, 54 f.
Amerika s. Der Verschollene
Amphitryon (Kleist) 213, 297
An die Verstummten 69
Die Analyse der Empfindungen . . . 49
Der andere Prozeß 349
Anekdoten (Hebel) 211
Anekdoten (Kleist) 211
Angst (Koeppen) 360
Angst (Stefan Zweig) 360
Anna Karenina 332, 341
Aphorismen 39, 69, 124, 202, 280,
  291
Archaischer Torso Apollos 24
Arme Leute 329
Der arme Spielmann 61
Auf eine Christblume 66
Auf der Galerie 71, 83, 264
Auf eine Lampe 66
Auf der Suche nach der verlorenen
  Zeit 95
Auferstehung 13
Die Aufzeichnungen des Malte Lau-
  rids Brigge 13, 20, 67, 82
Die Automate 267

Der Bau 22, 44, 64, 70, 75, 81, 83,
  87, 108, 120, 153 f., 156, 159, 224,
  257, 268, 282, 306, 330, 334, 342 f.,
  352, 369 ff.
Der Begriff der Angst 281 ff.
Begrüßung des Aufsichtsrats 350
Bei geschlossenen Türen 75, 372
Bei schwebendem Verfahren 350
Die Beichte eines Toren 55
Ein Bericht für eine Akademie 124,
  146, 264, 270 f., 368
Berlin Alexanderplatz 82

Beschreibung eines Kampfes 67, 82,
  171, 263, 269 f.
Der Besuch der alten Dame 373
Betrachtung 97
Betrachtungen über Sünde, Leid,
  Hoffnung und den wahren Weg
  s. Aphorismen
Die Betrogene 96
Die Bibel 10, 24 f., 25, 110
Die Bibliothek von Babel 362, 365
Das Bildnis des Dorian Gray 13
Blaue Hortensie 66
Bleak House 29
Der Blinde 373
Der blonde Eckbert 256
Blumfeld, ein älterer Junggeselle 33,
  81, 99, 274, 298
Bouvard et Pécuchet 45
Der Bräutigam 181
Die Braut von Messina 138
Brief an den Vater 50, 55, 70, 109,
  126, 128, 276, 288
Brief an den jungen Menschen 291
Briefe [Kafkas] 1902–1904 14, 76 f.,
  110, 113 f., 125, 127, 135, 178, 211,
  247–250, 255, 278 f., 305, 308
Briefe an Felice 14, 42, 52, 83 ff., 125,
  127, 153, 211, 249 f., 281
Briefe an Milena 281
Ein Brudermord 74, 124, 239
Die Brüder Karamasow 329
Buch des Richters 278, 286
Das Buch von der Armut und vom
  Tode 253
Die Buddenbrooks 96

Caligula 352
La casa de Asterion 365
Chandos-Brief 20, 67, 76, 100, 220
La Chartreuse de Parme 39
Code civil 39

Dame vor dem Spiegel 66
Dantons Tod 65, 214, 253
David Copperfield 28 f.

De l'Amour 39
Le Dépeupleur 372
Dichtung und Wahrheit 170 ff., 198
Discusion 364
Doktor Faustus 97
Don Quijote 15, 21, 162–169
Der Doppelgänger 329, 374

L'éducation sentimentale 42, 45, 215
Die Ehe des Herrn Mississippi 373, 375 f., 380
Eheglück 332, 339
Die Ehre Gottes aus der Natur 189
Römische Elegien 201
Elf Söhne 86, 325, 356
Die Elixiere des Teufels 260, 265, 271
Empfindungen vor Caspar David Friedrichs Seelandschaft 191
Endspiel 136, 268, 370, 372
Ein Engel kommt nach Babylon 373
Entweder – Oder 278 f., 283, 286, 295
Entziehung 359
Entzweit-Einsam 52, 54
Er 124, 200, 291
Das Erdbeben in Chili 215, 222 f.
Erinnerungen an Strindberg 52
Erniedrigte und Beleidigte 329 f.
Erstes Leid 288
Es steht geschrieben 373
L'être et le néant 93

Der Fall Wagner 308
Die Familie Schroffenstein 232, 240
Fantasie- und Nachtstücke 260, 263 f., 297
Faust 37, 97, 119, 160, 172, 175, 177, 182, 184, 187, 189–192, 206, 252, 285, 313
Feierabend 360
Ferdydurke 358
Der Findling 215 f.
Die Flamingos 66
Die Fliege 260
Das Fliegenpapier 100 f., 372
Forschungen eines Hundes 45, 129, 147, 237, 264, 299
Das Fräulein von Scuderi 276
Fragmente (Novalis) 190, 254

Frau Fönß 51
Frau Marie Grubbe 51
Die fröhliche Wissenschaft 300
Frühlingsschrei eines Knechtes aus der Tiefe 257
Der Fürst 191
Furcht und Zittern 93, 99, 279, 283–287, 289, 292, 296

Der Garten der Qualen 27, 46 f.
Das Gartenfest 355
Die Gazelle 66
Gebet des Zoroaster 232
Die Geburt der Tragödie ... 299, 301, 320
Das geheime Wunder 365
Der Gehülfe 95
Geistliche Oden und Lieder (Gellert) 189
Zur Genealogie der Moral 302
Germania an ihre Kinder 235
Geschichte des Herrn William Lovell 91
Gespräche Eckermanns mit Goethe 23, 192, 195, 203 ff.
Gespräche Goethes 170
Gespräche [Janouchs] mit Kafka 12, 29, 45, 53, 57 f., 79, 128, 334
Gibs auf 153
God, Man and Devil 110
Götzendämmerung 307, 312, 315
Gotische Zimmer 52
Grieche sucht Griechin 373
Die Grille und die Ameise 38
Grodek 70
Die größere Hoffnung 349
Der Gruftwächter 55
Gullivers Reisen 33

Hamlet 34 ff.
Der Heizer 28 ff., 88, 97, 209 f.
Die Hermannsschlacht 235, 239
Hochzeitsvorbereitungen auf dem Lande 22, 42, 57, 88, 90 f., 116, 123, 212, 281, 314
Huis clos 75, 372
Ein Hungerkünstler 33, 91 f., 141, 177, 287, 300, 316
Hymnen an die Nacht 133, 250, 255
Hyperion 37

Der Idiot 13
In der Strafkolonie 46 ff., 74, 90, 116, 118, 120 f., 123 f., 131, 146, 152, 179, 202, 210, 224, 236, 239, 245, 256, 261, 296, 346 f., 352, 356 f., 365, 374, 376 f., 380
Inferno 52, 55, 58
Die Inschrift des Gottes 364
Die Insel Sachalin 346 f.
Interfragmentarium 351
Iphigenie auf Tauris 170
Italienische Reise 200

Der Jäger Gracchus 141, 215, 307
Le Jardin des Supplices 27, 46 f.
Jenseits von Gut und Böse 293, 307, 311, 313
Johannes de Silentio 298
Josefine, die Sängerin 120, 299
Jud Süß 82

Kafka y sus percursores 362
Eine kaiserliche Botschaft 136, 143, 295, 362
Das Karussell 66
Klein Zaches 267
Eine kleine Frau 288
Die Königsbraut 267
Kol Nidre 110
Komödie 372
Die Krähen 66
Die Krankheit zum Tode 281, 283
Die Kreutzersonate 332 f., 340
Krieg und Frieden 334, 341
Kritik der praktischen Vernunft 290

Labyrinthe (El Aleph) 362 f., 366
Eine ländliche Idylle 335
Ein Landarzt 45, 74, 99, 109, 124, 215, 224, 274, 298
Lappschiess 360
Ein Leben 13
Lebensansichten des Katers Murr 265
Die Legende des Baalschem 39, 130
Die Leiden des jungen Werthers 170, 182, 207
Leonce und Lena 65, 74, 253, 257
The Life and Adventures of Martin Chuzzlewit 28
El linguaje de los Argentinos 364

La loteria en Babilonia 365
Lucretia 34

Madame Bovary 43, 167
Der Mann ohne Eigenschaften 67, 98, 101
Der Mantel 329
Die Marquise von O . . . 211 f., 217 f., 223, 231, 297
Menschliches, Allzumenschliches 306, 309
Der Meteor 373, 375
Michael Kohlhaas 61, 210 f., 216, 218, 223
Die Mitteilung 355
Mörder ohne Bezahlung 353
Die Möwe 344 f.
Möwenflug 66
Monstervortrag über Gerechtigkeit und Recht 373
Murphy 371 f.
Mysterien 51

Nach Damaskus 59, 326
Nachkommenschaften 62
Nachricht von einem gebildeten jungen Mann 271
Nachricht von den neuesten Schicksalen des Hundes Berganza 264
Der Nachsommer 62
Die Nachtwachen des Bonaventura 91
Nächtliches Gespräch mit einem verachteten Menschen 373
Der Namenlose 369
La Nausée 353
Der neue Advokat 141, 159, 270
Niels Lyhne 51
Non si sa come 50, 169
Novelle 256
Nußknacker und Mausekönig 267

Ödipus 11, 138 f., 146, 149 ff.
Oliver Twist 28 f.
Otras inquisiziones 134

Die Panne 373
Der Panther 66, 75
Papageienpark 66
Pensées . . . 39, 291

Penthesilea 232

Peter Schlemihls wundersame Geschichte 27

Phantasien im Bremer Ratskeller 260

Philosophische Brocken 295

Die Physiker 373, 375

Die Polizei 356 f.

Poseidon 140, 142, 159

Preface to la Metamorfosis 362

Der Prinz von Homburg 229, 232

Prometheus 133, 141 f., 159

Der Prozeß 9, 29, 35, 55, 74, 80, 82, 93, 98 f., 108 ff., 112, 124, 131 f., 143, 146, 148 f., 153, 156, 175, 191, 223, 238, 240, 245, 256, 274, 282, 285, 288, 298, 309 f., 326, 341 ff., 349 ff., 365, 372, 376

Rede des toten Christus vom Weltgebäude herab 91

Reise eines Malers nach Paris 351

Die Reisebegegnung: Kafka im Gespräch mit Nikolaj Gogol und E.T.A. Hoffmann 264

Religio Medici 364

Remarkable Criminal Trials (Aktenmäßige Darstellung merkwürdiger Verbrechen) 218

Requiem auf den Tod eines Knaben 253

Der Richter und sein Henker 373

Der Riesenmaulwurf 120

Die Riesin 81

Robert Guiskard 215

Der römische Brunnen 66

Römische Fontäne 66

Rückblick 257

Rückblicke 101

Sagen der Juden 110

Sagen polnischer Juden 110

Une saison en enfer 57

The Savage One 110, 123

Schakale und Araber 120, 127

Das Schloß 9, 39, 51, 53, 55, 82, 93, 98 f., 108 f., 120 f., 132, 135 f., 143, 145 f., 153, 156, 164 f., 168, 191, 216, 222, 224, 239, 286 ff., 291 ff., 295 f., 298 f., 311 f., 320, 341, 349, 351, 365, 371, 376

Schopenhauer als Erzieher 65

Schreiben Milos, eines gebildeten Affen, an seine Freundin Pipi, in Nordamerika 264, 271

Schuld und Sühne 13

Der Schwan 66, 254

Schwarze Fahnen 52

Schwarzschattende Kastanie 66

Das Schweigen der Sirenen 141, 159

Schwierigkeiten beim Häuserbauen 359

Der Schwimmer 351

Die Serapionsbrüder 267

Silentium 77

So ist es. Ist es so? 50, 169

Sonderbare Begegnungen 351

Die Sorge des Hausvaters 141

Stachelbeeren 345

Stadien auf dem Lebensweg 283

Der Steppenwolf 96

Strienz 360

Studien 62

Der Sturm 36 f.

Tagebücher 14, 22, 30, 42, 54, 56, 61, 71, 77, 81, 83 ff., 110, 113, 115, 121, 125, 142, 145, 171 ff., 175, 178, 186 f., 198, 211, 223, 228, 236, 247 ff., 255, 258, 265, 281, 308, 321

Talmud 24, 107, 110, 112, 117, 120, 124 f.

El tamaño de mi esperanza 363

La tentation de Saint Antoine 45

Terzinen über Vergänglichkeit 37

Der Teufel 332 ff.

Thora 116 f.

Der Tod 253

Der Tod der Geliebten 253

Der Tod des Iwan Iljitsch 331, 341–344

Der Tod des Moses 253

Der Tod in Venedig 96

Tonka 99

Der goldne Topf 267

Der Tor und der Tod 13

Torquato Tasso 182, 206, 249, 252

Transit 351

Der Traum des Sisyphus 351

Traum und Umnachtung 72

Ein Traumspiel 56 f.

Le trésor des humbles 77
Tristan 13, 96

Übung am Klavier 66
Ein ungeratener Sohn 359
Uno, nessuno e centomila 49
Das Urteil 44, 57, 61, 81, 84, 88 f.,
    99, 110, 114, 119, 124, 131 f., 215,
    245 f., 274, 278, 283 f., 286, 296,
    298, 321, 329

Der Vater 52
Vater und Sohn 81
Venus und Adonis 34
Der Verdacht 373
Die Verführung 80
Verklärter Herbst 73
Die Verlobung in St. Domingo 224
Vermächtnis 205
Der Verschollene 28 ff., 82 f., 110,
    121, 143, 153, 217, 223, 236, 248,
    341, 376
Der Verwaiser 372
Die Verwandlung 22, 35, 61, 88, 92,
    99 f., 110, 120, 123 f., 141, 176 f.,
    186, 209, 213, 217, 222 f., 245, 260,
    274, 278, 286, 288, 298, 316, 329,
    342 f., 351, 357, 369 f.

Verwandlung des Bösen 72
Verwirrte Sinneswahrnehmungen 57
Des Vetters Eckfenster 268
Vom Tode Mariae 253
Vor dem Gesetz 112, 127, 151, 153,
    292, 318, 372

Die Wahlverwandtschaften 96, 170,
    182, 207
Warten auf Godot 136, 370, 372
Der Weiher 66
Wesendonk-Lieder 250
Das Wesentliche 360
West-östlicher Divan 180
Wie die Alten den Tod gebildet 208
Wie ich ein Fisch wurde 351
Die Wiederholung 279, 291
Die Wiedertäufer 373
Der Wilde 110, 123
Wilhelm Meister 96, 191, 194
Der Wille zur Macht 300
Winternacht 69, 72

Zahme Xenien 204
Der Zauberberg 96
Die Zelle 351
Der Zweikampf 224, 231, 297
Zwischen Raubvögeln 306